ISBN 978-0-266-69828-9
PIBN 10986867

1 MONTH OF
FREE
READING

at

www.ForgottenBooks.com

By purchasing this book you are eligible for one month membership to ForgottenBooks.com, giving you unlimited access to our entire collection of over 1,000,000 titles via our web site and mobile apps.

To claim your free month visit:

www.forgottenbooks.com/free986867

Inhalts-Verzeichnis.

I. Abteilung.

Abhandlungen.

II. und III. Abteilung.

Rezensionen und literarische Notizen.

(Die Schriftsteller-Ausgaben sind unter dem Namen der Schriftsteller eingereiht, die übrigen
Bücher unter dem Namen des Verfassers, Sammelwerke unter dem Namen des Herausgebers
oder Verlegers.)

IV. Abteilung.

Miscellen.

Personalnachrichten.

I. Abteilung.

Abhandlungen.

~~~~~

Zum grammatisch-stilistischen Unterricht im Lateinischen.*)

Nach dem altererbten Herkommen bestimmt vorzugsweise ein leitender Gesichtspunkt den grammatisch-stilistischen Unterricht im Lateinischen: der Schüler soll für die wichtigsten sprachlichen Erscheinungen mit der „gut" lateinischen Ausdrucksweise, mit dem sogenannten „klassischen" Sprachgebrauch so vertraut werden, dafs er bei den deutsch-lateinischen Übungen nur „gute" Latinität anwendet. Die Abgrenzung der guten Latinität wird aber für die Schule nach der allgemein herrschenden Gewohnheit mit besonderer Strenge vorgenommen, eine Strenge, welche bei näherer Prüfung vielfach als ungerechtfertigte Einschränkung des thatsächlich bestehenden Sprachgebrauchs erscheint. Das in dieser Hinsicht übliche Verfahren beim lateinischen Unterricht bekämpft G. v. Kobilinski wie schon öfter bei früheren Gelegenheiten, so neuerdings sehr nachdrücklich im 45. Bd. (1891) d. Z. f. d. G. S. 399 ff., wo er z. B. unter anderem sagt: „In dem sogenannten Antibarbarus fällt bei der Zusammenstellung der Germanismen die häufige Ausscheidung gut lateinischer Verbindungen auf, die nur selten auf Unkenntnis, in den meisten Fällen auf das fehlerhafte Bestreben zurückzuführen ist, die Spracherscheinungen nach ihrer Häufigkeit bei den Klassikern abzustufen und ohne Rücksicht auf die Berechtigung mehrerer Ausdrucksweisen nur die gebräuchlichste Form als Regel hinzustellen . . . . . Das Resultat der Methode in der formalen Behandlung der lateinischen Sprache ist eine eigenartige Sprache, der man nicht mit Unrecht den Namen „Schullatein" gegeben hat, um einen Gegensatz zu ihrem Muster, den klassischen Autoren, auszudrücken . . Aus dem Sprachgebrauch Ciceros ist ein Kanon aufgestellt, der ihn gewissermafsen reinigt." Die hier gekennzeichnete Schulpraxis wirkt nach verschiedenen Richtungen hin nachteilig. Wie sie bei den deutsch-lateinischen Übungen mancherlei Einseitigkeit und Verkehrtheit veranlafst, z. B. die Verwendung von Zeit und Kraft für die Einübung von Konstruktionen, welchen die vorausgesetzte Wichtigkeit nicht zukommt, die Beanstandung von ganz richtigen Ausdrucksweisen bei den Korrekturen in der Schule, so erschwert sie oft auch eine ver-

---

*) Vgl. Bd. XXVI S. 18 d. Bl.

ständige Auffassung des Sprachgebrauches der eigentlichen Schulschriftsteller, eine wichtige Seite der Sache, die weiter unten des
näheren besprochen werden soll. Zunächst will ich ähnlich wie im
XXVI. Bd. (1890) dieser Bl. S. 16 ff. nochmal an einer Reihe bestimmter
Fälle nachweisen, daſs die von Kobilinski gerügte Schulpraxis wirklich noch besteht; hiefür wird eine genauere Beleuchtung mancher
Regeln, welche einige während der letzten Jahre erschienenen Lehrbücher aufstellen, eine geeignete Grundlage bieten.

Schreiben grammatisch-stilistische Lehrbücher, Phraseologien
und dgl. für deutsche Wendungen eine abweichende Übersetzung ausdrücklich und ohne weitere aufklärende Beifügung vor, so muſs sie
der Schüler für die allein richtige halten.   Daher wird er aus der
Bemerkung Heynachers[1] S. 9: „C. ist nicht fleiſsig genug C. parum
diligens est" auf die Unzulässigkeit der wörtlichen Übersetzung mit
non satis schlieſsen, während wir doch z. B. Nepos praef. 1 non
satis dignum; Them. 8, 3 non satis tutum; Caesar b. g. 3, 13, 6 non
satis commode; Cic. Br. 5 non satis grato animo; 66 non satis
apertis; 71 fabulae non satis dignae; Tusc. 2, 44 non satis intellego;
1, 6 sed non satis eruditis, ferner bei Merguet im Lexikon zu Ciceros
Reden etwa 20 Stellen für non satis finden.   Welchen Zweck soll bei
dieser Sachlage die Aufstellung einer besonderen, die Freiheit in der
Wahl des Ausdrucks beengenden Vorschrift über die Anwendung von
parum für die Schule haben?   Übrigens wird hier diligens =
fleiſsig gebraucht; hingegen äuſsert Tegge[2] im Vorwort S. V, es
sei eigentlich doch empörend, daſs z. B. der Sextaner oft als Bedeutung von diligens „fleiſsig" statt „sorgfältig" u. dgl., also eine ganz
falsche Bedeutung lerne und etwa in Sekunda und Prima erfahre,
daſs er Falsches gelernt habe; Muche,[3] welcher den Bedeutungs-
unterschied der Wörter in zweckmäſsiger Weise womöglich durch
kurze Entwicklung der Etymologie aufzuklären sucht, unterscheidet
gleichfalls diligentia (diligere von dis und legere = aus-lesen, achten,
daher diligentia eig. das Achten) Pünktlichkeit, Sorgfalt, Gewissenhaftigkeit von industria Betriebsamkeit, Regsamkeit, Fleiſs.

Heynachers Regel S. 9, cum werde dem Personalpronomen und
Relativum angehängt, gilt ebenfalls nur für das Schullatein; der
Schüler selbst kann wie bei Nepos und Livius so auch bei Cicero
cum vor dem Relativum lesen, z. B. Sull. 7, off. 2. 82 cum quibus;
Br. 3, acad. 2, 11 cum quo.   Herm. Menge[4] erklärt Nr. 129 seines
reichhaltigen Repetitoriums (wie Kühner, Ausf. Gr. II S. 425) die
Stellung von cum vor dem Relativum mit Recht für zulässig, ebenso

---

[1] Dr. Max Heynacher, Lehrplan der lat. Stilistik für die Klassen
Sexta bis Prima. 2. verm. Aufl. Paderborn. Schöningh 1889.
[2] Dr. Tegge, Lat. Schulphraseologie 1. u. 2. Heft. Berlin. Weidmann
1889/90. M. 0,60 u. 1,20.
[3] Dr. Felix Muche, Kurzgef. lat. Schulsynonymik. Berlin. Gärtner-
Heyfelder 1890.
[4] Dr. Herm. Menge, Repetitorium der lat. Syntax und Stilistik, ein
Lernbuch für Studierende und vorgeschrittene Schüler, zugleich ein praktisches
Repertorium für Lehrer. 6. ber. u. erg. Aufl. Wolfenbüttel. Zwiſsler 1890. M. 7.

Landgraf, l. Schulgr. § 283, 3 e, Ellendt-Seyffert-Fries § 148 I, Stegmann § 97.

Im Pensum der Quinta schliefst Heynacher S. 8 durch die Regel: „Multo verstärkt den Komparativ, longe den Superlativ" die Verwendung von multo beim Superlativ aus, wiewohl er später im Widerspruch hiemit beim Pensum der Sekunda S. 25 lehrt: „Verstärkung des Superlativs durch unus omnium, multo, longe, quam", und es doch nicht zweckmäfsig sein kann, für die unteren Klassen die mustergültige Latinität anders zu begrenzen als für die oberen. In der Schule multo beim Superlativ zu verbieten ist unberechtigt, da es nicht blofs bei maximus als alliterierende Verbindung sondern auch sonst vorkommt, wie Cic. Pomp. 1 multo iucundissimus, Verr. 4, 109 multo antiquissimum, div. in Caec. 36 multo molestissima; trotzdem will auch Schmalz, Antib. II. S. 30 in der Schule nur longe in Verbindung mit dem Superlativ gestatten.

Heynachers Erklärung S. 9: „Magis, maxime bezeichnen den höheren Grad, plus, plurimum die gröfsere Menge" beschränkt den Gebrauch von plus viel zu sehr, steht ferner auch mit dem später S. 29 für einen anderen Fall gegebenen Beispiel: fabulis Terentii plus delector quam Plauti nicht im Einklang. Richtiger bemerkt H. Menge in einem seiner neuesten Schulbücher:[1] „Da man im Positiv ebensowohl multum amare wie valde amare sagt, so kann man im Komparativ neben magis amare auch plus amare sagen." (Übungsbuch S. 35). Dafs die Schulpraxis mit der üblichen Regel den Gebrauch von plus nicht entsprechend darstellt, zeigen Stellen wie Cic. Tusc. 3, 72 plus alterum diligit (so häufig bei diligere); sen. 27 desidero non plus quam; Verr. 5, 123 plus, quam satis est, doleo; Phil. 13, 8 me eius beneficio plus quam pro virili parte obligatum puto; prov. cons. 24 plus otio quam communi patriae prospexerint; fin. 3, 64 utilitati omnium plus quam unius alicuius aut suae consulit vergl. mit rep. 5, 8 qui populi utilitati magis consulat quam voluntati. Auch Landgraf § 238, Muche S. 24, Drenckhahn in der neuesten Aufl. des Leitf. zur l. Stil.[2] S. 24, 44 geben nur die einseitige Regel der Schulpraxis.

Für „niemals einer, nirgends etwas" u. dgl. schreiben Heynacher S. 15 und Menge in der lat. Stil. S. 27, ebenso Landgraf § 260, Stegmann § 179 einfach nemo unquam, nihil unquam vor, während Menge im Repetitorium S. 310 doch beifügt: „Jedoch finden sich auch die energischeren Ausdrücke nunquam quisquam u. dgl., z. B. Cic. Tusc. 2, 29; fin. 1. 50 etc." Da nach Schmalz Antib. II S. 419 nunquam quidquam u. dgl. stärker negiert, was in den Ausdruck hineinzulegen bei solchen Wendungen dem Redenden freisteht, da wir beispielsweise Cic. n. d. 2, 76 nunquam quemquam; Verr. 1, 82

---

[1] Dr. Herm. Menge, Lat. Stilistik für die oberen Gymnasialklassen. M. 1. — Übungsbuch zur lat. Stilistik. M. 0,60. Wolfenbüttel. Zwissler 1890.
[2] O. Drenckhahn, Leitfaden zur lat. Stilistik für die oberen Gymnasialklassen. Berlin. Weidmann 1890. 3. Aufl. M. 0, 60.

Lampsacenos in istum nunquam ulla res mitigasset; Mur. 61 nunquam cuiusquam delicto ignoscere; Sest. 56 deinde nunquam iam, ut spero, quisquam improbus . . . dicet; 101 quem nunquam ulla vis, ullae minae, ulla invidia labefecit; Caec. 63 ut nunquam benignius neque attentius quemquam auditum putem; Liv. 23, 22, 8 nunquam rei ullius alieniore tempore mentionem factam in senatu lesen, so darf in der Schule ein solcher Ausdruck nicht in verkehrter Weise als unrichtig bezeichnet werden.

Bei Heynacher wird ferner S. 18 ohne weiteres gelehrt: „Neque enim, neque vero, neque tamen stehen zu Anfang des Satzes für non enim, vero, tamen", ähnlich bei Tegge II S. 9 u. 13,‘ während nach Menge, lat. Stil. S. 37 auch non enim, nam non, nemo enim gebraucht werden. So sehr die Schule die im Lateinischen häufigen Wendungen mit neque betonen mag, so unberechtigt ist es, andere gleichfalls gut lateinische Ausdrucksweisen wie non enim, nam non u. dgl. als fehlerhaft zu verwerfen, vergl. z. B. Nep. Them. 8 tamen non effugit civium snorum invidiam.

Heynacher bemerkt S. 9: „Nur einer unus, nur wenige pauci, nur einmal semel"; S. 17: „Nur unübersetzt in raro, unus, pauci, paulum"; ähnlich Tegge II S. 47, Menge in der l. Stil. S. 33, im Repetit. S. 326, Landgraf § 273, Stegmann § 268. Auf Grund solcher Regeln in den Lehrbüchern betrachtet man in der Schule Ausdrücke, welche die Klassiker selbst in folgenden Stellen gebrauchen, als un-lateinisch und fehlerhaft: Caes. b. g. 5, 41, 7 Cicero ad haec unum modo respondit; Cic. acad. 2, 101 si ita sit, ut unum modo sensibus falsum videatur; Phil. 1, 14 unus modo consularis; leg. 1,53 de re una solum dissident; . . . . unane est solum dissensio?; Sest. 130 unus est solus inventus qui; Caes. b. g. 4, 25, 2 paulum modo pedem retulerunt; 6, 27, 3 paulum modo reclinatae; b. c. 3, 10, 7 si vero alteri panium modo tribuisset fortuna; Cic. Phil. 2, 7 qui paulum modo bonorum consuetudinem nosset; fam. 1, 5b, 2 si paulum modo ostenderit sibi placere; Nep. Ham. 1, 4 si paulum modo res essent refectae; Caes. b. g. 6, 35, 3 quae parvam modo causam timoris afferret; 7, 52, 2 ne parvum modo detrimentum accideret; Cic. Phil. 2, 119 duo modo haec opto; Liv. 2, 33, 3 duos tantum.

Nach dem gewöhnlichen Herkommen wird bei Wendungen wie: Alcibiades war der schönste Mann seiner Zeit in der Schule illius aetatis gefordert und aetatis suae nicht gebilligt, so von Tegge II S. 20, welcher Nep. Alc. 1, 2 omnium aetatis suae multo formosissimus für das schulgerechte Latein in illius aetatis verbessern zu müssen glaubt; im XXVI. Bd. dieser Bl. S. 18 führe ich aus Livius 4 Stellen mit aetatis suae an und Landgraf bemerkt § 242 gleichfalls: „Doch auch aetatis suae." Dagegen lehrt H. Menge, l. Stil. § 38 neuerdings: „Wenn das deutsche Possessivum gar nicht den Begriff des Besitzes oder der Zugehörigkeit enthält, wird es im Latein durch hic, is, ille ausgedrückt oder bleibt unübersetzt: „Aristoteles, homo doctissimus illius aetatis seiner Zeit." Allein die Annahme, daß bei ähnlichen

Wendungen der Auffassung des lat. Sprachgebrauches die Vorstellung der Zugehörigkeit überhaupt widerspreche, erweisen Ausdrücke wie Cic. Tusc. 1, 5 nostram ad aetatem verglichen mit dem gleich darauffolgenden ad hanc aetatem, Cic. leg. 1, 8 sunt enim maximae res in hac memoria atque aetate nostra, Mil. 77 multas . . . victorias aetas nostra vidit als unhaltbar. Läfst sich also auch in den erhaltenen Schriften Ciceros die spezielle Wendung aetatis suae nicht nachweisen, so verstöfst sie doch keineswegs gegen die Anschauungsweise des klassischen Sprachgebrauches und die Zulassung derselben nach Nepos, Livius, auch Quintilian (10, 1, 38 de omnibus aetatis suae, quibuscum vivebat) wird das Schullatein gewifs nicht verunstalten.

In der hergebrachten Weise verlangen Heynacher S. 29, Tegge II S. 88 für „die Belagerten" die Umschreibung qui obsidentur und die Schulpraxis pflegt solchen Vorschriften gemäfs die Anwendung von obsessus als Fehler zu betrachten. Neben den Bd. XXVI. S. 18 für obsessus in diesem Sinne angeführten Stellen aus Livius sind wegen des Gegensatzes mit dem Part. Präs. besonders bezeichnend Liv. 23, 37, 5 ut eo die obsesso quam obsidenti similior esset Poenus; 25, 11, 11 propiusque inopiam erant obsidentes quam obsessi; im Gegensatz zu anderen Lehrbüchern behandelt A. Mayer[1]) diesen Fall zutreffend, indem er Nr. 106, 14 sagt, der Relativsatz sei häufiger als das Partizip oder Substantiv und durch Verweisung auf Liv. 25, 11, 11 auch obsessus als gut lateinisch anerkennt.   In einem ähnlichen Falle schreiben Landgraf § 114, Schmalz, 1. Schulgr. § 242 und andere für: ist betitelt ausdrücklich inscribitur vor, während Schmalz im Antib. II S. 603 zwischen inscribitur und inscriptus est unterscheiden will, je nachdem Cicero von fremden Schriften mit allgemein bekanntem Titel und Inhalt oder von seinen eigenen spricht. Doch diese Unterscheidung läfst sich schwerlich aufrecht erhalten; mit Rücksicht auf die bekannten Stellen Cic. div. 2, 1 eo libro, qui est inscriptus Hortensius, de or. 2, 61 deceptus indicibus librorum, qui sunt fere inscripti de rebus notis et illustribus wird die Schulpraxis am zweckmäfsigsten verfahren, wenn sie in Sätzen wie: „Das Buch ist betitelt" auch das Perfekt zuläfst und nicht durch eigens für die Schule zugerichtete Regeln einen besonderen „Fall" aus der Sache macht.

Die Erklärung bei Heynacher S. 36: „cogitatio Thätigkeit des Denkens, cogitatum Produkt des Denkens" steht mit dem thatsächlichen Sprachgebrauch im Widerspruch, da doch Cic. Tusc. 1, 6 mandare quemquam literis cogitationes suas sagt; richtig bemerkt H. Menge, 1. Stil. § 5: „cogitatio auch im konkr. Sinn Gedanke."

Heynachers Regel S. 23: „In einem Falle heifst Ankläger is qui accusat" (ähnlich bei anderen wie Landgraf § 223, Schmalz § 313, Stegmann § 258) entspricht in dieser Fassung Ciceros Sprachgebrauch

---

[1]) A. Mayer. Übungen des lat. Stils für mittlere Gymnasialklassen im Anschlufs an die Lektüre des C. Nepos und Caesar nebst einem phil. Kommentar. 5. und 6. Schuljahr (Tertia). Freiburg im Breisgau. Herder 1891. M. 3,40.

in den Reden bezüglich des Wortes a c c u s a t o r gewifs nicht, man
vergl. Sull. 78 quaestiones nobis servorum accusator et tormenta
minitatur. In ähnlicher Weise darf ~~man die Verwendung~~ des Subst.
l e c t o r für das deutsche „L e s e r", wenn man auch die Umschreibungen mit legere als besonders gebräuchlich hervorheben mag, doch
nicht als Verstofs gegen den guten Sprachgebrauch ansehen, da sich
lector aufser bei Nep. Lys. 2, 1; Ep. 1, 1; Pel. 1, 1; Att. 19, 1 auch
bei Cic. fam. 5, 12, 4 nihil est aptius ad delectationem lectoris quam
temporum varietates fortunaeque vicissitudines findet.
    Die Neigung der Schulpraxis, im Widerspruch mit der Freiheit
des in den Schriftstellern vorliegenden Sprachgebrauches allenthalben
beengende Schranken aufzurichten, zeigt sich auch bei den Vorschriften
über die S t e l l u n g mancher Ausdrücke.   Während nach Kühner,
Ausf. Gr. II. S. 667 e t i a m eine freie Stellung hat, da es bald vor
bald nach dem Worte, zu dem es gehört, stehen, oft auch getrennt
von demselben vorangehen kann, mufs es nach Heynacher S. 9 an
erster Stelle stehen. — Drenckhahn führt § 71 unter den Einzelheiten
ausdrücklich die Stellung von omnes f e r e civitates an; allein wir
lesen bei Caes. b. g. 5, 13, 1 fere omnes ex Gallia naves; 6, 13, 5
fere in omnibus controversiis; Nep. Eum. 2, 3 quod fere omnes in
magnis imperiis concupiscunt; Cic. fin. 5, 17 constitit . . . fere inter
omnes; 5, 36 quae fere omnia appellantur; aufserdem bei Merguet
im Lex. zu Ciceros Reden 7 solche Stellen. — H. Menge, 1. St. § 104
bemerkt: „Rex Deiotarus (rex voranstehend vom ererbten Titel)",
ähnlich Landgraf § 283: „Doch steht imperator in der Bedeutung
Kaiser voran, ebenso rex"; doch ein Kenner wie I w a n v o n M ü l l e r
äufsert bei der Besprechung der Üb. des lat. Stils von Nägelsbach-
Baumann im XVI Bd. dieser Bl. S. 480 über die Anweisung, imperator als Kaisertitel voranzustellen: „Die von Krebs-Allgayer im Antibarbarus s. v. Imperator angeführten Beispiele lehren, dafs dieser Titel
ebensowohl nach- als vorangestellt werden kann." Demnach mifsbilligt
für das Schullatein besonders zugeschnittene Vorschriften auch ein
Sachverständiger von Iw. Müllers Bedeutung; wegen der Stellung von
rex vergl. Cic. Verr 4, 70, Pomp. 55, Phil. 8, 23 Antiochum regem;
Pomp. 12 Ariobarzanes rex. — Während die Abl. comp. s p e, o p i -
n i o n e, e x s p e c t a t i o n e u. s. w. nach Kühner, Ausf. Gr. II. S. 977
i n d e r R e g e l vor dem Komparativ, nach H. Menge, 1. St. S. 13
g e w ö h n l i c h voranstehen, führen Heinacher S. 19, Tegge II S. 49,
Landgraf § 283 exspectatione celerius unter den „festen Wortstellungen"
auf; jedoch Cic. Cat. 4, 6 steht latius opinione; de or. 2, 101 maior
opinione; Lael. 58 plus aequo; Sall. Cat. 51, 11 gravius aequo; Caes.
b. c. 3, 21, 1 minus opinione sua; Liv. 22, 14, 2 celerius solito und
22, 2, 2 solito magis.   Übrigens wäre es, wie Landgraf in den
Literaturnachweisen zur 1. Gr. S. 29 aus Cic. rep. 6, 10 artior, quam
solebat, somnus erwähnt, hier und in anderen Fällen auch für die
Schulpraxis zweckmäfsig, die M a n n i g f a l t i g k e i t des lateinischen
Sprachgebrauches zu berücksichtigen und sich nicht auf einseitige Einübung einer einzelnen Ausdrucksform zu beschränken; man vergleiche

z. B. für den vorliegenden Fall Cic. acad. 1, 2 silent enim dintius Musae Varronis, quam solebant; sen. 4 obrepere aiunt eam citius, quam putavissent; rep. 2, 7 cum mihi nihil improviso nec gravius, quam exspectavissem, pro tantis meis factis evenisset; S. Rose. 128 facetius eludimur, quam putamus; Sest. 82 paulo citius, quam vellem; Caes. b. g. 4, 6, 1 maturius, quam consuerat; 4, 32, 1 pulverem maiorem, quam consuetudo ferret. Beachtung verdienen ferner Wendungen wie Nep. Hann. 12, 4 plures praeter consuetudinem armatos apparere; Cic. Plane. 82 quod gratum praeter modum dicat esse; Tusc. 5, 105 praeter modum instus; de or. 3, 41 vox . . . quasi extra modum absona atque absurda. In den Bereich der eben besprochenen Konstruktionen gehört die früher und vielleicht noch gegenwärtig bei den Schulübungen besonders beliebte Wendung mit quam pro nach einem Komparativ, für welche H. Menge, lat. St. § 29 und Landgraf § 238 den Satz: proelium atrocius editur quam pro numero pugnantium anführen; allein diese von den Lehrbüchern als gut lateinisch gebilligte und demzufolge in der Schulpraxis oft speziell eingeübte Ausdrucksweise ist dem Livius eigentümlich und bei Cicero nicht nachweisbar (Riemann, études sur la langue et la grammaire de Tite-Live S. 219). Weshalb wird dann sonst der Livianische Sprachgebrauch nicht anerkannt? Auch hier sollte die Möglichkeit einer anderen Ausdrucksweise nicht unbeachtet bleiben, vergl. Liv. 10, 4, 1 nuntiata ea clades Romam maiorem, quam res erat, terrorem excivit; 10, 33, 8 quarum rerum fama tumultuosior, quam res erat, perlata Romam coëgit . . . .

Schon die obigen Nachweisungen werden, namentlich in Verbindung mit den Darlegungen in diesen Bl. Bd. XXV S. 34 ff. und Bd. XXVI S. 16 ff., zur Begründung der Behauptung hinreichen, dafs beim grammatisch-stilistischen Unterricht noch vielfach eine einseitige Schulpraxis herrscht. Übrigens äufserten sich in neuerer Zeit sehr beachtenswerte Stimmen gegen die Einseitigkeit der Schulpraxis; so sagt Schmalz in den Erläuterungen zur lat. Schulgr. S. 4: „Jedoch ist gröfste Vorsicht nötig bei der Entscheidung über Ausschliefsung oder Beibehaltung einer Konstruktion, weil die Schulgrammatik sonst den Sprachgebrauch zu sehr einengen und somit syntaktische Erscheinungen ausschliefsen kann, welche gut lateinisch sind und sich vielleicht nur zufällig seltener finden. Gerade hier wirkt die Kürzung oft recht nachteilig und gibt ein falsches Bild des Sprachgebrauches"; ferner Landgraf in den Literaturnachweisen zur lat. Schulgr. S. 43: „Vor allem wurde darauf gesehen, dem Schüler zu zeigen, dafs die lateinische und deutsche Ausdrucksweise selten so weit auseinandergehen, dafs nicht auch der Lateiner die dem Deutschen entsprechende Art zu reden anwenden kann. Durch solche Winke und Hinweise wird nicht nur dem Schüler die Sache erleichtert, sondern auch Zeit zur Einübung des vom Deutschen abweichenden lateinischen Sprachgebrauches gespart." Bekanntlich hat ferner Stegmann in eingehenden Ausführungen manche der üblichen Vorschriften als zu eng gefafst nachgewiesen, z. B. N. Jahrb. 1890 II S. 35 unter

anderem die Regel, im Lateinischen sei die Verbindung eines Sub-
stantivums mit einem acc. cum inf. nicht gebräuchlich. Allein in ihren
Schulgrammatiken führen die genannten Gelehrten solche Grundsätze
noch nicht konsequent durch, sondern halten an unberechtigten Einschränkungen fest; beispielsweise verlangen Landgraf § 227, Stegmann
§ 158, Schmalz § 144 (wie auch Heynacher S. 16) für den Ausdruck
die Schlacht bei Cannä Wendungen wie pugna Cannensis, pugna
ad C. facta, pugna, quae facta est ad C. oder wenigstens die streng
attributive Stellung des Präpositionalausdruckes in einer Form, welche
für das Schullatein die Verpönung einer andern Ausdrucksweise bedeutet. Und doch kann man sich gegen solche Einschränkung auf
Schmalz selbst berufen, der im Antib. I S. 76 sagt: „Auch darf man
gar keinen Anstand nehmen, ad mit einem Substantiv ohne eine
stützende Verbalform zu verbinden, z. B. cum Piliae nostrae villam
ad Lucrinum, vilicos, procuratores tradidissem Cic. Att. 14, 16, 1 und
so oft bei Livius: nam excessisse pugna ad Trebiam in annum Cn.
Servilii non potest Liv. 21, 15, 6“; ferner S. 173: „In Ausdrücken
wie: in der Schlacht bei Sena u. dgl. kann auch lat. apud ohne ein
stützendes Partizip (facta) wie unser „bei“ gebraucht werden, z. B.
magni opera eius existimata est in proelio apud Senam Nep. Cat. 1, 2;
incredibilis apud Tenedum illa pugna navalis Cic. Arch. 9, 21, ebenso
n. d. 3, 11“. Außerdem läfst sich noch Cic. Mur. 33 illam pugnam
navalem ad Tenedum anführen; warum soll also in der Schule eine
solche Ausdrucksweise nicht als gut lateinisch oder gar als ein Fehler
gelten? Dadurch wird dem Schüler ein falsches Bild vom Sprachgebrauch gegeben, ebenso z. B. wenn er infolge der fortwährenden
Korrekturen daran gewöhnt wird, bei der coning. per. pass. nur den
Dativ für richtig und eine Konstruktion wie tamen a me in dicendo
praetereunda non sunt für fehlerhaft zu halten, die er später selbst
bei Cic. Pomp. 34 lesen kann; vergl. Landgraf § 126 u. 166, Stegmann § 197. Im XXVI. Bd. d. Bl. S. 17 führe ich 6 Stellen aus
Cicero mit a b an, bei denen nicht die Vermeidung von Zweideutigkeit
beabsichtigt sein kann; Schmalz § 158 und Ellendt-Seyffert-Fries
§ 280 A. 1 weisen auf die Möglichkeit der Konstruktion mit a b hin.
       Wie in manchen der erwähnten Beispiele so mufs auch bei
vielen anderen die Ungleichmäfsigkeit auffallen, welche sich oft
in verschiedenen Lehrbüchern bei der Darstellung der gleichen sprachlichen Erscheinung oder in ein und demselben Schulbuch bei der Behandlung verschiedenartiger Fälle bemerkbar macht. Schmalz gestattet
z. B. § 186 A. 2 Magnesiae. in oppido Asiae, und Magnesiae, oppido
Asiae (ohne Präp.) mit Rücksicht auf die Stelle bei Cic. Arch. 4
Antiochiae, celebri quondam urbe (Erläut. S. 26), und zwar ganz mit
Recht, nur wäre bei dem Acc. § 187 A. 1 die Auslassung der Präp.
gleichfalls zu erlauben, (vergl. Cic. leg. agr. 2, 76 Capuam colonia
deducetur, urhem amplissimam atque ornatissimam), wie auch Stegmann in der W. f. kl. Ph. 1891 Nr. 24 S. 664 zur Bergerschen
Grammatik hervorhebt — nebenbei bemerkt Konstruktionen, welche
die Schulpraxis wohl überall als schlimme Fehler behandelt. Wenn

nun Schmalz bei den Ortsbestimmungen auf Grund jener Stelle Ciceros
solche Freiheit gewährt, warum kann dann die Auslassung des Sub-
jektsaccusativs beim Infinitiv trotz ihres häufigen Vorkommens bei
Cicèro, annon in der indirekten Frage trotz Cic. inv. 1, 17 und 2, 60
wozu noch Balb. 22 kommt, und anderes in der Schule nicht geduldet werden? (Erläut. S. 4). Bei dem zuletzt genannten Punkte
macht sich wiederum die Ungleichmäfsigkeit in dem Verfahren der
verschiedenen Grammatiken bemerkbar: Landgraf nimmt § 213
annon in indirekten Fragen auf wie schon früher Englmann;
Schmalz hingegen schliefst sich Stegmann an, der (N. Jahrb. 1887 II
S. 261) gegen Kobilinski ausführt, dafs keine dieser Stellen dem
Schüler je zu Gesicht kommen werde und necne doch bei weitem
häufiger sei. Zweifellos kann der erstere Umstand für die Darstellung
des thatsächlichen Sprachgebrauches in keiner Weise mafsgebend
sein. Wenn dann Stegmann noch beifügt: „Selbstverständlich will
ich Kobilinski zugestehen, dafs der von ihm verteidigte Sprachgebrauch
klassisch nachweisbar ist, auch würde ich es vielleicht (!) niemand
verdenken, wenn er auf Grund der obigen Stellen für ein annon in
der indirekten Frage dem Schüler keinen Fehler anrechnen will", so
scheinen mir damit die zutreffendsten Gründe gegen die Zweckmäfsigkeit des eingeschlagenen Verfahrens dargelegt zu sein: wer erwägt,
wie verwirrend bei Schülern solche Widersprüche in dem Verfahren
des Lehrers und des Lehrbuches wirken, wie mifslich sich die Sache
oft in der Praxis bei einer sich widersprechenden Behandlungsweise
verschiedener Lehrer gestaltet, wird für die Schule gewifs diejenige
Darstellung des Sprachgebrauches vorziehen, welche derartigen Mifsständen von vornherein vorbeugt, und zwar um so mehr, wenn die
lateinische Grammatik, wie Schmalz mit Recht hervorhebt, für den
Lernenden eine Schule der Logik sein soll. Diesem wichtigen
Zwecke wird möglichste Vermeidung von Widersprüchen, welche den
Schüler stören müssen, besser dienen. Mit Rücksicht darauf sollte
die Schulpraxis auch nicht mit Vorliebe Fälle heranziehen, bei denen
die Meinungen der Gelehrten in seltsamer Weise auseinandergehen.
Während z. B. Tegge I. Vorw. S. VII sagt: „Wichtiger schienen mir
Verbindungen wie neque enim (vero u. s. w.), itaque cum, sed post-
quam u. s. w. Ich weifs recht wohl, dafs es cum igitur gibt, aber
nicht, dafs es dasselbe ist wie itaque cum; und durch ein paar falsch
übersetzte Stellen ist die zu grunde liegende allgemeine Regel nicht
widerlegt" — vergl. auch Heynacher S. 19 über cum igitur — urteilt
Stegmann in der Rez. der lat. Stil. von H. Menge (W. f. kl. Ph. 1891
Nr. 32 33 S. 891): „Die Bemerkung, dafs itaque cum besser sein soll
am Anfang des Satzes als cum igitur, nam ut besser als ut enim,
sed cum häufiger als cum autem u. s. w. ist durchaus unbegründet,
wie hunderte von Cicerostellen zeigen." In Ungleichmäfsigkeiten bei
der Beurteilung der beim Schulunterricht behandelten sprachlichen
Erscheinungen, wie sie hier berührt wurden, liegt wohl an sich schon
ein Beweis für die Mangelhaftigkeit des üblichen Verfahrens; das

Streben nach größerer Gleichmäßigkeit wird daher auch zur Vervollkommnung des letzteren beitragen.

Die Bedeutung der angeregten Frage für die L e k t ü r e d e r S c h r i f t s t e l l e r sollte man keineswegs unterschätzen. Weil ich den von Schmalz für den sprachlichen Unterricht so sehr betonten Grundsatz vollständig billige: „Im Mittelpunkt unseres heutigen Betriebes alles sprachlichen Unterrichtes steht die Lektüre; i h r z u d i e n e n ist die Grammatik in erster Linie berufen" (Erläut. S. 3), kann ich ihm nicht ganz beistimmen, wenn er weiterhin bemerkt, die als brennend hingestellte Frage, wieweit der Lehrer in Zulassung der Eigentümlichkeiten Livianischer oder Sallustianischer Darstellung gehen dürfe, komme ihm gar nicht so brennend vor. Meines Erachtens handelt es sich nicht etwa ausschließlich um die deutsch-lateinischen Übungen, sondern sehr wesentlich auch um eine verständige Auffassung der in den Klassikern selbst vorliegenden Sprache. Wenn die grundlegende Behandlung des lateinischen Sprachgebrauches durch Schulgrammatik und Schulpraxis den Schüler daran gewöhnt, zahlreiche Erscheinungen in der Sprache der Klassiker nur als sorgfältig zu vermeidende „F e h l e r" anzusehen und zwar häufig als grobe Fehler, so bildet dieses Verfahren bei der nun einmal naturgemäßen Auffassungsweise des Schülers geradezu ein Hemmnis für die Erzielung einer verständigen Anschauung von dem Sprachgebrauch der Schriftsteller, von Sprache und Sprachentwicklung überhaupt. Der Widerspruch, in welchem das durch die herrschende Schulpraxis festgestellte Schullatein mit der Sprache der Klassiker steht, macht sich gleich bei dem ersten Schriftsteller, den die Schule behandelt, bei Nepos, recht störend fühlbar. Ich würde, um dies nebenbei zu bemerken, die eigentliche Schriftstellerlektüre im vierten Jahreskurse nicht mit Nepos, sondern mit dem ersten Buch von Cäsars b. g. beginnen, dessen Inhalt und Darstellung mir angemessener und ansprechender scheinen. Von Nepos könnte das Brauchbarste in eine Chrestomathie für die Anfangsjahre aufgenommen werden; maßgebend für mich ist jedoch hiebei nicht die Befürchtung, es möchte durch die Neposlektüre das Schullatein in seiner Reinheit leiden, sondern Inhalt, Darstellungs- und Auffassungsweise dieser Biographien. Behält man aber den Nepos nun einmal als eigentlichen Schulschriftsteller bei, so möchte ich nicht mit Schmalz für die Benützung des Nepos von Ortmann oder eines anderen „g e r e i n i g t e n" Textes sprechen (Erläut. S. 4). Der Sprachgebrauch eines Klassikers, welchen man in der Schule zum Studium vorlegt, darf doch nicht erst nach den engherzigen Vorschriften der herkömmlichen Schulgrammatik künstlich zurecht gerichtet werden. Wie ein so verkehrtes Prinzip zu schablonenmäßigem Formalismus führt, zeigt das Programm des Gymnasiums zu Meseritz 1890: Über die lat. Lektüre in Quarta; hier meint der Verf. Dr. Max E i c h n e r, Weidner und Ortmann kämen am meisten den berechtigten Wünschen hinsichtlich der Reinigung des Textes nach, seien sich aber nicht überall konsequent geblieben, z. B. lasse Ortmann mille m i l i t u m, i m p e r i i politus u. a. m. stehen. Allein da mille mit Gen. bei Cic.

Mil. 53; Phil. 6, 15; rep. 6, 2; Caes. b. c. 3, 84, 4 und häufig bei
Livius, ferner potiri mit Gen. bei Cäsar, Cicero, Sallust und Livius
vorkommt, so braucht man sicherlich solche Konstruktionen nicht für
etwas so Schreckliches anzusehen; vielmehr sollte sich gegen die Verirrung der einseitigen Schulpraxis, den Sprachgebrauch des Klassikers
der herkömmlichen Schulgrammatik zu liebe so willkürlich zu „reinigen", schon der gesunde historische Sinn sträuben. Wie also in
dem vorliegenden Falle nicht die möglichste Sicherstellung des bisher
ausschliefslich als schulgerecht geltenden mille milites oder imperio
potitus als wichtigstes Unterrichtsziel gelten kann, so sollen auch sonst
die grundlegende Darstellung der Schulgrammatik und die sich anschliefsende Einübung den Schüler nicht dazu anleiten, manche von
den im Sprachgebrauch der eigentlichen Schulschriftsteller regelmäfsig
wiederkehrenden Konstruktionen als „Fehler" zu betrachten, beispielsweise praestare a l i q u e m re, incsse a l i c u i, cum iterativum mit dem
K o n j u n k t i v des Imperfekt und Plusquamperfekt; es mufs ihm ja
sonst die sprachliche Darstellung des Nepos, Livius, Sallust, teilweise
auch des Cäsar und Cicero an nicht wenigen Stellen unerklärlich und
rätselhaft vorkommen. Übrigens erhebt sich in neuerer Zeit häufiger
Widerspruch gegen die einseitige Schulpraxis; so sagt W. H e r ä u s
in der W. f. kl. Ph. 1891 Nr. 23 S. 626 gelegentlich einer Rezension
der bekannten Schrift F ü g n e r s über Livius XXI—XXIII, welcher
für gröfsere Anerkennung des Livianischen Sprachgebrauches eintritt:
„Wir bekennen uns im Prinzip ganz einverstanden mit Fügner. Es
hat uns stets widersinnig geschienen, dem Schüler Konstruktionen zu
verbieten wie den acc. cum infin. nach non dubitare, den er in seinem
ersten Schriftsteller, dem Nepos, den er in reiferen Jahren in Roms
gröfsten Historikern, Livius und Tacitus, Jahre lang liest, mag auch
die Konstruktion von Cäsar, Cicero und Sallust nicht beliebt worden
sein." Diese Konstruktion existiert nach Stegmann § 233, Ellendt-
Seyffert-Fries § 216, Schmalz § 288, Landgraf § 192 für das Schullatein nicht; bei den deutsch-lateinischen Übungen pflegt sie die Schulpraxis als einen Fehler schlimmster Art zu behandeln. Schmalz beruft sich zur Begründung seines Standpunktes in den Erläuterungen
S. 6 auch auf die folgende Ausführung in der Livianischen Syntax
von K ü h n a s t: „Die Praxis der Schule wird nur dann in ihren
Forderungen konsequent bleiben können, wenn sie, um nicht eine
Mischsprache aus verschiedenen Kulturphasen des Latein zu dulden,
für den schriftlichen Ausdruck das Zeitalter der glänzendsten Ausbildung der Prosa zu grunde legt, markierte Eigentümlichkeiten selbst
von Schriftstellern dieser Periode ausschliefst und aus den angrenzenden
Zeitaltern nur solche Ausdrücke gestattet, bei welchen sichere Analogien uns überzeugt sein lassen, dafs sie auch im Zeitalter der Muster
zulässig gewesen sind." Doch was die herrschende Schulpraxis aus
den erhaltenen Schriften Ciceros und Cäsars als allein mustergültigen
Sprachgebrauch festzustellen pflegt, läfst sich schwerlich mit Recht
für eine in sich abgeschlossene „Kulturphase des Latein" erklären.
Beispielsweise gebraucht Sallust inesse alicui häufig, in aliquo nur

einmal, Livius inesse mit Dativ oft und Nepos an der einzigen Stelle,
wo sich inesse bei ihm überhaupt findet, während bei Cicero der
Dativ vielleicht an einer zweifelhaften Stelle (off. 1, 151), bei Cäsar
aber inesse überhaupt nicht vorkommt; praestare aliqua re mit D a t i v
hat Cicero und Cäsar (dieser nur an einer Stelle), während Nepos
öfter den A c c u s a t i v, den Dativ nur zweimal, Livius bald den Acc.,
bald den Dativ, Hirtius b. g. 8, 6, 2 den Acc. anwenden; non dubitare = nicht zweifeln, dafs mit acc. cum inf. kommt nach der allgemeinen Annahme bei Cäsar und Cicero nicht vor — aus den Fragmenten des letzteren führt Merguet an A. fr. 20 nemo dubitat, Aca-
demicum praelatum iri — allein in dem Briefwechsel Ciceros findet
sich diese Konstruktion bei Z e i t g e n o s s e n desselben, bei Ciceros
Sohn, bei Asinius Pollio und Trebonius (ad fam. 16, 21, 2; 10, 31,
5; 12, 16, 2) ferner wiederholt bei Nepos, welcher zweimal (Hann.
c. 2 und 11) auch non dubitare quin hat, dann häufig bei Livius.
Bei diesem Sachverhalt können die beispielsweise besprochenen Konstruktionen inesse alicui, praestare aliquem re, non dubitare = nicht
zweifeln mit acc. cum inf. gewifs nicht als so fremdartig für „die
Kulturphase des Latein im Zeitalter der glänzendsten Ausbildung der
Prosa" gelten, dafs durch deren Anwendung der klassische Sprachgebrauch zu einer „Mischsprache" verunstaltet würde; ähnlich liegt
die Sache in anderen Fällen.

In den erwähnten Ausführungen von W. Heräus macht sich die
schon oben berührte widerspruchsvolle Ungleichmäfsigkeit bei der Beurteilung des in der Schule Zulässigen gleichfalls geltend. Heräus,
der non dubitare = nicht zweifeln mit acc. cum inf. billigt, scheint
trotzdem a. a. O. im Gegensatz zu Fügner die Zulassung der Gerundial-
konstruktion in Fällen wie Cic. Lig. 38 salutem hominibus dando zu
beanstanden. Derartigen Dingen begegnen wir vielfach; während der
Schüler bei Tegge II S. 10 perniciei esse nach Nepos als gut lateinischen Ausdruck angeführt findet, kann er bei M e i f s n e r noch in
der 4. Auflage der Phraseologie S. 35 neben perniciem afferre die
ausdrückliche Warnung lesen: „N i c h t perniciei esse!" Wie sollen
sich Schüler und Lehrer dies zusammenreimen, wenn sie etwa beide
Lehrbücher in die Hand bekommen?

Die angeregte Frage scheint mir auch nicht damit erledigt, dafs
man, wie Schmalz (Erläut. S. 7) andeutet, bei den lateinischen Stilübungen in Prima manches hingehen läfst, was den Schülern in der
Schriftstellerlektüre vorkam. Wenn es schon an und für sich wenig
zweckmäfsig ist, in den unteren Klassen Zeit und Kraft auf die Einübung einer Reihe von Konstruktionen in einer bestimmten Form zu
verwenden und dann später darauf wenig Wert zu legen, so wird
ferner hiedurch auch die Hauptsache nicht genügend gefördert: eine
verständige Auffassung der in den Klassikern vorliegenden Sprache.
Eine solche wird dadurch nicht begünstigt, dafs die grundlegende Darstellung der Schulgrammatik bei dem Schüler eine schiefe Vorstellung
vom lateinischen Sprachgebrauch veranlafst, wornach derselbe in
manchen Ausdrucksformen der Klassiker F e h l e r erblicken mufs oder

etwa sogenannte „Ausnahmen", ein Begriff, der beim Verständnis des Sprachgebrauchs oft eine eigentümliche Rolle spielt. Von der gleichen Anschauung ausgehend sagt Kobilinski a. a. O.: „Pflicht der Grammatik ist es von Cicero zu den Späteren hinüberzuleiten und nicht wie bisher den Weg zu ihnen zu versperren." Es handelt sich aber nicht blofs um die späteren Schriftsteller; bei der Art und Weise, wie die Schulpraxis z. B. eine starre cons. temp. in der or. obl. und überhaupt nach einem Präteritum sowie manches andere vorschreibt, mufs dem Schüler auch Cäsars und Ciceros Sprachgebrauch nicht selten unerklärlich bleiben.

Dafs sich sachlich unrichtige Vorstellungen bilden, wenn die Darstellung des lateinischen Sprachgebrauches in der Schule einer allzu einseitig beengenden Richtung folgt, wenn z. B. die Sprache im Gegensatz zu der thatsächlich vorhandenen Mannigfaltigkeit und Bewegungsfreiheit in den Sprachformen als übermäfsig arm und eintönig im Ausdruck, gebunden in den Konstruktionen erscheint, davon sollen noch einige Belege hier gegeben werden.

J a n s[1]) ausdrückliche Angabe für die Wendung: es ist sonnenklar apertum et manifestum est (S. 3) wird bei dem Schüler eine falsche Vorstellung von der lateinischen Darstellungsweise veranlassen, als stehe ihr nur jener abgeblafste und farblose Ausdruck zu gebote; Cicero aber schreibt fin. 1, 71 ea, quae dixi, sole ipso illustriora et clariora sunt; Tusc. 1, 90 id quod est luce clarius; div. 1, 6 cum id . . . reliquis eiusdem disciplinae solis luce videatur clarius.

Ungeachtet der Neigung des Lateinischen für die konkrete Fassung des Ausdruckes sollte doch die Freiheit in der Anwendung der anderen Ausdrucksweise nicht zu einseitig beschränkt werden; man vergl. z. B. Caes. b. g. 7, 62, 2 Caesarem, cuius ductu . . . . superassent; b. c. 1, 7, 6 cuius imperatoris ductu . . . gesserint; Nep. Paus. 1, 3 suo duetu; Dat. 5, 4 quorum ductu; Cic. Pomp. 62 ductu suo; Liv. 9, 44, 6 Postumi prius ductu ad Tifernum pugnatum; 25, 3. 9 duetu Hannonis; Caesar b. g. 5. 25, 4 ne civitas eorum impulsu deficeret; Cic. rep. 2 qui impulsu patrum . . . in contione dixisse fertur.

Hieher gehört die schon im XXVI. Bd. d. Bl. S. 18 und 20 besprochene Personifikation, die unbelebte Dinge wie Personen behandelt; sie bildet in hervorragendem Mafse eines jener Elemente, welche der Darstellung Farbe und Leben verleihen; die für das Schullatein herkömmliche, allzu engherzige Beschränkung derselben schliefst, wie Kobilinski a. a. O. richtig ausführt, die stilistischen Übungen in unerträgliche Fesseln, behindert die Mannigfaltigkeit des Ausdrucks und fördert die Eintönigkeit der Form. Merkwürdigerweise pflegt in den Lehrbüchern (z. B. Heynacher S. 22) als Beispiel korrekter Klassizität gegenüber einer vermeintlich unklassischen Ausdrucksform immer wieder der Satz: Caesar virtute et consilio totam Galliam perdomuit

---

[1]) C. von Jan, Vorlagen zu Übungen des lat. Stil für Sekunda. Leipzig. Teubner 1889. M. 0,75.

angeführt zu werden, wiewohl perdomare nicht bei Cicero —
Sull. 1 führt man es nur als Konjekt. an — oder Cäsar, sondern erst
bei Schriftstellern wie Livius nachweisbar ist, gegen deren Eigentümlichkeiten das Schullatein sich sonst so ablehnend verhält — gleichfalls ein Beleg für die wiederholt berührte Inkonsequenz des Verfahrens. Daß die Personifikation im Lateinischen viel weitergehende
Anwendung findet, als die Schulpraxis gewöhnlich annimmt, dafür
lassen sich außer den a. a. O. mitgeteilten Beispielen leicht noch
zahlreiche andere anführen: Cic. Rab. Post. 45 cuius multos bonitas
locupletavit; Lig. 9 quid enim, Tubero, tuus ille destrictus in acie
Pharsalica gladius agebat? cuius latus ille mucro petebat? qui sensus
erat armorum tuorum? Plane. 94 haec de sapientissimis et clarissimis
viris et in hac re publica et in aliis civitatibus monimenta nobis
et literae prodiderunt; div. 1, 121 qualia permulta historia
tradidit . . . . . caput arsisse Servio Tullio dormienti quae historia
non prodidit? n. d. 1, 88 omnia tollamus ergo, quae aut historia
nobis aut ratio nova affert; Liv. 22, 31, 8 omnium prope annales
tradunt; Mil. 77 multas . . . . victorias aetas_ nostra vidit; Tusc.
1, 26 omni antiquitate, quae . . . melius ea . . . . cernebat; Flacc.
103 quae uno orbis terrae testimonio laudibus in caelum efferebantur; leg. 1, 2 nomen imperii in commune orbis terrae odium vocabatur.
Im Gegensatz zu der warnenden Bemerkung bei H. Menge, lat. Stil. § 22,
der Lateiner vermeide Verbindungen wie benevola caritas, lesen wir Cic.
am. 28 quis est qui C. Fabrici, M.' Curi non cum caritate aliqua benevola
memoriam usurpet? In dieser Hinsicht ist auch Liv. 25, 14, 1 vincit
tamen omnia pertinax virtus von Interesse; kurz vorher sagt er
c. 13: altitudo loci et munimenta defenderunt (nämlich castra). Selbst
die schlichteste Darstellungsweise vermeidet diese Art des Ausdruckes
keineswegs immer durch Anwendung des Passivums: Caes. b. g. 1,
39, 1 tantus subito timor omnem exercitum occupavit, ut non medio-
criter omnium mentes animosque perturbaret; 1, 40, 8 si quos ad-
versum proelium et fuga Gallorum commoveret; 7, 80, 5 utrosque et
landis cupiditas et timor ignominiae ad virtutem excitabat; b. c. 1, 4,
1 Catonem veteres inimicitiae incitant et dolor repulsae. Die angeführten Beispiele werden nebst den Bd. XXVI S. 18 und 30 mitgeteilten wohl zur Begründung der Behauptung genügen, daß in dem
eben besprochenen Punkte die herkömmliche Schulpraxis dem thatsächlichen Sprachgebrauche nicht gerecht wird.

Die übliche Regel: „Nicht eben, nicht gar, nicht sehr
bei Adj. heißt non ita" führt leicht zu der Meinung, im Lateinischen
könne man in ähnlichen Wendungen nicht non mit einem Superlativ gebrauchen, allein man vergl. Cic. de or. 2, 75 hic Poenus non
optime Graece, sed tamen libere respondisse fertur; Tusc. 5, 23 non
constantissime dici mihi videntur; n. d. 2, 46 homo non aptissimus
ad iocandum; b. g. 3, 2, 3 legionem neque eam plenissimam.

Für zu groß ist außer nimius (Landgraf § 236) auch der dem
Deutschen näher kommende Ausdruck gut lateinisch; z. B. Cic. Sull.
73 nimis magnam cupiditatem.

Der oft stark betonten Regel zufolge, **selbst nicht, auch nicht, sogar nicht** heiſse ne—quidem, werden die dem Deutschen ähnlichen Ausdrücke gewöhnlich nicht gebilligt; Schmalz bemerkt jedoch im Antib. I S. 478 quoque non, non quoque, etiam non fänden sich öfter, um **stärker** zu verneinen, eine Färbung des Ausdruckes, welche bei solchen Wendungen dem Belieben des Redenden anheimgegeben ist; die Schulpraxis würde gewiſs noch zumeist die betreffenden Ausdrücke der folgenden Klassikerstellen bei deutsch-lateinischen Übungen als fehlerhaft bezeichnen: Caes. b. c. 3, 37, 2 Domitius tum **quoque** sibi dubitandum **non** putavit; 1, 72, 4 **etiam** cum vellet Caesar, sese **non** pugnaturos; Cic. Sull. 6 **etiam** nocentes viri boni, si necessarii sunt, deserendos esse **non** putant; n. d, 1, 113 **etiam** Philo noster ferre **non** poterat.

Die herkömmliche Behandlung der Partizipialkonstruktionen veranlaſst wohl manchmal bei den deutsch-lateinischen Übungen das Vorurteil, als sei bei Ausdrücken wie: nachdem ihn das Unglück getroffen, nach der Vernichtung der latinischen Macht u. dgl. die Anwendung der Präposition in Verbindung mit dem Partizip ganz unlateinisch; allein es finden sich gar nicht selten solche Konstruktionen wie Cic. Sull. 1 post calamitatem acceptam ; Liv. 2, 21, 5 post fractas opes Latinorum; Cic. Sull. 81 post delatam ad eum primam illam coniurationem; Att. 4, 2, 2 post illas datas literas.

Attributive Adjectiva mit **begründender** Bedeutung können auch im Lateinischen gebraucht werden; die Umschreibung mittels eines Satzes oder einer Wendung mit **pro** ist nicht das ausschlieſslich Mögliche : Caes. b. g. 1, 2, 4 qua ex parte homines bellandi cupidi magno dolore afficiebantur ; 1, 33, 4 neque sibi homines feros ac barbaros temperaturos existimabat ; Liv. 8, 36, 5 sensit peritus dux, quae res victoriae obstaret.

Bei der Behandlung von **is qui** u. dgl. in der Schule kann es oft scheinen, als sei homo oder vir in solchen Verbindungen gegen den lateinischen Sprachgebrauch; aber wir lesen Cic. Pomp. 47 de huius autem hominis felicitate, de quo nunc agimus ; Sull. 14 multum haec vox fortasse valere deberet eius hominis, qui . . .; 89 nuper is homo fuit in civitate P. Sulla, ut . . .; fam. 15, 4, 15 in omnibus saeculis pauciores viri reperti sunt qui . . .; Lig. 26 magni cuiusdam animi atque eius viri, quem . . . .; Liv. 2, 6, 7 ille est vir, inquit, qui nos extorres expulit ex patria; beachtenswert ist auch das Vorkommen von Wendungen wie Caes. b. g. 1, 31, 8 unum se esse ex omni civitate Aeduorum, qui adduci non potuerit; 1, 40, 7 denique hos esse eosdem, quibuscum . . .; Nep. Pel. 1, 4 et eos esse solos, qui . . . .; reg. 1, 1 hi fere fuerunt Graecae gentis duces, qui memoria digni videantur; Liv. 22, 6, 3 hic est, qui legiones nostras cecidit.

Bei der Satzbildung darf man trotz der im Lateinischen so häufigen Voranstellung des dem Vorder- und Nachsatz gemeinschaftlichen Begriffes doch dem Schüler das Gegenteil nicht als unlateinisch hinstellen, da dieser selbst hiefür bei den besten Schriftstellern Belege zu lesen bekommt, z. B. Caes. b. g. 1, 7, 3 ubi de eius adventu

Helvetii certiores facti sunt, legatos ad eum mittunt nobilissimos civitatis; 1, 12, 2 ubi per exploratores Caesar certior factus est ... ad eam partem pervenit . . . .; auch die Unterlassung einer besonderen Verbindung mit dem Vorhergehenden verdient bei den angeführten Perioden Beachtung.

Die Möglichkeit verschiedener Auffassungen, welche der Sprachgebrauch in nicht wenigen Fällen zuläfst, sollte weit mehr Berücksichtigung finden, als es bei den herkömmlichen Schulregeln der Fall ist; bei Heynacher heifst es z. B. S. 14 (ähnlich bei Tegge II S. 40): „Multi viri fortes, dagegen multae et magnae contentiones . . . . et fehlt, wenn das eine Adjektiv mit dem Substantiv einen Begriff bildet." Allein bei der Zwischenstellung des Substantivs kann die an erster Stelle angegebene Ausdrucksweise immer gebraucht werden, also auch multae contentiones magnae wie multi viri fortes (s. Schmalz, Antib. I S. 102), im anderen Falle jedoch kommt es oft darauf an, ob der Redende die beiden Wörter als einen Begriff auffassen will oder nicht, vergl. z. B. Cic. Tusc. 5, 55 unum diem Cinnae multorum et clarorum virorum totis aetatibus (anteponere) und leg. 1, 17 a multis claris viris.

Besonders häufig besteht die Zulässigkeit verschiedener Auffassungen bei der Entscheidung über Vorzeitigkeit oder Gleichzeitigkeit einer Handlung, welche mit einer anderen in Beziehung gesetzt ist. Wie Harre, lat. Schulgr. § 96 A. 1 dies bei imperare hervorhebt, so verhält sich die Sache in vielen Fällen, während die Schulpraxis die Vorzeitigkeit als notwendig anzunehmen pflegt: Caes. b. g. 1, 18, 9 si quid accidat Romanis, summam in spem per Helvetios regni obtinendi venire; 1, 20, 4 si quid ei a Caesare gravius accidisset, . . . neminem existimaturum; Cic. fin. 5, 55 id . . . si accidat, mortis instar putemus; Tusc. 1, 78 id igitur si acciderit, simus armati; off. 1, 89 nunquam enim iratus qui accedet ad poenam, mediocritatem illam tenebit, quae est inter nimium et parum.

Der Zulässigkeit verschiedener Auffassungen gegenüber sollten Beschränkungen namentlich nicht auf unhaltbare Äufserlichkeiten hin aufgestellt werden, weil dies in der Schulpraxis nur zu recht mechanischer Einübung führt. So bemerken Menge Repet. Nr. 372 und Landgraf § 194 Zus. 1, nach den Präteritis accedebat und accessit stehe gewöhnlich ut, Meifsner aber lehrt in der lat. Syn. S. 45 gar: „Accedit quod oder accedebat (accessit) ut"; diese Regel, nach welcher das Imperfekt und Perfekt bei accedit für die Wahl der Konstruktion bestimmend wäre, erklärt Kobilinski a. a. O. mit Recht für falsch; vergl. Cic. Deiot. 2 accedit ut conturber; Verr. 3, 142 accedit, quod hoc quoque intellegere potestis: Caes. b. g. 3, 2, 5 accedebat, quod dolebant; 4, 16, 2 accessit, quod se receperat; Cic. Verr. 2, 42 accedebat, quod dati non erant. Dagegen hebt Dettweiler in seiner Rez. der Landgrafschen Gramm. (Berlin W. f. kl. Ph. 1891 Nr. 33) jene Regel sogar mit besonderer Anerkennung hervor, indem er dabei auf Seyfferts Scholae latinae S. 40 verweist, aus denen die Bemerkung wohl geschöpft sei. Allein Seyfferts Ausführungen über accedit quod und ut sind nicht als durchaus zutreffend anzuerkennen, unter anderem auch nicht dessen Behauptung, bei Cic. sen. 16 ad Appii Claudii senectutem accedebat etiam, ut caecus esset sei ut notwendig; es kam nur darauf an, ob der Redende den Inhalt des Satzes einfach als eine damals vorliegende Thatsache oder als eine hinzutretende Folge auffassen wollte, weshalb Harre, l. Gr. § 133 richtig bemerkt: ut caecus esset oder dafür auch quod caecus erat. Wichtig ist bei Seyffert die Darlegung, daß quod nicht stehen kann, wenn der Inhalt des Satzes nicht als thatsächlich, sondern als nur angenommen, als etwas, was erst geschehen soll, dargestellt ist, was auch Dräger II S. 236 und Kühner II S. 837 hervorheben.

Für die herrschende Neigung die in manchen Fällen nun einmal bestehende Freiheit der Auffassung in der Schule einzuschränken, haben wir einen charakteristischen Beleg in den Ausführungen Waldecks zur lat. Tempuslehre (N. Jahrb. 1890 II S. 369 ff.). Während er richtig entwickelt, der Conj. des Perf. stehe nach einem Präteritum, wenn der Inhalt des Satzes als Urteil vom Standpunkt der Gegenwart bezeichnet werde, bemerkt er S. 379 über den Satz bei Nep. Alc. 5, 3 horum in imperio tanta commutatio rerum facta est, ut Lacedaemonii, qui paulo ante victores viguerant, perterriti pacem peterent: „Ich meine, jeder Tertianer müßte herausfühlen, daß der gesamte einheitliche Gedanke: ‚infolge dieses Umschwunges baten die Lazedämonier um Frieden' als einzelnes Glied so eng mit der Kette der Erzählung zusammenhängt, daß es gar nicht möglich ist, einen Teil daraus loszulösen und durch ein selbständiges Tempus als Urteil vom Standpunkt des Redenden hinzustellen, und in diesem Falle sind die Nebentempora nicht eigentlich Regel, sondern in der Natur der Sache liegende Notwendigkeit." Man prüfe aber nur eine der anderen zahlreichen Stellen ähnlicher Art bei Nepos wie Lys. 1, 2 quo facto Athenienses se Lacedaemoniis dederunt. Hac victoria Lysander elatus, cum antea semper factiosus audaxque fuisset, sic sibi indulsit, ut eius opera in maximum odium Graeciae Lacedaemonii pervenerint. Nam cum hanc causam Lacedaemonii dictitassent sibi esse belli, ut . . . . Lysander nihil aliud molitus est quam . . . .; ohne Zweifel ließe sich hier mit ganz gleichem Rechte geltend machen, der Gedanke: „infolge der maßlosen Überhebung Lysanders wurden die Lazedämonier damals in ganz Griechenland verhaßt" hänge als einzelnes Glied aufs engste mit der Kette der Erzählung zusammen u. s. w., allein trotzdem besaß der Schriftsteller nach lateinischem Sprachgebrauch die Freiheit, diesen Gedanken als Urteil vom Standpunkt des Redenden aufzufassen, so auszusprechen und daher das Perf. im Conj. zu setzen. Zweifellos wäre dies auch Alc. 5, 3 möglich, da der Sachverhalt an der letzteren Stelle in dieser Hinsicht kein anderer ist; Waldeck beschränkt daher durch seine Darlegung den Sprachgebrauch in willkürlicher, nicht haltbarer Weise.

Den eigentümlichen Standpunkt, welchen die Schulpraxis bei der Behandlung der sprachlichen Erscheinungen oft einnimmt, kennzeichnen auch folgende Äußerungen von Schmalz in den Erläut. S. 2 A. 2 a über die Aufnahme des Inf. hist. in die Schulgrammatik: „Während beispielsweise Koziol mit besonderer Vorliebe in fast allen Besprechungen grammatischer Arbeiten die Vernachlässigung des Inf. hist. beklagt, will ihn Waldeck Lehrproben 18 S. 15 geradezu aus der Schulgrammatik streichen. Die Wahrheit liegt in der Mitte; für die Lektüre brauchen wir den Inf. hist., er ist zudem in der historischen Literatur häufig, also gehört er in die Schulgrammatik; nachzuahmen haben ihn die Schüler nicht, daher genügt Erwähnung mit Charakterisierung und Beispiel." Selbstverständlich hat Schmalz gegenüber Waldeck recht; aber warum soll der Schüler den Inf. hist. nicht nachzuahmen haben? Er lernt denselben doch schon in Cäsars wirkungsvollen, lebendigen Schilderungen kennen, er soll sich ferner allmählich einiges Gefühl für das der fremden Sprache Eigentümliche aneignen. Gebraucht er in Abschnitten von entsprechendem Charakter bei den deutsch-lateinischen Übungen diese Konstruktion selbständig d. h. ohne besondere Anweisung durch eine Anmerkung in zweckmäßiger Weise, so scheint mir dies als Beweis richtiger Beobachtungsgabe und geweckten Sprachgefühles ebenso aller Anerkennung wert, wie wenn er selbständig eine dem Lateinischen angemessene Ausdrucksweise, Partizipialkonstruktionen, Periodisierung u. dgl. anzuwenden versteht. Da ferner die Grammatik nach den heutzutage anerkannten Grundsätzen in erster Linie der Lektüre zu dienen berufen ist, der Inf. hist. aber in der erzählenden Darstellung sehr häufig und dem lateinischen Sprachgebrauch eigentümlich ist, so fördert eine geeignete Berücksichtigung desselben das Verständnis der Sprache der Schriftsteller sicher nicht minder als die Einübung von impedire quominus, non dubitare quin und ähnlicher Dinge, deren Verständnis den Schülern bei der Lektüre der Klassiker keine Schwierigkeit bereitet.

Schließlich scheinen mir für den hier behandelten Gegenstand noch einige Äußerungen Herm. Schillers gelegentlich einer Besprechung des Schriftchens: Ein Wort zur Schulreform von einem Philologen aus den Reichslanden (Hamburg, Otto Meißner 1891) im Septemberheft 1891 D. Z. f. d. G. in mehrfacher Hinsicht beachtenswert; hier heißt es S. 559: „Des Verf. Beweisführung gegen die Nützlichkeit des lateinischen Skriptums auf der obersten Stufe ist überhaupt nicht unglücklich und sicherlich würde das Gymnasium sich vielfach besser stehen, wenn man mit dem Vorurteile bräche, daß es hier irgend welchen Nutzen schaffe, der im Verhältnis stände zu dem Aufwande von Zeit und Kraft. Vor wenigen Jahren noch wähnte man, das Gymnasium fiele mit dem lateinischen Aufsatze, jetzt wird man sich in ähnlicher Weise an das Skriptum klammern. Aber seine Zeit wird auch nicht fern sein und es verdient doch einige Beachtung, daß hier wieder eine Stimme vom humanistischen Gymnasium zum Begräbnis auffordert. Diese Stimmen werden sich mehren, konsequenter Weise auch die, welche die Gleichstellung des Griechischen fordern. Der angeblich große Bildungswert des Lateinischen ist ein Überbleibsel aus einer Zeit, welche diese Sprache um ganz anderer Zwecke willen trieb. Freilich darf man nicht über-

sehen, dafs, was der Verf. an die Stelle der Übersetzungen ins
Lateinische setzen will, vor allem an die Lehrer sehr grofse Anforderungen stellen wird. Ob dies schon jetzt ausführbar ist? Die
lateinischen Stilübungen besitzen einen festen, freilich auch meist
starr gewordenen Mechanismus, den auch der ungeschickte Lehrer
noch zu handhaben vermag. Kann man dies auch von der Übertragung ins Deutsche sagen? Gerade weil diese Übung viel gröfsere
Anforderungen stellt, wird sie mit Vorsicht aufzunehmen sein; zweifellos ist es auch mir, dafs sie, richtig und geschickt gehandhabt, die
geistige Bildung vielseitiger gestalten wird als die Übertragung in die
tote und starre lateinische Sprache."

So entschieden ich mich in den obigen Ausführungen, welche
schon vor dem Erscheinen des Septemberheftes der Z. f. d. G. geschrieben waren, gegen eine einseitige Richtung der Schulpraxis bei
den deutsch-lateinischen Übungen ausspreche, so wenig vermag ich
Schillers Anschauung zu teilen, dafs auf der obersten Stufe zweckmäfsig eingerichtete, in den angemessenen Grenzen sich haltende
lateinische Stilübungen — lateinisches „Skriptum" klingt mir und
wohl auch anderen ebenso wie das vielberufene griechische „Skriptum"
höchst widerwärtig — für die Ziele des Gymnasialunterrichtes wertlos seien; auch im XXVI. Bd. dieser Bl. S. 33 bemerkte ich dies
ansdrücklich, um nicht mifsverstanden zu werden. Freilich möchte
ich mich deshalb nicht sogleich zu der Behauptung versteigen, das
humanistische Gymnasium stehe und falle mit den lateinischen Stilübungen, wie man ja bei uns in Bayern bezüglich des während der
letzten Jahre in Norddeutschland so oft angegriffenen, so hitzig verteidigten und dann schliefslich doch aufgegebenen lateinischen Aufsatzes auf Grund zureichender Erfahrung ebenfalls viel ruhiger ur-
teilte. Die Frage wird also sein, ob auf der obersten Stufe die
Zwecke des lateinischen Unterrichtes mit oder ohne die lateinischen
Stilübungen vollständiger und zuverlässiger erreicht werden
und zwar, was ein wichtiger Gesichtspunkt ist, bei dem durch-
schnittlichen Mittelschlag, bei der überwiegenden Mehrheit der
Schüler, auf welche der Schulunterricht alles berechnen mufs;
er steht dadurch in einem unvermeidlichen Gegensatz zu der
Arbeitsweise einzelner für das Sprachstudium hervorragend begabter
Männer, welche sich noch dazu mit dem Feuereifer glühender
Begeisterung, mit der zähen Nachhaltigkeit einer seltenen· Willens-
stärke dem aus eigener Neigung erwählten Studium hingeben;
darum ist es eine Verkennung aller in der thatsächlichen Wirklichkeit gegebenen Verhältnisse, wenn der Schule Fernstehende die
Gymnasien gern darauf verweisen, wie Schliemann Griechisch
lernte. Für unsere Frage können wir eine Erfahrung, die man in
Bayern auf dem verwandten Gebiete des griechischen Unterrichtes
gemacht hat, wohl mit Recht in Anschlag bringen. Vor der Schulordnung vom Jahre 1854 wurde an den bayerischen Gymnasien
griechischer Unterricht meist ohne ernstlich betriebene deutsch-

griechische Übungen erteilt; ältere Berufsgenossen haben diese Einrichtung als Schüler selbst noch kennen gelernt. Sie trug nach dem überwiegenden Urteil der Sachkundigen nicht zum wirklichen Gedeihen des griechischen Gymnasialstudiums bei; bei der Klassikerlektüre war die Rückwirkung auf die Sicherheit des sprachlichen Verständnisses, welches doch immer die unerläfsliche Voraussetzung für das sachliche bilden mufs, für die Mehrzahl der Schüler durchaus ungünstig; auf diese Erfahrung mag es zurückgehen, dafs die neue bayerische Schulordnung, die für die Abiturientenprüfung an die Stelle der deutsch-griechischen Übersetzung die Übertragung eines Abschnittes aus einem griechischen Klassiker ins Deutsche setzt, dennoch zur Erhaltung und Befestigung der sprachlichen Kenntnisse für die zwei obersten Klassen Übungen im Übersetzen aus dem Deutschen ins Griechische in mäfsiger Ausdehnung (eine Stunde wöchentlich) vorschreibt. Die Erfahrung mahnt also jedenfalls zu vorsichtiger Prüfung aller einzelnen Umstände. Die Anschauungen eines Fachmannes, der über eine Sachkenntnis verfügt, wie sie Herm. Schiller besitzt, verdienen gewifs besondere Beachtung, allein die in den erwähnten Rezension geltend gemachten Gründe müssen überraschen. Wir lesen a. a. O.: „Auch ist es lediglich ein Vorurteil, wenn man glaubt, durch das Skriptum werde eine tiefere Versenkung, ein gründlicheres Eindringen in den Sprachgeist herbeigeführt." Gerade für die obersten Klassen denken wir uns in Bayern lateinische Stilübungen nach N ä g e l s b a c h s Weise, natürlich mit der für den Gymnasialunterricht angemessenen Abstufung; hiebei mufs der Schüler in vielen Fällen mit bewufster Vergleichung der deutschen und lateinischen Ausdrucksweise die der lateinischen Sprache e i g e n t ü m l i c h e   s u c h e n , oft unter mehreren verwandten Ausdrücken den zutreffendsten mit Erwägung der verschiedenen für die betreffende Stelle bestimmenden Verhältnisse a u s w ä h l e n , ferner auf Ton und Färbung der Darstellung im allgemeinen und an einzelnen Stellen achten, namentlich auch die Verschiedenheit der Satzbildung beider Sprachen berücksichtigen und diese sowie die Satzverbindung der Eigentümlichkeit der lateinischen Sprache angemessen g e s t a l t e n u. dgl.; auf der obersten Stufe gelangt der Schüler dazu, mit gröfserer S e l b s t ä n d i g k e i t in der angedeuteten Weise zu arbeiten; die Hilfe unterstützender Anmerkungen braucht nicht mehr so häufig wie früher gewährt zu werden. Die Behauptung, dafs eine derartige Übung nicht ein gründlicheres Eindringen in die Sprache und ihre Eigentümlichkeit herbeiführe, läfst sich schwerlich mit den sonst geltenden Grundsätzen der Unterrichtstheorie vereinbaren. Doch auch davon abgesehen, dafs der Lernende mit der Eigentümlichkeit der lateinischen Sprache vertrauter werden mufs, galten wenigstens bisher lateinische Stilübungen, wie sie auf der obersten Stufe möglich sind, auch im allgemeinen als ein wertvolles geistiges Übungs- und Bildungsmittel, da sie bei der oft so bedeutenden Verschiedenheit der lateinischen Darstellungsweise den Schüler nötigen, die vorliegende Gedankenentwicklung allseitig und eindringend zu durchdenken, das Ganze sowie alle Einzelheiten, den Zusammenhang der verschiedenen Teile und deren Beziehungen zu einander u. s. w. klar und scharf aufzufassen; gerade diese Übungen erfordern treue Gründlichkeit des Arbeitens, bilden, verständig betrieben, ein heilsames Mittel gegen oberflächliche Flüchtigkeit. Geistloser Betrieb beeinträchtigt wie bei allem so natürlich auch hier das Ergebnis; wenn a. a. O. weiterhin gesagt wird: „Eine unfruchtbare Dressur-methode — hauptsächlich im Memorieren von Phrasen bestehend — sucht für die Reifeprüfung etwas herauszubringen, das lateinisch klingt, aber doch nichts weiter als ein Cento verschiedenartiger Er-innerungen ist", so k ö n n e n allerdings die in neuerer Zeit vielfach in Aufschwung gekommenen gedruckten Phraseologien und sonstigen Hilfsbücher auch eine mechanische und daher nachteilige Verwendung finden; es wird kein ungünstiges Zeichen sein, daß auf mechanisches Auswendiglernen berechnete Phraseologien u. dgl. gerade an den bayerischen Gymnasien wenig oder gar nicht Eingang gefunden haben. Im übrigen liegt in den oben angeführten Worten eine Art der Argumentation vor, welche bei der Entscheidung über die Frage, ob diese oder jene Übung für den Jugendunterricht in der Schule sich eignet, an und für sich Bedenken erregen muß. Die Ergebnisse werden bei der Unterweisung ganzer Klassen, namentlich wenn diese überfüllt oder stark mit nur mittelmäßigen Elementen besetzt sind, neben ansprechenden und wohlgelungenen Leistungen immer auch nicht wenig Unvollkommenes, Mißlungenes aufweisen; allein der gleiche Fall tritt in dem für eine größere Zahl berechneten Schulunterrichte bei allen Lehrgegenständen ein. Die Wirkung des Lehrmittels geht deshalb bei den schwächeren Elementen keineswegs vollständig ver-loren; daher berechtigt die berührte Erscheinung beim Schulunterricht, die man auch nicht in mißgünstiger Weise übertreiben soll, nicht dazu, sofort das Unterrichtsmittel an sich zu verwerfen. Beispiels-weise wird es bei den von Schiller mit vollem Recht so sehr em-pfohlenen lateinisch-deutschen Übersetzungsübungen gewiß nicht an Leistungen fehlen, welche man in übler Laune als „einen Cento" deutscher und deutsch-lateinischer Brocken bezeichnen könnte; oder wird der von einer Richtung der neueren Pädagogik so sehr in den Vordergrund gestellte „Gesinnungsunterricht" einem ähnlichen Schick-sal entgehen? Werden nicht die „Gesinnungsstoffe", wenn man sie auch mit feinster Berechnung auswählt, mit feinst durchdachter Methode behandelt, an manchen Angehörigen wohlbesetzter Klassen die erstrebte Wirkung gar nicht oder nur unvollständig üben? Um Mißverständnisse wegen der Berührung dieses Punktes fernzuhalten, erkenne ich die Forderung, daß sich der Gymnasialunterricht auch für eine möglichst erfolgreiche Lösung seiner e r z i e h e r i s c h e n Auf-gabe mehr und mehr vervollkommnen müsse, nachdrücklich als voll-auf berechtigt an; aber einseitige Betonung sogenannter Gesinnungs-stoffe scheint manchmal zu ungerechtfertigter Unterschätzung wertvoller Unterrichtsmittel zu führen.

Noch bedenklicher muß folgende Argumentation erscheinen, die sich a. a. O. findet: „Das lat. Skriptum in Prima ist in der That

ein Anachronismus; heute begeistert sich kein Schüler mehr
für einen guten lateinischen Stil, was z. B. noch in den vierziger
Jahren an den deutschen Universitäten der Fall war." Die unreife,
noch nicht zu selbständigem Urteil entwickelte Jugend ist naturgemäfs
äufseren Einwirkungen und Eindrücken überaus leicht zugänglich; ob
sie sich für einen Unterrichtsgegenstand begeistert oder nicht, dafür
ist nicht die Art und Weise der Behandlung allein entscheidend; bei
vielen hat das Urteil, das sie von Erwachsenen oder irgendwie in
der Öffentlichkeit darüber zu hören bekommen, einen ganz wesentlich
bestimmenden Einfluſs.   Gewiſs fanden schon manche Berufsgenossen
so wie ich bei nicht wenigen Schülern der obersten Klassen frische
und rege Teilnahme bei den lateinischen Stilübungen, ernstes und
nachhaltiges Bemühen, der oft nicht geringen Schwierigkeiten Herr
zu werden; aber allerdings kann man die Mehrzahl der jungen Leute
leicht dazu bringen, daſs sie sich nicht mehr für diese im allgemeinen
anstrengenden, genaues und treues Arbeiten erfordernden Übungen
begeistern, wenn man ihnen recht viel von der Zwecklosigkeit dieser
„veralteten" Einrichtung vorspricht.   Mit dem nämlichen Mittel sind
viele unserer oft frühreifen und genuſssüchtigen, zur Oberflächlichkeit
und Blasiertheit geneigten Schüler ebenso leicht für die Anschauung
zu gewinnen, daſs die Begeisterung für das Studium des Lateinischen
und Griechischen, für die schwierige Lektüre der alten Klassiker, deren
Verständnis in so reichem Maſse peinliches Bemühen und angestrengte
Arbeit verlangt, an der Schwelle des 20. Jahrhunderts überhaupt ein
„Anachronismus" sei.   In der That haben mit der gleichen Art von
Argumentation, mit welcher hier die lateinischen Stilübungen an-
gefochten werden, die Schulreformer während der letzten Jahre in
ihren Vereinen und Zeitschriften sowie in der Tagespresse der deutschen
Jugend es oft genug nahe gelegt, sich für die klassischen Studien
nicht mehr zu begeistern; freilich steigert eine derartige Einwirkung
auf die Jugend auch nicht deren Neigung, sich für ein ernstes neu-
sprachliches, mathematisches oder naturwissenschaftliches Studium zu
begeistern, sobald es ausdauerndes Arbeiten und mühevolles Eindringen in die Sache erfordert.

Endlich sagt Schiller noch a. a. O.: „An die Stelle des für den
Genufs der Lektüre und die lebhafte Erfassung ihres Inhaltes geradezu
nachteiligen Skriptums muſs die den Sinn des Schriftstellers eingehend
enthüllende, treue und doch in gutem Deutsch wiedergegebene Übersetzung treten, wobei die geistige Arbeit gröſser ist als bei dem
Lateinschreiben.   Der Verf. erweist dies an der doppelten Geistesthätigkeit, die dabei erforderlich ist, der „suchenden" und der „ge-
staltenden" und ist überzeugt, daſs sie bei manchen Schriftstellern
(z. B. bei Cicero) für Lehrer und Schüler fast zu schwer wird". Daſs
für die „suchende" und die „gestaltende" Geistesthätigkeit gerade die
lateinischen Stilübungen ,ein vortreffliches Übungsfeld darbieten, berührte ich schon oben, ebenso sprach icb mich in dieser Abhandlung
gegen eine einseitige, für das Verständnis der Klassiklektüre nicht
förderliche Richtung der Schulpraxis nachdrücklich aus; im übrigen

gehört „Genuſs der Lektüre" ganz wie „Anachronismus", „Begeisterung"
u. dgl. zu den bedenklichen Schlagwörtern auf unserem Gebiete.
Selbstverständlich soll die Jugend beim Gymnasialunterricht allmählich
zu einem wirklichen Genuſs der Lektüre gelangen, aber sie kann sich
solchen Genuſs nur selbst durch eigene, keineswegs mühelose Thätigkeit e r a r b e i t e n, und es ist s o überaus gut für die heranwachsende
Jugend eingerichtet, weil ja nur der selbsterarbeitete Genuſs einen er-
zieherischen Wert für den Menschen in sich trägt.   Den Geschmack
an solch ehrenwertem, selbsterarbeitetem Genuſs können jedoch äuſsere
Einflüsse aus dem Bereiche der Familie oder der sonstigen Umgebung
den jungen Leuten heutzutage leichter als je so gründlich verderben,
daſs auch die feinsten Künste der modernen Pädagogik sich vergeh-
lich bemühen werden, bei derartigen blasierten Jünglingen Sinn und
Empfänglichkeit für einen Genuſs zu wecken, der mühsam errungen
sein will.   Ein vorzügliches Hilfsmittel, die Schüler für eine solche
Art der Lektüre im allgemeinen besser zu befähigen, bilden zweck-
mäſsig eingerichtete Stilübungen; so sehr ich mit Schiller der Überzeugung bin, daſs beim Gymnasialunterricht die Übersetzung aus den
alten Schriftstellern in das Deutsche die s o r g s a m s t e Pflege finden
muſs — ob es mit dieser Seite des Unterrichtes s o schlecht bestellt
ist, wie Schiller andeutet, möchte ich doch dahingestellt sein lassen
— ebenso entschieden halte ich mit Rücksicht auf die Ziele und Aufgaben des Gymnasialunterrichtes lateinische Stilübungen auf der
obersten Stufe für eine wertvolle Ergänzung der anderen Thätigkeit.
Schillers Ausführungen erregen noch ein Bedenken allgemeinerer Art.
Die hohe Wertschätzung des Griechischen für den humanistischen
Gymnasialunterricht wird jeder billigen; allein in der Behauptung,
das Studium des Lateinischen besitze überhaupt keinen groſsen Bildungswert, liegt doch zweifellos eine befremdende Übertreibung, welche
mit dem geistigen Entwicklungsgang des deutschen Volkes, mit den
bisher anerkannten Grundsätzen der wissenschaftlichen Unterrichts-
und Erziehungslehre und mit den Erfahrungen der Praxis schwer zu
vereinbaren sein dürfte.[1])
     Meine Darlegungen wenden sich also nicht etwa gegen die
lateinischen Stilübungen an und für sich, sondern nur gegen eine
fehlerhafte Richtung der herkömmlichen Schulpraxis, auf welche auch
Schiller a. a. O. mit den Worten hinweist: „Die lateinischen Stilübungen besitzen einen festen, freilich auch meist s t a r r g e w o r d e-
n e n M e c h a n i s m u s"; darin liegt eben das Fehlerhafte, worüber
Kobilinski a. a. O. S. 404 mit Recht bemerkt: „Im eigentlichen Sinne
ist daher das Schullatein eine tote Sprache; denn dann die mannigfaltigen
Ausdrucksweisen sind beseitigt und das sogenannte klassische Ausdruck dafür eingesetzt." In der Schule kann natürlich nicht etwa eine
vollständige Entwicklungsgeschichte des lateinischen Sprachgebrauches
gegeben werden, aber man darf die Entwicklungsphase, welche die
grundlegende Darstellung der Schulgrammatik ins Auge faſst, nicht

---

[1]) Im Sinne der obigen Ausführungen hat sich auch neuerdings O. K ü b l e r
ausgesprochen. Ztschr. f. d. G. W. 1891. S. 728 ff.   Die Redakt.

von vorneherein durch Beschränkung auf eine einseitige Auswahl aus Ciceros und Cäsars Sprachgebrauch allzu engherzig abgrenzen; der Widerspruch zwischen den Vorschriften des offiziellen Schullateins und den in der Schule gelesenen Klassikern muſs störend wirken, wenn die grundlegende Lehre der Schulgrammatik und die nachdrückliche Einübung der Schulpraxis sich gegen Konstruktionen aus dem Sprachgebrauch dieser Schriftsteller selbst schroff ablehnend verhält. Es wird sich kaum etwas Stichhaltiges gegen Kobilinski einwenden lassen, der a. a. O. S. 403 bemerkt: „Welche Gründe sollte man dem nachdenkenden Schüler dafür anführen, daſs er die häufigsten Spracherscheinungen der silbernen Latinität zu meiden hat? Handelt es sich doch in den meisten Fällen um die gesetzmäſsige Weiterbildung der Sprache Ciceros zu gröſserer Freiheit." An Ergiebigkeit für die logische Schulung werden die Übungen durch Abstreifung unberechtigter Einseitigkeiten nichts einbüſsen; einer Verflachung des Unterrichtes wird hier in keiner Weise das Wort geredet, im Gegenteil die äuſserliche und mehr mechanische Behandlungsweise bekämpft, welche sich insbesondere durch die in neuerer Zeit aufkommenden Hilfsbücher kleineren und kleinsten Umfanges, durch die Leitfäden in kompendiösester Fassung verbreitet, die zur Einübung durch schriftliche Aufgaben in oft lakonischer Kürze eine Menge von Einzelheiten zusammenstellen, von denen man annimmt, daſs sie nur in der so verzeichneten bestimmten Form vorkommen; mit Recht weist Schmalz in den oben S. 7 angeführten Worten darauf hin, daſs auch für ein Schulbuch die gegenwärtig manchmal übermäſsig betonte Kürze der Fassung nicht unter allen Umständen ein Vorzug ist; als Selbstzweck kann die Kürze, so wertvoll sie richtig angewendet ist, nicht gelten[1]). Um der in mancher Hinsicht erstarrten Schulpraxis entgegenzuwirken, sollten sich die Verfasser von Lehrbüchern mit gröſserer Entschiedenheit als bisher in dem hier erörterten Sinne von dem Banne des Herkommens frei machen; daſs eine belastende Vermehrung des Stoffes eintreten würde, widerlegt Kobilinski a. a. O. in zutreffender Weise. Was ich bei der ganzen Frage für besonders wichtig halte, habe ich im XXVI. Bd. dieser Bl. S. 34 in folgender Weise ausgesprochen: „Wenn die Aufmerksamkeit durch grammatisch-sprachliche Einzelheiten, welche als wichtig hervorgehoben werden, weniger in Anspruch genommen ist, wird mit der lebhafteren Erfassung des Sach-

---

[1]) Als unzweckmäſsige Kürze erscheint mir die Weglassung des Fundortes bei den aus Klassikern entnommenen Beispielen in lat. Schulgrammatiken. Manche dieser Belegstellen bilden eine allgemeine Sentenz, ein geflügeltes Wort oder sind sonst inhaltlich wertvoll; durch Vervollständigung des Citates erhält der Schüler Gelegenheit, abgesehen von dem betr. grammatischen Falle sein Wissen noch nebenbei zu bereichern, es wird überhaupt die Belegstelle für ihn konkreter, gewinnt unter Umständen an Inhalt und Leben, lauter Dinge, auf welche die Pädagogik gegenwärtig besonderen Wert legt. Sollte auch nur bei einzelnen wiſsbegierigen Schülern dadurch Interesse erregt werden, so hat sich durch solche Anregung die Vergröſserung des Umfanges um ein paar Seiten schon reichlich gelohnt. Mit Recht fügte daher Stegmann bei der 2. Auflage seiner Grammatik wenigstens anhangweise einen index locorum bei, wozu freilich noch eine Erklärung der Abkürzungen nötig wäre.

lichen vielleicht auch die Sprache des Schriftstellers als Ganzes betrachtet, also die Eigentümlichkeit seiner Darstellungsweise, seine besondere Art, Gefühlen und Empfindungen Ausdruck zu verleihen, ferner Ausdruck und Sprache im allgemeinen und anderes wenigstens durchschnittlich leichter in einer etwas umfassenderen und lebendigeren Weise in das Bewufstsein aufgenommen werden; in diesem Sinne könnte die hier angeregte Änderung in der Schulpraxis vielleicht auch einer tiefer gehenden Aneignung der Sprache selbst zu gute kommen."

Nach Absendung meiner Arbeit an die Redaktion ging mir durch die Güte des Verfassers ein in der Zeitschrift Gymnasium (1891 Nr. 22) erschienener Aufsatz „Zur Verteidigung des sogenannten Schullateins" von M. Wetzel zu, welcher die oben oft erwähnten Abhandlungen von Kobilinski und von mir zum Ausgangspunkt nimmt. Hiebei gibt sich in wesentlichen Dingen eine für die Sache gewifs beachtenswerte Übereinstimmung kund, wenn auch Wetzel in manchen Einzelheiten mehr an der bisherigen Schulpraxis festhalten will; über derartige Fälle wird sich bei wiederholter Erwägung und Prüfung wohl allmählich eine Verständigung erzielen lassen. Zunächst erklärt auch W. den einseitigen Ciceronianismus, der durch M. Seyffert u. a. in der Schule die Herrschaft erlangt habe, für unhaltbar, da nunmehr der lateinische Aufsatz weggefallen sei, freilich ein Grund, den ich bei aller Zustimmung in der Sache nicht für mafsgebend erachte; nicht erst die Beseitigung des lateinischen Aufsatzes mufste eine Umgestaltung der herkömmlichen Schulpraxis nahe legen. Die Grammatik wird fürderhin, sagt W., nicht mehr wie bisher die Stilübungen der Schüler, sondern den Sprachgebrauch der Schulschriftsteller in erster Linie zu berücksichtigen haben. Die Anerkennung dieses wesentlichen, allerdings eigentlich selbstverständlichen Grundsatzes, den ich oben in eingehender Darlegung vertreten habe, wird eine Einigung über Einzelheiten sehr erleichtern. Unter Billigung der Ansicht Kobilinskis, man könne Ciceronianische Form nachahmen, ohne dafs der Sprachschatz und die Grammatik des Tacitus so ängstlich, wie es geschehe, ausgeschlossen werde, bemerkt W., voraussichtlich werde man in der Schule nicht länger Dinge verpönen wie das Simplex aequare c. acc. (für das von den strengen Ciceronianern geforderte adaequare c. acc.), eo furoris, die Abl. abs. cognito, comperto u. ä. ohne Subjektsablativ u. s. w. Bezüglich der willkürlichen Einschränkungen des klassischen Sprachgebrauches in der Schule meint W., dieses Übel habe besonders in den letzten Dezennien gewuchert, namentlich seit M. Seyffert; ganz ohne Grund habe man z. B. behauptet, nach noli dubitare und non est dubitandum dürfe auch in der Bedeutung „Bedenken tragen" niemals der Inf. stehen, nach dem Imperf. und Perf. von accedit niemals quod, sondern ut, nach videsne (videmusne, videtisne) niemals der acc. c. inf., sondern eine Indir. Frage mit ut, von praeclarus gebe es keinen Superlativ, statt omnes alii, das bei Klassikern nicht vorkomme, habe man ceteri zu gebrauchen, „seiner Zeit" heifse nicht suae, sondern nur illius aetatis, constat stehe immer zu Anfang, quis est qui nesciat? immer am Ende des Satzes, medius und summus würden, wenn nur der betr. Teil gemeint sei, dem Substantiv vorangestellt u. s. w.; alle diese Einschränkungen seien ganz ungerechtfertigt und von der Schule abzuweisen. Das sind Anschauungen, welche ich seit Jahren bei verschiedenen Gelegenheiten vertreten und begründet habe, etwas eingehender, wie schon erwähnt wurde, in diesen Bl. Bd. XXV S. 34 ff. und XXVI S. 16 ff.

Dagegen kann W. dem oben S. 1 angeführten mißbilligenden Urteil Kobilinskis über das Schullatein nicht ganz beistimmen. Es bestehe nun einmal ein mehr oder minder auffallender Gegensatz zwischen den Sprachgesetzen und dem Sprachgebrauch auch der besten Schriftsteller; Abweichungen vom regelrechten Sprachgebrauch, die nicht allgemeinen Eingang gefunden hätten, dürften nicht nachgeahmt werden, auch wenn einer der hervorragendsten Klassiker sich dieselben erlaubt habe. Was W. hier sagt, entbehrt nicht der Begründung; allein zu der so gekennzeichneten Kategorie werden von den sprachlichen Erscheinungen, welche bei der Beleuchtung der herkömmlichen Schulpraxis besprochen wurden, kaum viele gehören. Wenig zutreffende Analogien sind die als ähnliche Freiheiten deutscher Klassiker, deren Nachahmung man Schülern nicht gestatten könne, angeführten Stellen aus Goethe: „Er nahm sich unserer an", „die in der Hand habende kleine Orgel", „da er seine Arbeiten sehr zugenommen findet", „der Oheim habe sich durch den Abbé überzeugen lassen, daß, wenn man an der Erziehung des Menschen etwas thun wolle, müsse man sehen . . . ."; W. selbst bemerkt, manches sei freilich nur deshalb zu verwerfen, weil der betr. Sprachgebrauch jetzt veraltet sei; ferner sind dies auch an und für sich anders geartete Fälle, als wir bei unserer Frage im Auge haben; ebenso verhält sich die Sache bei den von W. später beigezogenen Stellen aus Schillers Tell und aus Wieland. Wie bei den deutschen Klassikern, fährt W. fort, so sei man auch bei den lateinischen berechtigt, vereinzelte dem sonstigen Sprachgebrauche zuwiderlaufende Dinge auszuscheiden und ihre Nachahmung nicht zu gestatten, so paulo antea (nat. d. 3,57), das Reflexiv statt des Reciprocums (de or. 1,189 sui similes partes), das persönliche Passiv obstrepor (Marc. 8), das Demonstrativ statt des Reflexivs (Caes. b. g. 1, 5, 4 persuadent, ut una cum iis proticiscantur) und so manches andere. Die Richtigkeit des aufgestellten Grundsatzes an und für sich wird niemand bezweifeln, allein bei der Beurteilung der einzelnen Fälle wird man nicht ohne weitere Prüfung der nun einmal herrschenden Schulpraxis folgen dürfen. Beispielsweise läßt sich die zuletzt aus Cäsar angeführte Konstruktion durchaus nicht als eine Freiheit, die sich nur Cäsar in einer Reihe verschiedener Fälle erlaubt habe, als eine dem sonstigen Sprachgebrauch zuwiderlaufende Erscheinung auffassen; sie findet sich auch bei Cicero, Nepos, Sallust, Livius. Der lateinische Sprachgebrauch gestattete dem Redenden eben den Inhalt solcher Nebensätze nicht bloß vom Standpunkte des Subjektes im regierenden Satze, sondern auch von seinem eigenen auszusprechen; in manchen Fällen ist die

Rücksicht auf Deutlichkeit und anderes mitbestimmend für die Wahl der Konstruktion.

Auch bei Punkten anderer Art, wo die Schulpraxis das Häufigere gegenüber dem Selteneren, aber nicht Sprachwidrigen zur Regel gemacht hat. äufsert W. eine etwas abweichende Meinung. Gewifs sei es nicht zu billigen, wenn man potior c. gen. geradeso als schweren Fehler behandle wie z. B. sequor c. dat.; aber für sehr bedenklich würde er es halten, wenn man potior c. gen. vollständig freigeben und auf die Verbindung des Verbums mit dem Ablativ kein Gewicht legen wollte; durch die überwiegende Anwendung des viel selteneren Genitivs von seiten der Schüler würde sich das Schullatein in einen unerträglicheren Gegensatz zum Schriftstellerlatein setzen, als wenn die Schüler nur den Ablativ gebrauchen dürften. Dies kann nicht als richtig anerkannt werden; denn wenn die Schüler nur den Ablativ gebrauchen dürfen, dann wird eben potior c. gen. als schwerer Fehler behandelt, wie ja die herkömmliche Schulpraxis thatsächlich verfährt. Dieses Verfahren ist aber an sich zweifellos unberechtigt und verkehrt, da potior c. gen. bei Cäsar, an mehreren Stellen bei Nepos und Cicero, häufig bei Livius und Sallust gebraucht wird; ferner mufs die immer sich wiederholende Beanstandung des Gen. als eines eigentlichen Fehlers bei dem Schüler die unrichtige Vorstellung hervorrufen, der Gen. bei potior sei im Lateinischen etwas Sprachwidriges. Schon durch die Vermeidung der bisher berührten Übelstände empfiehlt sich das entgegengesetzte Verfahren; hiezu kommt noch etwas anderes. Bei der Behandlung der Kasuslehre wird auf nachhaltige Einübung des Ablat. bei potior Zeit und Kraft verwendet, ebenso bei späterer Wiederholung; viele Beispiele werden eigens zu diesem Zwecke vorgebracht. Es geschieht dies für eine Sache, der die vorausgesetzte Wichtigkeit nicht zukommt; bei der erheblichen Anzahl derartiger Einzelheiten ergibt sich im ganzen ein nicht unbeträchtlicher Aufwand von Zeit und Kraft, während zugleich die übergrofse Fülle von Einzelheiten die Aufmerksamkeit des Schülers allzu sehr in Anspruch nimmt, dagegen die Sprache des Schriftstellers als Ganzes, die Eigentümlichkeit seiner Auffassung und Darstellungsart, der Sprachschatz, das Sachliche zu sehr in den Hintergrund tritt. Diesen Dingen kann sich die Beobachtung der Schüler um so eindringender zuwenden, je mehr man von diesen unberechtigten sprachlichen Einzelheiten fallen läfst. Ferner ist es bei der herrschenden Schulpraxis besonders die Notwendigkeit, möglichst häufig eine allzu grofse Anzahl solcher Einzelheiten bei den Übungen vorzubringen, welche den Vorlagen oft den Charakter des Eintönigen, Steifen, Gezwungenen verleiht; auch in dieser Beziehung wird sachgemäfse Beschränkung sich als vorteilhaft erweisen. Wenn die Schulpraxis auf die Verbindung von potior mit dem Abl. kein besonderes Gewicht legt, so wird dieses Verbum bei den Übungen viel weniger häufig erscheinen; kommt es einmal vor, so werden es manche Schüler mit dem Abl., manche mit dem Gen. konstruieren; hierin könnte ich aber mit Rücksicht auf den thatsächlichen Sprachgebrauch in keiner Weise einen unerträglichen Gegensatz zum Schriftstellerlatein finden. Nicht anders verhält sich die Sache bei dem von W. später erwähnten ipse non, quoque non = auch nicht, selbst nicht, wo die Schulpraxis ne-quidem verlangt, bei tamen a me in dicendo praetereunda non sunt, (Cic. Pomp. 34), wo die Schulpraxis auf mihi besteht; entscheidend ist auch hier, daß die übliche Beanstandung der von der Schulpraxis nicht beliebten Konstruktion, als ob sie im Lateinischen sprachwidrig wäre, zweifellos falsch ist und zu unrichtigen Vorstellungen Anlaß gibt. Auch die Bemerkungen über responsum dare oder edere, gaudio complere können die Einseitigkeit der gewöhnlich aufgestellten Schulregeln nicht rechtfertigen. W. sagt an einer andern Stelle: „Die Schüler wurden bis jetzt angehalten, das Verbum finitum in der Regel (d. h. wenn nicht rhetorische Gründe eine andere Stellung erheischen) an das Ende des Satzes zu stellen. Bekanntlich binden sich aber die lateinischen Schriftsteller nicht immer an dieses Gesetz. Folgerichtig müßten G. und v. K. nun verlangen, daß man die Stellung des Verb. fin. den Schülern vollständig freigebe. Was käme aber dann für ein Latein zu Tage?" In dem „vollständig Freigeben" bei diesem Punkte liegt eine durch meine Darlegungen nicht veranlaßte Übertreibung; eine verständige Beobachtung des Sprachgebrauches der Schriftsteller muß hier allmählich einiges Sprachgefühl erzeugen; übrigens deutet ja W. selbst an, daß auch die mechanische Einübung der Stellung des Verb. fin. ans Ende des Satzes dem Sprachgebrauch nicht gerecht wird; was käme hiedurch für ein Latein zu Tage?

Schließlich kommt W. noch auf die sogen. Personifikation zu sprechen und führt aus, daß Regeln wie: „Subst., welche einen leblosen oder abstrakten Gegenstand bezeichnen, dürfen als Prädikat kein Verbum erhalten, welches den Begriff einer Seelenthätigkeit oder einer Handlung in sich enthält" oder „Adi., welche ihrer eigentlichen Bedeutung nach nur Eigenschaften lebender Wesen bezeichnen, sind nicht mit Subst. zu verbinden, welche leblose Gegenstände ausdrücken" auf eine thatsächliche Eigentümlichkeit des lateinischen Sprachgebrauches zurückgehen und trotz der vielen Ausnahmen bei den Schriftstellern nicht ganz unberechtigt sind; allein meine Ausführungen richten sich gegen die einseitige Anwendung jener Regeln in der Schulpraxis, wornach Ausdrucksweisen wie Caesaris incredibilis ac divina virtus latronis impetus crudeles ac furibundos retardavit; benevola caritas; vincit omnia pertinax virtus einfach als fehlerhaft beanstandet werden und für den lateinischen Sprachgebrauch eine Starrheit und Gebundenheit vorausgesetzt wird, welche die Sprache der Schriftsteller nicht aufweist.

Im übrigen haben wir — und dies scheint mir die Hauptsache — an Wetzels Ausführungen einen neuen und zwar sehr beachtenswerten Beleg dafür, daß die Schulpraxis beim lateinischen Unterricht in vielen Dingen nicht einfach die altgewohnte Bahn unentwegt weiter wandeln darf, daß es Zeit ist, mit manchen auf diesem Gebiete herrschenden Vorurteilen zu brechen.

München.   Joh. Gerstenecker.

Aristoteles' *Ἀθηναίων πολιτεία* und die bisher
darüber erschienene Literatur.

Kaum war gegen Ende des vorigen Jahres die überraschende
Nachricht in die Öffentlichkeit gedrungen, daſs die verlorene *Ἀθηναίων
πολιτεία* des Aristoteles auf einem Papyrus des British Museum aufgefunden worden sei, als auch schon wenige Wochen später Dank
der Fürsorge der Verwaltung des British Museum der Text im Druck
erschien: *Ἀθηναίων πολιτεία*. Aristotle on the Constitution of Athens edited by F. G. Kenyon, assistant in the
department of manuscripts. London 1891. (Die Vorrede trägt
das Datum des 31. Dez. 1890). Diese Ausgabe erschien nach kurzer
Zeit in zweiter verbesserter Auflage. Ihr folgte die schon in der
Vorrede angekündigte Facsimileausgabe der Handschrift nebst einer
Abbildung der auf der Kehrseite des Papyrus befindlichen Aufschrift
(Autotype Facsimile edition. 22 plates, 20×15 inches, folio. Oxford
1891), wovon gleichfalls eine 2. Auflage ausgegeben wurde. In allen
Besprechungen wurde ausnahmslos die Sorgfalt und Einsicht des englischen Herausgebers gerühmt und anerkannt, daſs schon die Lesung
an sich eine ganz hervorragende Leistung sei; auch die Ergänzungen,
die Kenyon an vielen Stellen vornehmen muſste, wo der Text nicht
mehr gelesen werden konnte, sind meist glücklich, was namentlich
auch Kaibel und Wilamowitz in ihrer Ausgabe anerkennen (praef.
p. III), kurz Kenyon hat gleich mit dem ersten Drucke ein lesbares
Buch geliefert. Auf Grund seiner Ausgabe erschien eine neugriechische
in Athen: *Ἀθηναίων πολιτεία ἐκδιδυμένη ἐπὶ τῇ βάσει τῆς δευτέρας
ἀγγλικῆς τοῦ Κ. Κέννον ἐκδύσεως. Προτάσσεται δ'εἰσαγωγὴ ὑπὸ Ἀ.
Ἀγαθονίκου.* Athen 1891, X und 56 p., welche nur als eine Art
Nachdruck bezeichnet werden kann. Dagegen haben die folgenden
Ausgaben durchaus selbständigen Wert. So besonders wegen ihrer
Einleitung und ihrer Anmerkungen die italienische: Aristotele, la
costituzione degli Ateniesi, testo greco, versione italiana, introduzione
e note di C. Ferrini, Mailand, XXXV + 130 S. 8°. Anfang August
erschien sodann die deutsche Ausgabe: Aristoteles, *Πολιτεία Ἀθηναίων*
ediderunt G. Kaibel et U. v. Wilamowitz-Moellendorff, Berlin,
Weidmann. XV + 100 p. 8°, über welche unten noch zu sprechen sein
wird.[1]) Auch der Holländer van Herwerden hatte in der Berliner
philol. Wochenschrift eine Ausgabe angekündigt, dann aber, als er
hörte, daſs die eben genannte deutsche in Vorbereitung sei, erklärt, seinen
Plan aufgeben zu wollen. Trotzdem ist jetzt, Mitte September, auch
eine holländische Ausgabe erschienen: Aristoteles qui fertur liber *Ἀθ. π.*
Post Kenyonem ediderunt H. v. Herwerden et J. v. Leeuwen.
Accedunt manuscripti apographum, observationes palaeographicae cum
tabulis IV, indices locupletissimi. Leiden, XVI + 241 S. gr. 8°.
Schlieſslich mag noch bemerkt werden, daſs eine zweite deutsche
Ausgabe in Vorbereitung ist, welche Fr. Blaſs bei Teubner in Leipzig
erscheinen lassen wird.

---

[1]) Inzwischen ist Ende November hievon eine 2. Auflage ausgegeben worden

Über den Ort und die näheren Umstände der Auffindung des Manuscriptes erhalten wir aus naheliegenden Gründen keine Aufschlüsse[1]). Dasselbe besteht aus 4 Papyrusrollen, die durch Zahlzeichen unterschieden sind; denn Rolle 1 trägt die Bezeichnung *A* auf pag. I, pag. XII die Bez. *B*, pag. XXV *Γ* ΤΟΜΟΣ, von der 4. Rolle ist die erste Seite und damit auch das Zahlzeichen verloren gegangen. Die Rollen sind von ungleicher Länge, die erste ist etwas über, die zweite etwas unter 2 m, die dritte und wie es scheint auch die vierte etwa 1 m lang, infolge dessen ist auch die Seitenzahl der einzelnen Rollen eine verschiedene. Der Anfang des Buches fehlt; wenn trotzdem die erste Seite das Zahlzeichen *A* trägt, so ergibt sich daraus, dafs schon das Exemplar unvollständig war, aus welchem der neugefundene Papyrus abgeschrieben wurde. Daher hat auch der Schreiber auf der ersten Seite vor der Schrift etwas leeren Raum gelassen. Während der englische Herausgeber v i e r verschiedene Hände annehmen zu müssen glaubte, haben Kaibel und Wilamowitz nach genauer Prüfung deren nur z w e i konstatiert, die sich leicht unterscheiden lassen. Die erste hat in Kursivschrift mit zahlreichen Kompendien, aber fast ohne orthographische Fehler die ganze erste Rolle und die erste Seite (p. XII) der zweiten, dann wieder die ganze dritte Rolle (p. XXV—XXX) geschrieben; die zweite Hand bedient sich der Uncialschrift, gebraucht gar keine Abkürzungen, dagegen wimmelt der von ihr geschriebene Teil von orthographischen Fehlern. Von ihr stammt die ganze zweite Rolle (p. XIII—XXIV) und die vierte, von welcher allerdings uur mehr einzelne Fetzen übrig sind, die sich jedoch ihrer Reihenfolge nach richtig ordnen lassen; pag. XXXI ist vollständig verloren. Übrigens war der Papyrus nicht von vorneherein für die Abschrift der 'Αϑηναίων πολιτεία bestimmt. Diese steht vielmehr auf der geringeren Rückseite. U. Wilken hat nämlich (Hermes XXII, S. 487) für sämtliche Papyri ein wichtiges Gesetz aufgestellt, wonach man bestimmt zu sagen vermag, welche Seite bei doppelt beschriebenen Rollen die zuerst beschriebene ist. Die Recto- oder horizontale Faserlage des Papyrus, auf welcher die aus dem Mark der Pflanze geschnittenen schmalen Streifen von links nach rechts, also in der Richtung der Zeilen liefen, ist die glattere, ursprünglich zum Beschreiben bestimmte, während die Verso- oder Perpendiculärfaserlage, wo die Streifen von oben nach unten liefen, wenn überhaupt, dann nur nachträglich zum Beschreiben benützt wurde. Auf der ursprünglicheu Beschreibseite nun stehen Rechnungen eines Gutsverwalters aus dem 10. und 11. Jahre der Regierung des Kaisers Vespasian (78/79 p. Chr.). Die Kehrseite wurde später für Aristoteles verwendet, nur p. X war vorher gröfstenteils von derselben Hand mit einer Inhaltsangabe der Midiana des Demosthenes beschrieben. Nachdem das Ganze geschrieben war, hat es dieselbe Hand, von der Rolle I und II herrühren, durchkorrigiert und zwar nach einem Exemplare, welches

---

[1]) Die folgenden Angaben stützen sich auf die 2. Ausgabe von Kenyon, sowie auf die von Kaibel und Wilamowitz.

bereits aus einem verständnisvoll und sorgfältig geschriebenen Teile (vol. I und III) und aus einem unverständig und nachlässig geschriebenen (vol. II und IV) bestand. Daher ist der Emendation in der 2. und 4. Rolle ein weit größerer Spielraum gegeben als in der 1. und 3. Aufser dem verstümmelten Anfang und der traurigen Beschaffenheit der 4. Rolle leidet der Text aber auch noch an mehreren Stellen an Lücken, die entweder schon im Archetypus vorhanden waren, oder beim Abschreiben entstanden sind, so z. B. c. 21,1; 25,4; 37,2; 57 am Ende, 61 am Anfang.[1])

Die Überlieferung der Schrift ist also nicht besser und nicht schlechter als die vieler anderer Schriften des Altertums; was ihren Inhalt anlangt, so kann ich mich hier wohl kurz fassen, da derselbe schon durch die zahlreichen Würdigungen des Fundes in den verschiedensten Zeitungen und Zeitschriften allgemein bekannt sein dürfte. Das Werk gliedert sich, wie man längst vermutet hatte, in zwei Teile, einen historischen und einen systematischen. Der erste, umfangreichere führt die Geschichte der Entwicklung der atheni-. schen Verfassung von den ältesten Zeiten bis herab auf die Restauration nach dem Sturze der dreifsig Tyrannen. Aristoteles gibt selbst cap 41, am Schlusse des ersten Teiles, eine Übersicht über den Inhalt desselben, die anch hier genügen mag. Er zählt dort 11 Verfassungsepochen (μεταβολαὶ τῆς πολιτείας) auf bis zum Jahre 403: 1. die Landeseinigung des Theseus (dieser Abschnitt ist infolge des verstümmelten Anfangs der Schrift verloren, erhalten ist nur ein kurzer Abrifs der athenischen Verfassung vor Drakon c. 2—4). 2. ἡ ἐπὶ Δράκοντος μεταβολή, ἐν ᾗ καὶ νόμους ἀνέγραψαν πρῶτον: die Verfassung Drakons, der uns hier zuerst als wirklicher Gesetzgeber erscheint, (cap. 4). 3. τρίτη δ' ἡ μετὰ τὴν στάσιν, ἡ ἐπὶ Σόλωνος, ἀφ' ἧς ἀρχὴ δημοκρατίας ἐγένετο: die Gesetzgebung des Solon (cap. 5—13). 4. τετάρτη δ' ἡ ἐπὶ Πεισιστράτου τυραννίς: die Alleinherrschaft des Pisistratos und seiner Söhne (cap. 13—20). 5. πέμπτη δ' ἡ μετὰ τὴν τῶν τυράννων κατάλυσιν, ἡ Κλεισθένους, δημοτικωτέρα τῆς Σόλωνος: die Reformen des Kleisthenes (cap. 20—23). 6. ἕκτη δ' ἡ μετὰ τὰ Μηδικά, τῆς ἐξ Ἀρείου πάγου βουλῆς ἐπιστατούσης: die Erhebung des Areopag nach den Perserkriegen (cap. 23—25). 7. ἑβδόμη δὲ ἡ μετὰ ταύτην, ἣν Ἀριστείδης μὲν ὑπέδειξεν, Ἐφιάλτης δ' ἐπετέλεσεν καταλύσας τὴν Ἀρεοπαγῖτιν βουλήν, ἐν ᾗ πλεῖστα συνέβη τὴν πόλιν διὰ τοὺς δημαγωγοὺς ἁμαρτάνειν: der Sturz des Areopag und die Demagogie (cap. 25—29). 8. ὀγδόη δ' ἡ τῶν τετρακοσίων κατάστασις: der Staatsstreich des Rates der Vierhundert (cap. 29—33). 9. καὶ μετὰ ταύτην ἐνάτη δημοκρατία πάλιν: die Wiederherstellung der Volksherrschaft (cap. 33). 10. δεκάτη δὲ ἡ τῶν τριάκοντα καὶ τῶν δέκα τυραννίς: die Willkürherrschaft der Dreifsig und der Zehn (cap. 34—39). 11. ἑνδεκάτη δ' ἡ μετὰ τὴν ἀπὸ Φυλῆς καὶ ἐκ Πειραιέως κάϑοδον, ἀφ' ἧς διαγεγένηται μέχρι τῆς νῦν ἀεὶ προσεπιλαμβάνουσα τῷ πλήϑει τὴν ἐξουσίαν: die Herstellung der absoluten Demokratie (c. 39. 40.). Der

---

[1]) nach der deutschen Ausgabe citiert.

größere Teil des vierten Jahrhunderts ist demnach von der bistori-
schen Betrachtung vollständig ausgeschlossen, nicht als ob während
desselben der athenische Staat in seinen militärischen, gerichtlichen
und finanziellen Verhältnissen keine Veränderung mehr erfahren hätte,
sondern weil diese nicht mehr als *μεταβολαί* im Sinne der eben genannten bezeichnet werden können, da sie sich ohne gewaltsame
Umwälzungen vollzogen. — Der systematische Teil des Werkes wird
eröffnet durch eine Darstellung der Ephebie (c. 42); daran reiht sich
die eigentliche Darstellung des Staatswesens in folgender Disposition:
A: Die Beamten I. die Beamten für den Dienst im Innern, welche
sämtlich durch das Los bestimmt werden, mit Ausnahme des *ταμίας*
στρατιωτικῶν, der Beamten *ἐπὶ τὸ θεωρικόν* und des *ἐπιμελείς τῶν*
κρηνῶν, die gewählt werden. Die Beamten sind der größten Mehrzahl nach a) einjährige, nemlich: 1. die *βουλή*, im Zusammenhang
damit wird auch die *ἐκκλησία* behandelt und die Beamten, welche
zum Rate in Beziehungen stehen, der *ἐπιστάτης τῶν πρυτάνεων*, die
9 *πρόεδροι* (cap. 43—47), besonders solche, welche Gelder in Händen
haben, nämlich die 10 *ταμίαι τῆς Ἀθηνᾶς*, die 10 *πωληταί* (c. 47),
die 10 *ἀποδέκται*, die 10 *λογισταί*, die 10 *εὔθυνοι* (c. 48); den Schluß
dieses Abschnittes bildet eine Darstellung der *δοκιμασία τῶν ἱππέων*
und der *δ. τῶν ἀδυνάτων* durch den Rat (c. 49). 2. Verwaltungs-
beamte für das öffentliche Verkehrsleben, die 10 *ἀστυνόμοι, ἀγορανόμοι*
μετρονόμοι, σιτοφύλακες und *ἐμπορίου ἐπιμεληταί* (c. 50. 51.). 3.
Beamte für das Gefängniswesen (*οἱ ἕνδεκα*), sowie für das Gerichts-
wesen (5 *εἰσαγωγεῖς, οἱ τετταράκοντα* und *διαιτηταί*), (c. 52. 53.). Daran werden angeschlossen der *γραμματεὺς ὁ κατὰ πρυτανείαν*, die 10
ἱεροποιοί, der *ἄρχων εἰς Σαλαμῖνα* und der *δήμαρχος εἰς Πειραιέα*.
3. Die 9 Archonten und ihre Kompetenzen: gemeinsame Funktionen
c. 55, *ὁ ἄρχων* c. 56, *ὁ βασιλεύς* c. 57, *ὁ πολέμαρχος* c. 58, *οἱ*
θεσμοθέται c. 59. b) auf 4 Jahre werden durch das Los bestimmt
die 10 *ἀθλοθέται* für die Panathenäen (c. 60). II. Beamte für den
Krieg, durch *χειροτονία* gewählt, und zwar 1. für das Fußvolk: 10
στρατηγοί, früher aus jeder Phyle einer, zu Aristoteles Zeit aus allen
zusammen und 10 *ταξίαρχοι* (aus jeder Phyle). 2. für die Reiterei:
2 *ἵππαρχοι*, 10 *φίλαρχοι* und ein *ἵππαρχος εἰς Λῆμνον* (c. 61). Nachdem in c. 62 in Kürze von der Besoldung gehandelt worden, beginnt
mit c. 63 die sehr ausführliche Darstellung B des Gerichtswesens. Hievon steht c. 63 allein noch auf der 3. Rolle, die vierte ist aber bekanntlich nur mehr in Fetzen erhalten, so daß es nicht mehr möglich ist, den Zusammenhang der Darstellung des Aristoteles über diesen
wichtigen Gegenstand herzustellen. Das Ende des Buches, 11 zusammenhängende Zeilen ist erhalten; daraus ergibt sich, daß es mit
der Schilderung des Gerichtswesens schloß.

Sobald durch die rasche Publikation Kenyons der reiche Inhalt
des Werkes bekannt geworden war, erschienen in den verschiedensten
Zeitschriften eingehendere Besprechungen desselben, die zum größeren
Teil weniger Recensionen der Arbeit Kenyons sein wollen — diese
wird übrigens, wie schon bemerkt, allseitig lobend anerkannt — als

vielmehr Würdigungen des neu gefundenen Buches nach seinem Inhalt und seiner Bedeutung für die Erweiterung und Umgestaltung
unserer Kenntnisse der athenischen Verfassung. Diese Besprechungen
hier alle zu nennen, würde zu weit führen; man findet sie übrigens
jetzt ganz genau verzeichnet in dem Schriftchen von Peter Meyer,
des Aristoteles Politik und die Ἀθηναίων πολιτεία. Nebst einer Litertur-
Übersicht, Bonn, Anfang September 1891, S. 66: III. Allgemeine Besprechungen und Inhaltsangaben.

Bevor aber noch eine deutsche Bearbeitung des Textes erschien,
veröffentlichen Kaibel und Kiefsling im März eine deutsche Übersetzung: Aristoteles Schrift vom Staatswesen der Athener,
verdeutscht von Georg Kaibel und Adolf Kiefsling, Strafsburg 1891. Die beiden Gelehrten wollten damit „denjenigen Gebildeten, welche es sich versagen müssen, die Darstellung des Aristoteles im griechischen Wortlaut zu geniefsen, eine lesbare Verdeutschung
bieten". Mit welchem Interesse man auch in weiteren Kreisen den
interessanten Fund begrüfste, dafür ist der beste Beweis der, dafs der
ersten Auflage dieser deutschen Übersetzung schon im April eine
zweite folgen konnte, die auf dem Titel den Vermerk „Drittes Tausend"
trägt. Die erste Auflage fufst im Allgemeinen auf dem Text der
Kenyon'schen Ausgabe, jedoch weichen die Übersetzer an manchen
Stellen von seinen Lesungen ab, das Facsimile konnten sie nur bei
der Revision der Druckbogen benützen, ebenso die von Blafs gelegentlich seiner Besprechung der englischen Ausgabe im Lit. Zentralblatt
Nr. 10, Sp. 301—304 veröffentlichten Emendationen. Diese Übersetzung nun ist, wie von allen Seiten anerkannt wird, eine in ihrer
Art ganz vorzügliche Leistung, trotzdem sie in so verhältnismäfsig
kurzer Zeit entstanden ist. Sie zeichnet sich vor allen Dingen dadurch aus, dafs in jeder Beziehung der Eigenart der deutschen Sprache
und ihrer Verschiedenheit von der des Originales sorgfältig Rechnung
getragen wird. Grofse Sätze des griechischen Textes werden häufig
in kleinere auseinandergezogen und dadurch gewinnt die Deutlichkeit
nicht unerheblich; ein griechisches Particip ist vielfach zu einem ganzen
Satze erweitert; eine Bemerkung, die bei Aristoteles abschliefsend am
Ende einer Aufzählung oder einer dargestellten Entwicklung steht,
wird dem Geist der deutschen Sprache entsprechend als einleitender
Satz an den Anfang gestellt etc. Im Einzelnen waren die Übersetzer
bemüht, die technischen Ausdrücke des griechischen Textes durch
deutsche von gleicher oder ähnlicher Bedeutung wiederzugeben, nur
wo man von dem deutschen Worte nicht leicht auf das griechische
schliefsen kann, ist das letztere der Deutlichkeit wegen in runden
Klammern beigefügt, besonders die Namen der Beamten und die Bezeichnungen der gerichtlichen Klagen. Im Übrigen läfst die Verdeutschung nur den Autor zu Worte kommen, sie gibt weder eine
Einleitung, noch fortlaufende Anmerkungen, sondern es finden sich
nur an 16 Stellen ganz kurze, aus 2—4 Worten bestehende erklärende
Zusätze in eckigen Klammern; freilich ist die Übersetzung dabei häufig
mehr eine erklärende Paraphrase als eine wörtliche Wiedergabe. Besonders

wird ihr der Vorzug nachgerühmt, daß sie es mit Glück versucht habe, den einfachen und vornehmen Ton des Originales wiederzugeben und daß sie in der Übertragung der poetischen Stellen großen Geschmack verrate. Die zweite Auflage aber darf sich sehr mit Recht eine verbesserte nennen. Die wesentlichsten Verbesserungen sind das Ergebnis der vollständigen, äußerst genauen Vergleichung des Facsimile, welche Kalhel und Wilamowitz gemeinschaftlich für ihre Textausgabe vorgenommen haben; eine Vergleichung beider Ausgaben zeigt, daß über 30 Stellen jetzt in gänzlich veränderter Fassung erscheinen. Dazu kommen noch eine Reihe von Besserungen im Ausdruck: an zahlreichen Stellen ist das zu entbehrende Fremdwort durch ein gutes deutsches Wort ersetzt worden, so z. B. Manipulation, Präsentation, Version etc., an anderen haben die Übersetzer gefunden, daß der Ton nicht zum Charakter des Originales passe und haben Ausdrücke wie ‚gewissenlose Kerle' oder ‚jeder Tagedieb' geändert; endlich haben dieselben an einigen Stellen ihre Auffassung modifiziert. Mehrere der vorgenommenen Verbesserungen treffen übrigens mit den von Gomperz in seiner Besprechung der 1. Auflage (Deutsche Literaturzeitung vom 13. Juni, S. 877)· gemachten Vorschlägen zusammen.

Ende August erschien eine zweite deutsche Übersetzung des Werkes, die jedoch einen ganz anderen Charakter zeigt: Aristoteles Staat der Athener übersetzt von Dr. Franz Poland (Bändchen 78 und 79 der Übersetzung sämtlicher Werke des Aristoteles in der Langenscheidtschen Bibliothek sämtl. griech. und röm. Klassiker, Preis 70 Pf.). Über die Grundsätze, nach welchen Poland verfahren ist, gibt er S. VI selbst Aufschluß: Übersetzung und Erklärung sind vollständig geschieden, außerdem war der Übersetzer bemüht, ohne der deutschen Sprache Gewalt anthun zu wollen, sich so eng als möglich an das griechische Original anzuschließen. Da diese Übersetzung nur auf der Grundlage der englischen Ausgabe angefertigt wurde, so mußte Poland an manchen Stellen Ergänzungen und Änderungen des Kenyon'schen Textes vornehmen, um ihn lesbar zu machen. Solche Änderungen, sowie die inzwischen veröffentlichten · Vermutungen deutscher und ausländischer Gelehrter sind am Fuße der Übersetzung verzeichnet. In den sachlichen Bemerkungen verzichtet der Verfasser völlig auf die selbständige Erörterung einzelner Fragen und lehnt sich vielmehr, um dem Leser die Möglichkeit einer raschen Orientierung zu gewähren, an bekannte Gesamtdarstellungen der betreffenden Einzelgebiete an. Daher finden sich Lipsius' Neubearbeitung des attischen Prozesses, Wachsmuth's Stadt Athen im Altertum, Gilbert's und Busolt's griechische Staatsaltertümer, sowie die Geschichtswerke von Dunker, Curtius und Busolt am häufigsten zitiert. Die Übersetzung selbst, bei welcher sich der Herausgeber der Unterstützung seines Schwagers, des bekannten Polybioskritikers Dr. Büttner-Wobst zu erfreuen hatte, ist in Befolgung der oben angeführten Grundsätze mit großer Sorgfalt und Genauigkeit angefertigt, jedoch meine ich, es sei immerhin an manchen Stellen der deutschen Sprache durch allzugroße Anlehnung an das Original Gewalt angethan worden; denn eine Übersetzung ist doch noch lange nicht frei, wenn sie der Verschiedenheit der Sprachen Rechnung trägt. So konnte z. B. der Satz aus der Schilderung der Reformen des Kleisthenes c. 21: διὰ τοῦτο δὲ οὐκ εἰς δώδεκα φυλὰς συνέταξεν, ὅπως αὐτῷ μὴ συμβαίνῃ μερίζειν κατὰ τὰς προϋπαρχούσας τριττῦς unbeschadet der Genauigkeit besser deutsch gegeben werden als so: ‚Eine Teilung in 12 Stämme liefs er deshalb nicht eintreten, damit es sich nicht träfe, dafs diese Teile mit den bereits vorhandenen Drittelschaften zusammenfielen'. Auch lassen sich nicht alle technischen Ausdrücke wörtlich übertragen, z. B. ist Thesmotheten mit Rechtssetzer, Phylarchen mit Stammesführer wiedergegeben, kaum besonders gut gewählte Ausdrücke. Jeder griechische Eigenname ist da, wo er zum ersten Male im deutschen Gewande erscheint mit einem Accent versehen, um den Nichtphilologen zur richtigen Betonung anzuleiten; so erscheinen Wörter wie Kréta, Drákon accentuiert, was sich recht seltsam ausnimmt[1]).

Im übrigen zeigen die vielen verbesserten Stellen, welche die 2. Auflage der Kaihel-Kiefsling'schen Übersetzung gegenüber der ersten und gegenüber der abweichenden Wiedergabe bei Poland aufweist, wie sehr das Erscheinen der deutschen Ausgabe von Kiefsling und Wilamowitz-Möllendorf einem dringenden Bedürfnis entsprach. Dieselbe wurde von den beiden Gelehrten mit vereinten Kräften vorbereitet, indem sie zunächst das Facsimile während eines Zeitraumes von mehr als 20 Tagen gemeinschaftlich lasen; hierauf studieren sie beide einzeln für sich das Ganze nochmals, ja einzelne Stellen drei- und viermal, bis sie sich über die meisten Schwierigkeiten geeinigt hatten. Wo die photographische Nachbildung nicht ausreichen wollte, sah Kenyon den Papyrus für sie nochmals ein, so dafs an vielen Stellen eine ganz andere Lesart erscheint wie in der englischen Ausgabe (praef. p. XII). Abweichungen von dem, was die Originalhandschrift bietet, sind genau verzeichnet mit Ausnahme der orthographischen Fehler, an welchen, wie oben erwähnt, Rolle 2 und 4 besonders reich sind. Dagegen haben die Herausgeber es nicht für nötig gefunden, an zweifelhaften Stellen die verschiedenen Vermutungen der Gelehrten zu registrieren; nur wenn eine Konjektur das Richtige zu treffen scheint, wird sie mitgeteilt, aufserdem wird die Stelle als korrupt bezeichnet, blofs die Korrekturen, die Kenyon schon in seiner Ausgabe vorgenommen hat, werden sorgfältig angegeben, sonst aber haben die Herausgeber für manche Verbesserungen, die sie gefunden, aber nicht veröffentlicht hatten, insofern die Priorität für sich in Anspruch genommen, als sie

---

[1]) Aufser der oben mit der Ausgabe zugleich angeführten Übersetzung in's Italienische von Ferrini erschien inzwischen auch eine französische: Aristote, la république Athénienne. Traduit en français pour la première fois par Théod. Reinach, Paris (Anfang August 1891), ferner 2 englische, von dem ersten Herausgeber Kenyon und von E. Poste, von welchen sich die erstere enger an das Original anschliefst, während die zweite lesbarer erscheint. Nicht zu rechtfertigen ist, dafs Reinach in seiner Übertragung einzelne Abschnitte als nicht aristotelisch eigenmächtig wegläfst.

3*

es verschmähten, diejenigen Gelehrten zu nennen, die vor dem Erscheinen ihrer Ausgabe die gleiche Vermutung geäufsert hatten. Durch
dieses Verfahren, welches der subjektiven Beurteilung der einzelnen
Konjekturen gröfseren Spielraum gewährt, entsteht aber nach meiner
Ansicht eine bedenkliche Inkonsequenz. Hiefür nur einige Beispiele:
cap. 57, 53 ergänzen Kaibel und Wilamowitz (es handelt sich um
den Gerichtshof ἐν Φρεάτου): δικάζουσι δ' οἱ λαχόντες τα [ῦτα ἐφέται]
nach einer Stelle des Harpocration, die unter den testimonia angeführt
ist; Lipsius dagegen, der den letzten Satz des Harpocration nicht aus
Aristoteles herleitet, ergänzt abweichend [δικασται]. Da hierdurch die
Ansicht, dafs die Epheten hier zu Gericht gesessen hätten, abgelehnt
wird, so hätte diese Vermutung doch angeführt zu werden verdient.
Im unmittelbaren Anschlufs an die eben citierten Worte heifst es
εἰσάγει δ' ὁ βασιλεὺς καὶ δικάζουσιν ...... αι .. καὶ ὑπαίθριοι. Lipsius
will den Begriff τριταῖοι ergänzen, auch das hätte erwähnt werden
sollen. — Auf eine andere Stelle macht Gomperz aufmerksam: cap.
40,3 liest unsere Ausgabe ἐν δὲ ταῖς ἄλλαις πόλεσιν ο ὐ χ ο ἷ ο ν
ἐ[π]ι π ρ ο σ τ ι ϑ έ α σ ι ν τ ῶ ν οἰκείων οἱ δῆμοι κρατήσαντες, ἀλλὰ καὶ
τὴν χώραν ἀνάδαστον ποιοῦσιν (οὐχ οἷον ἔτι προστιϑέασιν Kenyon).
Es wäre merkwürdig, wenn an dieser einzigen Stelle statt des sonst
bei Aristoteles und den andern alten Schriftstellern allein vorkommenden οὐχ ὅτι—ἀλλὰ καὶ das erst bei Polybius nachweisbare οὐχ οἷον—
ἀλλὰ καὶ sich fände. Diesen Anstofs hat der Engländer Mayor durch
eine ansprechende Vermutung beseitigt; er erkennt in dem ἔτι oder
ἐπι das ursprüngliche ὅτι, durch dessen Verderbnis die Einschiebung
von οἷον veranlafst worden ist. Auch diese wichtige Konjektur ist
in unserer Ausgabe nicht verzeichnet. Wenn man also in Bezug auf
unbedeutende Ergänzungen und selbstverständliche Verbesserungen das
Verfahren der Herausgeber nur gutheifsen kann, so hätten sie doch
wichtigere Konjekturen vollständig mitteilen sollen. Weniger sparsam
sind dieselben mit dem Abdruck der testimonia der alten Grammatiker
und Historiker unter dem Text gewesen und haben namentlich solche
Stellen wörtlich gegeben, welche zur Verbesserung des Textes dienen
können, oder welche die Worte des Aristoteles genau wiederholen.
Ebenso wird durch den Abdruck der Epitome des Heraclides, sowie
der Fragmente aus dem ersten, verloren gegangenen Teile des Werkes
und Beifügung eines sachlichen Index die Brauchbarkeit des Buches
sehr erhöht. Im übrigen ist man freudig überrascht, zu sehen, wie
sehr der Text durch die vereinten Bemühungen der beiden deutschen
Gelehrten, die sich fortwährend der selbstlosen Unterstützung Kenyons
zu erfreuen hatten, an Lesbarkeit gewonnen hat: an mehr denn 30
Stellen ist der Sinn jetzt gänzlich verändert. oder es ist überhaupt
erst Sinn in die vorher anscheinend verderbte Überlieferung gekommen.
Dabei sind die 37 Stellen noch gar nicht gezählt, wo die Herausgeber Interpolationen oder Glosseme annehmen zu müssen glaubten;
wenn sie hiebei auch bisweilen zu weit gegangen sein mögen (vgl.
Gomperz, Deutsche Literaturzeitung vom 7. Nov. 1891), so wird man
ihnen doch an der Mehrzahl der Stellen beistimmen können; ähnlich

verhält es sich mit den Lücken im Texte, welche die Herausgeber an etwa 14 Stellen angenommen haben; die Berechtigung einzelner wird bestritten, andere aber entkräften erst die Vorwürfe, welche von den Bekämpfern gegen die Ächtheit gegen den und jenen Punkt der Darstellung erhoben worden sind, z. B. S. 22, 28 (Reform des Kleisthenes). Alles in Allem hat der Text des neugefundenen Werkes erst durch diese treffliche deutsche Ausgabe in weiteren Kreisen Verbreitung gefunden, wozu auch der billige Preis derselben (Mk. 1,80) wesentlich beiträgt.

Die Freude über den unverhofften Fund sollte leider nicht ungetrübt bleiben; denn alsbald nach dem Bekanntwerden des Werkes tauchten auch schon Zweifel an seiner Echtheit auf und zwar waren es englische Gelehrte, die es zuerst unternahmen, „der ᾽Αϑηναίων πολιτεία gegenüber die Rolle des Teufelsanwaltes" zu spielen. Zwar leugnen sie nicht, dafs die Abfassung der Schrift in die letzten Lebensjahre des Aristoteles fällt, dafs es dieselbe ist, welche Plutarch und die Grammatiker und Lexicographen unter dem Titel ᾽Αϑηναίων πολιτεία gekannt und excerpiert haben, aber sie erklären die Zeugnisse des gesamten Altertums als null und nichtig und bekämpfen nun, wie wenn die Frage der Echtheit eine vollkommen offene wäre, wie wenn jene Zeugnisse gar nicht existierten, die Autorschaft des Aristoteles teils mit sachlichen Gründen, die aber wenig ernst zu nehmen sind, teils mit solchen, die ihnen die Sprachstatistik liefert. Es haben nämlich die Engländer Mayor, Newmann, Platt und Richards im März- und Aprilheft der Classical Review 1891 unter dem Titel Unaristotelian words an phrases eine Reihe von angeblich unaristotelischen Wörtern und Wendungen gesammelt, sowie auch einzelne syntaktische Eigentümlichkeiten angeführt, welche die Unmöglichkeit der Autorschaft des Aristoteles beweisen sollen. Diesen Angriffen ist eine kurze aber völlig genügende Abfertigung zu teil geworden durch Prof. Th. Gomperz, Über das neuentdeckte Werk des Aristoteles und die Verdächtiger seiner Echtheit (Anzeiger der philosophisch-historischen Klasse der Wiener Akademie vom 6. Mai 1891, S. 1—6). Gomperz weist den Engländern zunächst nach, dafs eine Reihe ihrer Bedenken in syntaktischer Beziehung entweder gar nicht bestehen, weil ihre Beobachtungen ungenau und ihre Zusammenstellungen unvollständig sind, oder dafs sie inzwischen durch Verbesserungsvorschläge in befriedigender Weise beseitigt worden sind. Die unaristotelischen Wörter und Wendungen aber scheidet er streng in 2 Kategorien: 1. solche Bestandteile des griechischen Wortschatzes, welche bisher aus Aristoteles zwar nicht nachgewiesen sind, deren Vorkommen aber in einer neu auftauchenden Schrift desselben uns nicht im mindesten befremden kann, 2. in solche, bei welchen letzteres in gröfserem oder geringerem Mafse der Fall ist. Zur ersteren Kategorie gehören technische, auf den speziellen Gegenstand des Buches, das Verfassungsleben Athens bezügliche Wörter. Was hat es also für einen Wert, Wörter wie προεδρικός, ζευγίσιον, ὀστρακοφορία als solche ἅπαξ εἰρημένα eigens anzumerken? Von einigen anderen erweist Gomperz durch Beispiele aus anderen Schriftstellern, dafs man sie am wenigsten gegen den aristotelischen Ursprung ins Feld führen kann, z. B. ἑπταετηρίς neben den so häufig vorkommenden Formen πενταετηρίς, τετραετηρίς, τριετηρίς. Wie hinfällig aber auch sonst die Bedenken der englischen Gelehrten sind, erweist Gomperz, indem er eine Seite des Index Arist. von Bonitz aufschlägt: von 28 dort verzeichneten Wörtern aus den echten Schriften sind 18 nur mit einem Beleg versehen, also aristotelische ἅπαξ εἰρημένα; so bieten weiter die Seiten 262—263 unter 35 Wörtern 18, die Seiten 722—723 unter 46 Wörtern 22 derartige ἅπαξ λεγόμενα dar. Dieses überraschende Resultat war aber von vornherein bei einem Schriftsteller zu erwarten, der die mannigfachsten Gegenstände, zum Teil mit grofser Kürze, behandelt, der in hohem Mafse nach Proprietät des Ausdruckes strebt, und dem die reichste Belesenheit mit den Hilfsquellen seiner Sprache aufs freieste zu schalten gestattet. Sein Vocabular ist selbstverständlich in verschiedenen Schriften ein ganz verschiedenes und wer aus solchen Differenzen Schlüsse auf die Autorschaft der einzelnen Werke ziehen wollte, müfste folgerichtig dazu gelangen, die naturhistorischen Bücher einem anderen Verfasser beizulegen als die kunst- und sprach-theoretischen, diese wieder einem anderen als die logischen etc. Für die 'Αϑηναίων πολιτεία kommt dazu noch der besondere Moment, dafs es die erste der populären Schriften des Aristoteles ist, die uns durch mehr als spärliche Überreste bekannt wird. Hätten sich also die englischen Gelehrten die Grundbedingungen des Problems besser klar gemacht, so würden sie vorsichtiger gewesen sein und nicht Folgerungen gezogen haben, welche ernsterer Prüfung durchaus nicht Stand halten.

Geradezu frivol ist der Angriff auf die Echtheit des Werkes, welchen — es ist der erste in deutscher Sprache — der Ungar Julius Schvarcz im Aprilheft der Ungarischen Revue S. 341 ff. veröffentlicht hat unter dem Titel „Der Aristoteles-Papyrus des British Museums.[1] Bezeichnend ist schon der Anfang: „Hat diese Schrift wirklich den Aristoteles zu ihrem Verfasser? Ich sehe durchaus keinen Grund zu einer solchen Annahme. Man deutet darauf hin, dafs 55 Fragmente einer von Plutarch, Pollux, Harpocration und Sopatros (bei Photios) citierten, gleichfalls dem Aristoteles zugeschriebenen 'Αϑηναίων πολιτεία mit den entsprechenden Stellen des von Mr. Kenyon soeben ausgegebenen Textes klappen. Ja, aber ist es vielleicht schon unumstöfslich erwiesen, dafs diese von Plutarch etc. citierte, seit vielen Jahrhunderten nicht mehr vorhandene Schrift kein anderer hat verfafsen können, als Aristoteles? Und klappt denn auch Alles?" Nun werden einige Stellen angeführt zum Beweise, dafs nicht alles klappt: Die „pythokleidische Schülerschaft des Pericles, welche Plutarch aus der Schrift des Aristoteles erfuhr (Plut. Per. 4: Ἀριστοτέλης δὲ

---

[1] Ich kenne nur diesen Aufsatz von Schvarcz aus eigener Anschauung; gleichen Inhalt hat der in „die Demokratie". Bd. II, Abt. I aufgenommene und auch separat erschienene: Aristoteles und die 'Αϑηναίων πολιτεία auf dem Papyrus des British Museums.

παρὰ Πυϑοκλείδῃ μουσικὴν διαπονηϑῆναι τὸν ἄνδρα φησίν) kommt im Text des British Mus. gar nicht vor!" Natürlich; denn erstens hat Plutarch diese Notiz gar nicht aus dieser Schrift und zweitens wäre es doch unerhört, zu verlangen, daſs Aristoteles in der Verfassungsgeschichte Athens gar auch noch den Musiklehrer des Perikles nennen solle. — Oder Schvarcz sucht die Notiz des Harp. s. v. τριττύς bei der Reform des Kleisthenes unterzubringen, wo sie freilich nicht klappt, und merkt nicht, daſs dieselbe auf den verloren gegangenen Anfang des Werkes zurückzuführen ist. Hierauf fragt er: „Gab es denn zwischen 329—322 v. Chr. keinen anderen Griechen auf der Oberfläche dieses Planeten, der über die athenische Verfassungsgeschichte hätte schreiben können auſser dem weltberühmten Philosophen und bewunderungswürdigen Vielschreiber Aristoteles?" Die Antwort lautet: Ja, Theophrast und Demetrius v. Phaleron. Ersterer will nicht ganz passen, aber letzterer ist der rechte Mann, der schon vermöge seiner Stellung zu Athen unvergleichlich besser befähigt war, die Urkunden im Metroon zu studieren als der Metöke Aristoteles. Auch die erhaltenen Titel seiner Schriften machen diese Autorschaft wahrscheinlich — denn mehr will Schvarcz nicht beweisen — z. B. περὶ νόμων, περὶ τῆς Ἀϑήνῃσι νομοϑεσίας, περὶ πολιτικῆς, περὶ δεκαετίας (über die 10jährige Verwaltung 317—307), besonders aber περὶ τῶν Ἀϑήνῃσι πολιτειῶν. „Leider wird dieses hochbedeutende, seinem Wesen nach unverkennbar verfassungsgeschichtliche Werk als solches mit seines Verfassers Namen nirgends citiert". Eine solche Logik verblüfft in der That. Also 55 Fragmente der Ἀϑηναίων πολιτεία des Aristoteles stimmen mit Stellen der neugefundenen Schrift überein, das gilt aber nichts; dagegen der bloſse Titel eines Werkes, von dem kein einziges Fragment erhalten ist, das aber Schvarcz nach seinen eben angeführten Worten genau zu kennen scheint, veranlaſst ihn, die Autorschaft des Demetrius zu behaupten. Doch es kommt noch besser. Da von dem wichtigen Werke keine Fragmente vorhanden sind, so müssen die anderen Schriften zum Vergleich ihre spärlichen Reste bieten. Schvarcz citiert 8 fragm. aus dem obenerwähnten Buche des Demetrius περὶ τῆς Ἀϑήνῃσι νομοϑεσίας, die aber meist mit unserer Schrift keine weiteren Beziehungen aufweisen, bis auf eines: fr. VI Δ. ὁ Φ. φησι καὶ δημάρχους οἱ περὶ Σόλωνα καϑίσταντο ἐν πολλῇ σπουδῇ, ἵνα οἱ κατὰ δῆμον διδῶσι καὶ λαμβάνωσι τὰ δίκαια παρ' ἀλλήλων. Nun wird aber leider in der Ἀϑηναίων πολιτεία cap. 21 die Einführung der δήμαρχοι dem Kleisthenes zugeschrieben. Also das einzige Fragment, das zur Vergleichung herangezogen werden kann, enthält einen unlösbaren Widerspruch. Was sagt Schvarcz dazu? „Das würde nur beweisen, daſs Demetrios, indem er sein Werk περὶ τῶν Ἀϑήνῃσι πολιτειῶν schrieb, noch nicht wuſste, was er später, als er sein Werk περὶ τῆς Ἀϑήνῃσι νομοϑεσίας verfaſste, etwa auf Grund eingehenderer Studien im Metroon bereits zur Kenntnis genommen hatte." Zu dieser vagen Ausflucht greift derselbe Schvarcz, der 4 Seiten weiter oben S. 344 erklärt hatte, unsere Schrift könne deswegen schon nicht von

Aristoteles sein, weil sie in Bezug auf die allerwichtigsten verfassungs-
geschichtlichen Momente (2 Beispiele werden angeführt: Gesetzgebung
des Drakon und Timokratie des Solon) im schroffsten Widerspruch
mit den Πολιτικά des Aristoteles stünde.[1]) Was also oben als der
gröfste Trumpf gegen die Autorschaft des Aristoteles ausgespielt wird,
darüber wird, wo es gegen Demetrius spricht, leicht hinweggegangen.
Wie kann man bei solcher Inkonsequenz die ganze Beweisführung noch
ernst nehmen? Schvarcz verbreitet sich schliefslich noch über die
äufseren Schicksale des Demetrius, und hebt besonders hervor, dafs
er sich zuletzt an den Hof der Ptolemäer begab, wo er auch starb.
Daran reiht sich folgende schöne Hypothese: „Der Text des British
Museums stammt a n g e b l i c h aus Ägypten her: nun, wäre es denn
gar so unwahrscheinlich, dafs eine Schrift des Demetrios, des epochalen
Bibliothekars von Alexandria hier auf diesem hamitischen Boden wie
immer sich erhalten und dann des öfteren copiert oder gar in eine
plagiatorische Form gegossen werden konnte, um der Nachwelt als
ein Geisteserzeugnis des Aristoteles verkündet zu werden?" . Sapienti
sat! Ich will nur noch bemerken, dafs Schvarcz sogar dem Gedanken
an eine moderne Fälschung Raum gibt, wenn er S. 363 am Schlusse
bemerkt: „falls wir es nicht mit einer Mystification zu thun haben etc."
    Weit vorsichtiger als der Aufsatz von Schvarcz, mit dessen aus-
schliefslicher Widerlegung sich, soviel ich sehe, bisher Niemand abgegeben hat, ist die Schrift von F r i e d r i c h C a u e r abgefafst: „H a t
A r i s t o t e l e s d i e S c h r i f t v o m S t a a t e d e r A t h e n e r g e-
s c h r i e b e n? I h r U r s p r u n g u n d i h r W e r t f ü r d i e ä l t e r e
a t h e n i s c h e Geschichtsschreibung (April 1891), insofern vorsichtiger, als Cauer wenigstens die Identität der in dem Londoner
Papyrus aufgefundenen Schrift mit der im Altertum unter Aristoteles
Namen verbreiteten Ἀθηναίων πολιτεία nicht bezweifelt, sowie ausdrücklich aristotelische Ausdrucksweise und aristotelische Gedanken in
derselben anerkennt. Wenn er trotzdem zu dem Schlusse kommt,
nicht Aristoteles selbst, sondern nur ein Schüler von ihm sei der
Verfasser, so ist für ihn, um vorläufig Unbedeutenderes zu übergehen,
der Hauptgrund zu dieser Annahme folgender vermeintliche Widerspruch zwischen Politik und Politeia. Er citiert S. 49 folgende Stelle
der Übersetzung von Kaibel und Kiefsling S. 60: „Elftens diejenige
Umgestaltung der Verfassung, welche nach der Rückkehr der Emi-
granten von Phyle, sowie aus dem Piräus in Kraft getreten ist und
von da ab bis zur Gegenwart beständig zu einer stetigen Mehrung der
Befugnisse der grofsen Menge geführt hat. Denn über Alles hat der
Demos selbst als Gebieter sich in eigener Person gesetzt, weil die
ganze Verwaltung durch Mehrheitsbeschlüsse und gerichtliche Entscheidungen bestimmt wird. Den Ausschlag in beiden gibt aber das
Volk, seitdem auch die früher zur Competenz des Rates gehörige

---

[1]) An die 2 Beispiele schliefst sich der Satz: „Und derlei Widersprüche gibt
es da in Hülle und Fülle", welcher mich lebhaft an die Phrase in unseren Schüler-
aufsätzen erinnert: „Und solche Beispiele könnte man noch unzählige anführen." Wie
steht es aber, wenn man von den unzähligen nur noch eines oder einige hören möchte?

Gerichtsbarkeit auf die Volksgemeinde übergegangen ist. Und mit Recht, dünkt mir; denn einige wenige lassen sich durch die Aussicht auf materiellen Vorteil und durch persönliche Rücksichten leichter beeinflussen als die grofse Menge." Indem nun Cauer dieser Stelle solche aus der Politik gegenüberstellt, wo die Demokratie im schwärzesten Lichte erscheint (Polit. IV, S. 1298 a 29—33), kommt er zu dem Schlusse S. 52: „Dafs Aristoteles jemals das Lob der Demokratie gesungen habe, wie wir es in der Schrift vom Staate der Athener lesen, ist so unmöglich, wie dafs der Mond bei Tag scheine und die Sonne bei Nacht." Dieser Schlufs ist aber ebenso übereilt, wie die ganze Schrift, die absolut bis zur 41. Versammlung deutscher Philologen und Schulmänner in München (20.—23. Mai) fertig gestellt sein sollte; denn hier hatte Cauer in der exegetisch-kritischen Sektion einen Vortrag über das gleiche Thema angekündigt, der auch wirklich gehalten wurde. Bei dieser Gelegenheit aber wurde sogleich der eben ausgeführte Hauptbeweis Cauers durch Prof. Gomperz treffend widerlegt, indem dieser nachwies, wie die ganze Beweisführung auf unrichtiger Interpretation der citierten Stelle beruht. Die Worte des griechischen Textes c. 41, 2 lauten: ἁπάντων γὰρ αὐτὸς αὑτὸν πεποίηκεν ὁ δῆμος κύριον καὶ πάντα διοικεῖται ψηφίσμασιν καὶ δικαστηρίοις, ἐν οἷς ὁ δῆμός ἐστιν ὁ κρατῶν. καὶ γὰρ αἱ τῆς βουλῆς κρίσεις εἰς τὸν δῆμον ἐληλύθασιν. καὶ τοῦτο δοκοῦσι ποιεῖν ὀρθῶς· εὐδιαφθορώτεροι γὰρ οἱ ὀλίγοι τῶν πολλῶν εἰσιν καὶ κέρδει καὶ χάρισιν. Hätte Cauer, statt blofs die Strafsburger Übersetzung zu Rate zu ziehen, den Text genau eingesehen, so würde er leicht gefunden haben, dafs die Worte καὶ τοῦτο δοκοῦσι ποιεῖν ὀρθῶς nicht ein uneingeschränktes Lob der Demokratie als Verfassungsform enthalten, sie erklären sich vielmehr ganz einfach und ungezwungen als der Ausdruck einer von Aristoteles auch in der Politik vorgetragenen politischen Ansicht, dafs Bestechung der Obrigkeiten dadurch unmöglich gemacht werde, dafs man Rechtsbefugnisse, welche einige wenige ausüben, der Menge zuweise. Man vergleiche Polit. III, 15, p. 1286a: διὰ τοῦτο καὶ κρίνει ἄμεινον ὄχλος πολλὰ ἢ εἷς ὁστισοῦν. ἔτι μᾶλλον ἀδιάφθορον τὸ πολύ κ. τ. λ. Nachträglich haben dann noch verschiedene Gelehrte, ohne von der mündlichen Widerlegung durch Gomperz zu wissen, dem Cauer'schen Beweis ebenso den Boden entzogen, so Crusius in einem eigenen Aufsatze: Die Schrift vom Staate der Athener und Aristoteles über die Demokratie, Philologus 1891 S. 173 ff., Niemeyer, zu Aristoteles 'Αθηναίων πολιτεία, Jahrb. f. Philol. 1891 S. 410, Meyer iu dem schon oben erwähnten Schriftchen (des Aristoteles Politik und die 'A. π.) S. 60 f., der mit ελ zeichnende Recensent im Lit. Centralbl. Sp. 1120, Diels, Szanto u. a. — Aber auch für einen Schüler des Aristoteles bliebe die vermeintliche Verherrlichung der Demokratie, welche Cauer in der eben besprochenen Stelle sieht, noch bedenklich genug; deshalb ist Cauer auf den Ausweg verfallen, jener Schüler des Aristoteles sei dazu nach des Meisters Verbannung durch den Terrorismus der öffentlichen Meinung gebracht worden, so dafs sich als Schlufsresultat Cauers ergibt: „Die Schrift ist von einem unbedeutenden Schüler des Aristoteles unter dem Druck des demokratischen Terrorismus in Athen **während der Jahre 324—322** verfafst worden. Aber auch diese zeitliche Ansetzung ist völlig unrichtig; denn inzwischen ist, soviel ich sehe, durch vier Gelehrte die Abfassungszeit genau festgestellt worden: 1) von C. Torr, The date of the Constitution of Athens, Athenaeum 3302, S. 185. 3316, S. 636. 2) von Lipsius, Berichte d. sächs. Ges. d. Wissensch. 1891, S. 45, Anm. 2. 3) von H. Droysen im Programm des Königsstädtischen Gymnasiums zu Berlin 1891. S. 22. 4) von Br. Keil in der Berliner phil. Wochenschrift 1891, S. 613 f. Einerseits nämlich ist das jüngste in dem Buche c. 54 erwähnte Datum das Archontat des Kephisophon Ol. 112, 4 (329/8), also das Jahr 329 terminus post quem, andrerseits wird c. 46 nur von der Erbauung von Trieren und Tetreren gesprochen, nun hat Boeckh Staatshaus. III, 76 aus den Seeurkunden nachgewiesen, dafs es Ol, 113, 3 (326/25) noch keine Penteren in den athenischen Werften gab. wohl aber 113, 4 (325/24: Seeurk. XIV = C. I. A. II, 2, 809, a, 90); also ist das Jahr 325 der terminus ante quem. Die Schrift ist demnach sicher zwischen 329/8 und 325/4 entstanden und damit ist der obigen Aufstellung Cauers jeder Boden entzogen. Nachdem so der Versuch Cauers, die Echtheit zu bestreiten, im Ganzen mifslungen ist, verlohnt es sich hier nicht, auch noch auf Mängel und Flüchtigkeiten seines Buches im Einzelnen einzugehen und minder wichtige Bedenken desselben zu wiederlegen. Als einzelne Spuren der Übereilung seien erwähnt, worauf schon Gomperz aufmerksam macht, dafs er S. 4 und 45 dieselbe Sache (Gesetzgebung des Drakon) teilweise mit denselben Worten behandelt, dafs er S. 18 klagt, der Autor übergehe das wichtige Gesetz Solons über Testierfreiheit, während es doch cap. 35, 2 mit deutlichen Worten erwähnt wird u. a.

Der dritte Angriff, welcher gegen die Autorschaft des Aristoteles unternommen worden ist, steht nach Ton und Inhalt dem Aufsatz von Schvarcz näher als der Schrift von Cauer. Es ist die Abbandlung von Fr. Rühl, Über die vom Mr. Kenyon veröffentlichte Schrift vom Staate der Athener, Rhein. Museum, Bd. 46, (1891) S. 426—464. (Mitte April 1891 im Manuscript vollendet). Dieser Angriff hat, wie ich hier gleich vorausschicken will, eine gelungene Abwehr erfahren durch Th. Gomperz, die Schrift vom Staatswesen der Athener und ihr neuester Beurteiler. Eine Streitschrift, Wien 1891.[1]) Viel mehr noch als seine Vorgänger geht Bühl von einer ganz unrichtigen Anschauung aus und verfährt ganz einseitig. Anstatt der liebevollen Versenkung in die Eigenart des Autors, welche erst zu einem vollen Verständnis führen und uns erklären kann, warum diese Partie breiter ausgeführt, jene nur scizziert, manches ganz übergangen ist, tritt hier überall in der Beurteilung die subjektive Willkür hervor, nichts ist dem Historiker Rühl recht, alles soll anders ausgedrückt,

---

[1]) Neben dieser trefflichen Abfertigung kommt der in der Beilage der Allgemeinen Zeitung Nr. 236 unter dem Titel „Übertriebene Zweifelsucht" veröffentlichte Artikel von M(ähly) weniger in Betracht.

anders disponiert sein, alles mögliche hätte uns noch gesagt werden
müssen, wenn Aristoteles der Verfasser wäre u. s. w. Neben der
subjektiven Willkür macht sich besonders die ungerechte Einseitigkeit
des Urteils bemerkbar. Cauer und selbst Schvarcz hatten doch
wenigstens auch für die Vorzüge des neugefundenen Werkes einen
vorurteilsfreien Blick, sie rühmen es als eine reiche Quelle der Belehrung und heben einzelnes Neue besonders hervor. Nicht so Rühl,
er weiſs nur Tadelnswertes zu finden, gar nichts ist für ihn von
Wert, für keinen Teil des Buches hat er ein lobendes Wort. Erbittert
schon diese offenbare Ungerechtigkeit des Urteils, so thut dies noch
mehr die Form, in welcher dasselbe zum Ausdruck kommt. Der
Verfasser hat „schlecht disponiert", seine Disposition ist die „elendeste",
seine Ausführungen werden als „Unsinn", „solches Gewäsch", „dieses
Zeug" bezeichnet, „Dilettantismus und Schülerhaftigkeit", „Albernheit",
„Abgeschmacktheit" wird ihm nachgesagt u. dgl. Es würde zu weit
führen, wollte ich hier alle Anstöſse Rühls aufzählen und sie widerlegen, zumal Gomperz dies bereits in so trefflicher Weise gethan hat.
Nur Einiges sei hervorgehoben. Bühl ist so voreingenommen gegen
den Autor, daſs er gar nicht auf den Gedanken kommt, es könne
irgend eine Sinnlosigkeit des Textes der verderbten Überlieferung zuzuschreiben sein, alles hat vielmehr der an Blödsinn streifende Un-
verstand des Verfassers verschuldet. So heiſst es S. 439 „Für die
Bewunderer aristotelischer exoterischer Darstellung muſs das 18. Kapitel
ein wahrer Hochgenuſs sein. Es ist in der That unvergleichlich, wie
hier Aristogeiton eingeführt wird, wie die beiden Freunde sofort v i e l e
Bürger als Genossen ihrer Verschwörung zur Hand haben . . . Und
woher kommt es, daſs gleich so viele Bürger zum Tyrannenmord bereit sind? Thuk. VI, 56 sagt, die Zahl der Verschworenen sei nicht
groſs gewesen und das ist naturgemäſs, wenn man bedenkt, daſs
Aristogeiton ein μέσος πολίτης war (Thuc. VI, 54), die groſse Zahl der
Verschworenen wäre aber völlig unbegreiflich, wenn in Athen damals
wirklich der idyllische Zustand geherrscht hätte, wie ihn die 'Αθηναίων
πολιτεία p. 43 f. schildert" Wie steht es nun? Die Stelle, welche
bei Kenyon lautet πράττειν τὴν πρᾶξιν μετὰ πολιῶν πολλῶν, ist erst
durch die vereinten Bemühungen mehrerer richtig gelesen worden; sie
erscheint in der deutschen Ausgabe also: πράττειν τὴν πρᾶξιν μετὰ
συνει⟨δό⟩των ⟨οὐ⟩ πολλῶν. wobei die Ergänzungen der kleinen Lücken
zweifellos richtig sind. Damit ist aber alles in schönster Ordnung.
Eine Reihe ähnlicher Fälle bespricht Gomperz S. 9; z. B. zerbricht
sich Rühl umsonst den Kopf S. 454, welche Kriege es gewesen sein
könnten, in Bezug auf die es c. 27 von Damonides aus Oea heiſst ὅς
ἐδόκει τῶν π ο λ έ μ ω ν εἰσηγητὴς εἶναι τῷ Περικλεῖ (Kenyon). Es steht
im Papyrus richtig τῶν πολλῶν! S. 451 sagt R. bezüglich der Darstellung der Verfassung des Kleisthenes: „Da treffen wir wieder auf
lauter Unklarheiten und auf elendeste Disposition". Gott behüte! Im
Text ist, wie jetzt allseits anerkannt wird vor πρῶτον μὲν οὖν (c. 21)
eine Lücke anzunehmen. Darin war die für das Verständnis des
Folgenden dringend notwendige Schaffung von Neubürgern durch

Kleisthenes erwähnt. — An anderen Stellen hat Bühl einfach falsch interpretiert. c. 2 heißt es von den Ackerbauern vor Solon: καὶ ἐκαλοῦντο ... ἐκτημόροι ⟨ἐπὶ⟩ ταύτης γὰρ τῆς μισθώσεως εἰργάζοντο τῶν πλουσίων τοὺς ἀγροὺς = sie hießen Sechstler; denn auf Grund dieses Pachtverhältnisses bestellten sie die Aecker der Reichen. Indem nun Rühl das Wort μίσθωσις nicht im richtigen Sinne von „Pacht, Pachtsumme", sondern im Sinne von „Entlohnung" faßt, behauptet er, hier lägen „Unklarheiten vor, die uns stutzig machen müssen. Die ἐκτημόροι hatten jedenfalls nichts abzugeben, sondern sie er - hielten etwas!" Diese Auffassung ist unmöglich, da unmittelbar folgt: εἰ μὴ τὰς μισθώσεις ἀποδιδοῖεν κ. τ. λ. = wenn sie aber den Pachtschilling (d. h. also ⁵/₆ des Ertrages, während sie ¹/₆ behalten durften) nicht ablieferten etc. etc. Aristoteles kann doch den technischen Ausdruck μίσθωσις in einem Satze nicht in zwei verschiedenen Bedeutungen gebraucht haben. Auch stilistisch findet Rühl den Ausdruck ἐπὶ ταύτης τῆς μισθώσεως nicht schön gesagt und nicht ohne weiteres verständlich, wogegen Gomperz auf die vollkommen entsprechenden Ausdrücke ἐπὶ τῶν ἴσων und ἐπὶ τῶν αὐτῶν verweist. Übrigens kann sich Rühl in beiden Beziehungen beruhigen, denn es steht deutlich im Texte κατὰ ταύτην γὰρ τὴν μίσθωσιν, wie die deutsche Ausgabe bietet, und damit sind alle Bedenken erledigt. Doch genug! Wer sich noch eingehendɡr von der Unhaltbarkeit der Aufstellungen Rühls überzeugen will, den verweise ich auf Gomperz' Streitschrift.

Zu der Literatur, welche sich mit der Echtheitsfrage beschäftigt, gehört schließlich auch das Schriftchen von Peter Meyer, des Aristoteles Politik und die Ἀθηναίων πολιτεία, welches sich zur Aufgabe gestellt hat, die von Schvarcz, Cauer und Rühl aufgedeckten angeblichen Widersprüche zwischen Politik und Politie als unbegründet zu erweisen, was auch als vollständig gelungen bezeichnet werden kann. In mehreren Punkten deckt sich damit der schon erwähnte Aufsatz von K. Niemeyer in den Jahrb. f. Philol. S. 405—415.[1])

So sind denn die bisher gegen die Autorschaft des Aristoteles unternommenen Angriffe völlig mißlungen, und man darf sagen, durch die Übereilung und Unvorsichtigkeit, mit der sie in Scene gesetzt worden sind, haben sie selbst ihre Widerlegung leicht gemacht. Wir können uns also auch weiterhin des Besitzes der neuen Schrift als einer echten freuen und ruhig an die Verwertung derselben herantreten, wozu bereits beachtenswerte Anfänge gemacht worden sind.

(Wird fortgesetzt.[*])

---

[1]) Aus der Berliner phil. Wochenschr. Nr. 48, S. 1534 entnehme ich, daß in der Sitzung der Pariser Académie des Inscriptions vom 5. Juni Th. Reinach, auf 3 verdächtige Stellen aufmerksam machte: 1. wird die drakonische Verfassung in einer Weise dargestellt, die zu viel Ähnlichkeit mit der oligarchischen Verf. der Dreißig hat, 2. wird die Erwählung der Beamten durchs Loos schon in Solons Zeit hinaufgerückt, was sicher falsch ist: 3. wird dem Themistocles eine thätige Stelle beim Sturz des Areopag zugeschrieben. Diese 3 unrichtigen Stellen scheinen aus einem Werke des Critias, eines der 30 Tyrannen, zu stammen. Hr. Viollet bemerkt dagegen, daß ja auch Aristoteles ein paarmal irren könne, ohne daß man deshalb gleich die Echtheit seiner Schriften bestreiten dürfe.

[*]) Abgeschlossen Mitte November 1891.

München. ———————— Dr. J. Melber.

II. Abteilung.

Rezensionen.

Benekes Psychologie als Naturwissenschaft bearbeitet von Gustav Hauffe. Borna-Leipzig, A. Jahnke, ohne Jahrzahl. IX und 117 Seiten. 8.

Der Umstand, dafs der Name Beneke auf dem Titelblatt und in der Vorrede fälschlich mit ck gedruckt erscheint, könnte besonders bei Philologen ein ungünstiges Vorurteil gegen das Schriftchen erwecken. Wer sich aber durch diese Kleinigkeit vom Lesen desselben nicht zurückschrecken läfst, wird finden, dafs der Verf. über den gegenwärtigen Verfall der Philosophie sehr vernünftig urteilt und das wirksame Mittel gegen die weitverbreitete Mifsachtung derselben richtig erkannt hat, indem er genauen Anschlufs an die erfahrungsmäfsige Wirklichkeit und Verzicht auf alle spekulative Begriffsspielerei fordert. Das Büchlein scheint besonders für Schullehrerseminare und solche, welche Pädagogik zu studieren beginnen, bestimmt und im ganzen auch brauchbar zu sein, da es einfach und fafslich geschrieben ist Wer sich freilich über Benekes Psychologie genauer unterrichten will, wird dessen Lehrbuch selbst zur Hand nehmen müssen.

Einen sinnstörenden Druckfehler fand ich S. 5 Z. 10 v. u., wo „quantitativ‘, statt „qualitativ" zu lesen ist.

Kurzgefafste Logik und Psychologie von Dr. K. Kroman, o. Prof. d. Philos. a. d. Universität zu Kopenhagen. Nach der 2. Aufl. des Originals unter Mitwirkung des Verfassers ins Deutsche übersetzt von F. Bendixen. Kopenhagen, Frimodt; Leipzig, Reisland 1890. XII u. 389 S. 8. Preis: 5 M.

Ein vortreffliches Buch, welches jeder Freund einer gesunden Philosophie mit Vergnügen lesen wird. Überall sucht sich der Verf. auf den festen Boden der Erfahrung zu stellen und von hier aus ein befriedigendes Urteil über die wichtigsten Fragen der Philosophie zu gewinnen. Solche Arbeiten scheinen geeignet, die heutzutage ziemlich starke Abneigung gegen das Studium philosophischer Schriften zu vermindern. Natürlich möchte ich nicht alle Sätze Kromans unterschreiben. Dieser stellt z. B. S. 105 das Dasein von Atomen und Molekülen als wissenschaftliche Thatsache hin, während es doch blofs eine Vermutung ist, weil noch niemand Atome oder Moleküle wahrnehmen konnte; den Streit zwischen Indeterminismus und Determinismus erklärt er S. 337 f. für unlösbar, während doch die meisten und stärksten Gründe für letzteren sprechen dürften. Jedoch die große Mehrzahl seiner Ansichten verdient volle Zustimmung. Besonders gut haben mir seine Bemerkungen über Moral und Pädagogik gefallen. Die Ausstattung ist eine sehr gute, der Druck fehlerfrei.

Lehrbuch der Logik. Dr. A. Nitsche, Prof. am k. k. Staatsgymnasium in Innsbruck. 2. gänzlich umgearbeitete Auflage. Innsbruck, Wagner 1890. VIII u. 159 S. 8, Preis: 2, 40 M.

Meine Besprechung der 1. Auflage ist wegen Raummangels erst nach dem Erscheinen der vorliegenden 2. Auflage im XXVI. Band (1890) dieser Blätter S. 573—576 zum Druck gekommen. Von dem, was ich dort beanstanden zu müssen glaubte, erscheint das meiste in der 2. Auflage umgearbeitet, nur in der Einleitung ist manches Bedenkliche unverändert geblieben. Nachdem die philosophische Propädeutik aus dem Lehrplan der bayerischen Gymnasien entfernt ist, dürfte ein näheres Eingehen auf die umgearbeiteten Stellen nicht am Platze sein, zumal das Lehrbuch die Genehmigung des K. K. Ministeriums für Kultus und Unterricht nicht erhalten hat. Jedenfalls verdienen aber die Bemühungen des Verfassers um die Verbesserung seines Buches alle Anerkennung.

Bayreuth. Ch. Wirth.

Die Direktoren-Versammlungen des Königreichs Preußen von 1860 bis 1889. Die Meinungsäußerungen, Wünsche, Anträge und Beschlüsse der Mehrheiten nebst einzelnen Berichten und Verhandlungen in Auszügen oder wörtlicher Wiedergabe zusammengestellt von M. Killmann, Rektor des Realprogymnasiums zu Dirschau. Berlin, Weidmann. 1890. V u. 476 S.

Im Jahre 1823 fand zu Soest die erste Versammlung von Direktoren der Provinz Westfalen statt und es wurden von da an solche Zusammenkünfte allmählich in den meisten Provinzen Preußens veranstaltet; nur in Berlin und in den Provinzen Brandenburg und Hessen-Nassau finden sich dieselben noch nicht. Der nächste Zweck dieser Konferenzen war persönliche Beziehungen zwischen den Leitern der Gymnasien herzustellen und die Sache der Schule durch Austausch pädagogischer Meinungen und Erfahrungen zu fördern; durch die den Verhandlungen der Direktoren vorausgehenden Beratungen wichtiger Fragen in einzelnen Lehrkörpern werden dieselben zu anregender Thätigkeit veranlaßt, und die Beschlüsse der Konferenzen können der Unterrichtsbehörde eine willkommene Unterlage bieten für ihre Entscheidungen. Wenn sich so Wert und Bedeutung solcher Zusammenkünfte mit manchen Gründen verteidigen läßt, so muß doch darauf hingewiesen werden, welchen Aufbrauch von Kräften die schließlichen Ergebnisse derselben erfordern. „Eine Direktoren-Konferenz durchläuft, die Vorbereitungen mit eingeschlossen, vier Stadien: die Auswahl der zu bearbeitenden Themata seitens des Provincial-Schul-Kollegiums; ihre Bearbeitung seitens der einzelnen Lehranstalten; die Berichterstattung über sämtliche Bearbeitungen; die Verhandlungen über die Berichte, insbesondere über die Thesen, in der Direktorenversammlung."

Die vorliegende Sammlung enthält nach einigen einleitenden Abschnitten über Entstehung und Wert dieser Vereinigungen die von 1860—1889 behandelten Themata im amtlichen Wortlaute, nach den Provinzen und nach der Zeit geordnet. Zur Hauptaufgabe aber hat es sich der Herausgeber gemacht Alles, was ihm von Meinungsäuſserungen, Anträgen und Beschlüſsen der Versammlungen von Bedeutung schien, unter den allgemeinen Titeln der verschiedenen pädagogischen Aufgaben wie Lehrpläne, Schulzucht, Gesundheitspflege, und der einzelnen Lehrfächer der Gymnasien zusammenzustellen. S. 30—461. In der Masse des gegebenen Stoffes finden sich viele, unbedingt wertvolle Ausführungen und Bestimmungen, aus denen in der Schulpraxis wie bei der Neuregelung gesetzlicher Vorschriften Nutzen gezogen werden kann; wir verweisen z. B. auf die Thesen über Förderung des Wahrheitssinnes S. 81 ff., auf die Erörterungen über Schulstrafen S. 95 ff., auf die Grundsätze bei der Auswahl der Aufgaben für den deutschen Aufsatz S. 264 ff., auf die Forderungen betreffs der Aussprache des Lateinischen S. 344 ff., auf die Betonung des Princips der Auswahl bei der fremdsprachlichen Lektüre S. 361 ff. Doch fehlt es auch nicht an Entscheidungen, welche vor der Kritik nicht stand halten, wie wenn die Pädagogen auf Grund ihres religiösen Bekenntnisses über die Irrungen unserer deutschen Klassiker aburteilen S. 253, oder wenn sie das Lateinsprechen wieder zum Leben bringen wollen S. 334 ff.

In Bezug auf manche wichtige pädagogische und didaktische Fragen offenbart sich ein Gegensatz der Anschauung sowohl innerhalb der nämlichen Versammlung als auch in den Ergebnissen verschiedener Konferenzen; so wird in der Provinz Preuſsen 1877 und in Posen 1879 der Wegfall des Nachmittagsunterrichts überhaupt nicht für wünschenswert erklärt S. 41, während man in der Provinz Sachsen 1889 es für ratsam erklärte wenigstens in gröſseren Städten alle Lehrstunden auf den Vormittag zu verlegen; die Konferenz der Provinz Pommern 1888 spricht sich wieder für Rangordnung der Schüler auf Grund der jedesmaligen Censur aus und erklärt auch Prämien für zuläſsig S. 115. Vielfach ist auch der Einfluſs der die Überlastung des Geistes bekämpfenden pädagogischen Theorie bemerkbar; gegenüber früheren überspannten Anforderungen erklärt z. B. die pommerische Versammlung 1885 in Bezug auf den griechischen Unterricht: „Obligatorisches Privatlesen ist nur aus Homer und auch für diesen nur unter Berücksichtigung der erlangten Reife zu fordern und vom Lehrer zu überwachen" S. 362, und während man noch 1873 in Westfalen fordert, daſs die ganze Ilias und die ganze Odyssee am Schluſse der Gymnasialzeit gelesen sei S. 353, wird solche Übertreibung in Hannover 1882 ausdrücklich abgewehrt S. 356. Auf diese Weise gewährt die verdienstliche Sammlung auch einen Einblick in die Entwicklung der Gymnasialpädagogik während der letzten dreifsig Jahre. Ihre Brauchbarkeit wird durch ein angefügtes Sachregister erhöht.

Register zu den Verhandlungen der Direktoren-Versammlungen in den Provinzen des Königreichs Preufsen seit dem Jahre 1879. Umfassend Band I—XXXIV. Zusammengestellt von Dr. M. Warnkross, ordentl. Lehrer am städt. Realgymnasium zu Charlottenburg. Berlin, Weidmann. 1890. 81 S.

Dieses Register enthält: 1. ein alphabetisches Verzeichnis sämtlicher Teilnehmer der Direktoren-Versammlungen, 2. eine nach dem Inhalt geordnete Aufzählung aller besprochenen Themata, 3. ein genanes Sachregister.

Festschrift zur Feier der fünfundzwanzigjährigen Regierung Seiner Majestät des Königs Karl vom k. Gymnasium zu Tübingen. Zugleich Beilage zum Programm für das Schuljahr 1888/89. Inhalt: I. Vorwort vom Rektor der Anstalt. II. W. S. Teuffel. Ein Lebensabrifs. Von Dr. S. Teuffel, Professor. Tübingen, 1889. 47 S.

Das Andenken des Mannes zu erneuern, welcher uns die „Geschichte der Römischen Literatur" hinterlassen hat, ist eine würdige Aufgabe. In der vorliegenden Schrift wird der Lebensgang Teuffels und die sein Leben erfüllende literarische Thätigkeit verfolgt, ohne dafs jedoch auf eine kritische Abschätzung der letzteren näher eingegangen wird; gegen den Schlufs wird auch seine Methode als Lehrer besprochen.

Es ist ein Leben rastlosen geistigen Strebens und grofser Erfolge durch eigene Kraft; wieweit Teuffels Hingabe an die Studien ging, mag man aus der Bemerkung des Biographen ermessen, dafs er sich kaum die Zeit gönnte sich seinen Angehörigen gegenüber über seine Lebensschicksale auszusprechen; das Übermafs der Anstrengung veifrühte auch sein Ende. Einer philologischen „Schule" gehörte er nicht an und sprach sich über die Schattenseiten solcher Verbindungen sehr scharf aus; er erklärte sich selbst als derjenigen philologischen Richtung zugewandt, „welche zwar den Buchstaben in gebührendem Respekt hält und sich in dessen vollständigsten Besitz zu setzen sucht, aber bei demselben nicht stehen bleibt, sondern zum Geiste unermüdlich vorzudringen bemüht ist und das Wesentliche und Bleibende vom Vergänglichen und Wertlosen zu unterscheiden versteht." Dabei ist zu beachten, dafs zu der Zeit, als Teuffel seine wissenschaftliche Laufbahn begann, die Meister in Konjekturen herrschten, wie denn z. B. Haupt dem Anfänger bei einem Besuche bemerkte: den Tibull lese er nicht gerne, weil hier so wenig Gelegenheit zu Konjekturen sei.

„Die Basis ist nicht das Gebäude und die Form nicht die ganze Sache" sagt Teuffel an einer Stelle seiner „Studien und Charakteristiken". Die Eigenart der Schriftsteller nach allen Seiten zu erforschen und darzulegen, stellt er sich als vornehmste Aufgabe; seine römische Literaturgeschichte beruhte auf zwanzigjährigen Vorarbeiten. Seine Wirksamkeit in Tübingen war auch von solcher Bedeutung, daß sie Jahrzehnte hindurch den Charakter der Württembergischen Philologie bestimmte. In den Vorlesungen vermied er unnütze Citate. „Was er bot, war übersichtlich geordnet, scharf ausgeprägt, bestimmt und kurz gefaßt." Für die Übungen seines philologischen Seminars war die Rücksicht auf die Bedürfnisse der zukünftigen Gymnasiallehrer maßgebend; auffallend ist es, daß er sich trotzdem zu einer Vorlesung über Gymnasialpädagogik nicht entschloß. Vom Lateinreden hielt er nicht viel, aber in der lateinischen Komposition wollte er eine Grundsäule der Gymnasialbildung erkennen wie andere im lateinischen Aufsatz.

Wir bemerken noch, daß unser Biograph kein Schönredner ist und daß er auch die unerfreulichen Seiten im Charakter des hervorragenden Gelehrten nicht mit Stillschweigen übergeht; Teuffel war im literarischen Streite ein heftiger, leidenschaftlicher Kämpfer und hatte wohl auch im Verkehre eine rauhe Art sich zu geben; dem gegenüber mochte die Geradheit und Offenheit seines Wesens versöhnend wirken.

Bamberg.   J. K. Fleischmann.

Das Nibelungenlied, übertragen und herausgegeben von Dr. H. Legerlotz. Bielefeld und Leipzig 1889. Velhagen u. Klasing. Preis geb. 80 Pf.

Vorliegendes Bändchen bildet die 15. Lieferung von „Velhagen und Klasings Sammlung deutscher Schulausgaben", deren Grundsätze als bekannt vorausgesetzt werden können. Da diese lediglich Zwecken der Schule dienen will, speziell solchen Schulen, an denen das Nibelungenlied im Urtext nicht gelesen werden kann oder darf, so wird selbstverständlich das Lied nur in bedeutender Verkürzung geboten. Es ist daher nicht nur eine große Zahl von Strophen, die für das Verständnis minder wesentlich sind oder mehr zur epischen Breite beitragen, hinweggelassen, sondern es sind auch ganze Abschnitte oder Aventiuren von der Übersetzung ausgeschlossen und nur in Bericht erstattender Prosa mitgeteilt und zwar so, daß sie nicht an Ort und Stelle zwischen die Übersetzung eingeschoben sondern als Anhang dem Buche beigegeben sind. Eine zur Einführung in die Lektüre bestimmte Einleitung geht der Übersetzung nicht voraus, dagegen wendet sich der Verf. an seine Leser noch in einem Nachwort, in dem die Hoffnung ausgesprochen wird an einem andern Ort demnächst*) nachholen zu

---

*) Nachträglich sei bemerkt, daß dies geschehen ist in der Zeitschrift für deutschen Unterricht IV. Jahrg. S. 131.

können, welche Grundsätze ihn bei der Wahl des Textes und der Auslese der Abschnitte sowie bei der Behandlung des Versmafses und
der Sprachform in seiner „Nachdichtung" geleitet haben.   Hier wird
auch bemerkt, dafs der Verf. bereits mit Übertragung der Gesamtdichtung, einem schulmäfsigen Kommentar zu derselben und einer
literargeschichtlichen Einführung beschäftigt sei.
      Was zunächst die metrische Form der Übersetzung betrifft, so
ist es bekanntlich unter den Übersetzern selbst eine noch offene Streitfrage, inwieweit die echte Nibelungenstrophe hiebei umzugestalten sei;
denn dafs sich Beibehaltung derselben mit all ihren ursprünglichen
Freiheiten bei einer Übersetzung nicht empfiehlt, hat sich durch viele
bezüglich der Lesbarkeit gemachte Erfahrungen hinreichend herausgestellt.   Die neueren Übersetzer neigen mehr oder weniger zur
Jambisierung des Verses, den sie dadurch glätter und für u n s e r Ohr
geniefsbarer machen wollen.   Und trotzdem dürfen, um Eintönigkeit
zu vermeiden, nicht alle Freiheiten preisgegeben werden.   Legerlotz
bewegt sich hier in der richtigen Mitte; wenn er früher selbst einmal
in einer Recension (Berlin. Philol. Wochenschr. 1888 S. 940) sagte:
„Wer nicht ein Stück echter Dichternatur in sich trägt, sollte überhaupt die Hand von poetischer Übertragung fern halten", so hat er
gerade durch die taktvolle Behandlung der Form bewiesen, dafs solche
Dichternatur ihm eigen ist.   Man merkt daher alsbald seinen Versen
an, dafs er kein Anfänger in der Übersetzungskunst ist, sondern sich
vielfach praktisch geübt hat, wie auch die früher von ihm schon vorgelegten Proben beweisen.   Vergl.: Aus guten Stunden, Dichtungen
und Nachdichtungen 1886; und philol. Wochenschr. 1886 S. 307.
      Ich kann daher der von K. Rudolph geübten Kritik nicht beistimmen, der in seinem Programm „Über die geeignetste Form der
Nibelungenübersetzung", Berlin, Köln. Gymn. 1890, unregelmäfsigen
Auftakt, schwebende Betonung und Ausfall der Senkung durchweg
vermieden wissen will; denn ohne es zu bemerken widerspricht er
sich selbst, wenn er einerseits behauptet, es entstehe durch Beseitigung
dieser Freiheiten zu grofse Einförmigkeit und doch wieder meint, die
Übertragung von Legerlotz hätte nur gewonnen, wenn er jene Eigentümlichkeiten des alten Versbaus gänzlich gemieden hätte.   Wer da
meint, die alte Nibelungenstrophe nach Mafsgabe der modernen Sprache
und Rhythmik umgestaltet — Rudolph nennt es ‚zugestutzt' — leiste
der Forderung der Treue nur äufserlich und scheinbar Genüge und
es sei daher an ihr nicht festzuhalten, der kommt, da er eine andere
leistungsfähigere Form für die Übersetzung nicht findet, schliefslich
bei der Forderung an, wenigstens für die Schule, auf j e d e metrische
Übersetzung zu verzichten und nur die p r o s a i s c h e Wiedergabe des
Sageninhalts gelten zu lassen.   So aufser Rudolph z. B. auch Seemüller, der in der Zeitschrift für die österr. Gymnasien sich nicht nur
gegen den Betrieb des Mittelhochdeutschen selbst ausspricht, sondern
ebensowenig Übersetzungen in Anwendung gebracht wissen will, weil
ihre Sprache nicht mustergiltig sei und auch nicht sein könne; er
empfiehlt daher als Gegenstand der Lektüre die Uhlandschen Auszüge

aus den mhd. Volksepen. Nun unterliegt es keinem Zweifel, dafs auf diesem Wege Sagenkenntnis wenigstens im allgemeinen gewonnen werden kann; die nationalen Stoffe werden kennen gelernt; aber ein wirklicher Unterricht in der Literatur kann nun einmal auch die Berücksichtigung der Form nicht entbehren und wird stets der Mitteilung von Proben bedürfen, sei es nun in der ursprünglichen Form oder in Übersetzung oder in beiden zugleich. Letzterer Weg wird in den von Bötticher und Kinzel herausgegebenen Denkmälern der älteren deutschen Literatur eingeschlagen.

Von der Art der Behandlung bei Legerlotz werden in Kürze folgende Strophen eine Vorstellung geben:

Volker, der schnelle Spielmann, that aus seiner Hand
Den guten Schild und lehnte ihn an des Hauses Wand.
Drauf ging er hin und holte die Fiedel aus dem Saal
Und diente recht nach Züchten seinen Freunden allzumal.

Unter der Thür des Hauses safs er auf dem Stein:
Gleich kühnen Fiedelmeister sah nie der Sonne Schein.
Als ihm der Ton der Saiten so wundersüfs erklang,
Da wufstens ihm die Gäste in ihren Betten höchlich Dank.

Es tönten seine Saiten, dafs weit das Haus erscholl:
Aller Kraft und Künste, beider war er voll.
Dann immer sanfter und süfser zu fiedeln hub er an
Und lullte still in Schlummer gar manchen sorgenreichen Mann.

Bei der grofsen Schwierigkeit, die Reim und Rhythmus bei einer Übertragung verursachen, verdient es ein grofser Vorzug genannt zu werden, wenn es dem Übersetzer gelingt, treu zu sein in der Wiedergabe des Gedankens und frei von zu weitgehender Modernisierung denjenigen Ton zu treffen, der in der mbd. Dichtung angeschlagen ist. Auch dieser Vorzug kann der vorliegenden Übersetzung im ganzen nachgerühmt werden. In Bezug auf den einzelnen Ausdruck läfst sich freilich mit dem Verf. oft rechten, und mancher, der die Schwierigkeiten nicht kennt, die zu überwinden waren, wird hier vielleicht voreilig den Stab brechen; es ist aber schon dann nicht wenig geleistet, wenn die Sprache und Darstellung nur frei ist von allerlei Härten, ja selbst gröfseren Fehlern, wie sie sich viel zahlreicher in manchen Übersetzungen der Vorgänger von Legerlotz finden. Vor der Übersetzung von Kamp (vgl. die Ausführungen des Ref., in diesen Blättern Bd. XXVI, S. 195) verdient sie was Form und Darstellung betrifft entschieden den Vorzug: indem sie sich ungefähr dieselbe Aufgabe stellt wie die Bearbeitung von Holdermann (2. Aufl. 1889) verdient sie nicht minder wie diese, die durch einen Verein von Sachverständigen in Südwestdeutschland für die beste erklärt worden ist, denjenigen Kreisen, für die sie bestimmt ist, bestens empfohlen zu werden.

Speier.   A. Nusch.

Schulz Bernhard, Dr. phil. Deutches Lesebuch für
höhere Lehranstalten. Erster Teil, für die unteren und
mittlern Klassen. 9. Auflage. Paderborn. 1890. Ferd. Schöninghs
Verlag.

Inhaltlich ist diese Auflage des brauchbaren Lesebuches von der
achten nicht verschieden; indes sind von dem Verfasser manche
Winke und Vorschläge seitens praktischer Schulmänner entsprechend
beachtet worden. Die poetischen Lesestücke dürften noch um einige
charakteristische Nummern vermehrt werden. Wohlthuend wirkt
die Objektivität in der Auswahl, so dafs auch die süddeutschen
Dichter und Schriftsteller dem jugendlichen Leserkreise jenseits der
Mainlinie zahlreicher vorgeführt werden, als dies gewöhnlich zu geschehen pflegt.

München.   Karl Zettel.

_____

Friedrich Beck, Lehrbuch der Poetik für höhere Unterrichtsanstalten wie auch zum Privatgebrauche. 6. verb. u. verm.
Auflage. München. K. Merhoff. 1889. 148 S. 1,60 M. 8°.

Das Buch des am 30. Aug. 1888 verstorbenen Verfassers stellt sich
schon durch die Titelbemerkung ‚vom Königl. bayr. Kultusministerium
zur Einführung empfohlen‘ als ein Schulbuch vor. Da aber die Belehrung über die wichtigsten Gesetze der Poetik eine besondere Stelle
im Lehrplane nicht beanspruchen können, vielmehr die Unterweisung
nur eine gelegentliche sein kann, so mufs das Buch, das bisher vielfach in Bayern verbreitet war, als für die Schule überflüssig erklärt
werden; denn wir bestreiten aufs bestimmteste die Meinung des Verfassers, dafs „die Wichtigkeit der Poetik als eigenen Unterrichtszweiges‘‘
allgemein anerkannt sei. Dagegen ist das Werk für Privatstudierende
oder für Anfänger im deutschen Unterricht, die sich rasch über das
ganze Gebiet der Poetik orientieren wollen, recht brauchbar.

In der Einteilung des Stoffes hält sich der Verfasser an die
landläufige Gruppierung der epischen, lyrischen und dramatischen
Poesie; hier fällt äufserst wohlthuend die knappe und präcise Diktion
sowie die Klarheit auf, mit der die einzelnen Dichtungsarten von
einander getrennt gehalten werden, wenn wir auch das bürgerliche
Epos nicht als eine dem Volks- und Kunstepos gleichstehende, sondern
dem letzteren untergeordnete Dichtungsart bezeichnen müssen. Unverständlich ist auch, warum die Ballade und Romanze hinter dem
pros. Epos, dem Roman und der Novelle, behandelt sind. Anerkennenswert ist die anhangsweise, wenn auch recht kurz und vielleicht zu
knapp gegebene Besprechung der Oper und der Cantate. Was wir
aber vermissen, sind Musterbeispiele, die zur Illustrierung der einzelnen
Dichtungsarten wesentlich beitragen würden.

Die Abschnitte über die Metrik gehen über das Mafs des Zulässigen hinaus, besonders deshalb, weil im Deutschen der accentuierende
Rhythmus im Gegensatz zum quantitierenden des Altertums mafs-

gebend ist. Deshalb sind die eingehenden Partien über die Länge und Kürze der Silben (S. 68—71), sowie namentlich die Anführung der Versfüße des Pyrrhichius, Bacchius, Antibacchius, Molossus, Choriambus, Antispast, Epitrit, Päon etc. ganz überflüssig, ja geradezu verwirrend, da letztere sich auf einfache Zusammensetzungen zurückführen lassen. Und auch hiebei wären Beispiele mit praktischen Einübungen, wie sie J. Kehrein in seinen „Entwürfen zu deutschen Aufsätzen und Reden" (Paderborn, Schöningh, 1889) S. 417—430 bietet, passender gewesen. Endlich hätte die Anwendung der rhythmischen Formen, die am Schlusse des Buches, aber auch nur theoretisch gegeben werden, besser gleich bei Besprechung der einzelnen Dichtungsarten durchgenommen werden sollen.

Heinrich Löwner, Neuestes Centiloquium. Leitmeritz. Selbstverlag. 1890. 16 S.

Das Büchlein stellt sich eine große Aufgabe: es will durch 100 deutsche Denksprüche „alter und neuer Weisheit den Begriff des Guten, Wahren und Schönen in der ansprechendsten Weise" entwickeln. Wer das vermöchte, wäre ein Hexenmeister: und dieses Kunststück ist dem Verfasser auch thatsächlich nicht gelungen, trotzdem er sich an P. Sepps bekannte Frustula und Varia angelehnt hat, die er zum Teil für sein opusculum verwertete. Die anspruchslose Leistung des Herrn Dr. Löwner besteht wesentlich in der alphabetischen Anordnung von 100 Sinnsprüchen, und lediglich hiedurch unterscheidet sich diese Sammlung von den Kernsprüchen auf unseren Abreißkalendern.

München.　　　　　　　　　　　　　　Johannes Nicklas.

Ferdinand Schoentag, Musteraufsätze aus der Schule für die Schule. Zweite, vermehrte Auflage. Regensburg, H. Bauhof 1891. 8⁰. XI u. 224 S. M. 3.

Brauchbare Aufsatzbücher sind immer eine willkommene Gabe. Daß das Programm, welches Prof. Schoentag als Beilage zu dem Jahresbericht des alten Gymnasiums in Regensburg vom Jahre 1887 veröffentlichte, zu den wirklich brauchbaren Publikationen auf diesem Gebiete gehörte, zeigt zur Genüge der Umstand, daß dasselbe bald vergriffen und die Nachfrage nach ihm von allen Seiten her eine sehr lebhafte war. Daß es auch von Seiten der Kritik die verdiente Anerkennung fand und für manche andere Aufsatzbücher benützt und ausgenützt wurde, soll nur nebenbei erwähnt werden. Es ist nur mit Freuden zu begrüßen, daß der Verf. dem Wunsche seines Verlegers nachgekommen ist und sich zu einer neuen Auflage und bedeutenden Erweiterung seiner früheren Arbeit entschlossen hat; aus dem Programm ist nunmehr ein Buch geworden, die Zahl der Aufsätze beträgt jetzt 55, darunter 33 neue.

Was das Buch, das durchweg eine selbständige Leistung ist, zu einem wirklich brauchbaren — in der Hand des Lehrers, wie in der eines strebsamen Schülers — macht, ist nach Ansicht des Ref. im wesentlichen Folgendes: Vor allem sind die Aufsätze thatsächlich ganz und gar aus dem Unterricht hervorgegangen, und alle Themata, die leichteren wie die schwierigeren (für die 6.—9. Klasse) sind „mit sorgfältig abgemessener Rücksicht auf den geistigen Standpunkt der Schüler ausgearbeitet", ohne dabei in den Fehler der Trivialität zu verfallen. So selbstverständlich jenes auf den ersten Blick sein mag, so mufs es doch mit besonderem Nachdruck hervorgehoben werden, weil so viele Sammlungen ähnlicher Art vielfach über die Grenzen dessen, was man von einem Schüler verlangen kann, hinausgehen, sowohl was die Stellung der Themata, als was ihre Durchführung betrifft. Ferner sind die Grundsätze, deren Verwirklichung der Verf. in seiner Arbeit anstrebte: „Abrundung, Beschränkung auf das Thema, streng logischer Gang im einzelnen, wie im ganzen, sprachrichtige, der Sache angemessene, das Verständnis möglichst offen legende Ausdrucksweise" — auch wirklich in trefflicher Weise durchgeführt, während so manche andere gerade von Schülern vielfach benützte Bücher gegen die eine oder die andere der genannten Forderungen, speziell aber gegen streng logische Gliederung und Durchführung fehlen. Ein weiterer Punkt, der die Brauchbarkeit des Buches erhöht, ist die Mannigfaltigkeit der behandelten Themata. Je verschiedenartigere Aufgaben die Schüler im Laufe der Jahre und auch innerhalb eines Schuljahres zu fertigen haben, um so eher wird es ihnen allmählig gelingen, über den jeweiligen Stoff in dem Sinne Herr zu werden, dafs sie bei völliger Beherrschung desselben ihn in der richtigen Weise zu formen im stande sind; es gilt dies natürlich weniger von den sog. allgemeinen Themata, als vielmehr von solchen, welche sich an die Lektüre anschliefsen; hier ist vor allem Mannigfaltigkeit in der Auswahl des Standpunktes, von dem aus ein Stoff verarbeitet werden soll, angezeigt. Endlich sei noch darauf hingewiesen, dafs die „Bemerkungen und Erläuterungen" (S. 216—220) eine ganze Reihe dankenswerter Parallethemen enthalten.

Was den Inhalt der Sammlung anlangt, so zerfallen die Themen in „allgemeine" und solche „im Anschlufs an die Lektüre", letztere sind mit vollem Recht in weit überwiegender Anzahl vertreten (45 gegen 10). Unter den allgemeinen Themata nehmen die „Vergleichungen" eine besondere Stelle ein, was wiederum nur zu billigen ist, während von „Abhandlungen" nur drei Arbeiten (darunter eine nur im exordium) geboten werden. Unter den Themen im Anschlufs an die Lektüre finden sich zuerst „erklärende Umschreibungen und Umformungen" (von verschiedenen Gesichtspunkten aus); hernach „Analysen und Verwandtes." Die hieher gehörenden Arbeiten (9 an der Zahl) sind alle neu. Wer die Erfahrung gemacht hat, wie unbeholfen sich die Schüler oft gerade bei solchen Aufgaben stellen, und wie fruchtbar diese doch andrerseits sind, dem werden derartige Musterbeispiele besonders willkommen sein. Ref. gibt dem Verf. vollkommen Recht, wenn er S. 217 sagt: „Für Schulung in der Auffassung und

Aneignung fremder Gedanken, für Erkenntnis des Wertes einer übersichtlich geordneten und durchsichtigen Darstellung, für Übung in
Präzision und in der Konzentrierung des Ausdrucks kommt an Wert
der Analyse kaum eine andere Schulaufgabe gleich." Dann folgen
„Vergleichungen von Dichtungen oder einzelnen Abschnitten an sich",
weiter „Feststellung von Thatsächlichem, Beurteilungen von Thatsächlichem", hernach „Charakteristiken" und endlich „Abhandlungen
zur Erfassung bestimmter Seiten gröſserer Werke." Auch was der
Verf. über diese letzteren Übungen sagt, verdient hervorgehoben zu
werden: „Aufgaben der hier vorliegenden Gattung halte ich für die
dankbarsten, insofern sie gleichzeitig zum Eindringen in das Dichter-
werk und zur Bildung des eigenen Urteils Anlaſs geben und nötigen,
den Blick streng nach einem bestimmten Punkte zu halten und dabei
doch den Überblick über ein Ganzes nicht zu verlieren und seitab
Liegendes nicht zu übersehen." — Wenn der Verf. zum letzten seiner
Aufsätze „mit welchem Rechte nennt Lessing seine Minna von Barnhelm ein Lustspiel?", zu dem er nur ein exordium bietet, bemerkt,
er möchte doch wissen, „ob einige Leser gerne weiter lesen würden",
so darf er überzeugt sein, daſs für eine neue Auflage des Buches, die
nicht ausbleiben wird, allgemein die Fortsetzung oder vielmehr Durchführung dieses ebenso interessanten als schwierigen Themas (der
Verf. sagt selbst, daſs es ohne Mitwirkung des Lehrers nicht gelingen
wird) gewünscht werden wird.

Der Druck des Buches ist korrekt; nur S. 117 ist die Überschrift des Themas 34 durch mehrfache Druckversehen arg entstellt.
Im übrigen ist dem Ref. wenig aufgefallen, was etwa zu beanstanden
wäre. Nur bezüglich des Aufsatzes 51 „Die Rede des Antonius in
Shakespeares Julius Caesar" hätte Ref. eine etwas bestimmtere Fassung
des Themas gewünscht, wie er andrerseits in der Ausführung desselben eine schärfere Hervorhebung jener bitteren Ironie, welche sich
durch die ganze Rede hindurchzieht und die Wirkung derselben
wesentlich bedingt, vermiſst hat.

Ref. schlieſst mit dem Wunsch, daſs das Buch die verdiente
Verbreitung in Lehrer- und Schülerkreisen finden möge; es wird nicht
nur „ein Kleines", wie der Verf. bescheiden wünscht, beitragen zur
Förderung unseres Jugendunterrichts.

Augsburg.   L. Bauer.

J. B. Krämer, Musteraufsätze und Übungsstoffe für
den Unterricht im mündlichen und schriftlichen Gedankenausdruck.
Zweiter Teil. Weinheim, 1891. Preis 2 M. 232 S.

Seiner ganzen Anlage und Ausführung nach ist das vorliegende
Buch für die Zwecke der Volksschule und zwar der Mittelklassen berechnet. Eine Anzeige und Besprechung desselben würde also eigentlich nicht sowohl unserer, andere Zwecke verfolgenden Zeitschrift zufallen, als vielmehr jenen Blättern, die berufen sind, die
literarischen Erscheinungen auf dem Gebiete des Volksschulwesens zu

verfolgen. Da indes der deutsche Unterricht an den unteren Klassen
des Gymnasiums nach Ziel und Betrieb wenig von der entsprechenden
Stufe der Volkschule abweicht, namentlich wenn es sich um den Aufsatz handelt, so dürfte es nicht unangemessen erscheinen, auch an
dieser Stelle auf obiges Werk hinzuweisen und demselben einige
empfehlende Worte mit auf den Weg zu geben.

Bei der Auswahl der zahlreichen, für das 4.—6. Schuljahr berechneten Aufsätze wurde nicht blofs der formale Gesichtspunkt im
Auge behalten, sondern es war auch vor allem darauf abgesehen,
durch den Inhalt den Schülern eine Summe positiver Kenntnisse beizubringen; schon die Überschriften einzelner Abschnitte deuten diesen
Zweck an: Aus dem Menschenleben, Aus dem Naturleben, Der
Mensch und seine Gesundheit, Bilder aus der Geschichte u. s. ä.
Aufser der Nützlichkeit fürs Leben wurde aber auch die Erziehung
zur Sittlichkeit berücksichtigt. Namentlich im 1. dieser Abschnitte
verfolgen die Erzählungen den Zweck, auf das Fühlen und Wollen
der jugendlichen Seelen einzuwirken durch Vorführung von solchen
ihrem Gedankenkreise naheliegenden Handlungen, denen irgend eine
lobenswerte Eigenschaft, z. B. Folgsamkeit, Höflichkeit, Mitleid zu
grunde liegt, während andrerseits auch wieder auf das Abschreckende
der entgegengesetzten Eigenschaften warnend hingewiesen wird.

Was also die heutzutage so dringend geforderte Konzentration
des deutschen Unterrichtes betrifft, so kann man getrost behaupten,
dafs derselben durch die Auswahl im vorliegenden Werke vollauf
Genüge geschehen sei. Auch die Methode in der Behandlung der
einzelnen Stücke ist zielbewufst und wohl geeignet, das Interesse der
Schüler zu erregen und dauernd wachzuhalten. Von diesen wird im
Anschlufs an die gebotenen Muster als Übung im wesentlichen verlangt 1. Umstellung der Satzglieder, 2. Ersetzung von Wörtern und
Ausdrucksweisen durch andere ähnlicher Bedeutung, 3. Herstellung
der Disposition unter Mitwirkung des Lehrers. Die Grundsätze, nach
denen die Übungen vorgenommen werden sollen, hat der Verf. S.
49—51 entwickelt und aufserdem jedem Musterstücke methodische
Winke angefügt, die überall den gewiegten Praktiker erkennen lassen.

Dem eigentlichen Aufsatzteil geht eine Anzahl von Sprachübungen
voraus, welche Herbeiführung möglichster Fertigkeit in der sprachlichen Fassung der Gedanken bezwecken und drei Kapitel der
Grammatik behandeln, nämlich den zusammengezogenen Satz, den
zusammengesetzten und die Wortbildung. Auch ihnen sind methodische
Winke für den Lehrer beigegeben, z. B. zur Behandlung, zur Übung,
zum Sprachverständnis, zum Sachverständnis, zum Rechtschreiben.
Über die Wichtigkeit der Wortbildungslehre, die so gerne als selbstverständlich im Unterrichte übergangen wird, äufsert sich der Verf.
in treffender Weise: „Wird der Sinn für die Bedeutung der Wörter
durch diese Übungen überhaupt geweckt, so wird dies auf das ganze
Lernen von grofsem Einflufs sein, weil durch die Wortbildung der
Wortvorrat der Kinder, der häufig von Haus aus ein sehr beschränkter
ist, zum Vorteil des mündlichen und schriftlichen Gedankenausdruckes

..... reichlich vermehrt wird. Es ist erstaunlich, wieviel Wort-
verständnis ..... oft vorausgesetzt, damit den Kindern die Arbeit zur
drückenden, häufig nicht zu überwältigenden Last gemacht und das
Unterrichtsresultat schwer beeinträchtigt wird. Ein einziger unver-
mittelter Begriff verschließt dem Kinde das Verständnis eines ganzen
Satzes, und nicht selten ist damit die Auffassung eines ganzen Abschnittes eine falsche oder sie ist völlig unmöglich. Tritt dieser Fall
ein, so ist das Lesen unnütz, das Auswendiglernen eine arge Quälerei,
und beim Aufsatzschreiben kommt nach vieler Not nur Unsinn zutage."
     Die geringe Wortkenntnis fällt noch bei denjenigen Schülern auf,
die von der deutschen Schule ins Gymnasium übertreten, namentlich
wenn sie derselben nur 3 Jahre lang angehörten; eine ausgiebige Behandlung der Wortbildungslehre ist also gerade in der untersten
Klasse von nutzen, um eine copia verborum zu erzielen; das Lesebuch
reicht hier allein nicht aus.
     Leider ist das sonst so sorgfältig ausgearbeitete Büchlein durch
eine große Zahl garstiger Druckfehler verunstaltet; die meisten derselben konnten auf dem Schlußblatt noch berichtigt werden, doch
sind u. a. folgende Punkte übersehen worden: S. 162 heißt es die
Föhre und die Kiefer, S. 25 steht Thau, S. 147 u. 97 Wallnuß,
137 Maulwürfe, 163 Züber, 124 Fröschchen, 134 allen st. fallen, 158
Weißbrod, 168 Syrup.

     Dr. Theodor Gelbe, Diktierstoff im Anschluß an die
offiziellen Regeln der Rechtschreibung und Zeichensetzung. Leipzig,
B. G. Teubner. 1890. S. 64. Preis 1 M.
     Mit dem vorliegenden Büchlein können wir uns nicht recht be-
freunden und zwar aus zwei Gründen: 1. Nach dem Titel erwartet
man bloß Übungsstoff zur Befestigung der einzelnen §§ des amtlichen
Regelbuches; der V. hat aber an zahlreichen Stellen auch Regeln eingeschoben und zwar nicht nur die amtlichen, sondern auch solche
eigenen Erzeugnisses; namentlich sind von letzteren die über Silbentrennung sehr ausführlich ausgefallen. 2. Der Übungsstoff entbehrt
in höchst auffälliger Weise aller formellen Einheit. Sätze, Wörter,
Wortverbindungen, Überschriften und Satzfragmente sind bunt durcheinander gemengt, dazwischen finden sich eingestreut zahlreiche Hinweisungen auf Stellen eines bestimmten Lesebuchs, die in das betr.
Kapitel einschlagen. Der sub titulis gebotene Stoff ist fast überall
ziemlich dürftig ausgefallen, dafür aber werden am Schlusse jedes
Abschnittes weitere Verweisungen angebracht auf Lesestücke, deren
Inhalt vom orthographischen Standpunkte aus einige Fühlung mit der
einschlägigen Regel habe.
     Nach ihrem Inhalte lehnen sich die Übungen zum großen Teil
an 5 bestimmte Lehrbücher an u. zw. derart, daß der V. daraus die einschlägigen Wörter und Sätze teils herausschrieb, teils als einzuübende
kennzeichnete. Ob es gerade ein glücklicher Gedanke sei, das Lese-

buch zur schriftlichen Einübung der Rechtschreibung auszunützen, möchten wir bezweifeln; uns scheint überhaupt die neuerdings beliebte Art der Konzentration des Unterrichtes, wonach letzterer einzig und allein um das Lesebuch sich zu drehen hat, verfehlt und erst recht geeignet, den Schüler zu ermüden und geistig einzuschläfern. Zu was allem muſs das Lesebuch herhalten! Wir unsrerseits glauben, dasselbe sei in erster Linie zum Lesen bestimmt und die Lesestunde eine Erholungs-, nicht aber eine Lern- und Drillstunde.

Es entspringt aber aus der einseitigen Benützung bestimmter Lesebücher der weitere Nachteil, daſs eine stattliche Zahl orthographisch wichtiger Wörter, z. B. solcher mit S-Laut, nicht zur Einübung gelangt, weil sie eben in den betr. Büchern zufällig nicht vorkommen. Hinwiederum mag leicht der Fall eintreten, daſs ein und derselbe Satz allzu oft daraus entnommen wird, weil unter verschiedene Titel fallend. So ist uns das Sprichwort „Heute rot; morgen tot" nicht weniger als fünfmal in dem Büchlein des V. aufgestoſsen. (S. 4. 13. 29. 36. 61).

Die Verteilung des Stoffes erfolgte nach dem System der konzentrischen Kreise in 3 Abteilungen (Klasse VI—IV). Einen allzu beträchtlichen Raum nehmen dabei die Übungen über Silbentrennung und Zeichensetzung ein — hat es ja doch der V. für nötig gefunden, eigene Übungen einzustellen über Anbringung der Klammer! Überhaupt scheint derselbe, um nach dem wichtigen Tone zu schlieſsen, mit dem er die „ " behandelt, gerade nach dieser Seite hin seine Spezialstudien ausgedehnt zu haben. Wir dächten doch, dieses Kapitel bedürfe keiner so eingehenden Behandlung, da die meisten der hier in Betracht kommenden Punkte nach Durchnahme der Satzlehre sich von selbst ergeben und auſserdem derlei Übungen für Schüler sowohl als Lehrer ermüdend wirken: daſs sie besonders lehrreich und interessant seien, wird selbst der V. nicht behaupten wollen. Was derselbe ferner im Vorwort bemerkt: „ja es dürfte wohl auch Planlosigkeit in diesem Unterrichtsgebiete keine Seltenheit sein, weil hier dem Lehrer nur wenig brauchbare Bücher zur Hand sind und diese wenigen wenig bekannt sind" — dürfte schwerlich richtig sein, wenigstens was den Nachsatz anbelangt; an orthographischen Übungsbüchern haben wir Vorrat in Hülle und Fülle und brauchbare sind darunter gottlob recht viele — das vorliegende Buch des V. aber muſs noch in mancher Hinsicht sich bessern, wenn es darauf Anspruch machen will, zu diesen gezählt zu werden.

Hof.   Rud. Schwenk.

Richard Ullrich, Studia Tibulliana. De libri secundi editione. Berolini 1889. Weber. 8°. 86 S.

R. Ullrich, De libri secundi Tibulliani statu integro et compositione. Lipsiae 1889. B. G. Teubner. 8°. (Separatabdruck aus dem XVII. Supplementbande der Jahrbücher für Philologie S. 383—472).

In der ersten Abhandlung tritt der trefflich geschulte, von Vahlens

streng conservativem Geiste beherrschte Verfasser der allgemein verbreiteten (vgl. aus neuester Zeit Teuffel-Schwabe I⁵ S. 547; Ribbeck,
Gesch. d. röm. Dicht. II S. 203; Paul Jonas Meier, Ausgew. Eleg. d.
Alb. Tib. Braunschw. 1889 S. 34) Anschauung entgegen, dafs nur das
erste Buch der tibullischen Elegieen vom Dichter selbst herausgegeben
worden sei. Nach seiner Ansicht führt die richtige Interpretation der
Verse 28—32 des schönen ovidischen Epikedion auf Tibullus (am. III
9) ‚diffugiunt avidos carmina sola rogos. | durat opus vatum: Troiani
fama laboris | tardaque nocturno tela retexta dolo: | sic Nemesis
longum, sic Delia nomen habebunt, | altera cura recens, altera primus
amor‘ mit Notwendigkeit zur Erkenntnis, dafs zur Zeit, als Ovidius
diese Verse schrieb (jedenfalls bald nach Tibulls Tod 735 19), auch
das Elegieenbuch, in welchem Nemesis besungen wird, nämlich das
zweite, allgemein bekannt, folglich noch vom Dichter selbst veröffentlicht worden war.[1]) v. 31 und 32 bezeichnen den Inhalt der beiden
Tibullbücher, wie 29 und 30 den der beiden homerischen Epen. Dafs
diese Interpretation „die am nächsten liegende und natürlichste" ist
und dafs, ihre Richtigkeit zugestanden, Bedenken, wie die an den auffällig geringen Umfang des zweiten Buches sich knüpfenden, in den
Hintergrund treten müssen, erkennt auch Hugo Magnus, der im übrigen
eine definitive Entscheidung ablehnt, in seiner Besprechung an (Berl.
philol. Wochenschr. 1890, S. 600). Ich für meine Person mufs, nachdem ich von der zweiten -- von Magnus noch nicht eingesehenen —
Abhandlung Kenntnis genommen, in welcher durch sorgsame Analyse
der einzelnen Elegieen gezeigt wird, dafs das zweite Buch keineswegs
die feilende und glättende Hand des Dichters vermissen läfst, wie die
Lücken- und Interpolationenjäger sich zu erweisen bestrebten, und
zum mindesten sehr wahrscheinlich gemacht wird, dafs II 2 nicht
mit dem Sulpiciacyclus in Verbindung steht (Ullrich trennt den Cor-
nutus des zweiten Buches und seine nicht genannte Gattin von
Cerinthus und Sulpicia), die Beweisführung des Verfassers für gelungen
erklären und sehe mit Befriedigung, dafs dieselbe auch in der kürzlich erschienenen 3. Auflage von K. P. Schulzes römischen Elegikern
(Berl. 1890 S. 61) — wenn auch nicht völlig rückhaltslos — adoptiert
wurde. Indem ich aus der ersten Abhandlung noch den scharfsinnigen
Excurs über Martialis XIV 183—196 (p. 75—86) und aus der zweiten
die treffenden· Bemerkungen über Symmetrie und Responsion bei
Tibullus (p. 402—404) hervorhebe, nehme ich von dem vielversprechenden
Verfasser mit dem Wunsche Abschied, ihm noch öfters auf dem Gebiete der römischen Poesie zu begegnen.

---

[1]) Der Annahme, dafs v. 29—34 und 53-58 dem Gedichte erst bei seiner
Aufnahme in die Sammlung, vielleicht an Stelle anderer Verse eingefügt worden
seien, steht allerdings nichts im Wege (Hiller DLZ 1890, 1088). aber es spricht
auch nichts für sie.

München.   Carl Weyman.

Apuleius, Amor und Psyche, mit kritischen Anmerkungen von Karl Weyman; Beigabe zum Lektionsindex der Univers. Freiburg i. d. Schw. für Sommer 1891; VI, 52 SS., in 4°.

Das liebliche Märchen von Amor und Psyche, welches uns Apuleius in seinen Metamorphosen IV, 28—VI, 24 erzählt, hat in W's Sonderausgabe sachkundige Behandlung und würdige Ausstattung erfahren. Mit gewissenhafter Beachtung des handschriftlich Überlieferten verbindet sich besonnene Kritik und sorgfältige Verwertung auch der neuesten einschlägigen Literatur. Wären die reichhaltigen Anmerkungen, die dem Text als geschlossenes Ganze folgen, gleich unter den betr. Textesstellen abgedruckt, so wäre dem nachprüfenden Fachmann die Übersicht angenehm erleichtert; wollte aber W., wie es den Anschein hat, durch jene Anordnung einem größeren anmerkungsfeindlichen Publikum einen glatt fortlaufenden Text bieten, so wird vielleicht prorsum, protenus neben häufigem prorsus, protinus, zusammengezogenes nuptis 15, 36 (dagegen nuptiis 11, 33; 13, 3), medis = mediis 23, 27 u. dgl. Anstofs erregen. An zahlreichen Stellen wird man den gutbasierten Emendationen des W'schen Textes beitreten müssen; auch 11, 33, wo Hs F ,prorucis' bietet (ed. Hildebr. pertrucis), wird W's Vorschlag ,procacis' den Vorzug verdienen vor pernicis (vgl. 13, 7; 22, 17; 26, 37), das mir neben anderen paläographisch weiter abliegenden Einfällen (rapacis, prurientis, voracis beim Lesen in den Sinn kam. Zu den schwierigen Stellen 13, 2 und 22, 31 sei mit allem Vorbehalt und nur versuchsweise necotiis und vellere (Hs ,auri vecole') erwähnt. Gewagt scheint uns 22, 24 Traubes guneci = gynaecei (Hs ,unici'), unnötig 27, 36 voce statt des handschriftlichen, quoque', wenn man canora wie das Z. 38 folgende formonsa in adverbiellem Sinn fassen darf. Ein Druckfehler ist 27, 13 defuisses statt defuisset. Wir sehen ferneren Arbeiten des geschätzten Verf. mit lebhaftem Interesse entgegen.

Speyer.   G. Schepfs.

K. Krumbacher, Geschichte der byzantinischen Literatur von Justinian bis zum Ende des oströmischen Reiches (527 —1453). München, C. H. Beck 1891. XII. 495 S, Lex. 8.

Im Anschlusse an die Geschichte der klassisch-griechischen Literatur von Prof. W. v. Christ bearbeitete H. Dr. Krumbacher die Geschichte der byzantinischen Literatur.

Es ist damit nicht nur einem längst gefühlten Bedürfnis Rechnung getragen, sondern ein Werk geschaffen, das bei dem jetzigen Stande dieses Wissenszweiges und bei der verhältnismäfsig geringen Zahl von Vorarbeiten auf diesem Gebiete selbst den höchsten Anforderungen genügt und die gehegten Erwartungen weit übertrifft.

Der Umstand allein, dafs endlich einmal die bisher von den klassischen Philologen mit Geringschätzung, ja Verachtung behandelte

Literaturepoche der Byzantiner eine richtige wissenschaftliche Würdigung gefunden, ist ein hervorragendes Verdienst Krumbachers, des trefflichen Kenners der mittel- und neugriechischen Sprache, der es verstanden hat, den trockenen und spröden Stoff mit Meisterschaft zu formen und mit der ihm eigenen stilistischen Gewandtheit anziehend und fesselnd zur Darstellung zu bringen.

Mit Fug und Recht ist Kr. bei Anordnung seines Materials vom Gesichtspunkte der sprachlichen Erscheinung ausgegangen. Demgemäfs behandelte er in der ersten und zweiten Abteilung die prosaische und poetische Literatur, der byzantinischen Kunstgräzität, die sich der fortschreitenden Entwicklung der lebenden Volkssprache entzog, während er in der dritten Abteilung als Anhang eine Geschichte der vulgärgriechischen Literatur folgen läfst.

Mit durchsichtiger Klarheit und unbefangenem Blick gibt uns der Verf. in den einzelnen Kapiteln zu den Hauptabschnitten eine vorurteilslose Charakteristik der verschiedenen Epochen und Literaturzweige, indem er sich namentlich im Gegensatz zu Nicolai auf den Standpunkt der byzantinischen Kultur stellt. Dabei werden wir nicht blofs mit den einfachen Thatsachen bekannt gemacht, sondern in die Hauptphasen der Entwickelung sowohl der Sprache als der einzelnen Literaturgattungen der Byzantiner eingeführt. So sehen wir beispielsweise an Malalas (6. Jahrh.), Theophanes Confessor (8. Jahrh.) und Konstantin Porphyrogennetos (10. Jahrh.) die fortschreitenden Versuche nachgewiesen, auf der Basis des volkstümlichen Idioms eine Schriftsprache zu schaffen. Ebenso ist uns in Geschichtsschreibung, Philosophie und Altertumswissenschaft die Entwicklung deutlich vor Augen geführt.

Ganz dieselbe klare Bestimmtheit zeigt Krumbacher auch in der Beurteilung der einzelnen Schriftsteller. Nirgends stören uns verworrenen Phrasen und gewisse sich wiederholende Schlagwörter, wie sie Nicolai beliebt.

An der Spitze der prosaischen Literatur der Byzantiner steht die Historio- und Chronographie. Hier begegnen uns hart an der Grenze des Altertums ein Prokop, der, obschon des altgriechischen Sprachgefühls bereits entbehrend, noch anschaulich und markig schreibt, hier ein Agathias und Theophylaktus, deren Stil, reich an Bildern und Allegorien, der Einfachheit des Altertums schon viel ferner steht. Eine bedeutende Erscheinung unter den byzantinischen Historikern ist Kaiser Konstantin VII. Porphyrogennetos, der, selbst schriftstellerisch thätig, andere zu historischen Studien und Sammlungen veranlafste. Aufserst wichtig für den Historiker ist das Werk des Nikephoros Bryennios, welcher, durch enge verwandtschaftliche Beziehungen mit dem Kaiserhause der Komnenen verbunden, eine Art Chronik dieser Familie schrieb, die allerdings aus leicht begreiflichen Gründen häufig der Objektivität entbehrt, dagegen durch die genaue Kenntnis der Verhältnisse wertvoll erscheint.

Hier kann ich es mir nicht versagen, auf die grundverschiedene

Beurteilung des Bryennios durch Nicolai und Krumbacher hinzuweisen. Letzterer urteilt folgendermafsen: „In der Anwendung von Tropen, Sentenzen und Gleichnissen ist er verhältnismäfsig sparsam; sein Satzbau ist schlicht und knapp; er hat etwas von der soldatenmäfsigen Einfachheit des Kinnamos". Ersterer dagegen tadelt ihn mit den sinnlosesten Phrasen (vgl. Nic. gr. Litt. Gesch. III. S. 78): „Jeder künstlerischen Aufgabe und der geistigen Durchdringung des Stoffes edig, schüttet er in zerrissener und übler Erzählung ein buntes, wenig gesichtetes Material in formloser, gedunsener, in endlose Breite verschwimmender Diktion aus u. s. w."

Eine ausgezeichnete Charakteristik gibt uns Kr. auch von Bryennios' Gattin Anna Komnena, die in ihrer 'Αλεξιάς die Familienchronik der Komnenen fortsetzte. Merkwürdig ist in formaler Hinsicht, dafs sich bei dieser Schriftstellerin, mag sie auch noch so sehr ihre antiken Vorbilder, Thukydides und Polybius, nachzuahmen sich bestrebt haben, die Spaltung der griechischen Sprache in Kunstsprache und Vulgäridiom bereits deutlich als vollendete Thatsache erkennen läfst. Gesteht sie doch selber zu, ihre Gräzität schulmäfsig erlernt zu haben. Aber trotz ihres streng einstudierten Attizismus gebraucht sie nicht nur ab und zu vulgäre Wörter, sondern strauchelt auch zuweilen in Konstruktion und Stil.

Der erste Geschichtschreiber, welcher mit der traditionellen sprachlichen Form brach und das wirklich gesprochene Idiom zur Grundlage seiner Gräzität nahm, war Dukas, der uns in einfacher und anschaulicher Erzählung über die Zeit von 1641—1462 berichtet. Während nun Kr. in dieser Diktion sehr richtig „die deutlichen Keime einer lebensfähigen, neugriechischen Schriftsprache erblickt, wird Nicolais „an Formgefühl gewöhntes Ohr geradezu beleidigt". Welch verschiedener Standpunkt!

Hielten sich die Historiker bis ins 15. Jahrhundert gröfstenteils pedantisch an ihre Kunstgräzität, so finden wir dagegen in der blofs mehr in einer stark verkürzten Redaktion erhaltenen Χρονογραφία des oben erwähnten rohen und ungebildeten Malalas schon im 6. Jahrhundert das älteste umfangreichere Denkmal des ächten Vulgärgriechisch, das allerdings noch nicht zur mittelgriechischen Vulgärliteratur gerechnet werden kann (S. 389).

Übergehend auf die philosophischen Studien der Byzantiner bemerkt Kr. treffend, dafs die Philosophie im Orient eine ähnliche Richtung einschlug wie im Abendlande d. h. in die Dienste der Theologie trat. Nachdem auf Johannes von Damaskos, dem Begründer der mittelalterlichen Kirchenphilosophie, eine nahezu dreihundertjährige Epoche philosophischer Unfruchtbarkeit gefolgt war, brachte Michael Psellos, die hervorragendste literarische Persönlichkeit des 11. Jahrhunderts, das Studium der Philosophie Platos, den er sich auch als Vorbild in der Darstellung wählte, wieder zu Ehren und Ansehen. Die Wiederbelebung der platonischen Lehren ist das Hauptverdienst dieses Mannes, der mit seinem immensen Geiste die verschiedensten

Wissenszweige umfaſste, aber leider durch Ränkesucht und niedrige Schmeichelei seinen Charakter arg befleckte.

Bevor wir uns zur Besprechung der Altertumswissenschaft bei den Byzantinern wenden, möge noch des ritterlichen Manuel II. Paläologos Erwähnung geschehen, der unter den rhetorischen und sophistischen Schriftstellern seiner Zeit einen bedeutenden Rang einnimmt.

Daſs man die ersten Anfänge des sogenannten Humanismus schon in der Zeit der Komnenen (Psellos) und der Paläologen (Planudes, Metochites, Moschopulos) zu suchen habe, ja daſs man selbst bis auf Photios, das leuchtende Gestirn des 9. Jahrhunderts, zurückgehen müsse, ist ein vollkommen richtiger Gedanke, den Kr. mit dem Hinweis darauf begründet, dafs die Humanisten Theodor Gazes, Laskaris und Chrysoloras, welche sich hauptsächlich um die Förderung der griechischen Sprache und Literatur verdient machten, gerade aus jenen älteren Vorlagen geschöpft haben.

Nach zweihundertjährigem geistigen Stillstand (im 7. u. 8. Jahrh.) ist uns die so unvermittelt auftauchende Erscheinung des Patriarchen Photios um so überraschender. Von ganz eminentem Wissen, wurde er schon in seinen Jünglingsjahren der Mittelpunkt des geistigen Lebens in Byzanz, um den sich eine Menge wiſsbegieriger Jünger selbst aus dem Abendlande scharte.

Von Wichtigkeit für die klassische Philologie sind im 12. Jahrhundert der Grammatiker Tzetzes und der Scholiast und Commentator Eustathios, spätere Erzbischof von Thessalonike.

Hieran schließen sich die Humanisten der Paläologenzeit. Maximos Planudes, der durch seine Kenntnis der lateinischen Sprache — wie Kr. sagt — „eine Brücke schlug, über welche später byzantinische Flüchtlinge als Apostel des Humanismus nach Italien wanderten", verdient keineswegs das harte Urteil, welches Nicolai (III S. 154) über ihn fällt, wenn er bemerkt: „Er weifs auf keinem Gebiete seine geistige Leere, seinen mönchischen mit gewöhnlicher Moral verwässerten Geschmack zu verdecken". Die Reihe der Philologen jenes Zeitabschnittes schließen Manuel Mochopulos, Thomas Magistros, Theodor Metachites und andere von mehr untergeordneter Bedeutung.

Während bei der prosaischen, insbesondere der historischen Literatur der Byzantiner — wie wir gesehen — der Übergang vom hellenischen Altertum zum Mittelalter weniger schroff und unvermittelt erscheint, bricht die byzantinische Kirchen- und Volkspoesie — denn nur diese beiden Gattungen kann man zur Poesie im eigentlichen Sinne rechnen — in Form und Inhalt vollständig mit der hellenischen Überlieferung; denn beide sind einem andern Boden entsprossen. Erstere geht aus der christlichen Lehre hervor, letztere ist ein selbständiges Produkt des byzantinischen Volkslebens. — Ich fürchte, es möchte zu weit führen, wollten wir näher eingehen auf das, was Kr. in den einleitenden Kapiteln zur poetischen Literatur erörtert, auf seine treffliche Charakteristik des byzantinischen Romans, sowie auf seine höchst interessanten Ausführungen über das allmähliche Verschwinden der antiken Metrik und das Auftauchen der neuen metrischen Prinzipien des rythmischen und politischen Verssystems.

Wir beginnen mit der Kirchendichtung, in welcher Kr. drei Perioden unterscheidet. Die Sitte der Christen, bei gottesdienstlichen Zusammenkünften den Schöpfer durch Gesang zu preisen und zu verherrlichen, ist eine uralte von den Juden herübergenommene und ist uns durch die sichersten Zeugnisse bewiesen. Die eigentliche Hymnendichtung aber, über deren Anfänge wir noch nicht hinlänglich aufgeklärt sind, fällt ungefähr in die Mitte des 5. Jahrhunderts, die Hauptblüte in die Regierungszeit des Kaisers Justinian (527—565), Der vornehmste aller Hymnendichter, zugleich der grofsartigste Kirchendichter überhaupt, ist Romanos, ὁ μελῳδός beibenannt, über dessen Leben wir nur durch eine Legende unterrichtet sind.

Schnell jedoch, wie sie erblüht, ging die Hymnendichtung namentlich infolge des wüsten Bildersturmes wieder ihrem Verfall entgegen. Die Erzeugnisse kirchlicher Poesie eines Johannes von Damaskus und Kosmas von Jerusalem überragen zwar an technischer Feinheit die einfachen Schöpfungen ihrer Vorgänger, doch bleiben sie, was Klarheit der Sprache und Tiefe der Empfindung anlangt, weit hinter jenen zurück.

Wohl das unerquicklichste Gebiet für den Literaturhistoriker ist die Geschichte der byzantinischen Profanpoesie, deren Grundcharakter ein so „verschwommener" und jeder natürlichen Entwicklung entbehrender ist, dafs eine systematische Anordnung des Stoffes nach den einzelnen Arten unmöglich erscheint. Blofse Versifikationen ohne jeglichen inneren poetischen Wert bald epischer bald epigrammatischer, bald panegyrischer, bald didaktischer Art wechseln in buntem Gemengsel. Nichtsdestoweniger hat es Kr. verstanden — so weit es eben möglich war — auch dieses Stoffes Herr zu werden und das Interessante gebührend hervorzuheben. Der Hauptvertreter dieser Profanpoesie ist wohl Theodor Prodromos (im 12. Jahrh.), den wir später noch einmal bei Besprechung der Vulgärliteratur kennen lernen. Seine literarische Thätigkeit ist eine aufserordentlich vielseitige. K. trifft den Nagel auf den Kopf, wenn er ihn zwar einen „typischen Vertreter der übelsten Seiten byzantinischen Wesens", aber auch zugleich eine „deutlich ausgesprochene kulturhistorische Figur" nennt. (S. 360 f.)

Ich glaube, ohne mich einer besonderen Unterlassungssünde schuldig zu machen, nunmehr auf den dritten Teil des Werkes, die vulgärgriechische Literatur übergehen zu dürfen. Jeder, der sich mit neugriechischen Studien befafst hat, kennt den eigentümlichen Dualismus dieser Sprache, die Spaltung in Schriftgriechisch und Volksidiom.

Die Erklärung dieser Thatsache, sowie die Erläuterung der Begriffe „Neugriechisch" und „Vulgärgriechisch", welche

Kr. hier sehr passend vorausschickt, sind äusserst instruktiv und werden gar manchen von der schiefen Bahn grundverkehrter Anschauungen auf den Weg der richtigen Erkenntnis leiten. Hört man doch oft — man sollte es kaum glauben — selbst von hochgebildeten Männern die wunderlichsten, um nicht zu sagen albernsten Ansichten über die sogen. neugriechische Sprache äufsern.

Wie im lateinischen Abendlande, so ist auch im griechischen Orient das volkstümliche Idiom zuerst in der Poesie aufgetaucht, hat sich aber beinahe nur in dieser erhalten und weiter entwickelt. So ist denn die mittelgriechische Vulgärliteratur vorwiegend, ja fast ausschliefslich poetisch. Die Stoffe derselben weisen die gröfste Mannigfaltigkeit auf. Wir finden da Lehr- und Gelegenheitsgedichte, nationale sagenhafte und historische, auch romantische Dichtungen über antike und mittelalterliche, sogar abendländische Gegenstände. Hier sind es aufser dem uns unter dem Namen S p a n e a s überlieferten Lehrgedicht hauptsächlich die B e t t e l g e d i c h t e des bereits erwähnten T h e o d o r P r o - d r o m o s, welche f o r m a l und i n h a l t l i c h in gleicher Weise unsere Aufmerksamkeit verdienen. Kr. (S. 398) kennzeichnet ihn in scharfem Gegensatz zu Nicolai (S. 349) ganz vortrefflich mit den Worten: „Gemeinsam ist diesen Erzeugnissen (seinen vulgär-griech. Gedichten) demütige Vertraulichkeit, galgenhumoristische Selbstbetrachtung und realistische Derbheit." Dies Urteil mufs gewifs jeder unterzeichnen, der des Prodromos höchst originelle Geistesprodukte gelesen.

Was wirklich p o e t i s c h e n Gehalt anlangt, so gehören die etwa aus dem 14. Jahrhundert stammenden sogen. „r h o d i s c h e n" Liebeslieder zu den besten und anziehendsten Erscheinungen der vulgärgriechischen Dichtung.

Ein reiches Feld für wissenschaftliche Forschung bietet in vieler Hinsicht das eigentliche N a t i o n a l e p o s d e r B y z a n t i n e r, das nach seinem Helden Digenis Akritas benannt ist, sowie die für das Studium der mittelgriechischen Vulgärsprache höchst wichtige Verschronik von Morea.

Noch haben wir auch der romantischen Dichtung Erwähnung zu thun, in welcher der Orient weit hinter dem Abendlande zurückbleibt, zumal in denjenigen Gedichten, welche antike Stoffe behandeln. Eines der geschmacklosesten Machwerke dieser Art ist die I l i a s des H e r - m o n i a k o s aus dem Anfang des 14. Jahrh. Weit besser ist die A c h i l l e i s eines unbekannten Verfassers, welche sich uns abgesehen von den antiken Eigennamen als ein „höfisches Romangedicht" präsentiert. Genauer sind wir unterrichtet über Ursprung und Entwickelung der Alexander-, Apollonios- und Belisarromane, die alle in verschiedenen Versionen auf uns gekommen sind. Eines der hübschesten romantischen Gedichte ist die *Διήγησις ἐξαίρετος Βελθάνδρου τοῦ ῾Ρωμαίου*, welche uns ganz an die französichen Ritterromane erinnert. Der Stoff ist aus dem Mittelalter genommen und das Gedicht möglicherweise nach einem a l t f r a n z ö s i s c h e n Muster bearbeitet; jedenfalls ist der Einflufs f r ä n k i s c h e r Kultur über jeden Zweifel erhaben. Eine

bloſse Bearbeitung der französischen Erzählung P i e r r e d e P r o v e n c e
e t l a b e l l e M a g u e l o n n e ist das Gedicht I m b e r i o s und M a r g a r o n a.

Von den Tiergeschichten sei hier die L e g e n d e v o m e h r s a m e n
E s e l angeführt oder, wie die andere Version heiſst, d i e s c h ö n e G e -
s c h i c h t e v o m E s e l, W o l f und F u c h s, die uns in ihrer satirischen
Absicht lebhaft an die abendländischen Reinhartgeschichten, ihrer
Quelle, erinnert.

Wie n o c h h e u t z u t a g e ist auch im Mittelalter die reine Vulgärsprache in der Prosaliteratur nahezu g a r nicht vertreten, ausgenommen in solchen Büchern, die sich schlechterdings dem sprachlichen
Verständnis ihrer Leser anpassen muſsten, wie das bei den H a u s -
a r z n e i b ü c h e r n ('Ιατροσόφια) der Fall war.

Wenn unser Literarhistoriker den berühmten geistlichen Roman
B a r l a a m und J o a s a p h, sowie den F ü r s t e n s p i e g e l (Στεφανίτης
καὶ 'Ιχνηλάτης), welche nach ihrer f o r m a l e n S e i t e streng genommen
zu den Denkmälern der byzantinischen Kunstprache gehören, dennoch
an dieserStelle eingereiht hat, so rechtfertigt er dies damit, daſs sie
inhaltlich aufs engste mit den Volksbüchern der byzantinischen Zeit
zusammenhängen. —

Am Schluſse dieser Besprechung kann ich nicht umhin, noch auf
einige Vorzüge des Werkes hinzuweisen. Die reichhaltigen bibliographischen Angaben, welche K. am Ende jedes einzelnen Paragraphen
mitteilt, berücksichtigen hauptsächlich die Ergebnisse der neueren Forschung und erscheinen uns um so wertvoller, als wir bisher zur Orientierung in byzantinischer Literatur aller bibliographischen Hilfsmittel
entbehrten. Kleinere erklärende Anmerkungen und Citate sind unter
den Text verwiesen, wodurch die Lektüre erleichtert wird. Das
Hauptverdienst aber, welches sich H. Dr. Krumbacher durch sein
grundlegendes Werk erworben, und wofür dem eifrigen Forscher
unser wärmster Dank gebührt, ist die gewaltige Anregung zum Weiter-
arbeiten auf einem Gebiete, das bisher nahezu „terra incognita" war,
nun aber durch seinen wissenschaftlichen Mut erschlossen und frucht-
bringenden Studien zugänglich gemacht ist.

Passau.   Dr. Aug. W a g n e r.

S t e u e r w a l d, Dr. W., E n g l i s c h e s L e s e b u c h für höhere
Lehranstalten. Mit erläuternden Bemerkungen und Aussprachebezeichnung der Eigennamen. Zweite Auflage. München. Stahl. 1890. gr. 8.
454 S. Mk. 4.— geb.

Diese drei Jahre nach der ersten Auflage (1886) erschienene
zweite Auflage ist ein fast unveränderter Abdruck der ersten, wenigstens hat Rez. nur eine Vermehrung der dem Buche Seite 427—446

angehängten Noten um etwa 34 Zeilen (zu S. 228 master of Eton, 253 Cowper, 265 Lord Macaulay, 271 Lord Lytton, 280 colleges, 358 Bills) bemerken können. Der Inhalt zerfällt in VI Gruppen: I. Human Life, Nature, God (Anekdoten, Naturbeschreibungen, Biblisches enthaltend) 97 Seiten, II. a) General History (45 S.), b) English History (80 S.), c) H. of Engl. Literature (53 S.). III. Geography. England and the English. America. (50 S.), IV. Speeches (12 S.), V. Miscellaneous Readings, Letters etc (22 S.), VI. Poetry (67 S.). Hierauf folgen die oben erwähnten Anmerkungen und auf 7 Seiten ein sehr nützliches Eigennamenverzeichnis nebst erfreulicherweise nicht durch Ziffern bezeichneter Aussprache. Die Lesestücke sind sorgfältig ausgewählt und bilden einen ebenso anziehenden als würdigen Stoff für die englische Lektüre. Bei der sicherlich bald wieder hergestellten 3. Auflage dürfte Sorge getragen werden, dafs, von den Gedichten abgesehen, das ganze Buch mit denselben Typen gedruckt werde, während jetzt vom 17. Bogen ab wieder die Typen der ersten Auflage verwendet worden zu sein scheinen, welche etwas kleiner und schärfer sind, als die auf den ersten sechzehn Bogen der 2. Auflage benützten.

Sonnenburg, Dr. R., An Abstract of English Grammar with Examination-Questions. Partly compiled from Adams, Angus, Allen and Cornwell, Latham, Morris, Murray, Smart, Webster, John Eearle, and Others. Fourth Edition revised. Berlin. Springer 1890. gr. 8. 108 S. M. 1,20.

Dieses Buch ist ein inhaltlich nur wenig veränderter, aber viel schöner ausgestatteter Abdruck der vor 10 Jahren (1880) erschienenen Third Edition. Es enthält auf 6 Seiten eine die Geschichte der englischen Sprache, sowie die Elemente, aus denen dieselbe besteht, behandelnde Einleitung, dann folgt die Formenlehre (30 S.), hierauf die Syntax nebst Interpunktions- und kurzer Verslehre (61 S.). Den Schlufs bilden 247 den Inhalt des ganzen Buches umfassende englische Fragen und der Index. Die Regeln sind möglichst kurz gefafst und es sind ihnen durchweg nur ganz prägnante Beispiele zur Erläuterung beigegeben. Die Arbeit ist recht verdienstlich, indem sie eine Fülle grammatischer Erscheinungen in englischer Sprache darstellt, was für Lehramtskandidaten, die in englischer Sprache grammatische Fragen beantworten müssen, oder für Lehrer und Schüler an Anstalten, an denen die Unterrichtsprache englisch sein soll, sehr willkommen sein mufs. Die vorliegende Darstellung der engl. Gram. ist namentlich auch deswegen allen von Engländern verfafsten Grammatiken der modernen Schriftsprache vorzuziehen, weil sie vom Standpunkt des Deutschen aus geschrieben ist und deshalb alles für deutsche Studierende Notwendige und Wissenswerte enthält, während die englischen Werke in dieser Hinsicht manche Lücke aufweisen.

Banes, H., Lehrer der englischen Sprache in Elberfeld. Syste-matical Vocabulary and Guide to English Conversation Anleitung zum Englisch - Sprechen mittelst einer das Lernen und Be-halten erleichternden Anordnung der Wörter und Redensarten mit besond. Berücksichtigung der Synonymik des neueren Sprachgebrauchs Für Schulen und zum Privatgebrauch. Fünfte Auflage. Leipzig. B. G. Teubner. 1890. kl. 8. 311 Seiten. M. 2,— geb.

Dieses Buch ist eine fast wörtliche Übersetzung des Vocabulaire systématique von Plötz ins Englische. Jede Seite hat zwei Spalten, links steht der englische, rechts der entsprechende deutsche Ausdruck. Während man bei Benützung von Ploetz' Vocabulaire infolge der zahl-reichen Anmerkungen auf jeder Seite das Gefühl hat, von einem kenntnisreichen Manne geführt zu werden, kommt man sich bei dem englischen Gegenstück ziemlich verlassen vor. Die Noten sind viel spärlicher, wohl hauptsächlich deswegen, weil der Verfasser nicht Deutscher ist und deshalb nicht empfindet, wo dem deutschen Ler-nenden eine Erklärung erwünscht wäre. Ein Hauptmangel scheint die Abwesenheit jeder Aussprachebezeichnung zu sein; eines Vokabu-lärs bedienen sich ja doch gewöhnlich nur Anfänger und diese müssen dann bei jedem Worte im Wörterbuch nachschlagen; wäre nur wenig-stens die Tonsilbe und die Länge oder Kürze des betonten Vokales durch ein einfaches Mittel kenntlich gemacht, so würde schon viel gewonnen sein. Wenn in dieser Richtung etwas mehr für das Buch getban worden wäre, so hätte es, Dank dem von Herrn B. imitierten Originale von Ploetz, in den 35 Jahren seit seiner erstmaligen Ver-öffentlichung wohl mehr als 5 Auflagen erlebt.

München.   Dr. Wohlfahrt.

Percy's Reliques of Ancient English Poetry, nach der ersten Ausgabe von 1765 mit den Varianten der späteren Original-ausgaben herausgegeben und mit Einleitung, Anmerkungen und den erhaltenen Singweisen versehen von Dr. M. Arnold Schröer, a. o. Prof. a. d. Univ. Freiburg i. B. 1. Hälfte. (Vollmöllers engl. Sprach- und Literaturdenkmale B. 6). Heilbronn. Henninger 1889. 8°. SS. VI und 524. M. 8,—.

Unter den verschiedenen in den engl. Sprach- nnd Literaturdenk-malen veröffentlichten, für die Studierenden der engl. Philologie und die Literaturfreunde überhaupt wertvollen Neudrucken wird gegen-wärtiger in Verbindung mit dem zugehörigen noch ausstehenden zwei-ten Band einer der wertvollsten sein. Durch die rühmliche Bemühung des auf dem Gebiete der engl. Philologie schon längst wohlbekannten Herausgebers sind wir in der Lage, die berühmteste für die Ent-wicklung des Volksliedes wie für die der englischen Literatur gleich wichtigen Reliques Percy's leicht beschaffen zu können, und zwar

in jenem Wortlaut, welche W. Scott und Herder kannten und benützten, nämlich dem der ersten Ausgaben von 1765 und 1767. Dadurch, daſs der 2. Band zugleich alle Varianten der späteren Original-
ausgaben bringen soll, werden wir ohne Mühe den Text aller rekonstruieren können.

Diese erste Hälfte des Gesamtwerkes enthält 2 Drittel des Textes
der editio princeps, d. h. den I. u. II. Band mit den bekannten Balladen Chevy Chase und The Battle of Osbourne, sowie dem
Essay on the Ancient English Minstrels unter Beibehaltung
der ursprünglichen Schreibung und Interpunktion. Nach dem Erscheinen des 2. Bandes, welcher den Schluſs des Textes, Varianten,
Anmerkungen, Singweisen, Einleitung, übersichtliche Inhaltsverzeich-
nisse und Register bringen soll, werden wir nochmals auf das Ganze
zurückkommen.

W. Vietor und Fr. Dörr. Englisches Lesebuch. Unterstufe.
Zweite Auflage. Leipzig. Teubner. 1891. 8. XXII, 295 SS. gebd.
M. 2.80. — H. Vietor u. Er. Dörr. Englisches Übungsbuch. Unter-
stufe. Ebenda 1891. 8. VIII, 86 SS.

Prof. Vietor vertritt bekanntermaſsen die Anschauung der Reformer auf dem Gebiete des neusprachlichen Unterrichtes und hat
nach diesen seinen Grundsätzen, seine kurze engl. Grammatik, wie
sein eben in 2. Auflage erschienenes Lesebuch verfaſst; jetzt kommt
ein neues, „Übungsbuch" betiteltes Werkchen hinzu, das Prof. Vietor
wie das Lesebuch gemeinsam mit einem noch mitten im praktischen
Schulleben stehenden Freunde herausgab.   Das Lesebuch, welches
naturgemäſs das Hauptlehrbuch bildet, ist für die Zwecke, für welche
es seine Herausgeber bestimmten, ganz vorzüglich geeignet: es soll
den noch in kindlichem Alter stehenden Schüler dadurch in
der englischen Sprache unterrichten, daſs es ihn in das engl. Kinder-
leben einführt; daſs dabei vielfach kindliche Stoffe verwendet werden,
ist selbstredend.   Die 2. Auflage ist in der Hauptsache ein Neudruck
der ersten, das Wörterbuch (mit phonet. Umschrift) wurde sorgfältig
ergänzt.

Wer in dem Übungsbuch ein Buch voll Übungen zu finden
meint, wird beim Öffnen desselben sehr enttäuscht sein, denn dieses
Übungsbuch ist im Wesentlichen nur eine Anweisung zur Benützung
des Lesebuches mit genauer Angabe des Stoffes für die einzelnen
Wochen, sowie der Art seiner Behandlung und Ausnützung; die
wenigen Übungsstücke auf S. 52 ff. rechtfertigen den Titel noch nicht.
Die beiden Lehrpläne für Schulen mit ·groſser und mit geringerer
Stundenzahl sind sorgfältig zusammengestellt, die Anleitung zur Anfertigung von Tabellen .für die Formenlehre u. s. f., der Hinweis auf
verwandte deutsche und französiche Stoffe sind willkommene Beigaben,
doch gehört das Büchlein seiner ganzen Anlage nach als Lehrplan
und Anleitung mehr in die Hand des Lehrers als in diejenige des Schülers.

München.   ————————   G. Wolpert.

R. Netzhammer, Lehrbuch der ebenen u. sphärischen Trigonometrie nebst einer Sammlung von Übungsaufgaben. Paderborn, F. Schöningh. 1889. 211 S.

In dem ersten Abschnitte, der Goniometrie, werden zunächst die Funktionen am rechtwinkligen Dreieck erklärt, deren Werte für einige Winkel berechnet und die Grundformeln aufgestellt. Sodann erfolgt die Erweiterung des Begriffes der trigonometrischen Zahlen, und zwar unabhängig von einander mit Hilfe des Kreises und mit Hilfe der Polar- und rechtwinkligen Koordinaten, zwischen welchen Methoden dem Lehrer die Wahl gelassen ist. Hieran reiht sich die Aufstellung der goniometrischen Formeln, die Erklärung der Tafeln und die Auflösung der goniometrischen Gleichungen. In dem zweiten Abschnitte, der ebenen Trigonometrie, wird zuerst die Berechnung des rechtwinkligen und des gleichschenkligen Dreieckes durch Musterbeispiele erläutert. Die zur Berechnung des schiefwinkligen Dreieckes dienenden Formeln, Sinussatz, Cosinussatz, Tangentensatz, separierte Tangentenformel, Mollweidesche Sätze, werden auf geometrischem Wege abgeleitet; zu den drei ersteren Sätzen sind in Anmerkungen zweite Beweise angegeben. Weitere Umformungen der genannten Formeln werden bei der Berechnung der Fundamentalaufgaben vorgenommen. Der dritte Abschnitt behandelt die sphärische Trigonometrie in analoger Weise und mit gleicher Ausführlichkeit. Das dem Buch beigegebene Übungsmaterial umfaſst 500 Aufgaben; darunter befinden sich viele praktische Aufgaben. Ein Anhang enthält ein Verzeichnis der Formeln, Bertschneiders Tafel pythagoreischer Dreiecke, eine Tafel schiefwinkliger Dreiecke, die vierstelligen Logarithmen der Zahlen, die Werte und Logarithmen der trigonometrischen Zahlen, auf 5 Dezimalen für ein Interwall von 10' berechnet.

Die Darstellung gibt nur zu wenigen Bemerkungen Anlaſs. Eine „Ableitung" der Beziehungen, in welchen die trigonometrischen Zahlen der Winkel über 90° zu denen der Winkel des ersten Quadranten stehen, aus den Formeln für $\sin(\alpha \pm \beta)$ und $\cos(\alpha \pm \beta)$ ist vor dem Beweise der allgemeinen Giltigkeit der betreffenden Gleichungen unzulässig. Der hiefür später erbrachte Nachweis läſst den Fall $\alpha < 90^\circ$, $\beta < 90^\circ$, $\alpha + \beta > 90^\circ$ unberücksichtigt. Die in der Vorlage für das Fundament der Goniometrie gegebene Begründung erfordert die Unterscheidung vieler Fälle. Um diese zu umgehen, beweise man, daſs aus der Annahme, die Formel für $\sin(\alpha + \beta)$ gelte für irgend zwei Winkel α und β, folgt, daſs sie auch noch bestehe, wenn einer der Winkel um 90° wächst. — Die Formeln für das rechtwinklige sphärische Dreieck sind unter der Annahme bewiesen, daſs die beiden Katheten 90° nicht erreichen. Die Giltigkeit der aufgestellten Gleichungen für rechtwinklige Dreiecke, in welchen Seiten und Winkel mehr als 90° betragen, ergibt sich am einfachsten aus der Betrachtung der Nebendreiecke des gewöhnlichen Dreieckes. Eine solche Ergänzung dürfte um so notwendiger sein, als aus den betreffenden Gleichungen die ganze sphärische Trigonometrie abgeleitet wird. — Die Determinationen zu den Fundamentalaufgaben der sphärischen Trigonometrie enthalten öfters Fehler. Auch stützen sie sich zum teil auf Sätze der Sphärik, welche im stereometrischen Unterricht nicht durchgenommen zu werden pflegen, weil sie sich bequemer durch die Diskussion der bei Berechnung der Fundamentalaufgaben erhaltenen Resultate gewinnen lassen. Diese wenigen Ausstellungen können Ref. nicht abhalten, die Vorlage jedem Lehrer, der ein ausführliches Lehrbuch beim Unterrichte benützen will, zu empfehlen.

Würzburg. J. Lengauer.

Adolf Holm, Griechische Geschichte von ihrem Ursprung bis zum Untergang der Selbständigkeit des griech. Volkes. III. Band: Geschichte Griechenlands im 4. Jahrhundert v. Chr. bis zum Tode Alexanders des Grofsen. Berlin 1891. S. Calvary u. Co. IV, 520 S. 8. M. 10.—.

Verhältnismäfsig rasch hat Holm den beiden ersten 1886 u. 1889 erschienenen Bänden seiner griechischen Geschichte, die von der Kritik so beifällig aufgenommen worden waren, den dritten folgen lassen. Derselbe umfafst die Zeit vom Sturze der 30 bis zum Tode Alexanders in der Weise, dafs die kleinere erste Hälfte des Bandes (capp. I—XIII) die Geschichte des griechischen Ostens wie des Westens vor der Einmischung der Macedonier darstellt, während die gröfsere zweite Hälfte (capp. XIV—XXIX) der Geschichte Philipps und Alexanders gewidmet ist. Eines fällt hiebei auf. Andere Darstellungen der griechischen Geschichte, die gleichfalls bis zum Untergang der griechischen Selbständigkeit reichen, schliefsen mit der Schlacht von Chäronea, so z. B. Curtius, auch Busolt gedenkt sein Handbuch nicht darüber· hinauszuführen, Holm dagegen hat absichtlich die Geschichte Alexanders eng angeschlossen und noch in diesem Bande erzählt, da derselbe „nicht nur als Begründer einer neuen Epoche, sondern auch als der Erfüller lang gehegter Hoffnungen der besten Griechen und selbst als wahrer Grieche zu betrachten ist." (Vorrede p. III). S. 529 begründet Holm in einem kleinen Excurs noch weiter seine Anschauung von der Notwendigkeit der Hereinziehung der Geschichte Alexanders in diesen Band. Sie bildet einen notwendigen Teil der griechischen Geschichte, „weil die Thaten Alexanders die Erfüllung der Wünsche vieler tüchtiger Griechen sind, weil seine Thätigkeit die Lösung einer der beiden Aufgaben war, die den Griechen oblagen, derjenigen, welche ihre Geltendmachung nach Aufsen betraf." Wir werden weiterhin sehen, wie Holm bei der Beurteilung des Königs Philipp wesentlich die panhellenische Anschauung des Isokrates vertritt. Sobald man ihm die Berechtigung derselben zugibt, mufs man es nur konsequent finden, wenn er die Geschichte Alexanders enge mit der griechischen verknüpfte.

Die Auffassung der Geschichte des Zeitraumes von 403 bis zum Auftreten Philipps ist im Wesentlichen bedingt von dem Urteil über

die Hauptquellen für diese Zeit.   Deshalb hat Holm den wichtigsten,
Xenophons Hellenika und Diodor (B. 14 u. 15) S. 15—22 eine eingehende und interessante Besprechung gewidmet.   In der Darstellung
des Xenophon erblickt Holm nur Vorzüge; insbesondere sucht er denselben von dem Vorwurf der Parteilichkeit gegen die Thebaner und
für die Spartaner zu reinigen, ein Urteil, dem ich durchaus nicht bei-
zupflichten vermag.   Ich will dabei nicht die Gründe wieder hervorheben, die man in allen Literaturgeschichten (zuletzt bei Christ, S. 270 f.)
angeführt findet, sondern ich begnüge mich hier einfach damit, darauf hinzuweisen, wie Holms eigene Darstellung mit seinem Urteile
über Xenophon im Widerspruche steht.   So heißt es S. 49 (korin-
thischer Krieg), Agesilaus habe durch Eroberung der langen Mauern
Korinths und seines Hafens Lechaion den Spartanern wieder die Pforten
des Peloponnes geöffnet.   Er benützte diese Öffnung auch bald zu
einigen Unternehmungen, die, an sich von geringer Bedeutung,
von Xenophon deshalb erzählt werden, weil er so Gelegenheit findet, die Handlungsweise seines königlichen
Freundes deutlich hervortreten zu lassen."   Wann hat
Xenophon je gleiche Teilnahme für Epaminondas gezeigt? S. 181 muß
Holm von Xenophon selbst zugeben: „Allerdings schreibt er
vom spartanischen Standpunkte aus, aber er tadelt Sparta,
wo es Tadel verdient."   Und dann, wie soll zu der Darstellung des
Xenophon die Charakteristik stimmen, welche Holm S. 110 von Epaminondas entwirft: „Alles was von ihm berichtet wird, läßt ihn dem
Perikles ähnlich erscheinen, welchem er dadurch noch überlegen ist, daß er der größte Feldherr der Griechen und
einer der größten Feldherren aller Zeiten war." — Unzweifelhaft richtig dagegen und von hohem Interesse ist nach meiner
Ansicht, was Holm über Diodor und seinen Wert als historischer
Schriftsteller sagt.   Er stellt S. 19 den vollkommen zutreffenden Grundsatz auf: „Man hätte bei den Quellenforschungen im Diodor vom Bekannten zum Unbekannten fortgehen und zunächst untersuchen sollen,
wie Diodor selbst gearbeitet hat.   Man mußte seinen Sprachgebrauch und seine Art, gewisse, sich wiederholende Dinge
darzustellen, erforschen.   Wenn sich hierin Verschiedenheiten an
verschiedenen Stellen seines Werkes finden, war nach dem Grunde
solcher Verschiedenheiten zu fragen und dann kam man vielleicht auf
eine Verschiedenheit der von ihm benützten Quellen."
    Treffend hat Holm diesen Grundsatz an einem von Diodor häufig
behandelten Gegenstand, nämlich den Schlachtbeschreibungen, illustriert, indem er zeigt, wie Diodor zwei verschiedene Schlachten wohl
so darstellt, daß man den verschiedenen Verlauf der beiden ganz gut
erkennt, aber wie er sie mit denselben Redeblumen ausgeschmückt
hat, welche den Schein erwecken, als wären sie gleichmäßig verlaufen.
Hier bin ich mit Holm umsomehr einverstanden, als mich meine Studien gerade über die Schlachtbeschreibungen und ähnliche Kapitel bei
Dio Cassius auffallender Weise zu ganz ähnlichen Resultaten geführt
haben.   Es ist damit einer neuen Betrachtungsweise dieser späteren

griechischen Historiker Bahn gebrochen, die nicht genug empfohlen werden kann.

Bezüglich der historischen Auffassung im 1. Teil ist nur zu sagen, daß sich dieselbe nicht wesentlich von den anderen Darstellungen dieses Zeitraumes unterscheidet. Beachtenswert ist die Begeisterung und Wärme, mit der das Bild des großen Epaminondas gezeichnet wird, ohne daß der Verfasser jedoch sich irgend welcher Übertreibung schuldig machte. Interessant sind auch die geistreichen Ausführungen über den Proceß des Sokrates: „er bildet keinen Präcedenzfall, hatte also lange nicht die Bedeutung, welche wir ihm beimessen; denn da die Athener keine Rechtswissenschaft besaßen, so haben sie überhaupt keine Präcedenzfälle anerkannt." Treffende Parallelen beleben auch in diesem Teile wieder die Darstellung und fördern oft sichtlich das Verständnis; so wird ein eingehender Vergleich durchgeführt zwischen dem Rückzug der 10,000, dem Rückzug der Athener vor Syrakus und dem Napoleons aus Rußland (S. 5). Übrigens scheint mir Holm hiebei das musterhafte Benehmen der 10,000 gar zu sehr zu betonen; daß es bisweilen in das Gegenteil umschlug, läßt sich wohl aus Xenophon zeigen. Außerdem möchte ich hinweisen auf die Parallele der Staatenverhältnisse Griechenlands heim Ausbruch des korinthischen Krieges 395 mit denen des einstigen deutschen Bundes (S. 40), sowie auf den Vergleich, der die Lage Griechenlands nach der Schlacht bei Mantinea klar machen soll (S. 141): Lützen und Gustav Adolfs Tod. — Vom Verfasser der „Geschichte Siciliens im Altertum" war wohl zu erwarten, daß er auch den Verhältnissen des Westens eine eingehendere Darstellung widmen werde; das ist denn auch geschehen und zwar sucht Holm die Ereignisse im Westen möglichst in Einklang zu bringen mit dem Verlauf der Dinge im Osten. So ist das 11. Kapitel, welches Sizilien und Italien in der 1. Hälfte des 4. Jahrhunderts behandelt, direkt überschrieben: „Ähnlichkeiten in den Zuständen des Ostens und Westens der griechischen Welt." Und daß wirklich eine Reihe von Ähnlichkeiten sich finden, läßt sich auch gar nicht leugnen. Manchmal freilich hat Holm nur diesem Parallelismus zu liebe als Vermutung ausgesprochen, was sich durchaus nicht beweisen läßt, man vergleiche besonders S. 155.

Entschiedenen Widerspruch ruft die historische Auffassung des mittleren Teiles hervor, welcher das Auftreten Philipps von Macedonien, seine Einmischung in die Angelegenheiten Griechenlands und die Thätigkeit des Demosthenes schildert. Wie schon erwähnt hängt die Auffassung dieser Epoche eng zusammen mit der Beurteilung des Isokrates. Holm möchte nach seinen eigenen Worten S. 468 unter den Charakterfiguren des 4. Jahrh. drei Gruppen unterscheiden: 1. die in ihrer Art großen, 2. die bedeutenden, aber mit einem merkbaren Mangel behafteten, 3. die unbedeutenderen. Zu der ersten Klasse rechnet er neben Epaminondas, Timoleon, Alexander, Plato, Xenophon und Agesilaos auch Isokrates als ersten und größten Publizisten des Altertums, zur 2. Klasse Philipp und Demosthenes. Gemäß dieser Wertschätzung des Isokrates vertritt Holm auch durch-

aus dessen panhellenische Anschauungen, ihm gilt nur die Politik für
die richtige, welche Isokrates predigte und Philipp praktisch ausführte.
Natürlich ist damit die Politik des Demosthenes verurteilt; aber die
Art und Weise, wie dieses geschieht, zeigt von grofser Voreingenommenheit gegen den gröfsten Redner des Altertums und, fügen wir es nur
gleich hinzu, gegen den grofsen Patrioten. S. 208—209 setzt Holm
die Gründe auseinander, welche das Halten von Söldnerheeren in jener
Zeit notwendig machten; „wenn man das heutzutage tadelt, schliefst
er seine Ausführungen, so ist man das Echo von Rednern, welche
keine Rücksicht auf die Verhältnisse nahmen, sobald ihre augenblick-
lichen Zwecke es erforderten". Das ist natürlich auf Demosthenes ge-
münzt. Wie soll aber dazu stimmen, was Holm S. 279 gelegentlich
der Besprechung der ersten philippischen Rede sagt: „Die Beteiligung der Bürger am Kriegsdienste hielt der Redner mit
Recht für höchst wichtig. Die Athener scheinen diesen Rat nicht
befolgt zu haben" etc. -— S. 218, Anm. 3 wird die Einführung der
Symmorien für die Trierarchie als ein Schaden bezeichnet, der auch
durch die Reformen des Demosthenes nicht beseitigt wurde. Nun
heifst es aber S. 269 bezüglich der Rede des Demosthenes über die
Symmorien: „Seine Vorschläge waren trefflich, doch kamen
sie damals noch nicht zur Ausführung" u. S. 305 „Inzwischen (340/39)
hatte Demosthenes die Rüstungen Athens vervollständigt. Die trier-
archischen Symmorien wurden nun endlich so gut geordnet, dafs in
den nächsten Jahren über diesen Zweig der Verwaltung keine Klage
laut geworden ist." Wie pafst das zu Holms eigenen Klagen? —
Ganz besonders wird es dem Demosthenes zum Vorwurf gemacht, dafs
er nichts vom Kriegswesen verstanden habe (cf. S. 219 unten). Ein
solcher Vorwurf würde doch nur dann berechtigt sein, wenn Demosthenes sich angemafst hätte, etwa als Feldherr eine Rolle spielen zu
wollen. Das lag ihm aber ganz ferne. Nicht nur, dafs er selbst mit
deutlichen Worten sagt, er habe sich die auswärtige Politik als Hauptaufgabe seines Lebens gewählt, er hat ja auch als einfacher Hoplit
in den Reihen seiner Mitbürger bei Chāronea gekämpft, ohne irgend
ein Kommando für sich zu beanspruchen. — S. 285 sagt Holm: „Demosthenes führt in der Rede von der Truggesandtschaft zu seiner
Rechtfertigung, dafs er nicht seine Stimme erhoben habe gegen die
Erklärung der Athener, die Phocier sollten den Amphiktionen das
delphische Heiligtum übergeben, an, er habe sprechen wollen, man
habe ihn jedoch nicht angehört; aber das ist eine unbewiesene Behauptung; die athenische Demokratie hat ihren Ratgebern niemals
Gehör versagt." Damit aber hat Holm einer unbewiesenen Behauptung eine andere gegenübergestellt und ich meine, wenn man dem
Demosthenes eine solche vorwerfen könnte, würde Aeschines sich gewifs die Gelegenheit nicht haben entgehen lassen, darauf zurückzukommen. Dagegen geht Holm über eine Gelegenheit, wo des Demosthenes politischer Scharfblick sich glänzend zeigte, über seine Frie-
densrede S. 206 mit einigen Worten hinweg! — S. 302—3 wird berichtet: Das Schiedsgericht, welches Philipp S. 342 in Betreff der

thracischen Plätze vorschlug, lehnten die Athener ab unter dem Vorgeben, dafs keine Unparteiischen zu finden seien. Holm bemerkt „Natürlich gab es solche" und schiebt die Ablehnung der Partei des Demosthenes in die Schuhe. Aber wer sollen denn damals die Unparteiischen gewesen sein, die Spartaner? oder die Thebaner? darüber erhalten wir keinen Aufschlufs. — S. 306 7 wird es als ein grofser Fehler der Politik des Demosthenes bezeichnet, dafs Athen den Amphiktionenkrieg gegen Amphissa nicht geführt hat; denn es hätte damit die Amphiktionen befriedigt, die eigene Ehre gewahrt und den eigenen Vorteil wahrgenommen und Philipp wäre nicht nach Griechenland gekommen. Nun war es aber, wie Holm selbst sagt, die Absicht des Demosthenes, sich Theben freundlich zu erweisen, um es bei der ersten Gelegenheit als Bundesgenossen Athens gegen Philipp zu gewinnen. Dafs ihm letzteres wirklich gelang, ist ja doch immer als ein Triumph der Politik des Demosthenes bezeichnet worden. Holm sagt S. 309 selbst: „Durch das Bündnis zwischen Athen und Theben war ein trefflicher Kern gebildet und wenn sich das übrige Griechenland den beiden Staaten angeschlossen hätte, so würde Philipp wohl haben zurückweichen · müssen." Also hier wird der Erfolg des Demosthenes ausdrücklich anerkannt. Wenn er nun, um diesen zu erreichen, die Führung des Krieges gegen Amphissa nicht übernehmen durfte, wie kann ihm das als Fehler angerechnet werden? Daher ist es sehr gewagt von Holm, zu behaupten, nicht Aeschines, sondern Demosthenes habe Philipp nach Griechenland gebracht. Dafs die Griechen bei Chäronea schliefslich unterlagen, das war doch nicht des Demosthenes Schuld: die Verbündeten waren kriegerische und für ihre Freiheit begeisterte Bürger; Philipp hatte eben als König, dessen einzigem Willen alle sich unterordnete und der ein kriegsgeübtes Heer besafs den Vorteil auf seiner Seite, aber Holm sagt ja S. 311 selbst: „Nicht der Erfolg ist es, welcher die That adelt." — Überhaupt verfährt Holm ganz verschieden bei der Beurteilung des Philipp und der des Demosthenes. Bei jenem sind alle Pläne nur die edelsten und besten, die Berichte davon, dafs er durch sein Gold sich allenthalben, besonders aber in Athen, willfährige Werkzeuge erkaufte, werden von vornherein als übertrieben und belanglos hingestellt, wo aber von der Bestechlichkeit des Demosthenes die Rede ist, da wird alles für vollgiltige Wahrheit genommen. Ja, S. 424 lesen wir bei Holm: „Ich habe hierbei noch den Umstand ganz unberücksichtigt gelassen, dafs Hyperides den Demosthenes beschuldigt, er stehe im Solde Alexanders: vgl. Blafs, 3, 2, 65 ff. Hätte H. Recht gehabt, so wäre Demosthenes einer der verächtlichsten Menschen. Aber wir dürfen solche Behauptungen eines Redners nicht als bare Münze nehmen." Nun, wenn Holm das Letztere thut, warum zieht er, wenn auch nur hypothetisch, daraus die obige hämische Schlufsfolgerung. Wie ganz anders würde er sich ausgedrückt haben, wenn der Bericht des Hyperides auf Philipp sich bezogen hätte? Kann man sich aber auch mit der historischen Auffassung in diesem Abschnitte nicht durchaus einverstanden erklären, so regt doch die geistreiche und fesselnde Darstellung,

die auch von vollständiger Beherrschung des Materials zeigt, den Leser
fortwährend an und steigert seine Aufmerksamkeit von Seite zu Seite.

Als der beste Teil des Buches will mir der 3. Abschnitt, die
Geschichte Alexanders des Grofsen, erscheinen. Holm sucht den Vorzügen wie den Fehlern des grofsen Königs in gleicher Weise gerecht
zu werden, besonders in cap. XXVI: Charakter, Leistungen und geschichtliche Bedeutung Alexanders. — Um einen Begriff von der in
den westlichen Teilen des persischen Reiches herrschenden Manigfaltigkeit
zu geben, handelt Hoim in einer langen Note S. 357—363 über das
Münzwesen jener Gegenden, das eine grofse Selbständigkeit vieler
kleiner Kreise verrät. Diese genaue Aufzählung der Münzen von oft
ganz unbedeutenden Städten von der Troas an bis hinab nach Kili-
kien (sowie in Kypros und Phönicien) unter Angabe des Gewichtes,
des Münzfufses, der Typen etc. wirkt doch recht ermüdend und hat
für solche, die sich nicht speziell mit Münzkunde beschäftigen, keinen
rechten Wert. Der Zweck, den Holm damit verfolgt, wird durch die
S. 363 gegebene summarische Übersicht auch erreicht.

Alles in Allem genommen steht auch dieser Band der Holmschen
Geschichte auf der Höhe der beiden früheren und wird wohl ebenso
eifrige Leser und Liebhaber finden wie jene.

München.   Dr. J. Melber.

III. Abteilung.

Literarische Notizen.

Die Tragödien des Äschylos. Verdeutscht von B. Todt. Prag, Wien und Leipzig 1891. IX und 413 SS. — Die Übersetzung unterscheidet sich von allen vorhandenen äuſserlich dadurch, daſs sie sich anstatt des sechsfüſsigen jambischen Verses des fünffüſsigen bedient, die Chorlieder aber in denjenigen Versen wiedergibt, welche in unserer accentuierenden Sprache ungezwungen kommen, also in Jamben und Trochäen, Dactylen und Anapästen. Eine allgemeine Einleitung verbreitet sich über die Entstehung der Tragödie, das Leben des Äschylos, den Kunstcharakter desselben und über das antike Theater in einer Weise, daſs man die vollkommene Beherrschung des Stoffes, wie die Unabhängigkeit und Sicherheit der ästhetischen Urteile daraus erkennen kann. Eine klare und grundgediegene Würdigung der Äschyleischen Poesie ist hier mit warmen Worten zum Ausdruck gekommen, während Sophocles zu sehr vom rein schauspielerischen Standpunkt beurteilt wird. Dieses Moment darf allerdings nicht übersehen werden, aber eine einseitige Betonung drückt den gröſsten D r a m a t i k e r des Altertums zu sehr herab. Auch den einzelnen Stücken sind kurze und vortrefflich orientierende Einleitungen vorausgeschickt. Manche Chorlieder haben eine äuſserst gelungene und ergreifende Übertragung gefunden. So Pers. 550 ff. u. a. Die Übersetzung der jambischen Teile ist nicht minder gelungen, fast durchweg treffend, fein und vornehm, und vor allen Dingen flieſsend, vielleicht zu flieſsend. Denn in letzterer Beziehung kann Ref. das Bedenken nicht unterdrücken, ob denn die Wahl des leichten fünffüſsigen Jambus dem stolzen Schwergewichte gerade der Äschyleischen Poesie gegenüber eine glückliche war. Kenner des griechischen Textes werden sich durch die Übersetzung von Suppl. 308

καὶ τοῦδ' ἄνοιγε τοὔνομ' ἀφθόνῳ λόγῳ.

Auch dessen Namen thu' Dein Wort mir kund

kaum befriedigt fühlen. Das Schwere, fast Bombastische der griechischen Worte ist im Deutschen vollständig in Wegfall gekommen, damit aber auch eine ganz wesentliche Eigentümlichkeit der Äschyleischen Rede. Auch über einzelne Auffassungen des Verf. wie über manche kleine Hinzudichtungen desselben würde man rechten können. Doch sehen wir lieber davon ab und freuen uns über die schöne — leider zu ideale Tendenz, von welcher derselbe bei der Fertigung seiner schweren Aufgabe geleitet war, das gediegene Gold der Äschyleischen Poesie dem deutschen Volke in schönster Fassung zu übermitteln. „Denn wenn irgend ein fremdes Vorbild — meint T. S. ·VIII —, so kann Äschylos auf die Ästhetik unserer Zeit, insbesondere auf unsere dramatische Kunst, einen heilenden Einfluſs ausüben."

A. Bernecker. Kurzer Leitfaden der Naturgeschichte. XII u. 164 S. Tübingen, Osiander 1887. 1.40 M. Es soll in dieser gedrängten Darstellung der drei Naturreiche zunächst den Schülern der württembergischen Realschulen ein Hilfsmittel zu häuslichen Repetitionen geboten werden. Das Büchlein dürfte sich aber auch sonst Freunde erwerben, da der Verfasser es versteht in seiner Diktion Knappheit und Klarheit geschickt zu vereinigen und auch dem Anfänger eine Einsicht selbst in verwickelte Prozesse zu erschlieſsen.

Samuel Schillings Grundriſs der Naturgeschichte. I. Teil. Das Tierreich. 16. Auflage besorgt von Dr. Noll. 406 S. Breslau, Hirt 1889. 3,30 M.

Diese neueste Ausgabe des allbekannten und weitverbreiteten Buches zeigt vor allem einige Wandlungen in der äußeren Erscheinung, einen größeren Druck, mehr als 40 neue Abbildungen (im ganzen 553) und die Beigabe einer Karte der Tierregionen in Farbendruck. Daneben hat allerdings auch der Text an manchen Stellen Vereinfachungen und Änderungen erfahren. Die wirklich schöne Ausstattung und eine die Resultate der Wissenschaft wie die Forderungen des Unterrichtes gleicherweise berücksichtigende Darstellung werden dem Buche nicht nur seine alten Anhänger erhalten, sondern sicherlich auch viele neue werben.

Dr. J. G. Wallentin. Grundzüge der Naturlehre für die unteren Klassen der Gymnasien. 207 S. Wien, Pichlers Witwe & Sohn. 2.40 M. Der Verfasser wollte für die unteren Klassen der Gymnasien, Realschulen und verwandten Anstalten Österreichs ein Unterrichtsmittel im Sinne der „Instruktionen" schaffen. Sorgfältige Sichtung des Stoffes, klare, präzise Darstellung, unterstützt durch eine große Anzahl instruktiver Abbildungen und konsequente Durchführung der induktiven Methode zeichnen das Buch vor ähnlichen Unternehmungen aus. Gleichwohl wird es bei den gegenwärtigen Einrichtungen an unsern deutschen Gymnasien kaum einen Platz finden, da in den unteren Klassen zu einer fruchtbaren Durcharbeitung eines derartigen Kurses die Zeit fehlt, für die oberen Klassen strengere mathematische Begründung der physikalischen Lehren gefordert wird.

Dr. O. Wünsche. Schulflora von Deutschland. I. Teil. Die niederen Pflanzen. 435 S. Leipzig. Teubner. II. Teil. Die höheren Pflanzen. 5. Auflage. LXVI und 430 S. Leipzig, Teubner. Endlich einmal ein Buch, das dem angehenden Floristen die Bekanntschaft mit der gesamten deutschen Pflanzenwelt von der einzelligen Alge bis zur hoch organisierten Dikotyle hinauf vermittelt. Der erste Band enthält nämlich Algen, Pilze (Flechten) und Moose, der zweite Gefäßkryptogamen und Phanerogamen. In beiden Teilen ist gleichmäßig die analytische Methode angewendet, dabei werden meist augenfällige, gut wahrnehmbare Merkmale zur Bestimmung herangezogen, nach noch Übersichten nach speziellen Gesichtspunkten gegeben, z. B. die Algen nach äußeren Merkmalen unterschieden, die mikroskopischen Pilze nach dem Nährboden, die Blätterpilze, Flechten und Laubmoose nach dem Standorte, die Holzgewächse nach dem Laube etc. Das Werk kommt in seinem ersten Teile einem allseitig gefühlten Bedürfnisse entgegen, und so wird es sicher nicht nur bei den bisherigen zahlreichen Freunden des zweiten Teiles, sondern in den weitesten Kreisen Anklang finden.

Dr. P. Wofsidlo. Leitfaden der Zoologie. 3. Aufl. VIII und 320 S. Berlin, Weidmann 1889. 3 M. — Dr. P. Wofsidlo, Leitfaden der Mineralogie und Geologie. VI u. 238 S. Berlin, Weidmann 1889. 3 M. Die erste Auflage des Leitfadens der Zoologie wurde bereits im XXIII. Bande dieser Blätter S. 270 eingehend besprochen. Die vorliegende dritte weist außer einigen unwesentlichen Änderungen im Texte vor allem ein halbes Hundert neuer Abbildungen auf, teils ganz neue, teils Ergänzungen zu beibehaltenen Abbildungen. — Der Leitfaden der Mineralogie läßt die Meisterschaft des Verfassers in scharfer und präziser Beschreibung deutlich erkennen und zeigt sie zugleich in ihrem vollen Werte, da der erste Unterricht die Mineralien immer mehr nach ihren morphologischen Merkmalen betrachten wird. Daß in der Gesteinslehre zahlreiche Abbildungen von Dünnschliffen herangezogen wurden, scheint uns ein besonderer Vorzug des Buches, das mit seinen nahezu 700 Abbildungen und seiner geologischen Karte von Mitteleuropa auch nach Seiten der Ausstattung allen Anforderungen entspricht.

Dr. B. Leuckart und Dr. H. Nitsche. Zoologische Wandtafeln Kassel und Berlin. Th. Fischer. Über die Lieferungen 13—19 haben wir uns schon in Bd. XXV S. 219 dieser Blätter rühmend geäußert. Die Tafel der dritten Dekade nötigen uns dasselbe Lob ab, ganz besonders schön haben sich von dem schwarzen Grunde der Tafel 72 die weißen Umrisse der Rippenquellen ab. Auch unter den Tafeln dieser Lieferungen befinden sich solche, welche schon in gewöhnlichen Schulverhältnissen benützt werden können, so bringt die Tafel 58 den Bau der Milben, Tafel 69 die Metamorphose des Grasfrosches, Tafel 78 Entwicklung und Lebensweise von Käfern aus der Familie der Holzfresser zur Anschauung.

Ludwig Döderlein.

Zur Erinnerung an seinen hundertjährigen Geburtstag.

Im November 1891 machten einige ehemalige Schüler des be-
kannten, im Jahre 1863 verstorbenen Erlanger Philologen Ludwig
Döderlein in einem Münchner Blatt darauf aufmerksam, daſs auf den
19. Dezember 1891 der hundertjährige Geburtstag desselben falle.
Da diese Mitteilung von einer überraschend groſsen Anzahl früherer
Schüler Döderleins, welche jetzt den verschiedensten Berufskreisen
Münchens angehören, mit Dank aufgenommen wurde, ergab sich der
Beschluſs zu einer Feier des Tages von selbst. Ein zu diesem Zweck
gewähltes Komite bereitete dieselbe vor; und an dem Abend des
19. Dezember fanden sich mehr als vierzig Teilnehmer zu dem Feste
ein. Nach einem einfachen Mahle schilderte Oberkonsistorialrat Dr.
v. Buchrucker in warmen, vom Herzen kommenden und zum Herzen
gehenden Worten die pädagogische Meisterschaft des unvergeſslichen
Gymnasialrektors; desgleichen Oberkonsistorialpräsident Dr. v. Stählin
die harmonische Persönlichkeit des seine Zuhörer im Hörsaal wie im
persönlichen Verkehr stets anregenden und fördernden Universitäts-
lehrers.

Das nachstehende, zum Schluſs der Festfeier gesungene Gaudeamus
verdankt seine Entstehung einem Wunsche des obigen Komites, dem
ich gerne entsprach, um auch meinerseits ein Scherflein zu dem Feste
beizutragen. Ich war bestrebt, in demselben ein möglichst wahrheits-
getreues Bild aus der Zeit zu geben, in welcher ich selbst noch das
Glück hatte, Döderleins Schüler zu sein. Das Gedicht dürfte mich
daher weiterer Worte über die Verdienste des allverehrten Lehrers,
Erziehers, Beraters, Förderers und Freundes einer Jugend überheben,
welche, wie der 19. Dezember 1891 zeigte, Treue mit Treue ver-
golten und bis ins hohe Mannesalter hinauf den Manen Döderleins
ein dankbares Andenken bewahrt hat.

Carmen saeculare

memoriae Ludovici Doederlini, philologi clarissimi, a discipulis et amicis
dedicatum et Monachii XIV. a. Cal. Jan. MDCCCIXC cantatum. ·

Gaudeamus igitur,
Quod iam sumus viri:
Collaudamus iuventutem
Nec veremur senectutem
    Laete opperiri.

Recordari iuvat hos,
Qui nos imbuerunt
Artibus ingenuis,
Bonis exemplis suis
    Mores poliverunt.

Verum, decens tradidit
Noster Doederlinus,
Doctus, gravis et humanus
Ingeniosus et Germanus,
    Nunquam peregrinus.

Abhinc centum annos est
Filius Jenensis
Natus; fit Bavariae
Decus et Germaniae
    Rector Erlangensis.

Have pia anima!
Habitas in caelis.
Corpus occidat: tenendum
Reliquisti monumentum
    Animis in nostris.

Vivant Doederlina gens,
Et qui post nascentur:
Sic operibus paternis
Digui posteri aeternis
    Laudibus colentur.

Vivat philologia,
Vivant qui hanc docent.
Floreant humanitas
Simul et urbanitas,
    Nemini quae nocent.

Floreant facetiae,
Cum doctrina sales.
Floreant rhetorica,
Logica, poetica,
    Artes cunctae tales.

Pereant quae prava sunt
Et qui pravis favent;
Pereat malitia,
Pereat tristitia,
Et qui illas habent.

München.   Dr. List.

I. Abteilung.

Abhandlungen.

~~~~~~

Zur Trierenfrage und zu den Irrfahrten des Odysseus.

Die Trierenfrage hat freilich mit den Irrfahrten des Odysseus nichts zu schaffen; wenn ich gleichwohl den folgenden Darlegungen obigen Titel gegeben habe, so ist der Grund hievon ein allerdings ziemlich äufserlicher. Diese beiden Fragen sind nämlich in jüngster Zeit von Arthur Breusing in einem und demselben Buche („Die Lösung des Trierenrätsels, die Irrfahrten des Odysseus nebst Ergänzungen und Berichtigungen zur Nautik der Alten," Bremen 1889) behandelt worden, auf das ich weiter unten zu sprechen kommen werde und das mir gewifsermafsen zum Ausgangspunkt für diese Bemerkungen gedient hat. Vorerst also einiges über den gegenwärtigen Stand der Trierenfrage, die in der ersten Hälfte des 16. Jahrhunderts in Flufs geraten und seit etlichen Jahren eine brennende geworden ist.

Von jeher hat den Gelehrten die Auslegung des berühmten Scholions zu Aristoph. Ran. 1106 grofse Schwierigkeiten bereitet; dasselbe lautet: ἦσαν δὲ τρεῖς τάξεις τῶν ἐρετῶν· καὶ ἡ μὲν κάτω θαλαμῖται, ἡ δὲ μέση ζυγῖται, ἡ δὲ ἄνω θρανῖται, und gleich darauf: θρανίτης ἦν ὁ πρὸς τὴν πρύμναν· ζυγίτης ἦν ὁ μέσος· θαλάμιος ὁ πρὸς τὴν πρώραν. Je nachdem man nun den ersten oder den zweiten Teil des Scholions vorzugsweise in Betracht zog, kam man zu den widersprechendsten Erklärungen. Der Franzose De Baïf veröffentlichte 1536 eine Schrift, in der er mit Zugrundelegung des zweiten Teils die Ansicht aussprach, die Thraniten seien im Hinterschiff, die Zygiten im Mittelschiff, die Thalamiten im Vorschiff gesessen. Gegen ihn erhob sich im Anfang des 17. Jahrhunderts Joseph Scaliger, welcher auf Grund des ersten Scholions behauptete, die Ruderreihen müfsten sich senkrecht übereinander befunden haben. Meibom dagegen nahm an, dafs die Reihen nicht senkrecht, sondern schräg übereinander zu denken seien. Sein Werk „De fabrica triremium" Amsterd. 1671 „ist der erste Versuch einer technischen Lösung der Trierenfrage (E. Luebeck). Der Archäolog Scheffer in Upsala modifizierte 1672 das Meibomsche System in der Weise, dafs er annahm, alle Ruderer seien in geneigter Linie übereinandergesessen und zwar so in einander verschränkt, dafs in der Mitte zweier Ruderer der unteren Reihe je einer der oberen Reihe sich befand. Ihm folgten in der Hauptsache die meisten Gelehrten des 17. Jahrhunderts, so Palmerins, Fabretti, Vossius u. a.

6*

Erst im 18. Jahrhundert griff der Franzose B a r r a s d e l a P e n n e wieder auf De Baïfs Anschauungen zurück, nur nahm er einen Höhenunterschied von je 3' zwischen den einzelnen Ruderreihen an.   Mit dem Erscheinen des ausgezeichneten Werkes von A u g u s t B ö c k h „Urkunden über das Seewesen des attischen Staates" Berl. 1840 trat die Trierenfrage in ein neues Stadium.   Böckhs Arbeit mußte das Fundament für jede folgende Behandlung der Frage bilden.*)

Zwischen dem Direktor der Seefahrtschule zu Bremen A. B r e u s i n g und dem Berliner Arzte E. A f s m a n n ist nun in den letzten Jahren eine heftige literarische Fehde entbrannt.   Ersterer nämlich, der in seiner „Nautik der Alten" allerdings manche treffliche Erörterung niedergelegt hat, fand in mehreren Punkten keineswegs den Beifall Afsmanns; namentlich wandte sich dieser in seinem „Seewesen" p. 1610 und in der Berl. philol. Wochenschr. 1888 gegen den Breusingschen Vergleich der Remen mit Pendeln und gegen dessen Behauptung (Nautik d. A. IX), daß nur Remen von gleicher Länge Schlag halten können, aber nicht die langen Remen der oberen Reihe mit den kurzen der unteren.   Afsmann weist darauf hin, daß es sich hier nicht um ein Pendel, sondern um einen zweiarmigen Hebel handle.   Darauf erwidert Breusing („Lösung des Trierenrätsels" 1889) in sehr heftigen Worten und erklärt, Afsmann habe seinen Vergleich falsch gedeutet.   In der letztgenannten Schritt nun versucht Br. den in dem erwähnten Aristophanesscholion enthaltenen Widerspruch dadurch zu lösen, daß er annimmt, es habe allerdings 3 Reihen übereinander gegeben, aber sie seien nie zu gleicher Zeit in Aktion gewesen, gerudert habe immer nur e i n e; daß nicht auf allen 3 Reihen zugleich gerudert werden konnte, ergebe sich aus der Unmöglichkeit des Schlaghaltens der 3 Ruderpforten, was Br. p. 113 ff. zu erweisen

---

*) S m i t h „Über den Schiffbau der Griechen und Römer im Altertum" aus dem Englischen übersetzt von H. Thiersch, Marburg 1851. — J a l „La flotte de César" Par. 1861. — J u r i e n d e l a G r a v i è r e „La marine des anciens" Paris 1880. — C a r t a u l t „La trière athénienne" Par. 1881. — L e m a i t r e „De la disposition des rameurs sur la trière antique" Revue archéol. 1883. — S e r r e, „La trière athénienne" Par. 1884 und „Les marines de guerre de l'antiquité et du moyen age" Par. 1885. — P i n k a t i „Le triremi" Rom 1881. — B e r n h a r d G r a s e r „De veterum re navali" Berl. 1864. — . v. H e n k „Die Kriegführung zur See" Berlin 1881. — A. B r e u s i n g „Nautik der Alten" Bremen 1886. — „Die Lösung des Trierenrätsels u. s. w." 1889. — „Die nautischen Instrumente u. s. w." 1890. — E. A f s m a n n „Seewesen" in Baumeisters Denkm. des klass. Altertums. München 1888 (III. Bd.) — „Zur Kenntnis der antiken Schiffe" Jahrb. d. kais. deutschen arch. Inst. 1889 2. Heft. — Ferner eine Reihe von Artikeln in der Berl. philol. Wochenschr. 1888 - 1891. — H. D r o y s e n „Griechische Kriegsaltertümer" in K. Fr. Hermanns Lehrb. d. griech. Antiqu. II. Freib. i. B. 1889. — C. V o i g t „Das System der Riemenausleger im klass. Altertum" Wassersport 1889 N. 58. — J. K o p e c k y „Die att. Trieren" Leipz. 1890. — A. B a u e r „Griech. Kriegsaltertümer" in Iw. Müllers Handb. d. kl. Altertumsw. IV. — „Die Kriegsschiffe der Griechen" Allg. Zeitung, München 1890 N. 110 u. 111. — E. L u e b e c k „Das Seewesen der Griechen und Römer" Progr. d. Johanneums in Hamburg 1890 und 1891. (Genaue Literaturnachweise in der Einleitung und im Nachtrag, II. T. p. 46). — K. B u r e s c h „Die Ergebnisse der neueren Forschung über die alte Triere" Wochenschr. f. klass. Philol. 1891 Nr. 1, 3, 4, 7.

unternimmt. Diese Auseinandersetzungen beleuchtet Aſsmann näher in der Berl. phil. W. 1890 p. 639—44 („Die neueste Erklärung der Trieren, Penteren u. s. w.“). Er beruft sich auf das Urteil von Marinetechnikern, die sich für ein gleichzeitiges Rudern aller Reihen ausgesprochen haben. Auch führt er mehrere Breusing widerlegende Thatsachen aus neuerer Zeit an, so die von Finkati dem geograph. Kongreſs zu Venedig vorgeführte Trireme, die Bonanga der Malaien auf den Molukken u. a. Mit Recht tadelt Aſsmann Breusings ablehnende Haltung gegen die Bedeutung der antiken Bildwerke und sein abfälliges Urteil über die wichtige Prora von Samothrake, die derselbe nebst anderen „pfuscherhaften“ Antiken tief unter die Neuruppiner Bilderbogen stelle. Sehr richtig ist Aſsmanns Bemerkung p. 643: „Es wäre recht unpraktisch gewesen, hätte man im Gefecht nur ein Drittel der Royer (Ruderer) benutzt und die müſsig sitzenden Zygiten und Thalamiten, eine nutzlose Last, durch die Thraniten spazieren fahren lassen.“ — Soweit Aſsmann. — Auf Breusings Standpunkt haben sich eigentlich nur zwei Gelehrte gestellt, A d. B a u e r und K. B u r e s c h. Der erstere („Die Kriegsschiffe der Griechen“ 1890) ist zwar mit Breusing von der Unmöglichkeit des Schlaghaltens der drei Ruderreihen überzeugt, wenn dieselben wirklich 2' hoch übereinander lagen. Da er sich jedoch der Ansicht Breusings, daſs immer nur e i n e Reihe gearbeitet habe, aus guten Gründen nicht anzuschlieſsen vermag, so meint er, die Rudersitze seien sehr nahe übereinander liegend zu denken; die Thraniten seien nicht viel weiter gegen die Längsaxe des Schiffes zu gesessen als die am nächsten an der Schiffswand sitzenden Thalamiten. Weil er aber auf diese Art mit dem berühmten Trierenrelief von der Akropolis in Widerspruch gerät, so erklärt er dasselbe mit dem franz. Contreadmiral S e r r e für eine Monere, abweichend von dem gründlichen Kenner Aſsmann, der einen sehr guten Gipsabguſs zur Verfügung hatte, während Bauers Urteil nur auf einer Photographie basiert. A ſs m a n n hat sich über Bauers Meinungen in der Berl. phil. W. 1891 p. 1178—1180 in gelungener Weise verbreitet; nicht minder gelungen ist ebendort p. 1144—1148 die Widerlegung seines anderen Gegners K. B u r e s c h, der a. a. O. p. 26 seine (Aſsmanns) Entdeckung des Riemenauslegersystems (Riemenkasten, παρεξειρεσία) ganz mit Unrecht in das Reich der Phantasie verwiesen hatte (Luebeck a. a. O. II. T. p. 46). Und doch ist gerade diese Entdeckung („Seewesen“ p. 1633) von den maſsgebendsten Gelehrten als epochemachend anerkannt worden. Als höchst merkwürdig mag hier noch erwähnt werden, daſs C. V o i g t (Wassersport 1889) völlig unabhängig von Aſsmann zu dem gleichen Resultat gelangt wie dieser. Nimmt man dazu noch die vorzüglichen Darlegungen Aſsmanns über das Sprengwerk, seine Abhandlung über die Prora von Samothrake, die er zweifellos richtig als Diere erklärt, und vieles andere, so wird man nicht umhin können, diesen von B r e u s i n g vielgeschmähten Mann hoch über seinen erbitterten Gegner zu stellen.

Ich schlieſse diesen Teil mit A ſs m a n n s beherzigenswerten

Worten (Berl. phil. W. 1888 p. 60): „Das antike Seewesen ist ein
schwieriges Gebiet mit massenhaftem, noch ziemlich chaotischem
Material, mit zahllosen, verzwickten, seemännischen, technischen,
archäologischen, philologischen Fragen, an denen Dutzende tüchtiger
Gelehrter und Seeleute bereits gescheitert sind.“

Ist somit Brensing mit seiner Trierenhypothese keineswegs
glücklich gewesen, so war er dies in noch weit geringerem Grade
mit seiner Abhandlung über die Irrfahrten des Odysseus („Die
Lösung u. s. w.“ p. 48—78, im Text überschrieben: „Zur nautischen
Geographie Homers“). Göttlicher Dulder, was hast du alles erlebt
und gesehen! Jordan hat deine Hadesfahrt als eine Columbusthat
der epischen Poesie gepriesen, Baer hat uns gezeigt, wie du in der
Bai von Balaklawa am schwarzen Meer dein Lästrygonenabenteuer
bestandest, Krichenbauer hat uns darüber belehrt, daſs du an der
Somaliküste den Kyklopen geblendet, auf der πλωτὴ νῆσος Rodriguez
beim Äolus geweilt, und noch so vieles andere, Soltau hat dich gar
in das südliche Eismeer geschickt und den idyllischen Schweinestall
deines treuen Eumäns zu einer Sternwarte umgewandelt, und nun erfahren wir durch Breusing, daſs du auf dem Pik von Teneriffa den
Pyriphlegethon geschaut und daſs dich auf Madeira das gastliche Haus
der Kalypso barg! — Wer lacht da? Klappt euren Homer zu, ihr
philologischen Pygmäen alle, und legt ihn unters Kopfkissen, um darauf
zu schlafen, — aber schlagt euren Homer nicht mehr auf, um darin
zu lesen; denn ihr versteht ja von ihm noch weniger, als ein simpler
athenischer Töpferlehrling von den eleusinischen oder samothrakischen
Mysterien verstanden haben mag! — Doch zur Sache!

Br. sagt p. 51 ganz richtig: „Zur Zeit Homers beschränkten sich
die geographischen Kenntnisse der Griechen, soweit dieselben auf
eigener Anschauung beruhten, fast ganz auf die Umgebung des ägäischen
Meeres.“ Weiter unten nun heiſst es: „Aber wenn den Zeitgenossen
Homers auch die in der Nähe liegenden Gegenden unbekannt geblieben waren, so hatten sie doch Nachrichten von den entlegensten
Punkten im westlichen Becken des Mittelmeeres.“ Er hätte seinen
späteren Ausführungen entsprechend gleich hinzusetzen können: „Und
sie hatten auch Nachrichten über den atlantischen Ozean von den
kanarischen Inseln bis hinauf nach Britannien“. Von wem aber
konnten sie solche Nachrichten haben? Natürlich nur von den Phöniziern, — das wissen wir alle. Aber Breusing geht viel zu weit,
wenn er fast den ganzen νόστος des Odysseus auf diese Nachrichten
zurückführt und den König von Ithaka zu einem „Tarsisfahrer“ macht.
Die Phönizier waren nicht nur ein unternehmendes, sondern auch ein
sehr schlaues Volk; nun liegt es aber auf der Hand, daſs sie sich
selbst den gröſsten Schaden zugefügt hätten, wenn sie so thöricht gewesen wären, über ihre Erlebnisse auf dem Meere Ausländern viel
zu verraten. Sie kannten gewiſs den leicht entzündbaren Sinn der
jonischen Griechen, die ja in der That bald nach Homer den ganzen
Pontus euxinus mit einem Kranze von Kolonien umgaben, und sie
wären die gröſsten Tölpel gewesen, hätten sie die Aufmerksamkeit

dieser nämlichen Griechen nach dem fernen Westen gelenkt und sich auf diese Weise eine gefährliche Konkurrenz geschaffen. Viel wahrscheinlicher ist das Gegenteil, dafs nämlich die Jonier von den Phöniziern bei Gelegenheit weidlich angelogen wurden! Das schliefst natürlich nicht aus, dafs von Zeit zu Zeit ein wahres Wort dem Munde eines phönizischen Matrosen entschlüpfte, wenn auch die Kaufherrn selbst wohlweislich auf ihrer Hut gewesen sein werden. Wir müssen daher annehmen, dafs die Nachrichten, welche Homer durch die Phönizier über den fernen Westen etwa haben mochte, sehr spärlich und unzuverlässig waren, so dafs es höchst bedenklich erscheinen mufs, wenn ein so verwegener Bau, wie ihn Br. emportürmt, auf einem so unsicheren Fundamente ruht.

Wir wollen nun untersuchen, wie es mit Breusings Erörterungen im einzelnen bestellt ist. Unmittelbar an die oben erwähnte zweite Stelle reiht sich das Sätzchen: „So kannten sie das Atlasgebirge." Man hätte billigerweise erwarten dürfen, dafs Br. im folgenden einige Argumente für diese allerdings auch von andern aufgestellte, aber von niemand bewiesene Behauptung beibringen würde; oder sollte er wirklich die von ihm übrigens nicht zitierte Stelle α 52 ff als einen Beweis für seine Annahme betrachten? Es ist kaum zu glauben, und doch mufs es so sein; denn er geht sogleich auf etwas anderes über und kommt erst p. 62 wieder auf den Atlas zu sprechen, indem er sagt: „Und auch dies möchte ich gleich hier einschalten, dafs die Λευκάς πέτρη, an der vorüber Hermes die Seelen der Freier in den Hades führt, nichts anderes sein kann als der mit ewigem Schnee bedeckte Felsgipfel des Atlas." Also das Wort λευκάς mufs unbedingt auf den Schnee bezogen, an schimmernde Marmorfelsen oder Ähnliches darf gar nicht gedacht werden, auch hat es sonst nirgends schneebedeckte Felsgipfel gegeben! Aber freilich die Λευκάς πέτρη kann nichts anderes sein als der Atlas, — darum!

Jetzt aber zur Hauptsache. zu den Irrfahrten des Odysseus! Vom Vorgebirge Maleia weg wird der Held nach neuntägiger Fahrt zu den Lotophagen verschlagen. „Damit erreichte der Dichter seinen Zweck, dafs er den Schauplatz der Abenteuer in weite, weite Ferne verlegte und dem Gesichtskreise der Zuhörer vollständig entrückte." Ganz einverstanden! Ich werde am Schlufse auf diese Worte zurückkommen. Vom Lothophagenlande an aber bin ich dem kühnen Fluge der Phantasie des Vf. mit immer wachsendem Erstaunen gefolgt. Für ihn ist es nämlich über jeden Zweifel erhaben, dafs die Argonauten aus dem westlichen Ozean ohne Hindernis quer durch Libyen zurückkehren konnten, weil man in den ältesten Zeiten den durch den Tritonflufs mit dem mittelländischen Meere verbundenen grofsen Salzsee, der jetzt fast ausgetrocknet und zu einem grofsen Salzsumpf geworden, für einen Verbindungsweg zwischen dem inneren und äufseren Meere hielt. Odysseus wurde nun bis tief in die kleine Syrte hinein verschlagen und war somit an den Eingang dieser „Argostrasse" gelangt. Gesetzt, diese durch nichts erwiesene Argostrafse hätte in der Phantasie der ältesten Griechen wirklich bestanden, so mufste

doch wenigstens eine „dunkle Kunde", zu der man sonst so gern
seine Zuflucht nimmt, über jenen Tritonfluß nach Jonien gedrungen
sein. Homer sagt aber nichts von einem Flusse, und dieser kann
doch nicht ohne weiters so groß gedacht werden, daß sich die Griechen
denselben gleich als Meer vorstellten. Und ist es denkbar, daß Homer
es an dieser Stelle unterlassen hätte, die Ἀργὼ πᾶσι μέλουσα zu erwähnen, die denselben Weg zurück gemacht habe, den nun Odysseus
in entgegengesetzter Richtung anzutreten im Begriffe stand? Von
irgend welcher Kursangabe endlich findet sich keine Spur in der
Schilderung des Dichters, der die Ithakesier rudernd vom Lotophagen-
lande wegfahren läßt, indem er durch das formelhafte ἔνϑεν δὲ προ-
τέρω πλέομεν eine lose Verbindung mit dem Kyklopenabenteuer her-
stellt. Nicht ein einziges Wort, nicht die leiseste Andeutung weist
uns auf diese „Argostrasse". Die ganz unhaltbare Hypothese von der
durch Odysseus befahrenen „Argostrasse" bildet das πρῶτον ψεῦδος
der Ausführungen Br.'s, die wir nunmehr des weiteren verfolgen
wollen. Von den Kyklopen, der Äolosinsel und den Lästrygonen
können wir nach Br. nur sagen, daß sie sämtlich in der Argostraße
gedacht werden müssen, die Kyklopen am Eingang, die Aiolie etwa
in der Mitte und die Lästygonen am Ausgange. Wir haben es da
mit einem hübschen Kapitel aus der famosen „mythischen Geographie"
zu thun! Während aber der Vf. die Kyklopen und die Insel des
Äolos ihrem mythisch-geographischen Schicksal überläßt, will er doch
auf die Lästrygonen nicht so ganz verzichten. Über den Wohnort
der letzteren, die, wie wir sahen, am Ausgang der Argostrasse gedacht
werden müssen, lesen wir weiter unten: „Geographisch gehört derselbe eigentlich gar nicht hierher". Der Dichter mußte denselben nur
aus technischen Gründen an diese Stelle verlegen. Am Ausgang der
Argostraße hat man sich also den uneigentlichen Wohnsitz der Lästrygonen zu denken, ihr eigentlicher Wohnort ist die Insel Oestrymue,
denn „klingt nicht der Name Lästrygonen an den Namen der Insel
Oestrymne an?" O täuschend! Zum Verwechseln! Freilich folgt der
kühnen Frage das böse Gewissen auf dem Fuße nach: „Aber meine
Kenntnisse berechtigen mich nicht, mich auf das schwierige und
schlüpfrige Gebiet der Sprachvergleichung zu begeben." Gewiß nicht!
Von den Lästrygonen kommt Odysseus zur Insel der Kirke, nämlich
nach einer der Canarien. Weil aber Homer nur von einer einzigen
Insel spricht, die Canarien jedoch eine Inselgruppe sind, so hat sich
Br. in der Odyssee noch zwei Inseln gesucht, nämlich Ortygie und
Syrie, die er mit Aiaie zu einer Gruppe znsammenstellt, — und jetzt
haben wir die canarischen Inseln. „Das darf uns nicht beirren, daß
Homer die Inseln Aiaie, Ortygie und Syrie nicht zu einer Gruppe
zusammenstellt. Man verlange doch nicht von ihm genaue geographische
Kenntnisse da, wo ihm nur eine unsichere Kunde zugekommen sein
konnte." Es ist doch ein rechtes Glück, daß man sich im Notfalle
mit so einer „unsicheren Kunde" behelfen kann! Und welche von
den Canarien wird nun wohl Aiaie gewesen sein? Ja, das läßt sich
so genau nicht sagen; wegen des χϑαμαλὴ κεῖται κ 196 war es ent-

weder Lanzarote oder Fuerteventura! Allerdings gibt Br. zu, daſs
das χϑαλαμὴ κεῖται in diesem Falle „nicht im strengsten Sinne gerechtfertigt würde.“ Da lob ich mir doch den seligen Krichenbauer,
der sich wenigstens die freilich undankbare Mühe genommen hat, zu
untersuchen, ob seine Annahmen mit der Schilderung Homers halbwegs in Einklang zu bringen wären. Von besonderem Interesse wäre
es, zu erfahren, wie sich Br. mit μ 3 f ὅϑι τ' 'Ηοῦς ἠριγενείης —
οἰκία καὶ χοροί εἰσι καὶ ἀντολαὶ 'Ηελίοιο abzufinden gedenkt. Aber
davon steht in seinem Buche nichts. — Wir steigen zur nächsten
Etage des Br.schen Luftschlosses empor. Als Odysseus sich zur Hadesfahrt rüstet, sagt Kirke u. a. zu ihm: ἔνϑα μὲν εἰς 'Αχέροντα Πυριφλεγέϑων τε ῥέουσιν — Κώκυτός ϑ', ὅς δὴ Στυγὸς ὕδατός ἐστιν
ἀπορρώξ (κ 513 f.). Der Pyriphlegethon flieſst also in der Unterwelt
und ergieſst sich in den Acheron. Ob man bei dem Namen an
feurige Strömungen unter der Erde zu denken habe, will ich hier
nicht untersuchen. Aber was macht Br. daraus? „Der feuerflammende
Πυριφλεγέϑων, der sicher auf glühende Lavaströme zu beziehen ist,
weist uns auf die Insel T e n e r i f f a hin, deren Abstand von den östlichen canarischen Eilanden in der That für ein homerisches Schiff
in einer Tagfahrt zurückgelegt werden kann.“ Vulkanische Erscheinungen konnten die Zeitgenossen Homers in nächster Nähe, wie auf
Kreta oder an der Küste von Argolis, beobachten; das zweite Argument aber, daſs die Fahrt an e i n e m Tage zurückgelegt werden
konnte, darf ich nach dem Obigen füglich übergehen. Am aller-
schwächsten jedoch ist der dritte Beweisgrund, „daſs sich der Glaube,
auf Teneriffa sei der Eingang zur Unterwelt, bis in späte Zeiten erhalten hat. Auf den ältesten italienischen Seekarten findet sich neben
Teneriffa das Wort inferno geschrieben.“ Die italienischen Seekarten
beweisen für Teneriffa noch weniger als die Berichte der Alten für
Tänaron! Aber eben, so wird's gemacht. Um eine Hypothese zu
stützen, greift man alle möglichen Dinge auf; es ergibt sich so eine
gewisse Anzahl von „Argumenten“, von denen sich jedoch bei näherer
Betrachtung keines als stichhaltig erweist. E i n e s muſs ich noch hin-
zufügen. In Fleckeisens Jahrb. 1886 p. 84 sagt Br. selbst, daſs die
Insel Teneriffa im Verhältnis zu ihrer Gröſse den höchsten Berg habe.
Das ist etwas ganz Auſserordentliches, etwas, wodurch sich Teneriffa
von allen Eilanden der Erde aufs Groſsartigste unterscheidet. Und
d a v o n sollten die Phönizier dem Homer nichts berichtet haben?
Sie erzählten ihm nur von vulkanischen Erscheinungen, die ihm nichts
Neues sein konnten, und verschwiegen das Gröſste, das Gewaltigste? —
Jetzt kommt die Reihe an die K i m m e r i e r. Nichts ist natürlicher,
als daſs Homer in die Nähe des finsteren Hades ein in ewige
Finsternis gehülltes Volk verlegt. Erst als man in späterer Zeit auf
die Suche ging, wurden die Kimmerier lokalisiert. Ich habe diesen
Punkt in dem Progr. der Studienanstalt Landshut 1887 p. 8 erörtert
und es ist mir von kundigen Männern Recht gegeben worden. Br.
nun weist darauf hin, daſs schon lange vor Homer die Phönizier zu
den Kassiteriden fuhren, um dorther das Zinn zu holen, „und eben

die Südwestküste Englands ist es, auf die allein die Angaben des
Dichters bezogen werden können. — Sollte nicht vielleicht der Name
Kymri, mit dem sich die Bewohner von Wales noch heute nennen,
derselbe sein, wie der der homerischen Kimmerier?" Also sind wir
jetzt auf einmal an der Südwestküste Englands angelangt? Eigentlich
nicht, sondern nur so in Gedanken. „Das Dunkel des Hades erinnert
ihn an ein anderes Dunkelland in weitester Ferne, — und so stellt
er beide nebeneinander, ohne damit sagen zu wollen, daſs sie einander räumlich nahe gelegen hätten." Die Kimmerier haben also wie
die Lästrygonen einen eigentlichen und einen uneigentlichen Wohnsitz.
Das ist auch ein recht anmutiges Kapitelchen aus der „mythischen
Geographie". — Und nun ihr, verhängnisvolle S e i r e n e n , die ihr
mit süſsem Sang den Schiffer berückt und ihn dann grausam zer-
fleischt, — wo habt wohl i h r gehaust? Nirgends anders als an der
Bucht von T a n g e r ; denn bei Skylax steht § 112 geschrieben: τῇ δὲ
λίμνῃ ταύτῃ ὄνομα Κεφύσιος, τῷ δὲ κόλπῳ Κώτης· περὶ δὲ τὴν λίμνην
πέφυκε κάλαμος καὶ φλέως καὶ θρυόν. Weiter nichts? höre ich fragen;
was hat denn diese trockene Aufzählung mit den Seirenen zu schaffen?
Das wird sich gleich zeigen. Die phönizischen Schiffer kamen nämlich auf ihrer Rückkehr von den Melkartinseln an die Bucht von
Tanger. „Und wenn dann bei Nacht die Landbriese wehte und das
Wasser schlicht machte und der Wind durch Rohr, Schilf und Binsen
rauschte, dann mochten diese Töne dem fernen Horcher klingen wie
weiblicher Gesang; aber wehe ihm, wenn er näher fuhr, um ihnen
zu lauschen. Sein Schiff geriet in dem schlammigen Grunde fest, und
wenn nun bei Tage die Seebriese kam und die Wogen gegen den
Strand wälzte, dann zerschlugen sie das Fahrzeug und die Gebeine
der Männer bleichten am Gestade." Ganz wie bei Homer! setzen
wir bewundernd hinzu. „Kühne Seglerin, Phantasie", zu welcher Höhe
kannst du den Dichter tragen, in welche Tiefe den Kritiker stürzen!
Verlangt ein vernünftiger Mensch im Ernste von mir, daſs ich diese
Blätter zu einer besonderen Widerlegung der obigen Seirenenhypothese
miſsbrauche? — Odysseus hat die Bucht von Tanger verlassen und
kommt nun zu S k y l l a u n d C h a r y b d i s d. h. in d i e S t r a ſs e v o n
G i b r a l t a r . Br. hat ohne Zweifel Recht, wenn er sagt, daſs die
homerische Schilderung auf die sizilische Meerenge nicht paſst. Aber
auch s e i n e Lokalisierung erregt gerechte Bedenken. An * 102 πλησίον ἀλλήλων· καί κεν διοϊστεύσειας muſste er naturgemäſs Anstoſs
nehmen; er ist aufrichtig genug, anzuerkennen, daſs diese Angabe
bei der Straſse von Gibraltar durchaus nicht zutrifft. „Aber das ist
auch nur gesagt, um die Vorstellung des πλάζειν dem Hörer zu erleichtern." Hätte doch Br. gesagt, wie er zu diesem πλάζειν gekommen ist! So aber sind wir auf eigene Vermutungen angewiesen.
Wahrscheinlich hält er es durch das Wort Πλαγκταί für gerechtfertigt: er nimmt nämlich mit Kammer an, daſs die Plankten mit den
beiden Felsen der Skylla und Charybdis identisch sind, ohne sich auf
die Sache weiter einzulassen. Aber die δύω σκόπελοι μ 73 u. 101
sind den πέτραι μ 59 klar entgegengesetzt, auch heiſst es bei Homer

durchaus nicht *δύω πέτραι*, wie Br. willkürlich schreibt. Ferner: zwischen Skylla und Charybdis fährt man hindurch, an den Plankten aber fährt man vorüber (*παρέρχεται, παρέπλω*). Endlich hätte sich Br. nicht mit der kurzen Bemerkung begnügen sollen, er wolle hier nicht entscheiden, ob die Verse *μ* 62—72 eingeschoben seien. Es handelt sich da um eine ebenso schwierige als wichtige Frage, in wie weit nämlich Bestandteile der Argonautensage in die Odyssee eingedrungen sind. Aber solche Untersuchungen überläfst man den „Stubengelehrten"! Von einem *πλάζειν* ist somit in unserem Falle keine Rede. Zuletzt greift Br. noch zu einem verzweifelten Mittel. In dem (von Homer nicht gekannten) Namen *Κάλπη*, der aus dem phön. galpha gräcisiert ist, stecken die Begriffe *κοίλη* und *κητώεσσα δ* 1. „Wie, wenn diese Worte Veranlassung zur Sage von der Höhle und dem Seeungeheuer, dem *κῆτος*, gegeben hätten?" Ohne Zweifel, Herr Direktor! Also bleibt für Skylla und Charybdis noch eine ganz unbedeutende Ähnlichkeit mit den Felsen Kalpe und Abyle an der Strafse von Gibraltar. Aber was von solchen zufälligen Ähnlichkeiten zu halten ist, hat Br. selbst wiederholt ausgesprochen. — Schon lange war ich begierig, wo der Vf. die Insel **Thrinakie** lokalisieren würde, an der sich schon so viele die Finger verbrannt haben, sogar der scharfsinnige v. Wilamowitz-Moellendorff, der darunter den Peloponnes versteht, dabei jedoch die Bezeichnung *νῆσος ἐρήμη* völlig übersieht. Aber da bin ich schön angekommen! Br. findet Thrinakie — nirgends, gar nirgends! Sollte Homer eine von den Gymnesien im Auge gehabt haben, — oder haben wir es hier mit einer freien Schöpfung des Dichters zu thun? Mir ist das letztere wahrscheinlich." Mir auch. Kühne Seglerin, Phantasie, wirf ein mutloses Anker hie! Aber nein, noch einmal rafft der eherne Mann sich auf, um von neuem den Tarsisfahrer von Ithaka mit seinen unentrinnbaren Pfeilen zu verfolgen. Wohin? wohin? Nach **Madeira** zur **Nymphe Kalypso**! Also auf Madeira hat Kalypso gewohnt? Wie so? Der Hauptgrund ist der, dafs Odysseus von Ogygie zu den Phäaken nicht aus dem fernen Nordwesten, sondern von Südwesten kam, weil er sonst den grofsen Wagen nicht vor, sondern hinter sich gehabt hätte. Da möchte ich doch fragen, ob *μ* 277 *ἐπ' ἀριστερὰ χειρὸς ἔχοντα* mit „hinter sich" zu erklären ist. Ich weifs wohl, dafs Br. dieses „hinter sich:" nicht wörtlich aufgefafst wissen will, mufs es mir jedoch versagen, auf diese Frage hier näher einzugehen, weil ich die Geduld des Lesers schon zu lange in Anspruch genommen habe und weil selbst in dem Falle, dafs der Vf. in diesem Punkte Recht hätte, nichts für Madeira bewiesen wäre. Br. selbst gesteht zu, dafs die Phönizier mit dieser Insel keinen Verkehr unterhielten, und wenn er darauf Gewicht legt, dafs dieselbe von den Genuesen 1350 menschenleer angetroffen wurde, so könnte man Madeira ebenso gut für Thrinakie halten .wie für Ogygie. Endlich denkt sich Homer die Kalypsoinsel weit, weit weg vom Lande der **Phäaken**; diese letzteren aber versetzt Br. nach dem heutigen Cadix. Da nun die Entfernung so gar nicht übereinstimmt, so heifst es p. 71: „So denkt er sich offenbar Ogygie nicht weit ge-

nug von der Schreckensstraſse, während er Scherie viel weiter hinauf
nach Norden rückt als Gadeira von den Säulen des Herkules liegt."
Um also die Worte des Dichters seiner Hypothese anzupassen, rückt
er wieder die Örtlichkeiten willkürlich auseinander — und wie weit!
Einiges lieſse man sich schon gefallen, aber soviel nicht. Hat alles
seine Grenzen. — Bleibt noch Scherie; schon die Thatsache, daſs sich
Homer Gadeira (Scherie) von der Straſse von Gibraltar so ungeheuer
weit entfernt denken soll, würde beweisen, daſs er beide nicht kennt.
Doch genug. — Ich erwähne nur noch, daſs Br. p. 77 das Wort
λυκάβας ableitet von λύκη. dem ἀ privativum und βαίνειν. Da steht
also das ἀ privativum schön in der Mitte, wie es sich für ein richtiges
ἀ privativum gehört.

Es sei mir noch eine kurze Schluſsbemerkung gestattet. Br.
hat einen schweren Fehler dadurch begangen, daſs er sein Buch geschrieben hat, ohne zur homerischen Frage Stellung zu nehmen. A.
Kirchhoffs epochemachende Abhandlungen über die Composition der
Odyssee existieren gar nicht für ihn; und doch dürfen dieselben von
keinem ignoriert werden, dem es um die Sache ernstlich zu thun ist.
Und was Br.'s Hypothese betrifft, so muſs ich konstatieren, daſs er
vor nicht langer Zeit selbst noch ganz anderer Ansicht war. In dem
6. Artikel seiner Abhandlungen „Nautisches zu Homeros" sagt er
p. 87: „daſs die Wunderwelt der Irrfahrten des Odysseus von Homer
in den Westen und Nordwesten von Malea, vorzugsweise in die Umgegend von Sizilien verlegt wird." Es ist freilich gut, daſs der Vf.
inzwischen diese Ansicht als irrig erkannt, aber es ist nicht gut, daſs
er einen groſsen Irrtum mit einem noch gröſseren vertauscht hat.
Übrigens sind nicht nur seine, sondern auch alle andern bisher angestellten Versuche, für die Irrfahrten des Odysseus bestimmte Gegenden
aufzufinden, miſsglückt. Und sie muſsten miſsglücken, weil eben
diese Örtlichkeiten nirgends anders zu finden sind als in der Phantasie
des Dichters. Ich wiederhole hier die schon zitierten Worte Br.'s,:
„Damit erreichte der Dichter seinen Zweck, daſs er den Schauplatz
der Abenteuer in weite, weite Ferne verlegte und dem Gesichtskreise
der Zuhörer vollständig entrückte." Nur war der Zweck des Dichters
nicht der, seinen Zuhörern phönizische Erzählungen aufzutischen,
sondern der, freien Spielraum für seine schaffende Phantasie zu gewinnen. Man mache sich doch endlich von der irrigen Meinung los,
als ob der Ruhm des Dichters verringert würde, wenn man nicht
sagen kann: „Das ist hier und das ist dort geschehen"! Der einzige
Weg zur richtigen Beurteilung der πλάνη des Odysseus wurde schon
vor mehr als zwei Jahrtausenden von dem groſsen Eratosthenes
gezeigt, der mit seinem schönen Worte: ποιητὴς γὰρ πᾶς στοχάζεται
ψυχαγωγίας, οὐ διδασκαλίας begreiflicherweise im Altertum tauben
Ohren gepredigt hat, den aber unsere Zeit besser würdigen sollte.
Es ist ohne Zweifel ein schwerer Verlust für die Wissenschaft, daſs
das Werk, in welchem Eratosthenes die vorliegende Frage behandelt
hat, nicht auf uns gekommen ist; aber die zuletzt von Hugo Berger

gesammelten Fragmente geben uns doch einen Begriff davon, wie dieser geistesgewaltige Mann über die Irrfahrten des Odysseus dachte.

München. Dr. Max Hergt.

Zu den griechischen Tragikern.

Nach den homerischen Gedichten war Orestes vor dem Auszuge nach Troja geboren, nach dem zehnjährigen Kriege wurde sein Vater gleich nach der Rückkehr von Ägisthus ermordet, und der Sohn kehrte nach γ 306 im achten Jahre darauf aus der Fremde zurück. Wie alt aber Orestes zur Zeit der Abfahrt des Agamemnon war, das läfst sich nach Homer nicht bestimmen; wenn wir aber bedenken, dafs er jedenfalls gleich in der ersten Zeit seiner Manneskraft (α 41: $\dot{\upsilon}\pi\pi\acute{o}\tau'$ $\ddot{\alpha}\nu$ $\dot{\eta}\beta\acute{\eta}\sigma\eta$), etwa im zwanzigsten Lebensjahre, zur Ausführung der Rache schritt, so ergeben sich 8 + 10 + 2 Jahre[*]), also wäre er beim Weggange des Vaters etwa zwei Jahre alt gewesen. Auch darüber, wann Orestes fortgebracht wurde, sind bei Homer keine bestimmten Angaben, aber aus dem Zusammenhange von α 40 f., wo Hermes dem Ägisthus verkündet, dafs Orestes als Rächer kommen werde, wenn er den Agamemnon töte, ist wohl sicher anzunehmen, dafs er schon ins Ausland kam, bevor der Böse die Klytämnestra zu sich ins Haus nahm, weil dieser sich des sicheren Rächers gewifs gleich entledigt hätte. So bemerkt auch Ameis zu α 40, dafs Orestes bei der Ermordung seines Vaters sich im Auslande befand. Bei denjenigen aber, welche nach Homer diese Sage behandelten, bei Pindar, Pyth. XI, 25 ff. u. a. finden wir durchaus die Annahme vertreten, dafs Orestes erst bei der Ermordung des Agamemnon fortgeschafft wurde, also zu der Zeit, wo er etwa zwölf Jahre alt war. Wie steht es aber mit den drei grofsen Tragikern, die diesen Stoff behandelt haben? Alle drei führen uns in ihren Dramen Erkennungsscenen zwischen Orestes und Elektra vor, bei denen von Anfang an beide Teile einander nicht kennen dürfen. Nun aber müssen wir fragen: Kann ein Dichter, der diese Art der $\dot{\alpha}\nu\alpha\gamma\nu\acute{\omega}\varrho\iota\sigma\iota\varsigma$ darstellen will, einen Jüngling brauchen, der erst in einem Alter von zwölf Jahren von der Heimat fortgekommen ist und im achten Jahre darauf zurückkehrt? Im äufsersten Falle könnte es etwa noch angehen, wenn Orestes bei seiner unerwarteten Rückkehr mit dem ersten Anfluge eines Bartes geziert, nicht sogleich erkannt würde; aber wenn die Schwester, die älter ist als er und sich nicht so verändert hat, wenn auch in anderer Kleidung als früher auftretend, von jenem nicht erkannt würde, so wäre das sicher zu weit getrieben, besonders wenn man sie auch Worte wechseln läfst und so die Stimme ein weiteres Erkennungsmittel bildet, die sich doch nicht so sehr ändert, und die zu verstellen nur Orestes, nicht aber Elektra einen Grund hätte. Zweck dieser Zeilen soll also sein, nachzuweisen, dafs die Tragiker

---

[*]) Die gleichen Zahlen gibt Wecklein in der Anmerkung zur Hypothesis der Elektra des Sophokles.

eine solche Ungereimtheit vermieden und einen andern Ausweg
suchten.

Betrachten wir zuerst den Äschylus! Bei ihm fällt gleich auf,
daſs er nicht nach der allgemeinen Annahme den Orestes erst bei
der Ermordung des Vaters bei seite schaffen läſst. Denn Agam. V.
868 ff. (ed. Wecklein) erklärt Klytämnestra dem zurückgekehrten
Gatten, sie habe jenen fortgeschickt, weil sie sein Leben durch Auf-
ruhr bedroht gehalten habe, und das Gleiche tritt auch Choëph. 8 f.
und 913 ff. hervor, wobei freilich Orestes dies als blofse Vorspiegelung
zurückweist. Die Gründe, die für dieses Abweichen des Äschylus von
der Auffassung anderer angeführt worden sind, sind mir wenig stichhaltig, so in der Schneidewin-Hense'schen Ausgabe die Anmerkung
zu Agam. 844 (868 ed. Wecklein): „Dieses : daſs er schon vor der
Ermordung des Agamemnon fortgeschafft wurde : war notwendig,
weil des Dichters Plan eine Hinweisung auf die künftige Rache des
Sohnes forderte.“ Ich nehme einen andern Grund an, den nämlich,
daſs der Plan des Dichters, der eine Erkennungsscene vorführen will,
einen Orestes, der erst im zwölften Lebensjahre fortgegangen ist,
nicht brauchen kann. Er läſst ihn also schon früher in die Fremde
kommen, wir können hinzufügen, bevor Klytämnestra sich mit Ägisthus
verband, zu einer Zeit also, wo er noch sehr klein war. Nur so ist
es begründet, daſs in den Choëphoren die Elektra ihrem Bruder, wie
er sich zu erkennen gibt, nicht glaubt und ihn V. 219 ὦ ξένε an-
redet, so daſs ein eigenes Erkennungszeichen nötig ist. So ist auch
im Prolog aus den Worten des Orestes, V. 16 ff.:

$$\text{καὶ γὰρ } \text{'Ηλέκτραν δοκῶ}$$
$$\text{στείχειν ἀδελφὴν τὴν ἐμὴν πένθει λυγρῷ}$$
$$\text{πρέπουσαν}$$

nicht ein „Erkennen auf den ersten Blick“ anzunehmen, wie es Ludw.
Fischer in dem Programme von Feldkirch, 1875: „Die Choephoren
des Äschylus und die Elektren des Sophokles und Euripides“ S. 9
thut, sondern ein aus Schluſsfolgerung hervorgehendes Vermuten. Da
nämlich bei Äschylus wie auch bei Euripides Orestes nur die eine
Schwester in der Heimat hat, so ist es für ihn wohl nicht schwer zu
folgern, daſs die in Trauerkleidern mit Spenden zu Agamemnons
Grabe Ziehende und durch besonders grofse Trauer Auffällige*), die
— von ihrer mit Hilfe des Kothurns über die andern hervorragenden
heroischen Figur ganz abgesehen — schon durch ihre Kleidung und
ihr grofses Gefolge als fürstliche Person gekennzeichnet ist, keine
andere als Elektra sei. Wenn wir hier ein augenblickliches Wieder-
erkennen annehmen würden, so hätte es doch keine Berechtigung,
wenn die schon durch den Fund auf dem Grabe vorbereitete Schwester
dem sich zu erkennen gebenden Bruder durchaus nicht glauben will.
Es findet sich auch in dem ganzen Stücke nichts, was auf ein längeres
Zusammensein der Geschwister schliefsen liefse und unserer Auffassung widersprechen könnte. Dem von Euripides, Elektra 537 ff. (ed.

---

*) vgl. Wecklein: Äschylos Orestie, S. 15!

Kirchhoff 1855), lächerlich gemachten Umstande, daſs der von Elektras
Hand gefertigte Überwurf dem Orestes zu klein sein müſste, kann
man keine so grofse Bedeutung beilegen. Daſs dieses als künftiges
Erkennungszeichen aufbewahrte Kleidungsstück ihm nicht pafste,
konnte doch nicht in auffälliger Weise hervortreten; er hatte es ja
sicher nicht umgeworfen, denn sonst hätte es ja die Schwester schon
zuvor während des Gespräches sehen müssen, sondern entfaltete es
erst, als er sich durch dasselbe zu erkennen gab.

Wenn wir nun die Elektra des Sophokles betrachten, so sehen
wir, daſs dieser Dichter zur gewöhnlichen Darstellung zurückkehrte,
nach welcher Orestes erst beim Tode des Agamemnon den Mörder-
händen entrissen wird. Doch müssen wir fragen, ob denn seine
ganze Auffassung eine solche ist, daſs sie mit der oben angegebenen
Jahresberechnung in Einklang gebracht werden kann. Dieser Frage
sind, wie ich aus den mir zugänglichen Ausgaben ersehe, die wenigsten
nahe getreten. Gewöhnlich sucht man die Erklärung nach Homer.
So sind in der Ausgabe von Wolff-Bellermann[3] in der Einleitung zu
dem Drama und in den Anmerkungen zu V. 14 und 42 die sieben
Jahre hervorgehoben, die Orestes abwesend gewesen, und zu V. 1147:

$$\text{οὐ̑ϑ' οἱ κατ' οἶκον ἠ̑σαν ἀλλ' ἐγὼ τροφός}$$

ist sogar von einem Grofsziehen des Orestes durch Elektra die Rede:
„Sie alle haben dich nicht grofsgezogen, sondern ich.“ Auf eine Anmerkung Weckleins werden wir unten zurückkommen. Wollen wir
aber die Tragödie von Anfang an durchgehen! Der Pädagog tritt
mit Orestes und Pylades auf und zeigt dem ersteren das alte Argos,
den Hain der Jo, den Marktplatz, den Tempel der Hera, das gold-
reiche Mykene und — den verderbenreichen Palast der Pelopiden,
also sein Vaterhaus. Was sollte man da denken von einem Helden-
jünglinge, der in einem Alter von etwa zwölf Jahren in die Fremde
käme und nach sieben Jahren zurückkehrte, und dem man dann, von
den anderen Örtlichkeiten abgesehen, sein Vaterhaus zeigen müſste?
Aber, könnte einer einwenden, das ist ja hier nur der Zuschauer
wegen, denen die auf der Bühne dargestellten Örtlichkeiten erklärt
werden sollen, wie ja auch gleich darauf nur zur Aufklärung dieser
Orestes dem Pylades und dem Pädagogen Dinge erzählt, die sie schon
längst wissen müssen, dergleichen in Dramen öfter vorkommt. Doch
ist dagegen einzuwenden: solche Erzählungen beziehen sich auf Dinge,
die der Handlung des Stückes vorhergehen, also nicht auf der Bühne
dargestellt werden können; darf aber der Dichter so weit gehen, daſs
er diese Freiheit auch auf das vor Augen Liegende ausdehnt, daſs er
einer Person auch Dinge zeigen und erklären läſst, die diese schon
kennen muſs? Stand dem Sophokles nicht ein besseres Mittel zu gebote, um die Zuschauer aufzuklären? Würde Orestes nach sieben-
jähriger Abwesenheit in einem Alter von ungefähr zwanzig Jahren
zurückkehren und die genannten Örtlichkeiten sehen, so wäre es doch
viel effektvoller, wenn er, wie ja auch in Äschylus' Agam. V. 801 f.
der Völkerhirt bei der Rückkehr die Heimat mit den Worten begrüſst:

„Πρῶτον μὲν Ἄργος καὶ θεοὺς ἐγχωρίους
δίκη προσειπεῖν,"

in der Apostrophe sich an all diese Dinge wenden und etwa sagen
würde: „Nach wie langer Verbannung sehe ich dich wieder, du altes
Argos .... und dich, geliebtes Vaterhaus, in dem ich mit den teuern
Schwestern die Jugendtage verlebte!" Wenn nun aber Sophokles dem
Orestes sogar sein Vaterhaus als unbekannt zeigen läfst, so mufs sich
uns doch die Frage aufdrängen: müssen wir in Anbetracht einer
solchen Darstellung annehmen, dafs der Tragiker sich an die Jahres-
berechnung gehalten, wie sie sich aus Homer ergibt, und doch den
Helden so unbekannt mit der Heimat dargestellt habe, oder werden
wir zu einer andern Erklärung berechtigt oder vielmehr genötigt?
Konnte nicht ein Dichter, der doch die überlieferten Mythen sich gestaltete, wie er sie brauchte, sich die Freiheit nehmen, sich über die
Schranken einer solchen Berechnung hinwegzusetzen, wenn er dies im
Interesse der Handlung und der Charakterisierung der Personen fand?
Wenn er aus solchen Beweggründen gegen die Überlieferung verstiefs
und den Orestes als Kind in die Fremde kommen liefs, wird er nicht
gefürchtet haben, dafs ein kritischer Zuschauer sage: „Orestes kann
doch nicht zur Zeit der Ermordung Agamemnons ein kleines Kind
gewesen sein, da er schon vor seines Vaters Abfahrt nach Troja geboren war", wie auch Euripides kaum solche Vorwürfe fürchtete,
wenn er, wie in den Herakliden, über die Schranken der Zeit sich
hinwegsetzend, an einem Tage geschehen liefs, was doch in längerer
Zeit erst vor sich gehen konnte.

Indem ich die dargelegte Anschauung vertrete, finde ich mich
in Einklang mit dem Scholion am Anfange des Dramas: „Τῷ μὲν γὰρ
ἀγνοοῦντι δείκνυσιν ὁ παιδαγωγός." Dafs Orestes noch ein Kind war,
als er fortgeschafft wurde, ergibt sich auch aus den folgenden Worten
der Tragödie selbst, V. 10 ff.:   „δῶμα Πελοπιδῶν τόδε,
ὅθεν σε πατρὸς ἐκ φόνων ἐγώ ποτε
πρὸς σῆς ὁμαίμου καὶ κασιγνήτης λαβὼν
ἤνεγκα κἀξέσωσα κἀξεθρεψάμην
τοσόνδ᾽ ἐς ἥβης."

Mit ἤνεγκα ist nicht allgemein ein Bringen ausgedrückt, sondern
es ist mit Donner zu übersetzen: „ich trug", wie es auch die Scholiasten
auffassen, die zu dem Worte erklären: „Ἐκ τούτου τὴν ἡλικίαν τοῦ
νέου σημαίνει" und „τὸ ἤνεγκα τὸ βραχὺ τῆς ἡλικίας δηλοῖ ὡς περὶ
παιδαρίου οὔ τι βαδίσαι δυναμένου." Dazu stimmen auch ganz und
gar die Worte des Orestes, V. 1348 ff.:
OP. Οὐκ οἶσθ᾽, ὅτῳ μ᾽ ἔδωκας εἰς χέρας ποτέ;
ΗΛ. Ποίῳ; Τί φωνεῖς;
OP. οὗ τὸ Φωκέων πέδον
ὑπεξεπέμφθην σῇ προμηθίᾳ χεροῖν;
aus denen nur die Erklärung sich ergibt, dafs er als kleines Kind dem
Diener in die Hände gegeben wurde, damit dieser ihn trage.*)

---

*) vgl. Ahrens: „Über einige Interpolationen in der Elektra des Sophokles",
Progr. Coburg, 1859, S. 10: „Als Kind ist er fortgebracht, als Mann kehrt er zurück".

Das Gleiche gilt von den Worten der Klytämnestra, V. 775 ff.:

> ὅστις τῆς ἐμῆς ψυχῆς γεγώς,
> μαστῶν ἀποστὰς καὶ τροφῆς ἐμῆς, φυγὰς
> ἀπεξενοῦτο.

Sie weiß ihm nichts vorzuwerfen, als daß er von ihrer Brust und ihrer Ernährung sich entfernt hat; das paßt doch nicht auf einen zwölfjährigen Knaben, einem solchen könnte man doch noch andere bis zu dem Alter genossene Wohlthaten vorwerfen und ihn so als undankbar hinstellen.

Daneben müssen wir in Betracht ziehen, was Elektra von der Zeit, in welcher Orestes zu Hause war, spricht, V. 1143 ff.:

> Οἴμοι τάλαινα τῆς ἐμῆς πάλαι τροφῆς
> ἀνωφελήτου, τὴν ἐγὼ θάμ’ ἀμφὶ σοὶ
> πόνῳ γλυκεῖ παρέσχον · οὔτε γάρ ποτε
> μητρὸς σύ γ’ ἦσθα μᾶλλον ἢ κἀμοῦ φίλος,
> οὔθ’ οἱ κατ’ οἶκον ἦσαν ἀλλ’ ἐγὼ τροφός,
> ἐγὼ δ’ ἀδελφή σοι προσηυδώμην ἀεί.

Von einem Gestorbenen erwähnt man gern, was er in der letzten Zeit gethan hat, in der man noch bei ihm war. Wenn die Elektra den Orestes bis zum zwölften Jahre bei sich gehabt hätte, liefse sich dann gar nichts anführen als die τροφή? Ich bemerke, daß das Scholion zu V. 1146 wieder bemerkt: μικρὸς γὰρ ἦν. Hiebei muß auch die Übersetzung des Verses 1148 in Erwägung gezogen werden. Wecklein faßt hier σοι = ὑπὸ σοῦ, ebenso heißt es bei Wolff-Bellermann: „Wenn du „Schwester“ sagtest, war ich gemeint.“ Da hätte also Orestes schon sprechen können. Es läßt sich immerhin annehmen, daß er das Wort sagen konnte, aber doch erst im zweiten Jahre stand, so daß er später noch als der ἀγνοῶν erscheinen kann, doch möchte ich lieber σοι = σου erklären und sagen: „Wenn man sagte „deine Schwester“, war ich gemeint.“ Nach unserer Auffassung ist aber nicht blos Orestes selbst der Nichtwissende, der niemand Erkennende, sondern es ergibt sich auch von selbst, was der Pädagog V. 1340 zu ihm spricht:

> „Ὑπάρχει γάρ σε μὴ γνῶναί τινα.“

Wenn wir also das Ergebnis zusammenfassen, können wir sagen: Sophokles läßt, um eine nicht an Unwahrscheinlichkeit leidende Erkennungsscene aufbauen zu können, unbekümmert um die nach Homer sich ergebende und unbekümmert um die natürliche Berechnung der Jahre den Orestes schon als kleines Kind in die Fremde kommen und erst als ungefähr zwanzigjährigen Jüngling zurückkehren. Daß auch alte Erklärer die gleiche Überzeugung hatten, ergibt sich aus folgenden Worten der Hypothesis: „Μικρὸν γὰρ αὐτὸν κλέψας ἐκ τοῦ Ἄργους ὁ παιδαγωγὸς ἔφυγεν καὶ διὰ εἴκοσιν ἐτῶν ἐπανελθὼν εἰς τὸ Ἄργος δείκνυσιν αὐτῷ τὰ ἐν Ἄργει.“ Somit kann ich Wecklein nicht beistimmen, der in der Anmerkung zu dieser Stelle bemerkt: „Der Verfasser scheint an das Alter des Orestes gedacht zu haben. Richtiger wäre ἑπτά oder vielmehr ὀκτώ, da nach Homer γ 305 Agisthos sieben Jahre nach dem Tode des Agamemnon regiert hat.“

Wenn man meiner Auffassung folgt, erklären sich auch andere
Stellen leicht, bei denen sich sonst Schwierigkeiten ergeben würden.
So z. B. sagt Orestes V. 42 f.:

„Οὐ γάρ σε μὴ γήρᾳ τε καὶ χρόνῳ μακρῷ
γνῶσ᾽, οὐδ᾽ ὑποπτεύσουσιν ὧδ᾽ ἠνθισμένον.“

Nur wenn der Pädagog ungefähr zwanzig Jahre abwesend war,
kann sein Alter und die lange Zeit (seiner Abwesenheit; nur so erkläre ich es mit Verwerfung anderer Deutungen) als Grund für die
Annahme gelten, daſs man ihn nicht mehr erkenne, nicht aber kann
ich glauben, daſs man ihn nach sieben Jahren schon vergessen hätte,
wie bei Wolff-Bellermann[2] angenommen ist. So ist der Pädagog
jetzt auch ἠνθισμένος = im Silberschmucke der Haare, wovon vielleicht bei seiner Entfernung noch keine Spur vorhanden war. Da nach
dem Zusammenhange das Alter doch den Zuschauern sichtlich vor
Augen gestellt werden muſs, bin ich gegen Wecklein, der durch des
Scholiasten Deutung ᾐσχημένον verleitet, die Erklärung gibt: „Bei
deiner Verkleidung brauchst du nicht zu besorgen, daſs sie dich als
den greisen Pädagogen erkennen, und sie werden keinen Argwohn
fassen, da dein Gesicht und deine Haare jugendlich gefärbt sind.
Damit werden die Zuschauer veranlaſst, sich den scheinbar rüstigen
Boten als hochbetagten Greis zu denken.“   Im Gegenteil sage ich:
wenn sie einen so ergrauten Greis sehen, werden sie in ihm den
früher noch so rüstigen Mann nicht erkennen, ja nicht einmal vermuten.

Für die Bestimmung des Alters der Elektra, die den kleinen
Bruder fortschaffte, ergibt sich von selbst, daſs sie, wie Wecklein in
der Anmerkung zur Hypothesis sagt, „bedeutend älter“ gewesen sein
muſs, was schon ihre eigenen Worte angeben, V. 185 f.:

„Ἀλλ᾽ ἐμὲ μὲν ὁ πολὺς ἀπολέλοιπεν ἤδη
βίοτος u. s. w.“

Nicht kann dagegen ins Gewicht fallen die Stelle 613 f.:

„ἥτις τοιαῦτα τὴν τεκοῦσαν ὕβρισεν,
καὶ ταῦτα τηλικοῦτος,“

wozu Schmelzer mit Unrecht bemerkt: „Elektra ist älter als Orestes;
aber sie darf nicht viel älter als zwanzig Jahre gedacht werden,“
während er zu V. 185 f. die Erklärung sucht: „indem sie einen
frühen Tod vor Gram erwartet.“

Wenn wir also behaupten, daſs Sophokles, dem Äschylus folgend,
den Orestes schon als Kind in die Fremde kommen läſst, so könnte
einer erwidern: „Warum behielt er dann doch die Überlieferung bei, daſs jener bei der Ermordung des Agamemnon fortgebracht wurde?“   Darauf läſst sich entgegnen, daſs
Sophokles einerseits für die ἀναγνώρισις einen ἀγνοῶν brauchte,
andrerseits aber auch für die Charakterzeichnung und die Darstellung
der Motive zum Muttermorde gerade die Überlieferung als passend
fand, nach welcher des Orestes Handlungsweise auch noch durch den Umstand bestimmt, daſs man auch ihm nach dem Leben getrachtet.
Dieses Motiv hat doch der Dichter so gut verwertet, es trägt auch

mit dazu bei, daſs bei Sophokles des Orestes Entschiedenheit hervortritt, während er bei Äschylus zu wenig entschlossen ist. So nahm
er also zwei Überlieferungen zusammen, die sich vielleicht in den
Augen eines Kritikers, der pedantisch nach Homer die Jahre abzählt,
nicht vereinigen lassen, während doch die alten Erklärer, deren Ansichten uns in den Scholien erhalten sind, keine solchen Bedenken
hatten, indem sie mehr durch des Dichters klare Worte und die Rücksicht auf die Wahrscheinlichkeit der Handlung als durch anderswoher
zu holende Gründe sich bestimmen ließen. Und wenn wir uns diesen
griechischen Erklärern anschließen, erweisen wir dem Dichter einen
gröſseren Gefallen, als wenn wir ihn so Ungereimtes sagen lassen
und dadurch die ganze Erkennungsscene als unwahrscheinlich, um
nicht zu sagen unsinnig, hinstellen, bloſs damit die Berechnung der
Jahre in Einklang mit Homer gebracht werden kann.

Wie steht es nun bei Euripides?*)

Nach dem Prolog, wo die Sache sonst im Anschluſs an Homer
erzählt wird, ist auch hier Orestes bei der Ermordung des Vaters,
und zwar durch einen Wärter, fortgebracht worden. Das Weitere
müssen wir nun genauer untersuchen. Wenn wir auch davon absehen, daſs der Zurückgekehrte die Elektra für eine Sklavin hält, was
sich immerhin noch entschuldigen läſst, weil man in der Wasserträgerin
mit zerrissenen Kleidern nicht eine Königstochter vermutet, so läſst
doch der Umstand, daſs Orestes den alten Wärter, der ihn einst fort-
brachte, nicht erkennt und auch bei diesem erst auf den Anblick der
Narbe neben dem Auge als eines sicheren Kennzeichens die Überzeugung sich stützt, keine andere Auffassung zu, als sie bei Sophokles
gezeigt worden ist. Wäre Orestes erst als zwölfjähriger Knabe fortgekommen und bis dahin mit der Schwester beisammen gewesen, so
hätten die Worte der Elektra V. 285, daſs nur der eine Wärter ihn
erkennen möchte, keine Berechtigung. Bei dem alten Diener, der ihn
nach V. 850 f. beim Kampfe im Palaste erkannte, ist nur anzunehmen,
daſs er ihm auf den Anblick des Kennzeichens hin geglaubt habe.
Freilich war Orestes bei der Entfernung schon so grofs, daſs er laufen
konnte; denn nach V. 573 f. verfolgte er im Vaterhause gemeinsam
mit Elektra ein Hirschkalb und verletzte sich dabei, wovon er die
Narbe neben der Augenbraue behielt.

Die Elektra tritt bei Euripides viel jünger entgegen als in dem
gleichnamigen Stücke des Sophokles. Hier ist es nicht mehr sie, die
den Orestes dem Wärter übergibt, ja nach allen Angaben ist zu
schließen, daſs beide dem Alter nach nicht weit verschieden waren,
so besonders nach V. 284: νέα γάρ, οὐδὲν θαῦμ', ἀπεζεύχθης νέου
und V. 541. So erkennt sie ihn auch nicht; wie von den Kennzeichen
die Rede ist, zeigt sie durchaus, daſs sie von seinem Aussehen keine
Ahnung hat, sie sagt, nur der alte Wärter könnte ihn wohl erkennen,
nicht aber sie, sie weiſs auch nichts von dem Merkmale, woran jener

---

*) Ich stehe auf Seite derer, die die Priorität der Sophokleischen Elektra
annehmen.

ihn erkennt, nämlich von der Narbe, und sie muſs erst von dem Alten darauf aufmerksam gemacht und über die Geschichte jener Narbe aufgeklärt werden. Wäre sie um mehrere Jahre älter an- genommen, so hätte sie ihn doch selbst daran erkennen müssen, ebensogut wie der frühere Wärter. So weit also wäre die Sache ein- fach und ohne Widerspruch. Doch nun weiter! Diese von allem nichts wissende Elektra soll nach V. 537 ff. schon vor der Entfernung des Orestes diesem einen Überwurf zu weben im stande gewesen sein? Das kann doch Euripides selbst nach seiner sonstigen Auffassung nicht ernst meinen. Er hat eben diese ganze Stelle mit den bei Äschylus angewandten Erkennungszeichen nur eingeflochten, um an dem Altmeister herbe Kritik zu üben, wobei er freilich eher zur Kritik gegen sich selbst herausfordern könnte. Eine weitere Bedeu- tung ist den Worten nicht beizulegen.

So haben wir also gesehen, wie die drei groſsen Tragiker, um eine Erkennungsscene zu bekommen, nach der beide Teile einander nicht kennen und erst zum Erkennen geführt werden, sich die Sage so gestalteten, daſs Orestes schon als Kind in die Fremde geschafft wurde und so niemand in der Heimat kannte, wie aber Sophokles und Euripides trotzdem an der gewöhnlichen Überlieferung festhielten, nach der er bei der Ermordung des Vaters fortkam, um für den selbst zum Tode bestimmten und zur Not dem Blutbad entronnenen Orestes einen weiteren Grund zur Rache zu bekommen, wie endlich Euripides zur Zeit der Trennung der Geschwister auch die Elektra noch klein sein läſst, um ja das gegenseitige Nichterkennen noch wahrscheinlicher zu machen.

In Sophokles' Elektra, V. 155 ff. singt der Chor:

προς ὅ τι σὺ τῶν ἔνδον εἶ περισσά,
οἷς ὁμόθεν εἶ καὶ γονᾷ ξύναιμος,
οἵα Χρυσόθεμις ζώει καὶ Ἰφιάνασσα.

Dazu bemerkt U. v. Wilamowitz-Möllendorff in der Abhandlung: „Die beiden Elektren" (Hermes, 18. Bd., 1883) S. 216: „Die zweck- lose Einführung der dritten Tochter ist geradezu anstöſsig", und weiter S. 217: „Der homerische Hiat ist in attischem Verse auch nicht schön." Andere hingegen nehmen diese Stelle in Schutz,*) meines Erachtens mit Unrecht. An und für sich muſs es schon auffällig er- scheinen, wenn Sophokles neben der geopferten Iphigenia auch noch die homerische Iphianassa (I 145) als Schwester der Elektra und Chrysothemis nennt, den Cyprien folgend nach dem Scholion zu V. 157: ἢ Ὁμήρῳ ἀκολουθεῖ εἰρηκότι τὰς τρεῖς θυγατέρας τοῦ Ἀγαμέμνονος ἤ, ὡς ὁ τὰ Κύπρια ⟨ποιήσας⟩ τέσσαρας φησιν. Ἰφιγένειαν καὶ Ἰφιάνασσαν. Ein tieferer Grund zu einer Beanstandung ergibt sich weniger aus metrischen Beobachtungen als aus der Betrachtung der ganzen Tra- gödie. Wenn nämlich der Dichter wirklich noch eine lebende

---

*) Zuletzt auch Fr. Kraus in dem Programm: „Utrum Sophoclis an Euri- pidis Electra actate prior sit quaeritur." Passau 1890, S. 55.

Schwester der Elektra und Chrysothemis und Tochter Agamemnons, und zwar eine zu Hause befindliche, wie aus den obigen Worten geschlossen werden muſs, angenommen, aber wegen der Beschränkung in der Zahl der Schauspieler nicht weiter hätte berücksichtigen können, könnte man ihm deshalb eine solche Ungereimtheit und einen Widerspruch zutrauen, wie er aus den Worten der Chrysothemis V. 892 ff. sich ergibt, wo sie der Schwester berichtet von den Spenden und der Haarlocke, die sie an dem Grabe des Vaters gefunden, und daran die Schluſsfolgerung knüpft, das alles müsse von Orestes sein, indem sie sagt V. 909 ff.:

τῷ γὰρ προσήκει πλήν γ’ ἐμοῦ καὶ σοῦ τόδε:
Κἀγὼ μὲν οὐκ ἔδρασα, τοῦτ’ ἐπίσταμαι,
οὐδ’ αὐ σύ · πῶς γάρ; ᾗ γε μηδὲ πρὸς θεοὺς
ἔξεστ’ ἀκλαύτῳ τῆσδ’ ἀποστῆναι στέγης.
Ἀλλ’ οὐδὲ μὲν δὴ μητρὸς οὔθ’ ὁ νοῦς φιλεῖ
τοιαῦτα πράσσειν.

Ein solcher Schluſs ist am Platze bei Äschylus und Euripides, wo von einer noch lebenden Schwester der Elektra nicht die Rede ist, hier aber muſs jeder Unbefangene fragen: „Nun? und die Iphianassa? Kommt dieser das nicht auch zu? Warum wird diese nicht erwähnt?" Ich möchte also annehmen, daſs obige Stelle in der vorliegenden Gestalt nicht von Sophokles herrührt und erst durch spätere Redaktion, vielleicht auch schon vor Lykurg, so zugerichtet wurde von einem, der neben der Chrysothemis auch die bei Homer mit ihr verbundene Iphianassa einfügen wollte, ohne zu bedenken, welch ein Widerspruch sich dann ergebe. So konnte auch die wegen des Hiatus beanstandete Verbindung καὶ Ἰφιάνασσα aus Homer Eingang finden.

Zu Soph. Elektra 140 f.:
ἀλλ’ ἀπὸ τῶν μετρίων ἐπ’ ἀμήχανον
ἄλγος ἀεὶ στενάχουσα διόλλυσαι
möchte ich auf eine ähnliche Konstruktion im Septuagintatexte hinweisen, Psalm 2, 12: μή ποτε ὀργισθῇ κύριος καὶ ἀπολεῖσθε ἐξ ὁδοῦ δικαίας.

Zu Soph. Elektra V. 1485 f.:
Τί γὰρ βροτῶν ἂν σὺν κακοῖς μεμιγμένων
θνῄσκειν ὁ μέλλων τοῦ χρόνου κέρδος φέροι;
Diese Stelle hat die verschiedensten Erklärungen und Übersetzungen erfahren, und zwar treten diese Verschiedenheiten zumeist bei der Auffassung der Wörter κακοῖς und κέρδος φέροι entgegen. So erklärt Gottfr. Hermann: „Quid enim lucretur differenda morte homo nihilominus pro misera vitae humanae conditione moriturus?" Bei Schneidewin-Nauck[2] heiſst es: „Was kann es einem Bösewichte nützen, wenn sein Tod einige Augenblicke hinausgeschoben wird?" und dann wird noch genauer erklärt: „συμμεμιγμένων κακοῖς der zu der Klasse von Menschen gehört, welche mit Missethaten belastet sind." Ähnlich erklärt Wecklein σὺν κακοῖς μεμιγμένων „die mit der Schlech-

tigkeit ganz verbunden sind" und φέροι = φέροιτο. Auch bei Wolff-
Bellermann[3] wird σὺν κακοῖς μεμιγμένων übersetzt „mit Schlechtigkeit
behaftet," die ganze Stelle aber wiedergegeben: „Welchen von der
Zeit herrührenden Gewinn könnte ein lasterhafter Mensch, der zu
sterben zaudert, noch bringen? d. h. welchen Nutzen könnte sein
längeres Leben stiften?" Schmelzer aber gibt der Stelle folgende Erklärung: „Warum soll der dem Tode Bestimmte einen Zeitgewinn
davontragen, während die Welt mit Schlechten vermischt ist, d. h.
während es auf der Welt, unter den Menschen doch Schlechte die
Hülle und Fülle gibt." Donner aber schlofs sich mehr an Hermann
an, indem er übersetzte:
„Ein Mensch, umringt von Leiden und dem Tode nah,
Was hülf' es diesem, wenn der Tod noch zögerte?"
Eine ganz neue Auffassung aber bringt F. Weck in N. Jahrb.
f. Philol. u. Pädag. Bd. 139, S. 255 f.: „Denn inwiefern könnte,
wenn Sterbliche sich in Schlechtigkeiten eingelassen haben, dafs sie
sterben müssen, die zukünftige Zeit von Nutzen sein?"
Was nun fürs erste die Erklärung von κακοῖς anbelangt, so
möchte ich auf ähnliche Stellen bei Sophokles selbst hinweisen, so Antig.
1311: δειλαίᾳ δὲ συγκέκραμαι δύᾳ, Aias 895: οἴκτῳ τῷδε συγκεκρα-
μένην, ebd. 123: ἄτῃ συγκατέζευκται κακῇ, die uns die Übersetzung
„Unglück" an die Hand geben. Für die richtige Auffassung der
ganzen Stelle aber gibt uns den besten Anhaltspunkt die Zusammenstellung mit einer Sentenz gleichen Sinnes, nämlich Antigone V. 463 f.:
ὅστις γὰρ ἐν πολλοῖσιν, ὡς ἐγώ, κακοῖς
ζῇ, πῶς ὅδ' οὐχὶ κατθανὼν κέρδος φέρει;
Die Verse sind von den oben genannten Herausgebern und Erklärern nicht zum Vergleiche herangezogen worden, daher wohl die
Verschiedenheit; aber auch Schneider, der wenigstens den zweiten
derselben zitiert, übersetzt κακοῖς mit „Schlechtigkeiten", während
Vahlen (Index lect. sem. bibern. Berol. 1885, S. 11 f.), der beide anführt, zu der Änderung τίς ... οὐ χρόνου greift und übersetzt: „quis ...
non morando tempus lucrari velit?" Vergleicht man nun beide Stellen,
so ist doch klar, dafs auch in der Elektra κακοῖς „Unglück", sowie
κέρδος φέρειν „einen Nutzen davontragen" bedeutet, was auch bei
Wolff-Bellermann im kritischen Anhange als ungekünstelte Erklärung
hingestellt ist, dafs ferner die Wörter θνήσκειν ὁ μέλλων zusammen-
zunehmen sind. Sodann möchte ich τί nicht mit κέρδος verbinden,
sondern dem πῶς entsprechend adverbiell fassen, so dafs die ganze
Stelle zu übersetzen ist: „Denn wie könnte einer der Sterblichen, die
mit Unglück behaftet sind, wenn er zu sterben zaudert, von dem
Aufschub einen Nutzen haben?" Die vorgeschlagenen Emendationen
sind demnach zu verwerfen, auch die oben erwähnte von Vahlen, der
in das Wort φέροι mit der Übersetzung lucrari velit mehr hinein-
legen mufs, als darin liegt.*) Eine andere Frage freilich ist die, ob

---

*) Auch Herm. Schütz in den kürzlich, 1890, erschienenen Sophokleischen
Studien, S. 321 f. und H. Otte in der Zeitschrift für das Gymnasialwesen 34. Jahrgang 1890 im Jahresberichte des philol. Vereins S. 371 sind gegen diese Emendation und Erklärung.

dieser so aufgefaſste Satz an unserer Stelle passend angebracht ist. In der Antigone hat die ähnliche Sentenz gute Berechtigung, da dort die unglückliche Königstochter, die zu sterben bereit ist, sich selbst damit tröstet, daſs sie im Leben doch nur Ungemach habe. So würden auch hier in der Elektra diese Worte eher als Trost für Ägisthus klingen, in der Absicht der so leidenschaftlich hassenden Feindin kann aber, wie Vahlen bemerkt, eine Fürsorge für diesen nicht liegen. So hätten wir also eine am unrechten Platze angebrachte Sentenz, weshalb ich den Herausgebern beistimme, die diese Worte in Klammern setzen.

Eichstätt.   Dr. J. Gg. Brambs.

II. Abteilung.

Rezensionen.

Dr. Hermann Schiller, Die einheitliche Gestaltung und Vereinfachung des Gymnasialunterrichtes unter Voraussetzung der bestehenden Lehrverfassung. Halle, Verl. d. Waisenhauses, 1890. 139 S. S.

Nachdem die Lehrpläne unserer Gymnasien vor den Forderungen der pädagogischen Wissenschaft auf Anbahnung eines rationellen Unterrichtes nicht mehr bestehen können, eine Einigung betreffs der Abhilfe gegen bestehende Mißstände vorerst nicht zu erwarten ist, so will der bekannte pädagogische Schriftsteller zeigen, daß auch auf Grund der v o r h a n d e n e n Lehrpläne mehr erreicht werden könne, als bisher erreicht worden ist. Der Gedankengang ist etwa folgender:

Es wird gewöhnlich als eine Lebensfrage hingestellt, daß das Lateinische, Deutsche, die Mathematik u. s. w. so und soviele Wochenstunden erhalten. Nun ergibt aber eine Vergleichung der verschiedenen Lehrpläne in den einzelnen deutschen Staaten, daß weitgehende Unterschiede in der Anzahl der Wochenstunden für die einzelnen Lehrfächer bestehen. Daraus folgt die Unrichtigkeit der Voraussetzung, daß durch Änderung der Lehrverfassung erheblich mehr als bisher erzielt werden könne.

Dagegen kann durch Änderung der Lehrpläne manches gebessert werden. Jedes Zeitalter ging bei der Gestaltung der Lehrpläne von anderen Voraussetzungen aus. Das zeigt z. B. ein Blick auf die lateinischen Schriftsteller, welche in den verschiedenen Zeitaltern in der Schule behandelt wurden. Ähnlich verhält es sich mit dem Deutschen, der Geschichte und Geographie, der Mathematik und den Naturwissenschaften.

Im Hinblick auf die Menge des in unserer Zeit angehäuften Lehrstoffes läßt sich eine Besserung nur dadurch erzielen, daß die Verschiedenheit der Lehrstoffe verringert und das Ziel in den einzelnen Unterrichtsfächern niedriger gesteckt wird. Aber die Verringerung der Lehrstoffe darf nicht auf m e c h a n i s c h e m Wege geschehen, indem in diesem Fache etwas beigefügt, in jenem etwas weggenommen wird. Sie muß auf o r g a n i s c h e m Wege erfolgen. Die Lehrstoffe müssen in eine innere Verbindung gebracht werden (Konzentration). Nur so werden durch das Gelernte bleibende Vorstellungen erzeugt. Diese innere Verknüpfung hat zugleich mittelbare Bedeutung für die Charakterbildung, weil der sittliche Charakter Dauer, Klarheit und Zusammenhang des religiös-sittlichen Wissens in gewissen Grenzen voraussetzt. Dieser Einheit des Unterrichtes hat die Entwicklung der Universitäten unendlich viel geschadet. Die vielen neuentstandenen Disciplinen förderten das Spezialistentum auf den Hochschulen. In Norddeutschland insbesondere wurden die Lehrbefähigungen für einzelne Fächer immer häufiger. Man vergaß, daß die Schule nur die Elemente zu lehren hat. So wurden denn auch in der Schule Spezialisten nötig. Die erzichliche Thätigkeit trat in den Hintergrund, es trat das Streben nach Übermittlung möglichst vielen Einzelwissens ein. —· die Überbürdung der Schüler hat darin vielfach ihre Wurzel.

Besser war es in Süddeutschland, wo das „Schulemachen" einzelner Universitätsprofessoren nicht so weit gedieh. Unleugbar ist ein gründliches Fach-Wissen die unumgängliche Vorbedingung für ein gedeihliches Unterrichten in der Schule; denn nur derjenige kann aus einem Wissensgebiete das für den Unterricht Dienlichste herausnehmen, welcher das ganze Gebiet beherrscht. Aber ebenso unleugbar ist es, daß das universitätische Fachlehrsystem die eigentliche universitas litterarum zerstörte, daß die künftigen Lehrer sich in zu viele Einzelforschungen und Studien vertieften, mit vielen unfruchtbaren Einzelkenntnissen ausgestattet den Einblick in größere Gebiete und den Zusammenhang der einzelnen Disciplinen immer mehr verloren. Daher der große Irrtum, als ob das Gymnasium der Universität vorarbeiten müsse, daher die Thatsache, daß ein Fach das andere steigerte. Die Fächer, von denen jedes in einer andern Hand ist, gehen nebeneinander her, die Kenntnisse, zur Gedächtnisarbeit geworden, bleiben unverbunden und veranlassen Überbürdung.

Abhilfe gegen diese Mißstände kann nur geben 1. das Klassenlehrersystem statt des Fachlehrersystems*); nur auf diese Weise kann das Deutsche eine centrale Stellung erhalten; 2. die innere Verknüpfung der Lehrstoffe.

Schiller gibt dann (S. 36—125) eine sehr lehrreiche eingehende Beschreibung der Speziallehrpläne für die einzelnen Klassen an seinem Gymnasium in Gießen, wobei durch Vereinigung mehrerer verwandter Fächer in der Hand eines Lehrers und durch Konzentration der Unterrichtsfächer auf ein möglichst lebendiges Wissen und auf Bildung des Charakters hingewirkt werden soll. Betreffs der Beseitigung der Abrichtung für die Prüfungen, der Verhütung der Überbürdung der Schüler, der Beschränkung der häuslichen Arbeiten in den fremden Sprachen, der Regelung des Besichtigungs- und Prüfungswesens spricht sich der Verfasser ebenso maßvoll wie verständig aus. Das Büchlein verdient die Beachtung aller Schulmänner : es ist nicht bloß die Frucht theoretischen Studiums, sondern auch praktischer Erfahrung.

Burghausen.   A. Deuerling.

---

*) Die humanistischen Gymnasien Bayerns sind von dem Fachlehrersystem stets verschont geblieben.

Dr. A. v. Hippel, o. Prof. der Ophthalmologie und Direktor der ophthalmologischen Klinik in Giefsen, Über den Einfluſs hygienischer Maſsregeln auf die Schulmyopie. Giefsen, Rickersche Buchh. 1889. 70 S.

Der Verf. dieser gründlichen wissenschaftlichen Untersuchung hat wie Schilling bereits früher der Überzeugung Ausdruck gegeben, daſs die Gefahren der Schulmyopie von Cohn und seinen Anhängern übertrieben werden. Um die durch die Schulthätigkeit hervorgerufene Schädigung der Augen nach allen Seiten kennen zu lernen, untersuchte derselbe neun Jahre hindurch 1881—1889 die Augen der Schüler des Giefsener Gymnasiums und verfolgte so auch einen ganzen Jahrgang der Schüler von Sexta bis Prima. Da im Jahre 1879 ein neues, nach den Vorschriften der Gesundheitslehre eingerichtetes Schulgebäude bezogen worden war, bot sich zugleich Gelegenheit den Einfluſs der hygienischen Maſsregeln eingehend zu prüfen. Zur Beurteilung der Ergebnisse dieser Untersuchungen kommt noch in Betracht, daſs in Hessen im letzten Decennium durch ministerielle Verfügungen und im Giefsener Gymnasium durch besondere Fürsorge des Direktors der Überbürdung der Schüler mit häuslichen Arbeiten entgegengetreten wurde. Es waren demnach am Giefsener Gymnasium wohl alle Veranstaltungen getroffen, durch welche von Seiten der Schule dem Übel der Kurzsichtigkeit gesteuert werden kann; um so nachdenklicher stimmt das Endergebnis der Untersuchungen, welche der V. angestellt hat: „Trotz bester baulicher Beschaffenheit und zweckmäſsiger innerer Einrichtung einer Schule, trotz Vermeidung jeder Überbürdung der Schüler und regelmäſsiger ärztlicher Überwachung wird ein nicht unbeträchtlicher Teil derselben während der Schulzeit myopisch, bei einem andern nimmt schon vorhandene Kurzsichtigkeit zu." Als Ursachen der Unmöglichkeit durch hygienische Maſsregeln mehr zu erreichen bezeichnet der Verf. die Naharbeit an sich und ungünstige häusliche Verhältnisse der Schüler. Von Seite der Eltern, welche gerne die Schule für Alles verantwortlich machen, wird nicht selten in gesundheitlicher Beziehnng viel verabsäumt, andererseits werden strebsame und begabte Schüler den zur Naharbeit zwingenden Studien meist mehr Zeit widmen, als die Schule fordern muſs, und nur in auſserordentlichen Fällen wird der Lehrer dagegen einschreiten dürfen oder müssen. Trotzdem, glaube ich, stellt eine fortgesetzte sorgfältige Beobachtung aller einschlägigen Verhältnisse fortschreitende Besserung der vorhandenen Schäden in Aussicht; dafür spricht doch auch der von dem V. anerkannte Erfolg seiner neunjährigen Thätigkeit am Giefsener Gymnasium. Übrigens spricht sich der V. am Schluſse seiner Abhandlung gegen die Aufstellung besonderer Schulärzte aus und verweist auf das Zusammenwirken der Lehrer, welche ihre Kenntnisse in der Gesundheitslehre zu erweitern haben, mit den Aerzten, welche nur in gewissen Fällen zu Rate gezogen werden sollen.

Bamberg.   J. K. Fleischmann.

G. Kaller, Hygienische Gymnastik. 2. Auflage. Zürich. Orell Füfsli. 1890.

Das Buch gibt in kurz zusammenfassender Form hygienisch-gymnastische Winke für die schulpflichtige weibliche Jugend vom 6.—15. Jahre. Mit allem Nachdruck redet der Verf. dem allseitigen Turnen der Mädchen das Wort, wobei er als Hauptziel eine schöne Haltung des weiblichen Körpers aufstellt. In dem mehr theoretischen Teile sind die schlechten Gewohnheiten gekennzeichnet, die durch unrichtiges Sitzen, nachlässiges Stehen und Gehen sich herausbilden. Als Kräftigungsmittel sind namentlich das Laufen, das thatsächlich heutzutage viel zu wenig geübt wird, die Turnspiele und das Turnen mit dem Largiadèr'schen Arm- und Bruststärker hervorgehoben. Im zweiten, mehr praktischen Teile werden die verschiedensten Übungen aufgeführt mit und ohne Largiadèr'schen Kraftstärker für das Zimmer- und Schulturnen, sowie für Lungengymnastik. Zahlreiche Illustrationen begleiten den Text. Ein Vorzug des Buches liegt in der die einzelnen Altersstufen berücksichtigenden Abgrenzung der verschiedenen Übungen, während andrerseits zu bedauern ist, dafs die Spiele nur aufgezählt und nicht anschaulich gemacht sind.

München. ·   J. Nicklas.

Lessings Laokoon. Für den weiteren Kreis der Gebildeten und die oberste Klasse höherer Lehranstalten bearbeitet und erläutert von Dr. W. Cosack, Stadtschulrat in Danzig. Mit einer Abbildung der Marmorgruppe, Einleitung und Namenregister. Vierte, berichtigte und vermehrte Auflage. Berlin, Haude- und Spener'sche Buchhandlung. (F. Weidling), 1890. (XXIV und 212 Seiten. 8⁰.)

Cosacks Schulbearbeitung des „Laokoon" ist seit ihrem ersten Erscheinen (1868) so vielfach verbreitet und rühmlich bekannt geworden, dafs über ihren Wert· kaum mehr gestritten werden kann. Die ursprünglichen Grundsätze der Bearbeitung sind bei der neuen Ausgabe unverändert geblieben; im einzelnen aber verbesserte und ergänzte der Verfasser allerlei. Über jene Grundsätze kann man allerdings verschieden denken. Strenge Philologen, denen nicht nur der Sinn, sondern auch das Wort ihres Autors heilig ist, werden es schwerlich billigen, dafs Cosack die gelehrten Anmerkungen und Abschweifungen Lessings von seinem eigentlichen Thema zum allergröfsten Teile weggelassen, dafs er sämtliche Citate Lessings aus fremden Sprachen nur in deutscher Übersetzung wiedergegeben und überdies Lessings Sprachformen öfters modernisiert hat. Für die besondern Zwecke jedoch, die Cosack mit seiner Ausgabe verfolgte, sind diese Änderungen zweifellos von Nutzen. Im allgemeinen werden durch sie nur die Anmerkungen des Lessingschen Werkes berührt, weniger der eigentliche Text, aus dem höchstens hie und da ein paar unwesentliche Zeilen weggefallen sind. Am wenigsten kann ich die Modernisierung

Lessingscher Sprachformen billigen — im Vorwort spricht Cosack
euphemistisch nur von konsequenter Durchführung der modernen
Orthographie --; gerade für Schüler der obersten Gymnasialklasse
scheint mir der Hinweis auf ältere deutsche Sprachformen sehr lehrreich zu sein. Cosack gibt ihn gelegentlich in seinen Anmerkungen;
es wäre nach meiner Meinung nachdrücklicher, würden die alten
Formen im Texte beibehalten. Überdies bleibt schließlich doch die
Modernisierung auf halbem Wege stehen. Cosack schreibt z. B. er
fürchtete (statt: er furchte), der Schild (statt: das Schild), personifi-
cieren (statt: personifieren), einen wirklichen Nebel sah Achilles nicht
(statt: Keinen wirklichen Nebel sahe Achilles nicht) u. s. w.; er läfst
aber Konstruktionen wie: welche jedes Individuum schmeichelt,' Worte
wie Beeiferung (= Wetteifer), witzig (= geistreich), indem (= während)
u. dgl. Und letzteres entschieden mit Recht; mit demselben Rechte
aber wäre auch wohl bei den geänderten Sprachformen mehr Behut-
samkeit zu empfehlen. Hie und da flickt Cosack auch ein Sätzchen
in Lessings Text ein, z. B. S. 95, Anm. 2 vier Verse der Iliade, auf
die Lessing nur verweist, ohne sie selbst anzuführen, und auf die
Cosack durch die eingeschobenen Worte „wo es von ihm heifst" über-
leitet. Seine erläuternden Anmerkungen sind sehr verständig ausgewählt, zeugen von grofsem Fleifs und guter Kenntnis der antiken
Mythologie, Geschichte und Literatur, desgleichen von erfolgreichem
Studium der neueren und neuesten kunstgeschichtlichen Werke; auch
die sprachliche Erklärung ist im ganzen recht tüchtig. Nur einige
Kleinigkeiten erheischen Berichtigung. S. 35, Anm. 1 z. B. sagt Cosack, bei dem Zeitwort „schmeicheln" sei jetzt mit Ausnahme des
reflexiven „sich schmeicheln" die Konstruktion mit dem Dativ üblich.
Mit Ausnahme des Reflexivums? Dieses „sich" ist doch auch der
Dativ! S. 199 sollte Bor-ghesisch, nicht Borg-hesisch abgeteilt sein.
Das unlogisch gebildete Wort „selbstredend" (im Vorwort) sollte ein
wissenschaftlicher Arbeiter, der sich so viel mit Lessing beschäftigt
hat, nicht brauchen. Sachlich ist vor allem die ungerechte Bitterkeit,
mit der Cosack stellenweise Herder behandelt (S. XIX f.), zu rügen. Die
Schlufsworte des „Ersten kritischen Wäldchens" hat er ohne zureichen-
den Grund und sicherlich ganz unrichtig auf Lessing bezogen; die
scharfe Äufserung Herders zielt zweifellos, wie schon Blümner, Lambel
nnd andere Forscher annahmen, auf Klotz und dessen Anhang. Im
übrigen bekunden die Urteile des Verfassers durchaus mafsvolle Ob-
jectivität und geschichtliche Unparteilichkeit.

Wilhelm Scherer, Deutsche Studien I. und II. Zweite
Auflage. Prag und Wien bei F. Tempsky, Leipzig bei G. Freytag,
Buchhändlern der kaiserl. Akademie der Wissenschaften in Wien, 1891,
(129 S. gr. 8°.)

Die beiden ersten Hefte von Scherers „Deutschen Studien", 1870
und 1874 veröffentlicht, haben auf die Geschichte unserer mittelhoch-

deutschen Lyrik ein neues, helles Licht geworfen, dessen Glanz allen
späteren Forschern auf demselben Gebiete zu gute gekommen ist. In
ihnen treten so ziemlich alle Vorzüge des grofsen, für die germanistische
Wissenschaft viel zu früh gestorbenen Gelehrten deutlich zu Tage, sein
weit umherschauender, scharf eindringender, emsig suchender Blick,
seine kühne Entschlossenheit, überall bis an die Grenzen des Erforsch-
baren vorzudringen, gestützt auf gründliche Sprach- und Sachkenntnisse
das geschichtlich Beweisbare bis zum äufsersten Punkt zu verfolgen
und, wenn nötig, über diese Schranke hinaus die Erkenntnis durch
wissenschaftlich begründete Hypothesen zu erweitern, seine formale
Begabung, mit der er seine Behauptungen und Vermutungen einleuch-
tend und überzeugend darzustellen wufste. Ihrem Titel nach galten
die beiden Studien den Gedichten Spervogels und den Anfängen des
Minnesangs; aber überall hin fiel dabei das Augenmerk des wissens-
reichen und geistvollen Autors. Er unterschied zum ersten Mal genau
die drei verschiedenen Dichter, denen die unter dem Namen Sper-
vogel gehenden Strophen und Sprüche zuzuweisen sind; er charak-
terisierte — bisweilen nur mit skizzenhafter Kürze, aber immer mit
treffender Sicherheit — die einzelnen Dichter aus den Anfangszeiten
des deutschen Minnesangs, die Verfasser und Verfasserinnen der ältesten
namenlos uns überlieferten Lieder, den Kürenberger oder vielmehr die
Lieder, die unter seinem Namen gehen, Meinloh von Seflingen, den
Burggrafen von Regensburg und den von Rietenburg, Dietmar von
Aist, Friedrich von Hausen, Heinrich von Veldeke, also die Reihe der
deutschen Minnesänger bis zum Auftreten der berühmtesten aus ihrer
Schaar, eines Reinmar von Hagenau, eines Heinrich von Morungen,
eines Walther von der Vogelweide; er ergänzte dabei aber auch die
Untersuchungen früherer Forscher über das Tagelied und behandelte
mannigfach eingehend die Entwicklung dieser besonderen Gattung in
der romanischen und in der deutschen Literatur, sprach sich über
das Wesen und die Form der Spruchdichtung, den Charakter und die
Stoffkreise der Spielmannspoesie sorgfältig aus und gab nebenher über
eine Anzahl untergeordneter Dinge und Fragen einen stets höchst beachtenswerten Aufschlufs. Es war vollauf verdient, dafs diese beiden
Hefte etwas schneller, als dies sonst bei fachmännischen Einzeluntersuchungen der Fall ist, im Buchhandel vergriffen waren. Die zweite
Auflage, welche nunmehr R i c h a r d H e i n z e l in Wien, zweifellos der
zu dieser Arbeit am ersten Berufene, besorgt hat, ist mit gröfster
Pietät veranstaltet. Am Texte Scherers ist nicht das Geringste geändert; nur einige Hinweise auf neuere Ausgaben sind gelegentlich
hinzugefügt, durch eckige Klammern aber stets sogleich als Zusätze
bezeichnet. Möge Scherers Schrift als ein Muster philologischer und
literargeschichtlicher Methode auch in der neuen Ausgabe zahlreiche
Leser und Freunde finden!

München.   F r a n z M u n c k e r .

Joh. Heinr. Deinhardt, Beiträge zur Dispositionslehre. 4. durchges. Aufl. besorgt v. R. Sturm. Berlin, R. Gaertner
(Heyfelder). 1890. 63 S.

Wenn die Schultz'schen „Grundzüge der Meditation" den Eindruck machen, als ob sie lediglich am Studiertisch zusammengeschrieben
seien, merkt man dem Deinhardtschen Buche sofort an, dafs es aus
der Schulpraxis herausgewachsen ist. Klar, ruhig, einfach und leicht verständlich ist die Sprache, in welcher hier über Gedankenauffindung und
Disposition Winke gegeben sind. Mitten hinein in die Arbeit führt uns das
Werk, indem es nach einigen orientierenden Bemerkungen über den Begriff
des Disponierens, wobei es sich gröfstenteils auf Quintilian stützt, die
inventio und dispositio für alle Themen nach der divisio und partitio finden lehrt. Und in der That, da auf der untrennbaren Verbindung der partitio und divisio jede richtige Disposition sich aufbaut,
so können solche Übungen nicht häufig genug mit den Schülern vorgenommen werden, um dieselben bei gebundener Marschroute an Ordnung der Gedanken zu gewöhnen in Verbindung und auf Grund einer
methodischen Gedankenauffindung.

Eine inventio und dispositio nach äufserlich eingelernten philosophischen Kategorien, namentlich für alle Themen, werden mit Recht
verworfen, da ja jeder besondere Gegenstand eine seiner Individualität
entsprechende bestimmte Form und Gliederung erheischt; aber allgemeine Inventions- und Dispositionslehren z. B. für alle Beschreibungen,
für alle Erzählungen, für alle Schilderungen, für alle Begriffsentwick-
lungen, für alle Beweisführungen sind ohne Zweifel namentlich dem
Anfänger von grofsem Nutzen — und solche gibt das Deinhardtsche Buch.

Der Begriff der Disposition und der voraufgehenden Invention
beruht dem Verfasser auf dem Verhältnis des Ganzen zu seinen Teilen.
Wünschenswert wäre hiebei nur, dafs diese Gedankenmanipulation der
divisio und partitio mit dem Umfang und Inhalt des Begriffes in Verbindung gesetzt und an die Partition und den Inhalt des Begriffes die
Definition angereiht worden wäre. Auf S. 27 wird dieser Gedanke
wohl gestreift, aber nicht genügend entwickelt. Es würde das Buch
übrigens für die Schüler brauchbarer sein, wenn es mehr praktische Beispiele über die Partitio und Divisio enthielte. Auch die technischen Ausdrücke divisio und partitio dürften empfehlenswerter sein als die leicht zur
Verwechslung Anlafs gebenden Benennungen: Einteilung nnd Zerteilung.

Dafs auch Raumgebilde, also Beschreibungen, und Zeitereignisse,
also Erzählungen, und die zwischen beiden in der Mitte liegenden
Schilderungen nach dem einfachen Prinzip der Division und Partition
disponiert werden können, hat der Verfasser in überzeugender Weise
dargethan; die bei diesem Passus angegebenen Beispiele sind sehr instruktiv. Was man vielleicht vermifst, ist eine Topik der Charakteristik, die sich übrigens sehr leicht an die Divisio vom Begriff ‚Mensch'
nach körperlichem und geistigem Gesichtspunkte (S. 50) anfügen liefse.
Sehr glücklich ist die empirische Psychologie, soweit sie für Gymnasien in Verwendung kommen kann, durch das Prinzip der Divisio in

diesen Zweig des Unterrichts eingereiht, wodurch vermieden wird, daſs diese schwierige Partie des deutschen Unterrichts sich lediglich auf den Vortrag des Lehrers beschränkt. Für jeden, dem eine systematische Behandlung der deutschen Aufsätze am Herzen liegt, ist dieses Buch unentbehrlich.

München. ——————— Nicklas.

Dr. Georg Müller-Frauenstein, Handbuch für den deutschen Sprachunterricht in den oberen Klassen höherer Lehranstalten. 2 Teile, 203 u. 119 S. Hannover, Norddeutsche Verlagsanstalt, 1889 u, 1890, Preis M. 2.40 + 2.20.

Es ist in dieser Zeitschrift kaum der Ort, die Frage zu behandeln, in wieweit sich Müllers Handbuch als Lehrbuch für Lehrerinnenseminare eignet; sonst müſste der Zweifel ausgesprochen werden, ob das reiche Material der beiden Bände sich wirklich in der Schule durcharbeiten lasse, und ob die gedrängte Ausdrucksweise durchaus der Fassungskraft der Schülerinnen jener Lehranstalten angemessen sei. Dies zu erörtern, ist, wie gesagt, hier nicht der Ort, wohl aber darf ausgesprochen werden, daſs der Verfasser sich ein groſses Verdienst um den Stand der Lehrer und Lehrerinnen*) erworben hat. Denn wenn diese — auch erst nach ihrem Austritt aus dem Seminar zum Zweck ihrer Fortbildung — nach . dem Werke des Verfassers greifen, so wird ihr Blick durch das Studium desselben in mannigfacher Weise erweitert; sie lernen vor allem die Sprache nach ihrer geschichtlichen Entwicklung kennen und werden so vor der Gefahr bewahrt, auf die Regeln unserer oft recht engherzigen Grammatiker zu schwören. Inwiefern das Buch den Bedürfnissen Deutsch lernender Ausländer dienen kann, für die es der Herausgeber in zweiter Linie bestimmt hat, ist für den, der nicht, wie der Herr Verfasser, viel mit solchen verkehrt, schwer zu sagen. Daſs es sich für den Selbstunterricht gebildeter Freunde der deutschen Sprache in hohem Grade eignet, ist zweifellos; aber man weiſs ja, wie groſs bei uns Deutschen noch die Gleichgültigkeit unserer sogenannten gebildeten Kreise für tiefere Kenntnis ihrer Muttersprache ist.

Der erste Band behandelt zunächst die allgemeine und die deutsche Sprachgeschichte, dann die deutsche Sprachlehre, letztere im Rahmen der gebräuchlichen grammatischen Kategorien. Der sprachgeschichtliche Teil enthält auch eine Geschichte der Interpunktion; in dem Abschnitt über die Sprachlehre wird die Lautlehre und die Lautphysiologie ziemlich eingehend erörtert. Der zweite Band umfaſst die Vers-, Stil- und Dispositionslehre. Ein besonderer Vorzug des Buches ist der maſsvolle Standpunkt des Herausgebers, der weder starr am Alten hängt, noch Neuerungen leichthin seinen Sinn öffnet; Beweis hiefür ist z. B. sein Urteil über die norddeutsche Aussprache (I S. 67)

——————————

*) „In erster Linie, heiſst es im Vorwort, ist das Buch bestimmt für deutsche Lehrer und Lehrerinnen und solche, die es werden wollen."

oder über die Beyerschen Accentverse (II S. 4 u. 5). Sehr verständig
und maßvoll scheint mir auch, was er, freilich fast nur andeutungs-
weise, über die Fortbildung der deutschen Orthographie bemerkt (I.
S. 37). Überhaupt weiß er oft mit wenigen Worten für den Wissenden
sehr viel zu sagen; aber manchmal wird die Darstellung doch fast zu
knapp. So ist das über die gehäufte Verneinung Gesagte (I S. 151)
gewiß richtig, aber wie steht es mit den doppelten Verneinungen in
der Sprache unserer Dichter (Goethes, Schillers, Chamissos)? Außer
dieser Einzelheit nur noch eine! Ist wirklich ‚entweder‘ zu betonen
(I S. 77)? Sanders (Abriß der deutschen Silbenmessung und Vers-
kunst) und Huß (Lehre vom Accent der deutschen Sprache) scheinen
nicht die Ansicht des Verfassers zu teilen.

Schließlich sei es gestattet, dem Herrn Verf. für die Bearbeitung
der zweiten Auflage folgende Wünsche zur Erwägung vorzulegen. Nachdem griechische Schriftzeichen, als für das nächste Lesepublikum unverständlich, grundsätzlich vermieden wurden, wünschte ich, daß den
lateinischen Citaten und Titeln (z. B. I S. 22) eine deutsche Übersetzung beigegeben werden möchte. Die Poetik scheint mir etwas gar
kurz ausgefallen zu sein und deshalb einer Erweiterung bedürftig. In
der Geschichte der Orthographie sollte auf die Neuerungen der historischen Schule näher eingegangen werden, da Weinholds Forderungen
(und Raumers Widerlegung derselben!) einen ziemlich tiefen Blick in
die geschichtliche Entwicklung der Sprache gewähren. Zu vergleichen
wären etwa Raumers Abhandlungen in der Zeitschrift für die österreichischen Gymnasien (später in einem Sonderabdruck bei Gerolds
Sohn in Wien erschienen). Auf S. 26 des I. T. sollten außer den
Grammatiken von Heyse-Lyon und Wilmanns jedenfalls die Grammatiken von Bauer-Duden, Engelien und Frauer genannt sein. Aber auch
der sogenannten antibarbaristischen Literatur sollte gedacht werden;
Bücher wie Andresens „Sprachgebrauch und Sprachrichtigkeit" sind
für die Beurteilung des sprachlichen Lebens ohne Zweifel von Wichtigkeit und sollten deshalb Lehrern und Lehrerinnen nicht unbekannt
bleiben. Überhaupt, meine ich, sollte der Herr Verfasser auf die
wichtigste Literatur an den geeigneten Stellen aufmerksam machen,
z. B. auf Wilmanns' Kommentar zur Orthographie, Kluges Wörterbuch,
Gottschalls Poetik u. a.; denn sein verdienstvolles Werk will ja wohl
nicht nur unterweisen, sondern auch anregen und die Fortbildung
durch Selbststudium fördern.

Karl Bindel, Dispositionen zu deutschen Aufsätzen
für die Tertia der höheren Lehranstalten. 2 Bdch. Leipzig. Teubner.

Das Buch zerfällt in 5 Abschnitte: Themen im Anschluß an den
deutschen, geschichtlichen, geographischen, naturwissenschaftlichen Unterricht und Erfahrungsthemen. Die Themen des ersten Abschnittes
behandeln größtenteils Gedichte und Lesestücke, welche in dem Lesebuch von Hopf und Paulsiek enthalten sind; einzelne aber haben schon

die Lektüre von Dramen (Körners Zriny, Schillers Tell) zur Voraussetzung. Die geschichtlichen Themen beziehen sich auf die griechische, römische, deutsche (bis Karl IV) und preußische (bis Wilhelm I) Geschichte. Der III. und IV. Abschnitt weist den Lehrer nach des Herausgebers Ansicht auf Verständigung mit den betreffenden Fachlehrern hin, die bei uns in Bayern meist nur bezüglich des IV. Abschnittes notwendig wäre. Mir scheint eine solche Verständigung für den Unterricht aus mehr als einem Grunde bedenklich; wer daher nicht selbst Fachlehrer in den betreffenden Unterrichtszweigen ist, wird nach meiner Meinung die Aufgaben über jene Gebiete lieber bei Seite lassen. Unter Erfahrungsthemen versteht der Herausgeber Verschiedenes: die Bereitung der Leinwand, die Herstellung der Glocken, der Lenz und seine Gäste, unser Klaßzimmer u. s. w. Das Buch wird dem Lehrer manche nützliche Anregung geben.

Bei dieser Gelegenheit sei übrigens noch auf eine andere, ebenfalls für Tertia bestimmte, Themensammlung hingewiesen, nämlich auf den II. (Untertertia) und III. (Obertertia) Teil der „Deutschen Aufsätze für die Unter- und Mittelklassen der Real- und höheren Bürgerschulen" von O. Böhm (Berlin, Bornträger). Die treffliche Arbeit ist auch für humanistische Gymnasien sehr brauchbar.

G. W e n d t , D e u t s c h e s L e s e b u c h. I. T. für die beiden unteren Klassen der Gymnasien und Realschulen. Zweite Aufl. Lahr, Schauenburg, 1890.

Eine Anzahl badischer Schulmänner hielt es für empfehlenswert, die Schüler durch alle Klassen ein und dieselbe Gedichtsammlung benützen zu lassen. Deshalb gab Wendt eine schon in mehreren Auflagen erschienene Sammlung von Gedichten heraus. Da aber nun ein prosaisches Lesebuch oder vielmehr prosaische Lesebücher fehlten, so suchte Wendt auch diesen Bedarf zu decken. Ob die Einrichtung, e i n poetisches und mehrere prosaische Lesebücher zu gebrauchen, allgemeinen Beifall findet, scheint zweifelhaft; aber nachdem sie einmal getroffen wurde, durfte man von dem tüchtigen Schulmann erwarten, daß er angemessene Lehrmittel verfassen werde. Diese Erwartung wird durch das vorliegende sehr hübsch ausgestattete Buch bestätigt. Es enthält viele Stücke von den Sextaner- und Quintaner-Schriftstellern $\varkappa\alpha\tau'$ $\dot{\epsilon}\xi o\chi\acute{\eta}\nu$, nämlich von Hebel, Grimm und unserem Landsmann Aurbacher (den bekanntlich sein Großneffe Sarreiter in Speier wieder zu Ehren gebracht), Lessingsche Fabeln, naturgeschichtliche Beschreibungen und Schilderungen und anderes, was sich für den Schüler unterer Klassen wohl eignet. Dürften wir einen Wunsch aussprechen, wäre es der, daß die vaterländische Geschichte durch kleine Erzählungen, Charakterzüge, Anekdoten u. dgl. mehr vertreten sein möchte.

München.   A. B r u n n e r.

Dr. Gustav Landgraf, Lateinische Schulgrammatik.
Bamberg, Buchner, 1891. Geb. 3,40 M.

Der ausgesprochene Zweck vorliegenden Buches ist, die in
Bayern fast allgemein eingeführte (gröfsere) Englmann'sche Grammatik
durch eine „kürzere, gedrungenere, jeden überflüssigen Ballastes ledige
Schulgrammatik" zu ersetzen. Dafs das Englmann'sche Buch bei
allen Vorzügen, die ihm sonst zweifellos eigen sind, in verschiedener
Hinsicht einer Erneuerung bedarf uud vor allem viel zu umfangreich
ist, um noch als eine den heutigen Bedürfnissen entsprechende Schulgrammatik gelten zu können, darf wohl als feststehend angenommen
werden. Von einer Erörterung der Bedürfnisfrage kann demnach bei
Besprechung der neuen Grammatik ohne weiteres Umgang genommen
und sofort die Hauptfrage ins Auge gefafst werden, inwieweit der
Verfasser das von ihm verfolgte Ziel „Vereinfachung und Verringerung
des grammatischen Lehrstoffs bei knapper, gedrungener Form" der
Englmann'schen Grammatik gegenüber erreicht hat. Erleichtert wurde
ihm seine Aufgabe teils dadurch, dafs er vielfach den sogenannten
kleinen Englmann (Latein.. Grammatik für Latein- und Realschulen
1880) der nirgends zur Einführung gelangte, weil er sich in zu engen
Grenzen bewegt, wenigstens zur Grundlage nehmen konnte, teils dadurch, dafs er an manchen der neueren Grammatiken, wie Harre,
Menge u. s. w. eine wertvolle Hilfe hatte. Dafs trotzdem seine Aufgabe keine leichte war, wird man ihm gerne glauben und dieser Umstand wird auch mannigfach bei Beurteilung dieser ersten Auflage
in die Wagschale fallen müssen.

Das Buch ist nicht frei von Mängeln und wie wir gleich hinzufügen wollen, auch nicht von solchen, welche sich bei Englmann
nicht finden, es hat aber andrerseits letzterem gegenüber Vorzüge aufzuweisen, die es nicht nur in zahlreichen einzelnen §§, sondern auch
in ganzen Abschnitten diesem entschieden überlegen machen.

Vor allem hat der Verfasser in ausgiebigster Weise gekürzt. Mit
einer grofsen Zahl von Wörtern, Ausdrücken und Bemerkungen,
welche die Englmann'sche Grammatik enthält, ist bei Landgraf auf-
geräumt. So sind u. a. gestrichen die §§ über Einteilung ·der Konsonanten und über die Interpunktion, ebenso der langatmige § über
die Bildung des Genitivs von Wörtern der 3. Deklination; selteneren
Wörtern, wie virus, tussis, harpago, temo, axis, ensis u. s. w. begegnet man nicht mehr; bei der 3. Deklination sind für den Gen.
Plur. solche Wörter, welche bei guten Schriftstellern um und ium
haben, unberücksichtigt geblieben; von den „Mehrzahlwörtern" (diese
von Harre gebrauchte Bezeichnung dürfte sich an Stelle von Pluralia
tantum, worüber die Anfänger häufig stolpern, zur Einführung empfehlen) sind viele beseitigt; von den vielen Adjektiven, welche Englmann unter „Komparativ und Superlativ fehlt" aufführt, sind nur
einige wenige aufgenommen; das Verzeichnis der Verba wurde gründlich gesäubert, es sind Englmann gegenüber über 80, die es mit wenigen
Ausnahmen zweifellos alle verdienen, gestrichen, (so frico, aceo, calleo,

sternuo, scalpo, glisco, grandesco, wie überhaupt der größere Teil der
Incohativa, u. s. f.) Auch in der Kasuslehre ist stark gekürzt, vor
allem sind die vielen und oft umfangreichen Anmerkungen beseitigt,
die besonders geeignet sind, dem Schüler die Benützung der Grammatik von vornherein etwas zu verleiden; der Abschnitt über die
Präpositionen ist um mehr als die Hälfte verringert. Die § 228—295
(Tempora, Modi u. s. w.) werden bei E. auf 86, bei L. dagegen auf
etwa 40 Seiten behandelt. Ist hiebei auch zu berücksichtigen, daſs
bei E. die zahlreichen Beispiele aus den Klassikern viel Raum weg-
nehmen, so ist andrerseits bei L. mit dem Raum so wenig gespart,
daſs, rein äuſserlich gemessen, nicht selten 2 Seiten L. ohne weiteres
einer Seite E. gleichgesetzt werden können. Von den oft sehr zahlreichen (übrigens zweifellos gut ausgewählten) Sätzen aus den Schriftstellern, wie sie E. den Regeln folgen läſst, ist nur eine beschränkte
Anzahl beibehalten, z. T. sind sie auch durch kurze neue (teilweise
selbstgebildete, gegen die sich an sich nichts sagen läſst) ersetzt. So
hat der Verfasser in allen Teilen den Umfang des grammatischen
Stoffes zu beschränken gesucht; ob überall mit Recht, darüber kann
man verschiedener Meinung sein, und eine neue Auflage wird wohl
auch nach dieser Seite im einzelnen (so z. B. bei den Präpositionen)
manches anders bringen müssen, im ganzen und grofsen aber ist nach
meiner Meinung hinsichtlich der Beschränkung des Stoffes das Richtige getroffen.

Es versteht sich von selbst, daſs der Verf. nicht dabei stehen
bleiben konnte einfach zu kürzen, es galt auch für klarere und über-
sichtlichere Gruppierung und geeignetere Einreihung zu sorgen. Daſs
in dieser Beziehung nicht wenig geschehen ist, zeigt ein Blick auf die
Formenlehre. Durch Anwendung der Tabellenform und sonstige
deutliche Abgrenzung ist dem Schüler Zusammengehöriges sofort klar als
solches vor Augen gestellt und doch hebt sich zugleich alles, was
innerhalb des Ganzen wieder für sich genommen sein will, deutlich
von dem Übrigen ab. Dabei ist durch die Verschiedenheit des zugleich
äuſserst freundlichen Drucks hier, wie in allen übrigen Teilen der
Grammatik gesorgt, daſs alles, was besonders beachtet sein will, für
das Auge sofort aus seiner Umgebung heraustritt, ein gar nicht zu
unterschätzendes Hilfsmittel, für welches der Lehrer der 2. Klasse,
dem die Behandlung der Konjugation und der Verba überhaupt zufällt, besonders dankbar sein wird. An geeigneter Stelle sind u. a.
eingereiht die von Adjektiven abgeleiteten Adverbien (§ 40); in der
Vorstellung des Schülers gehört das Adverb, das er vom Adjektiv
bilden muſs, auch unmittelbar mit diesem zusammen, es wird also
auch am besten gleich im Anschluſs an dasselbe behandelt. In der
Kasuslehre sind die Adjektiva in der Regel den Abschnitten zugeteilt,
zu welchen sie wirklich gehören, so dignus und indignus dem Abl.
limit., liber, vacuus etc. dem Abl. separat. Die Regel vom Gebrauch
der Adjektiva laetus, invitus u. s. w. als prädikativem Attribut ist in
den Abschnitt über die Kongruenz verwiesen. Die Lehre vom Acc.
mit Inf. ist zu den §§ über den Infinitiv selbst gezogen und dadurch

8*

der Schüler von vornherein zu einer richtigeren Auffassung der Konstruktion veranlaſst. Ebenso sind die Partizipialkonstruktionen an der
richtigen Stelle, bei den Nominalformen, behandelt. Daſs der ganze
Abschnitt über den Gebrauch der Pronomina aus der Grammatik
selbst gestrichen und bei den „Grammatisch-stilistischen Eigentümlichkeiten im Gebrauche der Redeteile" eingereiht ist, die als ganz neue
Zugabe die §§ 217 bis 282 umfassen, kann an sich selbstverständlich
nicht als besonderer Vorzug betrachtet werden. Die Berechtigung und
der Vorteil dieser Einreihung liegt lediglich darin, daſs so der ganze
Stoff über die Pronomina in passender Weise auf vier Stufen verteilt ist.

Zu den besprochenen Vorzügen der Kürze, der gröſseren Übersichtlichkeit und geeigneteren Anordnung gesellt sich eine beträchtliche
Anzahl sachlicher Verbesserungen. Bei den Genusregeln der 3. Deklination (§ 27) folgen der Hauptregel immer gleich Beispiele mit einem
entsprechenden Adjektiv und ebenso sind den in übersichtlicher Weise
nur auf der rechten Halbseite befindlichen Ausnahmen immer geeignete
Adjektiva hinzugefügt, sodaſs der Schüler sofort lernt: sol matutinus u. s. w.
Dadurch kann dem Schüler die Arbeit nur erleichtert werden, vorausgesetzt, daſs der Lehrer das gebotene Hilfsmittel auch wirklich benützt,
indem er streng auf pünktliches Lernen der Substantiva in ihrer Verbindung mit den Adjektiven hält, immer wieder von Zeit zu Zeit abfragt und
bei Verstöſsen gegen die Regel in erster Linie auf das gebotene Beispiel zurückgreift. Auf diese Weise wird das Genus der betreffenden
Wörter dem Gefühl des Schülers viel rascher vermittelt werden, als
wenn man immer wieder nur die Regel und die nackten Ausnahmen
aufsagen läſst. § 28 ist in sehr verständiger Weise abgefaſst: die
Adjektiva der 3. Deklination sind in Bezug auf die Abbeugung einfach
zusammengenommen und dann nur 10 Ausnahmen besonders aufgeführt; der Schüler kommt damit aus und es ist ihm nicht durch
Trennung der Adjektiva einer Endung von denen zweier und dreier
Endung die Sache erschwert (übrigens hätten auch Zusatz 1 und
der erste Satz von Zus. 2 nicht aufgenommen werden sollen). Bei
§ 54, 1—3 sind den äuſserst praktisch angeordneten Pronomina indefin.
in der letzten Rubrik Beispiele für den richtigen Gebrauch (si quis,
neque quisquam u. s. w.) angefügt und ist dadurch die Einübung
zweifelsohne erleichtert. Auch ist es bei der Konjugation nur zu
billigen, daſs nach dem Vorgange Harre's der passive Imperativ gestrichen ist; gegebenen Falls kann die betr. Form ohne jeden Schaden
dem Schüler nachträglich mitgeteilt werden, während es bei Einprägung
der Konjugation selbst ein offenbarer Vorteil ist, nicht immer wieder
die selten vorkommenden Formen mit abfragen zu müssen. Einen
wesentlichen Vorteil sehe ich darin, daſs an Stelle des Supinstamms
der Partizipialstamm gesetzt ist und demnach das Verzeichnis der
Verba nicht mehr das selten vorkommende Supin, sondern an seiner
Stelle das was der Schüler jeden Augenblick braucht, enthält, nämlich
das Partizip Perf Pass. (bezw. d. Part. Fut. Akt.). Doch dürfte das
Verfahren Harre's, der es in der Form des Neutrums aufführt, „weil

viele Verben die männliche und weibliche Form nicht bilden können", vorzuziehen sein. Aber dafs der Schüler laudatum u. s. w. sofort als Partizip sich einprägt und nicht als Supin, ist gewifs nur gut. Die nur als Adjektiva gebräuchlichen Partizipialformen (wie tacitus, contentus) sind eingeklammert und ausdrücklich als Adjektiva bezeichnet. Wo das Partizip von einem andern Verbum entlehnt werden mufs, ist in der Regel die betreffende Form eingefügt und durch besondere Klammern als entlehnt bezeichnet (accusatus bei arguo, deceptus bei fallo u. s. w. bei exerceo ist ausdrücklich exercitatus von exercitus unterschieden). Bei Verben, welchen der Schüler für gewöhnlich doch nur im Kompositum begegnet, ist gleich dieses gewählt (permulceo, oblino, invado u. s. f.). Die zusammengehörigen Komposita sind mehr als bei Englm. bei dem betr. Stammverbum untergebracht, so debeo und praebeo bei habeo; ebenso ist es bei emo. Besondere Aufmerksamkeit ist der Förderung einer richtigen Betonung zugewendet, indem Formen wie appāres, permŏves u. s. f. ausdrücklich hinzugefügt sind. Endlich ist auch die Klasseneinteilung der Verba eine sehr klare und praktische — kurz das ganze Verzeichnis der Verba verdient dem Englmann'schen gegenüber aus den verschiedensten Gründen weitaus den Vorzug und es wird dies noch mehr der Fall sein, wenn eine erneute sorgfältige Durchsicht verschiedene kleinere Mängel beseitigt hat. Auch würde es u. a. dem Verzeichnis zu gute kommen, wenn der Infinitiv mitaufgeführt würde, wie diese Forderung schon früher Kalb (vgl. Landgrafs Literaturnachweise und Bemerkungen zur lat. Schulgr. S. 19) der Englmann'schen Grammatik gegenüber gestellt hat. Wie der Infinitiv an sich anzusehen sei, bleibt dabei ganz aufser Betracht, praktisch ist er jedenfalls eine sehr wichtige Form, bei welcher der Schüler sich mit dem ēre und ĕre (u. z. T. auch mit dem āre und īre) nicht ohne Verwechslungen abfindet; es ist gewifs nur gut, wenn er auch diese Form mit dem Quantitätszeichen immer gleich deutlich vor Augen hat. Das besondere Verba-Heft, von welchem Landgraf a. a. O. spricht und in welches er den Infinitiv mit eintragen läfst, dürfte nicht nur überflüssig, sondern sogar nachteilig sein. Das Gedächtnis des Schülers wird das am treuesten bewahren, was seinem Auge immer wieder in der Form (soweit es sich nämlich, wie hier, um reinen Gedächtnisstoff handelt) entgegentritt, in welcher er es ursprünglich gelernt hat; das gilt auch für die lateinischen Verba, und das um so mehr, in je klarerer Übersicht und in je gefälligerer Form sie ihm von vornherein dargeboten werden, wie dies ja in der Landgraf'schen Grammatik in hohem Mafse der Fall ist. — Aus der Kasuslehre nenne ich § 122, wo in sehr praktischer Weise die Verba des „Übertreffens" zusammengestellt sind, § 129, in welchem der Englmann'sche Gen. generis, für welchen sich eine genaue Grenze doch nicht finden läfst, ohne besondere Unterscheidung gemeinsam mit dem Genit. partit. behandelt und der ganze Stoff des § in übersichtlicher Weise in 4 Teile zerlegt ist; § 120, der für faveo, invideo, parco u. s. w. neben der gewöhnlichen Bedeutung eine die Konstruktion (mit dem Dativ) vermittelnde Über-

setzung enthält (ich gewähre — besser würde es wohl heifsen „beweise" — Gunst; bringe Mifsgunst entgegen; gewähre Schonung —
besser wohl „ich lasse Sch. angedeihen u. s. f.). Praktisch ist auch
die neu eingeführte Bezeichnung: Kasus-, Genusverbi-, Modus- A u s -
gl e i c h u n g (-Angleichung) für Erscheinungen wie licet tibi otioso
esse (§ 158), urbs obideri c o e p t a est (§ 159); vgl. noch § 186, 2. —
§ 160 u. 161 gibt Gelegenheit, dem Schüler an der Hand geeigneter
Beispiele (wie: ich heifse dich gehen, ich lasse dich zurückkehren u. s. w.)
die Konstruktion des Acc. mit Inf. von vornherein etwas näher zu
bringen. § 163 bietet eine praktische Zusammenstellung der 4 Haupt-
übersetzungsarten, welche beim Acc. mit Inf. in Betracht kommen.
Derartige übersichtliche Zusammenstellungen (oben erwähnten wir
bereits die Verba des „Übertreffens") sind, wenn sie in mäfsiger Zahl
angebracht werden, sehr geeignet dem Schüler die Sache zu erleichtern
(vgl. noch S. 151: ohne dafs; S. 155: exspecto — nur sollte hier
statt eines Satzes mit quid ein Satz mit s i eingesetzt werden unter
Verweisung auf § 213, 2, Zus. 3. — S. 215: sonst); ich möchte zu
gleicher Behandlung noch besonders empfehlen die Präposition b e i
und die Konjunktion w e n n.

Dafs es einer Schulgrammatik als Verdienst angerechnet werden
mufs, wenn sie feststehende wissenschaftliche Ergebnisse, soweit sie
nicht die Fassungskraft der Schüler übersteigen und die Sache nicht
unnötig erschweren, an die Stelle althergebrachter Aufstellungen setzt
oder überhaupt in passender Weise verwertet, darüber kann kein
Zweifel sein. Es ist deshalb nur zu billigen, wenn dem Schüler gesagt wird, dafs p o t u i und potens nichts zu thun haben mit pot-
fui und pot-(s)ens; wenn er erfährt, dafs das G e r u n d i v u m als
Ausgangsform für das Gerundium zu betrachten und letzteres nur die
Casus obliqui des substantivierten Neutrums des ersteren sind, dafs
das S u p i n u m auf um und u Acc. und Abl. des Verbalsubstantivs
auf us und ersteres als Acc. des Ziels (Zwecks) letzteres als ein Abl.
limit. zu betrachten ist; wenn ihm der sogenannte t h e m a t i s c h e
Vokal nicht mehr als Bindevokal, sondern als Stammerweiterungsvokal
vorgeführt wird, da sichs hiebei nicht um ein blofs euphonisches,
sondern um ein „bedeutungsvolles" Element handelt. Ebenso wird
man die Benennung und Behandlung der Deklinationen und Konjugationen nach dem S t a m m a u s l a u t als einen Fortschritt begrüfsen
müssen. Denn darüber kann kein Zweifel sein, dafs für den Schüler
das ganze Deklinations- und Konjugationsbild von vornherein mehr
Leben gewinnt, wenn ihm an Stelle der toten Zahlen wirklich bezeichnende Benennungen geboten werden, durch welche jede Deklination und Konjugation sofort in charakteristischem Gewand erscheint.
Gegen a-, e- und u-Deklination, a-, e- und i-Konjugation kann ja
überhaupt nichts eingewendet werden, es handelt sich also nur darum,
ob für die 2. und 3. Deklination bezw. Konjugation die Behandlung
nach dem Stammauslaut irgend welche Bedenken hat. Ich glaube
nicht, dafs ein Lehrer, der sich selbst die Sache ordentlich zurecht-
gelegt hat und sich die erforderliche Beschränkung auferlegt, besondere

Schwierigkeiten bei der Behandlung in der Schule findet. Geht man, wie L. es thut, bei der Deklination vom Genit. Plur. aus, so hat der Schüler die „Kennlaute" zunächst in klarer Übersicht vor Augen. Bei der a-Deklination findet er nun das a in allen Kasus, abgesehen vom Dativ und Ablativ Plural. Es wird ihn interessieren, zu hören, dafs auch hier ursprünglich der a-Laut vorhanden war und -is aus -ais entstanden sei. Damit ist bei einigermafsen verständiger Behandlung auch das Interesse für die andern Deklinationen geweckt, der Schüler wird sich freuen, in der e-Deklination und bei manchen Wörtern der u-Dklination den „Kennlaut" durchweg zu finden; auch für die o-Deklination wird er sich das -is des Dativs und Ablativs Plur. nach dem -is der 1. Deklination selbst aus -ois erklären können, im übrigen wird man ihn nicht mit Einzelheiten behelligen, sondern ihm einfach sagen, dafs er sich die Entstehung der sonstigen nicht mit dem „Kennlaut" stimmenden Vokale in der o- und -i-Deklination in ähnlicher Weise wie bei dem besprochenen -is zu denken habe, oder sich aus dem Übergang des Kennlauts in einen andern Vokal erklären müsse (wie cervus aus cervos). Die konsonantische Deklination kam ohne jede Schwierigkeit neben die i-Deklination gestellt werden; die Ausnahmen, welche er für beide zu merken hat, sind im wesentlichen die gleichen wie bei der früheren Behandlungsweise. Weitere Bemerkungen müssen späteren Zeiten vorbehalten werden, das Griechische in der 4. und 5. Klasse wird manche Gelegenheit hiezu bieten und der Schüler wird sich gewifs freuen, da und dort Übereinstimmung beider Sprachen zu finden oder das eine und andere im Lateinischen an der Hand des Griechischen sich erklären zu können. Für derartige gelegentliche Hinweise auf die Übereinstimmung oder Verwandtschaft beider Sprachen sind die Schüler, zumal wenn sie durch geeignete Fragen in den Stand gesetzt werden, selbst etwas zu entdecken, erfahrungsgemäfs äufserst dankbar. Aber freilich lieber gar nichts als zuviel! Die Hauptsache mufs zunächst selbstverständlich bleiben, dafs der Schüler vor allem sein Paradigma tüchtig lernt und durch Übung an andern Wörtern jede Deklination fest in den Kopf bekommt. — Was die Konjugation anlangt, so versteht sich's von selbst, dafs man in der Schule mit der wissenschaftlich allein richtigen Aufstellung zweier Hauptkonjugationen (der unthematischen und thematischen) nicht kommen darf. Man mufs sich hier in der Hauptsache mit dem Alten begnügen und nur die bezeichnenderen Namen a-, e-, i-Konjugation anwenden unter geeigneter Gegenüberstellung der 3. Konjugation mit ihren Eigentümlichkeiten. Ob man letztere unter Hinzunahme des Stammerweiterungsvokals zum Stamm als kurzvokalische (im Gegensatz zur langvokalischen a-, e-, i-Konj.), wie z. B. Harre, oder nach dem Stamm ohne Themavokal als konsonantische behandelt, wie Landgraf, ist für die Schule wohl ohne Belang (in beiden Fällen verfährt man eigentlich nicht wissenschaftlich, wenn auch mehr in ersterem); letzteres dürfte aber insofern praktischer sein, als dem Schüler das ĕ, ĭ, ŭ in so und so vielen Formen des Präsensstammes der 3. Konjugation als besonders charak-

teristisch erscheinen muſs und der Stamm im Partizip Perf. Passiv
fast überall und auch im Perf. Akt. zum gröſseren Teil deutlich als
konsonantisch entgegentritt. Die 3. Konjugation wird sich also für
ihn als wesentlich konsonantische mit der Zuthat des Stammerweiterungsvokals in charakteristischerer Weise von den 3 andern
(vokalischen) abheben, als wenn die kurzvokalische der langvokalischen
gegenübergestellt wird. Jedenfalls muſs man an dem einen oder
andern streng festhalten. Landgraf thut dies nicht, wenn er in § 62
für den Infinitiv bei legĕre als Kennlaut ĕ angibt und unmittelbar
daneben leg- als Präsensstamm einsetzt. Wer für den Infinitiv ĕ
„Kennlaut" sein läſst (Kennlaut ist nach § 11, 3 für den Schüler
der Auslaut des Stammes), müſste für die betreffenden andern Formen
des Präsenzstammes i und u als Kennlaut angeben; der Inf. Präs.
gehört zum Präsensstamm, wie der Schüler deutlich in § 64 erfährt,
also muſs der Kennlaut für ihn bei legere auch g sein, wenn der
Präsensstamm leg- ist; das ĕ findet ja seine einfache Erklärung als
Stammerweiterungsvokal in Zus. 3 des § 62. Übrigens ist auch in
§ 61 als Personalendung für die 1. P. S. Pass. des Indik. und Konj.
neben -r noch -or einzusetzen, weil auch im Aktiv -o neben -m genannt und über das o, das der Schüler nachher in amor u. s. w.
findet, nirgends etwas gesagt ist; denn aus Zusatz 3 kann er sich
dasselbe unmöglich erklären. Bei Engelhardt, dem die Tabelle in der
Hauptsache entnommen ist, blieb -or natürlich weg, weil auch im
Aktiv -o nicht genannt, sondern das o der 1. Person lediglich als
(gesteigerter) thematischer Vokal mit abgefallener Endung behandelt
ist (leg-o-mi), daher bei ihm: „-m oder ohne Suffix".
    In der Kasuslehre ist der Ablativus ebenfalls etwas wissenschaft-
lieber nach den 3 Hauptgruppen des instrumentalis, separativus, loca-
tivus behandelt und diese Behandlung kann, von einigen wenigen
Fällen abgesehen (so Abl. modi und Abl. compar.) dem Schüler bei
richtigem Verfahren die Sache nur erleichtern. Nur ist die Anwendung der Bezeichnung Instrumentalis und Lokativus im weiteren Sinn
geeignet, die Schüler zu verwirren; derartige Ausdrücke müssen einen
scharf abgegrenzten Sinn haben. Ort und Zeit sind dem an abstraktes
Denken nicht gewöhnten Schüler etwas völlig Verschiedenes und man
wird gut thun, ihn diese Begriffe scharf auseinanderhalten zu lassen.
Ähnlich wird es mit dem Instrumentalis sein; was soll er mit diesem
dem cum virtute vivere gegenüber machen? Andrerseits aber
kann es nicht zweifelhaft sein, daſs dem Schüler vieles als auf gemeinsamer Grundlage ruhend nahegebracht werden kann. Es dürfte sich
also empfehlen einfach von I., II., III. Hauptgruppe zu sprechen und
es dem Lehrer zu überlassen, überall, wo dem Schüler damit etwas
gedient ist, auf die Gemeinsamkeit der Grundanschauung hinzuweisen.
Nicht klar erfaſste termini technici können viel schaden; ebenso ist
nach meiner Meinung die Bemerkung über die Präpositionen in § 136
für Schüler nicht geeignet.
    Nachdem ich inzwischen bereits einige Ausstellungen gemacht
habe, gebe ich im Folgenden eine Reihe von Bemerkungen, durch

welche auf Versehen und Irrtümer oder verbesserungsbedürftige Stellen
überhaupt hingewiesen werden soll.

§ 23, II, 2 muſs gesagt werden, daſs die Neutra auf e, al und
ar im Abl. Sing. i, die übrigen e haben.   26, 2 muſs es heiſsen:
ursprünglich vokalisch waren diejenigen Stämme, welche u. s. w.
(nicht: die Stämme derjenigen Substantive).   26, 4: Ortsnamen
(nicht Städtenamen); vgl. § 9.   45, 2 ist für „im J. 1891“ die Übersetzung mit unus zu streichen, es darf nur primus heiſsen. — 52, 2
quicumque (nicht -cunque, und so überall); 53: cūi (nicht cuī) —
54 besser: quicquam. — 58: Die Erklärung von transitiv und intransitiv trifft nicht zu, der Schüler müſste nach a) auch Verba wie
nocere als transitiv ansehen; am besten wird die landläufige Erklärung
(auch Englmann hat sie), die mit dem Akkusativobjekt etwas sofort
Verständliches und Greifbares bietet, beibehalten. — 67 (S. 50) ist
lege (nicht leg-e) zu schreiben. — 75 (S. 60) fehlt liceo (es ist in der
Kasuslehre § 134, 2 verwendet). — 77 (S. 66) ist bei inuro „ein-
äschern“ zu streichen oder zu comburo zu ziehen. — 77 (S. 67) fehlt
credo, und unter cado sind doch wohl incido und recido (letzteres
schon wegen reccidi) zu nennen. — 79 (S. 71) ango, furo und vergo
dürfen nicht fehlen: ango enthält ja auch § 164, 3 und furo und
vergo sind z. B. bei Harre sogar fett gedruckt; jedenfalls sind alle 3
wichtiger als polluere, avere, frigere (§ 75), denen ebenfalls Perfekt
und Partizip fehlt. — 88, 1 sollte, da illucesco bei den persönlichen Incohativen gestrichen ist, wenigstens hier nach lucescit eingefügt werden: „oder dies (sol) illucescit (illuxit)“. — 88, 3, warum
sind fallit und fugit gestrichen, während sie doch in der Kasuslehre
(§ 112) durch den Druck ausgezeichnet sind? — 96. Der sonst befolgte Grundsatz, möglichst zu kürzen, verlangt auch die Streichung
der Erklärung des „Satzes“, nachdem (und mit vollem Recht) die Erklärung der Satzteile weggeblieben ist. — 98, c ist „Aktivi“ zu
streichen. — 100 ist in der 1. Zeile „immer“ zu streichen, bei ex-
sisto, maneo, nascor hat es keinen Sinn. — 102 bedarf es eines
klein gedruckten Zusatzes nach Stamm in Fleckeisens Jahrbb. 1888
S. 767; für spätere Klassen ist nicht zu entbehren: „Das prädikative
Adjektiv steht im Neutrum — gleichviel ob es sich auf ein oder
mehrere Subjekte bezieht, ob letztere das gleiche oder verschiedenes
Genus haben, ob sie lebende Wesen oder Sachliches bezeichnen —
wenn im Deutschen ein Substantiv allgemein abstrakten Inhalts angewendet werden kann, wie: Wesen, Ding, Begriff, Verhältnisse,
Eigenschaften, Güter, Übel, Erscheinungen u. dgl.“ Hieher wäre dann
auch das unter 2, b angeführte Beispiel zu ziehen: secundae res,
honores — — fortuita sunt, und an seiner Stelle etwa zu setzen:
murus et porta de caelo tacta sunt. — 103 sollte die Überschrift
lauten: Adjektivisches Attribut und Apposition. Man kann vom Schüler
nicht verlangen, daſs er „Attribut“ bald im engern Sinn (vom Adjekt.-
Attribut), bald im weitern Sinne, wie er es gelernt hat, nämlich mit
Einschluſs des Substantivs versteht; darnach ist dann der § selbst
etwas umzugestalten, wobei überdies eine logische Ungenauigkeit ver-

mieden wird, da bei der jetzigen Fassung genau genommen auch die
Aufzählung des attributiven Genitivs nötig wäre, der bei der „Kongruenz" selbstverständlich keine Stelle hat. — Ebenso muſs es § 104
(u. Anm.) statt „ergänzendes Prädikat" heiſsen „prädikatives Attribut."
Der Schüler hat von jeher gelernt, daſs „Prädikat" auſser einem
Verbum (finitum) ein Adjektiv oder Substantiv mit dem Hilfsverbum
esse (oder mit fieri u. s. w.) sein kann und dies wird ihm auch in
§ 99 wieder ausdrücklich in Erinnerung gebracht; man darf ihm also
nicht zumuten, daſs er nun gelegentlich einmal nur das „Prädikatsnomen" selbst (ohne esse, fieri u. s. w.) darunter versteht. Darnach
ist auch in § 158 unter licet „Prädikatsnomen" zu schreiben. — 106
ist „des Satzes" nach dem Wort Objekt zu streichen und nach dem
Wort Substantiv hinzuzufügen „seines Satzes"; warum, liegt auf der
Hand. — 108 sollte das unschuldige aemulari, dessen Konstruktion
mit dem Akkusativ doch kaum zweifelhaft sein kann (vgl. Krebs-
Schmalz, Antibarbarus) nicht gestrichen sein; der Verf. entbehrt es
offenbar selbst ungern, vgl. das Beispiel zu § 126, welches die Erwähnung des Wortes in § 106 voraussetzt. — 111 traduco, traicio
und transporto sind keine intransitiven Verba, sie dürfen also nicht
mit der Hauptregel selbst zusammengenommen werden. — 112, 2:
taedium tenet ist nicht = ... „ergreift". — 121, Zus. 3 despero
gehört zum Akkusativ (wie bei Harre und Menge), und ich möchte
folgende Fassung vorschlagen:

desperare aliquam rem od. de aliqua re (sachl. Obj.)
    „   de aliquo (persönl. Obj.)
(Merke noch besonders desperare sibi.)

124 statt „convenire cum aliquo = übereinstimmen" muſs es
heiſsen: convenit alqd. (sachl. Subj.) cum aliqua re. — 134, 2 sind
die Verba des Kaufens, Verkaufens u. s. w. kurz und praktisch behandelt, aber sie gehören (vgl. auch Menge) zum Abl. (in die I. Gruppe),
da der Genitiv nur als Ausnahme erscheint. — 152, 2 ist aus den
beiden letzten Redensarten cum alqo bell. ger. und facere c. a. eine
3. Unterabteilung zu machen, sie haben mit 2 nichts zu thun. —
156. „Der Infinitiv bezeichnet ganz allgemein den Kreis, in dem eine
Handlung sich bewegt oder ruht und nähert sich so der Bedeutung
eines abstrakten Substantivs". Derartige Erklärungen gehören nach
m. M. nicht in eine Schulgrammatik. Der schwache Schüler denkt
sich absolut nichts dabei und der Bessere müht sich vielleicht ab,
sich etwas darunter zu denken, ohne den geringsten Nutzen davon
zu haben. Für dies und Ähnliches möchte ich der einfachen Englmann'schen Praxis das Wort reden; er beginnt sofort mit „Der Infinitiv regiert u. s. w." Ähnliche Bedenken habe ich bei § 166
(Gerundiv), 173, 2 Zus. (Abl. abs.), 187 (Entstehung der Absichtssätze),
195 (Verba des Affekts). — 134, 1 der Genit. nihili sollte nicht erwähnt sein (vgl. Stegmann in Fleckeisens Jahrb. 1890 S. 31). — 160
sollte impedire beim Inf. nicht genannt sein. Wenn Gerstenecker, auf
welchen sich Landgraf für dergleichen bezieht, s. Z. in diesen Blättern
dafür eingetreten ist, daſs man auch seltenere Konstruktionen, wenn

sie bei den besten Schriftstellern vorkommen, zulassen soll, so ist
diese Mahnung doch wohl nur am Platz für die höheren Klassen (in
gar manchem bereits von der 6. Klasse an); hier mag man die gröfste
Weitherzigkeit in dieser Beziehung üben, allein zur Grundlage darf
man das Seltenere nicht nehmen und mufs es für die ersten 5 Klassen,
für welche doch in erster Linie die Grammatik geschrieben wird,
möglichst beiseite lassen.   Vor 20, 30 Jahren lernte man für impedire
noch einfach quominus, inzwischen kam ne dazu, und nun soll auch
noch der Infinitiv hinzu kommen.   Wird damit dem Schüler genützt? ich
glaube nicht.   Eine gröfsere Zahl von Konstruktionen bringt einerseits
die Gefahr mit sich, dafs der Schüler sich leichter in ganz andere
Kreise verirrt und andrerseits, dafs er, wenn der Reiz der Neuheit
vorüber ist, das Bequemste wählt, in diesem Fall den Infinitiv (bezw.
Acc. mit Inf.), also gerade das Seltenere, das hier noch dazu (nach
Krebs-Schmalz Antib.) nur mit sächl. Subjekt zulässig ist.   Es liegt
gewifs nur im Interesse des Schülers, wenn das Seltene im allgemeinen
zunächst ausgeschlossen bleibt; die Schriftstellerlektüre sorgt später
schon dafür, dafs er auch damit bekannt wird.*) — 161, Zus. 1, c

---

*) Es liegt mir fern, mich damit zu G e r s t e n e c k e r und dessen Aus-
führungen („Zum grammatisch-stilistischen Unterricht im Lateinischen"), womit er
einer vielfach engherzigen Schulpraxis zu Leibe rückt und eine gröfsere Freiheit
der Bewegung fordert, irgendwie in prinzipiellen Gegensatz setzen zu wollen.
Wohl aber glaube ich, dafs G. nicht nur in verschiedenen Einzelheiten zu weit
geht, sondern auch die von ihm geforderte freiere Praxis zu weit nach unten
ausdehnt.   Möglichste V e r e i n f a c h u n g des g r a m m a t i s c h e n H a n d -
w e r k s z e u g s ist jetzt mehr als je unabweisliches Bedürfnis für die Schule.
Diese Vereinfachung wird allerdings in dem einen und andern Punkte auch durch
Zulassung s e l t e n e r e r Konstruktionen, Wendungen und Ausdrücke erreicht
werden, insoweit dieselben von vornherein eine Erleichterung bedeuten können,
ohne doch zugleich die Sicherheit des Schülers in der Anwendung der auch für
die Schul l e k t ü r e wichtigeren Konstruktion u. s. w. zu gefährden.   Von letzterem
Gesichtspunkt aus aber mufs nach m. M. in jedem einzelnen Fall über Zulassung
oder Abweisung des Selteneren entschieden werden.   Möglichste S i c h e r h e i t i n
a l l e m W i c h t i g e n u n d W e s e n t l i c h e n ist die unerläfsliche Grundlage,
an der nicht gerüttelt werden darf, für eine gründliche Lektüre.   Dafs aber diese
Sicherheit gefährdet wird, sobald man die von G. geforderte Freiheit zu weit
nach unten ausdehnt, ist mir nicht zweifelhaft.   Um nur ein Beispiel anzuführen:
Wenn statt des Dativs bei der Conjug. per. pass. von vornherein a mit Ablativ
gestattet sein soll, so werden die bequemen Schüler — und deren sind doch
nicht wenige — sich um die andere für die Lektüre zweifellos wichtigere Konstruktion wenig kümmern, sie wird ihnen also n i c h t g e l ä u f i g werden, was
doch im Interesse der Lektüre unter allen Umständen der Fall sein sollte.   Gerade
im Hinblick auf die Lektüre, der der grammatisch-stilistische Unterricht in erster
Linie dienen soll, dürften die sonst so g e d i e g e n e n und z e i t g e m ä f s e n
Ausführungen und Bemerkungen Gerteneckers nicht durchweg zu billigen sein.
Vorsicht und sorgfältige Prüfung aller Einzelheiten scheint mir um so mehr ge-
boten, als es sich bei dem Gegensatz zwischen „Schullatein" und Schriftsteller-
sprache (den wir ja nie beseitigen, wenn auch mildern können) nicht selten um
Dinge handelt, die ü b e r d e n H o r i z o n t d e r S c h ü l e r h i n a u s g e h e n.
Was kann z. B. ein Schüler davon haben, wenn man ihm die Cäsarianische
Consecutio temporum in der Oratio obliqua frei gibt? ich glaube nur Schaden.
Zur richtigen Anwendung fehlen ihm die nötigen Vorbedingungen: Reife des
Urteils und feineres Sprachgefühl; er wird also seine Sache recht oft verkehrt
machen, ohne zu verstehen, was verkehrt ist, und die gewährte Freiheit wird

ist nicht in Ordnung, wie ein Vergleich mit a und b sofort erkennen
läfst; auch mufs es unter Zus. 1 selbst heifsen: „Bei Infinitivkonstruk-
tionen" (nicht: beim Acc. m. Inf.). — 173 sind aus dem ersten Beispiel die Worte „cultros metuens tonsorios" zu streichen, denn die
Übersetzung mit „welcher" macht das Partizip metuens keineswegs
zum Attribut; attributiv ist nur candenti. — 173 Zus. 2 mufs es statt
„nach meiner Ank." heifsen „hier angekommen." — 175 schreibe:
Diviciācus (vgl. Meusel Berl. Jahresber. XII S. 269 f.). — 180 (Fufsnote.) Die hier gegebene Regel über die „innerlich abhängigen" Sätze
kann nicht aufrechterhalten bleiben; man denke nur an die vielen
konjunktivischen Nebensätze mit cum, priusquam u. s. w. Aber
davon ganz abgesehen ist es nach m. M. überhaupt nicht gut derartige Regeln aufzustellen. Wenn irgendwo, so gilt es bei den
„innerlich abhängigen" Sätzen, die eine so wichtige Rolle spielen, von
allem Anfang an darauf zu dringen, dafs der Schüler die innerliche
Abhängigkeit sich zurecht zu legen und wirklich zu verstehen sucht.
Dies kann nur geschehen, wenn er angehalten wird, sich jedesmal zu
fragen, ob der betr. Nebensatz aus dem Gedanken des Subjekts im
übergeordneten Satze herausgesprochen oder, wie es bei Englmann
heifst, ob er „ein Ausspruch oder Gedanke" jenes Subjekts
sei; thut man dies, dann wird der Schüler verhältnismäfsig bald
dahin kommen, dafs er von einem klaren Gefühl geleitet (über welches
er auf Befragen auch Rechenschaft geben kann), ohne umständlichere
Denkoperation das Richtige trifft. Er wird aber nicht dazu kommen,
wenn man ihm, anstatt von vornherein zum Denken anzuhalten, eine
bequeme Brücke baut und gleich die Satzarten benennt (wie es z. B.
auch Menge § 197 thut), in welchen er innerlich abhängige Nebensätze vor sich hat; er wird dann nach diesem äufserlichen Anhaltspunkt mechanisch verfahren. — 180, 1 und 2 sind statt „Hauptsatz"
und „Nebensatz" (Ausdrücke, die in diesen Regeln sehr leicht Verwirrung anrichten) die Bezeichnungen „regierender oder übergeordneter"
und „abhängiger oder untergeordneter" Satz anzuwenden, wie man
sie jetzt wohl fast in allen Grammatiken findet. — 180, 2 schreibe
man statt „Futurum, auch Futurum exactum oder auf einen Imperativ"
kurz: „und die beiden Futura"; möglichste Kürze ist in solchen
Regeln am allermeisten geboten, und der Imperativ gehört schon
deswegen nicht herein, weil er kein selbständiges Tempus ist und
jeder Schüler weifs, dafs derselbe teils zum Präsens, teils zum Futur

_____

überdies vielleicht noch dazu beitragen, dafs er auch sonst die Cons. tempp.
weniger sorgfältig beobachtet. Wenn G. es schlimm findet, dafs so und so vieles,
das an sich als gut lateinisch angesehen werden mufs, so und so lang für den
Schüler als fehlerhaft gelten soll, so hört sich das wohl schlimmer an als es in
Wirklichkeit ist. Es gibt eben vielfach kein anderes Mittel, um dem Schüler das
Wichtige und wirklich Notwendige geläufig werden zu lassen, als dafs man
das Seltenere bis zu einer gewissen Stufe nicht gelten läfst; man sage ihm noch so viel
vor, er — nämlich der Durchschnittsschüler — wird das Wichtigere, wenn es
gröfsere Anstrengung von ihm verlangt, dem ihm gestatteten minder Wichtigen,
aber Leichteren gegenüber sich vom Leibe halten, bis man kräftig mit der roten
Tinte kommt.

gehört. Ebenso kann ich in der Hinzufügung der 3. Regel (wenn ein konjunktiver Nebensatz von einem andern konjunktiven Nebensatz abhängt u. s. w.) nur eine unnötige Vermehrung der Regeln sehen; in der Hauptregel ist schon klar enthalten, was der Schüler braucht. — 181 Zus. 1 ist unrichtig ein Beispiel mit ne verwendet, da Absichtssätze — und nach diesen müssen finale Folgesätze behandelt werden — unter allen Umständen nach einem Präteritum den Konj. Imperf. verlangen. — 181, Zus. 2. Hiezu möchte ich das Gleiche bemerken, wie zu den „innerlich abhängigen" Sätzen (§ 180 Fußnote); man gebe dem Schüler keine Krücken unter den Arm, die ihm im letzten Grunde nur schaden können. Von der Eigentümlichkeit des Deutschen, in untergeordneten Sätzen, trotz der Gleichzeitigkeit mit dem übergeordneten Satze, den Konj. Plusquamperf. anzuwenden, wird sich der Schüler für das Lateinische nur dann verhältnismäßig bald mit Erfolg losmachen, wenn man strenge darauf hält, daß er den konjunktivischen abhängigen Satz mit dem Plusquamperfekt immer wieder darauf hin prüft, ob Gleichzeitigkeit oder Vorzeitigkeit vorliegt. Sagt man ihm aber von vornherein „in Folgesätzen, deren übergeordneter Satz negativ ist oder negativen Sinn hat" kommt dieser Fall in Betracht, so wird er mechanisch verfahren und es zu keiner Sicherheit bringen; in Wirklichkeit liegt dieser Fall auch nicht bloß in Folgesätzen vor (wenn auch hier am öftesten) sondern auch in anderen Nebensätzen namentlich mit den Ausdrücken „des Könnens, Sollens und Müssens", so auch in solchen Sätzen mit quin, die nach Landgraf (§ 191 und 192, 1) nicht konsekutiv aufzufassen sind (non multum abest quin), ferner in kondizionalen Vergleichungssätzen (quasi, tamquam u. s. w.), in Sätzen mit cum = während, mit non quo (non quod) und endlich besonders in der Oratio obl. Es wird sich also entweder empfehlen, keine besondere Regel mit Benennung der Satzarten zu geben und den Schüler einfach mit der allgemeinen Regel § 180, 2, wo die für die Gleichzeitigkeit und Vorzeitigkeit erforderlichen Tempora klar bezeichnet sind, arbeiten zu lassen (wie es z. B. Harre macht, vgl. dessen Gr. § 96), oder — wie es der praktische Englmann macht — speziell für das Plusquamperfekt noch eine besondere Warnungstafel allgemeiner Art aufzustellen (Englmann § 245, 3 Anm. 2); das (ungenaue deutsche) Imperfekt läßt E. in der ebengenannten Anmerkung mit Recht unberücksichtigt, denn dieses wird nicht leicht als Präteritum behandelt. — 184. 2 ist auch der erfüllbare Wunsch zu berücksichtigen. — 190, 3 „Ausdrücke des Folgens" kann man doch wohl nicht sagen. — 204 Zeile 4 ist nach dem W. „tritt" einzufügen: „im Nachsatz". — 205, 1 (1. Beispiel) muß es heißen: „Die Negation" ist stark betont" statt „Konon soll hervorgehoben werden"; letzteres wäre bei nisi der Fall. — 207 Zus. 2 a muß für non magis — quam bei „ebenso sehr als" hinzugefügt werden: „mit Umkehrung der verglichenen Teile". — 214, 3 ist im zweiten Beispiel das „Rogavit" zu streichen, weil es sich so um einen einfachen indirekten Fragesatz handeln würde. — 214, 5 darf es nicht heißen „auf das Subjekt des regierenden Satzes" (weil dann der Schüler wieder scheiden müfste zwischen „regierendem" Satz im w e i t e r e n Sinn, was es hier wäre, und im e n g e r e n Sinn, was er sonst darunter zu verstehen hat), sondern es mufs heifsen „auf die sprechende Person", was dann den richtigen Gegensatz bildet zu dem in der übernächsten Zeile gebrauchten „auf den A n g e r e d e t e n"; übrigens ist auch für letztere Person „ille" in den Vordergrund zu stellen, nicht is. — Aus den „Grammatisch-stilistischen Eigentümlichkeiten erwähne ich der Kürze halber nur folgendes: § 222 mufs es heifsen: „sprach der von Fabius gerettete Minucius" (denn auf die R e t t u n g bezieht sich gratorum animorum). nicht „der von Hannibal besiegte M.". — 224 (Tertia) animos militum c o h o r t a r i ist kein geeignetes Beispiel; in Verbindung mit cohortari dürfte der Schüler wohl nur milit es u. s. w. finden. — 226, 2 (Sec.) ist in dem Beispiel Quis non novit illud Solonis etc. hinter ait ausgelassen „in versiculo quodam"; quod ait allein wäre hier kaum zu rechtfertigen. — 231 ist „sondern" nach seltener wohl zu streichen (überhaupt bedarf an manchen Stellen der d e u t s c h e A u s d r u c k um des Schülers willen noch einiger Feile). — 250, 3 (Sec.) ist auf § 237 B, b zu verweisen, nicht auf 240 b. — 258, 3 (Sex.-Qu.) ist die unlogische Ausdrucksweise: „Quisquam und ullus e r h a l t e n nach Negationen d i e B e d e u t u n g = niemand, keiner" doch wohl zu beseitigen. — 268, 4, b (Sec.) trifft bei den meisten Beispielen der Ausdruck „phraseologisch" für coepi nicht zu: bei aegrotare coepit hat coepit seine v o l l e Bedeutung, aegrotare heifst „krank s e i n", durch coepi aegrotare wird ersetzt aegrescere d. i. in morbum incidere; ebenso ist es mit den 3 nächsten Beispielen, während in „interrogare eum coepit" (dem 5. Beispiel) coepit ohne weiteres phraseologisch aufgefafst werden kann = er richtete an ihn d. Fr., er f r a g t e ihn; in dieser und in ähnlichen Verbindungen gebrauchen wir übrigens unser „anfangen (anheben, beginnen)" ebenfalls so („da h u b e r an zu schelten"). — Im Register mufs es unter incido heifsen „121 Zus. 1" (statt 153 IIIB Zus.). Aufserdem bedarf es wohl einiger Vervollständigung, so fehlt u. a. operam dare (bzw. dare operam) mit seinen 3 Stellen: § 168, 2; 188, 1 b und 232, 3; ferner edicere, eniti, revocare ad, id studere u. An Druckfehlern führe ich an: § 52, 2 (und Tabelle) ēadem statt ĕadem; S. 123 Zeile 5 v. u. in Folge st. infolge; S. 128 Zeile 2 v. u. a. succurendum; S. 138 Zeile 13 v. u. zweimal „m" statt n; S. 154 i. d. M. criminlbatur; S. 245 ubi terarum. Im übrigen ist der Druck sehr sorgfältig, wie überhaupt die ganze Ausstattung des Buchs geradezu als musterhaft bezeichnet werden kann.

Überblicken wir noch einmal das Ganze, so werden wir als Ergebnis unserer Besprechung hinstellen dürfen: In der ersten Hälfte (§ 1—§ 155 Formenlehre, Kongruenz, Kasuslehre) ist das Landgraf'sche Buch, trotz mancher Mängel im einzelnen, als S c h u l g r a m m a t i k dem Englmann'schen weit überlegen; nicht ebenso glücklich war der Verf. in der Behandlung der §§ 156—214 (Nominalformen des Verbums, Tempus- und Moduslehre). Hier wird die nächste Auflage in mancher

Beziehung zu der Englmann'schen Einfachheit und Verständlichkeit in der Behandlung einer Anzahl wichtiger §§ zurückkehren müssen; im übrigen haben auch diese Partien an den oben gerühmten Vorzügen in vielen §§ teil. § 215 (beigeordnete Sätze) und 283—297 (Wortstellung, Satzbau, Prosodie, Verslehre, Kalender) sind teils von E. nicht verschieden, teils verdienen sie um der Kürze willen den Vorzug. Eine ganz neue und wohl sehr schätzenswerte Beigabe sind die §§ 217—282 „Grammatisch-stilistische Eigentümlichkeiten im Gebrauche der Redeteile", in vier Lehrpensa zerlegt und in vier Rubriken nebeneinander für Sexta-Quarta, Tertia, Secunda, Prima gesondert behandelt. Ein bestimmtes Urteil wage ich über diesen Teil nicht abzugeben, da mir für die drei obersten Jahreskurse keine eigene Erfahrung zur Seite steht. Ich glaube aber annehmen zu können, daß man gerade diesen Teil des Buches allenthalben besonders willkommen heißen wird, weil er eine längst gefühlte Lücke ausfüllt. Nach Beseitigung der ihm noch anhaftenden Mängel an der Hand der Erfahrung wird er gewiß eine treffliche Ergänzung der neuen Grammatik bilden, die vermöge ihrer gesunden Anlage bei sorgfältiger Bearbeitung in neuer Auflage eine der besten Schulgrammatiken zu werden verspricht, die wir haben.

Das zugleich mit der Grammatik erschienene Schriftchen „Literaturnachweise und Bemerkungen", welche teils das benützte oder überhaupt einschlägiges Quellenmaterial bringen, teils über den Stand der Wissenschaft in dieser und jener Frage orientieren und außerdem auch Zweck, Anlage und Einrichtung des Buches im allgemeinen und im besonderen zu beleuchten bestimmt sind, ist gewiß eine sehr willkommene Zugabe. Jüngere wie ältere Lehrer werden daraus mannigfache Belehrung schöpfen können und dem Verf. dafür dankbar sein.

Nürnberg.   Adolf Zucker.

Kallenberg, Studien über den griechischen Artikel II. Programm des Friedr.-Werder-Gymn., Berlin 1891.

Dieses Programm behandelt die Frage, wie der Artikel bei Fluß- und Gebirgsnamen gebraucht wird, während eine kurz zuvor erschienene Abhandlung des gleichen Verfassers (Philolog. XLIX p. 515—547) sich mit dem Artikel bei Namen von Ländern, Städten und Meeren beschäftigte. Es geschieht nicht bloß dem fleißigen Verfasser zu Dank, sondern wohl auch zu Nutz und Frommen der Leser dieser Zeitschrift, wenn auf die Bedeutung dieser mühevollen Untersuchungen hingewiesen und kurz dargelegt wird, welche Ergebnisse dadurch gewonnen wurden. Am schätzbarsten werden diese Arbeiten dem sein, der wie Kallenberg selbst, als Herausgeber eines griechischen Schriftstellers den ärgerlichen Kleinkrieg mit dem fehlenden oder überschüssigen Artikel bei Eigennamen kennt; doch werden sie auch dem Lehrer des Griechischen willkommen sein, der z. B. überrascht sein

wird zu hören, daſs das gäng und gebe Beispiel ὁ Νεῖλος ποταμός
erst aus Diodor belegt werden kann (während die Älteren nur ὁ
Νεῖλος sagten), daſs zwar Ἀσία und Εὐρώπη immer den Artikel verlangen, aber nicht Λιβύη.

Kallenberg gründet seine Untersuchungen auf Herodot Thukydides,
Xenophon, die attischen Redner, Polybius I—V, Diodor, Dionysius
Archaeol. I—XI, Strabo, Appian, Arrian, Pausanias. ,Den Ausgangs-
punkt bildet Herodot; die bei ihm gefundenen Resultate gelten un-
bedingt bis auf Polybius, mit geringen Einschränkungen auch für die
Späteren.'

a) Von den Ländernamen verlangen nur die, welche χώρα
oder γῆ zu sich nehmen können, also nur die adjektivischen Formen,
den Artikel. Solche sind die auf 1. άς, άδος (ἡ Ἑλλάς nie ohne
Artikel) 2. ίς, ίδος 3. ιχή 4. ᾱτις, ῑτις, ῶτις 5. ανή, ηνή, ινή 6. die
meisten auf ία. Auſserdem steht der Artikel, wenn der Ländername
als chorographischer Genetiv gebraucht, oder wenn er als partitiver
Genetiv nachgestellt ist, z. B. τῆς Καππαδοκίης ἐς τὴν Πτερίην und
τὰ ἐπέκεινα τῆς Σικελίας (aber Σικελίας τὸ πλεῖστον.) Dagegen wird
der Artikel gern weggelassen 1. wenn der Ländername mit einer
Präposition eingeschoben wird zwischen ein anderes Nomen und dessen
Artikel oder mit dem Artikel jenes Nomens nachgestellt wird; 2. nach
ἐπί c. Gen. bei Verbis der Bewegung, nicht selten auch bei διά c. Gen.

b) Städtenamen kommt im allgemeinen der Artikel nicht zu;
wenn er steht, muſs ein besonderer Grund vorhanden sein z. B. τὸ
Ἴλιον das berühmte Ilion, ἐν τῇ Σπάρτῃ in euerm Sparta.

c) Bei Fluſsnamen verfährt Herodot im allgemeinen nicht
anders als bei Personennamen. Ein an sich unbekannter Fluſs wird
zunächst ohne Artikel eingeführt; ist dann in demselben Abschnitte
wieder von ihm die Rede, so hat er den Artikel. Von vornherein
kann denselben nur ein allgemein bekannter Fluſs haben. Der Zusatz
von ποταμός wird aber bei einem unbekannten Flusse notwendig, um
ihn als solchen zu kennzeichnen, wenn nicht schon aus dem Vorhergehenden zu erkennen ist, daſs von einem Flusse die Rede ist. —
Die Bezeichnungen Ἄγγρος ποταμός — ὁ Ἀσωπὸς ποταμός -- ὁ Νεῖλος
stellen eine Stufenfolge vom Unbekannten zum Bekannten dar. Keinen
Artikel dagegen haben die Flüsse, bekannte wie unbekannte, 1. in der
Aufzählung 2. in Verbindung mit πεδίον (ἐν Μαιάνδρου πεδίῳ) und
3. mit einer Präposition zwischen ein Nomen und dessen Artikel eingeschoben oder mit dessen Artikel jenem nachgestellt.

d) Die Namen von Gebirgen werden im ganzen wie die der
Flüsse behandelt. Es gilt auch von ihnen die allgemeine Regel: Die
Griechen liebten es bei fremden, selten bei griechischen Namen von
Städten, Flüssen und Bergen, die Wörter πόλις, ποταμός und ὄρος zur
Erklärung zuzusetzen, da man es dem Worte allein nicht ansehen
konnte, was es zu bedeuten habe und der Schriſtsteller auch keine
allzugroſsen geographischen Kenntnisse bei seinen Lesern voraussetzte.'

Das sind die Hauptergebnisse der verdienstlichen Studien Kallenbergs. Wer sie selbst in die Hand nimmt, wird in ihnen eine Fülle interessanter Einzelheiten entdecken, womit ich dieses kurze Referat nicht belasten darf.

Nürnberg. _____ Fr. Vogel.

Prof. Dr. Herm. Menge, Übungsbuch zum Übersetzen aus dem Deutschen in das Griechische. Wolfenbüttel bei J. Zwißler. 1890. VIII u. 195 S. Preis brosch. Mark 2.—

Das Menge'sche Übungsbuch behandelt den Lehrstoff der 6. und und 7. Klasse unserer Gymnasien und enthält in der ersten Hälfte Übungs-beispiele über den Artikel, die Pronomina, die Kongruenz und die Kasus, in der zweiten solche über die Genera verbi, die Tempora, die Modi in Haupt- und Nebensätzen, den Infinitiv, das Participium, die Verbaladjektiva, die Oratio obliqua und die wichtigeren Partikeln. Die einzelnen Abschnitte bringen zuerst kürzere, vom Verfasser zu möglichst schneller Einübung der betreffenden Regeln bestimmte Einzelsätze und hierauf solche von größerem Umfang, die zugleich zur Wiederholung der früher behandelten Teile der Syntax Gelegenheit bieten; daran schließen sich dann in jeder der beiden Hälften des Buches zusammenhängende Übungsstücke. Ein Wörterverzeichnis zu dem Buche ist, wie der Verfasser im Vorwort bemerkt, besonders er-schienen, eine Einrichtung, die mir ganz abgesehen davon, daß da-durch das Ganze verteuert wird, nicht praktisch erscheinen will.

Die Einzelsätze sind im ganzen recht zweckentsprechend aus-gewählt, wenn auch in manchen Abschnitten, wie z. B. in dem über die Kongruenz, etwas zu sehr auf Singularitäten Rücksicht genommen ist. Bedenklich aber scheint mir, daß der Verfasser einen immerhin nicht kleinen Teil dieser Einzelsätze — ich habe bei nur flüchtiger Vergleichung über 80 kleinere und etwa 20 größere gefunden — seinem bekannten Repetitorium der griechischen Syntax und seinen Materialien zur Repetition der griechischen Syntax entnommen hat, Büchern, die auch die griechische Übersetzung enthalten. Entdecken das die Schüler, und bei ihrer Findigkeit in solchen Dingen ist nicht daran zu zweifeln, so ist die Benützung des Buches im Unterricht zum mindesten erschwert. — Die zusammenhängenden Stücke, teils vom Verfasser selbst ausgearbeitet unter Zugrundlegung von Stellen aus alten Autoren, teils von Kollegen ihm zur Verfügung gestellt, liefern nach durchgenommenem Jahrespensum geeigneten Übersetzungs-stoff und sind durchweg so gehalten, daß sie nichts fordern, was die Schüler nicht wissen können.

Der deutsche Ausdruck läßt, wenn auch selten, doch da und dort zu wünschen übrig. So heißt es S. 14 c. 4: Es ist viel besser, daß diejenigen, welche ..., nicht sowohl dessen gedenken, was sie voneinander Nachteile erlitten, als dessen u. s. w.; ferner S. 100 d. 6: Sie schonten weder ein privates noch ein öffentliches Gebäude, woraus für das Werk irgend ein Nutzen entstehen würde, sondern rissen alles nieder; S. 125 a. 9: als es ihnen aber unglücklich ging; S. 126 b. 5: Die Nasamonen ... sorgten dafür, daſs er (der Sterbende) saſs und nicht rücklings starb; S. 146 a. 3: Wenn du genau anfachtest; S. 152 a. 7: so oft sie etwas heruntergeschluckt hatten; S. 165 c. 1: Wenn einer eine solche Meinung hegt, als werde der Reichtum ihn niemals verlassen; S. 169 1, a Ende: eine Stadt nicht verknechten lassen; S. 191 l. Z.: Wie viel ist es doch vorzuziehen, wenn man ..., als wenn man u. s. w.

Etliche Male ist es dem Verfasser passiert, daſs er einen und denselben Satz mit ganz unwesentlichen Änderungen zweimal gab; so ist f. 3 auf Seite 140 gleich mit i. 2 auf S. 143, ferner c. 9 auf S. 166 gleich mit Satz 24 auf S. 168. Ein paarmal finden sich grammatische Verweisungen, ohne daſs angegeben wird, welche Grammatik gemeint sei, wenn auch allerdings unschwer zu erraten ist, daſs der Verfasser seine griechische Syntax (Wolfenbüttel bei Zwiſsler, 1890) citiert. — Störende Druckfehler habe ich nicht bemerkt.

Regensburg.   Friedr. Zorn.

Dr. Ludwig Volkmann, Die Methodik des Schulunterrichts in den modernen fremden Sprachen, gegründet auf die Methodik des deutschen Unterrichts Dargelegt am Deutschen und am Französischen. Berlin, Mittler und Sohn. 34 S. Preis 0,70 M.

Der Verfasser konstatiert zunächst, daſs die Klagen über die mangelhaften Leistungen im Französischen und Englischen auf den höheren Schulen Deutschlands alt seien, und daſs die in Preuſsen erfolgte Vermehrung der Stundenzahl auch keine Besserung gebracht habe. Die Wurzel des Übels liege im Mangel der Methode. Das „öde Lernen" der Wörter und Formen, die häufigen und verfänglichen grammatischen Übungen, das Durchpeitschen der Kapitel der Grammatik in bunter Reihenfolge könnten nie zu dem erwünschten Ziele führen. Dieses Ziel sei Verständnis der Sprache, eine deutliche Einsicht in den vorhandenen Organismus derselben, ein Blick in ihre Eigenheiten, Zusammenfassung des Inhalts eines Werkes und freier Vortrag der eigenen Gedanken darüber. Konversation lehne sich an die Lektüre an. In der Arbeit des allmählichen Aneignens dieses Pensums soll das eigene Denken des Schülers geübt und zur Klarheit und Schärfe erzogen, seine geistige Kraft gestärkt und gefördert, seine allgemeine menschliche Bildung erweitert und erhöht, sein Herz und Sinn an Prosa und Poesie erquickt und gekräftigt werden.

Zur Erreichung dieses Zieles will der Verfasser folgenden Weg eingeschlagen wissen. Teilweise im Anschluſs an F. Kern in seiner „Deutschen Satzlehre" geht er unter Zugrundelegung der deutschen Sprache vom verbum finitum aus, nimmt die Konjugation der regelmäſsigen Zeitwörter mit Fragestellung und Verneinung durch, geht dann zum Subjektswort, den verschiedenen Prädikatsbestimmungen und den Nebensätzen über. Ist der Knabe so weit geschult, daſs er seine eigene Rede in ihrem organischen Zusammenhang erkennt, dann setzt die Lektüre ein. Neue, unregelmäfsige Formen werden gemerkt und analysiert. Der Lehrer präpariert in den ersten Jahren gemeinsam mit dem Lernenden und gibt überall Auskunft: er ist Grammatik und Wörterbuch! In seiner Aussprache mufs der Schüler (!) „tadellos klingendes Französisch" (!) anwenden. Hat der letztere eine gewisse Sicherheit im Übersetzen, Erzählen und Niederschreiben erlangt, so erfolgt eine systematische Behandlung der gesamten Formenlehre, an welche sich die Syntax anschliefst.

So „denkt" sich der Verfasser den Weg zur Erreichung des höchsten Zieles des französischen Unterrichts. Einen praktischen Versuch scheint er demnach selbst noch nicht damit gemacht zu haben. Ob dieser Weg leichter und rascher zum Ziele führt, als andere bisher eingeschlagenen Bahnen, und ob er überhaupt das gesteckte Ziel erreichen läfst, ist also noch die Frage. Mir wenigstens will nicht recht einleuchten, dafs die gleichzeitige Behandlung der deutschen und französischen Grammatik den Gang des Unterrichts beschleunigen sollte. Aber selbst zugegeben, dafs diese Methode vor anderen den Vorzug verdiene, so lange die Anforderungen nicht nach der dem Unterrichtsstoff bewilligten Zeit und der individuellen Anlage des Schülers bemessen sind, werden die Klagen über mangelhafte Leistungen nicht verstummen. In dem Mifsverhältnis zwischen Pensum und Arbeitszeit liegt meines Erachtens der Hauptgrund der mangelhaften Leistungen. Was der Schüler wissen soll, mufs er gelernt haben; was er können soll, mufs er geübt haben; und dieses Lernen und dieses Üben erfordert Zeit, viel Zeit; ist die nicht gegeben, so müssen die Leistungen mangelhaft ausfallen auch bei der allerbesten Methode. Von der des H. Volkmann mag man halten, was man will, hinsichtlich des Zieles kann man ihm zustimmen; nur in einigen Punkten dürfte es doch zu hoch gesteckt sein. „In seiner Aussprache mufs der Schüler (nota bene) tadellos klingendes Französisch anwenden!" Dieser Satz läfst mich vermuten, dafs Herr V. niemals den französischen Anfangsunterricht zu erteilen hatte. Auch der freie Vortrag der eigenen Gedanken des Schülers über ein gelesenes Werk geht über den Rahmen des Zufordernden hinaus.

Wenn schliefslich der Verfasser die Traktierung der Grammatik in französischer Sprache verwirft, hat er recht; wenn er sich aber über die solcher Sünde schuldigen Lehrer lustig macht, so schiefst er über das Ziel hinaus. Was würde denn der Herr Volkmann thun, wenn seine Schulordnung ausdrücklich vorschriebe: „In den beiden obersten Klassen ist der Unterricht in französischer Sprache zu erteilen?"

Dr. E. Dannheiser und K. Wimmer, Laut- und Aussprachetafeln für den französischen Anfangsunterricht. Kempten, Jos. Kösel. 1891.

Vorliegende Arbeit umfafst acht Tafeln mit Buchstaben teils in schwarzer, teils in roter und blauer Farbe; schwarz sind die Buchstaben, wenn Laut- und Schriftdarstellung sich decken; blau sind alle

Vokalzeichen, und rot alle Konsonantenzeichen, die in der Schrift verschieden dargestellt werden.   Tafel I gibt die Vokale anstatt in dem
üblichen Dreieck in zwei Kurven; Tafel II die Diphthonge in einer
aufsteigenden und absteigenden Linie; Tafel III die Konsonanten zum
teil in einer senkrechten Linie, zumteil in zwei parallelen Bogen;
Tafel IV—VII die Buchstaben in ihren verschiedenen Farben, daneben
Wörter in der gewöhnlichen Orthographie und in schwarzem Druck
mit Unterstreichung der betreffenden Laute; Tafel VIII Wörter mit
Accent, stummen und hörbaren Endkonsonanten, Bindung, stummem
und dumpfem e.   Acht Seiten Text handeln von dem Zweck und
der Verwendung der Tafeln, geben die Erklärung der Farben, die
allerwichtigsten Ausspracheregeln und drei kleine französische Lesestücke als Grundlage zu den Aussprachetafeln.

Man kann nicht sagen, daß es den Verfassern gelungen sei, die
Notwendigkeit einer solchen Arbeit darzuthun.   Sie sind Anhänger
der neusprachlichen Reform, können sich aber, wie es scheint, mit
der Lautschrift nicht befreunden.   Dafür sollen nun diese Lauttafeln
Ersatz bieten.   Es ist jedoch nicht abzusehen, welchen Gewinn der
Schüler haben wird, nachdem er z. B. je chasse richtig aussprechen
gelernt hat, wenn er dann auf der Lauttafel sieht, daß j mit roter,
ch mit schwarzer und e mit blauer Farbe geschrieben sind.   Die Bearbeiter scheinen auch nicht das stärkste Vertrauen in ihre Sache zu
haben, denn sie sagen selbst: „wir glauben nicht, daß unsere Darstellung der Laute die Aneignung einer korrekten Aussprache erschwere"; von einem neuen Werke verlangt man aber, daß es diese
Aneignung nicht blos nicht erschwere, sondern geradezu erleichtere;
wenn nicht, dann bleibt es ebenso gut beim alten.   Und praktisch
sind diese Tafeln auch nicht.   Sie sollen, wie der Verleger bemerkt,
als Anschauungsmittel für den Unterricht dienen und müssen zu dem
Zweck von den Zeichenlehrern in entsprechender Vergrößerung hergestellt werden.   Das hat nun auch seine Schwierigkeiten.   Darum ist
die Verlagsanstalt bereit, eine Ausgabe in Wandkartenformat zu ver-
anstalten, wenn sich ein Bedürfnis dazu geltend macht.   Ich glaube
nicht, daß letzteres der Fall sein wird.

Würzburg.   J. Jent.

———————

Dr. Otto S t o l z, d. Z. Rektor der Universität Innsbruck, Größen
und Zahlen.   Rede bei Gelegenheit der feierlichen Kundmachung der
gelösten Preisaufgaben am 2. März 1891 gehalten.   Leipzig, Druck
und Verlag von B. G. Teubner. 1891.   30 S.

Diese kleine Gelegenheitsschrift verdient in weiten Kreisen, zumal
auch der Schulmänner, bekannt zu werden, weil sie einen trefflichen
Überblick über die Grundgedanken gibt, von denen die moderne
Forschung auf arithmetischem Gebiete belebt wird.   Der Verf., gründlich mit der Geschichte seiner Wissenschaft vertraut, greift sein Thema
historisch an und geht aus von dem Größenbegriffe der Alten, wie
er sich namentlich bei dem abstraktesten Denker, bei Archimedes,

ausgebildet findet. Der Zahlenkreis der Antike war ein enge begrenzter, während bei den Indern und auch bei einzelnen mittelalterlichen Mathematikern neue Zahlformen, insbesondere das Negative und Irrationale, sich schüchtern hervorzuwagen begannen. In Cartesius und Girard erkennen wir mit dem Verfasser die Begründer der „formalen Algebra", welche, indem sie jedes Zahlgebilde als solches gelten liefs, die ermüdenden Umwege der griechischen Geometer, die Methode des Einschliefsens in zwei einander stets näher zu bringende Verhältnisse, beseitigte und auch bereits der Infinitesinalrechnung den Weg bahnte. Von den natürlich fruchtlosen Bemühungen, diese letztere ganz im Geiste der Alten zu behandeln, werden interessante Beispiele angeführt; allerdings gewährt nach Herrn Stolz, und er kann sich dabei auf seine eigenen Arbeiten berufen, das fünfte Buch des Euklides die Möglichkeit, sich zu neuen Zahlenkonzeptionen emporzuschwingen, allein das achtzehnte Jahrhundert dachte zu konkret, um diesen Weg einzuschlagen, und es ist doch auch von unserem Standpunkte aus die Erwägung nicht abzuweisen, inwieweit die von Stolz, G. Cantor und Veronese logisch einwurfsfrei gebildeten Systeme von mentalen Objekten wirklich als „Zahlen" aufzufassen sind.

Weiterhin wird zu den komplexen Zahlen und zu der sich aus deren Betrachtung ergebenden Rechnung übergegangen. Dieselbe gehorcht, solange nur Zahlenpunkte in der Ebene in frage kommen, den Grundgesetzen der allgemeinen Arithmetik; geht man aber einen Schritt weiter und sucht jeden Punkt des Raumes analythisch durch einen Ausdruck von der Form $(x + yi + zk)$ darzustellen, wo man unter i und k gewisse komplexe Einheiten zu verstehen hat, so hören die uns geläufigen Multiplikationsregeln auf, anwendbar zu sein, wie dies bereits von Gaufs wahrgenommen worden war. Es hätte hier wohl auch Schäfflers „Situationskalkul" eine Erwähnung verdient, da dieser eine der ersten konsequenten Emanzipationen von den Operationsgesetzen der Multiplikation darstellt und gewifs mehr zur Geltung gekommen wäre, wenn nicht eben auch die Hamiltonschen Quaternionen hervorgetreten wären und ersteren in den Schatten gestellt hätten. Den Quaternionen sind die letzten Seiten unserer Vorlage gewidmet, und dieser Abschnitt ist besonders wichtig für alle, welche, wie Referent, nicht oder nicht mehr in der Lage sind, den raschen Fortschritten der Wissenschaft überall an der Hand der Originale zu folgen. Der Verf. knüpft nämlich an eine neuere Untersuchung von Frobenius an, durch welche die Natur der erwähnten Zahlgebilde, welche man sonst zumeist nur aus geometrischen Betrachtungen zu erschliefsen pflegte, in ein ganz neues Licht gerückt wird. Man kann sich die Frage vorlegen, ob es mehrere Systeme von komplexen Zahlen mit einer beliebig grofsen Anzahl von Einheiten gibt, für welche die Multiplikation die beiden Grundforderungen $a(b + c) = ab + ac$ und $a(bc) = (ab)c$ erfüllt, für welches eine Zahl Z existiert, welche das Produkt $Zx = x$ macht, und welches endlich auch noch dem Satze genügt, dafs, falls das Produkt zweier Zahlen gleich Null wird, wenigstens der eine der beiden Faktoren diesen Wert besitzen muſs. Die Antwort auf diese Frage lautet, daſs auſser dem Systeme der komplexen Zahlen, was sich ja von selbst versteht, nur noch dasjenige der Quaternionen den gestellten Bedingungen sich fügt, und damit ist eine Abgrenzung des ungeheuren Arbeitsfeldes erzielt, welche für den Lehrer der Elementarmathematik vorab geradezu etwas beruhigendes hat. „Die allgemeine Arithmetik trägt, wie Ganſs ja schon 1831 ausgesprochen hat, in sich selbst ihren Abschluſs, so daſs man eine weitere Bereicherung derselben weder zu erwarten noch zu befürchten hat."

Emanuel Czuber, Theorie der Beobachtungsfehler. Mit 7 in den Text gedruckten Figuren. Leipzig, Druck und Verlag von B. G. Teubner. 1891. XII. 418 S.

Der Verf. hat die Lehre von der Wahrscheinlichkeit bereits in verschiedenen gediegenen Arbeiten behandelt, welche sämtlich das Gemeinsame haben, nicht allein den kalkulatorischen Teil weiter auszubilden, sondern auch die philosophische Grundlage der Rechnung auf ihre Festigkeit zu untersuchen. Diesmal tritt eben diese Absicht sogar sehr entschieden in den Vordergrund, denn von den drei Abteilungen, in welche das obige Buch zerfällt, ist die erste weitaus umfangreichste einzig den Fehlergesetzen selbst gewidmet. Um eine klare Übersicht über das auf diesem Felde bereits Geleistete zu erhalten, erachtete es der Verf. mit Recht für notwendig, allenthalben zu den Quellen zurückzugehen, und es hat sich dabei gezeigt, daſs eine gar nicht unbeträchtliche, der Berücksichtigung würdige Literatur gerade über diese Prinzipienfrage vorliegt. Ist doch selbst die scheinbar so nahe liegende Ausgleichung von Messungen durch das arithmetische Mittel keine so einfache Sache, sondern es gibt für die Richtigkeit dieses Verfahrens eine ganze Anzahl von Beweisen, gegen deren Stichhaltigkeit man teilweise auch wieder Einwände erheben kann. Auf das arithmetische Mittel sich stützend, hat Canſs dann zuerst ein sogenanntes „Fehlergesetz" aufgestellt, allein die späteren Mathematiker drangen auf eine schärfere Analyse der Konstruktion dieses Gesetzes, indem sie zumal die Beobachtungsfehler nicht als etwas einfach gegebenes angenommen, sondern auch ihrem Zustandekommen Rechnung getragen wissen wollten; alle hierauf bezüglichen Bestrebungen haben in unserem Werke eine umfassende kritische Umarbeitung erfahren. Von groſsem Interesse ist es, zu erfahren, daſs auch durch so gründliche und in der analytischen Deduktion zum teile weit aus einander gehende Untersuchungen das Gaussche Gesetz in der Hauptsache als richtig und vertrauenswürdig erwiesen worden ist, und daſs auch ziffermäſsiger Vergleich. wenn nur ein hinreichend groſses Zahlenmaterial vorliegt, zu dem gleichen Resultate verhilft.

In der zweiten Abteilung des Czuberschen Werkes wird die Methode der kleinsten Quadrate in ähnlicher Weise aus den vorher gewonnenen Thatsachen heraus entwickelt, indem wieder zugleich die älteren Beweismethoden aufgesucht und mit den späteren verglichen werden; dafs sich dabei hie und da eine Übereinstimmung ergibt, an welche der jüngere Autor, der durchaus original vorzugehen glaubte, nicht im entferntesten gedacht hatte, das ist ein Fall, welcher sich nicht ganz selten in der Mathematik ereignet. So hat Todhunter für eine gewisse Wahrscheinlichkeit einen geschlofsenen Ausdruck gegeben, der, wie hier gezeigt wird, thatsächlich schon bei Laplace vorkömmt, und es ist überhaupt von Wichtigkeit, den für die Gegenwart bemerkenswertesten Teil der „Théorie analytique des probabilités" jenes genialen Analytikers hier in moderne und lesbare Form eingekleidet zu erhalten, da die genannte Schrift für ebenso tiefsinnig als abstrus gilt. Als auf weitere Punkte, in denen sich eine neue Auffassung ausspricht, machen wir auf die Ermittlung der von Ivory gegebenen Beweise als Scheinbeweise sowie auf den umfänglichen Gebrauch der Determinanten bei der Anwendung der Methode der kleinsten Quadratsummen aufmerksam.

Die dritte Abteilung enthält eine Theorie der Fehler in der Ebene und im Raum und knüpft am meisten an frühere Studien des Verf. zur „Fehlerellipse" und zum „Fehlerellipsoide" an. Neben dem erfahren die geistvollen Arbeiten eines meist viel zu wenig gewürdigten Mathematikers die gebührende Hervorhebung; A, Bravais war es, der die geometrische Darstellung der Fehler in der Ebene und im Raume zuerst in völlig korrekter Weise erbrachte. — Mehrere Tafeln und ein Namen-Index beschliefsen das inhaltreiche Werk.

Matthäus Sterner, k. b. Kreisschulinspektor. Prinzipielle Darstellung des Rechenunterrichtes auf historischer Grundlage. I. Teil. Geschichte der Rechenkunst. München und Leipzig 1891. Druck und Verlag von R. Oldenbourg (Abteilung für Schulbücher). XII. 533 S.

Die vorliegende Geschichte der Rechenkunst steckt sich ein sehr grofses Ziel; sie beginnt mit dem grauen Altertum und setzt sich fort bis zur neuesten Zeit. Man kann auch dem Verf. die Anerkennung nicht versagen, dafs er sich seiner Aufgabe mit Fleifs uud Hingebung gewidmet und ein Buch geschaffen hat, dessen Studium für jeden Lehrer der Mathematik von Nutzen ist. Es gilt dies insbesondere für die späteren Zeiträume, bezüglich deren dem Verf. eine entschieden vorhandene und wohl von Vielen bereits empfundene Lücke auszufüllen gelungen ist. Die Geschichte der Mathematik pflegt nämlich ganz allgemein nur bis in XVII. Jahrhundert herein dem elementaren Rechnen ihre Teilnahme zuzuwenden, und wenn dann die grofsen Entdeckungen der Leibniz-Newtonschen Periode zur Sprache kommen, erlahmt unwillkürlich das Interesse an jenen einfachen Dingen, deren Entwicklungsgang indessen darum nicht weniger des Studiums würdig geworden ist. Hier schafft die zweite Hälfte des Sternerschen Buches eine willkommene Abhilfe. Der Verf. hat eine sehr grofse Anzahl von Rechenbüchern und didaktischen Schriften durchgearbeitet, und

die Auszüge, welche er aus diesen darbietet, gewähren ein gutes Bild
von dem freilich sehr langsamen Fortschreiten der praktischen Arithmetik. Erst der Anfang des vorigen Jahrhunderts bringt eine entschiedene Wendung zum Besseren mit dem Auftreten F. C. v. Wolfs
und C. v. Clausbergs, und es hat uns gefreut, dafs diesen beiden
Männern ein neuerer Geschichtschreiber gerecht geworden ist. Eingehend verweilt die Darstellung dann natürlich bei Pestalozzi, dessen
Bedeutung für den Volksschulunterricht nun einmal eine fundamentale
und bleibende ist, und an dessen Erscheinen sich eine mehr und
mehr anschwellende Literatur anreiht. Der Schweizer Pädagog war es
eben, wie hier mit Recht bemerkt wird, der die Unterweisung in
irgend einem Fache, also auch im Rechnen, auf die Psychologie begründete und dadurch den Empirikern mit einemmale den Schleier
lüftete, der bisher ihr geistiges Auge umfangen gehalten hatte. Der
Mathematiker steht, was ja leicht begreiflich ist, den in seminaristichen
Kreisen gepflegten Bestrebungen zur Erleichterung der Fechenarbe:t,
zur Anpassung des immerhin nicht leichten Gegenstandes an die Gemüter der Jugend meist fremd gegenüber; schaden würde es ihm
aber nicht im mindesten, wenn er von der Thätigkeit seiner Kollegen
im Volksschulunterrichte mehr Kenntnis nehmen würde, und in dieser
Beziehung kann ihm das Sternersche Buch wertvolle Dienste leisten,
indem es ihn auf alle bedeutenderen hierher gehörigen Publikationen
hinweist.

Nicht ganz gleiche Billigung können wir allerdings dem ersten,
Altertum und Mittelalter behandelnden Teile des Werkes zu teil
werden lassen. Die Bemühungen des Verf. wollen wir auch da
keineswegs verkennen, allein es ist ihm leider sehr vieles von dem,
was in den letzten Jahrzehnten auf geschichtlich-mathematischem
Gebiete geleistet ward, unbekannt geblieben, und so finden sich neben
gelungenen Partien auch solche vor, an denen bei einer zweiten Auflage gar mancherlei zu bessern sein würde. Die vorhandene Literatur
war dem Autor nicht genügend bekannt; so zitiert er von M. Cantor
nur die ,,Mathem. Beiträge zum Kulturleben der Völker", nicht aber
die sechzehn Jahre später erschienenen und einen ungeheueren Fortschritt bekundenden ,,Vorlesungen über Geschichte der Mathematik";
so sind die inhaltsreichen Arbeiten von Unger ganz mit Schweigen
übergangen, u. dgl. mehr. Diese gewifs nicht gewollte, aber doch
eben bedauerliche Vernachlässigung wichtiger Hilfsmittel rächt sich
naturgemäfs. Die alte Fabel, dafs Walafrid Strabus ein Tagebuch
über den Klosterunterricht geschrieben habe, taucht wieder auf (S. 113);
das von Ulrich Wagner abgefafste ,,Bamberger Rechenbuch" wird
noch dem Drucker Petzensteiner zugeschrieben (S. 167), während eben
Unger schon 1887 den wahren Sachverhalt festgestellt hat. Und
ähnliche Bemerkungen könnten sich mehrfach machen lassen.

Die Ausstattung der Schrift verdient alles Lob, insbesondere
auch hinsichtlich der zahlreichen artistischen Beigaben. Mehreren derselben kommt ein gewisses kulturgeschichtliches Interesse zu, und es

ist namentlich zu loben, daſs die Bildnisse mehrerer hervorragender Förderer der Rechenkunst einen Platz in dem Buche gefunden haben.

München.   S. Günther.

Servus, Dr. H., Privatdozent an der k. technischen Hochschule zu Charlottenburg und ordentlicher Lehrer am Friedrichs-Realgymn. zu Berlin, Ausführliches Lehrbuch der Stereometrie und der sphaerischen Trigonometrie. I. Teil: Von der Lage der Linien und Ebenen im Raume, von den körperlichen Ecken. 48 S. II. Teil: Prisma, Parallelepipedon Pyramide, Kegel, Cylinder, Kugel. Von den regulären Körpern und Polyedern. Die sphärische Trigonometrie. 144 S. 8°. Leipzig, Teubner 1891.

Die angezeigten Bücher eignen sich ihrem Umfange nach wohl nur für Lehranstalten, an welchen der Mathematik mehr Zeit, als an einem humanistischen Gymnasium zugewiesen ist. Aber für solche, und namentlich für das Selbststudium sind die Bücher sehr zu empfehlen, denn sie sind unbeschadet der notwendigen Strenge der Darstellung äuſserst klar und einfach geschrieben. Hinsichtlich dieses Punktes zeichnet sich besonders der erste Teil aus. Der zweite Teil ist noch auſserdem zu rühmen wegen der vollständigen und meist eigenartigen Behandlung des stereometrischen Stoffes. Namentlich die Kapitel über die Volumenbestimmung und über die Simpſonsche Regel werden auch den erfahrneren Mathematiker höchlich interessieren. — Die gebotenen Figuren stehen dem lichtvoll geschriebenen Texte würdig zur Seite. An kleineren Versehen hat der Berichterstatter bemerkt: Fig. 14 des I. Buches ist falsch, der Lehrsatz § 9 des II. Buches ist unter Benützung des späteren § 26 bewiesen, S. 40 Z. 9 steht h^n statt h^{n+1}. Die „elementare Theorie der Maxima und Minima" im II. Buche, würde der Berichterstatter, obwohl sie sehr hübsch geschrieben ist, gerne vermissen. Wozu etwas auſ eineſ Stufe nehmen, was auf derselben sehr schwer ist, während es auf der nächsten sich einfach ergibt? Für die Ausbildung des Geistes, weᵢn man kein Berufsmathematiker werden will, gibt die elementare Mathematik in dem üblichen Umfange vollauf genügenden Stoff. — In der Einleitung ist betont, „daſs man im geomeſrisch mathematischen Unterrichte das Hauptgewicht auf die Anschauung legen müsse. Deſshalb müsse man nicht mehr an der Euklidischen Geometrie feſ-halten". In dieser Beziehung scheint der Herr Verfasser etwas zu fordern, was thatsächlich wohl schon meistens geschieht. Rein cuklidische Mathematik wird wohl nirgends mehr gelehrt; die Beweglichkeit und Veränderlichkeit der geometrischen Gebilde wird jeder Lehrer mehr oder minder in Anwendung bringen, durch Modelle wird wohl meistens der planimetrische als auch besonders der stereometrische Unterricht erleichtert werden. Gerade die Kongruenzsätze läſst der

Berichterstatter „nicht mit reinen Verstandesbegriffen sondern mit wirklichen Dreiecken in der Hand" beweisen.

Übrigens weicht auch das Buch des Herrn Dr. Servus in den Anfangsgründen keineswegs prinzipiell von dem bisher üblichen Lehrverfahren ab. — Übungsaufgaben sind nicht beigegeben.

Féaux, Prof. Dr. B., **Ebene Trigonometrie und elementare Stereometrie.** 6. Aufl. besorgt durch Friedr. Busch, Oberlehrer am Kgl. Gymnasium zu Arnsberg. Mit 51 eingedruckten Fig. Paderborn. F. Schöningh 1891. 157 S. 8°.

Das sehr einfach geschriebene Büchlein empfiehlt sich besonders im stereometrischen Teile durch sehr anschaulich gezeichnete Figuren. Die Darstellung ist überall vollständig und klar, der Stoff im allgemeinen auf das an Gymnasien Verwertbare beschränkt. Die Trigonometrie beginnt mit einer recht durchsichtigen Erläuterung des Funktionsbegriffs. Daran schließt sich eine vollständige Betrachtung der goniometrischen Funktionen, eine Betrachtung, zu welcher die Grundbegriffe der Coordinaten verwendet sind. Der Berichterstatter würde die Beschränkung der Goniometrie auf das für die Dreieckslehre Notwendige für entsprechender halten. Auch den § 15 über die Einführung der Hilfswinkel würde er beiseite lassen. Eine drastisch unpraktische Anwendung des Hilfswinkels bietet namentlich das erste Beispiel dieses Paragraphen, in welchem

$$a+b \text{ in das Produkt } \frac{a\sqrt{2}\cos(\varphi - 45)}{\cos\varphi}$$

verwandelt wird!

Münnerstadt.   Dr. A. Schmitz.

H. Pixis, Wandtafeln für den elementaren Unterricht im Freihandzeichnen. I. Serie, Geradlinige Ornamentik. Würzburg, k. Universitätsbuchhandlung von H. Stürtz.

Die vorliegenden Wandtafeln sind in erster Reihe für Volks- und Fortbildungsschulen bestimmt, sind aber auch als Lehrmittel für die 2. Lateinklasse an solchen Anstalten mit Vorteil zu benützen, wo geeignet vorgebildete Lehrkräfte nicht vorhanden sind. Es ist wohl anzunehmen, dafs heutzutage an den meisten Gymnasien gut vorgebildete Lehrer wirken, welche im stande sind den Elementarunterricht nach der Methode des Massenunterrichtes zu erteilen, d. h. nach Vorzeichnungen an der Schultafel und gleichzeitigen Erläuterungen, gemeinsam für alle Schüler. Hier werden also Wandtafeln überflüfsig sein. Es wird aber auch Anstalten geben, wo ein derartiges Hilfsmittel dem Lehrer erwünscht ist und für solche sei das Pixis'sche Werk bestens empfohlen.

Es ist übrigens auch nicht die Meinung des Autors, durch die vorliegenden Wandtafeln das Tafelzeichnen entbehrlich zu machen, sondern es soll die Aufgabe und die fortschreitende Ausführung derselben an der Schultafel skizziert und nur die exakte Durchführung für den Mindergeübten entbehrlich gemacht werden. Die 41 Tafeln geben einen reichhaltigen Übungsstoff und brauchen keineswegs alle durchgenommen zu werden. So wird man beispielsweise die 8—9 ersten Tafeln, welche die gerade Linie in den verschiedensten Stellungen behandeln, sehr leicht auf 3—4 reduzieren können, für den Fall dafs man überhaupt mit der Linie und nicht etwa gleich mit einfachen geometrischen Figuren beginnt. Ebenso wird es nicht jedermanns Sache sein, auf ein und dasselbe Blatt 4—8 Rechtecke, Quadrate, Rhomben etc. (Tafel 14—17) zeichnen zu lassen, man wird sich vielleicht mit je einer einzigen solchen Figur begnügen. Der folgende Übungsstoff ist sehr gut gewählt und verdient dies insbesondere auch hinsichtlich der auf dem letzten Blatt beigegebenen Zusammenstellung von weiteren geometrischen Figuren und Ornamenten hervorgehoben zu werden.

Regensburg.   Pohlig.

Biedermann, Karl, 1815—1840. Fünfundzwanzig Jahre deutscher Geschichte. 2. Bd. Breslau, 1890, Schlesische Buchdruckerei, Kunst- und Verlags-Anstalt, vorm. Schottlaender.

Seit längerer Zeit ist nun auch der zweite Band des Biedermann'schen Buches erschienen, auf das wir hier im vorigen Jahre (Bd. XXVI S. 495) hingewiesen haben. Er bringt Vieles von dem, was wir an dem ersten Bande vermifsten. Es überwiegen zwar auch hier noch die innerpolitischen Abschnitte, aber gleich zu Anfang finden wir ein Kapitel: „Die geistige und literarische Bewegung in Deutschland vor, in und nach den Befreiungskriegen und deren Rückwirkungen auf das politische Leben", dem ein zweites ähnliches folgt: „Der Kampf zwischen ,historischem' und ,Natur- oder Vernunftrecht', zwischen Feudalismus und Constitutionalismus". Nach vier weiteren Kapiteln, welche den Bundestag bis zu seiner „Reinigung" durch Metternich (1816—1824) behandeln, wird in scharfer, interessanter Weise die „Thätigkeit der 1819 eingesezten Mainzer Centraluntersuchungscommission" näher beleuchtet, worauf die preufsische Verfassungsangelegenheit und ihr Verlauf (Kap. VIII) erörtert wird. Die Julirevolution von 1830, die belgische und die polnische Revolution und ihre Wirkungen auf Deutschland lenken den Blick naturgemäfs auch auf das Ausland (Kap. IX—XI), während nach einer Schilderung des Hambacher Festes und des Frankfurter Putsches von 1834 (K. XII) der preufsisch-deutsche Zollverein — die bedeutendste That nach den Befreiungskriegen, welche die heutige Einigung vorbereitete und den man sehr charakteristisch seiner Zeit (s. S. 257) als den „Kaiser von Deutschland" bezeichnete — wie dann die „Anfänge des deutschen Eisenbahnnetzes" (Kap. XIII und XIV) auf das volkswirtschaftliche Gebiet hinüberleiten. Dann folgen die Kapitel über den hannover'schen Staatsstreich und die „Göttinger Sieben", über die „inneren Zustände des österreichischen Kaiserstaates" und „die Vorgänge auf kirchlichem

Gebiete" (XV—XVII); den Schluſs bilden (Kap. XVIII) „Wandlungen in Poesie und Philosophie" von Uhland bis auf Dubois-Reymond.

Auch bei diesem zweiten Bande haben wir die Unparteilichkeit des Urteils, die Knappheit der fesselnden Darstellung, die Trefflichkeit der Charakteristik, die Beherrschung des Stoffes rühmend anzuerkennen und wüſsten nichts, was wir daran inhaltlich oder formell auszusetzen hätten. Eine gröſsere (fast zu groſse) Anzahl von Druckfehlern (auch zum ersten Bande) hat der Verfasser selbst im Anhang berichtigt — warum ist im Anfang immer Militair zu lesen? — und auſserdem hat er nicht nur zu diesen beiden Bänden, sondern auch zu seinem früheren Werke „30 Jahre deutscher Geschichte 1840—1870" ein „Namen- und Sachregister", wie auch ein „Verzeichnis literarischer Hülfsmittel" hinzugefügt, welche den Wert der beiden Werke wesentlich erhöhen.

München.   H. Simonsfeld.

Dr. Hermann Stöckel, Geschichte des Mittelalters und der Neuzeit vom ersten Auftreten der Germanen bis zur Errichtung des deutschen Reichs. München 1889. Rezension nebst Bemerkungen allgemeiner Natur.

Dieses Buch ist „in erster Linie für die Hand des Lehrers bestimmt, dem es die wichtigsten Erscheinungen des Mittelalters und der Neuzeit so darbieten möchte, wie sie für die Bedürfnisse des Unterrichts brauchbar und fruchtbringend erscheinen". Es führt sich ein „als eine organische Erweiterung und Ergänzung" des 2. u. 3. Bandes des Stöcklschen Lehrbuchs der Geschichte. Der Verfasser verrät sowohl in der Auswahl des Stoffes, als in den von ihm gegebenen Vergleichungen, Rückblicken und Gruppierungen die reichen Erfahrungen eines praktischen Schulmannes.

Was jedoch die Bedürfnisfrage anbelangt, so besteht meines Wissens in fachmännischen Kreisen weniger die Nachfrage nach einem mit derartigen pädagogischen Vorzügen ausgestatteten Buche als vielmehr nach einem vollständigen Handbuche, das in gedrängter Darstellung und unter Anführung der klassischen Werke von Schritt zu Schritt die wichtigsten Ergebnisse unserer modernen Geschichtsforschung verzeichnet und bei strittigen Fragen die verschiedenen wissenschaftlich begründeten Hypothesen darlegt. Dieses Bedürfnis des Lehrers der Geschichte zu befriedigen hat sich der Verfasser nach dem Wortlaute der Vorrede nicht als Aufgabe gestellt. Aber das Buch verrät überhaupt nicht eine umfassende Kenntnis der wichtigsten neueren Geschichtsliteratur. So dornenvoll eine derartige Anforderung ist, für den Verfasser selbst einer gedrängten Darstellung ist sie unerläſsliche Vorbedingung. Ich suche im folgenden eine Reihe von Punkten, die ich mir gelegentlich angemerkt habe, richtig zu stellen, beziehungsweise genauer zu präcisieren und auf die Bedeutung anderer aufmerksam zu machen, nicht um lediglich an dem Stöckelschen Buche Kritik zu üben, sondern weil die von mir zu besprechenden Mängel auch in anderen derartigen Geschichtsbüchern öfter wiederkehren.

S. 67. Anm. Die Bischöfe von Würzburg legen sich nicht erst seit dem 13. Jhdt. den Herzogstitel bei. Schon zur Zeit Adams von Bremen (vgl. Gesta Hammaburg. Eccles. Pontif. III, c. 45!) hatte sich die Anschauung herausgebildet, dafs der Bischof von Würzburg die Herzogsgewalt in seinem Sprengel übe, und auf dem Würzburger Reichstage vom Jahre 1168 erreichte der Bischof Herold vom Kaiser Friedrich I. auf Grund vorgelegter gefälschter Diplome, dafs ihm der Würzburger Dukat förmlich verbrieft wurde. (Vgl. Stumpf nr. 4095!)

S. 100. Das Papstwahldekret des Jahres 1059 überträgt die tractatio di. den eigentlichen Wahlakt nicht den Kardinälen insgesamt, sondern nur den Kardinalbischöfen. Die entscheidende Stelle lautet: „Decernimus atque statuimus, ut obeunte huius Romanae universalis ecclesiae pontifice inprimis cardinales episcopi diligentissima simul consideratione tractantes mox sibi clericos cardinales adhibeant, sicque reliquus clerus et populus ad consensum novae electionis accedant." Allerdings haben die Kardinalbischöfe dieses Vorrecht gegenüber den Kardinalspresbytern und Kardinaldiakonen nicht lange behauptet. Im Jahre 1159 beteiligen sich Kardinalbischöfe, Kardinalpresbyter und Kardinaldiakone gleichmäfsig an der Tractatio, ohne dafs von irgend einer Seite Einspruch erhoben wird, und auch in dem Papstwahldekret des Lateranconcils vom Jahre 1179, durch welches die Beteiligung des niederen Klerus und der Laien von dem Wahlakte gänzlich ausgeschlossen und eine rechtmäfsige Wahl von der Zweidrittelmajorität des Kardinalkollegiums abhängig gemacht wird, ist zwischen den drei Rangklassen der Kardinäle nicht mehr unterschieden.

S. 101. Den unmittelbaren Anlafs zum Ultimatum Gregors VII. vom Dezember 1075 und damit zum offenen Bruch zwischen Kaiser und Papst bildete nicht der Verkehr Heinrichs IV. mit den gebannten königlichen Räten, auch nicht die Thatsache im allgemeinen, dafs der König trotz des Investiturverbotes fortfuhr, Bistümer und Abteien zu vergeben. Solange Heinrich dieses Verfahren nur für Deutschland fortsetzte, kam es nicht zum offenen Bruche. Aus seiner zuwartenden Stellung trat Gregor erst heraus, als Heinrich in Mailand gegen den Kandidaten Roms einen zweiten Gegenbischof investieren liefs und durch dieses Vorgehen verriet, dafs er zu Konzessionen in der Investiturfrage auf dem Wege gütlicher Verhandlungen nimmermehr, selbst nicht in Bezug auf Italien bewegt werden könne. (Vgl. das schriftliche Ultimatum Gregors und die Erlasse desselben vom 7. und 8. Dezember, Gregor VII. Reg. III, nr. 10, 8, 9!).

S. 103. Nicht Härte, sondern Mifstrauen und Rücksicht auf die deutschen Fürsten war es, was Gregor in Kanossa mehrere Tage abhielt, Heinrich vom Banne loszusprechen. So demütigend der Akt von Kanossa für das deutsche Königtum an sich war, der diplomatisch Besiegte war doch nicht Heinrich IV., sondern Gregor VII.

Völlig unzureichend ist der Inhalt des Wormser Konkordats wieder-

gegeben. In dem „Privilegium papae" sagt Kalixtus II; „Concedo elec-
tiones episcoporum et abbatum T e u t o n i c i r e g n i, qui ad regnum per-
tinent, in presentia tua fieri, absque symonia et aliqua violentia, ut, si qua
inter partes discordia emerserit, metropolitani et comprovincialium consilio vel indicio saniori parti assensum et auxilium prebeas. Electus
autem regalia absque omni exactione per sceptrum a te recipiat et, que
ex his iure tibi debet, faciat. E x a l i i s v e r o p a r t i b u s imperii con-
secratus infra sex menses regalia absque omni exactione per sceptrum
a te recipiat et, que ex his iure tibi debet, faciat." Ich würde demnach den Inhalt des Konkordates also skizzieren: Das Recht der Investitur mit den weltlichen Gütern und Gerechtsamen verbleibt dem
Kaiser. Doch soll sie erfolgen in Form der Überreichung eines
Szepters und überdies in Deutschland nicht ohne vorgängige kanonische
Wahl, in Italien und Burgund nicht ohne vorgängige Wahl
und kirchliche Weihe (Konsekration). Der Kaiser kann einen nicht
genehmen Kandidaten in Deutschland behindern am Eintritt in die
kirchliche Stelle und die weltliche Pfründe, in Italien und Burgund
am Eintritt in die weltliche Pfründe. — Die kanonische Wahl erfolgt
zur Zeit des Wormser Konkordates nicht, wie Stöckel meint, ausschliefslich durch das Domkapitel, sondern durch Klerus und Volk;
ein besonders wichtiger Wahlfaktor sind die Vassallen und Ministerialen.
Erst später und nur nach und nach setzen sich die Domkapitel in den ausschliefslichen Besitz des Wahlrechtes, werden die sonstigen kirchlichen
Korporationen und die Laien von der Bischofswahl ausgeschlossen.
Vgl. Below, Die Entstehung des ausschliefslichen Wahlrechts der Domkapitel, Leipzig 1883! — Mit dem Wormser Konkordat verschwindet
die Investiturfrage nicht, wie man nach dem Stöckelschen Buche urteilen möchte, aus der Welt. Die Stellung der späteren Kaiser, eines
Lothar III., Konrad III., Friedrich I. zu dieser brennenden Frage —
es ist hierüber eine ganze Literatur angewachsen — wäre w i c h t i g
genug, um weiter berücksichtigt zu werden. Charakteristisch für den
ganzen Investiturstreit wäre die Erwähnung gewesen, dafs selbst
Lothar III., der von der strengkirchlichen Partei erhobene Kaiser, das
vor dem Wormser Konkordat bestehende alte Investiturrecht von
Papst Innocenz II. zurückgefordert und dafs nicht der Papst, sondern
Abt Bernhard von Clairvaux und Erzbischof Norbert von Magdeburg
diese Forderung zurückgewiesen haben. (Otto Fris. Chron. VII, 18
und Vita Norberti c. 21!)
    S. 126. Die Hilfeverweigerung Heinrichs des Löwen, wie über-
haupt die ganze Zusammenkunft des Welfenherzogs mit Friedrich
Barbarossa zu Chiavenna gehört zu den vielumstrittenen, noch immer
nicht gelösten Fragen der Geschichte. Zeitgenössische, wie neuere
Geschichtschreiber geben verschiedenerlei Motive an. Bei solchen
Fragen auf die Unsicherheit der Überlieferung hinzuweisen, ist Pflicht
des Verfassers selbst einer gedrängten Darstellung deutscher Geschichte.
Als Motive erwähnt Stöckel 1. das Verhältnis Barbarossas zu Heinrichs
Oheim, Welf VI., 2. die Weigerung des Kaisers, das von Heinrich als
Preis der Hilfeleistung geforderte Goslar abzutreten. Dafs das Ab-

kommen mit Welf zu Anfang des Jahres 1176 kein Grund zur Hilfe-
verweigerung Heinrichs gewesen sein kann, hat Giesebrecht, Kaiserzeit V, 781 f. nachgewiesen. Das zweite Motiv aber ist das äußerlich und innerlich wenigst beglaubigte. Das innerlich wahrscheinlichste
Motiv ist in den Verhältnissen der Sachsenlande zu suchen, die Heinrich für den Augenblick nur mit Gefährdung seiner Stellung verlassen
zu können glaubte. Gerade dieses Motiv ist von Stöckel nicht mit
dem erforderlichen Nachdruck hervorgehoben.

S. 126. Der Niederlage Friedrichs bei Legnano ist von Stöckel,
wie auch von anderen, eine zu große Bedeutung beigelegt worden. Sie
war gewiß nicht der einzige, vielleicht nicht einmal der wichtigste Grund
zu den Verhandlungen Friedrichs in Anagni. Nicht verschwiegen darf
werden die Haltung der deutschen Bischöfe. Mit den bischöflichen Auf-
geboten hatte Friedrich vornehmlich den Kampf geführt; die Bischöfe,
besonders die Erzbischöfe Christian von Mainz, Wichmann von Magdeburg, Philipp von Köln, waren es, welche nach Berichten der Zeitgenossen jetzt auf den Frieden drangen. — Die Friedensschlüsse von
Venedig und Konstanz selber scheinen mir im Vergleich zu ihrer Bedeutung und zu dem breiten Raume, den die durch diese Friedensschlüsse beendigte kirchliche und lombardische Frage einnehmen,
nicht hinlänglich gewürdigt.

S. 127. Das Prozeßverfahren gegen Heinrich den Löwen ist
nicht minder umstritten, als der Vorgang von Chiavenna. Nach
Stöckels Darstellung ist das Verbrechen, auf Grund dessen die
Verurteilung Heinrichs erfolgte, die Verweigerung der Reichskriegshilfe
im Jahre 1176. Sicher ist, daß der Prozeß gegen den Welten-
herzog eingeleitet wurde wegen Landfriedensbruches im Sachsenlande und daß auch auf Grund dieses Reates und wegen Nicht-
erscheinens trotz dreimaliger Vorladung die Maßregelung erfolgte.
Fraglich ist, ob Landfriedensbruch allein oder Landfriedensbruch und
Hochverrat den Gegenstand der Anklage bildeten. Aber selbst letzteres
zugegeben, so ist weiter fraglich, ob mit dem Majestätsverbrechen gemeint ist Herisliz oder verräterisches Einverständnis mit den Feinden,
und ist es überdies fast ausgeschlossen, daß die Verurteilung erfolgte wegen Landfriedensbuches und Majestätsverbrechens.
(Vgl. Gelnhäuser Urkunde!) Die Verweigerung der Heeresfolge scheint
höchstens die Wirkung gehabt zu haben, daß jetzt Friedrich den
schon früher erhobenen Anklagen gegen Heinrich ein geneigteres Ohr
schenkte. Aber selbst jetzt ist sein Vorgehen eher „zögernd als
hastig". Nicht der Kaiser drängt zu dem Sturze des Welfen, sondern
die sächsischen Großen. Die hartnäckige Weigerung Heinrichs, sich
dem Gerichte des Kaisers zu stellen, verschafft letzteren den Sieg.

Bei der Darstellung der Regierungszeit Friedrichs II. vermißt
man die für das Verhältnis Friedrichs zur Kurie so wichtige sizilische
Frage. Auch die für die fürstliche Landeshoheit hochbedeutsamen
Gesetze vom Jahre 1220 und 1231/32, das „Statutum in favorem
principum" und die „Confoederatio cum principibus ecclesiasticis" hätten
namentlich angeführt und in einem gedrängten Auszug wiedergegeben

werden sollen. Sie sind für die deutsche Verfassungsgeschichte nicht minder wichtig als z. B. der Beschluß des Kurvereins von Rhense und stehen an Bedeutung hoch über so mancher in den Lehrbüchern für alte Geschichte erwähnten „lex". Überhaupt hat die Verfassungsgeschichte, wie auch sonst in ähnlichen Darstellungen deutscher Geschichte, bei weitem nicht die verdiente Würdigung gefunden. So ist — ich glaube mich nicht zu irren — von dem hochwichtigen Institute der Ministerialität im ganzen Buche mit keinem Worte die Rede. — Ein kurzer Vergleich der politischen Konstellation des Jahres 1239 mit der des Jahres 1159 würde das Verständnis der Lage sehr fördern.

Zu S. 164 Anm. ist zu bemerken : Die Metallsiegel wurden allerdings nur als Hängesiegel verwendet. Die Wachssiegel dagegen wurden sowohl der Urkunde aufgedrückt oder, besser gesagt, durch die Urkunde durchgedrückt als auch derselben angehängt. Die erste Art war üblich bis ins 12. Jahrhundert, erst unter Friedrich I. ging man zu den Hängesiegeln über. Doch gilt dies nur für die Diplome ; den Briefen, offenen wie geschlossenen, wird das Wachssiegel aufgedrückt. — Bulle bezeichnet das Siegel selber und zwar meist das Metallsiegel, seltener das Wachssiegel. Für das römisch-deutsche Reich kommen von den Metallsiegeln nur die Blei- und Goldbullen in Betracht. Die ersten sind massiv, die letzteren bestehen aus zwei Goldblechen, die auf einander gelötet werden. — Der Einschluß der Siegel in Kapseln, sei es aus Holz oder Metall, ist in Deutschland vor dem 15. Jahrhundert noch nicht üblich gewesen; wo dergleichen Kapseln an älteren Siegeln sich vorfinden, sind sie nach Breßlau erst später in den Archiven der Empfänger zum Schutze der Siegel hinzugefügt worden. Vgl. Breßlau, Urkundenlehre I, 923—80!

S. 165. Marsiglio von Padua war, wie Johann v. Jandun, nicht Minorit, sondern Weltgeistlicher und ursprünglich Lehrer zu Paris. Das Hauptwerk dieser beiden hervorragendsten Vertreter der „Monarchisten", der „Defensor pacis", hätte Erwähnung finden sollen.

S. 167. Der Beschluß des Kurvereins von Rhense muß genauer präzisiert und darf mit dem Inhalt des Frankfurter Reichsgesetzes nicht identifiziert werden. Nach ersterem ist der von allen oder von der Mehrzahl der Kurfürsten Gewählte befugt, die königlichen u n d k a i s e r l i c h e n Rechte zu üben und den K ö n i g s titel zu führen, ohne der Bestätigung des päpstlichen Stuhles zu bedürfen, nach letzterem ist er überdies befugt, den Kaisertitel zu führen. Bei ersterem Beschlusse verblieb es ; in der goldenen Bulle ist von einem Bestätigungsrechte des Papstes nicht die Rede. Die Frankfurter Weiterung ist nicht durchgedrungen.

S. 172. Die Hansa ist nicht, wie man auch sonst häufig liest, aus einem Bündnisse hervorgegangen, welches Hamburg und Lübeck in der Mitte des 13. Jahrhunderts schlossen. Das Bündnis v. J. 1241 — dieses ist ohne Zweifel von Stöckel gemeint — überragt an Wichtigkeit keinen der Verträge, die schon seit dem J. 1230 zwischen beiden Städten geschlossen wurden ; es ist „lokaler und temporärer Bedeutung." Die Hansa ist überhaupt nicht durch einen Schlag vermittels eines

Vertrages ins Leben gerufen worden, sondern ist, wie die meisten mittelalterlichen Institute, auf dem Wege allmählicher Entwickelung entstanden. Dieser Entwickelung waren hauptsächlich zwei Momente förderlich, „die Verbindungen deutscher Kaufleute im Auslande (z. B. in Wisby) und die Bündnisse und Einigungen norddeutscher Städte unter einander, von den letzteren vornehmlich die Einigung der wendischen Städte unter Lübeck (Lübecker Urkundenbuch I, nr. 446). Seit 1283 steht Lübeck an der Spitze der wendischen Städte, seit 1300 an der Spitze einer norddeutschen Hansa. S. D. Schäfer, Die Hansestädte und König Waldemar von Dänemark, hans. Gesch. bis 1376, Jena 1879 S. 31, 81, 82, 84.

Eine kurze Charakteristik der Reformthätigkeit des Baseler Konzils, der Stellung der deutschen Fürsten zum Streite zwischen dem Konzil und dem Papste Eugen IV. (Gregor v. Heimburg!), des Wiener Konkordats vom J. 1448 (Aeneas Sylvius!) darf auch in der gedrängtesten Darstellung nicht fehlen. Die konziliare und reformatorische Bewegung hat zu jener Zeit Europa nicht minder in Atem gehalten, wie der Investiturstreit unter den letzten Saliern, wie das Schisma unter Friedrich Barbarossa. Durch das Wiener Konkordat fand diese Bewegung für Deutschland einen negativen Abschluß, wurden für Deutschland die Reformbeschlüsse des Baseler Konzils wieder aufgehoben, während sie für Frankreich in der pragmatischen Sanktion von Bourges (1438) fixiert wurden. So erklärt sich, wie die Reformation des folgenden Jahrhunderts in Deutschland einen ganz anderen Boden fand als in Frankreich.

S. 191, 192 f. Unzureichend und zum Teil schief ist die Darstellung der Versuche einer Reichsreform unter Max I. Die drei bedeutendsten Reformreichstage sind die von Worms 1495, von Augsburg 1500, von Köln 1512. Die Ordnungen des Augsburger Reichstages (Reichsregiment!) dürfen nicht unberücksichtigt bleiben. Sodann ist festzustellen, daß dem „jugendlich rührigen" Kaiser an dieser Reformthätigkeit fast kein Verdienst gebührt, daß diese vielmehr lediglich von den Ständen, in erster Linie von dem hochverdienten Erzbischof Berthold von Mainz ausgeht und meist auf den Widerwillen Maximilians stößt, daß die Reformbeschlüsse unter Maximilian zum Teil überhaupt nicht ins Leben traten, zum Teil nicht lebenskräftig wurden, daß diese ständischen Institutionen einzig und allein den Verhältnissen der Zeit entsprachen, eine streng monarchische Reichsreformation aber außer dem Bereiche der Möglichkeit lag. Ulmann sagt in der Vorrede zum ersten Bande seiner Geschichte Maximilians I.: „Weil heute Stärkung der monarchischen Gewalt nationale Politik ist, war sie es doch mit nichten zu allen Zeiten unserer verworrenen Geschichte. Bei richtiger Schätzung des zu Maximilians Lebzeiten in der Nation vorhandenen und unter ihre natürlichen Häupter verteilten Staatskräfte wird man vielmehr zu der Überzeugung gelangen, daß es damals wahrhaft nationale Realpolitik war, die vorhandenen ständischen Institutionen zu allgemeiner, jeden Sonderwillen bindender Wirksamkeit auszugestalten."

Folgende Punkte können wegen Raummangels nur angedeutet werden: Die Gesamtzahl der als Bittsteller vor der Statthalterin Margareta von Parma erscheinenden niederländischen Adeligen wird (Granvelle, corresp. I, 201) nicht auf 300, sondern auf 600 angegeben, bei der Besprechung der Genesis des Schwedenkrieges muſs der wirkliche Grund und die äuſsere Motivierung streng geschieden werden, die auf den Fall Magdeburgs bezügliche Frage ist mit aller Bestimmtheit im Sinne Wittichs („Magdeburg, Gustav Adolf und Tilly" Berlin 1874) zu beantworten, der heutige Stand der Wallensteinfrage ist genau zu präzisieren, die gallikanischen Artikel vom J. 1682 dürfen nicht unerwähnt bleiben, die Genesis des österreichischen Erbfolgekrieges ist nach Heigel klar zu entwickeln, die Abweichung in dem Wiener und Münchener Exemplar des Testamentes Ferdinands I. mitzuteilen, der sogenannte Nymphenburger Vertrag als Fälschung zu kennzeichnen. Es ist gegenüber den landläufigen, aber falschen Darstellungen zu konstatieren, daſs Friedrich vor Ausbruch des siebenjährigen Krieges das französische Bündnis dem englischen vorgezogen hätte, wenn jenes noch erreichbar gewesen wäre, daſs sich Ruſsland an diesem Kriege nicht aus böser Laune der Kaiserin Elisabeth, sondern aus wohl erwogenen politischen Beweggründen beteiligt hat. (Der Kanzler Bestucheff sah richtig ein, nach dem Sinken der schwedischen Macht sei Preuſsen der gefährlichste Nachbar, den man nicht aufkommen lassen dürfe.) Endlich ist die Thätigkeit des Wohlfahrtsausschusses für die Verteidigung des Vaterlands von den Übertreibungen revolutionärer Legende freizumachen („levée en masse" des Carnot!)

München.   Dr. Doeberl.

III. Abteilung.

Miscellen.

Erwiderung.

Einsender dieser Erwiderung und Verfaſser des Artikels „Naturgeschichtlicher Unterricht an den Gymnasien" in der „Augsburger Postzeitung" (Beilage Nr. 47, 1891) hat in seinen Erwägungen vornehmlich Bezug genommen auf den ersten Teil einer Abhandlung von J. Pfiſner im 8. Heft 1891 dieser Blätter. In jenem Artikel wurde ausgesprochen, daſs Pfiſner eine gewisse Vorliebe für Besprechung der „Übergänge" von Thierformen zu haben scheine und sich dadurch in den Verdacht setze, der Descendenztheorie zu huldigen, woran dann weiter die Folgerung geknüpft wurde, der naturgeschichtliche Unterricht sei in jenem Falle gefährlich und geradezu verderblich, wenn derselbe in einer Weise erteilt würde, welche die Schüler mehr mit der Transmutationslehre als mit der Beziehung des Geschöpfes zum Schöpfer (teleologische Naturbetrachtung) bekannt mache.

Insbesondere wurde von mir auf die Geistes- und Forschungsrichtung an unseren Hochschulen hingewiesen, wo ja bekanntlich „im Namen der Wissenschaft" Naturgeschichte häufig genug mit einer Beigabe gelehrt wird, die von Gott und der christlichen Glaubenslehre abweicht und wegführt.

Da nun Herr Pfiſner in seiner „Abwehr" (S. 656 Jahrg. XXVII dieser Blätter) erklärt, daſs

1) seine Ausführungen sich nirgends in Widerspruch setzen wollen mit meinem Satz: „Das Geschöpf trägt, je gründlicher seine Einrichtung erkannt wird, um so deutlicher den Stempel vollkommener Zweckmäfsigkeit an sich. Die höchste und einzige gesetzgebende Kraft [in der Natur] ist Gott. Seine Allmacht und Weisheit erschuf und erhält die Natur", und da der genannte Herr es

2) als religiöse Grundwahrheiten bezeichnet, „dafs Gott die Welt und alle Geschöpfe erschaffen, und dafs Alles, was Gott gemacht, gut und vollkommen ist", so erkläre ich mit Freuden Folgendes:

Der Verdacht, der durch meine Veröffentlichung auf Pfisner fallen konnte, (die bona fides wurde übrigens von mir ausdrücklich als möglich und wünschenswert bezeichnet) ist hinfällig, da aus seinen Erklärungen hervorgeht, dafs er auf christlich-gläubigem Boden steht. Denn Herr Pfisner glaubt wohl selber an das, was er als religiöse Grundwahrheiten bezeichnet.

Nachdem ich ferner den II. Teil der Pfisner'schen Abhandlung, welcher nach meiner Veröffentlichung erschien, eingesehen und mich aus demselben überzeugt habe, dafs Pfisner die Thatsache der Sauerstofferzeugung von Seite der Pflanzen im Unterricht mitgeteilt wissen will, so fällt natürlich der Vorwurf des Nichtwissens oder des absichtlichen Verschweigens einer teleologischen Thatsache ihm gegenüber hinweg, was ich hiemit gern konstatiere, um dadurch die erwartete Genugthuung zu leisten.

Was die allgemeine Seite des von Pfisner und mir behandelten Themas betrifft, so wird man, falls allerwärts der Optimismus Pfisners sich bestätigt, sagen müssen: Die an den Hochschulen in naturgeschichtlichen Fächern herrschende Geistesströmung übt nicht den geringsten nachteiligen Einfluf auf den gleichnamigen Unterricht an den Gymnasien aus, indem sie daselbst abprallt an dem redlichen Streben, diesen Unterricht in der That zur Stärkung des religiösen Gefühls zu gestalten; dann hätten sich auch meine allgemeinen Befürchtungen als grundlos erwiesen.

Freising.   Dr. M. Westermaier, k. Lyzealprofessor.

Personalnachrichten.

Ernannt: Heinrich Kästner, Lehramtskandidat zum Stdl. in Windsheim; Otto Adam, Gymnl. in Augsburg (St. A) zum Gymnprof. daselbst.

Versetzt: Sigm. von Raumer, Stdl. von Windsheim nach Erlangen; Dr. Hugo Steiger von Memmingen als Gymnl. nach Augsburg (St. A.).

Auszeichnungen: Den Verdienstorden vom heiligen Michael IV. Kl. erhielten: Jos. Liepert, k. Rektor des Gymnasiums in Straubing; Fr. Xaver Steck, k. Gymnprof. für Mathematik in M. (Maxgymn.)

Gestorben: Joh. Adolf Baumann, Gymnprof. in Augsburg (St. A.); Dr. Christian W. J. Cron, k. Oberstudienrat und Studienrektor a. D. in Augsburg.

REKTOR EMIL KURZ †
Nekrolog von Karl Welzhofer.

Als die öffentlichen Blätter im August gerüchtweise die Nachricht vom Ableben des Rektors Kurz brachten, da mochte mancher glauben, dafs wohl ein Irrtum, ein Mifsverständnis obwalte. Denn seit vielen Jahren hatte Rektor Kurz nicht mehr einer so festen Gesundheit sich zu erfreuen gehabt wie in den letzten Monaten, und seit langem war er nicht mehr so frisch und wohlgemut in sein geliebtes Steinach am Brenner gezogen wie nach dem verflossenen Schuljahre. Als sich aber die Nachricht vom plötzlichen Tode bestätigte und verbreitete, da erhob sich die Trauer um den edlen Dahingeschiedenen ihre Klage in den weitesten Kreisen. Besonders ergreifend zeigte sie sich bei seinem Leichenbegängnisse. Eine

10*

zahlreiche Trauerversammlung gab ihm das letzte Geleite; mancher hatte den
Ort der Ferienruhe verlassen, um seinem ehemaligen Lehrer, seinem lieben Rektor
die letzte Ehre zu erweisen. Und wie am Grabe selbst, nachdem der Priester
über diesem den Segen der Kirche gesprochen hatte, den Gefühlen der Hochach-
tung und Verehrung herzinniger Ausdruck verliehen ward — zunächst durch
Herrn K. geistl. Rat Prof. Sattler, den Verweser des Rektorates, im Namen des
Lehrerkollegiums, dann durch Herrn Rechtspraktikanten und Reservelieutenant
Dr. Franz Mößmer im Namen der letzten zehn Jahrgänge des Ludwigsgymnasiums
— so haben auch die Tagesblätter in Bayern dem Verstorbenen einen warmen,
ehrenvollen Nachruf gewidmet. Um so mehr ziemt es sich, daß in dieser Fachzeitschrift des bayer. Gymnasiallehrerstandes, dem Rektor Kurz fast zweiundvierzig
Jahre lang angehört hatte, in diesen Blättern, deren Mitbegründer er gewesen
war, seinem Andenken einige Worte geweiht werden.

Wenn die Redaktion gerade mich beauftragt hat, diese Ehrenschuld abzu-
tragen, so geschah es deshalb, weil ich zwanzig Jahre lang an seiner Seite, unter
seiner Leitung zu stehen das Glück hatte. Der folgende Versuch, eine Skizze
seines Lebens und Wirkens zu entwerfen, sei zugleich ein Scherflein des Dankes,
den ich persönlich dem Verewigten schulde und den ich leider nicht in vollem
Maße abzustatten im stande bin.

Emil Kurz war geboren zu Nürnberg am 2. März 1827 als viertes Kind
des damaligen Militärassessors Martin Kurz. Zwei Jahre später wurde der Vater
als Oberauditor ins Generalauditoriat nach München berufen. Seit dieser Zeit ist
München für Emil Kurz die einzige Heimat geblieben. Schulpflichtig geworden
besuchte er mit seinen beiden älteren Schwestern, welche die gleiche Konfession
wie die Mutter hatten, die erste und zweite Klasse der protestantischen Volksschule, bis er an die katholische Volksschule in der jetzigen von der Tannstraße
übertreten mußte. Anfangs machte ihm das Lernen gar keine Freude. Als eines
Tages der etwas träumerische Knabe seine Schulbücher auf der Straße fallen ließ
und deshalb vom Vater zurechtgewiesen wurde, da sagte er: „Die Bücher fallen
mir weg, weil sie nicht zu mir gehören, wie ich nicht zu ihnen." Es ging ihm
also wie manchem berühmten Manne; es sei nur an Pestalozzi erinnert und auf
die Selbstbiographie von Felix Dahn (Erinnerungen I, 165 ff.) verwiesen, der von
sich das Gleiche erzählt. Eine eigentümliche Fügung des Schicksals, eine psychologisch interessante Thatsache ist es gewiß, daß Emil Kurz, der zum Lehrer geboren war, selbst anfänglich sehr wenig Geschmack an der Schule fand, und daß
er, der selbst späterhin Schulbücher verfaßte, als angehender Schüler sehr wenig
Liebe zu den Büchern bekundete.

Als zehnjähriger Knabe trat er in die lateinische Schule ein. Auf dem
Viktualienmarkte stand das Schulhaus, ein häßliches und gesundheitswidriges
Gebäude mit dunklen Gängen und schmutzigen Stuben. Wenn Kurz sich späterhin dieser Stätte seines ersten Unterrichtes erinnerte — ein anschauliches Bild
von diesem Musentempel gibt Dahn in dem genannten Buche S. 166 ff. — dann
mochte ihm freilich das altertümliche Gebäude des Ludwigsgymnasiums, in dem
er so viele Jahre so gerne als Lehrer und als Rektor wirkte, nicht so schlimm
und nicht so tadelnswert erscheinen wie manchem andern, der nur die Schulpaläste
der Gegenwart zur Vergleichung heranzog.

Im Jahre 1841 kam Kurz in die erste Klasse des Gymnasiums, das in jener
Zeit das alte, später das Wilhelmsgymnasium genannt wurde. Rektor war damals

Johann von Gott Fröhlich. Den Unterricht dieses trefflichen Schulmannes, dem L. Spengel in einer akademischen Gedächtnisrede ein schönes Denkmal gesetzt hat, genofs Kurz im letzten Jahre seines Gymnasialstudiums.

In jener Zeit war es Sitte, dafs der Namenstag des Rektors vom ganzen Gymnasium gefeiert wurde, namentlich von der Oberklasse. Als Kurz diese Klasse besuchte, trat er bei jener Festfeier mit einem Gedichte auf, das er selbst gemacht hatte. Es trägt — unter den Papieren des Verstorbenen ist es noch vorhanden — die Überschrift: „Der erste Wittelsbacher." Wenn es auch vielleicht nicht durchweg vor dem Richterstuhle einer strengen Kritik bestehen mag, so behandelt es doch den Stoff, den Heldentod des Markgrafen Luitpold, in einer ungemein schwungvollen Sprache, die von edler Begeisterung getragen und durchglüht ist. Die hohe sittliche Idee der Vaterlandsliebe erfüllte die Seele des Jünglings mit Macht. Und wie der Zögling des Gymnasiums, so hat auch der Studierende der Universität, auch der angehende Lehrer gern am Altare der Musen geopfert. Nicht gering ist die Zahl der Gedichte, die er in den Jugendjahren verfafste. Auch an gröfsere Stoffe wagte er sich in der Gymnasial- und Universitätszeit, mit jenem jugendlichen Enthusiasmus, der nur die Schönheit des Zieles vor Augen sieht und der Schwierigkeiten, die sich entgegenstellen, nicht achtet. So machte er sich, um nur einige zu nennen, an eine metrische Übersetzung von Torquato Tassos La Gerusalemme liberata, an ein Schauspiel, welches Karl XII. von Schweden verherrlicht, an eine Tragödie Aristodemos. Zwar ist die Ausarbeitung nicht weit gediehen, aber schon der blofse Versuch bekundet den idealen Sinn des Jünglings, den es trieb und drängte, mit dem Fluge des Geistes sich über die Gewöhnlichkeit des Alltagslebens hinwegzusetzen und in die hehren Regionen des Schönen emporzuschwingen. So nimmt es nicht wunder, wenn der Professor und der Rektor Kurz es so gerne sah, wenn seine Gymnasiasten an öffentlichen Schulfesten mit eigenen Gedichten hervortraten; es nimmt auch nicht wunder, wenn er diese poetischen Versuche der Schüler nicht etwa einer grämlichen Kritik unterzog, sondern mit liebevoller Hingabe mitunter, wo es ihm nötig oder passend schien, selbst verbesserte. Damit stand er allerdings in schroffem Gegensatz zu jenen zöpfigen Magistern früherer Zeiten, die nur in der Anfertigung lateinischer Verse die Blüte des Humanismus erblickten, aber auch zu jenen ängstlichen Gemütern, die es als Eitelkeit und Selbstüberhebung ansehen, wenn die Schüler mit eigenen poetischen Arbeiten hervorzutreten wagen.

Nachdem er am 26. August 1845 das Gymnasium absolviert hatte, wurde er am 3. November auf der Universität immatrikuliert. Noch an demselben Tage that er Schritte, um im Corps Palatia aufgenommen zu werden. In einem kleinen Tagebuche, das sich erhalten hat, findet sich unter dem 6. Nov. folgende Notiz von ihm: „Nachmittag um 3 Uhr ward ich als Pfälzer recipiert. Ich mufste es thun. meine Neigung treibt mich unwiderstehlich dazu, und meinem Studium wird dadurch kein Abbruch geschehen." Zur Aufnahme war er vorgeschlagen worden von Heinrich Wolf, cand. iur., dessen Freundschaft ihm fürs ganze Leben bedeutungsvoll wurde. Heinrich Wolf verlobte sich mit Kurz's zweitältester Schwester; ein neidisches Geschick aber, das ihn in der Blüte der Jahre dahinrifs, vergönnte es ihm nicht, die Braut zum Altare zu führen. Kurz heiratete des Freundes Schwester Elise und nach deren Tode ihre jüngste Schwester Friederike.

Aus dem engen Kreise der Studierenden der Philologie waren mit ihm gleichalterig Joh. Gottfried Friedlein. Anton Linsmayer, Ignaz Schrepfer. Der Besuch

der gleichen Vorlesungen, die gleichen Bestrebungen und Gesinnungen führten
zwischen diesen wackeren Jünglingen eine herzliche Freundschaft herbei, die das
ganze Leben hindurch währte. Von diesem ‚vierblättrigen Kleeblatt‘, wie sie sich
scherzweise öfters in Briefen nennen, ist es Schrepfer am wenigsten gelungen, sich
einem größeren Publikum bekannt zu machen, aber auch er wurde ein tüchtiger
Schulmann (s. diese Blätter Bd. IV S. 263). Ihn hat die kalte Hand des Todes zuerst aus dem Freundeskreis hinweggerissen; 1868 starb er als Gymnasialprofessor
in Regensburg. Der treffliche Friedlein, dem Kurz am innigsten von allen zugethan war und dem er am liebsten in des Lebens Drangsalen sein Herz aus-
schüttete, folgte dem im Tode Vorangegangenen schon nach sieben Jahren; er
starb als Rektor in Hof. Elf Jahre später stand Kurz am Grabe des Rektors des
Maxgymnasiums, Anton Linsmayer, des letzten der Freunde.

Diese vier Freunde scheinen die Hauptbegründer des philologischen Vereines
oder, wie er gewöhnlich genannt wird, des philol. Clubs gewesen zu sein, von
welchem schon Gerstenecker im Nekrologe auf Linsmayer (Bd. XXII, S. 522) zu
sprechen Gelegenheit hatte. Vielleicht ist es für die gegenwärtigen und ehemaligen Mitglieder des jetzigen philol. Vereines von Interesse, einige weitere, wenn
auch nur sehr spärliche Notizen über jenen früheren Verein zu erfahren. Derselbe wurde am 8. Dezbr. 1848 gegründet. In einem Vortrage nämlich, in dem
Schrepfer das Andenken des am 31. Dez. 1848 verstorbenen Gottfried Hermann
feiert, wird des Bundes erwähnt, den die anwesenden Freunde ‚jüngst‘ geschlossen.
Ferner schreibt Kurz unter dem 12. Dez. 1849 an Schrepfer: „Der Verein hat
letzten Samstag am Marientag seinen Geburtstag gefeiert.“ Über dieses Stiftungsfest selbst erzählt er noch Folgendes: „Vorträge hielten: Vorstand Friedlein eine
einleitende Rede über das Wirken des Clubs, Ersatzmann Linsmayer über Cicero,
Blattner über Belohnungen und Strafen an der Schule. Leider waren Thiersch
und Spengel wegen Unwohlseins nicht zugegen; anwesend waren Dr. Prantl,
Rektor Halm, der mehrmals Gelegenheit nahm zu sprechen und sich über das
Bestehen eines philologischen Vereines sehr freute, einige Zeit auch Rektor Hutter,
sowie die Professoren Maurer und Brinz.“ Das erste Stiftungsfest scheint aber
auch das letzte gewesen zu sein; denn am 31. Dez. 1850 teilt Kurz demselben
Freunde mit, daß der philol. Club allem Anschein nach aufgehört habe zu existieren. Diejenigen, welche ihn ins Leben gerufen, hatten inzwischen an verschiedenen Gymnasien Verwendung gefunden, und die folgenden Jahrgänge
brachten dem Vereine, der schon im vorhergehenden Jahre gar viele ‚Reformen‘
gemacht und häufig den Ort und die Zeit der Versammlung gewechselt hatte,
kein Interesse entgegen.

Als die gewaltigen Stürme des Jahres 1848 über die Länder dahinbrausten,
stand Kurz im 22. Jahre. Schon die Lebhaftigkeit seines Temperamentes duldete
nicht, daß er gegenüber den großen Ereignissen jener Tage kalt und gleichgiltig
bleibe. Gerne erzählte er später von ihnen im Kreise seiner Familie, gerne sprach
er von dem studentischen Freicorps, dem auch er angehörte. Denn daß der
Philologe, der Schulmann vom politischen Leben sich abschließen solle, diese Lehre
pädagogischer Zeloten hat seinen Beifall nie gefunden. Wenn er auch selbst,
nachdem er öffentlicher Lehrer geworden, an den politischen Kämpfen nicht ak-
tiven Anteil nahm, das Recht der Beteiligung wollte er keinem verkümmert sehen.
Für diese Anschauung trat er mit Entschiedenheit ein, gegen jeden, der sie bekämpfte, für jeden, der in der politischen Arena sich zeigte, auf welcher Partei

auch immer er stehen mochte. Daſs ein solcher Mann mit dem gröſsten Interesse den Ereignissen der Jahre 1866 und 1870/71 folgte, liegt auf der Hand. Einen Beweis für seine lebhafte Teilnahme und zugleich für seinen politischen Scharfblick liefern die Worte, die er am 4. Sept. 1870 in einem Briefe an Friedlein richtete. Er schreibt: „Nun ist groſser Siegesjubel, und wahrlich, wir haben alle Ursache dazu. Obgleich ich von vornherein auf einen guten Ausgang unserer gerechten Sache baute, so hat ein so rascher, ein so glänzender Erfolg doch mich überraschT. Wir leben in einer gewaltigen Zeit, und es gereicht mir zu groſsem Troste, daſs ich diese herrlichen Tage noch geschaut, auf die ein groſses einiges und in der Folge auch freies Deutschland folgen muſs“.

Wie aus obiger Darstellung hervorgeht, gab es für Kurz während seiner Universitätszeit mancherlei Dinge, die ihn vom Studium abhalten konnten: sein Beitritt zum studentischen Freicorps, sowie zum Corps Palatia und überhaupt seine Liebe zum geselligen Verkehr, die ihn nie in seinem Leben verließ. Seiner Pflicht aber wurde er nicht untreu. Ja, er that in gewisser Beziehung mehr, als diese forderte. Das Ziel seiner Wünsche ging nie über den Beruf eines Gymnasiallehrers hinaus, es war aber höher gesteckt als dies sonst gewöhnlich der Fall ist. Ihm genügte nicht die Vorbereitung auf die Disciplinen der Staatsprüfung. So betrieb er fleiſsig das Französische, das Italienische, das Englische. In erstgenannter Sprache erwarb er sich besonders gediegene Kenntnisse, die später bei der Absolutorialprüfung die Bewunderung aller Kollegen, auch die des Lehrers des Französischen, in hohem Grade erregten. Ob er sich auch mit der spanischen Sprache befaſste, wie er sich — nach einer Notiz im Tagebuch — vorgenommen, ist mir nicht bekannt. Jedenfalls aber besaſs er kein geringes Sprachentalent, wobei ihm sein ausgezeichnetes Gedächtnis sehr zu statten kam. Dem Studium der klassischen Philologie selbst oblag er mit jener idealen Liebe zum Berufe, welche mit den Gegenständen des Studiums um ihrer selbst willen sich beschäftigt und himmelweit entfernt ist von der gewöhnlichen Geistesrichtung der Utilitarier, die sich einzig und allein von der Rücksicht auf den Staatskonkurs leiten lassen. Darum besuchte er auch fleiſsig das philologische Seminar von Thiersch und Spengel. Diesen beiden berühmten Gelehrten wurde er ein lieber Schüler. Spengel kam ihm, wie aus Briefen von Kurz hervorgeht, stets mit groſser Freundlichkeit entgegen. Spengel gewährte ihm auch die Gunst eines collegium privatissimum, zu dem nur noch Linsmayer beigezogen wurde und ein jüngerer Philologe‘, der jetzige Rektor Magnificus der Münchener Universität Prof. Dr. W. v. Christ. Thiersch aber übertrug ihm die Obhut über die Bibliothek des philol. Seminars und machte ihn i. J. 1850 für eine Zeit lang zu seinem Amanuensis. Als solcher hatte Kurz die ziemlich unleserlichen Manuskripte seines Lehrers in eine lesbare Schrift umzusetzen, Korrekturbogen zu lesen u. dgl. So muſste er auch, als der Praeceptor Bavariae im Oktober 1850 vom Ministerium aufgefordert wurde, ebenso wie Spengel zur Reform des Gymnasialschulplanes seine ‚Resolutionen‘ schriftlich mitzuteilen, die von Thiersch ihm diktierten Gedanken niederschreiben. Manchen Punkt, so gesteht er seinem Freunde Friedlein, konnte er nur mit Widerwillen zu Papier bringen. Es sollte leider nicht das letztemal sein, daſs er über Reformvorschläge oder über Bestimmungen eines Schulplanes miſsmutig den Kopf schüttelte.

Jenes obenerwähnte Privatissimum las Spengel im Sommer des Jahres 1850. Damals hatte Kurz den philologischen Konkurs bereits (Oktober 1849) mit dem besten Erfolge bestanden. Da er anfangs nur Anstellung als Aushilfslehrer, also keine länger dauernde Verwendung fand, so konnte er sich nach Herzenslust der Lektüre der besten Klassiker des Altertums widmen oder, wie er launig in einem Briefe an Friedlein sich äußert, an den Blüten des Altertums herumschmarotzen. Im Winter 1849/50 besuchte er die beiden philol. Seminare, studierte mit Friedlein und Linsmayer Homer und Plato, dann später mit Linsmayer die Rhetorik des Aristoteles und, um auf jenes Privatissimum sich vorzubereiten, die Reden des Isokrates. Spengel nämlich behandelte diesen Autor in so raschem Zuge, daß z. B. in zwölf Zusammenkünften zehn Reden durchgegangen wurden, ja die große Rede περὶ ἀντιδόσεως bei drei Zusammenkünften in sechs Stunden. Dieses frei-gewählte Selbststudium setzte er auch noch möglichst in den nächsten Jahren fort, als der Lehrberuf ihn nötigte, sich eingehend mit der ihm vorgeschriebenen Lek-türe der Schulautoren zu beschäftigen. So las er den Demosthenes mit seinem Kollegen Gruber, die übrigen oratores Attici, Xenophon und Lukrez für sich, einige Komödien des Aristophanes und Plautus' Mostellaria mit Gruber und Christ. Seine Lieblingsbeschäftigung aber war und blieb das Studium der attischen Schrift-steller. Auf diesem beruhen die hübschen literarischen Arbeiten, mit denen er später hervortrat.

Unmittelbaren Anlaß aber gaben hiezu die Verpflichtungen und Bedürfnisse der Schule. Die Frucht der Demostheneslektüre, die er in der Oberklasse zu leiten hatte, war 1857 das Programm „Über die Zeitbestimmung der ersten Rede des Demosthenes gegen Philipp." Vömel bedauert in einem Briefe an Kurz (1859), daß Arnold Schäfer die ‚treffliche' Arbeit in der Kritik nicht eingehender be-handelt habe; Schäfer war es übrigens selbst, der jenem das Studium der ge-nannten Schrift empfahl. Das umfassende und sorgfältige Studium der attischen Schriftsteller hat ferner Kurz befähigt und es ihm ermöglicht, binnen anderth-halb Jahren seine Grammatik der Syntax der griechischen Sprache zu schreiben (1862), welche die Fortsetzung des von Englmann bearbeiteten etymologischen Teiles und ein Pendant zur lateinischen Schulgrammatik desselben Verfassers bilden sollte. Die Idee zu dieser Arbeit war von Englmann ausgegangen, an dem er, wie an Bauer und Fesenmair, einen weiteren lieben und treuen Freund ge-funden hatte. Dem neuen Buche ist es bekanntlich in kurzer Zeit gelungen, einen großen Kreis von Freunden zu gewinnen; auch jetzt ist es noch an vielen Anstalten eingeführt, an denen das Lehrerkollegium von der Ansicht ausgeht, daß die Schüler in ihrer Grammatik nicht bloß ein Lernbuch, sondern auch ein Nach-schlagebuch besitzen sollen. Auch mit dem Plane, eine deutsche Grammatik ab-zufassen, hat sich Kurz, von Englmann angeregt, getragen, ja er hatte schon den größten Teil der Arbeit druckreif vor sich liegen, da scheint ihm die Lust an derselben plötzlich entschwunden zu sein. — Als Friedlein mit Tod abging (1875), erschien niemand geeigneter, das von ihm verfaßte griechische Lesebuch heraus-zugeben, als Kurz; dieser besorgte die folgenden Auflagen gewissenhaft und gut. Seine bedeutendste Leistung aber ist die mit erklärenden Anmerkungen versehene Schulausgabe von Xenophons Hellenica (1873 und 1874), welche an Gediegenheit zweifellos über die von Büchsenschütz emporragt und der Breitenbach'schen ge-wiß gleichkommt. Grosser hat bei seiner Bearbeitung derselben Xenophontischen Schrift, wie er in der Vorrede dankbar anerkennt, reiche Belehrung aus dem Kurz'schen Werke geschöpft. In Bursians „Geschichte der klassischen Philologie in Deutschland" (S. 905) ist des Buches auch ehrende Erwähnung gethan. Bald

nach dem Erscheinen seiner Ausgabe wurde er in eine literarische Fehde mit
Büchsenschütz verwickelt (Zeitschrift f. d. Gymnasialwesen 27, 785 ff. u. Bl. f. d.
bayer. G. Bd. XI S. 31 ff.); in dieser zeigte er mehr Sachkenntnis als Gewandtheit in der Polemik. In die gleiche Zeit (1873 u. 1875) fallen zwei Programme,
in denen er zu verschiedenen Stellen von Xenophons Griechischer Geschichte kritische und exegetische Bemerkungen gibt. Auch diese unsere Zeitschrift hatte ihn
zum Mitarbeiter; es genüge, auf die gehaltvolle Abhandlung „zu Lysias und
Demosthenes, im elften Jahrgange (S. 335 ff.) hinzuweisen. — Seine letzte Publikation waren „Aufgaben zum Übersetzen ins Griechische für die oberen Klassen"
(Programm 1880). Die Themen, vierundfünfzig an Zahl, sind keineswegs ausschließlich griechischen Autoren entnommen, wie die meisten derartigen Sammlungen; sie behandeln großenteils moderne Stoffe. Die Art der Komposition und
die Angaben im Glossar verraten zur Genüge, welch gründliche Kenntnis in der
griechischen Sprache Kurz besaß. Am augenfälligsten aber tritt dies in den erklärenden Anmerkungen seiner Xenophonausgabe zu Tage. Römer nennt ihn
daher in der Widmung seiner akademischen Schrift „Studien zur handschriftlichen
Überlieferung des Äschylus" (1888) mit Recht den „feinen Kenner der Attiker".

Nicht so bedeutend, aber immerhin von achtunggebietendem Umfange waren
seine Kenntnisse in der lateinischen Sprache und Literatur. An höchster Stelle
wußte man diese seine Tüchtigkeit auch wohl zu schätzen und zu würdigen. Denn
wie ihm öfters der ehrenvolle Auftrag zu teil geworden ist, eine griechische Prü-
fungsaufgabe für das Gymnasialabsolutorium einzusenden, so wurde er auch wiederholt aufgefordert, eine lateinische Arbeit in Vorlage zu bringen. Es ist dies ein
öffentliches Geheimnis; der bescheidene Rektor Kurz sprach nie davon. Im allgemeinen aber brachte er den römischen Schriftstellern nicht jene Sympathie, nicht
jene Begeisterung entgegen, wie den griechischen. Für Ciceros philosophische
Schriften z. B. konnte er sich sehr wenig und nur insoweit erwärmen, als sie aus
griechischen Quellen geschöpft sind. Dagegen las er Ciceros Reden, ebenso Tacitus
mit Lust und Liebe, sowohl für sich als auch mit den Schülern. Geradezu einzig
aber war seine Interpretation der Satiren und Episteln des Horaz. Hierin war
er Meister. In der Übersetzung verband er Präcision des Ausdrucks mit Anmut
und Eleganz, in der Erklärung vollends verstand er es bei der Schärfe seines
Geistes und bei der Tiefe seines Gemütes ganz vortrefflich, dem Dichter nachzu-
fühlen und nachzudenken. Die nötigen antiquarischen Notizen zu geben und die
Gedankenführung im einzelnen und im ganzen klar darzulegen, das ist keine besondere Kunst, das muß jeder Interpret zu leisten im stande sein, aber dem Schüler
so recht zum Bewußtsein zu bringen, worin das Hübsche und Reizende, das
Neckische und Launige, das Feine und Taktvolle, und wie alle die Nüancen
ästhetischer Würdigung heißen mögen, gerade liege — wodurch dann der Schüler
notwendig so gefesselt werden muß, daß er unwillkürlich mit ganzer Seele in den
eigenartigen Reiz der Dichtung sich versenkt — das vermag nur ein feingebildeter,
ein feinfühlender Lehrer. Rektor Kurz gelang dies fast spielend. Ich berufe mich
hier auf das vollgiltige Zeugnis meines Kollegen La Roche und meiner Freunde
Deuerling und Römer, die wie ich viele Jahre bei der mündlichen Absolutorialprüfung Gelegenheit hatten, diese ungewöhnliche Geschicklichkeit des erfahrenen
Schulmannes zu bewundern, und alljährlich von neuem ihre Bewunderung ausdrücken mußten. Unser Rektor war in diesen Stunden, wo er die Abiturienten aus
der Horazlektüre examinierte, in Wahrheit ein Lehrer der Lehrer.

Was seine Laufbahn in der Thätigkeit als öffentlicher Lehrer betrifft — für diese hatte er eine gute Vorbildung dadurch erhalten, daß er schon als Hörer der Universität fleißig Privatunterricht erteilte, den er übrigens auch späterhin noch lange Zeit zu geben sich genötigt sah — so begann er sie schon vor dem Staatskonkurs. Der Katalog des Münchener Alten Gymnasiums vom Jahre 1848/49 berichet, daß „Herr Emil Kurz, Mitglied des philologischen Seminars," im zweiten Semester seit Erkrankung des Ordinarius der dritten Gymnasialklasse Abt. B den Unterricht in dieser Klasse erteilt habe. Diese Aushilfe dauerte drei Monate. Ebenso versah er im nächsten Schuljahre zwei Monate lang eine Abteilung der dritten Lateinklasse derselben Studienanstalt. Gegen Schluß des Kalenderjahres 1850 wurde ihm die Verwesung der zweiten Lateinklasse des Ludwigsgymnasiums übertragen, und durch Ministerialreskript vom 27. Dez. wurde er dem Rektorate der genannten Anstalt als Assistent beigegeben. Als solcher war er dazu bestimmt, dem Rektor P. Gregor Höfer — dem Manne, dessen Nachfolger er dereinst werden sollte — einen Teil der Unterrichtslast abzunehmen. Über diese Ernennung fühlte er sich sehr glücklich, einmal weil der Unterricht in der Oberklasse ihm große Freude machte, und dann weil er nun nicht mehr zu fürchten brauchte, als Aushilfslehrer oder als Assistent in eine andere Stadt geschickt zu werden. Das Ludwigsgymnasium aber konnte sich glücklich schätzen, eine so tüchtige Lehrkraft gewonnen zu haben. Seit dem Schuljahre 1850/51 gehörte er ununterbrochen dieser Anstalt an. Am 20. Sept. 1853 wurde er zum Studienlehrer, am 15. Okt. 1861 zum Gymnasialprofessor, am 8. August 1875 zum Rektor ernannt, der vierte der Vorstände des im Jahre 1824/25 eröffneten Ludwigsgymnasiums.

In den ersten Jahren seiner Lehrthätigkeit, wie auch in den letzten Jahren seines Universitätsstudiums erfreute sich Kurz keineswegs einer guten Gesundheit. Hartnäckige Katarrhe, häufige Kongestionen, ein von einer vernachlässigten Lungenentzündung zurückgebliebenes Brustleiden mit Bluthusten drückten ihn schwer nieder. Ja, es will uns, der späteren Generation, die wir an Rektor Kurz immer die Heiterkeit des Gemütes, die ungetrübte Seelenruhe bewunderten, die ihn auch dann nicht verließ, wenn ein öfter wiederkehrendes Magenleiden oder die schmerzliche Ischias ihn heimsuchte — uns will es kaum glaublich erscheinen, daß er mehrere Jahre lang in tiefer Melancholie dahinlebte. Todesahnungen schwebten ihm fort und fort vor der Seele. Als ihm erst gar ein älterer Bruder starb, an dem er mit zärtlicher Liebe gehangen hatte, da glaubte er ganz sicher, gleichfalls sehr bald dem unabwendbaren Schicksal zu verfallen. Noch weitere Nahrung fand seine Schwermut, als ihm im Schreckensjahre 1854, in dem die Cholera so viele Opfer forderte, sein wackerer und treuer Freund Heinrich Wolf, von der tückischen Krankheit plötzlich ergriffen, nach fünfeinhalbstündigem Leiden verschieden war. Notizen im Tagebuche, kleine Gedichte, briefliche Mitteilungen an Friedlein geben davon betrübende Kunde. Im Mißmut über die Not und Plage des Daseins bricht er einmal dem tröstenden Freunde gegenüber in die Worte aus: „Wie soll man von Disteln Rosen pflücken oder in der Sandwüste des Lebens Erquickung graben?" Seine Hoffnung auf ein irdisches Glück, das seine Seele voll befriedigen könnte, ist so gering, daß er nur Trost im Hinblick auf das Jenseits findet. So schreibt er an Friedlein (1854): „Auch ich lebe der einen Hoffnung, die mich aufrecht erhält und aus deren Born allein die einzigen Freuden, die ich hienieden noch genieße, kommen — daß der Mensch mit all seinen Hoffnungen und Wünschen doch nur auf ein besseres, glücklicheres Jenseits angewiesen ist, und daß es eine weise Weltordnung gebe, die für überstandene Leiden, wie für versagte Genüsse zu entschädigen vermag. Dieser Glaube steht und stand von jeher unerschütterlich fest in meiner Seele." Von den Seinigen aber sollte niemand merken, wie es um seine Gesundheit bestellt sei; Kummer und Sorge wollte er ihnen so lange als möglich noch ersparen. „Du bist der einzige Mensch," schreibt er seinem lieben Freunde, „dem ich, im Vertrauen auf Deine Verschwiegenheit, diese Mitteilung mache." Der Gedanke an den Schmerz, den der vermeintlich ihm schon bald drohende Tod seinen Angehörigen bereiten mußte, ist ihm „der bitterste Tropfen Wermut in den Kelch des scheidenden Lebens".

Diese trübe Stimmung verlor sich völlig seit seiner Vermählung. Am 31. Mai 1856 schloß er den Bund der Ehe, zu einer Zeit also, wo ihm die definitive Anstellung unmittelbar bevorstand. Ungetrübtes Glück aber hatte der Himmel ihm nicht beschieden. Lange Zeit krankte seine Frau an einem schweren Lungenleiden, dem sie trotz der aufopfernden Pflege, die ihr durch die innige Liebe ihres Gatten zu teil geworden, schon im elften Jahre der Ehe erlag. Mit drei Kindern stand er schmerzgebeugt am Sarge der Edlen, deren Engelsgüte ihn von dem ersten Augenblicke an, wo er sie kennen gelernt, mit Bewunderung erfüllt hatte. In die Fürsorge für die Kinder teilte sich mit ihm nach dem schweren Schicksalsschlage, der ihn betroffen, die jüngste Schwester der Verstorbenen, und da sie mit treuer Hingabe die Mutterstelle an seinen lieben Knaben vertrat, so bot er ihr nach fünfjährigem Witwerstande Herz und Hand. Es war eine Ehe, die beide Teile reich beglückte. — Manch schwere Sorge, manch bitteres Leid hatten die Jugendjahre und der Anfang des Mannesalters über Emil Kurz gebracht, desto schöner sollte sich ihm das Leben auf der Höhe des Mannesalters und sein Lebensabend gestalten.

So stellte ihn das Vertrauen der Amtsgenossen wiederholt an die Spitze des Vereines von bayerischen Gymnasiallehrern, bei dessen Begründung (1864) und Organisation er in hervorragender Weise mitgewirkt hatte. Schon in der ersten Generalversammlung war er mit Autenrieth zum Schriftführer gewählt und für das zweite Vereinsjahr zum Stellvertreter des Vorstandes, Linsmayers, erkoren worden. Im sechsten und siebenten Vereinsjahr hatte er selbst als Vorstand die Interessen des Standes zu wahren. Die Geradheit seines Wesens verleugnete sich auch hier nicht; charakteristisch sind folgende Worte des Nachrufes, den er in der siebenten Generalversammlung (1870) dem Rektor Ludwig von Jan widmete: „Er verschied am 10. April 1869, zwar nicht dekoriert durch einen bayerischen Orden, aber geschmückt durch seine weit über Bayerns, ja Deutschlands Grenzen hinausreichenden Verdienste." Frei und offen, wie er es für seine Pflicht erachtete, sprach er aus, was nach seiner und seiner Amtsgenossen Meinung der Schule not that. „Ich spreche," sagte er, „nur aus, was schon vielfach und bei wiederholten Gelegenheiten ist ausgesprochen worden, wenn ich sage: Eine ständige, aus Fachmännern zusammengesetzte Vertretung unter formgewandter Leitung ist es, was wir brauchen, und dies zu erstreben, muß die erste und nächste Aufgabe unseres Vereines sein, wenn derselbe seinen Zweck, die Förderung der Interessen unseres Standes und Berufes, wahrhaft befolgen will. M. H.! Ich habe die feste Überzeugung, daß ich hier in Ihrer Aller Sinne spreche; denn ich glaube nicht, was hier und dort verlautet, daß einige Mitglieder unseres Standes in der größeren Bequemlichkeit bei Ausübung unseres Berufes unter den obwaltenden Verhältnissen einen Grund für die Beibehaltung derselben erkennen. Ich glaube es nicht,

und kann es nicht glauben — wäre es aber dennoch so, so sähe ich darin nur
einen weiteren schlagenden Grund für die Notwendigkeit unserer Forderung."
Wenige Jahre später machte das Ministerium Lutz dem bayerischen Gymnasial-
lehrerstande das Geschenk des Obersten Schulrates. — Ich darf nicht verschweigen,
was Rektor Kurz noch wenige Monate vor seinem Tode mir unverhohlen gestand:
daß er von seinem einstigen Traum, von seiner früheren Meinung seit zehn Jahren
zurückgekommen sei. — In eben jener Versammlung trat er ferner mit Mannesmut
für die Hebung der materiellen Stellung der bayerischen Gymnasiallehrer ein,
nachdem man mehr als acht Jahre lang diesen Stand „mit Hoffnungen gespeist
und genährt hatte." „Das Schlimmste," sagte er, „ja das Unnatürliche möchte
ich es nennen, in unserem Falle ist, daß wir das Wenige, was wir bislang erreichten, nicht durch die natürlichen Vertreter unserer eigensten Interessen, sondern durch die des ganzen Landes erreichen mußten, und daß wir auch jetzt
wieder auf diesen Weg angewiesen sind, der meines Erachtens auf die Länge nicht
beschreitbar ist, wenn wir nicht in den Einläufen unserer Kammern zum stehenden
Artikel werden wollen."

Seine und seiner Freunde Bemühungen wurden schließlich mit Erfolg ge-
krönt. — Näher auf sein gedeibliches Wirken in der Vorstandschaft und im Aus-
schusse einzugehen, ist hier nicht möglich; dies hieße einen grossen Teil der Geschichte unseres Vereines schreiben. In Anerkennung seiner Verdienste hat die
gegenwärtige Vorstandschaft dem Mitbegründer des Vereines, dem thatkräftigen
Förderer der Interessen des Gymnasiallehrerstandes einen prächtigen Lorbeerkranz
am Sarge und am Katafalke niedergelegt.

Die schönsten Verdienste aber erwarb er sich durch seine Thätigkeit als
Lehrer und als Rektor.

Jeder, auch der geborne Pädagoge, muß bei seinem Eintritt in den Beruf
das Lehren und Erziehen erst lernen. Dies darf man billigerweise nicht vergessen,
wenn man in dem mehrerwähnten Buche von Felix Dahn auf Seite 219 über Kurz
ein zweifellos zutreffendes Urteil ausgesprochen findet, das zur Hälfte eine hübsche
Anerkennung, zur Hälfte aber auch einen leisen Tadel enthält. Kurz war, wie
oben gesagt, schon vor dem Staatsexamen plötzlich (1849) in die dritte Gymnasialklasse des Alten Gymnasiums gestellt worden. Unter den Schülern jenes Kurses
befand sich auch Felix Dahn. Dieser klagt an der bezeichneten Stelle über den
häufigen Wechsel der Lehrer, der in jener Klasse fast in allen Fächern eintrat,
und schließt mit den Worten: „Zuletzt kam Kurz, ein höchst anregender, blut-
junger Herr, dem wir bösen Buben leider nicht genug folgten." Rektor Hutter
aber gab im Jahre 1850 dem jugendlichen Kandidaten amtlich das Zeugnis, daß
„derselbe in Absicht auf Kenntnisse und Lehrgabe als sehr gut qualifiziert sich
erwies, sowie auch seinem Fleisse und seinem Eifer für Zucht und Ordnung Anerkennung gezollt werden muß." Oft wurde in der Folgezeit dem Verewigten die
höchste Anerkennung von der Kgl. Staatsregierung ausgesprochen und sowohl
seine Tüchtigkeit und Gewissenhaftigkeit im Lehrberufe als auch seine Festigkeit
und Umsicht in der Leitung der Studienanstalt rühmend hervorgehoben. Am
31. Dez. 1878 wurde er mit dem Verdienstorden vom hl. Michael I. Klasse (à. O.)
ausgezeichnet.

Es war keine geringe Bürde, die, seitdem er das Rektorat des Ludwigsgymnasiums führte, ihm auf die Schultern gelegt war. Als sein Amtsvorgänger
mit Tod abging, zählte die (neunklassige) Studienanstalt in 14 Kursen 530 Schüler.

In den folgenden Jahren nahm der Zudrang zu den Studien derart zu, daß am Ludwigsgymnasium über 1000, ja über 1100 Schüler inscribiert wurden, und daß schließlich die unterste Klasse in nicht weniger als 5, die ganze Anstalt in 24 Kurse geteilt werden mußte, die teilweise in einer Filiale, ja eine Zeit lang in zwei Filialen untergebracht wurden, bis man sich endlich zur Gründung eines neuen Gymnasiums entschloß. Kurz aber war der Aufgabe, die man ihm stellte, wohl gewachsen. Ja, man glaube nicht, daß er unter der Arbeitslast viel geseufzt habe. „Aequam memento rebus in arduis servare mentem" hatte er als zwanzigjähriger Jüngling zum Motto eines Tagebuches gewählt, und dieses Wort des Horaz war ihm auch tief in die Seele geschrieben. In eben jenem Tagebuche sagt er von sich, daß die ‚aequa mens' ein glückliches Erbteil sei, für das er dem Himmel noch in der letzten Stunde danken werde. Dieser Gleichmut, diese Seelenruhe erregte das Staunen aller, die ihn trotz der Wucht und Masse der Amtsgeschäfte nie mürrisch und verzagt, sondern immer wohlgemut und heiter sahen. Er dachte nicht daran, sich die Arbeit zu erleichtern (die Errichtung der Inspicienz über die Filiale, die einem älteren Studienlehrer übertragen wurde, diente wenig diesem Zwecke), er dachte nur daran, seine Pflicht und mehr als diese zu thun.

Nur zweierlei Fälle sind mir bekannt, in denen die sonst gleichmäßige Ruhe ihn immer völlig verließ. In heftigem Zorne brauste er auf, wenn ein anrüchiger Schüler sich erfrechte, Beschwerde gegen einen Lehrer zu erheben, um einer, wenn auch vielleicht strengen, Strafe zu entgehen. Da konnte er tüchtig schelten, mit dem ganzen Ingrimme tiefster Entrüstung, den man leider nicht allerorten kennt, den man leider in der jetzigen Zeit nicht immer kennt, wo die Autorität der Lehrer so vielfach geschädigt wird, wo halbwüchsige Buben die Rechte der Männer sich anmassen und die Rolle von Staatsbürgern spielen möchten. Ebenso wallte dem Rektor aber auch ein heiliger Zorn auf, wenn grämliches Übelwollen gegen Schüler sich bemerklich machte oder auch nur sich bemerklich zu machen schien. Gegen jenen eisigkalten Pessimismus vollends, der einem Schüler erst dann Vertrauen geschenkt wissen will, wenn derselbe den Beweis erbracht habe, daß er nicht schlimm, nicht schlecht sei — gegen diese Ausgeburt der Herzenshärte kämpfte er mit aller Macht an, die ihm zu Gebote stand.

Wie seine Seelenruhe, so war auch seine Seelengröße zu bewundern. Daß er einst ängstlich bemüht war, den Angehörigen seine körperlichen Leiden zu verheimlichen, um ihnen nur ja keinen Kummer und keine Sorge zu machen, das haben wir oben gesehen. „In sorgenvoller Lage", so schrieb er an seinen Herzensfreund, „verschließe ich mich am liebsten in mich selbst, um nicht die, die ich liebe, damit behelligen zu müssen". Ferner lebte und wirkte er ganz nach dem Worte Pestalozzis: „Darin liegt wahres Glück, von andern immer das Beste zu glauben, wieviel vom Gegenteile man auch sehen und hören mag." Auch wo er vermuten konnte, ja wo er sicher wissen mußte, daß sein Wohlwollen und seine Herzlichkeit nur mit Undank ihm gelohnt werde, fuhr er dennoch fort, in Selbstverleugnung den Weg der Liebe zu wandeln. Das erhebende Bewußtsein, seine Pflicht zu thun, gereichte dem selbstlosen Manne zur vollsten Befriedigung. Bei seiner Berufsstellung blieben Kränkungen ihm nicht erspart, ja man hat seinem Herzen manchmal recht wehe gethan; das ἀνταδικεῖν aber kannte er nicht, durchdrungen vom hohen Geiste des Christentums vergalt er Böses vielmehr mit Gutem. Wie in Berufsfreudigkeit und Pflichttreue, so ging er auch in der Kunst des Duldens seinem Lehrerkollegium mit dem schönsten Beispiele voran.

Dieser Edelmut, diese erhabene Gesinnung strahlte von jenem herrlichen
Lichte aus, das verklärend über seinem ganzen Wesen schwebte: von seiner
Herzenzgüte. Herzensgüte war die hervorstechendste Eigenschaft, der Grundzug
seines Charakters. Seine Freundlichkeit und Zuvorkommenheit gegen die Lehrer,
sein Wohlwollen gegen die Schüler der Anstalt kannte keine Grenzen. Nicht
selten, das müssen wir gestehen, ging er in seiner Güte zu weit. Ungern z. B.
entzog er armen, aber leichtsinnigen und trägen Schülern die Vergünstigung der
Befreiung von der Entrichtung des Klassengeldes. Ganz besonders pflegte sich
seine Milde gegen die Schüler in jenen Sitzungen des Lehrerrates zu bethätigen,
wo es sich um den Ascens derselben handelte. Wo die Frage der Ascensbewilligung
nur einigermassen zweifelhaft erschien, da fanden die schwächeren Schüler am Rektor
den allerbesten Anwalt. Ein Lehrer, der in seinen Vorschlägen etwas strenger
als andere verfuhr, hatte in der Regel einen ziemlich schweren Stand. War aber
einmal ein Beschluß des Kollegiums gefaßt worden, so trat der Vorstand mit
aller Entschiedenheit dafür ein, auch wenn er persönlich die gegenteilige Ansicht
vertreten hatte. Auch diese Festigkeit seines Auftretens wurzelte in seiner
Herzensgüte.

Für arme Schüler that er, was nur immer in seinen Kräften stand. Teils
suchte er ihnen, wo er nur konnte, Kosttage zu verschaffen, teils wies er ihnen,
wenn sie höheren Klassen angehörten, Instruktionen zu. Rührend war es anzusehen, mit welchem Zartgefühle er die aus Unterstützungsfonds u. dgl. fließenden
Geldbeträge an die Armen verteilte. Ruhig abweisend nahm er den Dank der
Beschenkten hin, den einen zu angestrengterer Thätigkeit ermunternd, dem
andern Worte des Lobes und der Anerkennung zollend. Keiner sollte fühlen,
daß er eine Wohlthat empfing. Reichten die Mittel nicht aus, um die Menge
der Hilfsbedürftigen zu befriedigen, so holte er nicht selten fast unbemerkt aus
der eigenen Börse etliche Goldstücke hervor, damit auch der Letzte, der weniger
Würdige noch eine Gabe erhalte. Man sah es diesem Manne am Gesichte an,
wie glücklich er war, wenn er geben konnte. — Gleiche Herzensgüte zeigte er
auch gegen die Eltern der Schüler. Mancher Vater, manche Mutter betrat, halb
gebrochen vor Kummer, schweren Herzens die Schwelle des Rektorates. Der
Rektor aber wußte, wie viele Sorgen alle Eltern um ihre Kinder durchzumachen
haben, und so hatte er, wenn er auch sehr erzürnt erscheinen mochte, doch auch
wieder gute Ratschläge oder tröstende Worte fürs wunde Herz des gebengten
Vaters, der jammernden Mutter. — Und die Lehrer seines Gymnasiums, alle, die
seiner Leitung unterstanden, wie viele Beweise freundlichen Entgegenkommens,
fürsorglichen Wohlwollens haben diese von ihm empfangen! In seiner Liebens-
würdigkeit und Dienstfertigkeit scheute er keine Opfer an Mühe und Zeit. Wenn
ein Kollege erkrankte, so besorgte er gerne selbst einen Teil der Aushilfe, ja,
wenn es ihm möglich war, diese ganz allein. Als ihm jemand einmal bemerkte,
es könne doch wohl dieser oder jener Assistent zur Aushilfe herangezogen werden,
da sagte er mit nachdrucksvollem Ernste: „Die jungen Leute darf man nicht
auspressen wie Citronen; sie sollen dem Staate noch lange dienen". Als der
Sekretär der Anstalt vor mehreren Jahren in eine schwere Krankheit fiel und volle
vier Wochen den Obliegenheiten seines Berufes nicht nachkommen konnte, da
versah der gute Rektor ganz allein den Dienst des Erkrankten, und das zu einer
Zeit, wo die Anstalt mehr als tausend Schüler zählte.

Über Salzmanns Thürschwelle in Schnepfenthal standen die Buchstaben

D.D.H., d. h. Denken, Dulden, Handeln. Heutzutage ist man wohl davon ab-
gekommen, solche geheimnisvolle, symbolische Zeichen als pädagogische Signale zu
verwenden. Wären die drei Buchstaben im Ludwigsgymnasium über der Thüre
des Rektorates gestanden, Kurz hätte bei der Schlichtheit seines Wesens, die nicht
schöne Worte, sondern gute Thaten liebte, sicherlich jenen pädagogischen Einfall
übertünchen lassen. Und doch hätten die Worte selbst, wie aus Vorstehendem
ersichtlich ist, mit Fug und Recht über seiner Thürschwelle stehen dürfen. Sein
ganzes Wissen, Fühlen und Können stellte er in den Dienst der Schule. Vor
der Sorge für den Nutzen der Anstalt, sowohl der Lehrer als auch der Schüler,
ließ er die Rücksicht auf die eigenen Wünsche, auf das persönliche Interesse
zurücktreten. Er selbst dachte, duldete, handelte für das höchste Ideal seines
Lebens, die Schule. Ebenso ließ er, was seine Schüler betrifft, es sich ernstlich
angelegen sein, die Denkthätigkeit und überhaupt die geistigen Fähigkeiten derselben zu entwickeln, ihre Willensthätigkeit einer geeigneten Zucht zu unterwerfen, durch Arbeit die Schüler zur Arbeit zu erziehen.

Diesterweg sagt einmal: „Wir bilden keine Gesinnung", und ein andermal:
„In dem Mangel an Charakterbildung liegt die Schwäche unserer Schule, wie die
Schwäche unserer Erziehung überhaupt". Solcher Vorwurf trifft unsern Rektor
nicht. Die Herzensbildung der Jugend vernachlässigte er nicht über dem Bemühen,
dieselbe mit guten und tüchtigen Kenntnissen auszustatten. Was in der Neujahrs-
nacht von 1845/46 der kaum an die Universität übergetretene Jüngling in sein
Tagebuch schrieb: „Nicht die geistige Ausbildung, nein, die sittliche Veredlung
sei das erste, das heiligste Streben des Menschen", das war auch dem Manne Norm
für die ganze Lebenszeit. Er suchte ebenso auf das Gemüt einzuwirken, wie den
Geist anzuregen und zu entwickeln. Bei dieser geistigen und moralischen Ausbildung der Schüler ging sein Streben dahin, dieselben immer mehr an Selbstthätigkeit, an Selbständigkeit zu gewöhnen. Frei von aller Pedanterie, war er
auch ein Feind der Schablone, die allmählich jetzt ihren Triumphzug durch die
Schule zu halten scheint. Er gewährte seinen eigenen Schülern unleugbar eine
gewisse Freiheit, nach der Meinung mancher Kollegen sogar in zu großem Maße.
„Je mehr einer darnach strebt, durch Gewalt auf andere zu wirken, desto deutlicher zeigt er, daß er Vernunft und Liebe, wodurch allein der Mensch gelenkt
wird, nicht anzuwenden weiß" — so lautet ein Ausspruch von Schleiermacher,
und von dem darin ausgedrückten Gedanken war Kurz, so lange ich ihn kannte,
geleitet und durchdrungen. Dem Prinzipe der Selbsterziehung neigte er übrigens
schon von Natur durch die ihm innewohnende, angeborene Herzensgüte zu.
„Herzensgut war unser Rektor, aber ich wüßte nicht, daß wir seine Güte schnöde
mißbraucht hätten", sagte, bei der Nachricht vom Tode des trefflichen Mannes,
ein ehemaliger Schüler desselben, der in so jungen Jahren schon zu großer Berühmtheit gelangte Kapellmeister Richard Strauß. Wenn aber auch Rektor Kurz
selbst die eigenen Schüler, die er selbst unterrichtete, mit der bloßen Macht
seiner Persönlichkeit im Zaume zu halten und zu lenken vermochte, und wenn
er auch die verbitterte und verbitternde Strafwut im Grunde der Seele verab-
scheute, so verschloß er sich doch auch andererseits keineswegs der Einsicht, daß
den jüngeren und den jüngsten Schülern gegenüber das mahnende Wort und der
strafende Blick des Lehrers nicht ausreiche. Weit wies er von sich jene nach
Beliebtheit haschende, augenverdrehende, lendenlahme Scheinpädagogik, die ganz
des ewig wahren Wortes der heiligen Schrift vergißt: „Wer sein Kind lieb hat,
der züchtigt es".

Es liegt die Zeit nicht weit, ja kaum hinter uns, wo die Überbürdungsfrage in Bayern wie anderswo auf der Tagesordnung stand. Jedes Alter, jedes Geschlecht discutierte diese Frage, der Laie wie der Fachmann. Da und dort kam auch im fadenscheinigen Röckchen der „Liebe zur Jugend" die Scheelsucht an der Krücke erborgter Phrasen angehumpelt und leierte dem Publikum die bekannten Weisen vor. Als dann die Unterrichtsverwaltung Geneigtheit zeigte, wirklich vorhandene Härten zu beseitigen, da begann gar vielen schwachen Geistern der Kopf zu schwindeln und vielfach die Meinung platzzugreifen, daß in Zukunft an den häuslichen Fleiß gar keine oder fast keine Anforderungen mehr gestellt würden. Gegen solche Verkehrtheit erhob auch Rektor Kurz seine Stimme mahnend und warnend. Bei der Schlußfeier des Studienjahres 1890/91 legte er den Schülern dringend ans Herz, fleißig zu arbeiten; wenn auch das Wohlwollen der Staatsregierung ihnen Erleichterungen gewährt habe, so bestehe doch die Verpflichtung zu ernstem Studium nach wie vor. Keine Schulordnung der Welt werde je den Schüler von der selbstthätigen Arbeit entheben.

Es war dies das letztemal, daß unser Rektor zu den versammelten Schülern, vor dem Kollegium der Lehrer sprach. Die Mahnung zur Arbeit, zu ernster Arbeit war sein Schwanengesang, sein Testament an die Schule.

Das wundervolle Wetter am 21. August verlockte den noch ganz rüstigen Mann, der allzeit Freude an der schönen Natur empfand, einen in der Nähe von Steinach gelegenen Berg zu besteigen. Schon seit mehreren Jahren war es sein Wunsch gewesen, diese Partie zu unternehmen. Frohen Mutes stieg er hinan und freute sich der entzückenden Aussicht über Berg und Thal, über das herrliche Stück Land, in dem er seit langem so gerne seine Ferienzeit verbrachte. Mitten auf dem Rückwege bemerkte er, daß er einen Gegenstand, der als Geschenk seiner Gattin ihm wert und teuer war, auf der Höhe hatte liegen lassen, und da er diesen nicht missen wollte, so kehrte er um und mutete so seinen Kräften eine allzu große Anstrengung zu. Bei dem erneuten und beschleunigten Abstieg machte ein Schlaganfall seinem Leben ein Ende — ein allzu frühes Ende einem Leben voll Mühe und Arbeit, voll Milde und Güte, voll werkthätiger Liebe.

In Rektor Kurz ist ein trefflicher Schulmann zu Grabe gegangen, ein Ehrenmann. Er hat Liebe gesät und Liebe geerntet. Mit der tiefgebeugten Witwe trauern um ihn drei Söhne, welche den liebevollsten Vater in ihm verloren, drei Brüder, welche, selbst in angesehener Stellung, mit Stolz zu dem älteren Bruder emporsahen. Es trauern um ihn Kollegen und Schüler, wohl alle, die seiner Leitung unterstellt waren. Ihnen allen wird das Bild dieser edlen, feinen, idealen Natur stets in der Erinnerung fortleben.

I. Abteilung.

Abhandlungen.

～～～

Über die Methode des französischen Unterrichts an den bayerischen Gymnasien.

Es gibt nicht leicht einen Gegenstand des öffentlichen Unterrichts, über dessen methodische Behandlung mehr geschrieben und gesprochen würde, als über den Unterricht in den fremden Sprachen, speziell in den neueren. Das Sprachstudium ist an sich schon sehr interessant, und bei der heute weit verbreiteten Bildung gibt es sehr viele, die sich mehr oder weniger mit der Erlernung wenigstens einer modernen Sprache befafst haben. Es erklärt sich also, wenn so viele aus ihrer persönlichen Erfahrung heraus ein Urteil über die nach ihrer Meinung beste und sicherste Methode der Spracherlernung abgeben und ein ihrer Ansicht nicht entsprechendes Verfahren herb verurteilen. Dazu kommt noch, dafs seit mehr als zehn Jahren unter den Lehrern der neueren Sprachen selbst ein heftiger Streit entbrannt ist, aus welchem laut der Ruf nach einer Änderung der Methode ertönt. Eine Anzahl Lehrbücher zur Verwirklichung dieser Neuerung sind bereits erschienen und in einer Reihe von (namentlich norddeutschen) Schulen eingeführt worden. Es dürfte also nicht unzeitgemäfs sein, zu untersuchen, welche Methode nach den an den bayerischen Gymnasien gegebenen Voraussetzungen die empfehlenswerteste sei, oder ob, wie jüngst wieder im Landtage behauptet worden ist, die bisher angewendete Methode falsch war oder nicht. Auch dürfte der Verfasser eine gewisse Berechtigung zur Behandlung dieser Frage aus dem Umstande herleiten, dafs er dreizehn Jahre an einer Schule, an der nicht Latein gelehrt wird, unterrichtet hat, und sich nach eingehender Prüfung der Sache und nach einem einjährigen Versuche, der vom Rektor der Anstalt im Jahresberichte der städt. Handelsschule zu München vom Jahre 1886/87 als „ein durchaus gelungener" bezeichnet wurde, in einer Abhandlung desselben Jahresberichtes S. 95 ff. für die (vom Lehrerrate auf Grund dieses Referates gut geheifsene und angenommene) reformierte Methode des Sprachunterrichts ausgesprochen hat.

Es gibt nun bekanntlich im grofsen und ganzen, und von Variationen im einzelnen abgesehen, zwei Methoden der Erlernung einer fremden Sprache. Die eine — die grammatische — ist diejenige, nach welcher man die klassischen Sprachen lehrt, und deren Wesen in einem allmählichen, ordnungsmäfsigen Vorführen der einzelnen Spracherscheinungen in Verbindung mit dem Nachbilden derselben vermittelst der Übertragung aus der Muttersprache in die fremde besteht. Die Allmählichkeit des Fortschreitens, verbunden mit dem scharfen Einprägen der Paradigmen und der beständigen Vergleichung mit dem Deutschen, bildet einen Teil der geistigen Zucht, die durch das Erlernen fremder Sprachen ausgeübt werden kann. Die zweite Methode, auch die natürliche genannt, ist eine Nachbildung der Art, wie ein Kind die Sprache seiner Mutter erlernt, oder wie ein Mensch, der plötzlich ins Ausland versetzt ist, in wildfremder Umgebung sich nach und nach zu einem Verständnis des um ihn her Gesprochenen und zum eigenen Sprechen heranbildet. Das Wesen dieser Methode, welche zuerst als System durch den 1831 zu Dublin verstorbenen James Hamilton in die Öffentlichkeit gebracht, und neuerdings von den sogenannten Reformern wieder aufgenommen worden ist, besteht darin, den Schülern gleich am Anfang ein zusammenhängendes Lesestück in der fremden Sprache vorzulegen, durch Vorsprechen des Lehrers und Nachsprechen vonseiten der Schüler die Aussprache einzuüben, dann die Übersetzung des Gelesenen zu geben und durch lange fortgesetzte Wiederholung Text und Übersetzung einzuprägen. Die Grammatik wird auf Grund dieses Textes, soweit derselbe Anlafs dazu bietet, erörtert; hierauf werden Fragen über das Lesestück gestellt, die der Schüler mit den Worten des letzteren beantwortet, wodurch sich unbewufst des Schülers Sprachgefühl entwickeln soll, und in dieser Weise wird dann ein oder mehrere Jahre fortgefahren, ohne jede Übersetzung aus dem Deutschen, welche von dieser Methode sogar für schädlich erklärt wird. Allmählich gesellt sich zu diesen Übungen das Schreiben und so wird endlich in dem Schüler die Fähigkeit zum freien schriftlichen, wie zum mündlichen Gebrauch der fremden Sprache entwickelt und ausgebildet. Es ist kein Zweifel, dafs, namentlich in Instituten, schon viele die fremde Sprache auf diese Weise erlernt haben. Auch kann nicht in Abrede gestellt werden, dafs selbst als blofse Vorstufe für spätere grammatische Behandlung der fremden Sprache, die ein- bis zweijährige ausschliefsliche Beschäftigung mit fremdsprachlichen Lesestücken den grofsen Vorteil hat, den Schüler in ausgedehntem Mafse mit dem Sprachmaterial vertraut zu machen, so dafs er, sobald zu grammatischer Behandlung übergegangen wird, mit einem ziemlich bedeutenden Wortvorrat an Übersetzungen aus dem Deutschen gehen kann. Je näher der Schüler dem Kindesalter steht, desto lebendiger ist sein Nachahmungsvermögen, und desto schwächer ist noch die unterscheidende Denkkraft in ihm entwickelt. Da aber diese natürliche Methode mehr auf das Gedächtnis, als auf die Reflexion sich gründet, so ist sie gewifs für ganz junge und geistig noch wenig entwickelte Schüler angemessener als die grammatische, bei welcher von Anfang an durch die Übersetzungen aus dem Deutschen die Unterscheidungskraft in anspruch genommen wird. Da nun manche soviel Gewicht auf den mündlichen Gebrauch des Französischen legen, dafs sie sagen, unsere Schüler lernten gar nichts im Französischen, weil sie beim Verlassen des Gymnasiums nicht fließend sprechen können, so handelt es sich erstens darum, ob wir diese natürliche Methode am Gymnasium befolgen können, und zweitens, ob mit der grammatischen Methode die Sprechfähigkeit überhaupt nicht erzielt werden kann.

Inbezug auf den ersten Punkt ist zu sagen, daß wir keinen Anlaß haben, die natürliche Methode, die auf ungeschulte Köpfe berechnet ist, einzuführen, da unsere Schüler das Französische so spät zu lernen beginnen, daß sie schon hinreichend in grammatischer Beziehung vorgebildet sind, um in einer eben solchen Behandlung der neu zu erlernenden Sprache keine besonderen Schwierigkeiten zu finden. Ferner ist zu bedenken, daß gerade die systematische Vorführung der Grammatik eine Zeitersparnis darstellt, indem der Schüler nicht erst einer neuen Orientierung bedarf, wie es der Fall wäre, wenn man ihm die Grammatik auf Grund der zufällig sich bietenden grammatischen Erscheinungen in den jeweilig dem Unterrichte zu Grunde gelegten Lesestücken in abgerissenen Partien vorlegen wollte. Wer einmal an systematische, zusammenhängende Darstellung gewöhnt ist, empfindet jede andere Art der Behandlung als verschwommen und hat dabei das Gefühl der Unsicherheit. Die Zerrissenheit der grammatischen Unterweisung — von der in den bekannten Unterrichtsbriefen ein klassisches Beispiel gedruckt vorliegt — würde in dem Schüler das Gefühl des allmählichen Fortschreitens nicht aufkommen lassen und ihm jede Übersicht benehmen, mit einem Worte, er würde den Wechsel der Methode als etwas Störendes empfinden und vielleicht sogar dem Lehrer sein Vertrauen entziehen. In der That würde eine derartige Behandlung des Französischen etwas dem Gymnasium ganz Fremdartiges darstellen, und es wäre dann nahezu der Zustand wieder erreicht, in dem das Französische in der Zeit sich befand, als es von geborenen Franzosen an den Gymnasien gelehrt wurde. Selbst von diesen Bedenken abgesehen, ginge es auch nicht an, ohne Änderung des jetzigen Lehrplanes ein oder zwei Jahre lang nach der natürlichen Methode zu unterrichten.

Nun ist noch auf die Frage zu antworten, ob denn die Sprechfähigkeit durch die grammatische Methode überhaupt nicht erlangt werden kann. Was ist denn zum Sprechen einer fremden Sprache überhaupt nötig? Antwort: Die Fähigkeit des Verstehens der gesprochenen Rede, die Kenntnis der Wortstellung und der Hauptregeln der Sprache, sowie ein ziemlich großer Wortvorrat, verbunden mit einer guten Aussprache und einer durch Übung erworbenen Raschheit des Denkens, welche es ermöglicht, einen Gedanken, für den sich die beabsichtigten Worte nicht sofort im Gedächtnis einstellen, ohne Verzug in anderer Form auszudrücken. — All dies kann man sich durch fortgesetzte Übersetzungen aus dem Deutschen aneignen, denn je mehr man aus der Muttersprache in die fremde übersetzt, desto mehr Wörter lernt man kennen, desto rascher stellen sich dieselben im Gedächtnis ein und mit der zunehmenden Raschheit der Erinnerung nimmt auch die Geläufigkeit des Übersetzens zu, so daß man bei

11*

hinreichender Übung sogar fähig werden kann, vom Blatt zu übersetzen. Versucht man es nach genügender Übung im Übersetzen mit
dem Sprechen, so wird man finden, daſs man desto geläufiger spricht,
je mehr man übersetzt hat und je schneller man übersetzen kann;
denn zwischen dem Sprechen und der Übersetzung aus einem Buche
ist nur der Unterschied, daſs man bei diesem fremde Gedanken, bei
jenem die eigenen übersetzt; auch wird man bei fortgesetzter Übung
dahin gelangen, daſs man einen im Bewuſstsein auftauchenden Gedanken dem Sinne nach mit den Worten der fremden Sprache
wiedergibt, ohne- ihn vorher in extenso in deutschen Worten gedacht
zu haben. Dabei ist sicherlich das auf Grund fortgesetzter Übersetzungen aus dem Deutschen ausgebildete Sprechen korrekter, als das
durch bloſse Routine erlernte, welches überdies gar keine bildende
Kraft hat, denn geistigen Gewinn gewährt nur das durch Reflexion
und Vergleichung erworbene Wissen.

Aus dem Gesagten dürfte sich also als das für unsere Gymnasien
Passendste ergeben, daſs die Grundlage des Unterrichts die systematische Behandlung der grammatischen Grundlehren der Sprache zu
bilden hat, welche durch zahlreiche Übersetzungen aus dem Deutschen,
die möglichst bald, zur Erhöhung des Interesses und als Grundlage
für Sprechübungen, zusammenhängende sein sollen, eingeübt werden.
Über die Verteilung des grammatischen Lehrstoffes spricht sich die
Schulordnung klar aus: in der VI. Klasse die Formenlehre mit In-
begriff der notwendigsten Regeln über die Wortstellung, aber mit
Ausschluſs der unregelmäſsigen Verba, welche in der VII. Klasse nebst
den einfachen Regeln der Syntax erlernt werden, in der VIII. Klasse
ist die gesamte Syntax zu beendigen. Über die durch diese Verteilung bedingte Einrichtung des Lehrbuches hat sich der Verfasser
in dem Vorwort zu dem ersten Teil seiner Grammatik geäuſsert.
Die von der Schulordnung getroffene Einteilung ist durchaus sach-
gemäſs und zu ihrer Durchführung bedarf es keines nach einer neuen
Methode geschriebenen Lehrbuches, sondern nur eines solchen, das
sich an den vorgeschriebenen Lehrgang anschlieſst, welchen Anschluſs
die bisher gebrauchten Bücher allerdings vermissen lassen. Bei einer
französischen Grammatik für Gymnasien, an denen das Französische
erst in der letzten Hälfte der Studienzeit begonnen wird, ist es unnötig, sich jener rein äuſserlichen Kunstgriffe zu bedienen, die man
bei Lehrbüchern, die für Schüler ohne Latein bestimmt sind, anwendet, z. B. des Kunstgriffes, das Beispiel der Regel vorauszustellen.
Unsere Schüler treten ja nicht unvorbereitet an die französische
Grammatik heran, es handelt sich nicht darum, das grammatische
Denken bei ihnen erst zu entwickeln, sondern die Hauptsache für uns
ist, mit der Zeit so sehr als möglich zu geizen. Ein guter Lehrer
wird ohnehin nur in ganz besonderen Fällen die Regel zuerst lesen
oder lesen lassen: er wird zuerst an dem Beispiel die Regel erklären,
ob nun das Beispiel vor oder nach der Regel steht, ist ganz gleichgiltig; die Regel soll nur einen Anhaltspunkt für die häusliche Repetition des in der Schule behandelten Stoffes bilden. Hingegen ist

eine übersichtliche, das Behalten erleichternde Darstellung nicht zu entbehren. In Verbindung mit den Übersetzungen aus beiden Sprachen werden allmählich gesteigerte Übungen (wie z. B. Vorsprechen von französischen Sätzen, Dictées, französisch zu beantwortende Fragen über das Gelesene oder Übersetzte) vorgenommen, um die Schüler an das Verstehen des Gesprochenen und an den mündlichen Gebrauch der fremden Sprache zu gewöhnen. In der VI. Klasse wird man sich wenigstens anfangs, wegen des noch geringen Sprachmaterials auf das Vorsprechen französischer Sätze und Nachsprechen und Übersetzen derselben vonseiten der Schüler beschränken müssen. Diese Sätze könnten dem von den Schülern während dieser Übung geschlossen gehaltenen Übungsbuch — vielleicht den schon vor einiger Zeit durchgenommenen Kapiteln — entnommen sein. In der VII. Klasse werden sich die zusammenhängenden Übungsstücke des Übungsbuches mittels französischer Fragen des Lehrers und französischer Antworten des Schülers zu Sprechübungen verwenden lassen. Für die VIII. und IX. Klasse dürfte es sich empfehlen, den Schülern zu Beginn der Stunde eine kurze Erzählung auf französisch vorzulesen oder vorzutragen, in der VIII. Klasse vielleicht noch in der Weise, daß man immer nach mehreren, einen einigermafsen abgeschlossenen Sinn bildenden Worten den oder jenen Schüler entweder zum Nachsprechen oder zum Nachübersetzen auffordert. Nach dem Vortrag der Erzählung fragt man deren Inhalt auf französisch ab und läfst die Fragen ebenso beantworten. Bei Fortsetzung dieser Übung gewöhnen sich die Schüler unmerklich an die Auffassung des in fremder Sprache Gesprochenen, so dafs man mit der Zeit die Erzählung nicht mehr stückweise, nach Satzteilen, sondern im ganzen wird vortragen können. Hierauf folgen dann wieder die Fragen und Antworten und schliefslich kann man einen oder mehrere Schüler zur Reproduktion des Mitgeteilten veranlassen. Übt man die Konversation in dieser durch vielfache Erfahrung als durchaus praktisch bewährten Weise, so hat man einmal den Vorteil, dafs die Aufmerksamkeit der auf den Inhalt gespannten Schüler eine viel gröfsere ist, ferner, dafs ihr Ohr mehr geübt wird, als es der Fall wäre, wenn man bereits Gelesenes so behandelte, und endlich, dafs die regelmäfsig an den Anfang der Stunde gestellte Sprechübung bis auf die Minute genau eingehalten werden kann, während dieselbe im Anschlufs an die Übersetzungen oder die Lektüre, an das Ende der Stunde verlegt, oft wegen Zeitmangels verkürzt wird oder ganz ausfällt. In diesem Falle macht die Übung dann den Eindruck der Zufälligkeit und nicht den eines notwendigen Unterrichtszweiges. Endlich ist noch zu Gunsten dieser Erzählungen anzuführen, dafs sie mehr im gewöhnlichen Leben vorkommende Ausdrücke bieten, als die Lektüre häufig nach der Natur ihres Gegenstandes enthalten kann und dafs sie wegen ihres konkreten Inhalts vom Schüler leichter aufzufassen und in der fremden Sprache zu behandeln sind, als die oft in Abstraktionen sich bewegende Lektüre. Besteht die Lektüre selbst in einer an Vorfällen reichen Erzählung, so ist das oben geschilderte Verfahren natürlich nicht angezeigt; nur wird es auch hier gut sein, die gesprächsweise Behandlung an den Anfang oder in die Mitte der Stunde zu verlegen. In dieser Weise wird einerseits den Anforderungen entsprochen, die man an den Unterricht im Französischen als einer lebenden Sprache stellen kann, während andrerseits die Würde der Schule und des Unterrichts durch ·Vermeidung förmlicher Abrichtung zum Gebrauch der fremden Sprache für den alltäglichen Verkehr, ohne wirkliches Verständnis der Sprachgesetze und des Sprachgeistes,·gewahrt bleibt.

So sehr nun die bisher von den Lehrern des Französischen an den Gymnasien eingehaltene Methode dem Umstande angepaſst ist, daſs der Unterricht in dieser Sprache erst in den vier letzten Jahren der Gymnasialzeit betrieben wird, und daſs die Schüler schon eine hinreichende grammatische Vorbildung zu demselben mitbringen, so kann doch nicht behauptet werden, daſs die Aufgabe des Lehrers deshalb eine leichte sei. Schon die Erzielung einer annehmbaren Aussprache verlangt unablässige Aufmerksamkeit und Bemühung des Lehrers, denn je älter die Lernenden sind, desto schwerer fällt ihnen die Nachahmung der fremden Aussprache. Abgesehen von der Bewältigung der fein ausgebildeten Grammatik muſs der Lehrer darnach trachten, daſs seine Schüler einen möglichst groſsen deutsch-französischen und französisch-deutschen Wortschatz (was keineswegs dasselbe ist,) sich aneignen, um sowohl den schriftlichen als auch den mündlichen Aufgaben im Absolutorium gewachsen zu sein. Auch muſs die Syntax immer ausführlich wiederholt werden, da die Schüler in der mündlichen Prüfung meist veranlaſst werden, nach Übersetzung der vorgelegten Stellen noch grammatische Fragen zu beantworten. Diese Wiederholungen der Grammatik beanspruchen ziemlich viel Zeit, da es zwei verschiedene Dinge sind, eine Regel richtig anzuwenden, und dieselbe auch richtig in Worte zu fassen. Diese durch die Rücksicht auf das mündliche Examen auferlegte Notwendigkeit hält Verfasser für einen wirklichen Übelstand, der sich weder durch die frühere, noch durch die neue Schulordnung rechtfertigen lieſs oder läſst. In der alten Schulordnung war in § 35 c) für die mündliche Prüfung im Französischen vorgeschrieben: „Übersetzung einiger Stellen aus dem Französischen in das Deutsche." § 36 c) der neuen Schulordnung verlangt: „Übersetzung nicht gelesener Stellen eines französischen Schriftstellers." Wenn der Schüler Übersetzungsfehler macht, und dies wird um so häufiger vorkommen, als es ja meist die schwächeren sind, die zum mündlichen Examen sich stellen müssen — so wird es oft genug vorkommen, daſs man ihn durch eine den Text betreffende grammatische Frage auf den rechten Weg zu bringen suchen wird, aber von einer Halbierung der dem französischen Examen gewidmeten Zeit, derart, daſs etwa fünf Minuten auf Übersetzen, und fünf Minuten auf Regelausfragen verwendet werden sollten, wie es der Verfasser bisher noch jedesmal mitgemacht hat, läſst sich doch aus der angeführten Vorschrift nichts herauslesen. Diese zeitraubenden Grammatikrepetitionen werden noch schädlicher, wenn man die Lektürestunden als die geeignete Zeit und die Lektüre als die geeignete

Grundlage für dieselben ansieht. Denn dann werden diese Stunden in arger Weise verkürzt und geschmälert. Die Schüler verlieren leicht das Interesse an der Lektüre, wenn dieselbe nur zu grammatischen Erörterungen herhalten muſs. Man stelle sich vor, was das für eine Unterrichtsstunde wäre, wenn man in einer Klasse die Braut von Messina oder den Laokoon läse und bei jedem Satze auf die grammatischen Eigentümlichkeiten, die sich darin finden, aufmerksam machen wollte, statt die ästhetische oder logische Seite hervorzuheben. Und doch muſs es beim französischen Unterricht nicht selten in dieser verkehrten Weise gemacht werden, wenn man nach manchen Schulausgaben urteilen darf, in denen die Herausgeber nach jeder im Text gebotenen Gelegenheit haschen, um in den Noten ihr Regelchen daran zu hängen. Wie viel interessantere, lehrreichere Dinge sind doch gerade bei der französischen Lektüre der Oberklasse geboten. Es gibt nicht leicht ein anderes Volk, das in seinen Schriftwerken einen so feinen Sinn, wie das französische, für die Schönheit und den Reiz bekundete, welche Klarheit, schöne Abrundung, der treffende Ausdruck, die Antithese dem geschriebenen Gedanken verleihen können. Und dies bei passender Gelegenheit, namentlich bei Werken der Dichtung, hervorzuheben, sollte nicht bildender sein, und das Sprachverständnis nicht mehr fördern und entwickeln können, als jeden Konjunktiv, jeden Infinitiv zu analysieren und die betreffende Regel hersagen zu lassen? Es wird auch nicht zu viel behauptet sein, wenn man sagt, daſs das konsequente Streben nach einer ebenso richtigen, als schönen, mit dem Original wetteifernden Übersetzung sowohl die Achtung vor der fremden, als vor der Muttersprache erhöht und erst recht in den Geist der beiden Idiome eindringen läſst. Damit sollen keineswegs alle grammatischen Erörterungen aus der Lektürestunde verbannt sein, sondern nur jene, welche gleichsam vom Zaune gebrochen und zum Verständnis des Gelesenen unnötig sind. Ferner ist noch Folgendes zu erwägen. Wenn man auch bei der kurzen zur Verfügung stehenden Zeit keinen Kanon, der irgend praktisch durchgeführt werden könnte, für die französische Lektüre an unseren Gymnasien aufstellen kann, und man deshalb darauf verzichten muſs, die Schüler auch nur mit den hervorragendsten Werken der gröſseren literarischen Gattungen, oder den bedeutendsten Autoren seit Ludwig XIV. bekannt zu machen, so muſs man doch darnach trachten, möglichst viel in der einen Stunde zu lesen (indem z. B. ein Teil derselben auf die von den Schülern zu Hause vorbereitete Lektüre, der übrige Teil auf Fortsetzung des Lesens durch Übersetzen aus dem Stegreife verwendet wird). Denn je mehr Gewandtheit ein Schüler im Verstehen eines französischen Textes erlangt hat, desto mehr Aussicht ist vorhanden, daſs er die Lektüre auch nach dem Verlassen des Gymnasiums fortsetzt und so im Besitze des an der Schule erworbenen Wissens sich erhält. Für jeden Beruf aber, für den des Theologen ebenso gut wie für den des Eisenbahnbeamten, wird sich in der französischen Literatur etwas Interessantes und die spezielle Berufsthätigkeit Förderndes finden. Darum gilt es, die

Lektürestunden nach Möglichkeit fruchtbar zu machen. Deshalb ist es auch höchst erfreulich, dafs die Schulordnung für die mündliche Prüfung die Übersetzung nicht gelesener Stellen fordert Denn diese Vorschrift mufs unbedingt dazu veranlassen, die Lektüre möglichst auszudehnen, um den Schülern die nötige Übung im raschen Erfassen eines französischen Textes zu verschaffen. Wollten nun noch die Prüfungskommissäre auf das Abfragen der Grammatikregeln verzichten, deren Kenntnis ja schon durch die schriftliche Prüfung kontroliert wird, so würde die Lektüre auch in der mündlichen Prüfung jene Stellung erhalten, die ihr naturgemäfs zukommt und die ihr auch von dem Geiste der Schulordnung eingeräumt ist.

Nun noch eine Bemerkung. Zu jeder der unbedingt nötigen Übungen des Übersetzens aus dem Deutschen und aus dem Französischen stehen in den beiden letzten Jahren (der VIII. und IX. Klasse) nur je eine Stunde wöchentlich zur Verfügung, so dafs der Lehrer mit wahrer Ängstlichkeit die Zeit zu Rate halten mufs. Durch die neue Schulordnung ist nun erfreulicher Weise der grundlegende Unterricht intensiver geworden, so dafs die Schüler doch nicht von einer Stunde zur andern wieder vergessen, was sie in der vorhergehenden gelernt haben, und höchst wahrscheinlich wird, was sich allerdings nach jetzt kaum halbjähriger Wirksamkeit des neuen Lehrplanes noch nicht bestimmt behaupten läfst, der Unterricht in den beiden letzten Jahren durch die Mehrung der Stunden in den beiden ersten vorteilhaft erleichtert erscheinen. Dabei sind wir der Unterrichtsverwaltung dankbar, dafs trotz der Mehrung um je eine Stunde in der VI. und VII. Klasse keine Erweiterung des Lehrpensums beliebt wurde. Hätten weniger besonnene Männer an der Beratung des Lehrplanes mitgewirkt, als dies der Fall war, so wäre vielleicht noch die Forderung eines freien Aufsatzes, Kenntnis der Literaturgeschichte und der historischen Grammatik in das Programm gekommen. Das Einzige, was mehr betont ist, als früher, ist die Erzielung einer richtigen Aussprache und die Gewöhnung der Schüler an den Klang der fremden Sprache und an rasche Auffassung des Gesprochenen, wozu noch die im Absatz 2 des § 12 vorgeschriebenen Diktate und Sprechübungen als Ergänzung treten. Zu einer gedeihlichen Ausführung dieser letzten Bestimmungen ist allerdings nötig, dafs die Klassen nicht überfüllt sind. Eine Sprache mündlich gebrauchen lernen, kann man nur durch den wirklichen Gebrauch; je mehr Schüler sich in der Klasse befinden, desto seltener kann der einzelne zum Sprechen veranlafst werden. Bei normaler Schülerzahl ist hingegen zu hoffen, dafs durch die bessere Grundlage der beiden ersten Jahre, durch die Erledigung des grammatischen Pensums im 3. Jahre und durch die auf diese Weise ermöglichte freiere Bewegung im vierten, der Schüler bei seinem Abgang von der Anstalt die von der Schulordnung verlangte Übung im mündlichen Gebrauch des Französischen erlangt haben werde. Ein fertiges Parlieren wird man allerdings kaum von einem Abiturienten erwarten dürfen, dazu ist die Zeit denn doch zu kurz bemessen. Auch ist dabei nicht aus dem Auge zu lassen, dafs das Gymnasium ja in keinem Gegenstand eine vollständig abgeschlossene Fachbildung gewähren will oder kann: so wenig die am Gymnasium erlangten Kenntnisse in der Religion, den alten Sprachen oder der Mathematik dazu dienen sollen, wieder Lehrer dieser Fächer heranzubilden, ebensowenig kann der Unterricht im Französischen diese Bestimmung haben. Das Gymnasium übt und entwickelt die Geisteskräfte und eröffnet die Wege zu jeder geistigen Thätigkeit, es muſs aber darauf verzichten, für irgend einen Lebensberuf als Fachschule zu dienen.

München. Dr. Wohlfahrt.

Bemerkungen zur Germania des Tacitus.

Es war Moritz Haupt, der unter den zwanzig von Joh. Ferd. Maſsmann verglichenen Handschriften der Germania zuerst eine Auswahl traf und drei derselben als die für die Textkritik allein maſsgebenden bezeichnete, nämlich:

Cod. Vaticanus 1518 (C)
Cod. Vaticanus 1862 (B)
Cod. Leidensis bibl. univ. XVIII Perizon. C. 21 (b).

Seinem Beispiel folgend haben sich die neueren Herausgeber der Germania darauf beschränkt, die Lesarten dieser drei Codices zu registrieren, und nur hie und da auch noch die Varianten des codex Neapolitanus (vormals Farnesianus) bibl. reg. IV c. 21 (c) berücksichtigt. Aber auch diese vier Handschriften sind keineswegs von gleichem Werte, vielmehr lassen sie sich selbst wiederum nach dem Wortlaut, den sie darbieten, in zwei Gruppen ordnen. Wie nämlich einerseits der Neapolitanus dem Vaticanus 1518 näher steht, so findet andrerseits zwischen dem Leidensis und dem Vaticanus 1862 ein enges Verwandtschaftsverhältnis statt, denn:

1. haben beide Codices von erster Hand sehr viele Lesarten mit einander gemein, welche uns in Cc nicht begegnen, darunter solche, die nur als grobe Lesefehler betrachtet werden können, so z. B.

Germ. 16 longant für locant,
31 rura „ cura,
37 Sapirio „ Papirio,
40 Neithum „ Nerthum,[1])

2. sind in beiden Codices nicht nur im cap. 9 die Worte „et Herculem" in gleicher Weise erst hinter pacant nachgetragen (vgl. dagegen Cc „Herculem ac Martem"), sondern auch zwei Sätze, welche in Cc am Schluſse des cap. 25, wohin sie gehören, stehen, irrtümlich am Ende von cap. 26 angereiht.

Eine derartige Übereinstimmung ist nun aber nur unter der Voraussetzung erklärlich, daſs die eine Handschrift die andere als Vorlage benützte, und es kann sich mithin nur darum handeln, festzustellen, welche von beiden die primäre und welche die secundäre sei. Diese Frage ist unschwer zu beantworten. Vergleichen wir

---

[1]) s. C. Müllenhoff, Germania antiqua, Berlin 1873 S. 15, 29, 33, 37 (in den Noten).

nämlich beide Handschriften auf's genaueste mit einander, so machen
wir die Wahrnehmung, dafs Pontanus,[1] der nach seinem eigen-
händigen Vermerk im März 1460 den codex Leidensis niederschrieb,[2]
viele Lesarten, welche in cod. B als Glossen (mit vel eingeleitet) über
der Zeile oder am Rande stehen — darunter mehrere verunglückte
Emendationsversuche — ohne weiteres in den Text aufgenommen hat.
Es sind folgende:

> Germ. 6 cuncto für coniuncto,
>   26 praebent für praestant,
>   laborare für labore,
>   31 raro für rara,
>   34 dulgitubini für dulgibini,
>   38 ipso für solo,
>   ornantur für armantur,
>   39 senones für semones
>   senonum für semonum,
>   43 naharualos für nahanarualos.[3]

Schon diese Beobachtung führt uns zu dem Schlufse, dafs
cod. B der ältere sein müsse. Man könnte nun freilich dagegen einwenden, dafs die erwähnten Glossen bezw. Emendationen vermutlich
schon in der (verlorenen) Originalhandschrift, welche Enoch von
Ascoli aus Deutschland nach Rom brachte,[4] vorhanden gewesen seien
und Pontanus sie daher ebensogut aus dieser Originalhandschrift entnommen haben könne, aber diese Annahme wäre nur dann berechtigt, wenn sich auch im cod. C, der die Gestalt der Enoch'schen
Handschrift gewifs am getreuesten wiedergibt,[5] da er von Fehlern,
wie sie Pontanus an jener rügt,[6] geradezu strotzt, während der
Schreiber des cod. B überall einen korrekten und lesbaren Text

---

[1] Giovanni Gioviano Pontano, neapolitanischer Staatsmann und Gelehrter,
geboren in Umbrien 1426, gestorben zu Neapel 1503.

[2] s. cod. Leidensis fol. 1b:
Hos libellos Jouianus pontanus excripsit   M. CCCC.
nuper adinuentos et in lucem relatos ab Enoc   LX
asculano quamquam satis mendosos   martio mense

[3] s. Müllenhoff a. a. O. S. 7, 24, 28, 31, 35, 36, 40. Teils Pontanus selbst,
teils eine andre Hand β hat die ursprüngliche Lesart von B über der Zeile oder
am Rande nachgetragen.

[4] s. A. 2 und cod. Leidensis fol. 47b (Randbemerkung des Pontanus zum
suetonianischen Fragment de grammaticis et rhetoribus):
Temporibus enim Nicol. quinti pontificis maximi Enoc Asculanus in Galliam
et inde in Germaniam profectus conquirendorum librorum gratia hos quamquam
mendosos et imperfectos ad nos retulit. Enoch war am 13. März 1455, zwölf
Tage vor dem Tode seines Gönners und Auftraggebers des Pabstes Nicolaus V,
nach Rom zurückgekehrt. Die erste sichere Erwähnung der neuentdeckten Handschrift findet sich in einem Briefe, den Äneas Sylvius Piccolomini am I. Februar
1458 an den churmainzischen Kanzler Martin Mayr von Rom aus richtete.

[5] Bemerkenswert ist, dafs die Lesart von C (cap. 4): tanquam (B: quamquam) in tanto hominum numero sich schon in der Translatio s. Alexandri des
Rudolf von Fulda (gest. 865) findet, s. Pertz M. G. SS. tom. II p. 675.

[6] s. A. 2 und 4.

herzustellen bemüht war,[1]) eine Spur von solchen Glossen auffinden
liefse, was aber nicht der Fall ist.   Dazu kommt, dafs Pontanus
obendrein alles, was B mit Absicht oder aus Flüchtigkeit überging,
ebenfalls übergangen hat (vgl. cap. 6 inmensum Bb für in imensum
Cc; cap. 33 urgentibus Bb für in urgentibus Cc) und an einer Stelle
eine Abkürzung, welche der Schreiber des cod. B nicht verstand und
darum hinterher durch einen untergesetzten Punkt tilgte, ganz beseitigt hat (s. cap. 14 eius).   Hieraus geht mit Bestimmtheit hervor,
dafs cod. B die (alleinige) Quelle des Pontanus war und mithin schon
vor dem März 1460 entstanden ist.   Ihm mufs daher neben dem
Vaticanus 1518 der gröfste Wert beigelegt werden,[2]) während dem
cod. Leidensis eine Autorität in textkritischen Fragen durchaus nicht
zukommt.   Auch die eigenen Konjekturen des Pontanus sind, wenn
wir von pereundum für pariendum (cap. 18) absehen, ganz unbrauchbar so cap. 2 ut nunc Tungri für ac nunc Tungri; cap. 6 varietate
für variare; cap. 26 invicem für invices etc.   Wenn Pontanus endlich in cap. 3 das Wort *ασχιπύργιον*, welches B und C bieten, aus-
liefs, so geschah es wohl nur aus dem Grunde, weil er in seinem
34. Lebensjahre noch nicht griechisch zu lesen verstand.
Graeca sunt, non leguntur.

Germ. 2.   Quidam, ut in licentia vetustatis plures deo ortos
pluresque gentis appellationes, Marsos, Gambriuios, Sueuos, Vandilios
affirmant, eaque (C: enque) vera et antiqua nomina, ceterum Germaniae vocabulum recens et nuper additum, quoniam qui primi
Rhenum transgressi Gallos expulerint ac nunc Tungri, tunc Germani
vocati sint (C: sunt); ita nationis nomen [non gentis][3]) evaluisse

---

[1]) Man hüte sich übrigens, den Codex B nur als eine emendierte Abschrift
von cod. Vaticanus 1518 zu betrachten, denn er hat mehreres, was in letzterem
aus Flüchtigkeit weggelassen ist, so cap. 5 nach satis: „ferax"; cap. 6 nach de-
finitur et numerus: „centeni ex singulis pagis sunt, idque ipsum inter suos vo-
cantur et quod primo numerus". Offenbar sprang der Schreiber des cod. C von
dem ersten numerus auf das zweite über.

[2]) Nur von diesen beiden Apographa steht es fest, dafs sie unmittelbar aus
der Originalhandschrift abgeleitet sind.   Der Titel der taciteischen Schrift war
nach beiden folgender:
          Cornelii Taciti de origine et situ Germanorum liber,
s. cod. B fol. 1a u. fol. 13a; cod. C fol. 189b.

[3]) Der Zusatz non gentis kann unmöglich von Tacitus herrühren, da Tac.
gens und natio nirgends streng unterscheidet, sondern beide Ausdrücke promiscue
für „Volksstamm" gebraucht, s. Germ. 27: Haec in commune de omnium Germanorum origine ac moribus accepimus; nunc singularum gentium instituta
ritusque ... expediam; Germ. 38: Nunc de Suebis dicendum est, quorum non
una, ut Chattorum Tencterorumve, gens .... propriis adhuc nationibus nomini-
busque discreti etc.   Auch würde Tacitus andernfalls sicherlich „ita unius nationis nomen, non totius gentis" gesagt haben.   Darum ist auch die Konjektur
des Acidalius „in nomen gentis" (andere: in gentis sc. nomen) zu verwerfen.
Noch fehlerhafter aber ist es „in gentes" zu lesen.   Wir haben es vielmehr hier
ebenso wie in cap. 28 (ab Osis „Germanorum natione" cf. cap. 43 Osos Pannonica
lingua coarguit non esse Germanos vgl. noch S. 175 A. 1) mit der Glosse
eines Lesers des Tacitus zu thun, die später in den Text aufgenommen wurde.

paulatim, ut omnes primum a victore ob metum, mox etiam (C: et) a se ipsis invento nomine Germani vocarentur.

Da von quidam affirmant alle weiteren Sätze abhängig sind, hat man sowohl hinter gentis appellationes, als auch hinter antiqua nomina und nuper additum „esse" zu ergänzen; zu ac nunc Tungri ist aus vocati sint „vocentur" hinzuzudenken, gleich darauf ita für itaque — wie oft bei Tacitus — zu nehmen.

Der Sinn dieser Stelle ist demnach folgender:

„Einige (römische Geschichtschreiber) behaupten — wie dies ja das hohe Alter der Sache gestattet — es seien mehr Göttersöhne (als drei) und mehr (von Göttersöhnen abgeleitete) Volksnamen (als drei), nämlich aufserdem noch (die Namen) Marsi, Gambrivii, Suevi, Vandilii, und dieses seien echte und alte Namen, dagegen sei der Name Germania neu und vor kurzem erst (dem Lande rechts des Rheins) beigelegt,[1] da nämlich jene (Deutschen), welche zuerst (unter allen Deutschen) über den Rhein gegangen seien und die Gallier verdrängt hätten und heute Tungern heifsen, damals Germanen geheifsen hätten;[2] daher habe der Name des Volksstammes (der cisrhenanischen Germani) sich allmählich ausgebreitet, so dafs alle (Deutschen) zuerst nur vom Sieger (den cisrhenanischen Germani), um (den Galliern) Furcht einzujagen,[3] dann aber auch von ihnen (= der Gesamtheit der Germanen) selbst mit dem vorgefundenen Namen Germani benannt worden seien." Tacitus sagt mithin nur soviel, dafs die Anwendung des vorher bereits vorhandenen Namens Germani auf sämtliche deutsche Volksstämme rechts des Rheins erst vor kurzem erfolgt sei.   Wir erfahren also aus dieser Stelle über das wahre Alter

---

[1] Der Name „Germania" für das ganze rechtsrheinische Gebiet, soweit es von Deutschen bewohnt war, kommt in der That vor Cäsar nicht vor, der diesen Begriff erst geschaffen hat, s. m. Dissertation „Die Wanderung der Cimbern und Teutonen" München 1882, S. 62, A. 7. „Nuper" ist mithin hier von einem Zeitraum von ungefähr 150 Jahren (wie Germ. 1 von mehr als 100 Jahren) zu verstehen.

[2] Tacitus hat die von Cäsar sogenannten cisrhenanischen Germani im Auge (s. Caes. de b. G. II, 4; VI, 2 u. 32), also die Eburones, Segni, Condrusi (Condroz), Pacmani (Famène), Caeroesi (Caros) im Gebiet der heutigen Wallonen „qui uno nomine Germani appellantur". Hauptort der Eburonen war Aduatuca (s. Caes. de b. G. VI, 32), später Aduatuca Tungrorum, heute Tongern genannt. Tacitus weifs also nichts von den Germani des Sklavenkriegs, auf welche Caesar de b. G. I, 40 anspielt (s. Sallust. hist. frgm. Vatic. col. IV, l. 18, Plutarch Crassus 9, Livius per. 97, Oros. V, 24, Frontin. strateg. II, 5, 34), noch auch von den Germani der capitolinischen Triumphaltasten (zum Jahre 532 Varr. = 222 v. Chr.), welche mit den bei Polyb. II, 34, Plut. Marcellus 3, 6, 7, Frontin. strateg. IV. 5, 4, Oros. IV, 13 erwähnten Gaesati (Appellativname, nicht Volksname) identisch sind. Da Gaesati nichts anderes bedeuten kann, als die mit dem gaesum = gêr bewaffneten (vgl. pilati, hastati), so ist es wohl nur die lateinische Übersetzung von Germani (= Germänner) und hat darum den wahren Namen dieser Söldnertruppe, der uns nur in den Pontificalfasten überliefert ist, in den Schriften der römischen und griechischen Autoren verdrängt.

[3] „Ob" bezeichnet bei Tacitus gewöhnlich eine Absicht, also hier: „um die Gallier zu schrecken", indem die cisrhenanischen Germani sagten, die rechts des Rheins seien alle gleicher Abstammung mit ihnen, ebensolche Germani. Schon Ariovist gebraucht den Namen Germani in diesem umfassenden Sinne, s. Caesar de b. G. I, 44.

des Namens Germani, sowie über den (deutschen oder gallischen) Ursprung des Namens und seine Bedeutung, endlich darüber, ob er von vorneherein Eigenname oder aber ursprünglich ein blofser Gattungsname war, nicht das geringste. Meldet doch Tacitus nicht einmal, wann die cisrhenanischen Germanen über den Rhein gingen und ob sie den Namen Germani schon vorher trugen oder ihn erst durch die von ihnen besiegten Gallier erhielten. Aus anderen Zeugnissen aber erhellt, dafs der Name Germani schon im 3 Jahrhundert v. Chr. im Gebrauche war und zuerst auf die von den italischen Boiern, Tauriskern und Insubrern in den transalpinischen Gegenden geworbenen Söldner angewandt wurde.[1]

Germ. 13. Insignis nobilitas aut magna patrum merita principis dignationem[2] (B emendiert: dignitatem) etiam adolescentulis assignant; ceteri (codd. ceteris) robustioribus ac iam pridem probatis aggregantur, nec rubor inter comites aspici.

Der Sinn der Stelle ist:

„Hoher Adel oder grofse Verdienste der Väter verschaffen selbst jungen Leuten das Ansehen eines princeps; alle übrigen jungen Leute (sc. die nicht von hohem Adel sind, noch hochverdiente Väter haben) schaaren sich dagegen um stärkere (d. i. ältere, als jene sind) und längstbewährte principes und es gilt nicht als Schande, sich im Gefolge sehen zu lassen."

Da jene hochadeligen etc. adolescentuli weder zu den robustiores noch zu den iam pridem probatis gehören, ist die Lesart ceteris robustioribus geradezu widersinnig und wohl nur durch falsche Accommodation an robustioribus entstanden, wenn anders nicht die Stelle ursprünglich: „celeri se robustioribus . . . aggregant" lautete und erst später in's Passiv umgewandelt wurde.

---

[1] Die Annahme, dafs Augustus seinem (bereits im Jahre 23 v. Chr. verstorbenen) Schwiegersohn Marcellus zu liebe den Namen Germani in die capitolinischen Fasten eingeschwärzt habe, ist geradezu absurd. Durch eine solche Escamotage würde sich Augustus bei seinen Mitbürgern nur lächerlich gemacht haben; konnte er doch bei diesen nur dann Glauben finden, wenn er den Namen Germani, wie alles übrige, den in der Regia aufbewahrten zum Teil gleichzeitigen Aufzeichnungen der Pontifices entnahm.

[2] Dignatio ist niemals soviel wie dignitas; letzteres bezeichnet die amtliche Stellung und Würde, deren Inhaber man ist, ersteres die subjektive Wertschätzung, die man einer Person oder Sache angedeihen läfst, s. Tac. Germ. 26 (vgl. S. 174 A. 2); Ann. II, 33, 53; III, 75; IV, 16, 52; XIII, 20; Hist. I, 19, 52; III, 80; Plin. Panegyr. cap. 47: „Quem honorem dicendi magistris (= rhetoribus), quam dignationem sapientia doctoribus (= philosophis) habes."

So achtete man auch diese hochadeligen adolescentuli dem Range nach den principes gleich, die dignitas (Stellung) eines princeps dagegen fehlte ihnen noch, da sie ja zu jung waren, um ein Gefolge zu bilden, und alle Gefolgsleute sich älteren und bewährteren principes anschlofsen, s. u. „haec dignitas, hae vires, magno semper electorum iuvenum globo circumdari."

Aus dieser Stelle des Tacitus (vgl. Caes. de b. G. VI, 23) erhellt, dafs nur der princeps das Recht hatte, ein Gefolge zu bilden, dafs aber jeder, der von hohem Adel war oder einen hochverdienten Vater hatte, den Rang eines princeps erhielt, selbst wenn er noch ganz jung war.

Eine vielbesprochene Stelle der Germania des Tacitus ist jene, welche vom Feldbau der Germanen handelt. Sie lautet folgendermaßen: Germ. 26. Agri pro numero cultorum ab universis in uices[1]) occupantur, quos mox inter se secundum dignationem partiuntur.

Da zu universis (= von allen insgesammt) aus dem Vorausgehenden „cultoribus" ergänzt werden muß und occupare der juristische Terminus für „Besitz ergreifen", „in Besitz nehmen" ist, so ergibt sich, wenn wir von in uices vorerst absehen, als Sinn dieser Stelle folgendes:

„Die Äcker werden im Verhältnis zur Zahl der Bauern — d. h. in einer Anzahl, die von der jeweiligen Zahl der Bauern eines Dorfes abhängt — von allen Bauern (eines Dorfes) zu gleicher Zeit in Besitz genommen und diese verteilen sie alsdann unter sich nach der Bonität."[2])

Dieser kurze Bericht des Tacitus erhält durch Cäsar, den Tacitus Germ. 28 als seinen Hauptgewährsmann („summus auctor") anführt, eine erwünschte Ergänzung und Erläuterung. Durch ihn erfahren wir nämlich, daß jene (Occupation und) Äckerverteilung alljährlich[3]) vorgenommen wurde und daß dabei die Behörden das Maß und die Lage der Ackerloose bestimmten, ferner, daß die Zuteilung der letzteren nicht an die Einzelnen, sondern an die Sippen und Familien, welche zusammengingen, erfolgte.[4]) Rätselhaft bleibt nur, was der Ausdruck in uices an unserer Stelle sagen will. Denn was sollen wir uns unter einer von allen Bauern insgesamt alljährlich vorgenommenen abwechselnden Besitzergreifung denken?[5]) Mit Recht haben daher viele Editoren der Germania diese Lesart für fehlerhaft erklärt und verschiedene Emendationen vorgeschlagen,[6]) von denen aber keine

---

[1]) So emendiert Vaticanus 1862 das in Vaticanus 1518 überlieferte uices der Originalhandschrift, welches im Farnesianus in „vice" korrigiert ist. Die Konjektur des Pontanus „inuicem" kommt nach dem obengesagten ebenso, wie die vereinzelte Lesart des cod. Bambergensis „vicis" nicht in Betracht.

[2]) Dignatio kann hier unmöglich von dem höheren oder niederen Range der Personen verstanden werden, da eine solche Ungleichheit in der Äckerverteilung der republikanischen Gesinnung unserer Altvordern widerstrebte (s. Caes. de b. G. VI, 22 „ne . . . potentiores humiliores possessionibus expellant . . . ut animi aequitate plebem contineant, „cum suas quisque opes potentissimis aequari videat"), sondern bezeichnet hier ohne Zweifel die Verschiedenwertigkeit des Bodens (= Bonität) s. A. 4 und S. 173 A. 2.

[3]) Auch Tacitus meint es nicht anders, da er ja im allgemeinen Teil der Germania (cap. 1 - 27) nur von den Gewohnheiten der Germanen überhaupt spricht. Man darf daher nicht etwa an die erstmalige Occupation eines neuen Gebietes denken.

[4]) Caes. de b. G. VI, 22: magistratus ac principes in annos singulos gentibus cognationibusque hominum, qui una coierunt, quantum et quo loco visum est agri attribuunt (d. h. doch wohl nach der Bonität) atque anno post alio transire cogunt; vgl. ibid. IV, 1 neque longius anno remanere uno in loco incolendi caussa licet. Von dem Wechsel der Saatfelder ist bei Tacitus im nachfolgenden Satz ausdrücklich die Rede: arua per annos mutant et superest ager „Die Saatfelder wechseln sie Jahr für Jahr und es bleibt Brachland übrig".

[6]) Pichena: per vicos, Ritter, 1. Aufl.: in vicos (ihm folgte Nipperdey) 2 Aufl.: [invicem] („Glosse" eines Lesers aus Caes. de b, G. IV, 1, 5); Waitz und Kritz: vicis (ab universis vicis kann nur heißen „von sämtlichen Dörfern",

allgemeine Zustimmung gefunden hat. Andere, wie Halm, haben es vorgezogen, diesen Beisatz gänzlich zu beseitigen, aber auch dies geht nicht an, da erst erklärt werden müfste, wie derselbe in den Text geriet. Es bleibt mithin nichts anderes übrig, als anzunehmen, dafs die Schreiber der beiden codices Vaticani saec. XV ein vermutlich undeutlich und abgekürzt geschriebenes Wort ihrer Vorlage mifs-verstanden und falsch interpretiert haben.

Dieses Wort kann aber aus paläographischen Gründen nur das Wort communiter sein, welches abgekürzt 9ñïter[1]) geschrieben wird. Vermutlich war 9 (die Abkürzung für con) stark verblafst und darum unleserlich geworden; so lag es nahe uices zu lesen, da ja t und c, wie jeder Kenner alter Handschriften weifs, kaum von einander zu unterscheiden sind und ebenso das lange s leicht mit r verwechselt werden konnte. In der That pafst dieser Ausdruck vortrefflich: agri . . ab universis **communiter** occupantur „Die Äcker werden von allen insgesamt **gemeinschaftlich** in Besitz genommen und dann erst verteilt". Gerade diese Gewohnheit der Germanen war es ja, welche Cäsar zu der Meinung bewog, dafs die Germanen überhaupt kein Privat- und Sondereigentum an Grund und Boden hätten,[2]) sondern — wie noch heutzutage die slavische Bevölkerung Südrufslands — nur die strengste **Feldgemeinschaft**. Noch im späten Mittelalter waren, nachdem jene Feldgemeinschaft längst aufgehört hatte, Wald und Weide (= die Almende) im gemeinschaftlichen Besitz und Con-dominium der Markgenossen. Erst in unserer Zeit sind die meisten Gemeindewaldungen und sonstigen Gemeindegründe, in Parzellen zer-legt, in das Eigentum der einzelnen Gemeindemitglieder übergegangen.

Regensburg.   Dr. B. Sepp.

---

nicht, wie Waitz wollte „von **ganzen Dörfern**", aber eine solche gewohnheits-mäfsige Besitzergreifung durch sämtliche Dörfer eines Gaues? Stammes? Landes? wäre in der Praxis undurchführbar gewesen; auch will inter se partiuntur gram-matisch nicht recht dazu pafsen); andere in vicis, vice, per vices. Ribbeck: in-divisi, Joh. Müller: ingenuis, näher läge vicinis abgekürzt vicis.

[1]) Vgl. 9ūïbus (communibus), 9ūë̃n (communem), 9ūë̃s (communes), 9ūë̃ (com-mune), 9is (communis), 9ïō (communio); daneben erscheinen Formen wie cōïs, cōïter etc. Auch in cap. 21 ist victus inter hospites communis zu lesen (comis ist nur falsche Lesung für cōïs = communis, vgl. Caes. de b. G. VI, 23 victusque communicatur) und als in den Text geratene Glosse, welche den Inhalt des Kap. anzeigen sollte, zu betrachten; ähnlich steht es mit den Worten cap. 27: quae nationes e Germania in Gallias commigraverint, welche, wie schon ihre lose Ver-bindung mit dem Vorausgehenden erkennen läfst, nicht in den Text gehören, sondern ursprünglich eine Randglosse zu cap. 28 bildeten.

[2]) Caes. de b. G. IV, 1: Sed privati ac separati agri apud eos nihil est; VI, 22: Neque quisquam agri modum certum aut fines habet proprios. Daher auch der von Caes. de b. G. VI, 22 und 29 und Tacit. Germ. 26 gerügte nur extensive Betrieb der Landwirtschaft (agriculturae non student = sie verwenden **keinen Fleifs** auf die Bewirtschaftung des Bodens).

II. Abteilung.

Rezensionen.

~~~~~~~

Monumenta Germaniae paedagogica. Bd. VII. Philipp
Melanchthon als Praeceptor Germaniae. Von Dr. Karl Hartfelder,
Professor am Gymnasium in Heidelberg. Berlin, Hofmann u. C. 1889
XXVII u. 687 S.

In der Vorrede bezeichnet der Verf. als wesentlichen Unterschied
des vorliegenden Werkes von früheren Arbeiten anderer Gelehrten,
welche den nämlichen Stoff behandeln, daß er Melanchthon als Praeceptor Germaniae historisch, d. h. im Zusammenhang mit seiner Zeit gewürdigt habe. Unzweifelhaft ist seine Darstellung ausgezeichnet durch
Verwertung umfassender Kenntnis der humanistischen Bestrebungen
und der Schulgeschichte im Zeitalter der Reformation. Auf dieser
breiten Unterlage entfaltet sich ein mit aller Sorgfalt und Gründlichkeit ausgeführtes Bild der Verdienste Melanchthons als eines in staunens-
werter Weise vielseitigen humanistischen Gelehrten und als des ein-
flufsreichsten Pädagogen im protestantischen Deutschland. Auch ist
der Inhalt durch zahlreiche Nachweise aus den Werken desselben
sowie aus der zeitgenössischen und späteren Literatur überall auf das
beste begründet.

In dem ersten Abschnitte wird der Bildungsgang Melanchthons
von seiner frühesten Jugend bis zur Berufung nach Wittenberg geschildert. Darauf folgt eine sehr eingehende Würdigung seiner Thätigkeit als akademischer Lehrer und als Gelehrter S. 77—323. Der
Grundzug derselben war das Streben im Gegensatz zu den früheren
Lehrsystemen überall auf die wissenschaftliche Überlieferung der Alten
zurückzugehen und ihre Schriften für den höheren Unterricht besser
zu verwerten. Die nach der neuen Methode abgefafsten Lehrbücher
der verschiedenen Disciplinen durchdrangen mit erfrischendem Hauche
die gelehrten Studien jener Zeit. Bei Schätzung dieser wissenschaftlichen Leistungen empfiehlt der Biograph überall den Mafsstab der
Zeit anzulegen, doch war es öfters wohl angezeigt über diese relative
Wertbestimmung hinauszugehen und der schärferen Kritik der Gegenwart mehr Raum zu geben, so z. B. in Bezug auf die Art der Erklärung der Autoren S. 87 oder in Bezug auf die Deklämationen geschichtlichen Inhalts S. 298. Den Beziehungen Melanchthons zu seinen humanistischen Freunden ist ein eigener Abschnitt gewidmet; hier wirkt besonders wohlthuend die Betrachtung des Freundschaftsverhältnisses

zwischen Melanchthon und Erasmus, welches trotz des religiösen Gegensatzes aufrecht erhalten wurde. Auch Melanchthon fühlte sich nicht selten von den theologischen Streitigkeiten abgestoßen und fand dann immer aufs neue in den humanistischen Studien Befriedigung. In dem zweiten Hauptteil S. 325—538 hat sich der Verf. die pädagogische Wirksamkeit Melanchthons zum Vorwurf genommen. Die Darstellung entwickelt in ausführlichster Weise die Anschauungen desselben über Unterricht und Erziehung und die Ergebnisse seiner außerordentlichen pädagogischen Begabung und seines rastlosen Eifers, sowohl was den Betrieb der einzelnen Lehrgegenstände als auch was die Einrichtung der Schulen im ganzen betrifft. Abgesehen von der religiösen Unterweisung war das höchste Lehrziel der höheren Schulen jener Zeit die Eloquentia in lateinischer Sprache; in dieser Eloquenz glaubte man zugleich auch der Sapientia teilhaftig zu werden; „neque propius umbra corpus adsectatur quam eloquentiam comitatur prudentia" versichert Melanchthon. Der Biograph deutet die Bedenklichkeit dieser Grundanschauung an S. 338 und verkennt auch sonst nicht die Gefahren des Übergewichts des formalen Elementes in der Imitatio und Declamatio, aber wir vermissen auch hier einen scharfen Hinweis auf die Irrgänge einer geistlosen Manier, in welche jene Grundanschauung den höheren Unterricht für so lange Zeit bannte.

Je mehr übrigens der Verf. bestrebt war die Biographie zu einem Zeitbilde auszuweiten, um so näher lag auch die Gefahr durch allzugroße Breite der Darstellung zu ermüden. Die Einrichtungen und Ordnungen der verschiedenen Schularten jener Zeit ausführlich zu erörtern, gehört doch mehr in den Rahmen einer allgemeinen Schulgeschichte. Auch führte die Einteilung des Buches zu Wiederholungen wie z. B. über die sogenannte „obere Schule" in Nürnberg an zwei Stellen S. 431 ff. und S. 501 ff. ausführlich gehandelt ist. Ob es ferner im Interesse der richtigen Erfassung dieses Lebensbildes lag, die Thätigkeit des Gelehrten und die des Pädagogen in der Weise zu trennen, wie es hier geschehen ist, muß in Frage gestellt werden; damit hängt zusammen, daß die akademische Lehrthätigkeit und die Abfassung der Lehrbücher, gewiß wichtige Äußerungen des pädagogischen Wirkens, als Leistungen des Gelehrten, nicht auch des Pädagogen betrachtet werden. Endlich wäre noch ein Wort hinzuzufügen über das in diesem Buche durchgeführte Prinzip, Melanchthons religiöse Entwicklung nur im Vorbeigehen zu streifen und von einer Würdigung seiner gelehrten theologischen Arbeiten ganz abzusehen. In umfangreicheren Schriften über den Praeceptor Germaniae wie z. B. in den Darstellungen Plancks und Schlottmanns, ist bisher mit gutem Grunde das gegenteilige Verfahren eingeschlagen worden. Die Schätzung der Alten von Seite des deutschen Humanisten, insbesondere der Mangel an rein ästhetischer Freude an ihren Werken, seine Bearbeitungen der philosophischen Disziplinen wie der Psychologie und Ethik, seine Meinung von dem Endziel der durch die Eloquentia vermittelten höheren Bildung, seine Anschauungen über die Schuldisziplin, all das hängt so enge mit der theologischen Überzeugung

zusammen, dafs das Gesamtbild des Gelehrten und Pädagogen nur
dann ein vollkommenes wird, wenn die Grundzüge der Leistung des
Theologen in dasselbe aufgenommen sind.

Bamberg.   J. K. Fleischmann.

Dr. Fr. Zange, Gymnasialseminare und die pädagogische Ausbildung der Kandidaten des höheren Schul-
amtes. Halle, Waisenhaus. 1890. S. 76.

Zange, selbst Leiter eines pädagogischen Seminars, gibt in übersichtlicher Darstellung die verschiedenen Punkte an, welche bei der
theoretischen und praktischen pädagogischen Vorbildung der Kandidaten
des Lehramts in Betracht kommen.

Zunächst zeigt er, dafs der Spruch magister nascitur Wahres und
Falsches enthalte. Sodann behandelt er die dem Lehrer einer höheren
Bildungsanstalt obliegende Aufgabe und die wissenschaftlichen Disziplinen, welche Voraussetzung für eine erspriefsliche Wirksamkeit desselben sind: es sind dies die eigentlichen Fachwissenschaften, sodann
Ethik, Psychologie, die Wissenschaft der Pädagogik und ihre Geschichte.
An den Universitäten sollen nicht nur theoretische Vorlesungen über
Pädagogik gehalten, sondern auch pädagogische Seminarien eingerichtet
werden. Ferner erteilt Zange Aufschlufs über die bisher bestehenden
einschlägigen Einrichtungen: es sind dies Universitäts-Seminare mit
und ohne Übungsschulen, Schulseminarien unter der Leitung der betreffenden Schuldirektoren, das Probejahr, Schulseminarien, deren
Leiter Professoren der Pädagogik an der Universität und zugleich
Leiter der Unterrichts-Anstalten sind, endlich Zwittereinrichtungen,
wie deren eine in Göttingen besteht, wo die theoretische Leitung und
ein Teil der praktischen Leitung einem Universitätsprofessor, ein Teil
der prakt. Leitung dem Schuldirektor oder den Schulräten zusteht.

Zange würde an sich die Einrichtungen von pädagogischen
Universitätsseminarien mit Übungsschulen und nachfolgende Gymnasialseminare für das Zweckmäfsigste halten: ersteren sollte die allgemeine
pädagogische und didaktische Ausbildung, den Gymnasialseminarien die
spezielle Einführung in den Schulorganismus und in das besondere
Unterrichtsverfahren der höheren Schulen obliegen. Aber da die Errichtung von Übungsschulen grofsen Schwierigkeiten begegnet und
auch die Personen-Frage sehr ins Gewicht fällt, so scheint ihm gegenwärtig nichts übrig zu bleiben, als dafs an die bestehenden Verhältnisse angeknüpft und die praktische Ausbildung an die höheren Schulen
selbst verlegt werde. Zuerst müfste an der Universität das fachwissenschaftliche Examen abgelegt werden, jedoch so, dafs
Ethik und Psychologie als unentbehrliche Hülfswissenschaften für die
Sprach- und Geschichtsstudien schon vor Ablegung des Fachexamens
Gegenstand des Studiums bilden. Nach Ablegung des Fachexamens
müfste die eigentliche pädagogische Wissenschaft Gegenstand des
Studiums sein und eine zweite Prüfung aus derselben einschliefslich

der Ethik und Psychologie abgelegt werden und zwar, wenn ein Kursus in einem Universitätsseminar bestände, nach Vollendung des Kursus, wenn nicht, vor dem Eintritt ins Gymnasialseminar.

Dazu sei bemerkt, daſs die weitaus gröſste Zahl der praktischen Schulmänner von einer auch nur teilweisen Verlegung der praktischen Ausbildung an die Universität nichts hält. Aufgabe der Universität soll die fachwissenschaftliche Ausbildung, welche auch die Pädagogik und deren Geschichte sowie die einschlägigen philosophischen Disziplinen umfaſst, bleiben. Daneben soll in einem pädagogischen Universitätsseminar, welches eine den philologischen, mathematischen, historischen Seminar analoge Stellung einzunehmen hätte, die pädagogische Theorie durch Behandlung wissenschaftlicher Fragen auf Grund des Studiums pädagogischer Schriften vertieft und dadurch in den Kandidaten das pädagogische Interesse geweckt werden. Ferner könnten in diesem Universitätsseminar Schulautoren so gelesen werden, wie es die Schulpraxis verlangt, während den öffentlichen Vorlesungen und dem philologischen Seminar die streng philologische Behandlung der alten Schriftsteller verbliebe. Den so vorgebildeten Lehramtskandidaten würden dann nach bestandenem Fachexamen beim Eintritt ins Gymnasialseminar schon in vielen Beziehungen die Wege geebnet. Eingehend erörtert ferner Zange den Gang, den die praktische pädagogische Ausbildung der Kandidaten zu nehmen hat. Ich bemerke hiezu nur, daſs diese Erörterungen, weil nicht so sehr in die Einzelheiten eingegangen ist, eine gute Übersicht über die wichtigeren in Betracht kommenden Punkte gewähren. Jedenfalls verdient die Schrift eingehende Beachtung von Seite aller, die sich für die pädagogische Ausbildung der Lehrer an höheren Schulen interessieren.

Carl Schmelzer. Pädagogische Aufsätze. Leipzig, Voigtländer. 1890. S. 169. Pr. 2 M.

Der durch seine Sophoklesausgabe und als Angehöriger der Berliner Schulreformpartei bekannte Verfasser behandelt in 8 Abschnitten so ziemlich die meisten Fragen, welche seit Jahren Gegenstand der öffentlichen Besprechung sind, in freimütiger, oft trefflicher Weise. Beachtung verdient, was er über die Behandlung der Studierenden, über das Verhältnis von Haus und Schule sagt. Aufgabe der Schule ist es, die Schüler zur Selbstzucht zu erziehen, damit in ihnen die bewuſste Sittlichkeit der wissenschaftlich Gebildeten erweckt werde. Die Schule soll nicht gleichsam ein Mädchen für alles sein oder gar die flache Vielwisserei pflegen. Deshalb ist Schmelzer auch ein Gegner der Einheitsschule.

Der Streit um die Berechtigungen wäre nach seiner Ansicht nicht vorhanden, wenn man von vornherein dem Gymnasium und Realgymnasium das eine humanistische Ziel gesetzt hätte, zu welchem eben mehrere Wege führen.

Besonders herb spricht sich Schmelzer über den grammatikalischen Formalismus aus, welcher das lebhafte Interesse, welches die

Knaben mit wenigen Ausnahmen den fremden Sprachen entgegen-
bringen, alsbald ertöte. Wir erteilen den Sprachunterricht s y s t e -
m a t i s c h, als wenn der Embryo eines Gelehrten zu unterrichten
wäre. Schmelzer stützt sein scharfes Urteil durch Beispiele aus Lese-
und Übungsbüchern, die für die besten gelten. Er zeigt, was für
sinn- und geistloses Zeug darin steht, wie diese Bücher zur Gedankenlosigkeit führen. In den Grammatiken wird immer noch viel zu viel
Regelwerk gelehrt. Überhaupt ist diese Häufung von Grammatiken,
Lese- und Übungsbüchern, Vokabularien, wodurch wir uns des Lehrens
durch das lebendige Wort begeben, dieser formalistische Betrieb der
fremden Sprachen schuld an dem Grundübel unserer höheren Schulen,
dafs die Schüler an der Form haften und sich um den Inhalt nichts
kümmern.
    Diese engherzige, philologische Methode hat es zum grofsen Teile
fertig gebracht, dafs die alten Sprachen selbst in Mifsachtung gekommen sind. Was aber die Stellungnahme Schmelzers zu den alten
und neueren Sprachen im Organismus der Schule betrifft, so vermifst
man in seinen Behauptungen Konsequenz und innere Klarheit. Die
lateinische und griechische Sprache, sagt er, sind keine toten Sprachen.
Jene ist noch bis vor kurzem von den Gelehrten der ganzen Welt
geschrieben und gesprochen worden, die griechische Sprache ist noch
jetzt die Sprache des Griechen-Volkes, wenn wir sie auch durch unsere
wunderliche Aussprache zu einer toten Sprache gemacht haben. Einmal erörtert Schmelzer den hohen Wert des griechischen Originals
gegenüber der Übersetzung, preist die Antike, die uns zur Hauptquelle
der modernen Bildung führt; dann aber will er damit nicht gesagt
haben, dafs das Griechische als Lehrgegenstand unersetzlich sei: mit
Hilfe guter Übersetzungen lasse sich wohl ein Äquivalent dafür schaffen.
Einerseits scheint ihm die lateinische Grammatik den klarsten Lehrstoff zu bieten, andrerseits das Latein, weil dessen Bedeutung zurück-
gegungen sei, zwar als Bestandteil der wissenschaftlichen Bildung zur
Zeit nicht vermifst werden, aber doch zum Teile zurücktreten und auf
die Lektüre der römischen Schriftsteller wesentlich eingeschränkt werden zu können.
    Nachdem ferner Schmelzer sich S. 45 dahin ausgesprochen hat,
dafs die Jugend, welche ein im fremden Idiom geschriebenes Werk
studiert, das vom Meister Geschriebene langsamer, weniger flüchtig
nachdenkt, als dies bei der Lektüre eines einheimischen Klassikers von
der ohnehin flüchtigen Jugend geschieht, meint er S. 65 dagegen:
„Goldsmiths Vikar von Wakefield, einzelne Dichtungen eines Dickens,
aus unserer Literatur der für die Schule allerdings schwer zu ver-
wertende Jean Paul und Chamissos Peter Schlemihl, eine gute Übersetzung des Don Quixote bieten doch immer hier annähernden Ersatz
(für die griechischen Originale), ja dürften vollen Ersatz bieten, da
man von diesen Produkten moderner Literaturen mit dem Schüler
mehr lesen kann, als von einem griechischen Schriftsteller" (!). Wo
steckt da der wahre Schmelzer?
    Lehrreich sind die Ausführungen des Verfassers über den Mangel

an Idealismus bei der heutigen Jugend und dessen Ursachen, über die Jugendspiele, über den bei den jetzigen Studierenden sich geltend machenden Mangel an Jugendfreundschaften, über die verschiedenen Lehrgegenstände des Gymnasiums. Hier spricht der denkende Schulmann auf Grund seiner reichen Erfahrung in fesselnder Weise. Er ist der Ansicht, dafs auch im d e u t s c h e n Unterrichte das Regelwerk und der Schematismus überwiege, dafs die deutschen Arbeiten in der Prima durchweg zu hoch gegriffen seien. In der M a t h e m a t i k werde wenig geleistet, weil das einfache Rechnen zu wenig geübt werde und die Regeln zu umständlich und gelehrt gehalten seien. Auch. hier herrsche der Formalismus, wie in der Grammatik. Man brauche viel zu viel Bücher: Der Lehrer sei das beste Lehrbuch, dieses sollte fast ganz entbehrlich sein. Auch die mathematischen Arbeiten scheinen ihm zu schwer zu sein und immer schwerer zu werden; selbst ein tüchtiger mathematischer Lehrer vermöge oft die Arbeiten in ´ der Reifeprüfung in der hiefür angesetzten Zeit nicht fertig zu bringen.

Ich kann natürlich nicht auf Einzelheiten von dem eingehen, was der Verfasser über den Unterricht in der Geschichte und Geographie, Naturwissenschaften, über die Notwendigkeit der Abschaffung des Abiturientenexamens, über die Unterrichtsverwaltung, über die äufsere Stellung der Lehrer u. a. sagt. Mag man auch in manchen Punkten den Ansichten desselben nicht beistimmen, sicher wird jeder seine geistvollen Ausführungen mit Interesse lesen und die Überzeugung erhalten, dafs sie aus einer hohen und idealen Auffassung des Lehrerberufes hervorgegangen sind.

Burghausen.   A. Deuerling.

Dr. J. S c h w e r i n g, F r a n z G r i l l p a r z e r s h e l l e n i s c h e T r a u e r s p i e l e, a u f i h r e l i t e r a r i s c h e n Q ų e l l e n u n d V o r b i l d e r g e p r ü f t. 184 S. gr. 8⁰. Paderborn. Schöningh. 1891. Preis M. 2.80.

Ein sehr anerkennenswertes Buch, das jedem Freund des grofsen Nachklassikers Genufs bereiten, für die Lehrerbibliotheken aber unentbehrlich sein wird! Gewifs darf ja der österreichische Dramatiker neben dem so ganz anders gearteten Heinrich von Kleist bei der Schullektüre nicht länger unberücksichtigt bleiben.

Der Verfasser ist selbst ein junger Dichter, der trefflich über den Dichter zu sprechen weifs. Neben feinsinnigem Kunstverständnis offenbart Schwering hervorragende Belesenheit, Unbefangenheit und Bestimmtheit des Urteils; er spendet viele und interessante Aufschlüsse.

Der erste Abschnitt des Werks behandelt die Sappho. Die Kritik hat die herrliche Tragödie längst in ihrem vollem Werte anerkannt. Freilich war dazu geraume Zeit erforderlich; von der ungünstigen uns jetzt kaum mehr begreiflichen Beurteilung Solgers an bis zu schwärmerischer Überschätzung hat die Kritik alle Stadien durchlaufen. Der Verfasser ist ein Bewunderer der edlen Dichtung; aber ein verständiger. Er verkennt nicht, dafs die Gestalt Phaons uns wenig Teilnahme zu

entlocken weifs, dafs überhaupt die Männer Grillparzers seinen Frauen-
charakteren nachstehen.

Von besonderer Bedeutung sind die Nachweise der Quellen und
Vorbilder, die Bemerkungen über verwandte Schöpfungen. Der grofse
Wiener Poet gewinnt nur, wenn man seinem Werke das unbedeutende
völlig vergessene Sapphodrama des jungen Berliner Dichters, Franz
von Kleist († 1797) gegenüberstellt. Und doch hat dies, wenn auch
in dilettantischer Form, ihm einen nicht unbedeutenden Teil des
Materials geliefert und so sein Schaffen wesentlich erleichtert. Die
Gegenüberstellung der beiden Dramen sowie die Beiziehung von Goethes
Tasso und der Frau von Staël Corinna ist sehr lehrreich. Auch letzteres Werk hat Gr. für die Entwickelung des psychologischen Pro-
blemes einige treffliche Winke gegeben, während er die Sappho der
nämlichen Dichterin nicht zu kennen scheint; unbenutzt blieb wahrscheinlich auch das 1816 entstandene Monodram Sappho von Gubitz.

Schwerings Werk bietet mehr als der Titel verheifst. Vortrefflich und meines Bedünkens in allen wesentlichen Dingen richtig
sind die Abschnitte über Charakteristik, Bau und Sprache der drei
hellenischen Dramen. Der einsichtige Freund Grillparzers tadelt in
letzterer Beziehung mit Recht, dafs die Personen zuweilen plötzlich
„den Kothurn ablegen und wie gemütliche Östreicher reden". Auch
anderwärts träfe diese Rüge zu, besonders in „ein treuer Diener seines
Herrn" bei manchen Worten des Bancbanus, der immerhin etwas mehr
Recht darauf hat.

Nach der Sappho betrachtet der Verf. ebenso das goldene Vliess.
Für die Eröffnungsszene des „Gastfreundes" weist er mit Recht nach
W. Scherers Vorgang auf das Lope de Vega „el nuevo mondo" hin.
Die Beziehungen der Trilogie zu Diodor, Valerius Flaccus und den
übrigen antiken Schriftstellern, die Schwierigkeiten, mit welchen der
moderne Dichter zu ringen hatte, die Bedeutung des goldenen Vliesses,
dieses antiken Nibelungenhortes, sind in einsichtiger Weise behandelt.
Auch in der Auffassung der Medea als der Heldin in den Argonauten
bleibt Sch. gegen Volkelt im Rechte; nur ihr Verhalten ermöglicht
den Konflikt. Die tragische Entzweiung der Heldin, der Widerstreit
zwischen Rasse und Neigung, wird klar besprochen und auch des
Einflusses gedacht, den Kleists Penthesilea auf die Zeichnung der
Medea geübt, hier hätte Verf. selbst noch zuversichtlicher auftreten
dürfen. Es kann ferner, wie er mit Recht hervorhebt, nicht oft genug
darauf hingewiesen werden, dafs nicht aus der isolierten Betrachtung
der Medea, sondern nur aus der Trilogie ein einheitliches Bild der
tragischen Idee, Schuld und Sühne sich erkennen läfst. Die Überein-
stimmungen mit Euripides und Seneca, wie mit Klinger werden gebührend gewürdigt. In den Bemerkungen über Entlehntes scheint
Verf. bisweilen etwas zu weit zu gehen.

Auch der Abschnitt „des Meeres und der Liebe Wellen" bietet
eine vorzügliche Studie. Verf. stellt die epische Vorlage des Musaeus
gegenüber und hebt die aus dem Jon des Euripides entlehnten Motive
heraus. Recht ansprechend ist der Hinweis auf das in Deutschland

und Skandinavien heimische Lied von den beiden Königskindern, das
ebenso wie Schillers Ballade dem Dichter ohne Zweifel bekannt war,
während Marlowe, Boscan, Büssel (ein deutscher Vorgänger, dessen
Werk 1822 zu Bamberg und Würzburg erschien und Grillparzer wieder
auf die Sage hingewiesen zu haben scheint) unbenutzt blieben. Besonders schön zeichnet der Verfasser den Charakter der Hero, in
dessen psychologischer Entwickelung die hohe Bedeutung des Trauerspiels beruht.

Durchgängig gelingt es Schwering, den Prozeß der Entstehung
der Werke in der Seele des Autors zu erforschen. Wer behauptet,
daß eine solche Zergliederung der Werke eines einzelnen Dichters der
Literaturgeschichte zu großen Ballast aufbürde, erkennt die volle Aufgabe kunstgemäßer Interpretation gewiß nicht. Wir haben hier die
Gelegenheit ergriffen, das Buch aufs wärmste zu empfehlen und möchten nur noch zum Schlusse auf die im gleichen Verlage erschienenen
„Lieder und Bilder" des Verfassers aufmerksam machen, der sich als
würdigen Landsmann der edlen Annette von Droste-Hülshoff darstellt.

Würzburg.   Dr. W. Zipperer.

_____

Schöninghs Ausgaben deutscher Klassiker mit Kom-
mentar. Bd. XIII. Herders Cid von P. Schwarz. Bd. XIV. Goethes
Götz v. Berlichingen von J. Heuwes. (Mit Übersichtskarte). Bd. XV.
Goethes Torquato Tasso v. W. Wittich. Paderborn. Schöningh.
1889|90.

In der Reihenfolge der vom Referenten schon öfter in diesen
Blättern besprochenen Bändchen sind nunmehr nach ähnlichen Grundsätzen bearbeitet wie die früheren die obengenannten erschienen. —
In der Ausgabe des Cid, dessen Lektüre als eines der vorzüglichsten
Muster der epischen Dichtung in der Schule kaum übergangen werden
kann, sind die den Text begleitenden Fußnoten, welche sich auf
sachliche und sprachliche Schwierigkeiten beziehen, teils auch zu Ver-.
gleichungen mit einzelnen Stellen des französischen Originals der
Romanzen, aber auch zur Erklärung des epischen Fortgangs der Handlung dienen, mit Recht in mäßigem Umfange gehalten und ihrem
Zwecke entsprechend.   Von den im Anhang über die einzelnen
Romanzen aufgestellten Fragen und Antworten, welche die Charaktereigenschaften der Personen, den Causalzusammenhang und besonders
die psychologischen Motive der einzelnen Vorgänge erörtern, hätte
manches dem Nachdenken des Lesers überlassen oder doch nur kurz
angedeutet, manches als selbstverständlich auch ganz unberücksichtigt
gelassen werden können.

Die Ausgabe des Götz bezeichnet insofern einen Fortschritt
in der Behandlung der Dramen, als an Stelle der „Fragen über die
einzelnen Aufzüge und Auftritte", die oft eine unerquickliche und un-
gesunde Ausdehnung (39 Seiten in der Minna v. Barnhelm) hatten,
eine wesentlich kürzere Behandlung des Inhaltes und Ganges der Hand-

lung nach der Frickschen Methode getreten ist. Auch in der Ausgabe des Torquato Tasso ist das allzuweit gehende Frage- und Antwortspiel, das den Schüler leicht zu gedankenlosem Nachsprechen verführt, erfreulicherweise beseitigt und hat einer den einzelnen Aufzügen vorausgehenden Inhaltsangabe Platz gemacht. Eingeleitet wird das Drama selbst durch einen Lebensabrifs des Dichters Tasso, ferner durch eine zum Verständnis des Ganges der Handlung dienende Erläuterung, sowie durch eine längere Abhandlung über den Charakter und die tragische Schuld des Helden und eine Charakteristik der übrigen Hauptpersonen des Stückes, das hiedurch dem Auffassungsvermögen der Schüler wesentlich näher gebracht wird. Auffallend ist, dafs der Herausgeber entgegen der Schreibweise auf dem Umschlagstitel (Goethe) im Texte durchweg „Göthe" schreibt. Alle diese mit Fleifs und Sorgfalt bearbeiteten neuen Ausgaben sind für den beabsichtigten Zweck, der Schul- und besonders Privatlektüre zu dienen, wohl geeignet und können bestens empfohlen werden.

Würzburg.   A. Baldi.

Martin Greif, Ludwig der Bayer oder der Streit von Mühldorf. Vaterländisches Schauspiel in 5 Akten. Deutsche Verlagsanstalt, Stuttgart, Leipzig, Berlin, Wien 1891.

Unser heimischer Dichter hat seinen früheren drei Dramen aus der bayrischen Geschichte (s. B. XXIV S. 216 u. B. XXV S. 314 dieser Zeitschrift), nunmehr ein weiteres an die Seite gefügt, indem er den berühmten Kronstreit zwischen Ludwig dem Bayern und Friedrich dem Schönen von Österreich zum Vorwurf eines neuen Dramas nahm. Die Schlufsworte Kaiser Ludwigs geben deutlich die endliche Beilegung dieses Streites als das Ziel der Handlung an:

Die Treue hat gesiegt.
Der Streit von Mühldorf — so hat er geendet.

Die Komposition des Stückes ist einfach und durchsichtig. Der 1. Akt gibt die Exposition und das spannende Moment — die Vorbereitungen zur Schlacht von Ampfing; der 2. stellt diese selbst und die Gefangennahme Friedrichs, der 3. die Folgen der Schlacht und als Höhepunkt des Dramas in einer glänzend herausgearbeiteten Szene Friedrich als Gefangenen auf der Trausnitz bei Nabburg dar. Der 4. Akt bringt die Umkehr, hervorgerufen besonders durch die innere Umwandlung in Friedrichs Gesinnung, und die förmliche Aussöhnung zwischen Ludwig und Friedrich; der 5. Akt die Heimkehr Friedrichs, der trotz des Widerstrebens seines Bruders Leopold und ungeachtet der Entbindung von seinem Treuworte durch den Papst dem Kaiser die Treue hält und in den Gewahrsam zurückkehren will. Aber Ludwig bietet ihm freiwillig Anteil an der Herrschaft und Leopold, durch soviel Grofsmut überwunden, huldigt dem Wittelsbacher in der alten Burg zu München.

Wir unterlassen es, die Charakteristik der einzelnen Personen zu verfolgen und bemerken nur, dafs der Dichter aufser der Hauptperson mit besonderer Liebe die Gestalt Schweppermanns, des ritterlichen Friedrich und seiner Gattin Isabella gezeichnet hat. Der poetische Zauber der schlichten und doch markigen Sprache Greifs ist über diese Dichtung, wie über alle seine Schöpfungen, ausgegossen. Auch das Dialektische und den Reim hat der Dichter an einigen Stellen mit Glück verwendet. Einzelne Szenen sind geeignet, die Herzen mächtig zu bewegen, so z. B. die 3. Szene des 3. Aktes, wo uns die ritterliche Persönlichkeit Friedrichs nahe tritt, die 1. Szene des 5. Aktes, wo Friedrichs Heimkehr und das Wiederfinden seiner treuen Gattin Isabella, die sich um den Abwesenden fast blind geweint hat, in ergreifender Weise dargestellt ist. Eine anmutige Erscheinung schuf der Dichter in der Gestalt Walburgas, der Tochter des Ritters Wigand von der Trausnitz, welche in stiller Liebe zu dem ihr unbekannten gefangenen Ritter erglüht. Kurz der Dichter versteht es, kräftige und weiche Akkorde anzustimmen. Die Aufführung wird die Bühnenwirkung des Stückes zu erweisen haben, aber jetzt schon möchten wir dasselbe der Einverleibung in die Lesebibliotheken der Schüler der oberen Klassen des Gymnasiums empfehlen: die wahrhaft edle Gesinnung, die sich darin ausspricht, wird nicht verfehlen, ideale und vaterländische Gesinnung zu wecken.

D.

Qu. Horatius Flaccus. Erklärt von Adolf Kiefsling. Erster Teil: Oden und Epoden. Zweite verbesserte Auflage. Berlin. Weidmannsche Buchhandlung. 1890.

Was über die erste Auflage dieses Buches gesagt wurde (Bd. XXIII, S. 319), das gilt im allgemeinen auch für die zweite. Denn das meiste von dem, was ich damals als lobenswert bezeichnete, ist geblieben, aber auch die Stellen, deren Lesarten oder Erklärung mir verfehlt zu sein schienen, haben wieder die gleiche Behandlung erfahren. In III, 24, 4 findet sich auch diesmal: terrenum omne tuis et mare publicum. Wenn auch Keller diese Lesart aufgenommen hat, so ist sie doch gegenüber der Überlieferung und in Bezug auf den Sinn kaum haltbar. Gerade das Wort caementum kommt in III, 1, 35 bei H. in Verbindung mit den Bauten ins Meer hinaus vor. — In III 24, 18 mufs es mulier temperat heifsen: sie schont, d. h. vergiftet sie nicht; so sagt von der Stiefmutter Ovid in den Metamorphosen I 147: Lurida terribiles miscent aconita novercae. — IV, 2, 2 schreibt K. jetzt Julle, während er früher ille aufgenommen hatte. So übereinstimmend nun die Überlieferung für einen Eigennamen ist, der nach Überschrift und Text bald Julianus, Julus oder Jullus, bald Julius lautet, so scheint mir doch das Gewicht des von K. selbst in der ersten Auflage und namentlich von Schütz für die Aufnahme der Lachmannschen Verbesserung des Julle in ille Beigebrachten zu grofs zu sein, als dafs man zu einem Eigennamen zurückkehren sollte.

Sehr richtig verweist Schütz darauf, daſs auch in II 8 ulla in den
Handschriften vielfach in Julia verderbt worden sei.   Nach seinen
Ausführungen ist es fast zweifellos, daſs hier ein Antonius Rufus gemeint sei.   Daſs die Form Jullus inschriftlich beglaubigt ist und somit
die metrischen Bedenken wegfallen, wie K. jetzt bemerkt, ist von geringerer Bedeutung.   Denn was will in Dingen der Rechtschreibung
die Autorität des nächstbesten Steinmetzen heiſsen?   Was leisteten
diese Leute nicht alles im Mittelalter und was leisten sie noch heute! —
Zu IV 4, 37 ist die Fassung der Anmerkung zwar etwas anders als
in der ersten Auflage, doch auch so ist sie noch immer nicht zu
rechtfertigen. Nach K. ist der Sinn: Den Dank für jene Thaten der Ahnen
schuldest du, o Rom, den beiden jetzigen Trägern dieses Namens, während
H. doch Folgendes ausdrücken will Was du den Neronen, d. h. dem
Geschlechte der Neronen, zu verdanken hast — mit anderen Worten:
was die Neronen für dich geleistet haben — dafür zeugt der Metaurus-
fluſs.   K. hat nicht beachtet, daſs der Dichter nach dem Vorgang
Pindars auf die Ahnen der Gefeierten übergeht.   Dies zeigt sich deutlich in V. 29: fortes creantur fortibus et bonis.
      Manches scheint mir sogar in der ersten Auflage besser zu sein.
So z. B. die frühere Einleitung zu ep. 3.   Damals las man: „Warte,
wenn dir noch einmal nach solchem Mahl gelüsten sollte — dann
möge Dein Liebchen mit Entsetzen vor Deinem Knoblauchatem
flüchten.‟   K. stellt sich somit den Inhalt des Gedichtes so vor:
Mäcenas hatte den Horaz, von dem er wuſste, wie unangenehm ihm
Knoblauch war, zu einem aus diesem bereiteten Gericht eingeladen
und selbst mitgegessen, da er die Abneigung des Dichters gegen diese
Pflanze nicht teilte.   Nun sagt H. ganz richtig: Warte etc.   Dabei
nimmt K. concupiveris als fut. ex.   Ganz anders verhält es sich aber
nach der neuen Auflage: „Warte, aber solltest Du mir damit haben
einen Possen spielen wollen, so möge Dein Liebchen mit Entsetzen
vor Deinem Knoblauchatem flüchten.‟   Dabei ist concupiveris als
conj. perf. gefaſst.   Jetzt ergibt sich folgende Vorstellung: Mäcenas hat
dem Horaz, ohne selber mitzuspeisen, ein Knoblauchgericht vorsetzen
lassen, um ihm einen Possen zu spielen.   Darüber scheinbar erzürnt
schreibt H. diese scherzhafte Epode.   Wie paſst es nun aber, daſs
das Liebchen vor Mäcenas Knoblauchatem zurückweichen soll?   Das
hätte nur Sinn, wenn er sich beigehen lieſse, selbst wieder einmal
Knoblauch zu essen.   Der jetzige Schluſs hat also nur eine Berechtigung bei der früheren Auffassung der Stelle.   Die Vorliebe Kießlings,
ne mit dem conj. pr. nur als finale Konjunktion gelten zu lassen, ist
auch diesmal sichtbar.   Manchmal mag er darin recht haben; in I,
36, 10 aber ist das unmöglich.   Warum soll der conj. pr. nur in den
Satiren und Episteln als Prohibitiv vorkommen können? Vergleiche Cic.
Cato major 33: Isto bono utare, dum adsit, quum absit, ne requiras.
      Wenn ich bis jetzt nur das hervorgehoben habe, was mir an
der neuen Auflage weniger gefällt, so habe ich damit nur dem allgemeinen menschlichen Trieb, an dem lieben Nächsten zuerst die
Fehler zu bemäkeln, nachgegeben.   Ich will aber durchaus nicht sagen,

daſs die zweite Ausgabe keine Verbesserungen enthalte. Sie weist deren sogar sehr viele auf. Besonders ist der Darstellung eine gröſsere Sorgfalt gewidmet und der Kommentar vielfach erweitert. Dies ersieht man sofort, wenn man nur die Behandlung der ersten Ode in den beiden Auflagen vergleicht. Auch finden sich diesmal viel weniger Druckfehler; frei allerdings ist das Buch von solchen nicht. So steht in I 36, 17 nach putris ein sinnstörender Punkt (in der 1. Auflage richtig); in der Einleitung zu IV 5 steht 728 statt 738, um so auf-. fälliger, als es in der 1. Auflage richtig steht; in der Einleitung zu IV 7 findet sich Torquatos, obwohl der Name echt lateinisch ist; in ep. 9 heiſst es in der Einleitung: Wenn werden wir statt: wann werden wir. Da sich dieses wenn auch in der 1. Auflage findet, so ist es fraglich, ob wir es hier mit einem Druckfehler oder einer stilistischen Nachlässigkeit zu thun haben.

Zur leichteren Handhabung des Buches wäre es von wesentlichem Belang, wenn die Zahl der Gedichte oben bei der Seitenangabe in deutschen Ziffern, wie das bei der im gleichen Verlag erschienenen Ausgabe von Schütz der Fall ist, anstatt in römischen angebracht wäre, denn zum raschen Lesen römischer Ziffern haben es nach meiner Beobachtung nur sehr wenig Menschen gebracht.

Landshut.   Proschberger.

_____

Dr. R. Köpke, Die lyrischen Versmafse des Horaz. 4. Aufl. Berlin, Weidmann 1889.

Das Büchlein verfolgt den Zweck, den Schülern der obern Gymnasialklassen die Bahn für die Lektüre des Horaz zu ebnen, und scheint dies, wenn man aus der Zahl seiner Auflagen auch etwas folgern darf, mit Glück zu thun. Der Verfasser gibt zunächst auf 6 Seiten eine wissenschaftliche, verhältnismäſsig eingehende Darlegung über Rhythmus, rhythmische Glieder und Reihen und benützt hiebei passend die Gelegenheit, durch Beizichung musikalischer Zeichen den Schülern den Stoff, der ihnen anfänglich immer etwas spröde und unzugänglich vorkommt, näher zu rücken. Von Seite 11—29 sind die Metra der Oden und Epoden behandelt, und ist nach meinem Urteile mit diesem Teile der Schrift den Schülern ein besonders trefflicher Führer geboten, der auch ihres Beifalls sicher ist. Namentlich werden sie mit groſsem Interesse und Nutzen die vom Verfasser unter dem Striche gegebenen geschichtlichen und andern Bemerkungen, die Originale griechischer Lyrik und deren Übertragungen ins Deutsche durcharbeiten. Eine drei Seiten füllende, genaue Übersicht schlieſst das Büchlein, das ich für den Gebrauch in der Schule und allen Freunden des Dichters warm empfehlen kann. Auch die Ausstattung ist gut, der Druck korrekt; es ist mir nur auf S. 15 als Druckfehler „leudakischen" aufgefallen.

Landshut.   J. Mosl.

Schultefs, Otto, Der Prozefs des C. Rabirius vom
Jahre 63 v. Chr. Separatabdruck der Beilage zum Programm der
thurgauischen Kantonsschule pro 1890·91. 4. 77 S.

In sehr sorgfältiger, eingehender Untersuchung, mit grofsem, ge-
lehrtem Apparat bespricht der Verfasser den oft behandelten Prozefs
des C. Rabirius. Die Anordnung des Stoffes ist nicht glücklich. Was
nützt eine langatmige Erörterung der Ansichten von Huschke, Putsche,
Wirz, Schneider und die ‚vorläufige‘ Annahme dieser oder jener Behauptung, um sie im ‚Anhange‘ wieder teilweise zu verwerfen oder
von neuem aufzugreifen und zu teilen? Eine selbständige Darlegung
der Frage und ein eigener Aufbau der Sachlage mit gelegentlicher
Bekämpfung entgegenstehender Ansichten hätte jeden Leser angenehmer
berührt und der Sache selbst mehr genützt.

Die Schrift zerfällt in vier Teile mit vier Anhängen und einer
Beilage. Zuerst wird der Prozefsgang nach der historischen Überlieferung, d. h. der Stand der Streitfrage gekennzeichnet. In einem
zweiten Teil, die Verteidigungsrede Ciceros, schliefst sich der Verf.
unter breiter Bekämpfung anderer Ansichten hauptsächlich Huschke
an, der die Rede in einem tribunicischen Multprozefs am Tage der
Entscheidung in den (Centuriat?)komitien unter dem Vorsitze des
Volkstribunen Labienus gehalten sein läfst. Aber dagegen sprechen
die Worte Dios 37. 28: ἐξῆν μὲν γὰρ τῷ Λαβιήνῳ καὶ αὖϑις δικά-
σασϑαι, οὐ μέντοι καὶ ἐποίησεν αὐτό, deren klarer Wortlaut eine neue
Klage ausschliefst. Wenn das Perduellionsverfahren so selten war
und das hauptsächlichste Beispiel der Königzeit (Liv. I. 26) angehörte,
so ist es doch nicht ausgeschlossen, dafs für diesen Fall das Prozefs-
verfahren geändert wurde und Labienus als Verwandter des Saturninus,
nicht in der Eigenschaft als Tribun, die Anklage begründete. Und
darauf bezieht sich Cicero § 10: nam de perduellionis iudicio, quod
a me sublatum esse criminari soles, meum est crimen, nicht blofs auf
die Strafen bei der Verurteilung. Doch auch so ist die Identität des
Anklägers und Richters im Perduellionsprozefs nicht mit der wünschenswerten Schärfe begründet. Denn bei dem Falle des Horatius (Liv. I.
26), wo die That vor aller Augen geschah, brauchte es doch keinen
eigentlichen Ankläger. Gicht es ja doch auch bei uns Prozesse, in
denen einer der Richter über den Fall berichtet und der Gerichtshof
das Urteil fällt, ohne dafs ein eigentlicher Ankläger gesprochen hat.
Im letzten Jahrhundert der Republik wird es überhaupt selten mehr
zur Hinrichtung eines römischen Bürgers in Rom gekommen sein (lex
Porcia, Sall. Cat. 51: condemnatis civibus non animam eripi, sed ex-
ilium permitti iubent scheinbar dagegen, aber für die Marianische
Schreckensherrschaft Vell. II. 24), und Ciceros Wort: discrimen ca-
pitis u. s. w. läfst sich mit dem Verluste der bürgerlichen Stellung
durch die Verbannung erklären. Auf die an eine Verurteilung sich
schliefsende Provokation deutet hin § 17: liberum tempus nobis dabitur
ad istam disceptationem; ob auch damit, wie Schultefs auffafst, eine
versteckte Drohung, d. h. eine spätere Anklage des Labienus gemeint

sein kann, ist gleichgültig. Der auffallende Ausdruck § 8: multae irrogatio paßt allerdings nur für eine Geldstrafe. Da deren Antrag aber, wie im Anhange II gezeigt ist, auch zu kapitaler Bestrafung führte, so widerspricht der Ausdruck, selbst wörtlich genommen, nicht der Annahme, es sei ein Perduellionsprozeß nach altem, ‚gestrengem‘ Verfahren gewesen, aber durch ein spezielles, von Cicero veranlaßtes (§ 10) Gesetz gemildert und den neuen Bestimmungen angepaßt worden. Ob der Senat dies thun konnte, oder ob nicht vielmehr ein Plebiscit notwendig war, dem ein Gutachten des Senates zu grunde lag, ist noch nicht abgemacht. Labienus hatte ferner die Doppeleigenschaft des Anklägers und des Tribunen, und in letzterer Machtvollkommenheit konnte er die Dauer der Rede beschränken.

Ein dritter Abschnitt handelt von der politischen Bedeutung des Prozesses, ohne viel Neues zu bringen.

Im Anhang I bespricht der Verfasser die Bestellung der Duovirn für Perduellionsprozesse und erhält zunächst ein Plebiscit, dann (umgekehrt?) stürmische Senatsverhandlungen, deren Ergebnis eine Abschwächung des alten Verfahrens ist, dann erst erfolgte nach ihm die Ernennung der Duovirn durch den Prätor. Die vorhandene Rede Ciceros soll jedoch nicht im Perduellionsprozeß gehalten worden sein.

Im Anhang II wird zwischen Multen der Behörden (Tribunen) und der multa irrogata als Strafe für Kapitalverbrechen unterschieden, welche in der Regel die Verbannung und den Verlust der bürgerlichen Ehrenrechte zur Folge hatte. In einer Beilage findet sich eine Übersicht über die Höhe solcher Multen, soweit beglaubigte Zeugnisse hiefür vorliegen.

So befriedigend und wohlthuend die sachliche Bestimmtheit dieser beiden Abschnitte ist, so unsicher ist das Ergebnis des dritten Anhangs, die Auspicien der Volkstribunen. Ohne Zweifel haben die Volkstribunen das Recht, Auspizien anzustellen, nach der lex Aelia et Fufia gehabt, vgl. Cic. p. Sest. 33 und Halm z. St. Wozu hätten sonst in bestimmten Fällen die Konsuln den Befehl erlassen: ne quis magistratus minor de caelo servasse velit (Gell. N. A. 13. 15. 1)? Und wenn zugegeben wird, daß die Volkstribunen die Leitung der Centuriatkomitien bei Kapitalanklagen hatten, so mußte ihnen schon aus diesem Grunde die spectio zukommen.

Schließlich kämpft der Verfasser mit Glück gegen Schmidt (Zeitschrift f. österr. Gymnasien XXXIX. 211), der den von Niebuhr gefundenen Schluß der Rede ohne Grund verdächtigt hatte.

München.　　　　　　　　　　　　　　　　　　C. Hammer.

Otto Keller, Lateinische Volksetymologie und Verwandtes. Leipzig, Teubner 1891. 387 SS. 8.

Nachdem der Verfasser durch eine Reihe von wertvollen Aufsätzen über einzelne lateinische und griechische Etymologien in Fleckeisens Jahrbüchern, dem Rheinischen Museum u. a. der gelehrten Welt auch auf diesem Gebiete vorteilhaft bekannt geworden ist, bietet er hier

eine systematische Abhandlung über die unter den Begriff der Volksetymologie fallenden Erscheinungen der lateinischen Sprache; anhangsweise treten auch einige griechische Volksetymologien hinzu. Es liegt
in der Natur des Themas, dafs es dem Buche an Widerspruch nicht
fehlen wird. Denn die Volksetymologie weist uns auf ein Gebiet, auf
welchem Phantasie und Zufall, Faktoren, welchen jede exakte Forschung feindlich gegenübersteht, in erster Linie wirksam sind. Für eine
grofse Anzahl lateinischer Wortgebilde mufs bekanntlich die etymologische Forschung eine Erklärung schlechterdings ablehnen, weil die
Grundsätze der organischen Sprachentwicklung Widerspruch erheben.
Gerade hier glaubt der Verf. vom volksetymologischen Gesichtspunkte aus einsetzen zu müssen und eine Lösung für zahlreiche Wort-
rätsel zu finden. Dafs die Fähigkeit der lateinischen Sprache, fremde
Elemente sich einzugliedern und dem einheimischen Wortschatze anzulehnen, im Vergleich zu der kompositionsfähigen deutschen und
griechischen Sprache gering ist, steht aufser Zweifel. Dessenungeachtet
ist die volksetymologische Wortschöpfung nicht gerade arm und unbehilf-
lich, wie der Verfasser an einer stattlichen Reihe von Beispielen zeigt.
Ausgebreitete Gelehrsamkeit und jahrelanger Sammelfleifs führen sogar
ein reiches Material hier vor Augen. Der Verf. ist weit entfernt, für
jede einzelne Etymologie unbedingten Glauben zu beanspruchen.
Kühnes Überspringen sonst allgemein giltiger Regeln, falsche Ana-
logiebildungen, Umdeutungen, selbst Verschreibungen, Mifsverständnisse
jeder Art sind auf diesem Felde so mafsgebend, dafs von der morphologischen Seite genug Bedenken bestehen bleiben. Aber wenn
auch nach dieser Richtung manches ewig problematisch bleiben und
exakte Beweise nie zu erbringen sind, so mufs der philologische
Gehalt des Buches, die Feststellung lateinischer Wortformen, deren
historischer Nachweis u. a. für die Lexikographie und Sprachwissenschaft überhaupt als höchst beachtenswert bezeichnet werden.
    Der Stoff ist nach der Natur derjenigen Gegenstände gegliedert,
welche die in Frage kommenden Wörter bezeichnen. Ortsnamen,
mythologische Namen, Tiere, Pflanzen, Mineralien, Speisen und Ge-
tränke, Gewerbe und Verkehr, Schiffswesen, Staats- und Rechtswesen,
Literatur, Spiele und Künste, Tod und Grab . . .
    Ein ausführliches Register der besprochenen lateinischen und
griechischen Volksetymologien erleichtert den Gebrauch des Werkes,
das jedem, der für sprachgeschichtliche und etymologische Fragen
Interesse hat, durch seine Fülle anregender Gedanken angelegentlich
empfohlen sei.

    Karlsruhe.   .   J. Häufsner.

Acta Seminarii philologici Erlangensis. Ediderunt
Jwanus Müller et Augustus Luchs. Volumen V. Erlangen u. Leipzig.
Andr. Deichert'sche Verlagsbuchhandlg. Nachf. 1891. 284 S. 6 M.
    Das Erlanger philologische Seminar hat im vorigen Jahre bereits

den 5. Band von Abhandlungen seiner Schüler hinausgegeben und dieser Band schliefst sich seinen Vorgängern würdig an. Von den fünf Abhandlungen gehören drei zur griechischen, zwei zur römischen Literatur. Die Abhandlungen von Herm. Bezzel ‚Coniecturae Diodoreae' S. 121—157 und von O. Staehlin „Observationes criticae in Clementem Alexandrinum' S. 227—267 geben nicht blofs eine grofse Reihe von Verbesserungsvorschlägen und wirklichen Emendationen zu den Texten des Diodor und des Clemens, sondern sie bieten auch wertvolle Beiträge zur richtigen Erkenntnis und Wertschätzung der handschriftlichen Überlieferung. Frisch und anregend geschrieben ist die Abhandlung von H. Steiger ‚Der Eigenname in der attischen Komödie' S. 1—64. Der Verf. weist mit feinem Verständnis an den einzelnen Eigennamen die Schlagfertigkeit und Sprachgewandtheit des attischen Witzes nach. — Dafs die lateinische Grammatik noch immer alten Traditionen gemäfs getreulich im Erlanger Seminar gepflegt wird, zeigt uns die sorgfältige Monographie von A. Koeberlin ‚De participiorum usu Liviano capita selecta' S. 65—120. Im ersten Kapitel handelt K. von dem freieren Gebrauch des Livius in den Partizipialverbindungen, der aber keineswegs auf griechischer Nachahmung beruhe, sondern auf seinem Streben nach Variation im Ausdruck; das zweite Kapitel beschäftigt sich mit Gebrauch und Bedeutung des Part. Fut. act. bei Livius, Curtius und Florus. — Endlich legt die interessante Studie von W. Wunderer ‚Ovids Werke in ihrem Verhältnis zur antiken Kunst' ein rühmliches Zeugnis ab von der Belesenheit und Vertrautheit des Verf. sowohl mit seinem Dichter wie mit der einschlägigen archäologischen Literatur. Das Resultat derselben ist: „Horaz und Properz mögen wohl feinere Kunstkenner gewesen sein, bei keinem Dichter des Augusteischen Zeitalters aber läfst sich der Einflufs, den die bildende Kunst auf die dichterische Darstellung übte, so vielfach nachweisen wie bei Ovid". — Dem Bande sind vier reichhaltige indices beigegeben.

G. L.

Hundert Vorlagen zum Übersetzen ins Lateinische für Prima von Dr. Konrad Niemeyer, Gymnasialdirektor a. D. Halle a. S. Max Niemeyer. 92 S. ·

Auch diese Übersetzungsstücke sind aus der Schulpraxis hervorgegangen und hauptsächlich mit Rücksicht auf die Abiturientenexamensbedürfnisse verabfafst. Was den Inhalt anlangt, so hat sich der Verf. auf das Altertum beschränkt und meist historische Stoffe gewählt, durch die er bei der Jugend Interesse zu finden oder zu erwecken hoffen konnte. Auch geht der Verf. von dem neuerdings mit Recht immer mehr befolgten Grundsatze aus, dafs Stilübungen auf der Lektüre zu basieren haben und der erforderliche phraseologische Bedarf auf diesem Wege gedeckt werden mufs. 26 Stücke schliefsen sich an die Lektüre des Livius an, speciell Buch I, II u. XXXI, etwa 31 an Cicero, de oratore (cf. Piderit, Einleitung), in Verr. V., pro Murena, pro Sestio und pro Milone, pro Plancio, de officiis und disp. Tuscul. (cf. Meifsner's Ausgabe, Einleitung), die übrigen sind aus Niebuhr, Mommsen (zu Taciti Germania auch Kritz, prolegomena, benützt) und Herder entnommen und zwar in veränderter Gestalt. In Bezug auf den Ausdruck war nämlich der Verf. zugleich bemüht, das Verständnis mehr zu erleichtern, als zu erschweren, daher die Originaltexte etwas umgestaltet sind und der Übersetzung ins Lateinische von vornherein mehr angepafst. Nach dieser Seite hin unterscheidet sich allerdings die Arbeit von der La Roche's radikal; bei diesem ein elegant modernes, so zu sagen „deutsches Deutsch", (trotz der vielen Fremdwörter, oder gerade wegen dieser), hier jenes wohlbekannte lateinische Deutsch, doch immerhin noch einfach und natürlich genug, um den Zweck ad hoc nicht zu merken. Es liegt nun in der Natur der Sache, dafs Materialien, die sich einerseits an die Lektüre anschliefsen, anderseits in einem so leicht fafslichen Gewande dem Übersetzer vorgelegt werden, nur sehr wenig Angaben notwendig machen; die Zahl derselben, incl. der noch besonderen Verweisungen auf Stellen im Cicero, Livius, Caesar, auch Nepos, Verg., Hor. ist eine verhältnismäfsig ganz geringe, Ref. zählt circa 100, also im Durchschnitt eine Angabe auf eine Aufgabe. Gerechtfertigt erscheint es, dafs gewisse, dem Schüler mehr oder weniger unbekannte Ausdrücke, besonders aus dem Gebiete des Staatslebens angegeben sind, so plebs in clientelam principum descripta, sodalicia, collegia sodalicia (Clubs), studia gentilicia (Familientradition), comperendinare, arrogare, adoptiren, per saturam, ungesondert Anträge an das Volk bringen, leges tabellariae, epistolarum officium, Stellung eines Privatsecretärs u. dgl.; dagegen dürften für einen Primaner überflüssig sein Angaben, wie belli ratio, Kriegsführung, stomachum movere alicui, einen ärgern, Hoheit des r. V. majestas, levitas, Oberflächlichkeit, festinatio, Flüchtigkeit, vollgiltig (Zeuge) locuples, künstlich verziert caelatus, bei Phantasie ein cogitatione sibi fingere, Schicksal der M. res, oder gar argutia die Arglist! Auch an eine Hinzusetzung von Partizipien in dem Satze: Durch Besatzungen und Geiseln machten sie Anstalt u. s. w. braucht doch ein Primaner nicht erst erinnert zu werden, oder an das Horazische justum et tenacem propositi virum! Auch die angegebenen Verba: innotescere, delitescere, invalescere, ingravescere, marcescere, languescere müssen nach den Bedeutungen, die sie involvieren, einem normalen Primaner bekannt und geläufig sein. Druckfehler sind folgende bemerkt worden: S. 12, Z. 8 v. o. das statt dafs, S. 20, Z. 1 u. 2 v. o. ist hinter Seeherrschaft ein , zu setzen, das Komma hinter Römern zu tilgen, S. 80, Z. 9 v. u. subsitere statt subsistere. Trotz der schon vorhandenen, im Prinzip ähnlichen Arbeiten von Schmalz, Schultefs, Radtke, Klaucke, Rosenberg (bei letzterem Inhalt sich anschliefsend an Horaz Sprache, an Reden und Briefe Ciceros sowie an Livius sind diese Vorlagen wegen ihrer Eigenartigkeit gleichfalls eine interessante und zeitgemäfse Erscheinung und besonders Lehrern und Schülern, die zunächst das Examensbedürfnis ins Auge fassen, bestens zu empfehlen.

Schweinfurt. ——————— F. Scholl.

August Waldeck, Lateinische Schulgrammatik nebst einem Anhang übei Stilistik für alle Lehranstalten. Halle, Waisenhaus 1891. VIII und 144 S. 1 Mk. 20 Pf.

Praktische Anleitung zum Unterricht in der lateinischen Grammatik von demselben. Halle 1892. 224 S.

Die Grundsätze, nach welchen der Verfasser in seiner Grammatik verfahren ist, sind in der an zweiter Stelle genannten Schrift ausführlichst dargelegt. Beide Werke sind, wie ich von vornherein bemerken möchte, vollster Berücksichtigung wert; sie verraten den praktischen Schulmann, der in einer mehr als 25jährigen Lehrthätigkeit offenkundig mit wärmster Hingabe und scharfer Urteilskraft nach dem Bestmöglichen auf diesem Gebiete gerungen hat.

Auf S. 1—82 seiner „praktischen Anleitung" bekennt sich Waldeck zu folgenden Grundsätzen: 1. Zweck des lateinischen Unterrichts ist die möglichste Entwicklung aller geistigen und sittlichen Kräfte; dieser formale Bildungswert ist in den Vordergrund zu stellen, nicht der reale, da die Einführung in den Inhalt der Klassiker viel leichter und namentlich in viel gröfserem Umfange durch gute Uebersetzungen erreicht werden würde — höchstens mit Ausnahme des Homer und der Oden des Horaz. 2. Der lateinische Unterrricht soll niemals wissenschaftlichen Stoff um seiner selbst willen hereinziehen; deshalb ist die Verwendung der Stammtheorie bei der Erlernung der Deklinationen ein grosser Fehler. 3. Ein grammatisches Lehrbuch und reichliche grammatische Uebungen sind notwendig, namentlich auf den untersten Stufen. 4. Die Grammatik soll a) dem Lehrer als Leitfaden dienen, b) demselben die nötige Menge von Beispielen liefern, welche dem Schüler einerseits die Regel geradezu ersetzen, andrerseits ihm ermöglichen sollen, die Regel daraus zu entwickeln. Diese Beispiele müssen variabel sein und so einfach und kurz, dafs sie sofort verständlich sind; c) sie soll dem Schüler als Mittel zur Wiederholung dienen, nicht jedoch als Nachschlagebuch für alle ihm möglicherweise vorkommenden Fälle. 5. In Form von Regeln ist blos das vorzubringen, was der Schüler wirklich nötig hat, also nichts, was mit dem Deutschen übereinstimmt. Die Regeln sollen möglichst kurz und präcis sein; oft genügen einfache Schlagwörter und grammatische termini, wie sie schon im Gebrauch sind; an manchen der von den neueren Grammatikern eingeführten termini übt der Verfasser strenge Kritik, er selbst schlägt häufig bessere vor. 6. Versregeln sollen, soferne man auf sie nicht lieber ganz verzichten will, die Möglichkeit einer sachlichen Vorstellung gewähren. 7. In allem ist Apperzeption notwendig: stets ist an die Muttersprache anzuknüpfen, sowie an Gegebenes." Auf diese allgemeinen Darlegungen folgen auf S. 83—224 im Anschlufs daran ausführliche didaktische Hinweisungen, wie der gesamte Lehrstoff den Schülern von unten auf beizubringen ist. Hier finden sich namentlich für den Anfänger zahlreiche treffliche Winke.

Diesen Prinzipien entsprechend verfuhr denn auch der Verfasser in seiner Schulgrammatik. Seine Syntax zeigt zunächst überall das Bestreben, Verwandtes zusammenzuziehen und übersichtlich vorzuführen, getreu dem gewählten Motto: Qui bene dividit et b e n e c o m p l e c t i t u r, bene docet. Da der Verfasser in der Regel wirklich „gut zusammenfafst," so ist dem Lehrer, dem sonst diese Arbeit obliegt, die Mühe wesentlich erleichtert. Besonders gelungene Partien sind die Casuslehre, die Moduslehre, die Lehre vom Attribut und den Fragesätzen; sehr gut ist auch die Einteilung in Urteils- und Begehrungssätze. Die Syntax ist hier zu einer Schule des Denkens gemacht, ohne dafs jedoch an den Schüler übertriebene Anforderungen gestellt wären. In zweiter Linie zeichnet sich das Buch durch die mit musterhafter Sorgfalt ausgewählten Beispiele aus, die nach des Verfassers Absicht, wie oben bemerkt, die Regel meistenteils ersetzen sollen, wozu sie in der That fast ausnahmslos geeignet sind. In all diesen Punkten kann sich Ref. mit dem Verf. einverstanden erklären. Ein Umstand jedoch erscheint ihm sehr bedenklich, das ist die K ü r z e, mit der der Verfasser einzelne Teile der Grammatik, bei aller Gründlichkeit, die er auf andere Partien verwendete, behandelt hat. Die Grammatik soll zwar kein Nachschlagebuch für alle möglicherweise vorkommenden Fälle sein — darin wird heutzutage wohl jeder dem Verfasser beistimmen; allein sie soll dem Schüler doch ohne Zweifel die Möglichkeit bieten, über wichtige Formen und Regeln sich unter Umständen zu vergewissern. Hiernach scheint mir z. B. die Lehre von den Präpositionen zu dürftig behandelt zu sein; diese finden sich durch die ganze Kasuslehre zerstreut; allein. eine zusammenfassende Übersicht, die gerade bei ihnen recht notwendig erscheint, fehlt. Auch sollte die Bildung des Partizips irgendwo gelehrt sein, wo nicht in Regeln, so doch in Beispielen. Und endlich — wo ist die Zusammenstellung der unregelmäfsigen Verba geblieben?

Auf die Etymologie ist billigerweise und entsprechend dem Grundsatze einer denkenden Erlernung der Grammatik reichlich Rücksicht genommen; dennoch könnte in dieser Hinsicht da und dort noch ein Übriges geschehen: at (eigentl. ad) = dazu, quamvis = wie (so) sehr du willst, decet = es ziert, mirari = auffallend, wunderbar finden § 49, parcitur captivis = es wird — Schonung gewährt: „es wird den Gefangenen geschont" ist doch wohl undeutsch, § 48, abuti eigtl. v erbrauchen § 83.

Kleinere Abänderungen oder Ergänzungen sind wünschenswert: § 64: nach unus nur ex; hier müsste „nach" zum mindesten durch den Druck hervorgehoben werden; § 111 ist zu ergänzen: vix quisquam crederet u. a.: § 184: im Dativ und bei Präpositionen; § 229, 2 admiratione affici ist besser zu streichen; § 195 Abs. 2 ist die Regel: „Steht im Deutschen das Perfekt oder läfst es sich ohne Zwang für das Imperfekt einsetzen, so ist im Lateinischen das Perfekt immer richtig" nicht stichhaltig, da in einigen Gegenden Deutschlands bekanntlich das Perfekt vielfach mifsbräuchlich statt des Imperfekts verwendet wird. § 6 kann die Regel: Neutra die auf us und ris mifsverstanden werden. Die Beispiele sind, wie schon erwähnt, vortrefflich; nur hie und da ist, wohl aus Versehen, dem späteren Uebungsstoff vorgegriffen, so § 37, 2 quae velis, § 64 te dignum. Die typographische Ausstattung steht auf der Höhe der Zeit. Von Druckfehlern sind zu verzeichnen § 34, 4 Infinitive statt Imperative; § 54 in Galliam statt in Germaniam; § 227, 8 insulae und imperatur.

———

Vocabularium für den lateinischen Elementarunterricht von Dr. Ludwig von Döderlein. 15. Auflage besorgt von Dr. Gustav Landgraf. Erlangen und Leipzig. Deichert (Böhme) 1891. 107 S. brosch. 80 Pf.

Abgesehen von der Beseitigung eingeschlichener Druckfehler und sonstiger Versehen machte sich Landgraf dreierlei zur Aufgabe, als er das in vierzehn Auflagen fast unverändert gebliebene Büchlein neu bearbeitete.

Der Hauptwert des Döderleinschen Vokabulars beruhte von jeher in der etymologischen Anordnung der Wörter; in dieser Beziehung kam Döderlein zu seiner Zeit (vor ungefähr 40 Jahren) einem wahren Bedürfnisse nach. Allein welche Fortschritte hat die Sprachwissenschaft seitdem gemacht! Durfte, ja konnte Landgraf davon Umgang nehmen? Ohne Zweifel wäre das Buch in seiner Existenz bedroht gewesen, wenn der Neuherausgeber aus falscher Rücksicht auf die Pietät gegen den verdienten Schulmann alles beim alten gelassen hätte. Dafs Landgraf hierbei in dem Sinne konservativ blieb, als er nur die gesicherten Ergebnisse der Sprachwissenschaft verwertete und stets dem elementaren Bedürfnisse der Schule Rechnung trug, ist nicht mehr als recht und billig.

Nicht minder dankenswert sind die beiden übrigen Neuerungen: es war von jeher ein grofser Mangel des Buches, dafs bei sovielen Wörtern, die kaum der Lehrer, geschweige denn der Schüler kannte, die Angabe der Bedeutung fehlte. Hiedurch und durch einen dritten Mangel, den ich sogleich nennen will, nämlich durch die Einbeziehung· sovieler seltener, poetischer, ja völlig unklassischer Wörter ist das Lernen der Wörter nach diesem Buch bisher den Schülern zu einer wahren crux geworden. Mir dünkt, dafs Döderlein schon für seine Zeit, die ja der Pflege des Latein ungleich günstiger war als die Gegenwart, hierin des Guten zu viel gefordert habe. Wie viele kostbare Zeit wurde da (oder wird am Ende noch?) von manchem Lehrer verschwendet, der in verba magistri schwörend das ganze Vokabular, Wort für Wort, auswendig lernen liefs!

In diesen beiden Punkten · ist auch bei einer erneuten Auflage noch ziemlich viel zu thun. Durch Hinweglassung unnötiger Wörter lässt sich der nötige Raum für die Beifügung der Bedeutung, für Belege durch Beispiele, synonymische Hinweise, auch Analogien aus verwandten Sprachen, gewinnen. Der Zeitgeist will

es so, und er ist, wie mir dünkt, in dieser Hinsicht so übel nicht.
Da auch die neue Schulordnung „auf die Aneignung eines entsprechenden
lateinischen Wortschatzes in der ersten und den folgenden Klassen
Gewicht zu legen" fordert, so dürfte ein so verändertes Vokabular
allmählich an den meisten Anstalten, an denen es noch nicht eingeführt ist, Eingang finden — und mit Recht; denn die Grundlage ist
gut und wohl nirgends besser als im Döderleinschen Vokabular.

München.   Dr. Gebhard.

———

Buchners Sammlung lateinischer Übungsbücher.
3. Teil. Übungsbuch für die 3. Klasse der Lateinschule
von Dr. Herm. Hellmuth, kgl. Gymnasialprofessor am
neuen Gymnasium in Regensburg und Dr. Friedr. Gebhard,
kgl. Studienlehrer am Wilhelmsgymnasium in München.
— Bamberg, Buchnersche Verlagsbuchhandlung 1890.

Der Bearbeitung dieses Übungsbuches liegt in seinem deutsch-
lateinischen Teil das bereits 1887 in 2. verbesserter und vermehrter
Auflage erschienene und im Bd. XXIII S. 37 d. Bl. besprochene Übungsbuch des einen der beiden Verfasser, Gebhard, zu grunde. Es ist nach
den Prinzipien umgearbeitet und erweitert, welche für die ganze
Buchnersche Sammlung maßgebend waren, und deren Hauptunter-
schied von den bisher gebrauchten Übungsbüchern in der Besprechung
des Lanzingerschen Elementarbuches für die 1. Klasse Bd. XXVI S. 470
dargelegt sind.

Über die Anordnung des Übersetzungsstoffes geben uns die Verfasser in dem Vorwort eine gedrängte Übersicht. Eine Reihe zusammenhängender Übungsstücke bezweckt Wiederholung und Vertiefung des
vorjährigen Pensums; daran reihen sich einige deutsch-lateinische
Kapitel, welche den Schüler eine richtige Unterscheidung im Gebrauch
gleichlautender deutscher Transitiva und Intransitiva lehren sollen,
von denen die wichtigsten in einem Anhang übersichtlich zusammengestellt und mit Beispielen belegt sind. An diese schliessen sich
Übungen in der Anwendung der wichtigsten Regeln über Satzverbindung nach dem Muster der schon in den Englmannschen Übungsbüchern behandelten Vorübungen, und dann folgen die Abschnitte über
das eigentliche Pensum der Klasse, noch vermehrt durch einen Kanon
der wichtigsten Synonyma und stilistischen Regeln, sowie durch ein
lateinisch-deutsches und deutsch-lateinisches Wörterbuch. — Der
lateinisch-deutsche Stoff ist in der Art verteilt, daß von den Vorübungen an zur Einübung der Regeln den deutsch-lateinischen Stücken
lateinisch-deutsche Sätze in je einem Kapitel vorausgeschickt sind,
während die zusammenhängenden Lesestücke, nach den einzelnen
Pensen geordnet, nach den deutsch-lateinischen Übungsstücken über
den gesamten Lehrstoff folgen. Es hat diese Einrichtung den Zweck,
einen fortlaufenden geschichtlichen Lesestoff bieten zu können, der für

diese Klasse sich am besten eignet, was von den Verfassern ebenfalls schon in der Vorrede ausgesprochen ist.

Diese Anordnung des Stoffes nun erscheint als durchaus praktisch und den Anforderungen der Schule entsprechend; auch ist das in allen diesen Abschnitten gegebene Material so reichhaltig, daſs der Lehrer nicht gezwungen ist, Jahr für Jahr die nämlichen Sätze und Stücke zu behandeln, sondern daſs sich in allen Stufen seines Lehrganges eine entsprechende Abwechslung darbietet, ohne daſs die eine oder andere derselben an Übungsbeispielen zu kurz käme. Denn fast jeder einzelne Paragraph der Grammatik ist mit mehreren Übungsstücken bedacht, und immer schon nach einigen Abschnitten finden sich die vorhergehenden Regeln zusammenfassende Übungs-stücke und dann wieder nach Absolvierung gröfserer Partien, wie der einzelnen Kasus, eine Reihe längerer Repetitionsstücke. So ist also für mehr als ein Jahr hinreichend Stoff vorhanden.

Um aber auch auf die Bearbeitung dieses Stoffes näher ein-zugehen, so sind zunächst in den Vorübungen die Regeln klar und bündig gefaſst und mit passenden Beispielen belegt; namentlich ist auch gleich auf die verschiedenen Wendungen Bedacht genommen, welche im Deutschen möglich sind, z. B. beim acc. cum inf., der den Knaben auf dieser Stufe oft grofse Schwierigkeit bereitet. Etwas zu weit scheinen mir die Vorübungen in Bezug auf die Final- und Kon-sekutivsätze ausgedehnt zu sein mit der Zumutung, auch schon den Unterschied zwischen ne quis und ut nemo, neve und neque sich zu merken, was doch erst der 4. Klasse vorbehalten bleiben soll.

Die deutsch-lateinischen Übungsstücke sind, wie bereits er-wähnt, gröfstenteils alte Bekannte aus dem Gebhardschen Übungsbuch, teilweise in verbessertem Gewande und in anderer Reihenfolge. Von diesen erfüllen wohl die ersteren „zur Repetition der Formenlehre‟ ihren Zweck nicht vollständig, da sie manchmal gar zu selten vor-kommende Wörter und Wendungen enthalten, wie das „über die Bienen‟ „über die Gemsenjäger‟, und zu grofse Anforderungen an die Schüler stellen, namentlich in Bezug auf die Länge der Sätze, wie in cap. 5 „Über Olympia‟ und in cap. 10 über Theseus. Dagegen sind die einzelnen Sätze, welche zur Einübung des Jahrespensums dienen, sehr zweckentsprechend, und namentlich auf den deutschen Ausdruck ist grofse Sorgfalt verwendet. Besonders zu loben ist, daſs in Bezug auf die deutsche Konstruktion eine systematische Stufenfolge vom Leichteren zum Schwereren eingehalten ist: so bei den Kapiteln über den acc. c. inf., in welchen zuerst nur die „Daſs‟Form gesetzt und erst in weiteren Abschnitten abwechselnd damit auch der Konj. oder Inf. gebraucht ist; das Gleiche ist auch bei den Finalsätzen der Fall. Überhaupt ist durchweg der Grundsatz befolgt, daſs immer zuerst der dem Deutschen adäquate Ausdruck gegeben ist, und erst dann die verschiedensten im Deutschen möglichen Wendungen der betr. latei-nischen Konstruktion gewählt sind. Als besonders gelungen mögen in dieser Beziehung die Abschnitte über den Dativ und esse mit gen.

qual. erwähnt sein.   Dieses Vorzugs hatte sich übrigens schon teilweise die 2. Auflage des Gebhardschen Übungsbuches zu erfreuen.
    In Bezug auf den Inhalt sind nichtssagende Sätze, wie sie noch
in der 2. Auflage des eben erwähnten Buches, wenn auch nur vereinzelt vorkommen (z. B. cap. 37: Kommst du aus der Stadt? Habt
ihr gesehen, daſs jemand da ist?) durchweg vermieden und gröſstenteils durch historische Beispiele ersetzt.   Eine glückliche Unterbrechung
der mit den einzelnen Sätzen unvermeidlich verbundenen Trockenheit
bieten abgesehen von den zusammenhängenden Stücken auch die kurzen
Fabeln, welche oft am Schlusse eines Kapitels angefügt sind, wie in
cap. 33, 36, 65, 122 etc. oder historische Anekdoten.   Die zusammenhängenden Repetitionsstücke sind von mannigfachem und anregendem
Inhalt und bei korrekter und schöner Form reich mit Regeln versehen.
    Dem deutsch-lateinischen Teil steht der lateinisch-deutsche
an Wert nicht nach.   Trefflich gewählt sind die einzelnen Sätze,
welche den deutsch-lateinischen Stücken bei jedem Paragraph vorausgehen und zur Veranschaulichung der betr. Regel die Anwendung
derselben in kursivem Druck enthalten.   Sie sind so beschaffen, daſs
möglichst wenig Fuſsnoten notwendig sind; die trotzdem noch unvermeidlichen Angaben aber sind klar und bündig und geben in ge-
wählter Übersetzung den betr. Ausdruck wieder.   Eingestreut sind
viele Spruchverse, von denen diejenigen, welche etwa auswendig gelernt werden könnten, mit einem Sternchen bezeichnet sind, und
Sprichwörter, bei welchen oft auf das entsprechende deutsche Sprüch-
wort hingewiesen ist, z. B. 199 „fünf gerade sein lassen", 205, 206,
211, wo der Schüler selbst das passende zu finden hat.
    Die zusammenhängenden lateinisch-deutschen Stücke, bei welchen
dem historischen Stoff eine Anzahl Fabeln zur Wiederholung der
Formenlehre vorausgeht, liefern in systematischer Ordnung — ein
Vorzug, welcher den auf dieser Stufe bisher gebräuchlichen Lesebüchern gänzlich mangelte — eine Reihe von Erzählungen aus der
persischen Geschichte, der griechischen Sage, der griechischen und
römischen Geschichte, welche mit passenden Änderungen aus
Justin, Cornel. Caesar und Livius genommen sind, während die gleichen
Abschnitte im Englmannschen Lesebuch zum Teil wörtlich dem Original entlehnt waren.   Dies zeigt u. a. eine Vergleichung der Abschnitte über Epaminondas (XXIII), von denen der im Englmannschen
Buche mit Auslassung des 1., 7. und eines Teiles des 10. Kapitels
wörtlich aufgenommen war, während er hier mit entsprechenden
Änderungen aufs glücklichste den Regeln über den Dativ angepaſst
ist.   Sehr geschickt sind auch die indirekten Reden der Originale
direkt gegeben und für die betreffenden Abschnitte zurechtgemacht:
so z. B. Livius I. 12 in XLII für die Regeln über den Ablativ, Caes.
de bell. Gall. I. 40 in LIV. d. über den Infinitiv und das Gerund.
    Der letzte Teil des Buches bietet neben dem nochmals ab-
gedruckten Kanon der Synonyma und den stilistischen Regeln für die
1. und 2. Klasse einen neuen Abschnitt für die 3. Klasse, auf welchen
im Verlauf der Übungsstücke vielfach hingewiesen ist, so daſs die

darin enthaltenen Regeln und Unterscheidungen gelegentlich der Übersetzung und Lektüre leicht gemerkt werden können. Bei den Synonyma dürfte unter 7 vielleicht auch noch multitudo Volksmenge aufgeführt sein, dagegen möchte der Unterschied zwischen grates und gratias agere doch etwas zu weit ins Einzelne und Unwesentliche eingehen! — Der kurze, nur zwei Seiten umfassende stilistische Teil schließt sich passend an die Kasusregeln an und gibt eine Vervollständigung und genauere Erläuterung der Grammatik; z. B. § 19 zu den Ortsbestimmungen, § 20 zum gen. possess., § 21 zum abl. compar.

Die gleichlautenden deutschen Transitiva und Intransitiva, 18 an der Zahl, sind die nämlichen, wie im Gebhardschen Übungsbuch; die beiden Wörterverzeichnisse genügen für diese Stufe; doch sind manche im Texte vorkommende Wörter ausgelassen, wie distinere, tuba und im deutsch-lateinischen: Nachtigall.

An Druckfehlern finden sich keine sinnstörenden, nur einige unbedeutende, welche von jedem leicht verbessert werden können; z. B. p. 67, 79 Fußnote³, p. 167⁵, 189.

Fassen wir nun unser Urteil über das Buch zusammen, so müssen wir dasselbe als ein mit großer Sachkenntnis gearbeitetes u. aus praktischer Erfahrung hervorgegangenes Werk bezeichnen, das seinen Weg gewiß auch über die bayerischen Gymnasien hinaus finden wird. Wo es schon eingeführt ist, da hat es sich sicherlich voll und ganz bewährt; wo es aber noch nicht im Gebrauche ist, da möge man nicht länger säumen, es dem lateinischen Unterricht auf dieser Stufe zu grunde zu legen.

Regensburg. Dr. Wild.

_____

Demosthenes' Acht Reden gegen Philipp. Ausgabe für Schüler. I. Abteilung: Text. II. Abt.: Kommentar. Von G. Bräuning, Gymnasialoberlehrer in Schleswig. Hannover 1891. Norddeutsche Verlagsanstalt, O. Goedel.

Nach den in den Neuen Jahrb. f. Phil. u. Päd. 1890, 2. Abt. S. 330 dargelegten Grundsätzen hat der Herausgeber mit dem zweiten der oben genannten Hefte den ersten praktischen Versuch gemacht, einen für Schüler und nur für Schüler bestimmten Kommentar zu liefern, ähnlich wie es im vorigen Jahre Baran für die Demosthenesausgabe der Schenkl'schen Sammlung gethan hatte.

Der Text im ersten Heft ist der der gewöhnlichen Überlieferung, die wenigen abweichenden Lesarten sind in einem kurzen Anhang des Kommentars zusammengestellt.

Von den vielen Änderungsvorschlägen Blaß' und anderer hat der H. nur wenige mit großer Vorsicht ausgewählt und aufgenommen. IV 18 konjiziert er selbst ποιήσαιτ' αὖϑ' οὕτως für ποιήσαιτ' ἄν τοῦτο; so entsprechend οὕτως, so unwahrscheinlich ist αὐτό, das auf das ὁρμῆσαι zu beziehen ist. III 9 hätte er mit Blaß ποιῆσαι (nach ἀναβάλλεται) aufnehmen sollen (statt ποιήσειν).

VIII 24 liest H. nach Blaſs' früherer Vermutung ἐνίους μαθεῖν ὑμῶν δέον, λέξω μετὰ παρρησίας. Hätte er dessen späteren Vorschlag δεῖ . λέξω δή noch kennen gelernt, so würde er wohl auch diesem den Vorzug gegeben haben, zumal er der Überlieferung näher kommt. II 28 beläſst er Ἀμφίπολις κἂν ληφθῇ und verlangt mit Recht ἂν für κἂν.

Der Kommentar besteht aus einer Einleitung und Anmerkungen. Erstere (S. 5—26) zerfällt in 6 Abschnitte: Die attische Beredsamkeit, Demosthenes' Jugend, Demosthenes als Redner, Zustände in Athen, Ereignisse von Philipps Thronbesteigung bis zur Schlacht bei Chäronea und endlich die letzten Schicksale des Demosthenes. Es gewähren diese Darlegungen, in welchen mit Recht für Demosthenes und sein ideales Streben Partei genommen wird, dem Schüler so ziemlich alles, was er zum Verständnis der philippischen Reden wissen muſs.

Die Anmerkungen sind mit Absicht sehr knapp gehalten und bei weitem nicht so reichhaltig als Barans Kommentar; enthält dieser mitunter des Guten zuviel, ja manches geradezu überflüssige, so ist der vorliegende doch wohl etwas gar zu dürftig; die sprachlichen wie sachlichen Schwierigkeiten dürften noch manche Erklärung, wenn nicht unbedingt notwendig, so doch sehr wünschenswert erscheinen lassen.

Der Druck ist sehr deutlich und korrekt, man darf fast sagen fehlerfrei; nur IV 25 ist in den Text δρωμένων aufgenommen, im Kommentar aber στρατηγουμένων belassen und erklärt.

Regensburg. _____ H. Ortner.

Ferd. Weck. Die Epische Zerdehnung. Metz. Jahresber. des Lyzeums. 1890. 4°. 43 S.

Unentwegt schreitet Vf. in seinen Homeruntersuchungen auf selbstgebahnten Wegen vorwärts, obwohl seine „Erklärungen der hom. Personennamen"[1] vielfachen Widerspruch und die ihm entschlüpften ἔπε' ἀπτερόεντα[2] bei wenigen Glauben gefunden haben. In der vorliegenden Abhandlung hat er ein Gebiet betreten, für dessen Neudurchforschung man ihm sehr dankbar sein muſs. Denn „besondere Schwierigkeiten, die zum Teil noch ungelöst sind, machen die bei der sog. ep. Zerdehnung vorliegenden Ausgleichungserscheinungen" — mit diesem sibyllinischen Euphemismus verschleiert Brugmann auch in der zweiten Auflage seiner griech. Gramm. in J. v. Müllers Handb. II § 17a. E. das einfache Non liquet.

Im Gegensatz zu seinen Vorgängern (bes. Wackernagel) sieht Vf. in dieser sonderbaren Erscheinung nicht eine durch die Homersänger und sonstige Sünder vorgenommene Neubildung, sondern einen Werdeprozeſs aus einer früheren Sprachperiode. Kap. I—V behandelt die Verba contracta; diese seien entstanden aus Verba auf

---

[1] Metz. Progr. 83.
[2] Jhrb. f. Phil. u. Päd. 1884. S. 433 ff.

ιάω (oder mit Abschwächung des a, auf ιέω). Ob dieselben Desiderativbildungen oder Ableitungen von Adjektiven auf -ιος waren, läfst Vf.
dahingestellt; also εὐχεταᾶσθαι — mit dieser Betonung nach Schol.
Il. VI 268 — aus *εὐχεταιαομαι[1]); dieses von Adj. *εὐχεταιος aus *εὐχειης.
    Bewahrt sei dieses ι, welches sich nach bekanntem Lautgesetz
konsonantiert und dann verflüchtigt habe, in der Überlieferung von
γελοιῶντες, v 390. — Eine Anzahl dieser Verba habe die zwei auf-
einanderstofsenden α kontrahiert; daher das lange α z. B. in διψάων
aus *διψαjαων. Andere hätten regelrecht das zweite α mit der Endung
kontrahiert, wie δαμᾷ X 271 aus *δαμαjαει; öfter habe sich das
erste α in ο oder ε getrübt, resp. dem folgenden Vokal „angeglichen",
z. B. εὐχετοῶνται, μενοινιέῃσι (von *μενοινιαjαω). Endlich habe auch
dieser Vokal mit dem schon kontrahierten sich verbunden, also sei
Doppelkontraktion in κερῶντας (von *κεραjαω) vorhanden. Im Anhang
(p. 37 ff.) werdèn sämtliche hieher gehörige Verba alphabetisch aufgeführt.
    Die Lösung des bisherigen Rätsels ist damit nach des Ref.
Meinung äufserst glücklich gelungen; nur braucht man nicht bei
allen Verba diese Metamorphose anzunehmen; es kann bei vielen durch
falsche Analogie der betreffende Laut eingefügt worden sein. Wir
erleben ja in unserer heutigen Sprache dergleichen Falschbildungen;
ich erinnere nur an die Fortwucherung der Imperfektformen auf -te,
an die leider durch die „Allg. Zeitung" eingeführten „Nekrologe
Münchener Künstler" u. dgl.
    In der Freude über den glücklichen Fund geht Vf. aber ent-
schieden zu weit, wenn er jetzt Kap. VI und VII die sämtlichen Verba
auf -όω und sehr viele derer auf -έω seiner αιάω-Klasse zuweist. Es
würde zu weit führen, alle Einzelheiten hier zu besprechen; aber
warum er z. B. die einfache Ableitung von βουχολέω aus βουχόλος auf
dem Umweg über ein Adjektiv *βουχολειος (daraus *βουχολειεω) sucht,
ist unerfindlich. Sehr gelungen dagegen ist die Rettung des λ 403,
ω 113 überlieferten μαχεούμενος, welches als Part. Fut. (*μαχειομενος)
zu *μαχιζομαι oder *μαχεζομαι zu betrachten ist,
    Das VIII. und IX. Kapitel beschäftigen sich mit den sog. ep.
Zerdehnungen in anderen Verbalklassen. Die hier aufgestellten Vermutungen können nur Kopfschütteln erregen. Die Konjunktive Aor.
der Verba in -μι, wie δώομεν, sollen Desiderativbildungen sein (*δο-
jαομεν); die Optative mit ι, wie δοῖμεν, werden von δοίημεν durch
Verkürzung des η in ε-*δοjεμεν — und eine Art Synizese gewonnen.
Der schwache Passivaorist soll durch ein Desiderativum aus dem
Verbaladjektiventstanden sein: ἰαντός—*ἰαντειεω-Präteritum *ἰαντεjην · j
verhaucht zu ', ε wird übersprungen, τ dadurch mit ' zu θ, und ἰάνθην
ist — aus dem Haupte des Vf. entsprungen! Das Nämliche zu glauben
mutet uns Vf. bei φαίνω zu: παjασ- wird πα῾ασ-, π῾ασ-, φασ-[2]); dem-

---

[1]) Vf. gibt diesen gebeiächten Formen meist Accente; ich lasse sie, allg.
Brauche folgend, unbetont.
[2]) Der selige ἀλώπηξ ist übertroffen!

selben Stamm verdankt $\Phi o \tilde{\iota} \beta o \varsigma = {}^{*}\Pi\alpha\iota\acute{\eta}\omega\nu$ das Leben! — Endlich soll auch noch der starke Aktivaorist durch Übergang in die themat. Konjugation aus dem passiven entstanden sein. Solchen Phantasien vermag niemand mehr zu folgen.

Das X. Kap. verfolgt die sog. Zerdehnung durch die Deklination. Annehmbar dünkt den Ref. die Erklärung von $\varkappa\varrho\acute{\alpha}\alpha\tau o\varsigma$, das aus ${}^{*}\varkappa\varrho\alpha\eta\alpha\tau o\varsigma = \varkappa\alpha\varrho\acute{\eta}\alpha\tau o\varsigma$ entstanden sei. — Sehr geistreich wird $\gamma\varepsilon\lambda o\acute{\iota}o\nu$ B 215 als Komparativ erkannt. — Mit guten Gründen wird die Behauptung verfochten, dafs $\sigma\acute{\alpha}o\varsigma$ und $\sigma\acute{o}o\varsigma$ zwei verschiedenen Wurzeln angehören, letzteres der Wz. $\sigma\tilde{v}$: von $\sigma\acute{\alpha}o\varsigma$ sei ein Adj. ${}^{*}\sigma\alpha o jo\varsigma$ weitergebildet worden, aus dem ein Verb. ${}^{*}\sigma\alpha oj\alpha\omega$ uud die Formen $\sigma\alpha\tilde{\omega}$ Π 363 $= \sigma\alpha\acute{o}\bar{\alpha}$ und $\sigma\alpha\acute{\omega}\sigma\varepsilon\iota\varsigma$ entstanden seien; ebenso $\sigma\tilde{\omega}\varsigma$ neben $\sigma\acute{o}o\varsigma$, $\sigma\acute{\psi}\zeta\omega = {}^{*}\sigma\alpha o\ddot{\iota}\zeta\omega$. I 230 sei das überlieferte $\sigma\alpha\acute{\omega}\sigma\varepsilon\mu\varepsilon\nu$ zu trennen in $\sigma\alpha\tilde{\omega}\varsigma$ ($= \sigma\alpha\acute{o}\alpha\varsigma$) $\check{\varepsilon}\mu\varepsilon\nu$. Von $\sigma\acute{o}o\varsigma$ dagegen nimmt Vf. eine Ableitung ${}^{*}\sigma o\alpha\omega$ (${}^{*}\sigma o\alpha\iota\alpha\omega$) an, davon Konj. $\sigma o\acute{\psi}\sigma\iota$, Opt. $\sigma o\acute{\psi}\varsigma$ etc. — Ähnlich erklärt sich $\zeta\omega\acute{o}\varsigma$ aus ${}^{*}\zeta o\alpha\ddot{\iota}o\varsigma$.

Des Vf. übrige Aufstellungen werden kaum irgendwo Beifall finden. Dafs in $\dot{\varepsilon}\varsigma\varepsilon\acute{\iota}\varkappa o\sigma\iota$ ein Vorschlag vor ς anzunehmen sei, hat schon Curtius gesehen[1]; aber dafs auch innerhalb des Wortes sich ein solcher bei $o\check{\iota}\varsigma = \check{o}\varsigma\iota\varsigma = {}^{*}\acute{o}\iota\varsigma\iota\varsigma$ erzeugt habe, ist doch mehr wie zweifelhaft; ebenso soll Gen. Dual z. B. in $\check{\omega}\mu o\iota\iota\nu$ aus ${}^{*}\check{\omega}\mu o\iota\varsigma\iota\nu$ entstanden, dieses $\varsigma\iota\nu$ aber $= \varphi\iota\nu$ sein. — $\dot{O}\mu o\acute{\iota}o\varsigma$ trennt Vf. in $\acute{o}\mu\text{-}o\acute{\iota}o\varsigma$; letzteres hänge mit $o\check{\iota}\omega = {}^{*}\acute{o}\iota\varepsilon\omega$ zusammen und dergleichen Willkürlichkeiten, die der verehrte Leser selbst nachlesen wolle.

Trotzdem so manches in dem Programm als verfehlt zu bezeichnen war, so hält Ref. doch die Arbeit für eine hochbedeutsame und die Frage der sog. ep. Zerdehnung wesentlich fördernde.[2]

Aber auch in verschiedenen anderen Punkten führt den Vf. seine Theorie zu schönen Ergebnissen; z. B. ist (S. 7) B 550 $\dot{\alpha}\varrho\nu\varepsilon(\iota)o\tilde{\iota}\varsigma$ mit Synizese zu lesen; ebenso $\varkappa$ 227 $\dot{\alpha}o\iota\delta j\acute{\alpha}\varepsilon\iota$; ähnl. ε 61, μ 436. $M\varepsilon\sigma\alpha\acute{\iota}\tau\varepsilon\varrho o\varsigma$ und $\mu\varepsilon\sigma\acute{\omega}\tau\varepsilon\varrho o\varsigma$ ist zu erklären aus ${}^{*}\mu\varepsilon\sigma\alpha\iota o\tau\varepsilon\varrho o\varsigma$. $K\alpha\tau\alpha\tilde{\iota}\tau v\xi$ (S. 10) ist aus ${}^{*}\varkappa\alpha\tau\alpha\iota$ ($= \varkappa\alpha\tau\acute{\alpha}$) und ${}^{*}\tau v\xi$ ($\tau\varepsilon\acute{v}\chi\omega$) entstanden. Die Kontraktion (S. 12) der Adj. auf $\pi\lambda oo\varsigma$ ergibt sich natürlich durch folgenden Vorgang: das Suff. $\text{-}\pi o\lambda o\varsigma$ (vgl. $\tau\varrho\acute{\iota}\pi o\lambda o\varsigma$) steckt in ${}^{*}\delta\iota\pi(o)\lambda o\varsigma$, das weitergebildet wurde zu ${}^{*}\delta\iota\pi(o)\lambda\alpha\iota o\varsigma$; Neutr. plur. ${}^{*}\delta\iota\pi(o)\lambda\alpha\iota\alpha$ wird $\text{-}\pi\lambda\tilde{\alpha}$, aber Fem. ${}^{*}\delta\iota\pi(o)\lambda\alpha\iota\eta$ gleicht α dem η an; ${}^{*}\delta\iota\pi(o)\lambda\varepsilon\acute{\iota}\eta$ wird zu $\text{-}\pi\lambda\tilde{\eta}$. $\dot{I}\vartheta\acute{v}\nu\tau\alpha\tau\alpha$ (S. 29) stammt nicht von $\iota\vartheta\acute{v}\varsigma$, sondern von dem Adj. verb. $\iota\vartheta\nu\nu\tau\acute{o}\varsigma$. $\dot{I}\acute{\alpha}o\mu\alpha\iota$ (S. 6) leitet Vf. von Wz. $j\alpha$ wünschen; es heifst also „bewünschen, besprechen." Derselben Wz. weist er $\dot{\alpha}\nu\text{-}\acute{\iota}\eta$ zu, „Unlust".

Falsch ist S. 10 die Ableitung von $o\check{v}\tau o\varsigma$ aus $\acute{o}$ $\alpha\dot{v}\tau\acute{o}\varsigma$; vgl. Delbrück S. F. IV S. 139 und Brugmann a. a. O. § 94, die es in ${}^{*}\acute{o}\text{-}v\text{-}\tau o\varsigma$ zerlegen.

Von Druckfehlern ist dem Ref. nur S. 15 Z. 9 $\mu\alpha\iota\mu o\omega\sigma\iota$ ohne Accent aufgefallen und auf derselben Seite Z. 5 v. u. $\dot{\varepsilon}\gamma\varrho\eta\gamma o\varrho o\tilde{\omega}\nu$.

---

[1] Grdz.[4] p. 566 (und No. 16).

[2] Einen neuen Versuch, die ep. Zerdehnung zu erklären kündigt Gomoll in der Wochenschr. f. kl. Phil. Sp. 1223 an; er vergleicht sie mit unseren Notenverbindungen, die auf eine Silbe fallen. Beweis steht meines Wissens noch aus.

Zum Schlufs sei dem Vf. noch Dank gesagt für die mannigfachen Anregungen, die seine Schrift bietet.

Nürnberg.   Reichenhart.

Dr. Theodor Wohlfahrt, Kgl. Gymnasialprofessor: Französische Grammatik für die bayerischen Gymnasien. I. Teil. München
1891. Theodor Riedel.

Professor Dr. Wohlfahrt in München hat den 1. Teil einer franz.
Grammatik beendet, welche „ihrem Buchstaben und ihrem Geiste nach"
sich der neuen Schulordnung anpafst. Es kann bei Sachkundigen
keinem Zweifel unterliegen, dafs ein solches Unternehmen, trotz der Un-
zahl der bereits vorhandenen Lehrbücher, einem thatsächlichen Bedürfnis
entgegenkommt. Hat ja doch unseres Wissens keine einzige der bis jetzt
veröffentlichten Grammatiken weder auf die früheren, noch auf die gegenwärtig an den bayerischen Gymnasien vorliegenden Verhältnisse, —
namentlich die zeitlichen! — genauere Rücksicht genommen, und so konnte
es nicht ausbleiben, dafs häufig gerade die wissenschaftlich zuverlässigsten
und zugleich auch didaktisch wertvollsten Lehrbücher, wenn und weil
sie eine ansehnlichere Stundenzahl als selbstverständlich voraussetzten,
an unsern Gymnasien keine bleibende Heimstätte gefunden haben.
Man griff, nur um das zu erledigende Pensum in seiner Gesamtheit
thunlichst zum Abschlufs zu bringen, nicht selten selbst zu Lehrbüchern,
(wie z. B. Berichterstatter selbst und Andere zu Otto's Conversations-
Grammatik), welche ebensogut den Zwecken von Handlungsreisenden
als den Bedürfnissen von klassisch vorgebildeten jungen Leuten von
15—22 Jahren entsprechen mögen.

Die weitere und wichtigste Frage, ob das neue Lehrbuch seiner
ganzen Anlage nach den Anforderungen gerecht wird, welche wir
in erster Linie an eine wissenschaftlich-praktische Grammatik
stellen möchten, glauben wir bejahend beantworten zu dürfen. Wir
dachten uns die Idealgrammatik für höhere Schulen von jeher nach
dem Wunsche Dr. E. O. Stiehlers*) eingerichtet: „Am besten wäre
es — und damit werden wir den Systematikern wie den Methodikern
gleich gerecht — das grammatische Lehrbuch so einzurichten, dafs
den Übungsstücken eine kurze systematische Grammatik voranginge,
während alsdann die einzelnen grammatischen Kapitel methodisch mit
den Übungsstücken verknüpft wären oder sich wenigstens in jeder
Lektion Hinweise auf das zu behandelnde grammatische Pensum vor-
fänden."

In Wohlfahrts Grammatik, I. Teil, S. 1—112 stehen die (sehr
zahlreichen) im beigefügten „Übungsbuch", S. 115—250, enthaltenen
Übersetzungsübungen in enger methodischer Verknüpfung mit den
korrespondierenden Abschnitten der vorangestellten systematischen

---

*) In seiner anziehenden Broschüre: „Streifzüge auf dem Gebiete der neu-
sprachlichen Reformbewegung". Marburg, 1891, S. 25.

Darstellung der Grammatik. Auf diese Weise wird einerseits gleich von Beginn eine ziemlich vollständige zusammenhängende Formenlehre und Syntax geboten, also das Verlangen befriedigt, das grammatische Pensum in wissenschaftlich abgeschlossener, relativ vollständiger Form vorzufinden, andrerseits finden aber auch diejenigen ihre Rechnung, welche auf sofortige und ausgiebige praktische Einübung des theoretisch Erworbenen ein Hauptgewicht legen. An dieser Stelle möchten wir gleich die Bemerkung vorausschicken, daß es dem „Übungsbuch" keineswegs an den von manchen Reformern so vielfach schon für den Anfang geforderten zusammenhängenden Übungsstücken fehlt. Wir sind der Ansicht, Wohlfahrt hat hier den goldenen Mittelweg eingehalten, indem wir es nicht für zu spät halten, wenn schon von den Zahlwörtern ab größere zusammenhängende Übersetzungsstücke auftreten. Besonders aber der für die VII. Klasse bestimmte Teil des Übungsbuches ist überreich an passenden für die Übersetzung bestimmten deutschen und französischen Erzählungen.

Wir haben oben behauptet, daß die allgemeine Einrichtung des neuen Lehrbuches nach unseren Prinzipien nichts zu wünschen übrig läßt. Nachdem wir dies mit aufrichtiger Freude bekennen und anerkennen, wird es uns gestattet sein, im folgenden einigen Bedenken und besonderen Beobachtungen Ausdruck zu geben, zu welchen die Durchsicht der Wohlfahrtschen Grammatik Anlaß geben dürfte. Dabei entgeht uns nicht, mit welch hemmenden Schwierigkeiten es verbunden ist, ein Lehrbuch zu beurteilen, ehe man es praktisch im Unterricht selbst erprobt hat.

Was einem jeden an Wohlfahrts Buch zunächst in die Augen springt, ist die Abwesenheit jeglicher systematischen Darstellung der Aussprache. Keinerlei Theorie, keine Regeln oder „Prinzipien", keine graphischen Hilfszeichen finden wir, die zur Bestimmung der Aussprache und zur häuslichen Unterstützung des Schülers (bei nur drei, bezw. zwei Wochenstündchen wird dem häuslichen Pleiß unserer Gymnasiasten immer noch genug überlassen werden müssen!); nur im „Übungsbuch" werden auf S. 115—117 an Musterwörtern die verschiedenen dem Französischen zukommenden Laute eingeübt, und auf knapp einer Seite (118) werden dann die stummen Endkonsonanten nebst Ausnahmen aufgeführt: alles übrige wird dem Ermessen des Lehrers anheimgestellt. Ihm erübrigt es ferner, auch das Nötige über Trennung, Hiatus, Bindung, Betonung etc. rechtzeitig mitzuteilen. Ist der Lehrer ein Reformfreund oder gar ein Reformer, so mag er zu irgend einer der schon so zahlreich vorhandenen Vokal- und Konsonantentafeln greifen, und, um sich phonetisch geschulte Jünger zu bilden, sogar eines der phonetischen Transskriptionssysteme dem überraschten Schüler vorführen, verschmäht er aber bei 3, 3, 2, 2 Wochenstündchen längere phonetische Vorträge in der Schule und manipuliert er nicht mit Spiegel, Vokaldreieck und Lautschrift, so obliegt es ihm natürlich, aus den gegebenen Musterwörtern die jeweils einschlägigen Aussprache-Regeln oder „Prinzipien" zu abstrahieren.

Wir hegen nun allerdings keinen Zweifel, daſs wenn diese „Aussprache-Übungen" in der Klasse gründlichst und mit durchgreifendster Berücksichtigung des vielzungigen und vielohrigen Schülermaterials behandelt werden, die Mehrzahl der Lernenden sich den Grund zu einer erträglichen Aussprache wird legen können. Allein allen berechtigten Anforderungen wird man mit Hülfe des Übungsbuches allein doch kaum genügen. Bei dem hohen Respekt, den unsere Schüler vor allem, was sie schwarz auf weiſs schon besitzen, in Anbetracht des vorgerückten Alters (15—22 Jahre), in dem der in der Entwicklungsperiode stehende junge Mann nicht mehr mit so kindlich instinktiver Sicherheit die in der Schule gehörten fremdartigen Laute auffaſst und nachbildet, wären doch zum mindesten kurzgefaſste Anweisungen als Anhaltspunkt für die häuslichen Repetitionen wünschenswert. Es kann schlimme Folgen haben, wenn in einer neusprachlichen Grammatik mit keinem Worte der im Englischen und in den romanischen Sprachen so wichtigen Unterschiede in der Aussprache von b und p, d und t, etc. Erwähnung geschieht (auch müſste dieser namentlich für uns Süddeutsche hervorragend beachtenswerte Unterschied an einer längeren Reihe von besonderen Musterwörtern zum Gehör und vollem Bewuſstsein gebracht werden). Es ist nicht unbedenklich, wenn der Schüler des weiteren im „Übungsbuch" nichts erfährt von der verschiedenen Aussprache von x, wie in exiger, extrême, Bruxelles, Xerxès u. s. f. (Von x handelt es nur gelegentlich der stummen Endkonsonanten, S. 118).

Betrachten wir nunmehr im folgenden die Grammatik und das Übungsbuch im einzelnen etwas näher. Der für die VI. Klasse vorgeschriebene grammatische Stoff findet sich in den §§ 1—98, auf nicht ganz 63 Seiten glücklich zusammengedrängt. Daſs auch die Interjektionen, (auf S. 62 und 63), eine recht ausführliche Behandlung erfahren haben, wollen wir aus rein praktischen Gründen nicht verwerfen, obwohl dieselben streng genommen eigentlich in das Wörterbuch gehören. S. 1, 7. Zeile v. u. hieſse es besser: „unterscheiden sich meist nur etc." S. 10, 2. Z. v. u. wäre „eine Professorin, un professeur" vielleicht schicklicher durch ein anderes Beispiel zu ersetzen. S. 14, Z. 6 streiche „als Adjektiv"; seit Jahrhunderten gibt es kein Adjektiv vite mehr. S. 16, Z. 8 v. u. setze auch die Pluralformen cus, cues hinzu. S. 20 wäre ausdrücklich zu bemerken, daſs beim futur und conditionnel die betr. Endungen nicht an den Stamm, sondern an den Infinitiv treten; die gegebene Übersicht könnte beim Anfänger Miſsverständnisse hervorrufen. Für unentbehrlich halten wir bei § 36 auch die Aufführung der Regeln über die Bildung der Zeiten, von welchen allerdings wiederholt, wie z. B. S. 63, jedoch nur vorübergehend und nur teilweise die Rede ist. Auf Grund dieser Regeln lieſse sich auch bei den unregelmäſsigen Verben vieles kürzer, und darum nicht minder klar darstellen. Hierüber noch später. S. 32, § 50, 3: statt des vagen „richtet sich" besser: consecutio temporum wie im Lat. S. 33, § 53, a,

11. Z. v. u. ergänze nach „anderes": „grammatisch zugehöriges".
S. 40, § 68. Beispiele, wie die grammatisch freilich vollkommen tadel-
losen: tu ne m'y en as pas donné, m'y en as-tu acheté, cherches-lez-y
würde ich lieber nicht geben, weniger wegen ihrer unstreitigen
Seltenheit im praktischen Gebrauch, als deshalb weil dieselben zur
Förderung des Sprachgefühls und zur Erweckung des Sinnes für französischen Wohlklang beim Anfänger kaum nutzbringend erscheinen.
Vollständigkeit der überhaupt möglichen Kombinationen dürfte hier
nicht geboten sein. S. 61, 3. Z. ergänze zu de sorte que: „en sorte
que". S. 61, 11. Z. besser: en deux heures. S. 63, Z. 11 u. 12
heifst es: „Von den imparfaits de l'indicatif et du subjonctif, sowie
vom futur ist nur die erste Person angegeben, weil . . . ." Ganz
richtig; leider nicht konsequent durchgeführt, vergl. die imparfaits du
subj.: von courir, tenir. Wozu ist es ferner nötig, die regelmäfsig
vom présent de l'indicatif gebildeten sämtlichen Formen des présent
du subjonctif aufzuführen, wie bei fuir, cueillir, offrir, sentir, partir,
dormir, servir etc. etc. Besonders beim unregelmäfsigen Verbum
heifst es: je kürzer, desto besser. Nur die wirklich unregelmäfsigen,
bezw. unregelmäfsig abgeleiteten Zeiten sind am besten anzugeben,
alles was darüber ist, verwirrt und erschwert eher. S. 63, § 100
ergänze bei renvoyer die Bedeutung: entlassen. S. 66 Z. 1 ergänze
de nach souffrir. S. 69. Welche Bedeutung hat contenir noch?
S. 70. parvenir auch = gelingen. S. 73. Z. 5 je ne puis pas ist
nicht falsch, es ist nur seltener als je ne puis und findet sich
häufig z. B. bei Alfred de Musset. S. 74 ausdrücklich anzugeben:
je sus, ich erfuhr und je savais, ich wufste. S. 75 wäre auch
il s'en faut de beaucoup etc. und der Unterschied zwischen il s'en
faut beaucoup und il s'en faut de beaucoup etc. anzugeben. S. 77.
Was heifst reprendre noch? S. 81. Die Übersetzung von défaire
kurzweg mit „auflösen" wohl kaum genügend. S. 81. Was heifst
contrefaire noch? S. 83. Connaître, füge hinzu: kennen lernen. S. 86.
Was heifst joindre noch aufserdem? Der Anhang. S. 80—113 enthält
die von der Schulordnung für die VII. Klasse geforderten einfacheren
Regeln der Syntax recht übersichtlich zusammengestellt. S. 92, 4
will uns der Satz: „wenn mein Vater alles erobert haben wird" nicht
sonderlich gefallen. S. 93, 6, 1 vermissen wir vaste. S. 93, 2. Z.
v. u. Die bestimmten Zeitadverbien (hier etc.) sowie die Ortsadverbien
stehen keineswegs stets nach dem zweiten Zeitwort; besonders der
Anfänger stellt sie meist besser an den Anfang oder an den Schlufs
des Satzes. S. 99. V. 33 ergänze die Adverbia „anfangs und ungern".
S. 109 Z. 7 ergänze non pas hinter non. S. 112. Nr. 89. „Im November" auch und häufiger au mois de novembre. S. 118 vermissen
wir die Aussprache von lis, fait, but.
 Die Zahl der Druckfehler ist mäfsig grofs. Wir bemerken
S. 79 Part. passé statt part. prés. S. 92 falsche Trennung von
joignait. S. 93 u. S. 95 falsche Schreibung von mélancolie. S. 103.
In la peine statt de l. p. S. 127 éléve statt élève. S. 141 Nr. 46.
vous aggisser statt vous agissez. S. 154 lesen wir avènement und

dagegen auf S. 189, Nr. 16 avénement. Wofür entscheidet sich Verfasser der Grammatik? S. 166. foudre à canon statt poudre . . . S. 171. Z. 5 v. u. schreibe „dich" statt „dir". S. 194 lesen wir sœur. S. 195 cœur, S. 242 œufs statt sœur, cœur, œufs (œ in Druck und Schrift nur ein Buchstabe, ein nicht unwichtiger Punkt).

Wir eilen zum Schlusse. Die im „Übungsbuch" enthaltenen Einzelsätze sind passend, vernünftig, nie komisch banal, die zusammenhängenden Stücke, Beschreibungen, Fabeln, Anekdoten, Erzählungen bieten reiche und fesselnde Abwechslung. . Jeder wird da neben manchem bekannten viel neues finden. Auch das beigegebene Wörterverzeichnis empfiehlt sich durch Übersichtlichkeit und praktische Vereinfachungen.

Der Druck ist von tadelloser Sauberkeit, das Papier blendend weifs und von bester Beschaffenheit, mit einem Wort, die ganze Ausstattung des Werkes vornehm und geschmackvoll.

Wir sind somit wohlberechtigt, unser Gesamturteil dahin zusammenzufassen, dafs die Wohlfahrtsche Grammatik durch ihre Anordnung und ihren gediegenen, aus echt idiomatischem Material gebildeten Inhalt schon an und für sich eine hervorragende Stelle in dieser Art von Schulliteratur beanspruchen darf, und dem besonderen Zweck, den sie erfüllen will, dient sie wie keine der bisherigen Grammatiken. Sie wird, so vermuten wir, nicht eine, sondern die Grammatik für die bayerischen Gymnasien werden · können. Die Feuerprobe des Schulgebrauches wird natürlich noch manche ungeahnte Schlacke im Laufe der Zeit entfernen. Aber vor allen Dingen wird ihr Wert sich erhöhen, wenn auf 10—20 Seiten in gedrängter Darstellung das Wichtigste aus der Lautlehre und Aussprache noch beigefügt werden wird. Die „Aussprache-Übungen" werden dann noch nachhaltigeren Nutzen bringen und dem Schüler noch mehr als ein wesentlicher Bestandteil des neuen Gegenstandes erscheinen, dem Schüler, der durch langjährigen Betrieb alter Sprachen an tauben Buchstabenglauben gewöhnt, grofse Gleichgiltigkeit und Unwissenheit in phonetischen Dingen in die höheren Gymnasialklassen mitzubringen pflegt.

Eichstätt.   ——————   Geist.

Dr. Chr. Ernst und Dr. L. Stolte, Lehrbuch der Geometrie zum Gebrauche an Gymnasien, Realschulen und anderen Lehranstalten. Erster Teil: Planimetrie. Zweite verbesserte Auflage. Strafsburger Druckerei und Verlagsanstalt, vorm. R. Schultz u. Co. 1891. 109 Seiten.

Die Verfasser dieses Leitfadens haben besonderen Wert gelegt „auf die Anpassung des knapp bemessenen Lehrstoffes an die Entwicklungsstufe des Schülers und auf die Umsetzung des geometrischen Wissens in geometrisches Können durch reichliche Anwendung und Übungen". In dem ersten Abschnitte dient das Prinzip der Bewegung oftmals zur Veranschaulichung der Sätze und in den späteren Abschnitten

wird über die Schwierigkeiten, welche die inkommensurablen Gröfsen
und die Kreismessung bilden, hinweggegangen. Aufserdem unterscheidet
sich dieses Lehrbuch von anderen durch seine Kürze. Obwohl demselben aus der neueren Geometrie die wichtigsten Sätze über harmonische Punkt- und Strahlenpaare, über Pol und Polare, über den
Kreisbüschel, das Kreisbündel und die Kreisverwandtschaft einverleibt
sind, umfafst der theoretische Teil des Buches nur 40 kleine Oktav-
seiten. Es sind nämlich die Beweise kurz gefafst, leichtere nur angedeutet; ferner sind viele Lehrsätze, welche sonst im Lehrsysteme
nicht fehlen, sowie die Elementarkonstruktionen und die rechnende
Geometrie hier dem zweiten Teil, den Übungen, einverleibt. Die
1000 Aufgaben dieses Teils sind in der Mehrzahl Konstruktionsaufgaben, deren Lösung stets durch Hinweis auf vorangehende Aufgaben oder Sätze angedeutet wird. Das Zeichnen der Figuren wird
den Schülern bei den ersten Aufgaben durch Angabe von Mafszahlen
erleichtert.

Dr. F. Rudio, Die Elemente der analytischen Geometrie des Raumes. Zum Gebrauche an höheren Lehranstalten,
technischen Hochschulen, sowie zum Selbststudium. Mit 12 Figuren
im Texte. Leipzig, B. G. Teubner. 1891. 156 Seiten.

Das Buch schliefst sich aufs engste an die „Elemente der analytischen Geometrie der Ebene" von Ganter und Rudio an. Nach
einer eingehenden Erklärung der Vorzeichen geometrischer Gröfsen
werden die Ebene, die gerade Linie und die Kugel ausführlich behandelt. Hieran reihen sich allgemeine Sätze über die Darstellung
der Flächen und Kurven und, um sie zu beleuchten, werden die
Gleichungen der Schraubenlinie und Schraubenfläche, des dreiachsigen
Ellipsoides und der Rotationsflächen zweiten Grades abgeleitet und
diskutiert. Zahlreiche und sorgfältig gewählte Aufgaben geben Gelegenheit zur Einübung der vorgetragenen Lehren.

Das Buch zeichnet sich durch gründliche Erörterung der Grundbegriffe und streng wissenschaftliche Darstellung aus und kann deshalb
für den ersten Unterricht bestens empfohlen werden.

Dr. F, Reidt, Planimetrische Aufgaben. Für den Ge-
brauch im Schul-, Privat- und Selbstunterricht. Erster Teil: Aufgaben,
geordnet nach den Lehrsätzen des Systems. Zweite Auflage. Breslau,
Ed. Trewendt. 1890. 96 Seiten. 1,60 M.

Der erste Teil von Reidts planimetrischen Aufgaben enthält zu
beweisende Lehrsätze, Rechnungsaufgaben und solche Konstruktionen,
deren Lösung sich unmittelbar aus bekannten Lehrsätzen ableiten
läfst. Die Aufgaben schliefsen sich eng an des Verfassers Lehrbuch
der Planimetrie an. Da aber diese Sammlung nur Aufgaben umfafst,
welche sich mittelst der in jedem Lehrsystem enthaltenen Sätze lösen

lassen und diese überdies an der Spitze eines jeden Paragraphen angegeben sind, so kann dieselbe neben jedem Leitfaden, welcher kein
oder unzureichendes Übungsmaterial enthält, verwendet werden.

Würzburg.   J. Lengauer.

_____

H. Raydt „Die Arithmetik auf dem Gymnasium". (Prakt.
Regel- und Lehrbuch.) Hannover. C. Manz 1890. 174 S. 1,80 M.

Nach einer kurzen übersichtlichen Darstellung der für das Rechnen
mit absoluten Zahlen gebräuchlichen Regeln geht der Herr Verfasser
über zur allgemeinen Arithmetik, „die sich vom Rechnen dadurch
unterscheidet, daß sie sich auch mit der algebraischen Zahlenreihe
beschäftigt; diese wird durch Vorsetzen von sogen. Vorzeichen, $+$
und $-$, gebildet". Das Rechnen mit diesen relativen Zahlen wird
durch Zuhilfenahme des Richtungsunterschiedes gelehrt, die Regeln
für die Addition und Subtraktion von Polynomen werden ohne weitere
Begründung angeführt und daraus „praktische Regeln" für das Auflösen von Klammern abgeleitet; schließlich ergibt sich noch aus
$0 - (+ 3) = 0 - 3$ d. i. $- 3$ „die mathematische Definition der negativen Zahlen". Wie man sieht, ist die Frage nach der Notwendigkeit
der Einführung der negativen Zahlen, sind die Einzelnregeln der
Addition und Subtraktion mit Stillschweigen übergangen. Der Herr
Verfasser legt eben, wie er im Vorwort sagt, im arithmetischen
Unterricht das Hauptgewicht auf das Können; daß die von ihm gewählte dogmatische Behandlung des Lehrstoffes eine schnellere Dressur
auf technische Fertigkeiten, die ja besonders im ersten arithmetischen
Unterricht sehr bestechend winkt, erreichen läßt, ist dem Referenten
nicht zweifelhaft; wer freilich glaubt, daß der Schüler auch eine Einsicht
in die Entwicklung des Zahlenbegriffes gewinnen müsse, wer in eingehenderer Beschäftigung mit den einzelnen Sätzen Denkübungen sieht,
wird sich mit einer solchen Behandlung nicht einverstanden erklären
können.

Auch in den nächsten Abschnitten macht sich, besonders wenn
es sich um die notwendig werdenden Begriffserweiterungen handelt,
ein Mangel an wissenschaftlicher Strenge geltend; entsprungen aus
dem Bestreben „auch einem mäßig begabten Gymnasiasten klar zu
werden". Der Referent ist ebenfalls der Meinung, „daß wir Schulmathematiker uns hüten müssen, im Unterricht zu viel Gewicht auf
die philosophische Begründung einzelner Definitionen und Beweise zu
legen"; aber Erklärungen wie: „$(+ 3) . (- 4)$ bedeutet, man soll $+ 3$
in negativer Richtung 4 mal als Summand setzen" oder „$a - {}^n$ kann
nur (?) bedeuten, man soll das der Basis a als Faktor Entgegengesetzte n mal als Faktor setzen" werden wohl dem Autoritätsglauben
der Mehrzahl der Gymnasiasten genügen, nachdenkenden Köpfen aber,
deren es doch Gottlob in jeder Klasse einige gibt, als Ausfluß
reiner Willkür erscheinen, während ihnen doch klar werden müßte,
daß man diese Definitionen nur so und gar nicht anders aufstellen durfte.

Besser kann sich der Ref. von den folgenden Abschnitten befriedigt erklären: Die Gesetze der Wurzelrechnung und des Logarithmicrens sind klar entwickelt und mit hinreichender Strenge begründet, die Erweiterung des Potenzbegriffs für gebrochene Exponenten nach dem von Reidt „Anl. zum mathem. Unterricht" gegebenen Verfahren durchgeführt. Ausführlich wird das Ausziehen von Quadrat- und Kubikwurzeln, sowie die Benützung der Logarithmentafel gelehrt, die Theorie der gewöhnlichen Kettenbrüche und ihre Anwendungen auf das Ausziehen der Quadratwurzel und die Berechnung des Logarithmus vollständig entwickelt.

Daran schliefst sich in übersichtlicher und klarer Darstellung die Lehre von den Gleichungen 1. und 2. Grades mit einer (bzw. n) und 2 Unbekannten, wobei die verschiedenen Auflösungsmethoden durch vollständig durchgerechnete Musterbeispiele erläutert sind; Ref. vermifst hier eine kurze Anleitung für das Ordnen einer Gleichung 2. Grads, besonders wenn Wurzeln auftreten.

Für die Auflösung der diophantischen Gl. 1. Gr. — letzteres fehlt in § 150 — sind die beiden Methoden von Euler und Lagrange ausführlich gegeben; § 154 stände wohl besser vor § 151. Im Abschnitt über die Progressionen werden die arithmetischen Reihen 1. Ordnung und die geometrischen Reihen behandelt, die Formeln für s und t entwickelt und in tabellarischer Übersicht die Auflösungen aller möglichen Aufgaben mitgeteilt, wenn von den auftretenden 5 Gröfsen je 3 gegeben sind. Es folgt die Anwendung der geometrischen Reihe auf Zinseszins — und Rentenrechnung und ein kurzer, aber alles wesentliche enthaltender Abschnitt über Kombinatorik — hier hätte in § 189 als Formel III: $\overset{n-p}{\underset{*}{C}}$ o. r = $\overset{*-p}{\underset{*}{C}}$ o. r erwähnt werden können — woran sich die Elemente der Wahrscheinlichkeitsrechnung und der binom. Satz schliefsen, Ref. vermifst hier die bequemere und auch häufigere Bezeichnung $\binom{n}{p}$ oder n_p statt $\overset{p}{Bi}$.

Im Ganzen kann sonach das Buch als ein brauchbares, besonders auch für den Selbstunterricht wohl geeignetes bezeichnet werden; die Fassung der Lehrsätze ist knapp und präzis, die Entwicklungen hinreichend ausführlich und mit zahlreichen Musterbeispielen versehen, dabei thunlichst dem fortschreitenden Verständnis der Schüler anbequemt, die Ausdrucksweise korrekt.

Ausstattung und Druck ist gut und übersichtlich — zur Erleichterung des Nachschlagens dürfte es sich empfehlen, die betr. §§ an dem Kopf jeder Seite anzubringen. An Druckfehlern stiefsen dem Referenten auf:

. S. 89, Anm. 1. § 150 st. § 143, S. 92 letzte Z. fehlt + b i. Zähl. von N_4, S. 102, Z. 5 l. 10 st. 5, § 177 Z. 1 fehlt: „vom 2. ab"; § 179, Z. 2 l. Einzahlung st. Einzehrung, in § 196 u. § 197 fehlt nach Summe, bezw. Produkt: „der partiellen Wahrscheinlichlichkeiten".

München.   ————   Sondermaier.

W. Liebenam. Zur Geschichte und Organisation des römischen Vereinswesens. Leipzig, B. G. Teubner 1890. 10 M.

Im Vorwort bedauert der Verfasser, daſs die Erforschung des römischen Vereinswesens zum Nachteil unserer Kenntnis des Altertums mehr als billig vernachlässigt sei. Er erwartet von einer intensiveren Forschung auf diesem Gebiete ganz bedeutende Ergebnisse, insbesondere eine klare Einsicht in die Entwicklung „der groſsen sozialen Krisis im römischen Reich", die er mit der Krisis im Reformationszeitalter und in der Neuzeit vergleicht. Solche Erwartungen sind aber zu hochgespannt, denn, wie der Verfasser schon auf den ersten Seiten gestehen muſs und später häufig wiederholt, ist unser Quellenmaterial über das römische Vereinswesen ein äuſserst dürftiges und lückenhaftes. Werden auch in zahlreichen Inschriften römische Genossenschaften und Vereine erwähnt, so ergibt sich doch bei einer unbefangenen Durchsicht derselben, daſs wir über Beschaffenheit und Entwicklung des Vereinswesens vollständig im Dunkeln sind. Die Arbeiten, die bisher über dieses Thema geschrieben wurden, sind deshalb gröſstenteils mit Vermutungen und Hypothesen angefüllt und auch das vorliegende Werk enthält sehr viel Subjektives, so sehr auch der Verfasser versichert, daſs er „jeder Hypothesenspielerei abgeneigt sei". Das Werk besteht aus drei Abhandlungen. Die erste gibt eine geschichtliche Entwicklung des römischen Vereinswesens. Sie enthält nicht neue Ergebnisse, wohl aber neue Vermutungen, wie dies beim Mangel eines zuverlässigen und ausführlichen Beweismaterials auch nicht anders sein kann. Über Vereinsrecht und Vereinswesen während der Republik wissen wir fast nichts; die spärlichen Notizen der alten Schriftsteller schaffen über keinen wesentlichen Punkt Klarheit. Etwas reichlicher flieſsen die Quellen über die Kaiserzeit; aber auch hier ist, wie der Verfasser fast auf jeder Seite gesteht, vieles dunkel und es läſst sich nicht einmal ein dürftiger Abriſs der Entwicklung des Vereinswesens herstellen. Was über die Organisation der Vereine aus der Kaiserzeit überliefert ist, gibt der Verfasser in der dritten Abhandlung; man sieht nicht ein, warum er diese Abhandlung nicht der ersten anreihte. Die dazwischen liegende Abhandlung enthält ein Verzeichnis der gewerblichen Verbände und verwandten Vereine. Diese Abhandlung ist gründlich und wertvoll, wenn sie auch nicht ganz an ihrem Platze ist. Der Verfasser hat mit groſsem Fleiſse die in vielen Werken verstreuten Inschriften über Genossenschaften gesammelt, freilich darf man nicht erwarten, daſs durch derartige Notizensammlungen eine wirkliche Statistik der römischen Gewerbsvereine hergestellt werden kann. Manche Provinzen sind in den Inschriften sehr dürftig vertreten, woraus noch kein Schluſs auf ein unentwickeltes Gewerbe oder Zunftwesen zu ziehen ist. Die dritte Abhandlung ist nun wieder reich an Vermutungen. Hier berührt der Verfasser stark das juridische Gebiet, scheint aber doch dem einschlägigen Material ziemlich fremd gegenüberzustehen. Die Aus-

14*

einandersetzung ist mitunter unklar, namentlich geht der Verfasser in der Verallgemeinerung viel zu weit.   Wenn in den Quellen über irgend einen Verein ein Umstand berichtet wird, so darf daraus nicht eine Eigenschaft aller Vereine konstruiert werden.   Zu vielen allgemeinen Sätzen, die der Verfasser über die Organisation der Vereine aufstellt, kann daher ein Fragezeichen gemacht werden.   Am wichtigsten ist natürlich das Verhältnis der Genossenschaften zum Staate, und auch der Verfasser strebt „eine Lösung dieser schwierigen und vielumstrittenen Frage" an.   Für die republikanische Zeit nimmt er die freie Assoziation an, räumt aber ein, dafs zeitweilig durch den Senat auf dem Verwaltungsweg Beschränkungen der freien Bildung von Genossenschaften stattgefunden haben.   Das Erfordernis der staatlichen Genehmigung wurde erst durch die lex Julia eingeführt, und zwar zunächst für die Stadt Rom.   Bereits an diesen Punkt knüpfen sich ein paar Streitfragen und ebenso gibt es nur Mutmafsungen und Streitfragen über die übrigen Beziehungen der Staatsgewalt zu den Vereinen. Damals wie heutzutage gab es Vereine der verschiedensten Art, und die Einflufsnahme des Staates wechselte nach Zeit und Umständen. Wenn die Mitglieder eines collegium illicitum den Hochverrätern und Verschwörern gleichgestellt werden, so kann kein Zweifel sein, dafs jener Ausdruck einen sehr staatsgefährlichen Verein bezeichnet.   Vornehmlich auf politische Vereine, zu welchen man wegen der Verbindung von Religion und Staat auch die religiösen Vereine rechnete, beziehen sich die uns erhaltenen Gesetzesstellen, um unzählige harmlose Vereine kümmerte sich der Staat nicht.

Würzburg.   Heinrich Welzhofer.

Hansen Georg, Die drei Bevölkerungsstufen.   Ein Versuch, die Ursachen für das Blühen und Altern der Völker nachzuweisen.   Mit einem Plan. München 1889.   J. Lindauersche Buchhandlung (Schöpping).   VIII.   407 S. und Gr. 8.   Preis 7 Mk.

Ein eigenartiges, seitens der Verlagshandlung trefflich ausgestattetes Buch, bei dessen Lektüre der Leser so und so oft den Kopf schütteln und doch gern weiter lesen wird.

S. 221 f. erzählt der Verf.; „Wenn ich einmal verlobt bin, lerne ich kochen", habe ihm einst eine Beamtentochter gesagt.   „Sie hat in der That einen Mann bekommen.   Ich habe mich aber nie entschliefsen können, eine Einladung zum Mittagessen bei ihr anzunehmen."

Dies ist die einzige Stelle des Buches, bei der an einen Mangel an Entschlossenheit oder an Zaghaftigkeit des Autors gedacht werden könnte.   Sonst greift er überall herzhaft zu, unbekümmert darum, was andere, und wären es auch Autoritäten ersten Ranges, vor ihm gesagt haben oder nach ihm sagen werden.   Er hat ein gutes Recht zu der S. V ausgesprochenen Zuversicht, dafs man ihm kaum den Vorwurf machen werde, er habe den von ihm als den unzweifelhaft richtigen eingeschlagenen Weg nicht mit Konsequenz verfolgt. Er zeigt allenthalben eine ungewöhnliche Belesenheit und eine noch ungewöhnlichere Selbständigkeit des Urteiles. Auch die Zweifellosigkeit, daſs diese oder jene seiner Behauptungen dem Leser paradox erscheinen wird, hindert ihn nicht, dieselben selbst in Fragen recht heikler Art mit voller Bestimmtheit vorzutragen. Weit und tiefgehende geschichtliche, national-ökonomische und statistische Studien, eigene unabläſsig fortgesetzte Beobachtung, unleugbare Schärfe des Urteils und ein hoher Grad von Selbstvertrauen sichern ihn vor jedem Bedenken. Auf diese gründen sich seine zahlreichen Beweise, Schlüsse und Ergebnisse.

Er nimmt drei Bevölkerungsstufen an in Übereinstimmung mit den drei Einkommenszweigen, dem durch die schöpferische Kraft der Natur erzeugten Bodenertrag, dem aus der geistigen und dem aus der körperlichen Arbeit sich ergebenden, somit Grundbesitzer, Mittelstand und Arbeiter. Die Entstehung dieser drei Bevölkerungsstufen sind S. 89—142 im zweiten Buch behandelt; die drei Bevölkerungsstufen als Bestandteile der Gesellschaft S. 145—231 im dritten; dieselben als Elemente des Staates S. 235—392 im vierten. Den Schluſs bildet ein Kapitel „Der Bevölkerungsstrom und die Literatur" S. 393—407. Beigegeben ist zu S. 146 ein Plan von München. Von der Volkszählung vom 1. Dezember 1880 ausgehend wird auf diesem die Stadt nach ihren Bezirken in drei Gruppen geteilt und so die überraschend sich ergebende Ortsgebürtigkeit in einer groſsen, einer mittleren und einer kleinen veranschaulicht.

Dabei hat sich der Autor die nicht zu unterschätzende Aufgabe gestellt, sich als den Quartiermacher eines groſsen Heeres zu betrachten, dessen Schicksal von ihm abhängig ist. (S. 49.)

Hier ist nicht der Ort, dem Verf. in allen Einzelheiten nachzugehen. Nur zum Belege, daſs dem Buche mancherlei Absonderlichkeiten nicht fehlen, mögen zunächst einige Stellen herausgehoben werden.

„In der Politik muſs Wahrhaftigkeit herrschen, absolute Wahrhaftigkeit!" ruft er S. 49 mit Emphase aus. Wünschenswert wäre sie allerdings, allein in Wirklichkeit herrschte sie auf diesem Gebiete von jeher bekanntlich nicht und in der Möglichkeit in dieser absoluten Gestalt kaum. Daſs Sparsamkeit und Fleiſs bei der Bewirtschaftung groſser Pachtgüter nicht allein zu gedeihlichen Ergebnissen führen, ist gern zuzugeben; daſs diese Tugenden aber hier gar nichts helfen, wie S. 61 behauptet wird, und daſs die Tugend der Enthaltsamkeit nur im Gehirne des Engländers Senior und seiner Nachbeter ihren gerechten Lohn findet (S. 85), wird denn doch zu bestreiten sein. Hansen selbst scheint sich S. 63 dieser Ansicht nicht ganz zu verschlieſsen. Daſs unsere sämtlichen Philosophie-Professoren zusammen nicht im stande wären, eine Kritik der reinen Vernunft zu schreiben, läſst sich vielleicht vermuten, so bestimmt behaupten, als es S. 65 geschieht, doch wohl nicht. Zur vielbesprochenen Stelle der Germania des Tacitus c. 26 arva per annos mutant belehrt uns H. S. 97, per

annos „heiße doch nicht eigentlich jährlich, sondern im Laufe der
Jahre, periodisch". Der Nachweis wird vermißt. Ebensowenig bedarf die S. 164 vorgetragene Lehre, daß „gerade die Eltern für die
heranwachsenden Kinder die allerschlechteste Gesellschaft sind", in
dieser Allgemeinheit eines Kommentars. Wenn S. 169 die auffällige
Erscheinung erwähnt wird, daß 1882 von 343 an der Münchener
Universität Studierenden, die in München beheimatet waren, nur 3 der
theologischen Fakultät angehörten, so ist zu ergänzen, daß die Theologie Studierenden katholischer Konfession sich vorzugsweise auf das
Freisinger Lyceum, die protestantischer Konfession zunächst auf Erlangen angewiesen sehen, woraus sich immerhin eine nicht ganz unwesentliche Modifikation ergibt. Wenn S. 171 angenommen wird,
dem bayrischen Allgäuer werde man doch gewiß den schwäbischen
Charakter nicht absprechen, so ist zu erinnern, daß der bayrische
Allgäuer selbst gegen diese Annahme auf das lebhafteste Einspruch
erheben wird; und wenn der Verf. S. 337 sagt, die Käsefabrikation
nach Schweizer Muster sei im Allgäu erst vor mehreren Jahren eingeführt worden, so sind unter diesen „mehreren" doch ziemlich viele
Jahre zu verstehen. Auch für die S. 188 gelehrte Doktrin, daß jedes
schwere Examen eine Prämie auf die Mittelmäßigkeit sei, wird H.
kaum allzuviele Gläubige finden. Die S. 365 f. gemachten Vorschläge
für eine alsbaldige Tilgung unserer sämtlichen Staatsschulden zeugen
von einer eigentümlichen Weite des Gesichtskreises; um die den Vater
derselben unsere Abgeordneten geistlichen Standes, denen er S. 169
neben viel Kraft, viel gutem Willen und manchem gesunden Urteil
eine merkwürdige Beschränktheit des Gesichtskreises nachrühmt,
schwerlich beneiden werden. Indes wird er, wie bei einer andern
Gelegenheit S. 340, so wohl auch hier „die Ausführung im einzelnen besser Sache der Praktiker sein lassen." Besonders wunderliche Dinge finden sich in dem hier gänzlich unerwarteten Schluß-
kapitel über die Frage, wann eine Literaturperiode entstehe, und was
damit zusammenhängt. „Goethe", heißt es S. 399, „fünfzig Jahre
später geboren, wäre vielleicht ein bedeutender Gelehrter oder ein
großer Staatsmann geworden, aber sicherlich kein Dichter. Die
Lessing und Goethe der Gegenwart heißen Bismarck und Moltke."
Der Verf. weiß es trotz Gottscheds und seiner Anhänger Mißgeschick
ganz gewiß, daß das Dichtertalent kein spezifisches ist; dichten heißt
ihm lediglich eine neue Sprache schaffen (S. 395).

Die Diktion des Verf., um zu einer andern Seite des Buches
überzugehen, ist korrekt und anziehend, nur liebt er gar zu sehr recht
drastische Wendungen und mitunter eine ausgiebige Würze der Ironie.
In letzterer Beziehung sei beispielsweise auf die Ausfälle gegen das
„tugendreiche Albion" und gegen „die tugendhaften Jünglinge" verwiesen, „welche (Geschäfte zu machen) bei uns das Land durchstreifen"
(S. 44); ferner gegen den ruhigen, ein solides und doch gut rentierendes
Anlagekapital suchenden Bürger (S. 45); gegen die christliche Liebe
des Mittelalters (S. 100); gegen die von der Kirche zu selbstischen
Zwecken gepflegte Sorge für das Heil der Seele (S. 108); gegen die

Architekten unserer Zeit (S. 354). Hinsichtlich der kräftigen Ausdrucksweise des Verf. verweisen wir z. B. auf S. 55: „Der Schuster
Peter merkt bald, dafs der jungen Bauerntochter der Schuh nicht gefällt, wenn er nicht ein wenig drückt, und dafs im Schuh ihrer Mutter
noch ein Fuder Heu Platz haben mufs"; oder auf S. 183: „Dem
Beamten ist der Titel die Equipage, sind die Orden die Pferde"; oder
auf S. 370: „Eine gewöhnliche Näherin, die nur auf den Ertrag ihrer
Arbeit angewiesen ist, mufs sich bei den heutigen Löhnen entweder
das Schlafen oder das Essen abgewöhnen"; oder auf S. 392, wo sich
der Verfasser in seinem Eifer gegen den Erwerb deutschen Kolonial-
besitzes zu der Behauptung versteigt: „Jedes an unserer Ost- und
Westgrenze dem Deutschtum gewonnene Dorf bedeutet für die Zukunft
einen gröfseren Machtzuwachs als — der Besitz beider Indien."
    Zahlreiche Bilder im Ausdrucke und Vergleiche sind glücklich
und ansprechend gewählt; dagegen ist die Verwertung der beiden
Schuster Peter und Klaus S. 54—59 übermäfsig breit ausgesponnen.
    Die Wiege des Verf. hat in Schleswig-Holstein gestanden (S. 317).
Der Grofse Kurfürst und Friedrich II. finden bei ihm wiederholt reiches
Lob. König Friedrich I. von Preufsen ist ihm ein Fürst von „hohem
Kunstverständnis"; „dagegen blieb König Ludwig I. von Bayern —
von seinem „weniger begabten Sohne und Nachfolger" nicht zu
sprechen — bei aller Begabung nur ein Sammler. Dieser unterscheidet
sich von dem Mäcen dadurch, dafs er keinen eigenen Geschmack, kein
selbständiges Urteil besitzt" (S. 351).
    Auch das konfessionelle Element wird wiederholt gestreift, doch
mit anerkennenswerter Mafshaltung. „Man hat dem Protestantismus
ein erlösendes, den Geist frei machendes Prinzip zugeschrieben. Das
mag im Reformationszeitalter der Fall gewesen sein, heute, mein ich,
spürt man davon wenig mehr." (S. 167.) Einer hervorragenden Sympathie des Verf. erfreuen sich die Söhne protestantischer Pfarrhäuser.
„Alltagsmenschen sind sie selten. Sie gehören nicht jener Klasse von
Schülern an, die ihren Eltern und Lehrern immer nur Freude bereiten, deren ganzes Streben auf gute Noten, glänzende Examina und
ein rasches Vorwärtskommen gerichtet ist. Sie wandeln nicht die
gewöhnliche Heerstrasse und nicht selten erreichen sie das gesteckte
Ziel überhaupt nicht. Etwas derb, aber wahr sagt ein Pfälzer(?)-
Sprichwort:

    Pfarrerssöhne und Müllersküh',
    Wenn sie geraten, gibt's gut Vieh (S. 170)".

    Dafs ein so vielseitiger Autor auch über unser Gymnasialschul-
wesen mit seinem fertigen Urteil nicht hinter dem Berge hält, hat
wenig Befremdendes. S. 183—91 enthalten über die Gymnasien, aber
auch über die Universitäten manch kräftiges Wort und belangreiche
Vorschläge, teils ernster Beherzigung wert, teils utopischer Natur und
mit denen von Paul Güfsfeldt sich deckend. Die häufig gehörte Klage,
dafs unter der jüngeren Generation unserer Universitätslehrer sich die
geistige Inferiorität immer breiter macht, gilt Hansen als vollberechtigt.

Den Grund dafür findet er in dem Institut der Privatdozenten, auf
das er herzlich schlecht zu sprechen ist. „Sie rekrutieren sich hauptsächlich aus der Kapitalistenklasse (S. 360).

Indes genug der Andeutungen. Wer das Buch liest, wird es
nicht zu bereuen haben; er wird vieles aus ihm lernen und zu eigenem
Nachdenken mannigfache Anregung aus ihm schöpfen.

Müller David, Geschichte des deutschen Volkes in
kurzgefaſster übersichtlicher Darstellung zum Gebrauch an höheren
Unterrichtsanstalten und zur Selbstbelehrung. 13. verbesserte Auflage.
Besorgt von Professor Dr. Friedrich Junge, Direktor der Guericke-
schule (Realgymnasium und Oberrealschule) zu Magdeburg. Ausgabe
für den Schulgebrauch, mit 6 geschichtlichen Karten und einem Bildnis
Kaiser Wilhelms I. von Anton v. Werner. Berlin 1890. Verlag von
Franz Vahlen. XXXVI u. 499 S. gr. 8.

Eine Geschichte des deutschen Volkes, die in 26 Jahren 13 Auflagen erlebt und in mehr als 100 000 Exemplaren zu ihren Lesern
den Weg gefunden hat, bedarf wahrlich nicht erst einer neuen Empfehlung.

Das Buch kennt für die deutsche Geschichte in der Zeit nach
dem Westfälischen Frieden, während „auf allen Gebieten des deutschen
Lebens der Tod eingetreten, die deutsche Reichsgeschichte zu Ende
war, nur noch zwei grofse rettende Lebenselemente": „Das eine war
der Geist der Reformation, der anfänglich im 16. Jahrhundert,
als der allein mächtige den politischen Sinn überragt, fast erdrückt
hatte, der dann in den trüben Zeiten des 17. Jahrhunderts sich in dem
bibelfesten Stande der Bürger und Bauern als ein Geist der Geduld und
des Gottvertrauens, der Redlichkeit und Zucht geltend machte und diese
trüben Zeiten, wenngleich kümmerlich, aufhellte und überdauerte, der
aber endlich im 18. Jahrhundert in der ihm eigentümlichen Forscher-
lust und Geistesfreiheit sich wieder erhob und die gesamte Nation,
wenngleich nicht ohne manche Verirrungen, auf neue sittliche Höhe
und geistig bedeutende Lebenswege führte." „Deutschland blieb die
feste Burg der Ketzerei, das Mark unseres Geistes war protestantisch"
(v. Treischke). Das andere war die angeborne, staatenbildende Kunst
des altsächsischen Namens, die fortlebte in den Kolonien östlich der
Elbe, welche von Sachsen ausgegangen waren. Die Branden-
burgischen Marken, jetzt zwar nicht minder gebeugt wie jedes
andere Land, doch bald mit einer Reihe von Fürsten beglückt, die sie
zu einem Staate im wahren Sinne des Wortes zusammenbildeten,
wurden der feste Stamm, an dem das gesamte sich geistig wieder
erneuende Deutschland seinen politischen Halt fand. (S. 283.)

Dies sind die beiden Hauptgesichtspunkte, von welchen aus
Müllers deutsche Geschichte überhaupt geschrieben ist und beurteilt
sein will. Wer mit ihm rückhaltlos einverstanden ist, wird das Buch
fast durchweg loben müssen; wer nicht, wird die zweite Hälfte lieber

ungelesen lassen. Dem ersteren hat der Verf. „die objektiven Thatsachen in patriotischer Darstellung dargereicht, ohne sie durch Ver-
hüllungen oder Schmeicheleien zu modifizieren" (S. IV): der nämliche
Leser wird nichts dagegen zu erinnern haben, dafs „seit.der Zeit des
Grofsen Kurfürsten die preufsische Geschichte auch die deutsche ist
und umgekehrt (S. VI); auch dagegen nichts, dafs Müller, „Preufse
nicht durch Geburt, aber längst durch freie Wahl seines Herzens, seit
er politisch zu denken begonnen, des Glaubens lebte, in Preufsen voll-
ende sich die deutsche Geschichte." (S. VIII).

Der andere Leser wird durch derlei und auch noch kräftigere
Worte in seinen Anschauungen sich nicht beirren lassen.

Die vorliegende 13. Auflage ist die 6. der von dem neuen
Herausgeber besorgten. Er würdigt Müllers Verdienste auf S. XIII f.
folgendermafsen: „Durch geschickte Verbindung von Staaten- und
Kulturgeschichte hat er eine Geschichte des deutschen Volkes in
kurzer Fassung geschaffen, die geeignet ist, das Verständnis der Ereignisse und Thatsachen der Gegenwart wirklich zu vermitteln; durch
die gerechte Verteilung von Licht und Schatten, durch die Beschneid-
ung des minder Wichtigen, die ausführliche Behandlung des Bedeutenden, durch die klare und doch lebendige Erzählung, die knappe
und doch scharf zeichnende Charakteristik, zuletzt und vor allem durch
die entschiedene Betonung des Berufes der Hohenzollern
und Preufsens hat er der deutschen Geschichte fürs Volk die Gestaltung gegeben, die sich als die rechte bewährt hat." Und was die
gewählte Form betrifft, konnte er aus dem Vorworte Müllers zur
ersten Auflage noch die in begründetem Selbstgefühle niedergelegte
Stelle beifügen: „Wenn ich für viele Mühe einen Dank in Anspruch
nehme, so ist es der pädagogische. Und so übergebe ich denn auch
das Büchlein getrost dem pädagogischen Verstande, nicht dem un-
pädagogischen Mechanismus". (S. VIII).

Unter Junges verständnisvoller und sorgfältiger Durcharbeitung
hat das Buch in vielfacher Beziehung und in erfreulichem Grade gewonnen. Auch die demselben seitens der Verlagshandlung zu teil
gewordene Ausstattung verdient volle Anerkennung. Eine willkommene Zugabe der 13. Auflage sind sechs geschichtliche Karten: Das
römische Kaiserreich und die Germanen; das Reich Karls des Grofsen;
Deutschland zur Kaiserzeit um das Jahr 1000; Mitteleuropa nach dem
Westfälischen Frieden 1648; Europa zur Zeit Napoleons I.; Gebiets-
entwickelung Preufsens.

Unser bereits angedeuteter Standpunkt, von dem die beiden
Herausgeber mehrfach beträchtlich abstehen, mag es rechtfertigen,
wenn wir ein weiteres Eingehen auf Abweichungen unseres politischen
und konfessionellen Glaubensbekenntnisses lieber ein für allemal verzichten, zumal der Verfasser und der Überarbeiter die Gebrechen im
eigenen Lager keineswegs überall als lippi oculis inunctis durchmustern.
Nur hinsichtlich des Ausdruckes, der Junge selbst schon zu mancherlei
Beanstandungen veranlafste (S. XII) und dort und da auch fernerhin zu

veranlassen geeignet erscheint, seien ein paar Notizen angeführt;
allenfallsige auffälligere Druckfehler werden mitberücksichtigt.

Es war ein morscher Bau, auf dem das Papsttum ruhte, und
der Geist der neuen Zeit unablässig geschäftig, ihn zu Fall zu bringen
(S. 221). Der süddeutsche Bauer grenzte mit dem Schweizer (S. 232).
Der alte wüste Herzog Heinrich der Jüngere hielt zornig den Schmal-
kaldenern entgegen (S. 238). Der Kaiser zögerte mit der Entscheidung
hin; er schlug das clevische Land mit allen Schrecken der Verwüstung
(S. 239). Sie thaten nichts als müfsig vor Ingolstadt liegen und
zwischen Nördlingen und Ulm hin- und herziehen (S. 240). Moritz
war mit seinem Vetter vereinigt (S. 240, vgl. S. 249). Aus der Ehe
blieben nur Töchter nach (S. 252). Alle Greueln (S. 257). Aso für
also (S. 260). Der Mann stellete sich steif (S. 271). Luther mahnte
vor allen Dingen dahin (S. 273). Die geistige Verdumpfung der Völker
(S. 285). Kammin für Kamin (S. 299). Franke für Francke (S. 306).
Höchstedt für Höchstädt (S. 292 u. 307). Karl XII. vertrotzte bei
den Türken fünf kostbare Jahre (S. 308). Schlesien war weder als
Reichsland gerechnet noch mit eingekreist worden (S. 313). Auf die
neuen grofsen geistigen Schätze des deutschen Volkes fiel Friedrichs II.
in dieser Beziehung ganz gehaltener Blick nicht (S. 340). Gleisen für
gleifsen (S. 349). Des Mifstrauen (S. 351). Seines Preufsens (S. 379
u. gleich oder ähnlich oft). Haspinger entkam 1809 und war noch 1839
bei der Einweihung des Hoferdenkmals (S. 389). Vertragsmatsig
(S. 390). S. 391 Z. 16 v. u. ist nach Ende das , zu streichen. Der Herzog und die Seinen waren von der böhmischen Grenze bis zur Nord-
see geflogen (S. 392). Colloredo u. Bubna waren nicht heran (S. 418).
S. 425 erlittt. S. 430 am nächstem. Der Bund mufste sich parteien (S. 435). Deutschland hätte die Aufgabe gelten gelassen (S. 438).
Wahnsinnigster Hafs (S. 450). Das ganze Herz des preufsischen Volkes
schlug im Augenblick dem Dorfe Sadowa gegenüber (S. 454).
sönne statt sänne (S. 465). Das Jahr 1870 liefs mithin sich feindlicher
an als die vorhergehenden, und Preufsens König weilte im Juni seiner
Gesundheit wegen im Bade zu Ems (S. 466). Über diese Schlacht
büfste Bazaine die letzte Zeit ein (S. 470). S. 482 Z. 18 v. o. dafs
für das.

Dies mögen auszugsweise nur etliche Proben zum Belege sein,
dafs nach dieser Richtung für einige Sorgfalt bei einer neuen Durchsicht mancherlei Anlafs besteht.

Müller David, Leitfaden zur Geschichte des deutschen Volkes.
7. verbesserte Aufl. Besorgt von Prof. Dr. Fr. Junge, Direktor der
Guarike-Schule (Realgymnasium u. Oberrealschule) zu Magdeburg. Mit
6 geschichtl. Karten und einem Bildnis Kaiser Wilhelms I. von A. v.
Werner. Berlin, 1890. Verlag v. Franz Vahlen. IX u. 189 S. gr. 8.

Die 7. Auflage des Leitfadens wurde mit den gleichen 6 Karten
neu versehen wie die „Geschichte des deutschen Volkes" desselben

Verfassers, gewifs vielen eine erwünschte Zugabe. Die äufsere Ausstattung des Büchleins läfst nichts zu wünschen übrig. Die innere Haltung ist dieselbe wie die der „Geschichte", nur in der Form meist etwas gemäfsigter. Bestimmt ist der Leitfaden „für die mittleren Klassen der Gymnasien und Realschulen, und die oberen der Mittel- und Töchterschulen". Für diese Schulen ist der Inhalt reich, vielleicht überreich bemessen. Fortgeführt ist die neue Auflage bis zum Ausscheiden des Fürsten Bismarck aus dem Amte.

Dittmar, G., K. Gymnasialdirektor, Geschichte des deutschen Volkes. Heidelberg. Karl Winters Universitätsbuchhandlung. 1891. kl. 8.

Von dem auf drei Bände in etwa 15 Lieferungen à 1 Mark berechneten Werke liegt uns der erste Band fertig vor, vom zweiten die erste Lieferung, welche die Regierungszeit Karls IV. nicht ganz zum Abschlufs bringt. Der erste Band bietet auf XVI u. 566 Seiten die deutsche Geschichte bis zum Untergang der Staufer.

Der Verf., Sohn des Gymnasialrektors H. Dittmar, der als Vorstand des Zweibrücker Gymnasiums 1852—66 wirkte — seinem Andenken ist pietätvoll der erste Band gewidmet — beabsichtigt nach der in der Vorrede niedergelegten Angabe, „die treibenden Kräfte voll und ganz hervortreten zu lassen, welche in der deutschen Geschichte wirksam gewesen sind, die Einflüfse deutlich zu machen, welche das politische und geistige Leben unseres Volkes von aufsen erfahren, sowie die Gestaltungen zu zeichnen, welche das Leben desselben unter dem Einflufs jener Kräfte angenommen hat." Hieraus ergab sich ihm die Notwendigkeit, „die Kulturgeschichte nicht aus der politischen Geschichte auszuscheiden und als etwas Nebenhergehendes zu behandeln, sondern mit der ganzen Darstellung so viel als möglich in lebendiger Durchdringung zu verbinden." Die Berücksichtigung „der universalistischen Tendenz, von welcher die Geschichte des deutschen Volkes insbesondere in der ersten, gröfseren Hälfte des Mittelalters beherrscht ist," empfahl es ihm, „dafs er an manchen Stellen die Darstellung zur weltgeschichtlichen Ausdehnung erweiterte." Namentlich die arabische Kultur mufste so „als eines der bedeutendsten Fermente in der Geschichte des Mittelalters Aufnahme finden."

Die Form der Darstellung ist eine fast durchweg korrekte, im besten Sinn des Wortes populäre. Vorausgeschickt wird jedem Bande eine eingehende Inhaltsangabe; angefügt wird ein sorgfältig hergestelltes Register. Der erste Band ist mit einem Bildnis Friedrich Barbarossas versehen, der zweite mit einem Bildnis Dr. Martin Luthers. Als charakteristisch für die Auffassung mag ferner auf eine Stelle S. 58 des zweiten Bandes verwiesen werden: Unter Voraussetzung der Richtigkeit einer unverbürgten Nachricht französischer Chronisten, Albrecht I. habe Philipp dem Schönen, um ihn für ein Bündnis gegen Adolf von Nassau zu gewinnen, die Abtretung des linken Rheinufers angeboten, „würde schon bei diesem Habsburger die Neigung hervortreten,

Gebiete und Rechte des Reiches zu gunsten seiner eigenen Interessen preiszugeben."

Der zweite Band ist dem Lehrer des Verf., Universitätsprofessor Dr. K. Hegel in Erlangen, gewidmet, „dem Meister in der Erforschung der Städtengeschichte".

Die Ausstattung des Werkes seitens der Verlagsbuchhandlung verdient volles Lob. Auf weitere Einzelnheiten werden wir nach erfolgtem Abschlufs des Werkes zurückkommen.

Moormeister, Dr. Ed., Gymnasialdirektor, Das wirtschaftliche Leben, Vergangenheit und Gegenwart, dargestellt für Schule und Haus. Freiburg i. Breisgau. Herdersche Verlagshandlung. 1891. VIII u. 180 S. kl. 8.

Der Verf., auf dem Gebiet wirtschaftlicher Fragen wohlbewandert, will mit diesem Büchlein den in seinen Zweigen Belehrung suchenden weiteren Kreisen und namentlich der Jugend in elementarer und von einer abstrakten Behandlung absehender Form förderlich werden. „Die Wirtschaftslehre gehört nicht in Schulen, die eine allgemeine Geistesbildung vermitteln sollen; sie ist eine Fachwissenschaft und als solche bleibt sie der Fachschule vorbehalten. Aber an den wirtschaftlichen Erscheinungen, wo sich solche in dem politischen und geographischen Unterrichte oder bei der allgemeinen Betrachtung menschlicher Verhältnisse geradezu aufdrängen, vornehm und kalt vorüberzugehen, wäre eine schwere Versündigung an der Jugend."

Die Schrift ist in zwei Hauptteile gegliedert. Der erste handelt von der geschichtlichen Entwicklung der wirtschaftlichen Thätigkeit. Er bietet eine willkommene Ergänzung zum Geschichtsunterricht. Die Darstellung der geschichtlichen Entwicklung des wirtschaftlichen Lebens lehnt sich an meist Bekanntes an und leitet allmählich zu der Auffassung der wirtschaftlichen Zustände der einzelnen Zeitalter hin, beginnend mit den morgenländischen Völkern des Altertums und fortschreitend bis zur Neuzeit. Der zweite, theoretische Teil geht von anschaulichen Beispielen aus und begnügt sich, dem Vorworte des Verf. entsprechend, mit der Auseinandersetzung der wichtigeren Thatsachen und Gesetze. Mit verständigem Ausschlufs umstrittener Probleme der Wirtschaftslehre und einer irgendwie erschöpfenden Erörterung der einzelnen Materien sucht der Verf. eine den wesentlichen Gesichtspunkten nach möglichst vollständige Übersicht der menschlichen Thätigkeit auf wirtschaftlichem Felde zu vermitteln.

Für Schülerbibliotheken der oberen Klasse ist das gut ausgestattete und druckfehlersauber hergestellte, zugleich durch eine korrekte Diktion sich vorteilhaft empfehlende Werkchen recht brauchbar. Aber auch der Lehrer des Geschichts- und des Geographieunterrichtes wird in ihm mancherlei verwendbaren Stoff finden.

München,   Markhauser.

III. Abteilung.

~~~~~

Literarische Notizen.

D i e b l. S c h r i f t d e s A. u. N. T e s t a m e n t e s. Aus der Vulgata übersetzt von Dr. Joseph F r a n z v. A l l i o l i. Illustr. Volksausgabe v. Friedr. Pfeilstücker.
Berlin. Dieses herrliche Bibelwerk schreitet in seinen sehr interessanten Lieferungen, monatlich zwei Hefte, rasch vorwärts und wird somit innerhalb des gesetzten Zeitraums von nicht ganz zwei Jahren sicher vollendet sein. Das Interesse
für das ausgezeichnete, von kompetentester Seite aufs beste empfohlene Werk
wächst von Heft zu Heft, und eine Nummer scheint, wenn möglich, die andere
noch übertreffen zu wollen durch die verschiedenartigsten, äußerst instruktiven
Abbildungen, Karten u. s. w. Deswegen ist dieses vorzügliche Werk so sehr geeignet für das erläuternden Religionsunterricht in der Schule und in der Familie.
Wir sehen mit großer Spannung jeder neuen Lieferung entgegen. Möge dieses
hervorragende, zeitgemäße Werk den verdienten raschen Absatz und die weiteste
Verbreitung finden!

U n s e r e h ö h e r e S c h u l r e f o r m. Methodische Ratschläge und aufklärende Erläuterungen für Lehrer und Eltern von einem in in- u. ausländischer
Schulpraxis bewährten Pädagogen. Berlin, Schorfs. 1890. S. 44. Dem Verfasser
ist dringend zu raten nochmals einen elementaren Schulkursus im deutschen zu
nehmen. Dann würde er vielleicht erfahren, daß die höhere Schulreform ebenso
ein Unding ist, wie das gebildete Laienleben, die höhere Lehrerwelt, die klassischen
Gymnasiasten. Ein Gymnasiast, der so unbeholfen, sprach- und sinnwidrig sich
ausdrückte, wie der Verfasser, würde kaum das Prädikat genügend im deutschen
Aufsatze erhalten. Zur Probe diene ein Beispiel! „So wird es endlich auch mit
unserer von dem unverknöcherten Teil der preußischen akademisch gebildeten
Lehrerwelt seit Jahrzehnten in Form eines die dringenden Bedürfnisse des an-
forderungsreichen Gegenwartslebens berücksichtigenden Unterrichtsgesetzes ersehnten höheren Schulreform Ernst werden." Und das ist kein Scherz, sondern
bitterster Ernst. Si tacuisses — !

W i l h e l m K a s t e n, d i e A l a r m i e r u n g. Kurzes patriotisches Festspiel zur
Erinnerung an Sr. Majestät des Kaisers u. Königs Erscheinen am 20. Januar 1891
in seiner Haupt- u. Residenzstadt Hannover. Hannover, Carl Meyer. 1891. Dieses
fingierte, für Schüler höherer Lehranstalten gedachte Festspiel besteht aus ganzen
113 Versen, ist recht gut gemeint, aber herzlich schlecht geraten. So spricht u. a.
der Schüler Karl Gottschalk: „Da seht ihn auf braunem Roß
   (Verwundert) Raucht heiteren Blicks — 'ne Cigarre."
Da könnte man sich füglich wundern, besonders über — den Gedankenstrich.

**W a l d e m a r R i b b e c k, G r i e c h i s c h e S c h u l g r a m m a t i k. F o r m e n-
l e h r e d e r a t t i s c h e n P r o s a** nebst Casus- und Modus-Regeln. Berlin. 1891.
Verl. v. L. Simion. 272 SS. Der Verf. will ein Hilfsmittel für die Lektüre der
attischen Prosaiker und die im griech. Unterrichte auf unseren Schulen bisher
noch geforderten Schreibübungen bieten und schließt daher alle poetischen und
erst bei Späteren vorkommenden Formen aus, während er das in Thukydides,

Xenophon, Plato und den Rednern überlieferte Material nach dem Bedürfnis des
Gymnasiums möglichst vollständig berücksichtigt. Die Formenlehre umfaßt
188 Seiten bei ziemlich großem Format und vielfach kleinem Druck; dieser ungewöhnliche Umfang für ein Schulbuch wird durch die große Vollständigkeit des
Materials, sowie durch den reichen Stoff zu Übungen und zum Vokabel-Lernen
erreicht. Es ist auch ein Abschnitt (S. 168—256) über den Gebrauch der casus
obliqui, über Infinitiv und Partizip angefügt, welcher die Hauptsache aus der
Syntax enthält. Kann man auch der Gründlichkeit und der Sorgfalt des Verf.
die Anerkennung nicht versagen, so dürfte doch das Buch schwerlich der Anschauung der Gegenwart entsprechen, welche den grundl. Unterricht auf möglichst
geringe Forderungen eingeschränkt wissen will. Heutzutage wird nur eine solche
Schulgrammatik die nötige Beachtung finden, welche Formenlehre und Syntax
auf das absolut notwendige Maß zurückführt.

Emil Römer, Kurzgefaßte griechische Formenlehre. 2. Aufl.
Leipz. Teubner. 1890. 111 S.S. Die 2. Aufl. weist mehrfache Veränderungen auf;
abgesehen von zahlreichen kleineren Änderungen in der Fassung der Regeln und
der Zusammenstellung einiger Partien hat das Verbum auf ω eine radikale Umarbeitung erfahren, welche die Brauchbarkeit des Büchleins in bedeutendem Maße
erhöht. Auf die Darstellung der ganzen Konjugation an den verba pura non
contracta folgen zunächst die verba contracta und im Anschlusse an diese die
Darstellung der Verschiedenheiten in der Tempusbildung der verba vocalia, dann
der verba muta und verba liquida. Außer dieser zweckmäßigen Einteilung des
Verbums ist noch als Vorzug der neuen Auflage zu erwähnen, daß die Laut-
regeln und die Darstellung der Präsensbildung auf die einzelnen Gruppen verteilt
sind, wodurch die einzelnen Gebiete in sich abgeschlossener und auch lernbarer
geworden sind. Auch die beiden neu hinzugekommenen Anhänge über die Präposition und die homerische Vers- und Formenlehre sind als willkommene Beigabe
zu bezeichnen. Ohne Zweifel hat die Römer'sche Formenlehre durch die zweckmäßigen Änderungen an Wert gewonnen und kann den besten Arbeiten dieser
Art an die Seite gesetzt werden.

Dr. M. A. Seyffert und Dr. W. Fries, Lateinische Elementar-
Grammatik, bearb. nach der Grammatik von Ellendt-Seyffert. 5. verb. Aufl.
Berlin. Weidmann. 1891. 8 92. M. —.60. Nachdem die große Grammatik von
Ellendt-Seyffert in der 34. Aufl. in mehreren Partien eine wesentliche Umgestaltung
erfahren hat, ergab sich für die Herausgeber vorliegender Elementar-Grammatik,
welche nur einen Auszug aus der größeren bildet, die Notwendigkeit, im Texte
mehrfache Veränderungen vorzunehmen. Das Buch zeichnet sich in der Anordnung und Verteilung des Stoffes durch Deutlichkeit und Übersichtkeit in hohem
Grade aus, so daß ihm noch eine weit größere Verbreitung zu wünschen ist um
so mehr, als es den grammatischen Stoff auf das für die Schule notwendige Maß
zurückführt.

Dr. Fr. Holzweißig, Übungsbuch für den Unterricht im Lateinischen. Kursus für Sexta. 3. verb. Aufl. Hannover. 1891. Gödel. S. 194.
Holzweißig's Übungsbuch für Sexta hat in kurzer Zeit eine solche Verbreitung
gefunden, daß bereits eine dritte Auflage notwendig wurde. In derselben hat H.
den Text der lateinischen und deutschen Übungsstücke nach Beobachtungen im
Privat- und Schulunterrichte einer genauen Durchsicht unterworfen und im einzelnen vielfach verbessert und besonders auch durch veränderte Wortstellung
erleichtert. In der Anordnung des Stoffes hielt er trotz anderweitiger Vorschläge
an der bisherigen Reihenfolge fest. Daß er die 1. Konjugation nicht schon früher
behandelt hat, ist zu bedauern. Wenn er eine Anzahl Stücke in einem Anhange
beigefügt hat, in welchen leichte Formen des Verbums der 1. Konj. mit nur regelmäßigen Formen der Deklination vorkommen, so ist das nur ein ganz ungenügen-
der Ausweg; der Schüler muß von vornherein mit Verbalformen arbeiten lernen.

Jos. Steiner und Dr. Aug. Scheindler, Lateinisches Lese-
und Übungsbuch für die II. Klasse der österreichischen Gymnasien. Mit einer

Wortkunde. Wien und Prag. 1890. Tempsky. S. VI u. 121 u. 118. Geb. 1 fl. 40 kr. Das aus zwei separat gehefteten Teilen, dem Lese- und Übungsbuch und der Wortkunde, bestehende Buch bildet die Fortsetzung des vor Jahresfrist erschienenen und nach gleichen Grundsätzen gefertigten lat. Lese- und Übungsbuches für die 1. Klasse. Wenn wir zunächst das Lese- und Übungsbuch ins Auge fassen, so besteht es zum weitaus größten Teile aus zusammenhängenden Stücken und zwar außer einer Anzahl von Fabeln vornehmlich aus kleineren und größeren Erzählungen aus der griechischen und römischen Geschichte und Sage, Geographie und Ethnographie, welche beinahe durchwegs aus den Klassikern des Gymnasiums ausgehoben sind, natürlich mit Kürzung und Vereinfachung des ursprünglichen Textes. Kann auch über die geschickte Abfassung derselben kein Zweifel bestehen, so ist doch auch nicht zu leugnen, daß sie großenteils für Knaben auf dieser Altersstufe zu schwierig sind und daher kein zweckmäßiges Bildungsmaterial bilden können, so sehr auch der Inhalt geeignet sein mag, auf „die ethische Bildung der Jugend einzuwirken".

Ein Vergleich des Umfangs des lateinischen und deutschen Materials ergibt, daß das erstere ungefähr zwei Drittel, das letztere ein Drittel ausmacht. Wohl entspricht diese Verteilung den „Instruktionen", allein wenn man bedenkt, daß der deutsche Stoff sich bezüglich des Wortschatzes so ziemlich an die lateinischen Stücke anschließt, so ist die Behauptung nicht ungerechtfertigt, daß das Buch nach seiner ganzen Anlage sich sehr der Methode von Perthes nähert. Übrigens drängt sich bei Betrachtung des Buches noch ein anderer wichtiger Gedanke auf, wie es nämlich mit der Einübung der grammatischen Regeln, zunächst der „syntaktischen Formen" bestellt ist. Es ist eine durchaus subjektive Voraussetzung der Herausgeber, daß der Schüler an der Hand des Lese- und Übungsbuches allmählich und unbefangen sich in diese eigentümlichen Satzfügungen der lateinischen Sprache hineinlebt. Solche schwere Konstruktionen, wie die Daß-Sätze oder die Partizipialkonstruktion, werden einem Schüler, wenigstens einem mittelmäßig veranlagten, nicht so nebenher bei der Lektüre geläufig gemacht. Eine solche Halbheit im grammatischen Unterrichte kann bei schwächer begabten Schülern nur Verwirrung und Oberflächlichkeit zur Folge haben. Was die dem Buche beigegebene Wortkunde betrifft, so ist diese sehr praktisch eingerichtet und sicher geeignet, die Schüler „im methodischen Wörterlernen, im Zusammenfassen und Wiederholen des Stammverwandten und in der selbständigen Entwicklung der abgeleiteten Bedeutung aus der Grundbedeutung zu üben und daran zu gewöhnen". Den Abschluß bildet ein Anhang über Elementar-Synonymik, der sehr übersichtlich und klar geordnet ist. Ob aber hier nicht zu hohe Anforderungen an die Schüler gestellt werden, ist zum mindesten zweifelhaft. Schließlich sei noch bemerkt, daß in der deutschen Ausdrucksweise, so gut sie auch im ganzen ist, doch hie und da Verstöße zu tage treten, so z. B. S. 48: „möglichst größte", S. 114: „aus Furcht . . . fürchten".

Jos. Steiner u. Dr. Aug. Scheindler, Übungsbuch zum Übersetzen aus dem Deutschen in's Lateinische f. die III. Klasse der österr. Gymn. (Kasuslehre). Wien und Prag. Tempsky. 1891. S. 65. Dazu Wortkunde. S. 98. Geheftet 70 kr., geb. 95 kr. Der Zweck des vorliegenden Übungsbuches ist, den Schüler in den lateinischen Konstruktionen der Kasuslehre, die er zum größeren Teile schon in den vorhergehenden Jahren auf empirischem Wege kennen gelernt hat, in systematischer Weise durch Übersetzungen aus dem Deutschen ins Lateinische bis zum Grade sicheren und fertigen Könnens zu üben. Naturgemäß enthält es nur deutsche Übungsstücke. Daß zunächst innerhalb eines jeden grammatischen Abschnittes zur mündlichen Einübung der Spracheigentümlichkeiten nur kleinere Einzelsätze geboten werden, ist sehr zweckmäßig. Eingeübt wird nur das Regelmäßige und Hauptsächliche; Nebensächlicheres und Selteneres ist ausgeschlossen. An die Einzelsätze reihen sich Abschnitte zusammenhängenden Inhalts, in welchen die Spracherscheinungen vermischt, vervielfältigt und wiederholt in Anwendung gebracht werden. Sehr anerkennenswert ist, daß der Inhalt der zusammenhängenden Stücke sich dem Cornelius Nepos als dem in der 3. Klasse zunächst gelesenen Autor in der Weise anschließt, daß die inte-

ressantesten Abschnitte aus der Geschichte der hervorragendsten Staaten Griechenlands ausgewählt und in chronologischer Anordnung grofsenteils in freier Bearbeitung nach K. Rotts „Geschichte Griechenlands" dargestellt sind. Die Wortkunde enthält mehrere Abschnitte: 1. Anmerkungen zu den Übersetzungsstücken
(1—17), welche dem Schüler Aufklärung über die verschiedenen Schwierigkeiten
geben sollen; 2. ein sehr ausführliches alphabetisches Wörterverzeichnis (18—76),
welches zugleich eine reichliche Angabe von Redeweisen und Konstruktionen enthält; 3. einen Anhang über Redeweisen aus Cornelius Nepos, das Kriegswesen
betreffend; 4. einen Anhang über Elementar-Synonymik. Was im Texte am meisten
auffällt, das sind die vielen Angaben durch Zeichen, und die Herausgeber werden
gut thun, sie durch anderweitige Angaben zu beseitigen.

   Fr. Sigismund, Lateinisches Lesebuch für Sexta. Mit Wörterverzeichnis. Leipzig. Teubner. 1889. S. IV u. 156. Die durchaus originelle Arbeit
Sigismund' ist hochinteressant; mit wahrhaft bewundernswertem Geschicke und
staunenswertem Fleifse hat er im Anschlusse an den Gang der Grammatik zuerst
zur Einübung des Namens die Geschichte und das Leben der Römer
nach allen Seiten in innerlich zusammenhängenden Stücken und dann zur Einübung des Verbums und der übrigen Teile die ganze Odyssee in den inte-
ressantesten Zügen dem Schüler vor Augen geführt. Aber so sehr auch das Bestreben des Verf., das Nützliche mit dem Angenehmen zu verbinden, Anerkennung
verdient, so hat doch die ausschliefsliche Beschränkung des Stoffes auf die Geschichte der Römer und die Odyssee solche Schattenseiten, dafs das Buch kaum
den Beifall findet, den es verdient. Der Sextaner bringt schwerlich der Sache
jenes Interesse entgegen, wie der Verf. annimmt, er wünscht vielmehr eine gröfsere
Abwechslung des Inhalts; der copia verborum sind zu enge Grenzen gezogen; der
Latinität wird zu viel Zwang angethan bei aller Nachsicht, die man für diese
Altersstufe haben mag.

   J. Lattmann, Lateinisches Elementarbuch für Sexta. 6. verb.
Aufl. Göttingen. Vandenhoeck u. Ruprecht. 1891. S. IV. M. 1.—, geb. 1,30.
Der Verf. hat dem in einzelnen Teilen vielfach im Ausdruck und im Satzmaterial
verbesserten Büchlein eine methodische Anleitung für den Lehrer beigegeben,
welche auf Verlangen von der Verlagshandlung unentgeltlich geliefert wird. Diese
gibt auf 16 Seiten verschiedene Winke, welche recht instruktiv sind und besonders
denjenigen Lehrern sehr erwünscht sein müssen, welche mit der von Lattmann so
warm vertretenen Kombination der verschiedenen Unterrichtsmethoden weniger
vertraut sind.

   Herodotos, erklärt von Heinrich Stein. Vierter Band. Buch VII. Mit
drei Kärtchen von H. Kiepert. Fünfte verbesserte Auflage. Berlin, Weidmann 1889.
M. 2.10. Im Vergleich zur vorigen Auflage ist an mehr als 50 Stellen der Text
verändert und dadurch lesbarer geworden; damit hängt zum Teil der Wegfall
mehrerer Anmerkungen zusammen; dafür sind aber viele neue Erklärungen hinzu
gekommen, z. T. infolge der Benützung der neuesten Forschungen, wie 36,7;
91,6; 154,2; 170,23 etc. Eine Änderung zum Bessern scheint noch dadurch zu
erzielen zu sein, dafs in den Anmerkungen jedes Bändchen für sich erklärt wird,
statt dafs auf die früheren (oder gar auf die späteren) Bändchen verwiesen wird,
die in der Regel ja doch nicht in der Hand des Schülers sind.

~~~~~~

Über eine Gruppe von algebraisch auflösbaren Gleichungen fünften Grades, von welchen die Vandermonde'sche Gleichung einen besonderen Fall bildet.

Einleitung.

Bekanntlich lässt sich die Gleichung $x^{2\mu+1} - 1 = 0$, wo $2\mu + 1$ eine Primzahl vorstellen soll, stets algebraisch auflösen. Entfernt man aus dieser Gleichung den Faktor $x - 1$, dividiert durch x^μ und setzt $x + \dfrac{1}{x} = y$, so ergibt sich:

$$V_\mu + V_{\mu-1} + V_{\mu-2} + \dots + V_r + \dots + V_2 + V_1 + 1 = 0,$$

wo unter V_r $x^r + \dfrac{1}{x^r}$ zu verstehen ist. Drückt man V_r durch y aus und gibt r nach und nach alle Werte von 1 bis μ, so wird aus obiger Gleichung:

$$y^\mu + y^{\mu-1} - \frac{(\mu-1)}{1}y^{\mu-2} - \frac{(\mu-2)}{1} \cdot y^{\mu-3} + \frac{(\mu-2)(\mu-3)}{1.2}y^{\mu-4}$$

$$+ \frac{(\mu-3)(\mu-4)}{1.2}y^{\mu-5} - \dots + \frac{(-1)^\nu(\mu-\nu)\dots(\mu-2\nu+1)}{1.2.3\dots\nu}y^{\mu-2\nu}$$

$$+ \frac{(-1)^\nu(\mu-\nu-1)\dots(\mu-2\nu)}{1.2.3\dots\nu}y^{\mu-2\nu-1} + \dots = 0,$$

wo, wenn μ ungerade ist, der größte Wert von ν $\dfrac{\mu-1}{2}$ und im entgegengesetzten Falle $\dfrac{\mu}{2}$ ist; das letzte Glied der Gleichung ist stets $+1$.

Der Wert von y läßt sich nun bekanntlich stets in algebraischer Form angeben, und zwar ist diese Form, wie in den „Oeuvres complètes de Niels Henrik Abel", auf welche ich hiemit kurz verweise, gezeigt wird, folgende:

$$y_{m+1} = \frac{1}{\mu} \cdot \left\{ -1 + a_1{}^{\mu-m}\sqrt[\mu]{v_1} + a_2{}^{\mu-m}\sqrt[\mu]{v_2^r} + \dots \right.$$

$$\left. + a_{\mu-1}{}^{\mu-m}\sqrt[\mu]{v_{\mu-1}} \right\} \text{ wobei } a_1 = \cos\frac{2\pi}{\mu} + i\sin\frac{2\pi}{\mu},$$

$ar = a_1{}^r = cos\ \dfrac{2r\pi}{\mu} + i\ sin\ \dfrac{2r\pi}{\mu}$; sämtliche Werte von y werden erhalten, indem man statt m der Reihe nach 0, 1, 2, ... $\mu - 1$ substituiert.

Jede von den μ^{ten} Wurzeln stellt hier einen in algebraischer Form berechenbaren Ausdruck vor.

Für $\mu = 5$ ergibt sich speziell die Gleichung: $y^5 + y^4 - 4y^3 - 3y^2 + 3y + 1 = 0$, deren Lösung zuerst von Vandermonde im Jahre 1771 der „Académie des sciences“ in Paris vorgelegt wurde, und welche, da die bahnbrechenden Entwickelungen von Canfs erst im Jahre 1801 bekannt wurden, bis dahin für algebraisch unauflösbar galt.

Vandermonde hat den Weg, den er zur Lösung dieser Gleichung eingeschlagen hat, nicht angegeben: es wäre daher von Interesse, zu untersuchen, ob es nicht möglich ist, durch ein von den Entwickelungen eines Gaufs, Lagrange und Abel unabhängiges Verfahren die Wurzeln dieser Gleichung in algebraischer Form zu finden.

Dies ist nun in der That möglich, wie im Nachfolgenden gezeigt werden soll, und zwar gelingt diese Lösung durch ein sehr naheliegendes, auf die Gleichungen dritten Grades und durch Analogie auch auf die Gleichungen fünften Grades anwendbares Verfahren, welchem für die Lösung letztgenannter Gleichungen jedoch noch eine Bedingung beigefügt werden mufs, da die Gleichungen fünften Grades, wenn die Coëfficienten ganz allgemein und von einander unabhängig gedacht werden, bekanntlich algebraisch nicht lösbar sind.

Es ist hiebei bemerkenswert, dafs durch die weiter unten aufzustellende Bedingung eine ganze Gruppe von Gleichungen fünften Grades algebraisch auflösbar wird, deren ganz allgemein durch Buchstaben gegebene Coëfficienten nur einer einzigen Bedingungsgleichung zu genügen brauchen, und dafs die Vandermonde'sche Gleichung lediglich als spezieller Fall einer allgemeineren Gleichung erscheint, die man eben deshalb die „verallgemeinerte Vandermonde'sche Gleichung“ zu nennen berechtigt ist.

Aus den bisherigen einleitenden Bemerkungen geht hervor, dafs zunächst folgende zwei Aufgaben zu lösen sind:

1. Darstellung eines einfachen, für den Zweck dieser Abhandlung geeigneten Verfahrens zur Auflösung der Gleichungen dritten Grades;

2. Analoge Anwendung dieses Verfahrens auf die Gleichungen fünften Grades mit Beifügung einer gewissen notwendigen Bedingung.

I.

Auflösung der Gleichungen dritten Grades.

Betrachtet man, wie im Folgenden stets geschehen soll, nur solche Gleichungen, in denen das zweite Glied fehlt, was durch eine einfache lineare Substitution immer leicht erreicht werden kann, so ist die Gleichung zu lösen:

$$y^3 + p\,y + q = 0.$$

Versteht man unter a_1 und a_2 die beiden imaginären Kubikwurzeln der Einheit und setzt einen der Werte von y, z. B. $y_1 = u + v$, so sind die beiden anderen Werte, wie längst bekannt, $y_2 = a_1\,u + a_2\,v$, und $y_3 = a_1^2\,u + a_2^2\,v$; da aber $a_2 = a_1^2 = a^2$, und $a_2^2 = a_1^4 = a_1^3 \cdot a = a$ ist, wo a irgend eine der imaginären Kubikwurzeln der Einheit, z. B. $cos\,\dfrac{2\pi}{3} + i\,sin\,\dfrac{2\pi}{3} = -1 + \dfrac{\sqrt{-3}}{2}$ bedeutet, so stellen sich die drei Werte von y in folgender Form dar:

$$\left.\begin{aligned} y_1 &= u + v \\ y_2 &= a\,u + a^2\,v \\ y_3 &= a^2\,u + a\,v \end{aligned}\right\}$$

Es ist nun:

$$y^3 + py + q = (y - y_1)\,(y - y_2)\,(y - y_3)$$
$$= y^3 - (y_1 + y_2 + y_3)\cdot y^2 + (y_1 y_2 + y_1 y_3 + y_2 y_3)\,y - y_1 y_2 y_3 = 0$$

Weiter ist $y_1 + y_2 + y_3 = (1 + a + a^2)\,u + (1 + a + a^2)\,v = 0$, wie notwendig aus der Gleichung $a^3 - 1 = 0$ hervorgeht.

Ferner: $y_1 y_2 + y_1 y_3 + y_2 y_3 = (a + a^2 + a^3)\,u^2 + (a^2 + a + a^3)\,v^2 + 3\,(a^2 + a)\,uv = -3\,uv = p$,

und endlich: $y_1 y_2 y_3 = a^3\,u^3 + a^3\,v^3 + (a^2 + a + 1)\cdot u^2 v + (a^2 + a + 1)\,uv^2 = u^3 + v^3 = -q$, wie aus $a^3 = 1$ und $a^2 + a + 1 = 0$ sofort folgt.

u und v sind daher durch die beiden Gleichungen $u^3 + v^3 = -q$ und $uv = -\dfrac{p}{3}$ bestimmt, was auf die bekannte Cardan'sche Formel führt.

Das wegen der analogen Anwendung dieser leichten Entwickelung wichtige Prinzip der beiden Gleichungen besteht darin, daß zunächst nicht u und v selbst, sondern u^3 und v^3 gefunden werden; ebenso wird sich bei der Gleichung fünften Grades zeigen, daß unter Zuhilfenahme einer gewissen Voraussetzung die Wurzeln derselben aus einem Systeme von Gleichungen abgeleitet werden können, in welchen die Unbekannten sämtlich in der Form von fünften Potenzen erscheinen.

II.

Anwendung auf die Gleichung fünften Grades.

Setzt man in der Gleichung $z^5 + C_2 z^3 - C_3 z^2 + C_4 z - C_5 = 0$ einen der Werte von z, nämlich $z_1 = x + \lambda + \mu + \nu$, und versteht hier unter a_1 den Ausdruck:

$$a_1 = a = \cos\frac{2\pi}{5} + i\sin\frac{2\pi}{5} = \frac{1}{4} \cdot \left[-1 + \sqrt{5} + \sqrt{-10 - 2\sqrt{5}} \right],$$

ebenso $a_2 = a_1{}^2 = a^2$; $a_3 = a_1{}^3 = a^3$; $a_4 = a_1{}^4 = a^4$: so können die fünf Werte von z in obiger Gleichung, falls eine gewisse später anzugebende Bedingung beigefügt wird, folgende Form haben:

$$
\left.
\begin{aligned}
z_1 &= x + \lambda + \mu + \nu \\
z_2 &= a_1{}^4 x + a_2{}^4 \lambda + a_3{}^4 \mu + a_4{}^4 \nu \\
z_3 &= a_1{}^3 x + a_2{}^3 \lambda + a_3{}^3 \mu + a_4{}^3 \nu \\
z_4 &= a_1{}^2 x + a_2{}^2 \lambda + a_3{}^2 \mu + a_4{}^2 \nu \\
z_5 &= a_1 x + a_2 \lambda + a_3 \mu + a_4 \nu
\end{aligned}
\right\}
$$

oder, wenn man auch noch berücksichtigt, daſs $a^5 = 1$,

$$
\left.
\begin{aligned}
z_1 &= x + \lambda + \mu + \nu \\
z_2 &= a^4 x + a^3 \lambda + a^2 \mu + a \nu \\
z_3 &= a^3 x + a \lambda + a^4 \mu + a^2 \nu \\
z_4 &= a^2 x + a^4 \lambda + a \mu + a^3 \nu \\
z_5 &= a x + a^2 \lambda + a^3 \mu + a^4 \nu
\end{aligned}
\right\}
$$

Diese Form trifft in der That, obwohl nicht für alle auflösbaren Gleichungen fünften Grades, so doch für die gleich Eingangs in der Einleitung aus den binomischen Gleichungen abgeleitete Gleichung für y zu, wenn man aus derselben durch die bekannte lineare Substitution $y = \dfrac{z-1}{\mu}$ eine Gleichung für z ableitet, in welcher das zweite Glied fehlt, und dann $\mu = 5$ setzt.

Die Gleichung $z^5 + C_2 z^3 - C_3 z^2 + C_4 z - C_5 = 0$ geht nun, wenn z_1, z_2, z_3, z_4, z_5 ihre fünf Wurzeln sind, in folgende Form über:

$$(z - z_1)(z - z_2)(z - z_3)(z - z_4)(z - z_5) = 0$$

oder:

$$z^5 - (z_1 + z_2 + z_3 + z_4 + z_5) z^4 + (z_1 z_2 + z_1 z_3 + \dots + z_4 z_5) z^3$$
$$- (z_1 z_2 z_3 + z_1 z_2 z_4 + \dots + z_3 z_4 z_5) z^2 + (z_1 z_2 z_3 z_4 + \dots + z_2 z_3 z_4 z_5) z$$
$$- z_1 z_2 z_3 z_4 z_5 = 0; \text{ oder } z^5 - S_1 z^4 + S_2 z^3 - S_3 z^2 + S_4 z - S_5 = 0.$$

Ersetzt man nun analog der Entwickelung im I. Abschnitte die z durch die vorhin angegebenen von x, λ, μ und ν abhängigen Ausdrücke, so wird man, da $z_1 + z_2 + z_3 + z_4 + z_5 = S_1 = (a^4 + a^3 + a^2 + a + 1)$

$(x + \lambda + \mu + \nu)$ unabhängig von x, λ, μ, ν wegen $a^5 = 1$ stets 0 sein mufs, zur Bestimmung von x, λ, μ und ν vier Gleichungen erhalten.

Da die hiezu nötigen Entwickelungen, so wenig Schwierigkeiten sie auch bieten, doch einen sehr grofsen Rechnungsaufwand erfordern, so will ich mich darauf beschränken, die von mir gefundenen Resultate derselben, auf deren Richtigkeit man sich unbedingt verlassen kann, hier kurz anzugeben. Indem man also statt der z die von x, λ, μ und ν abhängigen Ausdrücke einführt und bei der Entwickelung stets berücksichtigt, dafs $a^5 = 1$ und daher auch $a^4 + a^3 + a^2 + a + 1 = 0$ ist, erhält man folgende vier Gleichungen:

$$S_2 = C_2 = z_1 z_2 + z_1 z_3 + z_1 z_4 + z_1 z_5 + z_2 z_3 + z_2 z_4 + z_2 z_5$$
$$+ z_3 z_4 + z_3 z_5 + z_4 z_5 = -5 x \nu - 5 \lambda \mu$$

Daher 1. $-5 x \nu - 5 \lambda \mu = C_2$

2. $5 x^2 \mu + 5 x \lambda^2 + 5 \mu^2 \nu + 5 \lambda \nu^2 = C_3$

3. $-5 x^3 \lambda - 5 \lambda^3 \nu - 5 x \mu^3 - 5 \mu \nu^3 + 5 x^2 \nu^2 + 5 \lambda^2 \mu^2$
$$-- 5 x \lambda \mu \nu = C_4$$

4. $x^5 + \lambda^5 + \mu^5 + \nu^5 - 5 x \lambda^3 \mu - 5 x \lambda \nu^3 - 5 x^3 \mu \nu$
$$- 5 \lambda \mu^3 \nu + 5 x \mu^2 \nu^2 + 5 x^2 \lambda^2 \nu + 5 x^2 \lambda \mu^2 + 5 \lambda^2 \mu \nu^2$$
$$= C_5$$

Es bedarf keiner besonderen Untersuchung, um einzusehen, dafs die Werte von x, λ, μ und ν sich aus diesen vier Gleichungen nicht in algebraischer Form darstellen lassen, weil sonst im Widerspruche mit dem von Abel in aller Strenge erwiesenen Satze, dafs die allgemeine Gleichung des fünften Grades algebraisch unlösbar ist, die oben angegebene Gleichung:

$$z^5 + C_2 z^3 - C_3 z^2 + C_4 z - C_5 = 0$$ eine algebraische Lösung zulassen müsste.

Ich werde nun aber nachweisen, dafs, wenn zugleich mit obigen vier Gleichungen auch noch die Relation $x \nu = \lambda \mu$ angenommen wird, x, λ, μ und ν sich wirklich in algebraischer Form aus den Coëfficienten C_2, C_3, C_4, C_5 darstellen lassen.

Unter Annahme dieser Voraussetzung ergibt sich leicht, dafs obige vier Gleichungen mit der neu hinzugekommenen Relation folgende fünf einfacher gestaltete Gleichungen ergeben:

1. $x \nu = -\dfrac{C_2}{10}$;

2. $\lambda \mu = -\dfrac{C_2}{10}$;

3. $x^2 \mu + x \lambda^2 + \mu^2 \nu + \lambda \nu^2 = \dfrac{C_3}{5}$

4. $x^3\lambda + \lambda^3\nu + \kappa\mu^3 + \mu\nu^3 = \dfrac{C_2{}^2 - 20\,C_4}{100}$.

5. $x^5 + \lambda^5 + \mu^5 + \nu^5 = C_5$

Es ist ferner klar, dafs beim gleichzeitigen Bestehen dieser fünf Gleichungen die Coëfficienten C_2, C_3, C_4, C_5 durch e i n e Relation unter sich verbunden sein müssen, so dafs es, wenn die vorhin behauptete Lösbarkeit des Systems dieser fünf Gleichungen nachgewiesen sein wird, möglich ist, eine algebraisch lösbare Gleichung fünften Grades aufzustellen, in welcher alle Coëfficienten bis auf e i n e n von ihnen vollkommen willkürlich angenommen werden dürfen.

Überdies wird sich dann, wie schon Eingangs angedeutet wurde, zeigen, dafs die sogenannte Vandermonde'sche Gleichung wirklich ein spezieller Fall dieser allgemeineren Gleichung ist.

III.

Transformation der in Abschnitt II erhaltenen Gleichungen.

Es sollen nun analog mit dem im I. Abschnitte angegebenen Verfahren die Gleichungen zwischen x, λ, μ, ν durch solche zwischen x^5, λ^5, μ^5, ν^5 ersetzt werden. Man erreicht dies am bequemsten durch Hilfe der symmetrischen Funktionen.

Man setze zunächst:

$$(\varphi - x^2\mu)\,(\varphi - x\lambda^2)\,(\varphi - \mu^2\nu)\,(\varphi - \lambda\nu^2) =$$
$$\varphi^4 + p_1\varphi^3 + p_2\varphi^2 + p_3\varphi + p_4 = 0$$

Die linke Seite der Gleichung liefert nach Auflösung der Klammern:

$$\varphi^4 - (x^2\mu + x\lambda^2 + \mu^2\nu + \lambda\nu^2)\,\varphi^3 + (x^3\lambda^2\mu + x^2\mu^3\nu$$
$$+ x^2\lambda\mu\nu^2 + x\lambda^2\mu^2\nu + x\lambda^3\nu^3 + \lambda\mu^2\nu^3)\,\varphi^2$$
$$- (x^3\lambda^2\mu^3\nu + x^3\lambda^3\mu\nu^2 + x^3\lambda\mu^3\nu^3 + x\lambda^3\mu^2\nu^3)\,\varphi + x^3\lambda^3\mu^3\nu^3;$$

mit Berücksichtigung der Relation:

$$x\nu = \lambda\mu = -\frac{C_2}{10} \quad\text{wird dieser Ausdruck:}$$

$$\varphi^4 - (x^2\mu + x\lambda^2 + \mu^2\nu + \lambda\nu^2)\,\varphi^3 - \left[\frac{C_2}{10}\,(x^3\lambda + \lambda^3\nu + x\mu^3 + \mu\nu^3)\right.$$
$$\left. + 2\frac{C_2{}^3}{10^3}\right]\varphi^2 + \frac{C_2{}^3}{10^3}\cdot(x^2\mu + x\lambda^2 + \mu^2\nu + \lambda\nu^2)\,\varphi + \frac{C_2{}^6}{10^6}$$

$$= \varphi^4 - \frac{C_3}{5}\varphi^3 - \left[\frac{C_2}{10}\cdot\left(\frac{C_2{}^2 - 20\,C_4}{10^2}\right) + 2\frac{C_2{}^3}{10^3}\right]\varphi^2 + \frac{C_2{}^3}{10^3}\cdot\frac{C_3}{5}\cdot\varphi$$
$$+ \frac{C_2{}^6}{10^6} =$$

$$\varphi^4 - \frac{C_3}{5}\varphi^3 - \left(\frac{3\,C_2{}^3 - 20\,C_2\,C_4}{10^3}\right)\varphi^2 + \frac{C_2{}^3\,C_3}{10^3\cdot 5}\cdot\varphi + \frac{C_2{}^6}{10^6} = 0$$

Im Zusammenhalte mit der Gleichung

$$\varphi^4 + p_1\,\varphi^3 + p_2\,\varphi^2 + p_3\,\varphi + p_4 = 0 \text{ folgt nun}:$$

$$p_1 = -\frac{C_2}{5}; \; p_2 = -\left(\frac{3\,C_2{}^2 - 20\,C_2\,C_4}{10^2}\right); \; p_3 = \frac{C_2{}^2\,C_3}{10^3 \cdot 5}; p_4 = \frac{C_2{}^6}{10^6}$$

Versteht man unter s_r die Summe der r^{ten} Potenzen von den Wurzeln φ_1, φ_2, φ_3, φ_4 der Gleichung für φ, so liefert die Theorie der symmetrischen Funktionen folgende fünf Gleichungen für s_1, s_2, s_3, s_4, s_5:

$$s_1 + p_1 = 0$$
$$s_2 + p_1\,s_1 + 2\,p_2 = 0$$
$$s_3 + p_1\,s_2 + p_2\,s_1 + 3\,p_3 = 0$$
$$s_4 + p_1\,s_3 + p_2\,s_2 + p_3\,s_1 + 4\,p_4 = 0$$
$$s_5 + p_1\,s_4 + p_2\,s_3 + p_3\,s_2 + p_4\,s_1 = 0$$

Die Bestimmung von s_1, s_2, s_3, s_4 aus den vier ersten Gleichungen und die Substitution der gefundenen Werte in die fünfte liefert:

$$s_5 = -p_1{}^5 + 5\,p_1{}^3\,p_2 - 5\,p_1{}^2\,p_3 - 5\,(p_2{}^2 - p_4)\,p_1 + 5\,p_2\,p_3.$$

Da $s_5 = \varphi_1{}^5 + \varphi_2{}^5 + \varphi_3{}^5 + \varphi_4{}^5$, $\varphi_1 = \varkappa^2\mu$, $\varphi_2 = \varkappa\lambda^2$, $\varphi_3 = \mu^2\nu$, $\varphi_4 = \lambda\nu^2$, so ist

$$s_5 = \varkappa^{10}\mu^5 + \varkappa^5\lambda^{10} + \mu^{10}\nu^5 + \lambda^5\nu^{10} =$$
$$-p_1{}^5 + 5\,p_1{}^3\,p_2 - 5\,p_1{}^2\,p_3 - 5\,(p_2{}^2 - p_4)\,p_1 + 5\,p_2\,p_3$$

Hieraus folgt, wenn man statt der p ihre durch die C ausgedrückten Werte substituiert:

$$\varkappa^{10}\mu^5 + \varkappa^5\lambda^{10} + \mu^{10}\nu^5 + \lambda^5\nu^{10} =$$
$$\frac{C_2[64\,C_3{}^4 + 16\,C_2(C_2{}^2 - 10\,C_4)\,C_3{}^2 + C_2{}^2(C_2{}^4 - 20\,C_4\,C_2{}^2 + 80\,C_4{}^2)]}{2^6 \cdot 5^5}$$
$$= A_{15}.$$

Ganz in derselben Weise kann man verfahren, um $\varkappa^{15}\lambda^5 + \lambda^{15}\nu^5 + \varkappa^5\mu^{15} + \mu_5\nu^{15}$ durch C_2, C_3 und C_4 auszudrücken.

Man setze

$$(\psi - \varkappa^3\lambda)\,(\psi - \lambda^3\nu)\,(\psi - \varkappa\mu^3)\,(\psi - \mu\nu^3)$$
$$= \psi^4 + q_1\,\psi^3 + q_2\,\psi^2 + q_3\,\psi + q_4 = 0.$$

Die linke Seite der Gleichung ist:

$$\psi^4 - (\varkappa^3\lambda + \lambda^3\nu + \varkappa\mu^3 + \mu\nu^3)\,\psi^3 + (\varkappa^3\lambda^4\nu + \varkappa^4\lambda\mu^3 + \varkappa^3\lambda\mu\nu^3$$
$$+ \varkappa\lambda^3\mu^3\nu + \lambda^3\mu\nu^4 + \varkappa\mu^4\nu^3)\,\psi^2$$
$$- (\varkappa^4\lambda^4\mu^3\nu + \varkappa^3\lambda^4\mu\nu^4 + \varkappa^4\lambda\mu^4\nu^3 + \varkappa\lambda^3\mu^4\nu^4)\,\psi + \varkappa^4\lambda^4\mu^4\nu^4$$
$$= \psi^4 - \left(\frac{C_2{}^2 - 20\,C_4}{10^2}\right)\cdot\psi^3 - \left[\frac{C_2}{10}\cdot\left\{(\varkappa\lambda^2)^3 + (\varkappa^2\mu)^3 + (\lambda\nu^2)^3 + (\mu^2\nu)^3\right\}\right.$$
$$\left. - 2\,\frac{C_2{}^4}{10^4}\right]\cdot\psi^2 - \frac{C_2{}^4}{10^4}\cdot[\varkappa^3\lambda + \lambda^3\nu + \varkappa\mu^3 + \mu\nu^3]\,\psi + \frac{C_2{}^8}{10^8},$$

wo von der Relation $\varkappa\nu = \lambda\mu = -\dfrac{C_2}{10}$ Gebrauch gemacht ist.

Nun ist aber:

$$(\varkappa\lambda^2)^2 + (\varkappa^2\mu)^2 + (\lambda v^2)^2 + (\mu^2 v)^2$$
$$= [\varkappa\lambda^2 + \varkappa^2\mu + \lambda v^2 + \mu^2 v]^2 - 2\varkappa^3\lambda^2\mu - 2\varkappa\lambda^3 v^2 - 2\varkappa\lambda^2\mu^2 v$$
$$- 2\varkappa^2\lambda\mu v^2 - 2\varkappa^2\mu^3 v - 2\lambda\mu^2 v^3$$

$$= \frac{C_2^2}{5^2} + \frac{C_2}{5}(\varkappa^3\lambda + \lambda^3 v + \varkappa\mu^3 + \mu v^3) + 2\frac{C_3^3}{10^3} + 2\frac{C_3^3}{10^3}$$

$$= \frac{C_2^2}{5^2} + \frac{C_2}{5}\frac{(C_2^2 - 20\,C_4)}{10^2} + 4\frac{C_3^3}{10^3} \text{ wo wieder } \varkappa v = \lambda\mu = -\frac{C_3}{10},$$

und $\varkappa^2\mu + \varkappa\lambda^2 + \mu^2 v + \lambda v^2 = \dfrac{C_2}{5}$, sowie $\varkappa^3\lambda + \lambda^3 v + \varkappa\mu^3 + \mu v^3$

$$= \frac{C_2^2 - 20\,C_4}{10^2} \text{ gesetzt ist.}$$

Es ergibt sich sonach nach allen Reduktionen:

$$(\psi - \varkappa^2\lambda)(\psi - \lambda^2 v)(\psi - \varkappa\mu^2)(\psi - \mu v^2)$$
$$= \psi^4 - \frac{(C_2^2 - 20\,C_4)}{10^2}\cdot\psi^3 - \frac{[4\,C_2^4 - 40\,C_2^2\,C_4 + 40\,C_2\,C_3^2]}{10^4}\cdot\psi^2$$
$$- \frac{(C_2^6 - 20\,C_2^4\,C_4)}{10^6}\cdot\psi + \frac{C_3^8}{10^8} = \psi^4 + q_1\psi^3 + q_2\psi^2 + q_3\psi + q_4 = 0$$

Es ist nun weiter:

$$q_1 = -\frac{(C_2^2 - 20\,C_4)}{10^2}; \quad q_2 = -\frac{[4\,C_2^4 - 40\,C_2^2\,C_4 + 40\,C_2\,C_3^2]}{10^4};$$

$$q_3 = -\frac{(C_2^6 - 20\,C_2^4\,C_4)}{10^6}; \quad q_4 = \frac{C_3^8}{10^8}$$

. Werden in der vorigen Entwickelung von s_5 p_1, p_2, p_3, p_4 durch q_1, q_2, q_3, q_4 ersetzt, so ergibt sich:

$$t_5 = \varkappa^{15}\lambda^5 + \lambda^{15}v^5 + \varkappa^5\mu^{15} + \mu^5 v^{15}$$
$$= -q_1^5 + 5\,q_1^3\,q_2 - 5\,q_1^2\,q_3 - 5\,(q_2^2 - q_4)\,q_1 + 5\,q_2\,q_3,$$

woraus nach gehöriger Reduktion folgt:

$$\varkappa^{15}\lambda^5 + \lambda^{15}v^5 + \varkappa^5\mu^{15} + \mu^5 v^{15} =$$
$$\frac{[C_2^2 - 20\,C_4]}{10^{10}}\cdot\Big\{[C_2^2 - 20\,C_4]^4 + 5\,C_2\,(40\,C_3^2 + 5\,C_2^3 - 40\,C_2\,C_4)$$
$$[C_2^2 - 20\,C_4]^2 + 5\,C_2^2\Big((40\,C_3^2 + 4\,C_2^3 - 40\,C_2\,C_4)^2 + C_2^2\,(40\,C_3^2$$
$$+ 4\,C_2^3 - 40\,C_2\,C_4) - C_3^6\Big)\Big\} = A_{20}.$$

Anstatt der oben angegebenen Gleichungen zwischen $\varkappa$, λ, μ und v kann demnach folgendes Gleichungssystem aufgestellt werden:

1. $\varkappa^5 + \lambda^5 + \mu^5 + v^5 = C_5$

2. $\varkappa^5 v^5 = -\dfrac{C_3^5}{10^5}$

3. $\lambda^5 \mu^5 = - \dfrac{C_2{}^5}{10^5}$

4. $x^{10} \mu^5 + x^5 \lambda^{10} + \mu^{10} \nu^5 + \lambda^5 \nu^{10} = A_{15}$

5. $x^{15} \lambda^5 + \lambda^{15} \nu^5 + x^5 \mu^{15} + \mu^5 \nu^{15} = A_{20}$.

Wie am Schlusse des I. Abschnittes vorausgesagt wurde, erscheinen nun die Unbekannten in dem neuen Gleichungssysteme sämtlich in der Form von fünften Potenzen, vorausgesetzt, daß noch die Bedingung existiert: $x^5 \nu^5 = \lambda^5 \mu^5 = - \dfrac{C_2{}^5}{10^5}$.

IV.

Nachweis, daß die zuletzt aufgestellten Gleichungen zwischen x^5, λ^5, μ^5, ν^5 wirklich algebraisch lösbar sind.

Ich muß von vornherein bemerken, daß der Nachweis von der Lösbarkeit dieser Gleichungen zwischen x^5, λ^5, μ^5, ν^5 zwar in aller Strenge geführt werden kann, daß ich es aber unterlasse, die Werte von x, λ, μ und ν unter Voraussetzung der allgemeinen Gleichung $z^5 + C_2 z^3 - C_3 z^2 + C_4 z - C_5 = 0$ durch die Coëfficienten derselben auszudrücken, weil diese Werte, obwohl darstellbar, eine höchst complizierte und daher wenig übersichtliche Form annehmen würden und der hiezu erforderliche wirklich abschreckende Rechnungsaufwand zum Nutzen des Resultates nicht im entsprechenden Verhältnisse stehen würde. Dagegen werde ich im nächsten Abschnitte die Werte von x, λ, μ, ν für die Vandermonde'sche Gleichung, bei welcher die Voraussetzung $x \nu = \lambda \mu$ ebenfalls zutrifft, und die daher als spezieller Fall der allgemeinen Gleichung gelten kann, wirklich berechnen, woraus sich die volle Übereinstimmung der nach dieser Methode gefundenen Werte mit der zuerst von Vandermonde aufgestellten und später von Gauß, Lagrange und Abel abgeleiteten Formel ergeben wird.

Setzt man zunächst $x^5 = x'$; $\lambda^5 = \lambda'$; $\mu^5 = \mu'$; $\nu^5 = \nu'$, so ist folgendes System von Gleichungen zu lösen:

1. $x' + \lambda' + \mu' + \nu' = C_5$;

2. $x' \nu' = - \dfrac{C_2{}^5}{10^5}$;

3. $\lambda' \mu' = - \dfrac{C_2{}^5}{10^5}$;

4. $x'^2 \mu' + x' \lambda'^2 + \mu'^2 \nu' + \lambda' \nu'^2 = A_{15}$;

5. $x'^3 \lambda' + \lambda'^3 \nu' + x' \mu'^3 + \mu' \nu'^3 = A_{20}$.

Macht man nun $x' = \eta - \vartheta$; $\nu' = \eta + \vartheta$; $\lambda' = \varrho - \sigma$; $\mu' = \varrho + \sigma$, so ergibt sich aus Gleichung 1. des letzten Systems: $\eta + \varrho = \frac{1}{2} C_5$;

ferner aus Gleichung 2.: $\eta^2 - \vartheta^2 = -\frac{C_2^{\,5}}{10^5}$; aus Gleichung 3. $\varrho^2 - \sigma^2$

$= -\frac{C_2^{\,5}}{10^5}$; endlich aus Gleichung 4. nach Ausführung aller Reduktionen:

$$\eta^2\varrho - 2\,\eta\,\vartheta\,\sigma + \vartheta^2\varrho + \eta\varrho^2 + 2\,\vartheta\varrho\sigma + \eta\sigma^2 = \frac{1}{2}\,A_{15}.$$

Da aber $\sigma^2 = \varrho^2 + \frac{C_2^{\,5}}{10^5}$; $\vartheta^2 = \eta^2 + \frac{C_2^{\,5}}{10^5}$, so findet sich:

$$\eta^2\varrho - 2\,\eta\,\vartheta\,\sigma + \eta^2\varrho + \frac{C_2^{\,5}}{10^5}\varrho + \eta\varrho^2 + 2\,\vartheta\varrho\sigma + \eta\varrho^2 + \frac{C_2^{\,5}}{10^5}\cdot\eta = \frac{1}{2}A_{15}$$

oder $2\,\eta^2\varrho + 2\,\eta\varrho^2 + \frac{C_2^{\,5}}{10^5}(\eta + \varrho) - 2\,\vartheta\sigma(\eta - \varrho) = \frac{1}{2}\,A_{15}$;

folglich, da $\eta + \varrho = \frac{1}{2}\,C_5$,

$$2\,\eta^2\varrho + 2\,\eta\varrho^2 - 2\,\vartheta\sigma(\eta - \varrho) = \frac{1}{2}\,A_{15} - \frac{1}{2}\,C_5\,\frac{C_2^{\,5}}{10^5}$$

oder $\eta\varrho\,(\eta + \varrho) - \vartheta\sigma(\eta - \varrho) = \frac{1}{4}\left[A_{15} - C_5\,\frac{C_2^{\,5}}{10^5}\right]$;

folglich, wenn für $\eta + \varrho$ wieder $\frac{1}{2}\,C_5$ gesetzt wird,

$$\frac{1}{2}\,C_5\cdot\eta\varrho - \frac{1}{4}\left[A_{15} - C_5\cdot\frac{C_2^{\,5}}{10^5}\right] = \vartheta\sigma\,(\eta - \varrho).$$

Durch Quadrieren ergibt sich:

$$\frac{1}{4}C_5^{\,2}\cdot\eta^2\varrho^2 - \frac{1}{4}\,C_5\left[A_{15} - \frac{C_2^{\,5}}{10^5}\cdot C_5\right]\eta\varrho + \frac{1}{16}\left[A_{15} - C_5\frac{C_2^{\,5}}{10^5}\right]^2$$

$= \vartheta^2\sigma^2\,(\eta - \varrho)^2$, und, wenn man bedenkt, daß

$(\eta - \varrho)^2 = (\eta + \varrho)^2 - 4\,\eta\varrho = \frac{1}{4}\,C_5^{\,2} - 4\,\eta\varrho,$

ferner $\vartheta^2\sigma^2 = \left(\frac{C_2^{\,5}}{10^5} + \eta^2\right)\left(\frac{C_2^{\,5}}{10^5} + \varrho^2\right) = \frac{C_2^{\,10}}{10^{10}} + (\eta^2 + \varrho^2)\,\frac{C_2^{\,5}}{10^5}$

$+ \eta^2\varrho^2 = \frac{C_2^{\,10}}{10^{10}} + \left((\eta + \varrho)^2 - 2\,\eta\varrho\right)\frac{C_2^{\,5}}{10^5} + \eta^2\varrho^2$

$= \frac{C_2^{\,10}}{10^{10}} + \left(\frac{C_5^{\,2}}{4} - 2\,\eta\varrho\right)\frac{C_2^{\,5}}{10^5} + \eta^2\varrho^2$, so wird:

$$\frac{C_5^{\,2}}{4}\cdot\eta^2\varrho^2 - \frac{1}{4}C_5\left[A_{15} - \frac{C_2^{\,5}}{10^5}\cdot C_5\right]\eta\varrho + \frac{1}{16}\left[A_{15} - C_5\cdot\frac{C_2^{\,5}}{10^5}\right]^2$$

$= \left[\frac{1}{4}\,C_5^{\,2} - 4\,\eta\varrho\right]\cdot\left[\frac{C_2^{\,10}}{10^{10}} + \left(\frac{C_5^{\,2}}{4} - 2\,\eta\varrho\right)\frac{C_2^{\,5}}{10^5} + \eta^2\varrho^2\right];$

nach Auflösung der Klammern und Ausführung aller Reduktionen erhält man folgende Gleichung dritten Grades für $\eta\varrho$:

$$4(\eta\varrho)^3 - 8\frac{C_2{}^5}{10^5}\cdot(\eta\varrho)^2 + \left[4\frac{C_2{}^{10}}{10^{10}} + 7\frac{C_2{}^5}{10^5}\cdot\frac{C_5{}^2}{4} - \frac{C_5}{4}\cdot A_{15}\right]\cdot(\eta\varrho)$$

$$+\left\{\left[\frac{1}{4}A_{15} - \frac{1}{4}C_5\frac{C_2{}^5}{10^5}\right]^2 - \frac{C_2{}^{10}}{10^{10}}\cdot\frac{C_5{}^2}{4} - \frac{C_2{}^5}{10^5}\cdot\frac{C_5{}^4}{16}\right\} = 0,$$

aus welcher $\eta\varrho$ bestimmt werden kann, und zwar wird sich im weiteren Verlaufe zeigen, welcher der drei Werte von $\eta\varrho$ für die Lösung unserer Aufgabe brauchbar ist. Zur Entscheidung dieser Frage ist die Aufstellung einer zweiten Gleichung für $\eta\varrho$ erforderlich, **woraus sich auch zugleich die Relation ergibt, welche zwischen den Coëfficienten C_2, C_3, C_4, C_5 stattfinden muſs, damit $\varkappa\nu = \lambda\mu$, mithin die Gleichung fünften Grades für z algebraisch lösbar sei.**

Während zur Aufstellung dieser Gleichung für $\eta\varrho$ die Gleichungen 1, 2, 3 und 4 dieses Abschnittes benützt wurden, liefern die Gleichungen 1, 2, 3 und 5 die gesuchte zweite Gleichung für $\eta\varrho$.

Substituiert man nämlich für $\varkappa'$, λ', μ', ν' in Gleichung 5 ihre oben eingeführten Formen, so ergibt sich:

$$(\eta-\vartheta)^3(\varrho-\sigma) + (\varrho-\sigma)^3(\eta+\vartheta) + (\varrho+\sigma)^3(\eta-\vartheta) + (\eta+\vartheta)^3(\varrho+\sigma) = A_{20},$$

woraus nach gehöriger Reduktion folgt:

$$\eta\varrho\cdot\left[(\eta^2+\varrho^2) + 3(\vartheta^2+\sigma^2)\right] + \vartheta\sigma\left[3(\eta^2-\varrho^2) + (\vartheta^2-\sigma^2)\right] = \frac{A_{20}}{2},$$

oder $\vartheta\sigma\left[3(\eta^2-\varrho^2) + (\vartheta^2-\sigma^2)\right] = \frac{A_{20}}{2} - \eta\varrho\left[(\eta^2+\varrho^2) + 3(\vartheta^2+\sigma^2)\right]$;

da nun $\vartheta^2 = \eta^2 + \dfrac{C_2{}^5}{10^5}$, $\sigma^2 = \varrho^2 + \dfrac{C_2{}^5}{10^5}$, so wird durch Substitution:

$$\vartheta\sigma\cdot4(\eta^2-\varrho^2) = \frac{A_{20}}{2} - \eta\varrho\cdot\left[4(\eta^2+\varrho^2) + 6\frac{C_2{}^5}{10^5}\right]$$

oder weil $\eta^2 + \varrho^2 = (\eta+\varrho)^2 - 2\eta\varrho = \dfrac{C_5{}^2}{4} - 2\eta\varrho$,

$$\vartheta\sigma\cdot4(\eta^2-\varrho^2) = \frac{A_{20}}{2} - \eta\varrho\left[C_5{}^2 - 8\eta\varrho + 6\frac{C_2{}^5}{10^5}\right];$$

Quadriert man beide Seiten, so wird:

$$\vartheta^2\sigma^2\cdot16(\eta^2-\varrho^2)^2 = \frac{A_{20}{}^2}{4} - A_{20}\,\eta\varrho\left[C_5{}^2 - 8\,\eta\varrho + 6\frac{C_2{}^5}{10^5}\right]$$

$$+ \eta^2\varrho^2\left[C_5{}^2 - 8\,\eta\varrho + 6\frac{C_2{}^5}{10^5}\right]^2$$

Da aber $\vartheta^2 \sigma^2 = \dfrac{C_2^{10}}{10^{10}} + \dfrac{C_2^5}{10^5} (\eta^2 + \varrho^2) + \eta^2 \varrho^2$

$$= \left(\dfrac{C_2^{10}}{10^{10}} + \dfrac{C_5^2}{4} \cdot \dfrac{C_2^5}{10^5} \right) - 2 \dfrac{C_2^5}{10^5} \cdot \eta\varrho + \eta^2 \varrho^2$$

und $16 (\eta^2 - \varrho^2)^2 = 16(\eta+\varrho)^2 (\eta-\varrho)^2 = 16(\eta+\varrho)^2 [(\eta+\varrho)^2 - 4\eta\varrho]$

$$= 16 \cdot \dfrac{C_5^2}{4} \left[\dfrac{C_5^2}{4} - 4\eta\varrho \right] = C_5^4 - 16 C_5^2 \eta\varrho, \text{ so hat man:}$$

$$\left[\left(\dfrac{C_2^{10}}{10^{10}} + \dfrac{C_5^2}{4} \cdot \dfrac{C_2^5}{10^5} \right) - 2 \dfrac{C_2^5}{10^5} \cdot \eta\varrho + \eta^2\varrho^2 \right] \cdot \left[C_5^4 - 16 C_5^4 \eta\varrho \right]$$

$$= \dfrac{A_{20}^2}{4} - A_{20} \cdot \eta\varrho \left[\left(C_5^2 + 6 \dfrac{C_2^5}{10^5} \right) - 8\eta\varrho \right] + \eta^2\varrho^2 \left[\left(C_5^2 + 6 \dfrac{C_2^5}{10^5} \right)^2 \right.$$

$$\left. - 16 \left(C_5^2 + 6 \dfrac{C_2^5}{10^5} \right) \eta\varrho + 64 \eta^2\varrho^2 \right].$$

Nach Ausführung sämtlicher Reduktionen ergibt sich endlich folgende Gleichung vierten Grades für $\eta\varrho$:

$$64(\eta\varrho)^4 - 96 \dfrac{C_2^5}{10^5} \cdot (\eta\varrho)^3 + \left[8 A_{20} - 20 \dfrac{C_2^5}{10^5} \cdot C_5^2 + 36 \dfrac{C_2^{10}}{10^{10}} \right] (\eta\varrho)^2$$

$$+ \left[16 \dfrac{C_2^{10}}{10^{10}} C_5^2 + 6 \dfrac{C_2^5}{10^5} \cdot C_5^4 - \left(C_5^2 + 6 \dfrac{C_2^5}{10^5} \right) A_{20} \right] (\eta\varrho)$$

$$+ \left[\dfrac{A_{20}^2}{4} - \dfrac{C_2^{10}}{10^{10}} \cdot C_5^4 - \dfrac{C_2^5}{10^5} \cdot \dfrac{C_5^6}{4} \right] = 0.$$

Setzt man endlich $4 \eta\varrho = w$, so erhält man folgende zwei Gleichungen für w:

A. Die Gleichung vierten Grades:

$$w^4\ 6 \dfrac{C_2^5}{10^5}\ w^3 + \left[2 A_{20} - 5 \dfrac{C_2^5}{10^5} \cdot C_5^2 + 9 \dfrac{C_2^{10}}{10^{10}} \right] \cdot w^2$$

$$+ \left[16 \dfrac{C_2^{10}}{10^{10}} \cdot C_5^2 + 6 \dfrac{C_2^5}{10^5} \cdot C_5^4 - \left(C_5^2 + 6 \dfrac{C_2^5}{10^5} \right) A_{20} \right] \cdot w$$

$$+ \left[A_{20}^2 - 4 \dfrac{C_2^{10}}{10^{10}} \cdot C_5^4 - \dfrac{C_2^5}{10^5} \cdot C_5^6 \right] = 0;$$

B. Die Gleichung dritten Grades:

$$w^3 - 8 \dfrac{C_2^5}{10^5} \cdot w^2 + \left[16 \dfrac{C_2^{10}}{10^{10}} + 7 \dfrac{C_2^5}{10^5} \cdot C_5^2 - C_5 \cdot A_{15} \right] \cdot w$$

$$+ \left\{ \left[A_{15} - \dfrac{C_2^5}{10^5} \cdot C_5 \right]^2 - 4 \dfrac{C_2^{10}}{10^{10}} \cdot C_5^2 - \dfrac{C_2^5}{10^5} \cdot C_5^4 \right\} = 0.$$

Die linken Seiten dieser beiden Gleichungen müssen nun notwendig einen gemeinschaftlichen Divisor von der Form $w - \beta$ haben, wo β eine rationale Funktion von C_2, C_5, A_{15} und A_{20} bedeutet; man kann denselben durch die Kettendivision bestimmen und erhält, nachdem man $w - \beta$ als letzten Divisor erhalten hat, noch einen von w unabhängigen Rest, welcher gleich 0 gesetzt, die zum gleichzeitigen Bestehen dieser Gleichungen erforderliche Relation zwischen C_2, C_5, A_{15}, A_{20} und daher auch eine derjenigen Relationen liefert, welche zwischen C_2, C_3, C_4 und C_5 stattfinden müssen, wenn die ursprüngliche Gleichung vom fünften Grade für z algebraisch lösbar sein soll.

Wie schon oben bemerkt, unterlasse ich die Aufstellung dieser Relation für die Gleichung $z^5 + C_2 z^3 - C_3 z^2 + C_4 z - C_5 = 0$ wegen der Weitläufigkeit der Entwickelungen; würde man aber aus dieser Gleichung nach der Methode von Tschirnhausen eine neue Gleichung vom fünften Grade ableiten, in welcher die Coëfficienten von der vierten, dritten und zweiten Potenz der Unbekannten 0 sind, so hätte die Aufstellung der zwischen den zwei Coëfficienten dieser letzteren Gleichung erforderlichen Relation gar keine Schwierigkeit mehr.

Würde man also von der Gleichung $x^5 + a_2 x^3 - a_3 x^2 + a_4 x - a_5 = 0$ als der ursprünglich gegebenen ausgehen, und mit Aufstellung der Hilfsgleichung: $x^3 + m_1 x^2 + m_2 x + m_3 = z$ aus dieser und der vorigen Gleichung eine neue in z nach dem Transformationsverfahren von Tschirnhausen ableiten, so würde sich eine Gleichung in z von der Form ergeben: $z^5 - C_1 z^4 + C_2 z^3 - C_3 z^2 + C_4 z - C_5 = 0$, wo die C von den a und m abhängen; setzt man nun $C_1 = C_2 = C_3 = 0$, so hat man drei Gleichungen zur Bestimmung von m_1, m_2, m_3 aus den Coëfficienten a, zu deren Lösung keine Gleichung von höherem, als dem dritten Grade erforderlich ist, so dafs demnach m_1, m_2, m_3 wirklich in algebraischer Form gefunden werden können, was freilich mit ziemlich mühsamen Entwickelungen verbunden ist. Auf diese Weise wäre man dann zu der Gleichung $z^5 + C_4 z - C_5 = 0$ gelangt, für welche die Relation $\varkappa v = \lambda \mu$ nur die Bedingung: $C_4 = 0$ erfordert.

Denn, wenn $C_1 = C_2 = C_3 = 0$ vorausgesetzt wird, so ergibt sich nach den früheren Entwickelungen: $A_{15} = 0$ und $A_{20} = -\dfrac{C_4{}^5}{5^5}$; dann reduciert sich die Gleichung B auf $w^2 = 0$ oder $w = 0$; der Wert $w = 0$ mufs aber auch die Gleichung A erfüllen, woraus sich sofort, da dieselbe sich auf das letzte Glied mit dem Werte $\dfrac{C_4{}^{10}}{10^{10}}$ reduziert, ergibt: $\dfrac{C_4{}^{10}}{10^{10}} = 0$, also $C_4 = 0$, wie oben behauptet.

Es ergibt sich dann die einfache Gleichung: $z^5 - C_5 = 0$; also

$z = \sqrt[5]{C_5}$, welcher Wert auch sofort erhalten wird, wenn aus $4\,\eta\varrho = 0$

$\eta + \varrho = \dfrac{C_5}{2}$, $\eta^2 - \vartheta^2 = \varrho^2 - \sigma^2 = 0$ η, ϑ, ϱ, σ bestimmt, hierauf $\varkappa'$,

λ', μ', ν' gesucht und $\varkappa$, λ, μ, ν gefunden werden. Es zeigt sich

nämlich, daß $\varkappa = \lambda = \mu = 0$ und $\nu = \sqrt[5]{C_5}$ wird, woraus wieder folgt:

$z = \varkappa + \lambda + \mu + \nu = \sqrt[5]{C_5}$, womit die Gleichungen für η, ϑ, ϱ, σ verifiziert sind.

V.

Anwendung der bisherigen Entwickelungen auf die Vandermonde'sche Gleichung.

Es bleibt nun noch die leichte Aufgabe übrig, zu zeigen, wie die in den vorigen Abschnitten durchgeführten Entwickelungen genau zu der zuerst von Vandermonde aufgestellten und später auf neuen Wegen gefundenen Formel führen.

Die Gleichung von Vandermonde (siehe Einleitung) lautet:
$$y^5 + y^4 - 4y^3 - 3y^2 + 3y + 1 = 0.$$

Setzt man $5y = z - 1$, so resultiert hieraus die Gleichung für z:
$z^5 - 110z^3 - 55z^2 + 2310z + 979 = 0$, von welcher schon im Voraus bekannt ist, daß für sie die Relation $\varkappa\nu = \lambda\mu$ zutrifft.

Sie ist also ein spezieller Fall der allgemeineren Gleichung:
$z^5 + C_2 z^3 - C_3 z^2 + C_4 z - C_5 = 0$ mit Hinzufügung der Bedingung $\varkappa\nu = \lambda\mu$.

Man hat demnach: $C_2 = -110$, $C_3 = 55$, $C_4 = 2310$, $C_5 = -979$.

Die Substitution der Werte von C_2, C_3 und C_4 in die im dritten Abschnitte angegebenen Ausdrücke für A_{15} und A_{20} liefert:
$$A_{15} = 2^2 \cdot 3^2 \cdot 11^4; \qquad A_{20} = -2^4 \cdot 11^5 \cdot 19 \cdot 29 \cdot 31.$$

Die Gleichung A lautet dann:
$w^4 + 6 \cdot 11^5 \cdot w^3 + 2^5 \cdot 11^5 \cdot 31 \cdot 5741\, w^2 - 2 \cdot 5 \cdot 11^7 \cdot 2515767167 \cdot w$
$\qquad + 11^{10} \cdot 1867048302263 = 0.$

Die Gleichung B dagegen:
$w^3 + 8 \cdot 11^5 \cdot w^2 - 7 \cdot 11^7 \cdot 4421 \cdot w + 2^4 \cdot 11^9 \cdot 109 \cdot 13939 = 0.$

Die linken Seiten dieser beiden Gleichungen haben, wie die allerdings etwas mühsame Bestimmung des gemeinschaftlichen Teilers ergibt, beide den Faktor $w - 11^3 \cdot 109$; demnach findet sich $w = 4\,\eta\varrho$ $= 11^3 \cdot 109$.

Im vierten Abschnitte war entwickelt worden:

$$\eta + \varrho = \frac{1}{2} C_5; \qquad \text{also } \eta + \varrho = -\frac{979}{2};$$

$$(\eta + \varrho)^2 = \frac{979^2}{4}; \qquad 4\eta\varrho = 11^3 . 109; \quad \text{mithin}$$

$$(\eta - \varrho)^2 = \frac{979^2}{4} - 11^3 . 109 = \frac{11^2 . 89^2 - 4 . 11^3 . 109}{4} = \frac{11^2 . 5^5}{4}$$

folglich $\eta - \varrho = \pm \dfrac{5^2 . 11 \sqrt{5}}{2};$

daher wegen $\eta + \varrho = -\dfrac{11 . 89}{2}$

$$\eta = \frac{-11 . 89 + 5^2 . 11 \sqrt{5}}{4} \quad \text{und } \varrho = \frac{-11 . 89 \mp 5^2 . 11 \sqrt{5}}{4}$$

oder $\eta = -\dfrac{11}{4}\left[89 \mp 25 \sqrt{5}\right]; \; \varrho = -\dfrac{11}{4}\left[89 \pm 25 \sqrt{5}\right]$

Die Frage über die Wahl der Vorzeichen wird am besten nach vollständiger Herstellung der Formel entschieden; vorläufig will ich zur Vermeidung jeder Verwirrung

$$\eta = -\frac{11}{4}\left[89 + 25 \sqrt{5}\right], \; \varrho = -\frac{11}{4}\left[89 - 25 \sqrt{5}\right] \text{ setzen.}$$

Es ist nun weiter: $\eta^2 - \vartheta^2 = -\dfrac{C_2^5}{10^5}$, und $\varrho^2 - \sigma^2 = -\dfrac{C_2^5}{10^5}$,

daher durch Substitution:

$\eta^2 - \vartheta^2 = \varrho^2 - \sigma^2 = 11^5;$ folglich $\vartheta^2 = \eta^2 - 11^5$

und $\sigma^2 = \varrho^2 - 11^5;$ ferner $\vartheta^2 = \dfrac{11^2}{4^2} . \left[11046 + 4450 \sqrt{5}\right] - 11^5$

oder $\vartheta^2 = \dfrac{11^2}{4^2}\left[-10250 + 4450 \sqrt{5}\right] = -\dfrac{11^2}{4^2} . 5^2\left[410 - 178\sqrt{5}\right]$

daher $\vartheta = \pm \dfrac{11}{4} . 5 \sqrt{410 - 178\sqrt{5}} . i = \pm \dfrac{11}{4} . 5\left[9 \sqrt{5 - 2\sqrt{5}}\right.$

$\left. - \sqrt{5 + 2\sqrt{5}}\right] . i$

oder $\vartheta = \pm \dfrac{11}{4} . \left[45 \sqrt{5 - 2\sqrt{5}} - 5 \sqrt{5 + 2\sqrt{5}}\right] . i;$

ebenso findet sich $\sigma = \pm \dfrac{11}{4}\left[45 \sqrt{5 + 2\sqrt{5}} + 5 \sqrt{5 - 2\sqrt{5}}\right] . i;$

Beschränkt man sich vorläufig auch bei den Werten von ϑ und σ auf nur ein Vorzeichen, so ergibt sich:

$$x' = \eta - \vartheta = -\frac{11}{4}\left[89 + 25\sqrt{5}\right] - \frac{11}{4}\cdot\left[45\sqrt{5 - 2\sqrt{5}}\right.$$
$$\left. - 5\sqrt{5 + 2\sqrt{5}}\right].i$$

oder:

$$x' = \frac{11}{4}\cdot\left\{-\left[89 + 25\sqrt{5}\right] - \left[45\sqrt{5 - 2\sqrt{5}} - 5\sqrt{5 + 2\sqrt{5}}\right].i\right\}$$

$$\nu' = \frac{11}{4}\cdot\left\{-\left[89 + 25\sqrt{5}\right] + \left[45\sqrt{5 - 2\sqrt{5}} - 5\sqrt{5 + 2\sqrt{5}}\right].i\right\}$$

ebenso $\lambda' = \varrho - \sigma$ oder

$$\lambda' = \frac{11}{4}\cdot\left\{-\left[89 - 25\sqrt{5}\right] - \left[45\sqrt{5 + 2\sqrt{5}} + 5\sqrt{5 - 2\sqrt{5}}\right].i\right\}$$

$$\mu' = \frac{11}{4}\cdot\left\{-\left[89 - 25\sqrt{5}\right] + \left[45\sqrt{5 + 2\sqrt{5}} + 5\sqrt{5 - 2\sqrt{5}}\right].i\right\}$$

Da nun x', λ', μ', ν' beziehungsweise gleich x^5, λ^5, μ^5, ν^5 sind, so hat man gemäß der im zweiten Abschnitte aufgestellten Form die Werte von z:

$$z_1 = \sqrt[5]{x'} + \sqrt[5]{\lambda'} + \sqrt[5]{\mu'} + \sqrt[5]{\nu'}$$

$$z_2 = \alpha^4\sqrt[5]{x'} + \alpha^3\sqrt[5]{\lambda'} + \alpha^2\sqrt[5]{\mu'} + \alpha\sqrt[5]{\nu'}$$

$$z_3 = \alpha^3\sqrt[5]{x'} + \alpha\sqrt[5]{\lambda'} + \alpha^4\sqrt[5]{\mu'} + \alpha^2\sqrt[5]{\nu'}$$

$$z_4 = \alpha^2\sqrt[5]{x'} + \alpha^4\sqrt[5]{\lambda'} + \alpha\sqrt[5]{\mu'} + \alpha^3\sqrt[5]{\nu'}$$

$$z_5 = \alpha\sqrt[5]{x'} + \alpha^2\sqrt[5]{\lambda'} + \alpha^3\sqrt[5]{\mu'} + \alpha^4\sqrt[5]{\nu'}$$

Was nun die bei den Werten von η, ϱ, ϑ, σ zu wählenden Vorzeichen betrifft, so läßt sich diese Frage nur dadurch mit Sicherheit entscheiden, daß man die Werte von z_1, z_2, z_3, z_4, z_5 durch Einführung trigonometrischer Funktionen berechnet und sodann x', λ', μ' und ν' als Unbekannte behandelt, welche den soeben aufgestellten fünf Gleichungen genügen müssen, wobei eine von ihnen zur Verifikation der übrigen dienen wird. Hat man auf diesem Wege x', λ', μ, ν gefunden, so ergeben sich auch leicht numerisch die Werte von η, ϱ, ϑ, σ aus den für dieselben aufgestellten Gleichungen und es wird dann jede Zweideutigkeit verschwinden. Die Ausführung dieser

Operationen gewährt kein besonderes Interesse; es mag daher genügen, wenn ich bemerke, daſs die von mir gewählten Vorzeichen richtig bestimmt sind, und der Wert von z_1 durch folgenden auf anderem Wege längst ermittelten Ausdruck bestimmt ist:

$$z_1 = \sqrt[5]{x'} + \sqrt[5]{\lambda'} + \sqrt[5]{\mu'} + \sqrt[5]{\nu'}$$

$$= \sqrt[5]{\frac{11}{4}\left\{-\left[89+25\sqrt{5}\right]-\left[45\sqrt{5-2\sqrt{5}}-5\sqrt{5+2\sqrt{5}}\right].i\right\}}$$

$$+ \sqrt[5]{\frac{11}{4}.\left\{-\left[89-25\sqrt{5}\right]-\left[45\sqrt{5+2\sqrt{5}}+5\sqrt{5-2\sqrt{5}}\right].i\right\}}$$

$$+ \sqrt[5]{\frac{11}{4}..\left\{-\left[89-25\sqrt{5}\right]+\left[45\sqrt{5+2\sqrt{5}}+5\sqrt{5-2\sqrt{5}}\right].i\right\}}$$

$$+ \sqrt[5]{\frac{11}{4}.\left\{-\left[89+25\sqrt{5}\right]+\left[45\sqrt{5-2\sqrt{5}}-5\sqrt{5+2\sqrt{5}}\right].i\right\}}$$

Damit sind aber auch die Werte von z_2, z_3, z_4, z_5 bekannt, wie aus den vorhin für dieselben angegebenen Formen hervorgeht, wobei $\alpha = \frac{1}{4}\left[-1+\sqrt{5}+\sqrt{-10-2\sqrt{5}}\right]$ zu setzen ist.

Augsburg.   Fr. Anschütz.

Zu Euripides' Hippolytus.

1. Die viel behandelten Verse am Schluſs des Prologs (V. 114 ff.):

> ἡμεῖς δέ — τοὺς νέους γὰρ οὐ μιμητέον —
> φρονοῦντες οὕτως ὡς πρέπει δούλοις λέγειν
> προσευξόμεσθα τοῖσι σοῖς ἀγάλμασι

sind noch immer ein ungelöstes Problem. Es ist zwecklos, sämtliche Verbesserungsvorschläge vorzuführen. Man kann schwanken, ob φρονοῦντες οὕτως ὡς πρέπει δούλοις φρονεῖν (Relske) oder λέγοντες οὕτως ὡς πρέπει δ. λέγειν (Wecklein) als dem Sinn der Stelle entsprechender vorzuziehen sei. Beides paſst in den Zusammenhang, beidemal aber ist die Herstellung eine gewaltsame. Ein inhaltliches Plus ergibt sich bei der Änderung von φρονοῦντες; zweifellos ist auch der Hinweis auf die Grenzen, welche der Redefreiheit des Dieners vor seinem Herrn gezogen sind, berechtigt, vielleicht auch durch den Scholiasten (ἀπαρρησιάστως) bestätigt; endlich gestattet diese Auffassung eine einfache Textherstellung: nicht in ϑροοῦντες, wie ich früher meinte, hat man φρονοῦντες zu ändern, sondern es ist zu lesen:

> φωνοῦντες οὕτως ὡς πρέπει δούλοις λέγειν.

Ebenso wenig ist man über die Schreibung der Verse einig, in welchen die Amme gegen den Tod als Lohn der Liebe protestiert V. 441 f.:

> οὐ τἄρα λύει τοῖς ἐρῶσι τῶν πέλας
> ὅσοι τε μέλλουσ', εἰ θανεῖν αὐτοὺς χρεών.

Die Handschriften haben γ'οὐ δεῖ für λύει, an letzterem sollte man, zumal auch angesichts des Scholienzeugnisses, nicht zweifeln; von Weil und Wecklein, denen Wilamowitz sich anschliefst, ist es mit Recht aufgenommen, des weiteren schreibt Wecklein τοῖς ἐρῶσι τοὺς πέλας νόσον μαλάσσειν. Meines Erachtens ist dem Scholion οὐ λυσιτελεῖ mehr zu entnehmen als λύει: man vgl. Soph. Oed. R. 317 ἔνθα μὴ τέλη λύῃ φρονοῦντι; in den Hschr. sind τ und π unzählige Male, wie man weifs, verwechselt, dann mufs sich die Endung, so gut es geht, akkommodieren, und ein Übergang von τέλη in πέλας ist nichts unerhörtes. Der Ausdruck ὅσοι τε μέλλουσ' ist nicht zu verwerfen, nur mufs er durch Verwandlung von τῶν in νῦν in eine deutlichere Beziehung zu dem Vorhergehenden treten. ‚Wie mag man jetzt oder künftig lieben, wenn Liebe mit Tod lohnt?‘ Also:

> οὐ τἄρα λύει τοῖς ἐρῶσι νῦν τέλη
> ὅσοι τε μέλλουσ', εἰ θανεῖν αὐτοὺς χρεών.

Wenn es von dem verfolgenden Stier heifst V. 1231:

> σιγῇ πελάζων ἄντυγι ξυνείπετο,

so hat dieses σιγῇ nur Berechtigung, falls eine der Angabe entsprechende Wirkung berichtet wird; da dies nicht geschieht, so hat man mit Recht σιγῇ zu korrigieren gesucht, z. B. Herwerden, der ἐγγὺς πελάζων vorschlägt. Der erforderliche Ausdruck ist eine Steigerung, eine Nüancierung dieses ἐγγύς: der Stier kommt dem Wagen so nahe, dafs er diesen streift:

> λίγδην πελάζων ἄντυγι ξυνείπετο.

λίγδην gehört in erster Linie dem Epos an, ist also in einer epischen Partie des Dramas am Platze.

Hippolytus hat den Wehruf des Vaters vernommen, den Grund der Klage kennt er noch nicht V. 903:

> τὸ μέντοι πρᾶγμ' ἐφ' ᾧτινι στένεις,
> οὐκ οἶδα, βουλοίμην δ' ἂν ἐκ σέθεν κλύειν.

Das Unzulässige von ᾧτινι hat Barthold nachgewiesen; ihm folgt Wilamowitz; die Varianten der geringeren Handschriften ὦτε νῦν (Laur. 31, 15), ᾧ νῦν (Havniensis), ᾧτινιν (Palatin. 287) halfen zur Lesart des Christ. pat. ᾧ τὰ νῦν (844). Ein intensiver Klagelaut mufste es sein, wenn ihn Hippolyt fern im Palaste hören sollte. Die Umwandlung eines ursprünglichen τόσον in das, was die Handschriften bieten, setzt keineswegs Unmögliches voraus, besonders wenn die Endung von τόσον durch das Compendium gegeben war. Ich lese also: τὸ μέντοι πρᾶγμ', ἐφ' ᾧ τόσον στένεις; es genügt, an die Homerstelle, die mir zunächst einfällt ‚τί νύ οἱ τόσον ὠδύσαο‘ zu erinnern.

Die Worte der Amme V. 468 f.:

> ἐς δὲ τὴν τύχην
> πεσοῦσ' ὅσην σύ. πῶς ἂν ἐκτεῖναι δοκεῖς;

sind nicht korrekt überliefert. Es ist bereits von andern auf das Un-
gehörige des Artikels vor *τύχην*, des Ausdruckes *ὅσην* (für *οἵαν*) hingewiesen. Auch *ἐκνεῦσαι* läfst etwas anderes erwarten als *τύχην*. Die
Änderung von *ἐς δὲ τὴν τύχην-ὅσην* in *ἐς κλύδωνα δὲ ὅσον* (Gomperz)
ist zu gewaltsam; übrigens entspricht ein Wort in dem Sinn von
ταραχή dem Zusammenhang nicht minder als *κλύδων*, es ist nach meinem
Dafürhalten zu schreiben:

$$\dot{\epsilon}\varsigma \ \delta\dot{\epsilon} \ \sigma\acute{v}\gamma\chi v\sigma\iota v$$
$$\pi\epsilon\sigma o\tilde{v}\sigma' \ \ddot{o}\sigma\eta v \ \sigma\acute{v}, \ \pi\tilde{\omega}\varsigma \ \ddot{a}v \ \dot{\epsilon}\varkappa v\epsilon\tilde{v}\sigma\alpha\iota \ \delta o\varkappa\epsilon\tilde{\iota}\varsigma;$$

man vergl. z. B. Iph. Aulid. 1128: *σύγχυσιν ἔχοντες καὶ ταραγμὸν*,
fragm. 606 (N.[2]): *ἐν ἀνθρώποισι δὲ κακῶς νοσοῦντα σύγχυσιν πολ-
λὴν ἔχει*.

In Theseus' Auge ist der Tod Phädras der unwiderlegliche
Beweis für die Schuld des Sohnes (V. 958):

$$\tau\acute{\epsilon}\vartheta v\eta\varkappa\epsilon v \ \ddot{\eta}\delta\epsilon. \ \tauo\tilde{v}\tau\acute{o} \ \sigma' \ \dot{\epsilon}\varkappa\sigma\acute{\omega}\sigma\epsilon\iota v \ \delta o\varkappa\epsilon\tilde{\iota}\varsigma;$$
$$\dot{\epsilon}v \ \tau\tilde{\omega}\delta' \ \dot{a}\lambda\acute{\iota}\sigma\varkappa\eta \ \pi\lambda\epsilon\tilde{\iota}\sigma\tauo v, \ \ddot{\omega} \ \varkappa\acute{a}\varkappa\iota\sigma\tau\epsilon \ \sigma\acute{v} \ \cdot$$
$$\pio\tilde{\iota}o\iota \ \gamma\grave{a}\varrho \ \ddot{o}\varrho\varkappao\iota \ \varkappa\varrho\epsilon\acute{\iota}\sigma\sigmao v\epsilon\varsigma, \ \tau\acute{\iota}v\epsilon\varsigma \ \lambda\acute{o}\gamma o\iota$$
$$\tau\tilde{\eta}\sigma\delta' \ \ddot{a}v \ \gamma\acute{\epsilon}vo\iota v\tau' \ \ddot{a}v, \ \ddot{\omega}\sigma\tau\epsilon \ \sigma' \ a\dot{\iota}\tau\acute{\iota}a v \ \varphi v\gamma\epsilon\tilde{\iota}v;$$

Der jüngste Herausgeber des Hippolytus hält zwar *τῆσδ'*, allein er hat
wohl nicht blos an dieser Stelle weniger gesehen als seine Vorgänger.
Wecklein ändert in *τοῦδ' ἄν*, Weil in *νεκροῦ*. (Auch Barthold hält
τῆσδε = Φαίδρας für unmöglich, läfst aber *τῆσδ' ἄν*, weil er durch die
Konjektur *δέλτῳ δ'ἁλίσκη* eine andere Beziehung des Pronomens erhält.) Dem Gedanken würde kaum etwas fehlen ohne den Genetiv
der Vergleichung; ich wüfste bei dieser Auffassung nichts, das mit entsprechendem Sinne der Überlieferung näher käme als

$$\pio\tilde{\iota}o\iota \ \gamma\grave{a}\varrho \ \ddot{o}\varrho\varkappao\iota \ \varkappa\varrho\epsilon\acute{\iota}\sigma\sigmao v\epsilon\varsigma, \ \tau\acute{\iota}v\epsilon\varsigma \ \lambda\acute{o}\gamma o\iota$$
$$\pi\iota \vartheta a vo\grave{\iota} \ \gamma\acute{\epsilon}vo\iota v\tau' \ \ddot{a}v \ \cdot$$

Doch gestehe ich, der Anapäst an erster Stelle kann in dieser Tragödie Bedenken veranlassen, trotz V. 37, 83, 454. Und so versuchte
ich es auch auf anderm Wege. „Kein Schwur, keine Rede ist ein
Beweis so schwer wiegend als der Tod", also:

$$\pio\tilde{\iota}o\iota \ \gamma\grave{a}\varrho \ \ddot{o}\varrho\varkappao\iota \ \varkappa\varrho\epsilon\acute{\iota}\sigma\sigmao v\epsilon\varsigma, \ \tau\acute{\iota}v\epsilon\varsigma \ \lambda\acute{o}\gamma o\iota$$
$$\H{A}\iota\delta o v \ \gamma\acute{\epsilon}vo\iota v\tau' \ \ddot{a}v, \ \ddot{\omega}\sigma\tau\epsilon \ \sigma' \ a\dot{\iota}\tau\acute{\iota}a v \ \varphi v\gamma\epsilon\tilde{\iota}v.$$

Und das Argument gewinnt an Gewicht, weil es in dieser Form, als
Hinweis auf die Macht des Hades, dem gegenüber menschlicher Verstand nichts vermag, die Geltung einer Sentenz hat.

Phädras Brief trägt das dem Theseus wohlbekannte Siegel
(V. 862):

$$\varkappa a\grave{\iota} \ \mu\acute{\eta}v \ \tau\acute{v}\pio\iota \ \gamma\epsilon \ \sigma\varphi\epsilon v\delta\acute{o}v\eta\varsigma \ \chi\varrho v\sigma\eta\lambda\acute{a}\tauo v$$
$$\tau\tilde{\eta}\varsigma \ o\dot{v}\varkappa\acute{\epsilon}\tau' \ o\ddot{v}\sigma\eta\varsigma \ \tau\tilde{\eta}\sigma\delta\epsilon \ \pi\varrho o\sigma\sigma a\acute{\iota}vo v\sigma\acute{\iota} \ \mu\epsilon.$$

Wilamowitz hat erkannt, dafs dieses *τῆσδε* unpassend ist; er ändert in
ὧδε. Seine Übersetzung lautet: „O wie vertraut blickt mich das Siegel
an". Vor Jahren habe ich mir zu *τῆσδε* am Rande *ἡδύ* angemerkt, also:

$$\tau\tilde{\eta}\varsigma \ o\dot{v}\varkappa\acute{\epsilon}\tau' \ o\ddot{v}\sigma\eta\varsigma \ \dot{\eta}\delta\grave{v} \ \pi\varrho o\sigma\sigma a\acute{\iota}vo v\sigma\acute{\iota} \ \mu\epsilon$$

und ich möchte dieses *ἡδύ* auch jetzt noch halten, man vergleiche z.
B. Soph. Oed. Col. 319: *φαιδρὰ γοῦν ἀπ' ὀμμάτων σαίνει με προσ-
στείχουσα.*

16*

Im Prolog stehen die Worte Aphroditens (V. 42):

$$\delta\epsilon i\xi\omega \ \delta\grave{\epsilon} \ \Theta\eta\sigma\epsilon\tilde{\iota} \ \pi\varrho\tilde{\alpha}\gamma\mu\alpha \ \varkappa\check{\alpha}\varkappa\varphi\alpha\nu\acute{\eta}\sigma\epsilon\tau\alpha\iota$$

im Widerspruch mit dem Drama, insofern eben Theseus den Thatbestand nicht erfährt, in dem angenommenen Zeitpunkt nicht erfährt,
denn es folgt: $\varkappa\alpha\grave{\iota} \ \tau\grave{o}\nu\cdot\nu\epsilon\alpha\nu\acute{\iota}\alpha\nu \ \varkappa\tau\epsilon\nu\epsilon\tilde{\iota} \ \pi\alpha\tau\acute{\eta}\varrho$. Wilamowitz, der an
Stelle des Vaters den Sohn setzt, hat, wie ich in der Recension seines
Buches bemerkt, daran nicht wohl gethan. Schon der Zusatz $\varkappa\check{\alpha}\varkappa\varphi\alpha\nu\acute{\eta}\sigma\epsilon\tau\alpha\iota$
scheint gegen ein Dativobjekt zu sprechen, welches eine bestimmte ·
Person bezeichnet. Meine frühere Vermutung $\delta\epsilon i\xi\omega \ \delta' \ \mathring{\alpha}\nu\acute{o}\sigma\iota\sigma\nu \ \pi\varrho\tilde{\alpha}\gamma\mu\alpha$
ist zu gewaltsam. Mit der Änderung von $\Theta\eta\sigma\epsilon\tilde{\iota}$ in $\vartheta\tilde{\alpha}\sigma\sigma\sigma\nu$ lese ich jetzt:

$$\delta\epsilon i\xi\omega \ \delta\grave{\epsilon} \ \vartheta\tilde{\alpha}\sigma\sigma\sigma\nu \ \pi\varrho\tilde{\alpha}\gamma\mu\alpha \ \varkappa\check{\alpha}\varkappa\varphi\alpha\nu\acute{\eta}\sigma\epsilon\tau\alpha\iota,$$

dafs auch die Tragiker den Komparativ $\vartheta\tilde{\alpha}\sigma\sigma\sigma\nu$ so, wie hier geschieht,
verwandt haben. ist bekannt.

Lückenhaft überliefert sind, wie man ziemlich allgemein annimmt, die Worte des Hippolytus V. 1070:

$$\alpha\mathring{\iota}\alpha\tilde{\iota}. \ \pi\varrho\grave{o}\varsigma \ \mathring{\eta}\pi\alpha\varrho \ \delta\alpha\varkappa\varrho\acute{\upsilon}\omega\nu \ \tau' \ \mathring{\epsilon}\gamma\gamma\grave{\upsilon}\varsigma \ \tau\acute{o}\delta\epsilon.$$

Man hat vor $\pi\varrho\grave{o}\varsigma \ \mathring{\eta}\pi\alpha\varrho$ ein $\chi\varrho\acute{\iota}\mu\pi\tau\epsilon\iota$ (Wecklein), $\mathring{\epsilon}\varrho\pi\epsilon\iota$ (Reiske), $\chi\omega\varrho\epsilon\tilde{\iota}$,
$\delta\acute{\upsilon}\nu\epsilon\iota$ (Valckenaer) u. a. eingesetzt. Meine Herstellung des Verses

$$\mathring{q}\sigma\sigma\epsilon\iota \ \pi\varrho\grave{o}\varsigma \ \eta\pi\alpha\varrho \ \delta\alpha\varkappa\varrho\acute{\upsilon}\omega\nu \ \tau' \ \mathring{\epsilon}\gamma\gamma\grave{\upsilon}\varsigma \ \tau\acute{o}\delta\epsilon$$

stützt sich auf Troad. 156: $\delta\iota\grave{\alpha} \ \delta\grave{\epsilon} \ \sigma\tau\acute{\epsilon}\varrho\nu\omega\nu \ \varphi\acute{o}\beta\sigma\varsigma \ \mathring{\alpha}\mathring{\iota}\sigma\sigma\epsilon\iota$, und
ob $\alpha\mathring{\iota}\alpha\tilde{\iota}$ aufserhalb des Verses stehen soll oder nicht, man begreift,
f $\mathring{q}\sigma\sigma\epsilon\iota$ ebenso leicht nach $\alpha\mathring{\iota}\alpha\tilde{\iota}$ ausfallen als in dieses übergehen
konnte.

Die Worte, die dem Hippolytus diesen Schmerzensruf entlocken,
lauten (V. 1068):

$$\mathring{\upsilon}\sigma\tau\iota\varsigma \ \gamma\upsilon\nu\alpha\iota\varkappa\tilde{\omega}\nu \ \lambda\upsilon\mu\epsilon\tilde{\omega}\nu\alpha\varsigma \ \mathring{\eta}\delta\epsilon\tau\alpha\iota$$
$$\xi\acute{\epsilon}\nu\sigma\upsilon\varsigma \ \varkappa\sigma\mu\acute{\iota}\zeta\omega\nu \ \varkappa\alpha\grave{\iota} \ \xi\upsilon\nu\sigma\iota\varkappa\sigma\acute{\upsilon}\varrho\sigma\upsilon\varsigma \ \varkappa\alpha\varkappa\tilde{\omega}\nu.$$

Gegen $\varkappa\alpha\lambda\tilde{\omega}\nu$ (als partic.), das Weil vorgeschlagen, Wecklein aufgenommen, habe ich nur dies zu bemerken: ob man $\varkappa\alpha\lambda\epsilon\tilde{\iota}\nu$ im Sinne
von ‚appellare‘ oder ‚invitare‘ fafst, zu dem Objekt $\xi\upsilon\nu\sigma\iota\varkappa\sigma\acute{\upsilon}\varrho\sigma\upsilon\varsigma$ pafst
hier wohl mehr ein Verbum des Beherbergens, des Schützens, also:
$\xi\acute{\epsilon}\nu\sigma\upsilon\varsigma \ \varkappa\sigma\mu\acute{\iota}\zeta\omega\nu \ \varkappa\alpha\grave{\iota} \ \xi\upsilon\nu\sigma\iota\varkappa\sigma\acute{\upsilon}\varrho\sigma\upsilon\varsigma \ \sigma\varkappa\epsilon\pi\tilde{\omega}\nu$.

Zeitgenössischen Pythagoreern und Orphikern, solchen, welche
die $\mathring{\alpha}\pi\sigma\chi\grave{\eta} \ \mathring{\epsilon}\mu\psi\acute{\upsilon}\chi\omega\nu$ zur Schau trugen, gelten die Worte 952 ff. :

$$\delta\iota' \ \mathring{\alpha}\psi\acute{\upsilon}\chi\sigma\upsilon \ \beta\sigma\varrho\tilde{\alpha}\varsigma$$
$$\sigma\acute{\epsilon}\beta\alpha\varsigma \ \varkappa\alpha\pi\acute{\eta}\lambda\epsilon\upsilon' \ \text{'}O\varrho\varphi\acute{\epsilon}\alpha \ \tau' \ \mathring{\alpha}\nu\alpha\varkappa\tau' \ \mathring{\epsilon}\chi\omega\nu$$
$$\beta\acute{\alpha}\chi\chi\epsilon\upsilon\epsilon \ \pi\sigma\lambda\lambda\tilde{\omega}\nu \ \gamma\varrho\alpha\mu\mu\acute{\alpha}\tau\omega\nu \ \tau\iota\mu\tilde{\omega}\nu \ \varkappa\alpha\pi\nu\sigma\acute{\upsilon}\varsigma.$$

Mit Wecklein schreibe ich $\sigma\acute{\epsilon}\beta\alpha\varsigma$ für $\sigma\acute{\iota}\tau\sigma\iota\varsigma$ und verweise auf seine Erklärung. Jedenfalls ist die Verbesserung durchaus sinngemäfs, ich dachte
an $\mathring{\upsilon}\psi\sigma\varsigma \ \varkappa\alpha\pi\acute{\eta}\lambda\epsilon\upsilon\epsilon$ ‚erhandle dir Hoheit, umgib dich mit dem Nimbus
einer Person, welche über andere erhaben sein will.‘ Für das nichts-
sagende $\pi\sigma\lambda\lambda\tilde{\omega}\nu$ ist das metrisch bedenkliche $\pi\sigma\lambda\iota\tilde{\omega}\nu$ von Musgrave
vorgeschlagen. $K\sigma\mu\psi\tilde{\omega}\nu$, $\varphi\alpha\acute{\upsilon}\lambda\omega\nu$ und $\lambda\epsilon\pi\tau\tilde{\omega}\nu$ vermutete ich früher; für
letzteres schien mir namentlich das Diphilosfragm. 61 (K.) zu sprechen,
denn die Worte $\mathring{\alpha}\nu \ \delta\grave{\epsilon} \ \pi\lambda\acute{\alpha}\gamma\iota\sigma\varsigma \ \varkappa\alpha\grave{\iota} \ \lambda\epsilon\pi\tau\acute{o}\varsigma$ (V. 7) beziehen sich auf
$\varkappa\alpha\pi\nu\acute{o}\varsigma$ (V. 4). Aber der Überlieferung näher kommt ein Adjectiv, das im
eigentlichen Sinn auf die Buchstabenform, im übertragenen auf das
Wesen der hieratischen Spruch- u. Orakelpoesie hinweist; ich erinnere

in erster Beziehung an das bekannte Theseusfragm. 382 (N.⁹): ἐγὼ
πέφυκα γραμμάτων μὲν οὐκ ἴδρις. wo es V. 9 heifst: λοξαὶ δ᾽ἐπ᾽
αὐτῆς τρεῖς κατεστηριγμέναι εἰσίν (sc. γραμμαί), in zweiter Hinsicht
z. B. an Lycophr. 14 ἄνειμι λοξῶν εἰς διεξόδους ἐπῶν. Ich möchte
also den Theseus sagen lassen:

Ὀρφέα τ᾽ ἄνακτ᾽ ἔχων
βάκχευε λοξῶν γραμμάτων τιμῶν καπνούς.

12. Schon 3 Tage ist Phädra ohne Nahrung geblieben; der Chor
will den Grund hiervon wissen V. 276:

πότερον ὑπ᾽ ἄτης ἢ θανεῖν πειρωμένη;
TP.	θανεῖν · ἀσιτεῖ δ᾽εἰς ἀπόστασιν βίου.

In der Antwort der Amme ist θανεῖν unmöglich; das haben vor
Wilamowitz, der über das fehlerhafte der Überlieferung Hippol. S. 200
spricht, schon andere gesehen. Welches die Wirkung des Fastens
schliefslich sein wird, begreift die Amme; von einer mit θανεῖν πειρωμένη ausgesprochenen Absicht Phädras weifs sie nichts. Was Wil.
in den Text gesetzt hat, οὐκ οἶδ᾽ (statt θανεῖν), ist von Vitelli vermutet; wahrscheinlicher wäre bei dieser Auffassung: λήθει μ᾽; man
müfste dann annehmen, dafs λανθάνει erklärend zu λήθει geschrieben
wurde und so θανεῖν in den Text kam. Was bedeutet ἄτη hier?
Wil. übersetzt; ‚Aus Krankheit', schwerlich mit Recht. Als eine ἄτη
wird der Wahnsinn, das sinnlose Thun des Aias bezeichnet (Soph. Ai.
123) ἄτη συγκατέζευκται κακῇ. Ich denke, die Frauen von Trözen
fragen: ‚Ist Phädra, wenn sie die Nahrung sich versagt, von Sinnen
und weifs nicht, was sie thut, oder ist es ihre Absicht zu sterben?'
Die Amme erwidert: .natürlich ist sie von Sinnen, aber das Fasten
wird ihr — ob sie sterben will oder nicht will — den Tod bringen; also:

μανεῖσ᾽ · ἀσιτεῖ δ᾽ εἰς ἀπόστασιν βίου.

μανεῖσ᾽, und nicht θανεῖν, sagt die Amme, vgl. V. 214 μανίας ἔποχον
δίπτουσα λόγον und V. 241 ἐμάνην, ἔπεσον δαίμονος ἄτῃ. Diese
letzten Worte, die Phädra selbst spricht, bestätigen nicht blos das
vorgeschlagene μανεῖσ᾽, sondern sind auch, meine ich, für die Auffassung von ὑπ᾽ ἄτης entscheidend.

Heidelberg. 	H. Stadtmüller.

Zu Quintilianus.

V 13, 49—50. nonnumquam tamen aliquid simile contradictioni
poni potest, si quid ab aduersario testationibus conprensum in aduo-
cationibus est iactatum: respondebimus enim rei ab illis dictae, non
a nobis excogitatae: aut, si id genus erit causae, ut proponere pos-
simus certa, extra quae dici nihil possit, ut, cum res furtiua in domo
deprensa sit, dicat necesse est reus, aut se ignorante inlatam aut de-
positam apud se aut donatam sibi: quibus omnibus, etiamsi proposita
non sunt, responderi potest. at in scholis recte et ⟨propositionibus⟩
et contradictionibus occurremus, ut in utrumque locum, id est primum
et secundum simul exerceamur.

In den „Abhandlungen aus dem Gebiet der klassischen Alter-

tumswissenschaft Wilhelm von Christ zum sechzigsten Geburtstag dargebracht von seinen Schülern" habe ich auf S. 75—87 siebzehn
Stellen der Institutio oratoria besprochen.   Mein hochverehrter Lehrer
hatte die Freundlichkeit, die von mir zu diesen Stellen gemachten
Vorschläge genau zu prüfen und mir seine Bedenken gegen vier derselben brieflich mitzuteilen.   Zu V 13, 50 schlug ich vor: at in scholis
recte *et a nobis* ⟨excogitatis⟩ contradictionibus occurremus.   Christ ist
mit mir der Ansicht, daſs keine Ausgabe an dieser Stelle einen befriedigenden Text bietet und daſs bei der Verbesserung desselben
von A, welcher id in scholis recte enaribus contradictionibus occurremus gibt, ausgegangen werden muſs.   Er glaubt jedoch, daſs mein
Vorschlag zu weit von A abweicht, und vermutet, daſs in enaribus
ein Komparativ steckt.   Damit ist, glaube ich, der richtige Weg zur
Heilung der Stelle gezeigt.   Ich schlage nun vor: at in scholis recte
et rarioribus contradictionibus occurremus.   Auf dem Forum, sagt
Quintilian, dürfen wir, wenn wir an erster Stelle sprechen, nur in
zwei Fällen von dem Gegner zu erwartenden Gegenreden entgegen-
treten, nämlich wenn aus der den eigentlichen Reden vorangegangenen
Verhandlung bereits klar geworden ist, von welcher Gegenrede der
Gegner Gebrauch machen wird, oder wenn der Fall von der Art ist,
daſs wir Bestimmtes annehmen[1]) können, auſser welchem nichts gesagt
werden kann, wie z. B., wenn ein gestohlener Gegenstand im Hause
gefunden worden ist, der Angeklagte notwendig sagen muſs, entweder
derselbe sei ohne sein Wissen hineingebracht oder er sei bei ihm
hinterlegt oder er sei ihm geschenkt worden; auf dies alles kann,
wenn es auch nicht vorgebracht worden ist, geantwortet werden.   In
den Schulen hingegen werden wir mit Recht nicht nur gewöhnlichen,
wie den eben angeführten, sondern auch selteneren Gegenreden ent-
gegentreten, damit wir uns für beide Stellen, für die erste und für
die zweite, zugleich einüben.

VIII Pr. 12. credere modo qui discet uelit. † certa quaedam
uaria est, et in qua multa etiam sine doctrina praestare debeat per
se ipsa natura, ut haec, de quibus dixi, non tam inuenta a praecep-
toribus quam, cum fierent, obseruata esse uideantur.

Bei der Besprechung dieser schwierigen Stelle habe ich, worauf
mich Herr Gymnasialdirektor Becher in Aurich freundlich aufmerksam
gemacht hat, von den vielen Verbesserungsvorschlägen leider drei
übersehen.   Der Vorschlag von Moriz Haupt *aperta* quaedam *area* est
(Hermes IV. S. 335) hat, meiner Ansicht nach, mit Recht keinen Beifall gefunden.   Claussen schlug vor (Quaest. Quint. p. 338): credere modo
qui discet uelit. certa quaedam *uia* est, et in qua etc.   Da dieser

---

[1]) Die Handschriften und die Ausgaben geben proponere.   Ich würde lieber
ponere schreiben; vgl. § 42 Declamatores . . . sunt admonendi, ne contradictiones
eas ponant, quibus facillime responderi possit und § 49 poni potest.   proponere
gebraucht Quintil. nicht von den Gegenreden, welche wir dem Gegner in den
Mund legen, sondern von denen, welche dieser selbst vorbringt; vgl. § 46 nunquam iis responsurum aduersarium fuisse, quae proposita non essent und § 49
quibus omnibus, etiamsi proposita non sunt, responderi potest.

Vorschlag von Becher, welcher eine neue Quintilianausgabe vorbereitet, gebilligt wird (vgl. Jahresb. von Bursian-Müller 1887 S. 81), so scheint mir eine kurze Besprechung desselben keine überflüssige Sache zu sein. Wir erhalten durch ihn folgenden Gedanken: „Wenn nur der Lernende nicht widerstreben will! Es gibt einen Weg, welcher sicher ist, und bei welchem die Natur vieles auch ohne theoretische Unterweisung für sich allein leisten. muſs, so daſs die angeführten Regeln von den Lehrern nicht sowohl erfunden, als vielmehr bei ihrer Handhabung beobachtet worden zu sein scheinen." Wenn ich auch zugeben wollte, daſs credere hier die Bedeutung von non repugnare haben kann (ich muſs gestehen, daſs mich der Hinweis auf XII 11, 12 von der Berechtigung dieser Auffassung nicht überzeugt), so könnte ich mich doch bei diesem Gedanken nicht beruhigen. Da demselben eine kurze Zusammenfassung der von Quint. in den Büchern II—VII aufgestellten rhetorischen Theorie vorangeht, so kann unter certa quaedam uia nur eine sichere Theorie verstanden werden. Kann Quint. in diesem Zusammenhang auf eine sichere Theorie hinweisen, bei welcher die Natur vieles auch ohne theoretische Unterweisung für sich allein leisten muſs —? Mir scheint der Inhalt des Relativsatzes und des sich daran anschlieſsenden Folgesatzes deutlich zu zeigen, daſs Quint. gerade das Gegenteil gesagt hat, nämlich daſs es keine sichere Methode gebe (vgl. § 2 aut, si haec sola didicerunt, satis se ad eloquentiam instructos arbitrantur und § 3 unde existimant accidisse ut, qui diligentissimi artium scriptores extiterint, ab eloquentia longissime fuerint), da die Beredsamkeit eine mannigfaltige Kunst sei, in welcher die Natur vieles auch ohne theoretische Unterweisung für sich allein leisten müsse. Diesem Gedanken kommt näher der Vorschlag von A. Reuter (De Qu. libro qui fuit de causis corruptae eloquentiae p. 11): credere modo qui discet uelit *artem* certam, *eloquentiam uariam esse,* et in qua. Da aber unsere besten Handschr. geben: certa (G tetram) quaedam uaria est, so entfernt man sich weniger weit von der handsch:iftlichen Überlieferung, wenn nach meinem Vorschlag geschrieben wird: credere modo qui discet uelit certam quaʌdam ⟨uiam non esse. eloquentia enim ars⟩ naria est, et in qua etc. Die Lücke kann dadurch entstanden sein, daſs ein Abschreiber von uiā auf naria abirrte. Möglich ist es auch, daſs Quint. geschrieben hat: certa quadam ⟨uia ad eloquentiam non perueniri. haec enim ars⟩ uaria est etc. Vgl. II 3, 5 illa quoque, per quae ad eloquentiam peruenitur; auch I Pr. 5; X 1, 4; X 6, 2.

IX 2, 12. est aliqua etiam in respondendo figura, cum aliud interroganti ad aliud, quia sic utilius sit, occurritur, tum augendi criminis gratia, ut testis in reum rogatus, an ab reo fustibus uapulasset, ‚innocens' inquit: tum declinandi, quod est frequentissimum: ‚quaero an occideris hominem': respondetur ‚latronem': ‚an fundum occupaueris'? respondetur ‚meum'.

Nachdem Quint. in den §§ 6—11 die Figuren behandelt hat, welche durch Anwendung von Fragen gebildet werden können, spricht er in diesem Paragraphen davon, daſs auch in der Antwort eine Figur

liegen könne.   Bedenken erregt mir in demselben das Pronomen aliqua.
Es läßt sich weder durch „irgend eine" übersetzen, denn in dem
durch cum angeknüpften Satze wird die Figur bestimmt bezeichnet,
noch durch „manche", denn es ist nur von e i n e r Figur die Rede,[1])
noch auch durch „einige" oder „eine Art von", denn wenn man auf
etwas anderes entgegnet, als auf das, um was man gefragt ist, so ist
dies eine wirkliche Figur, nicht nur eine Art von Figur. Sollte daher
nicht aliqua in aliquando zu verändern sein? „Es liegt manchmal
auch in der Antwort eine Figur". Vgl. § 95 utilis aliquando etiam
dissimulatio est und XI 1, 68 aliquando etiam inferioribus praecipu-
eque adulescentulis parcere aut uideri decet.   Auch VII 2, 30 sind
die Wörter aliqua und aliquando in den Handschr. verwechselt worden;
dort gibt A aliqua, wofür sich Halm und Meister entschieden haben,
während G M S a aliquando geben.[2])

IX 2, 29. Illa adhuc audaciora et maiorum, ut Cicero existimat,
laterum, fictiones personarum, quae προςωποποιίαι dicuntur: mire
namque cum nariant orationem tum excitant.

In B und A steht namque, aber in A ist das Wort von der
2. Hand auf eine Rasur geschrieben; N gibt nanque, b atq. nam̅,
F atque, T M nam, Alm. atque nam.   Schon diese vielen Varianten
lassen die Berechtigung von namque zweifelhaft erscheinen. Es kommen
aber noch andere Bedenken hinzu. Quint. hat namque häufig gebraucht, aber nur vor vokalisch anlautenden Wörtern. Unsere Stelle
wäre die einzige, wo namque vor einem konsonantisch anlautenden
Worte steht. Auch die Logik spricht gegen namque. Deshalb sollen
die Prosopopöieen noch kühner und kräftiger sein, weil sie eine grosse
Mannigfaltigkeit und Belebung in den Vortrag bringen? Mir scheint
das umgekehrte Gedankenverhältnis zu bestehen.   Weil sie noch kühner
und kräftiger sind, deshalb bringen sie große Mannigfaltigkeit und
Belebung in den Vortrag. Ich glaube daher, daß nicht namque,
sondern itaque zu schreiben ist. Daß Quint. itaque öfters nachgestellt
hat, zeigt ein Blick in das Bonnellsche Lexikon; nach einem Adverbium,
wie hier, steht die Konjunktion I 1, 14 non longe itaque latina sub-
sequi debent.

IX 2, 36. sed formas quoque fingimus saepe, ut Famam Vergilius,
ut Voluptatem ac Virtutem, quemadmodum a Xenophonte traditur,
Prodicus, ut Mortem ac Vitam, quas contendentes in satura tradit
Eunius.

So ist in allen Ausgaben interpungiert. Bei dieser Interpunktion

---

[1]) Wenn man die Übersetzung von Baur liest, so könnte man freilich zu
einer anderen Meinung kommen. Er übersetzte: „Auch die Antwort läßt eine
Figur zu, wenn man etwas anderes, als gefragt wird, weil es so vorteilhafter ist,
erwidert; ferner dient sie zur Erschwerung einer Anschuldigung, wenn z. B.....;
sodann ist sehr häufig. daß man um auszuweichen etc." Es kann ja aber gar
keinem Zweifel unterliegen, daß tum — tum hier „teils — teils" oder „bald —
bald" bedeutet, wie in § 16.

[2]) In § 16 würde ich parum ⟨aptum⟩ est schreiben, was am besten zu conuenit
paßt. Warum dies zu hart sein soll, wie Spalding meinte, kann ich nicht einsehen. Vgl. parum aptum XI 1, 89 und parum apte II 4, 31,

läfst sich zu den Worten ut Mortem ac Vitam nichts anderes hinzu-
denken, als fingimus. Damit ist aber die Koncinnität des Satzes zerstört. Gewahrt wird sie, wenn wir vor Ennius ein Komma setzen.
„Aber auch Wesen ersinnen wir oft, wenn das Gerücht Vergilius, wie
die Lust und die Tugend nach Xenophons Bericht Prodikus, wie den
Tod und das Leben, welche er in einer Satire streiten lässt, Ennius."
. IX 2, 46. . . . . . . cum etiam nita uniuersa ironiam habere nide-
atur, qualis est nisa Socratis. nam ideo dictus εἴρων, agens imperitum
et admiratorem aliorum tamquam sapientium.

Obwohl Quint. est häufig weggelassen hat, so fällt es doch hier
sehr auf, dafs neben dictus nicht est steht, weil sich an die Worte
nam ideo dictus εἴρων eine Participialkonstruktion (agens imperitum etc.) anschliefst. Dennoch würde ich nicht wagen die Einsetzung
des Wörtchens vorzuschagen, wenn sich nicht in Bn, unserer ältesten
Handschrift, wie ich glaube, eine auf est hinweisende Spur finden
liefse. Bn gibt § 44 IPΩNEIAN und IPΩNEIA, ebenso § 48 und § 65.
Ist es nun nicht beachtenswert, dafs die nämliche Handschrift in
unserem Satze nicht iron gibt, wie A, sondern εἴρων? Sollte nicht
in dem ersten Buchstaben dieses Wortes ē = est stecken?[1])

IX 2, 67. Ex his, quod est primum, frequens in scholis est. nam et
pactiones deponentium imperium tyrannorum et post bellum ciuile
senatus consulta finguntur et capitale est obicere ante acta, ut, quod
in foro non expedit, illic nec liceat.

Von § 65 an spricht Quint. von derjenigen Gattung (genus) von
Figuren, in quo per quandam suspicionem quod non dicimus accipi
uolumus, non utique contrarium, ut in εἰρωνείᾳ, sed aliud latens et
auditori quasi inueniendum. Nach § 66 ist ihr Gebrauch ein dreifacher: unus, si dicere palam parum tutum est, alter, si non decet,
tertius, qui uenustatis modo gratia adhibetur etc. Mit unserem Paragraphen beginnt dann die Besprechung der ersten Art. In demselben
verstehe ich nicht, wie sich die Worte et capitale est obicere ante
acta in den Zusammenhang einfügen sollen. In den Kommentaren
findet sich keine Bemerkung hierüber. Baur übersetzte: „Man erdichtet (Amnestie-) Verträge von Tyrannen, welche ihre Herrschaft
niederlegen, u. Senatsbeschlüsse nach einem Bürgerkrieg; es gilt als
todeswürdiges Verbrechen Vergangenes vorzurücken, und was auf dem
Forum nicht ratsam ist, ist dort gar nicht erlaubt." Dadurch wird
man nicht klüger. Vielleicht ist zu schreiben: ut ,capitale est obicere
ante acta'. Wir können dann übersetzen: denn es werden Verträge
von abtretenden Tyrannen und Senatsbeschlüsse nach einem Bürgerkriege erdichtet, z. B. „es ist ein todeswürdiges Verbrechen frühere
Handlungen vorzuwerfen", so dafs, was auf dem Forum nicht förderlich ist, dort auch nicht erlaubt ist. Vgl. § 97 aduersus tyrannum,
qui sub pacto abolitionis (Amnestie) dominationem deposuerat.

IX 2, 76—77. Cum autem obstat nobis personae reuerentia, quod

---

[1]) Warum § 97 in den Ausgaben ironia steht, ist nicht einzusehen. In Bn
und A ist das Wort mit griechischen Buchstaben geschrieben (Bn gibt IPΩNIA);
in M ist es ausgelassen, wie gewöhnlich die griechischen Wörter.

secundum posuimus genus, tanto cautius dicendum est, quanto ualidius
bonos inhibet pudor quam metus. hic nero tegere nos iudex, quod
sciamus, et uerba ui quadam ueritatis erumpentia credat coercere.
nam + quo minus aut ipsi, in quos dicimus, aut iudices aut adsis-
tentes oderint hanc maledicendi lasciuiam, si uelle nos credant? aut
quid interest, quo modo dicatur, cum et res et animus intellegitur?
quid dicendo denique proficimus, nisi ut palam sit facere nos, quod
ipsi sciamus non esse faciendum?

Während bei der ersten Art, bei welcher nur die Gefahr zu
vermeiden ist, der Richter recht wohl merken darf, was wir mit
unseren Anspielungen beabsichtigen, wenn nur die Mächtigen, deren
Zorn wir zu fürchten haben, uns nicht packen können, ist bei der
zweiten Art, bei welcher Vorwürfe sich nicht geziemen, weil wir der
Person, welche die Vorwürfe treffen würden, Ehrfurcht schuldig sind,
eine viel grössere Vorsicht notwendig.   Hier soll der Richter glauben,
dafs wir das, was wir wissen, verdecken und die Worte, welche mit
der Kraft der Wahrheit sich hervordrängen, zurückhalten.   Der
Sinn ist klar. Was soll aber das nach hic stehende uero? Mir scheint,
dafs in dem mit hic beginnenden Satze eine Folgerung aus dem Vorhergehenden gezogen wird; man würde also statt nero eher ergo erwarten.   Ich glaube, dafs uere zu schreiben ist.   Auch bei der ersten
Art werden die Vorwürfe verdeckt, aber der Richter merkt leicht, dafs
dies nur Verstellung ist.   Bei der zweiten Art aber soll er glauben,
dafs wir sie uere (d. h. aufrichtig, ernstlich; Gegensatz simulate) verdecken.

Dafs der sich hieran anschliefsende Fragesatz nicht richtig überliefert ist, darüber ist man einig.   Regius wollte nam quo minus in
namque minus und das im Bedingungssatze stehende uelle in nolle
verändert sehen.   Die Vulgata ist: nam quanto minus.   Halm hätte
gern nam quanto magis geschrieben.   Meister hat nam quaeso minus
(K. Schenkl) in den Text aufgenommen.   Gegen quaeso spricht nur,
dafs Quint. dieses Wort an keiner anderen Stelle seines Werkes gebraucht hat.   Die einzige Stelle, wo quaeso vorkommt, ist VIII 3, 25,
wo es heifst: satis est netus ‚quaeso‘: quid necesse est ‚quaiso’[1])
dicere?   Mir scheinen vor allem die Worte hanc maledicendi lasciuiam
einer Verbesserung zu bedürfen.   Das Pronomen hanc zeigt deutlich,
dafs nur an diejenige Art des Schmähens gedacht werden darf, von
welcher im Vorhergehenden die Rede war.   Kann man nun, wenn
der Redner sich bemüht seine Angriffe auf jemand zu verdecken, mag
dies ernsthaft gemeint sein oder nicht, von einem mutwilligen, ausgelassenen Schmähen sprechen?   Können mutwillige, ausgelassene
Schmähungen gegen Personen, welchen man Ehrfurcht schuldig ist,
unter irgend einer Bedingung weniger hassenswert erscheinen?   Ist es
überhaupt denkbar, dafs ein Redner, welcher mutwillig, ausgelassen
schmäht, nicht schmähen will? lasciuiam scheint mir durchaus nicht
in den Zusammenhang zu passen.   Es wird wohl hiefür latebram zu
schreiben sein.   Da tegere vorausgeht, ist der bildliche Ausdruck leicht

---

[1]) So schreibe ich mit Meister nach Gertz.

zu verstehen. Bei Gellius findet sich 17, 9, 4 latebra scribendi, was
Georges übersetzt: dunkle, nur dem Eingeweihten verständliche Ausdrucksweise. Ähnliche bildliche Ausdrücke gebraucht Quint. § 78, wo
er von den versteckten Anspielungen sagt: haec deuerticula et an-
fractus suffugia sunt infirmitatis. Unseren Fragesatz würde ich übersetzen: „Denn wie werden diejenigen selbst, gegen welche wir sprechen,
oder die Richter oder die Umstehenden diese versteckten Schmähungen
weniger hassen, wenn sie glauben, dass wir schmähen wollen"? Die
in quo liegende Schwierigkeit läfst sich, glaube ich, am leichtesten
dadurch beseitigen, dafs wir qui schreiben. Vor minus konnte aus
qui leicht quo werden. Quint. hat das adverbiale qui öfters gebraucht;
vgl. z. B. VII 3, 34 qui ergo puniri debent, in quibus omnia † sunt
homicidae praeter manum?[1])
     Der zweite Fragesatz („Oder was macht es für einen Unterschied,
wie etwas gesagt wird, wenn sowohl die Sache als auch die Absicht
verstanden wird?") schliefst sich nun ganz passend an. In dem dritten
Fragesatz macht dicendo Schwierigkeiten. Das Wort steht in B nicht;
wir dürfen es aber doch nicht fallen lassen, weil quid denique proficimus allein nicht genügt. Wie soll es aber verstanden werden?
Baur übersetzte: „dadurch, dafs wir etwas heraussagen." Gerade das
Gegenteil erfordert der Zusammenhang. Wenn wir etwas offen heraussagen, dann zeigen wir nicht, dafs wir wissen, dafs wir etwas Un-
rechtes thun; wenn wir aber unsere Angriffe versteckt machen, dann
wird es offenbar, dafs wir etwas thun, von dem wir selbst wissen,
dafs wir es nicht thun sollten. Ich glaube daher, dafs zu schreiben
ist: quid ⟨sic⟩ dicendo denique‘ proficimus etc. „Was endlich gewinnen wir, wenn wir so (d. h. versteckt, aber doch so, dafs man
unsere schlimme Absicht durchschaut) sprechen, als dafs es offenbar
wird, dafs wir etwas thun, von dem wir selbst wissen, dafs wir es
nicht thun sollten." sic konnte vor dic leicht ausfallen. Vgl. § 84
sic dicentibus.
     IX 2, 100—101. Comparationem equidem uideo figuram quoque
esse, cum sit interim probationis, interim etiam causae genus, et sit
talis eius forma, qualis est pro Murena: ,uigilas tu de nocte, ut tuis
consultoribus respondeas, ille, ut eo, quo contendit, mature cum exercitu perueniat: te gallorum, illum bucinarum cantus exsuscitat' et
cetera. nescio an orationis potius quam sententiae sit. id enim solum
mutatur, quod non uniuersa uniuersis, sed singula singulis opponun-
tur. et Celsus tamen et non neglegens auctor Visellius in hac eam
parte posuerunt, Rutilius quidem Lupus in utroque genere etc.
     Die Handschr. geben: figuram non esse und et si talis. Die Ver-
änderung von non in quoque, welche Halm vornahm, ist sehr gewaltsam und ergibt doch keinen Gedanken, mit dem sich die folgenden
Worte, besonders die Worte et sit talis eius forma, vereinigen lassen.
Besser ist der Vorschlag Madvigs; er schlug vor non in nunc und et

---

[1]) Die Stelle ist nicht richtig überliefert, aber in qui liegt der Fehler sicherlich nicht. Vgl. über diese Stelle Philologus 1891 S. 180.

si in etsi zu verändern und nescio an orationis potius quam sententiae
sit mit etsi talis eius forma zu verbinden. Meister hat diesen Vorschlag in den Text aufgenommen. Ich glaube nicht, daſs man sich
dabei beruhigen kann. Der Gedankengang wäre folgender: „Die Vergleichung ist, wie ich sehe, jetzt eine Figur, während sie doch bisweilen zu der Beweisführung gehört, bisweilen auch eine Gattung der
Rechtsfälle ist, obwohl eine solche Form derselben, wie sie sich in
der Rede für Murena findet, vielmehr unter die Wortfiguren als unter
die Gedankenfiguren gehören dürfte“. Dass esse = nideri genommen
werden müſste, könnte man sich wohl gefallen lassen. Aber es läſst
sich doch nicht annehmen, daſs Quint. an den ersten Konzessivsatz
(anders wird sich der mit cum beginnende Satz nicht auffassen lassen)
einen zweiten mit etsi angeknüpft hat. Dazu kommt, daſs sich die
Konzessivsätze weder unter einander noch mit dem Hauptsatze recht
vertragen. Wenn man den ersten Konzessivsatz liest, so muſs man
glauben, daſs Quint. selbst die Vergleichung nicht als eine Figur gelten
lassen wollte, und doch zeigt·der zweite Konzessivsatz, daſs er derselben, wenn sie eine gewisse Form hatte, den figürlichen Charakter
nicht absprach. Das logische Verhältnis des zweiten Konzessivsatzes
zum Hauptsatze wäre nur dann ein klares, wenn es in diesem hieſse:
figuram sententiae nunc esse.

Ich lasse non und et si ganz unverändert, setze aber nach
esse *per se* ein.[1]) Wir erhalten so folgenden Gedankengang: „Die Vergleichung ist, so viel ich sehe, an und für sich noch keine Figur, da
sie bisweilen zu der Beweisführung gehört (vgl. V 11, 22), bisweilen
auch eine Gattung der Rechtsfälle ist (vgl. III 10, 3), und wenn die
Form derselben eine solche ist, wie in der Rede für Murena, so weiſs
ich nicht, ob sie nicht vielmehr unter die Wortfiguren als unter die
Gedankenfiguren gehört: denn es findet nur die eine Abweichung von
der gewöhnlichen Ausdrucksweise statt, daſs nicht das Ganze dem
Ganzen entgegengestellt wird (in diesem Falle hätten wir zwar eine
Vergleichung, aber keine Figur), sondern das Einzelne dem Einzelnen
(tu — ille, te — illum, tu — ille, tu — ille, ille — tu, ille — tu).
Celsus jedoch und Visellius haben sie unter die Gedankenfiguren gerechnet, Rutilius Lupus freilich unter beide Gattungen“. Zu figuram
non esse per se vgl. § 34 haec cum per se figura est, tum duplicatur.
Daſs in dem Bedingungssatze die Kopula est fehlt, ist bei Quint. nicht
anstöſsig (vgl. VII 2, 18 si innocens, si bene meritus etc.); es ist
freilich sehr leicht möglich, daſs ē vor eius ausgefallen ist.

---

[1]) Per se ist nachgestellt, weil der Nachdruck darauf liegt; ebenso ist es
es gestellt VI 2, 21 und XI, 3, 9.

München.   M o r i z K i d e r l i n.

~~~~

Monumenta Germaniae paedagogica. Bd. VIII. Braun-
schweigische Schulordnungen von den ältesten Zeiten bis zum
Jahre 1828 mit Einleitung, Anmerkungen, Glossen und Register.
Herausgegeben von Professor D. Dr. Friedrich Koldewey,
Direktor des Herzoglichen Realgymnasiums in Braunschweig. 2. Bd.
Schulordnungen des Herzogtums Braunschweig (mit Aus-
schlufs der Hauptstadt des Landes). Berlin. A. Hofmann u.
Comp. 1890. CXCV u. 810 S.

Dem ersten Band Braunschweigischer Schulordnungen, mit welchem
Koldewey im J. 1886 die Sammlung Kehrbachs eröffnet hat, s.
XXIV. Bd. d. Bl. S. 233 ff., läfst derselbe jetzt als Abschlufs dieser
Veröffentlichung über die ältere Schulgeschichte des Herzogtums Braunschweig einen zweiten sehr umfangreichen Band folgen, welcher die
übrigen Schulordnungen des Landes mit Ausschlufs derjenigen der
Hauptstadt umfafst. Wir begegnen hier der nämlichen umfassenden
historischen Kenntnis und der nämlichen das Verständnis in jeder
Richtung fördernden Sorgfalt wie im ersten Bande; mit diesem Werke
ist der Erforschung und Darstellung der deutschen Schulgeschichte
eine Grundlage von bleibendem Werte geboten.

In der Einleitung S. I—CLIV gibt der Herausgeber auf Grund
der hier abgedruckten schulgeschichtlichen Urkunden einen Überblick
über die Entwicklung des Braunschweigischen Schulwesens aufserhalb
der Hauptstadt des Landes; in klarer, auf ausgebreiteten historischen
Studien fufsender Darstellung wird die Absicht verfolgt, „den Boden, aus
dem die einzelnen Dokumente hervorwachsen, die Persönlichkeiten, denen
sie ihre Entstehung verdankten, und die Zeit, für welche sie von Bedeutung waren, dem Auge des Beschauers ein wenig näher zu rücken."
Auf S. CLVI—CXCV folgen textkritische und bibliographische Erläuterungen zu den einzelnen Stücken, durch welche wir über den Fundort
derselben oder ihre erste Veröffentlichung genau unterrichtet werden.
Darauf sind S. 1—592 77 schulgeschichtliche Dokumente abgedruckt
aus den Jahren 1248—1826 mit einer Nachlese von 7 Stücken. Erklärende Anmerkungen, welche sich anschliefsen, ferner ein Glossar,
ein Verzeichnis der benutzten Schriften und Abhandlungen, endlich
ein äufserst sorgfältiges Namen- und Sachregister sind förderliche
Hilfsmittel zur Benützung des Werkes.

Aus der Zeit des Mittelalters ist die Ausbeute an Urkunden nicht von Bedeutung; in der Einleitung erhalten wir aber ein klares Bild der Entstehung und der Ziele der verschiedenen Schularten der ältesten Zeit, der Kloster- und Stiftsschulen, der Pfarrschulen u. der Stadtschulen; insbesondere hat der Herausgeber hier auch vereinigt, was an historischer Überlieferung über die Entwicklung und das zeitweise rege wissenschaftliche Leben in der Klosterschule zu Gandersheim vorliegt; die sechs Dramen der gelehrten Klosterfrau Hrotsvitha bezeichnet er als „das erste der Nachwelt erhaltene Schulbuch, das innerhalb der Grenzen des Herzogtums Braunschweig verfafst wurde."

Die erste hier abgedruckte Schulordnung aus der Zeit nach der Reformation vom J. 1543 ruht auf Melanchthons kursächsischem Lehrplan von 1528, die zweite vom J. 1569 ist ein nahezu wörtlicher Abdruck der Württembergischen des Herzogs Christoph. Besondere Beachtung verdient dagegen die Schulordnung des Herzogs August vom J. 1651, über deren Inhalt Koldewey in einer besonderen Schrift gehandelt hat s. XXIV. Bd. d. Bl. S. 569. Aus den dem 18. Jahrhundert angehörigen, hier zum Teil zum ersten Mal veröffentlichten Ordnungen ersieht man, wie allmählich auch deutsche Stilübungen in den Lateinschulen Aufnahme finden; so wird in der Schulordnung der Stadt Helmstedt vom J. 1756 eine von den Schülern selbst ausgearbeitete deutsche oder lateinische Rede gefordert s. S. 392, und in den Vorschriften der Stadt Holzminden heifst es: „Die reinigkeit der deutschen sprache wird in dieser clafse (der obersten) mit allem ernste getrieben, und die schüler werden, nachdem das, was in der vorigen clafse von den briefen bereits gefafset ist, wiederholet worden, zur ausarbeitung allerley aufsätze, insonderheit kleinerer und längerer deutschen Reden angewiesen." In Helmstedt wurde auch bereits 1779 ein philologisch-pädagogisches Institut begründet, über dessen Einrichtung S. 464—477 Näheres mitgeteilt ist. Zehn Studierende der Universität waren in einem philologischen Seminar vereinigt und erhielten von dem Direktor desselben Unterricht „in der theorie der erziehung, den sogenannten schönen wissenschaften, der erklärung der klafsischen schriftsteller der Griechen und Römer, nebst den dazu gehörigen hülfskenntnissen in der geschichte, der philosophie und der litteratur überhaupt u. s. w., ferner übung im disputiren und andern mündlichen und schriftlichen vorträgen." Die „geschicktesten" Mitglieder dieses Seminars erteilten zugleich Unterricht in dem Pädagogium, einer Lehranstalt, welche zur Universität vorbereitete. Über die Anforderungen, welche im 17. u. 18. Jahrhundert bei der Prüfung der angehenden Lehrer der Lateinschulen gestellt wurden, finden sich S. 140 ff. und S. 541 ff. recht interessante Zeugnisse. Im Jahre 1823 wurde in Braunschweig die Reifeprüfung eingeführt, doch mufsten sich derselben nur diejenigen unterziehen, welche sich um bestimmte Benefizien bewarben; über den Zweck der neuen Einrichtung kommt daher der Herausgeber an der Hand der bezüglichen Verordnungen zu folgender Anschauung: „Hiernach war die Einführung der Maturitätsprüfung im Herzogtum Braunschweig zunächst und der Hauptsache nach eine Maſsregel von aristokratischem Gepräge, dazu bestimmt, untüchtigen Plebejern den Eintritt in die Reihen der Optimaten des bureaukratischen Staates, der sogenannten Honoratioren, zu verschlieſsen."

Monumenta Germaniae paedagogica. Band IX. Ratio studiorum et institutiones scholasticae Societatis Jesu per Germaniam olim vigentes collectae concinnatae dilucidatae a G. M. Pachtler S. J. Volumen III Ordinationes Generalium et ordo studiorum generalium ab anno 1600 ad annum 1772. Berlin. Hofmann u. Comp. 1890 XVIII u. 486 S.

In diesem dritten, wieder ziemlich umfangreichen Bande der Sammlung der auf das Schulwesen der Jesuiten bezüglichen Urkunden gibt Pachtler als ersten Teil die Anordnungen der Generäle über das Studienwesen vom Jahre 1600 bis gegen die Zeit der Unterdrückung des Ordens, als zweiten die Verordnungen über die akademischen Studien in dem nämlichen Zeitraum. Die meisten dieser 91, der Zeitfolge nach geordneten Dokumente beziehen sich auf das Studium der Theologie und Philosophie; da jedoch in dem „Studium generale" der Jesuiten auch die sogenannten „niederen Schulen" oder die Gymnasialstudien inbegriffen sind, so finden sich hier auch vereinzelte Anordnungen über letztere. Diese Erlasse geben Zeugnis, mit welch eingehender Fürsorge die oberste Leitung des Ordens bestrebt war, das Ansehen des jesuitischen Schulwesens zu behaupten; wir entnehmen daraus Einiges zur Ergänzung der Mitteilungen, welche wir bei Gelegenheit der Anzeige des ersten und zweiten Bandes dieses Werkes über die Pflege der Humanitätsstudien bei den Jesuiten machten s. XXVI Bd. d. Bl. S. 111 ff. S. u. 226 ff. In der zweiten Hälfte des 17. Jahrhunderts schritt der P. General Oliva in einem Rundschreiben gegen die zunehmende Verderbnis der Latinität ein. „Nec jam esse, quales olim erant quam plurimi, cujus vel in scribendo nitor et elegantia vel in dicendo vis efficaciaque spectabilis sit. Quae quidem ornamenta nobis tam propria quondam erant, ut vel soli vel praecipui haberemur, quorum non minus purus sermo quam potens in persuadendo facundia celebraretur. Nunc vero reperire complures est, qui egregii Magistri audire velint, si verborum inani tinnitu aures feriant et caducis flosculis orationem inspergant, licet eloquentiae interim omne robur enervent." Im Jahrhundert der Aufklärung litten unter dem sinkenden Ansehen des Jesuitenordens auch seine Schulen. Ein Rundschreiben des Generals Ignatius Vicecomes (Visconti) vom J. 1752 gibt zunächst dem Bewuſstsein Ausdruck, welche Bedeutung gerade die Humanitätsstudien in dem Unterrichtssystem der Jesuiten hatten: „Unum addi potest fortasse: si qua re hactenus minima haec Societas inter alias religiosas familias eminuit, his maxime litteris eminuisse"; darauf wird auf die drohende Gefahr der Minderung der Frequenz der Schulen des Ordens hingewiesen: „Namque, ut hoc non dissimulem, perdiu latinitatis scholae praeter nostras fuerunt prope nullae aut certe admodum paucae, ut cogerentur parentes suos ad nos liberos mittere vel inviti. Nunc vero multis in locis multae sunt certantque cum nostris, ac periculum est, dum istae sensim invalescunt, nostrarum paulatim frequentia concidat et fama senescat;" als das erste Heilmittel wird dann die rechte Würdigung und Schätzung des Berufes der Gymnasiallehrer innerhalb des Ordens hervorgehoben: „Efficiendum, ut omnes intelligant, etiamsi scholarum inferiorum administratio committi junioribus soleat, non proinde juvenile ministerium esse, sed pari apud nos loco haberi praestantes rhetores atque aliarum facultatum professores."

J. Lehmann, Universitätsprofessor in Kiel, Die Reform der Gymnasien. Ein Wort zur Einigung. Kiel, Lipsius u. Tischer. 12 S.

Dr. Paul Cauer, Gymnasial-Oberlehrer. Privatdocenten der klassischen Philologie an der Universität Kiel. Staat und Erziehung, Schulpolitische Bedenken. Kiel u. Leipzig, Lipsius u. Tischer. 1890. 94 S.

Otto Perthes, Oberlehrer am Gymnasium zu Bielefeld, Die Notwendigkeit einer durchgreifenden Umgestaltung unseres Schulwesens. Eine Antwort auf Oskar Jägers Schrift: Das humanistische Gymnasium. Gotha, Perthes 1890. 50 S.

H. Raydt (Verfasser von „Ein gesunder Geist in einem gesunden Körper", Mehr Erziehung für die deutsche Jugend. Ein Wort zu den Verhandlungen über die Schulreform. Hannover, Manz 1890. 32 S.

Konrektor Prof. Dr. Ludwig Rudolf Schulze, Vergleich der Bildungsmittel des humanistischen Gymnasiums und des Realgymnasiums. Döbeln, in Kommission bei C. Schmidt. 1890. 24 S.

Friedrich Pietzker, Oberlehrer am Gymnasium zu Nordhausen, Schule und Kulturentwicklung. Vortrag, gehalten im Verein für Schulreform in Berlin. Braunschweig, Salle 1890. 31 S.

Im Brennpunkt der Schulreform-Bewegung. Ein poetischer Klärungsversuch. Frankfurt a. M., Mahlau u. Waldschmidt. 1890. 36 S.

Dr. Friedrich Aly, Gymnasiallehrer, Das Wesen des Gymnasiums. Berlin, Gärtner 1890. 20 S.

Dr. Max Hecht, Gymnasiallehrer in Gumbinnen, Worin besteht die Hauptgefahr für das humanistische Gymnasium und wie läfst sich derselben wirksam begegnen? Gumbinnen, Sterzel. 1890. VI u. 50 S.

Das zustimmende Urteil, welches wir neulich im ganzen über die Ergebnisse der Berliner Schulkonferenz abgaben (s. XXVII. Bd. d.

Bl. S. 73 ff.), ist darin begründet, daſs wir einer grundstürzenden Änderung der gegenwärtigen Gymnasialbildung abwehrend gegenüberstehen. Eine solche aber erkennen wir durchaus in dem Verzicht auf den Unterricht in griechischer Sprache und Literatur. Deshalb kann uns das Realgymnasium nicht als die höhere Schule der Zukunft gelten. Anderseits darf das humanistische Gymnasium an bestehenden Ordnungen und Methoden nicht starr festhalten, denn auch die höhere Schule unterliegt dem Gesetz der historischen Entwicklung. Das ist im allgemeinen der Standpunkt, von dem aus wir in Erwägung ziehen, was in den oben verzeichneten Schriften zur Schulreform geboten ist.

„Man verdopple die Zahl der Schulen und Lehrer und stelle dem Kultusminister jährlich 100 Millionen mehr zur Verfügung!“ · mahnt Lehmann. Gewiſs, das wäre ein radikales Heilmittel für manche Schäden unseres Schulwesens. Dürfen wir aber eine solche Macht und Einigkeit der öffentlichen Meinung in dieser Richtung voraussetzen, daſs die Mahnung wirksam zu werden vermöchte? Um ferner die höhere Schule von solchen Schülern zu befreien, welche nur die Berechtigung zum einjährigen Freiwilligendienst anstreben, ergeht der Ruf: „Darum fort mit dem einjährigen Freiwilligendienst überhaupt!“ Das heiſst den Knoten durchhauen, nicht eine Lösung angeben, wie sie in diesem Falle erforderlich ist. Ebensowenig geht Lehmann auf die Schwierigkeit dieser Fragen hinreichend ein, wenn er eine Dreiteilung der höheren Schule vorschlägt: Philologenschule — Lateingymnasium — Ingenieurschule, und für alle die nämliche Berechtigung fordert.

Gegen die Rückbildung, welche Cauer dem Gymnasialunterricht empfiehlt, nämlich die Einschränkung desselben auf den Lehrbetrieb der alten Lateinschule, haben wir uns bei Gelegenheit der Anzeige seiner Schrift: „Unsere Erziehung durch Griechen und Römer“ XXVII. Bd. d. Bl. S. 102 ff. ausgesprochen. In dem vorliegenden Klagelibell sucht er Einwirkungen der staatlichen Behörden als dem Schulwesen unzuträglich nachzuweisen und einer freieren Bewegung und gröſseren Selbständigkeit der einzelnen Schulen das Wort zu reden. Seine Kritik enthält im Einzelnen manche treffende Bemerkung. So gibt er S. 37 mit Recht einem Bedenken Ausdruck, das sich gegenwärtig jedem praktischen Schulmann aufdrängt: in den neueren Schulreformen schränkt man Lehrstunden und Arbeitszeit der Schüler bereitwilligst ein, die früheren Anforderungen aber bleiben zumeist bestehen. Auch manche Bedenken in bezug auf die neuen preuſsischen Einrichtungen zum Zwecke einer besseren pädagogischen Ausbildung der Lehrer erscheinen beachtenswert, insbesondere wenn S. 51 auf die ungenügende finanzielle Ausstattung der Seminarien hingewiesen wird. Aber dergleichen Ausstellungen an den Schulgesetzen und dem darauf fuſsenden Lehrbetrieb, welche unschwer überall gemacht werden können, vermögen doch nichts gegen den Grundsatz der staatlichen Oberleitung des Unterrichtswesens; wie aber eine solche ohne „positives Eingreifen“ sich vollziehen soll, ist uns nicht erfindlich. Auch können wir nicht zugestehen, daſs im allgemeinen durch staatliche

Verordnungen die pädagogische Wirksamkeit der Einzelnen in einer
Weise gehemmt ist, dafs daraus weitgreifender Schaden erwüchse.

Auch Perthes ist mit der gegenwärtigen Gymnasialbildung
durchaus unzufrieden. Der vorgeschriebene Betrieb des altsprachlichen
Unterrichts führt nach seiner Meinung nur zu ungünstigen Ergebnissen, hauptsächlich deshalb, weil auf die Übersetzungen aus dem
Deutschen in die fremden Sprachen noch allzugrofses Gewicht gelegt
werde; „Lehrpläne, Lehrbücher, Unterricht sollten ausschliefslich auf
das sichere Verständnis der Schriftsteller gerichtet sein." Seine Beweisführung leidet aber an manchen Übertreibungen: einerseits unterschätzt er den geistbildenden Wert jener Übersetzungen und ihre Bedeutung für die Erlernung der Sprachen, andererseits beurteilt er die
Sachlage unrichtig, wenn er behauptet: „So lange die Lehrpläne ihre
bisherigen Forderungen aufrecht halten, so lange haben Lehrer und
Schüler keine Zeit, bei dem Übersetzen aus den Klassikern es bis zu
einer wirklichen Verdeutschung zu bringen und müssen sich mit etwas
Halbrichtigem begnügen." Im wesentlichen stimmen wir trotzdem der
Anforderung bei, dafs in Zukunft jene Übersetzungen aus dem Deutschen
durchaus als Mittel zum Zweck angesehen werden sollen; in dieser
Richtung bewegen sich übrigens auch die Beschlüsse der Berliner
Schulkonferenz und die neue bayerische Schulreform, und man wird
bald erkennen, dafs sich auch die Übersetzung aus dem Deutschen
ins Lateinische als Ziel nicht halten läfst. Aber Perthes bestreitet
weiterhin dem Gymnasium auch das Vorrecht für die Universität vorzubereiten; er leugnet den Wert des Studiums der Alten als einer
auch heute noch nicht entbehrlichen Grundlage für die wissenschaftliche Thätigkeit überhaupt, wie ihn neulich erst wieder E. Zeller in
der Abhandlung „Gymnasium und Universität" treffend nachgewiesen
hat, und er spricht schliefslich von einer Umgestaltung des Schulwesens „auf dem durch Natur und Christentum gegebenen Fundament". Indem also Perthes in seinem unruhigen Reformeifer die
bestehenden Ordnungen verwirft, bildet er sich ein durchaus unklares
Zukunftsideal der höheren Schule.

Raydts Reformgedanken gehen von den Vorzügen der englischen Erziehung aus mit ihrer vornehmlichen Rücksicht auf die Ausbildung des Körpers. Die Jugendspiele sollen obligatorisch werden
und von den Lehrern überwacht werden; jede Schule soll wie mit
einer Turnhalle, so auch mit Schwimmbassin, Schulgarten und Schul-
werkstätte ausgestattet sein; die Nachmittage sollen vom Unterrichte
freigehalten und die häuslichen Arbeiten, abgesehen von den beiden
oberen Klassen, ganz beseitigt werden. Solche Ziele anzugeben ist
ebenso leicht als es schwierig ist sie in die Wirklichkeit umzusetzen.
Wenn sich auch zu jenen grofsartigen Veranstaltungen für die Pflege
des Körpers überall die Geldmittel fänden, so ist doch die geforderte
Entlastung der Schüler von geistiger Arbeit nur denkbar, wenn die
Anforderungen bedeutend herabgesetzt werden. Raydt scheint auch
nicht abgeneigt darauf einzugehen, zugleich aber will er alle unfähigen
Schüler von den Gymnasien entfernt wissen. Wenn wir seine weit-

gehenden Pläne als utopisch bezeichnen, so räumen wir doch ein, daſs sich in unseren Schuleinrichtungen die Sorge für die körperliche Gesundheit in erhöhtem Maſse geltend machen sollte und könnte.

Schulze gehört zu den Realschulmännern der milderen Tonart. Er sucht die Bildungsmittel des Realgymnasiums als gleichwertig denen des humanistischen Gymnasiums zu erweisen und fordert für beide gleiche Rechte. Dem müssen wir immer wieder entgegenhalten, daſs die griechische Literatur eine vollkommenere historische und ästhetische Bildung vermittelt als irgend eine andere. Eine entschiedenere Richtung vertritt schon der Verfasser des oben verzeichneten „poetischen Klärungsversuches"; er spricht für Herstellung der Einheitsschule im Sinne des Realgymnasiums durch Verzicht auf den griechischen Unterricht. Noch durchgreifendere Pläne verfolgt Pietzker. Er erklärt, daſs „wir einer intensiven Beschäftigung mit der Sprache und Literatur der Alten nicht bedürfen"; ferner unter Berufung auf Mommsen, „daſs die Intervention der Schule, um unsere Jünglinge zum Lesen der Klassiker anzuregen, ebensowenig nötig sei, als ein Kursus in der Heiratskunde für Mädchen"; er findet, daſs auch „im Geschichtsunterricht und in den mathematisch-naturwissenschaftlichen Fächern die Rücksicht auf die Verwendbarkeit eine viel zu geringe Rolle spiele" und kommt zu dem Ergebnis: „Wir leiden an einem Übermaſs unfruchtbaren sprachlich-literarischen Schulwissens". In welcher Weise die neue mehr verwendbare Bildung im Einzelnen sich gestalten soll, hat er noch unterlassen anzugeben, auſser daſs er einer „Gabelung der Oberstufe der höheren Lehranstalt in verschiedene Zweige" das Wort redet.

Im Gegensatz zu allen bisher genannten Neuerern verteidigt Aly die bestehende Organisation des Gymnasiums. Insoweit er die Vorzüge der altklassischen Bildung heraushebt, pflichten wir bei, wir teilen aber nicht die Meinung, für welche er in Gefolgschaft Oskar Jägers eintritt, daſs „die Verringerung der für die alten Sprachen bestimmten Stunden und Pensen das Gymnasium im innersten Marke bedrohe". Noch weniger halten wir seine Anschauung vom Betrieb und von der Bedeutung des deutschen Unterrichts im heutigen Gymnasium für richtig. Er behauptet mit einer etwas dunkel gehaltenen Redewendung: „Es würde das eigenartige Verhältnis, in welchem ein jeder zur Muttersprache steht, empfindlich getrübt werden, wollte man dem deutchen Unterricht eine centrale Stellung anweisen, wie sie etwa zur Zeit das Latein einnimmt", und fordert: „Die deutschen Stunden sollen im schönsten Sinne des Wortes Erholungsstunden sein." Wir stellen vielmehr der deutschen Lektüre nicht im geringsten weniger als der fremdsprachlichen die Aufgabe die geistige Kraft zu üben, den ästhetischen Geschmack zu bilden und den Ideenschatz zu mehren; den letztgenannten Zweck kann die Lektüre in der Muttersprache jedenfalls in erhöhtem Maſse erreichen, da die Überwindung der sprachlichen Schwierigkeiten zurücktritt. Das Verständnis der deutschen Klassiker und die Liebe zu ihnen soll nicht erst, wie Aly will, eine spätere Frucht des Gymnasialunterrichts sein, sondern dieses Verständ-

17*

nis muſs sich, soweit immer der jugendliche Geist es erreichen kann, bereits in der Schule als der wertvollste Ertrag der historisch-ästhetischen Bildung erweisen.

Hecht sieht die Gefahr für das Gymnasium darin, daſs die Schulmänner nicht einhellig dem Griechischen den Vorrang vor dem Lateinischen einräumen, er sucht daher die Vorzüge der griechischen Autoren auch für den Gymnasialunterricht nachzuweisen und empfiehlt schlieſslich eine Mehrung der griechischen Lektüre. Wir haben meist auch bei den Gegnern der altklassischen Schulbildung unbedingte Anerkennung der einzigartigen Bedeutung der griechichen Literatur gefunden, und es hätte eines Nachweises, daſs dieser Vorzug auch für den Unterricht gilt, nicht weiter bedurft. Darin aber hat Hecht Recht, daſs wir nicht gewohnt sind die notwendige Folgerung daraus zu ziehen, um die griechische Lektüre überwiegen zu lassen. Dies kann aber kaum geschehen, solange wir dabei beharren lateinische Stilisten heranbilden zu wollen.

Bamberg.   J. K. Fleischmann.

--- ---

Prof. Dr. W. Rein, Pädagogik im Grundrifs. Stuttgart, Göschen. 1890. 141 S.

Professor Rein in Jena, der Nachfolger Stoys in der Leitung des pädagogischen Universitätsseminars mit Übungsschule, gibt in dem vorliegenden Büchlein kleinen Formats einen allgemein verständlichen und übersichtlich gehaltenen Überblick über die pädagogische Wissenschaft. Dieser Grundriſs ist geeignet, leicht in das umfassende Gebiet derselben einzuführen. Indem sich dazu die Angabe der wichtigsten neueren Schriften über Pädagogik gesellt, ist demjenigen, der sich an der Hand des Leitfadens über das System der Erziehungs- und Unterrichtslehre orientiert hat, Gelegenheit geboten, sich eingehender in die einzelnen Fragen zu vertiefen.

Rein ist ein Hauptvertreter der Herbartischen Schule oder vielmehr der Zillerischen Richtung in derselben. Wenn auch die letztere mit ihrer zu groſsen Betonung der vielfachen Interessen und der Gesinnungsstoffe leicht zur Pflege eines ungemessenen Formalismus verleiten kann, welchen die wirklichen Schulverhältnisse kaum je zur vollen Geltung gelangen lassen werden, so haben doch so viele Grundsätze der Herbartischen Schule fast allgemeine Billigung erhalten, daſs die Befehdung derselben durch die Anhänger des Alten sich immer aussichtsloser gestaltet. Indes enthalten die Ausführungen Reins durchaus nichts Übertriebenes, sondern geben in objektiver Weise eine Darstellung des Systems und der wichtigsten erziehlichen Fragen.

Um einige der zur Zeit im Mittelpunkte des Interesses stehende Fragen zu berühren, so erwähne ich, daſs sich Rein (S. 33) aus erziehlichen Gründen gegen das Prinzip der Simultanschulen ausspricht, andrerseits aber die freiheitliche Bewegung innerhalb des religiösen Bekenntnisses betont.

Ferner: die Volksschule soll in den ersten 5 Schuljahren die sämtlichen schulpflichtigen Schüler aller Stände in sich aufnehmen, auf diesem Untergrunde soll die Volksschule in ihrem Oberbau, die Bürgerschule, die Realschule und das Gymnasium weiterbauen. Rein würde es für das Segenreichste halten, wenn jeder Schüler-Jahrgang von einem Erzieher durchgeführt würde. Wenn er damit die Führung der Schüler eines Jahrgangs durch alle Klassen meint — und so scheint er es nach dem Zusammenhange aufzufassen — so dürfte gegen diese Theorie die Erfahrung Einspruch erheben. Der Verfasser setzt hier offenbar voraus, daſs jeder Lehrer dem Ideal möglichst nahe kommt. Aber wie, wenn ein Lehrer ohne Geist — und deren wird es zu allen Zeiten geben — 8—9 Jahre lang die Schüler des nämlichen Jahrgangs führen müsste? Der Wechsel der Lehrer und der Schüler, wenn er nur nicht zu schnell erfolgt, erfrischt Schüler wie Lehrer, und für diesen Fall kann dazwischen einmal auch eine geringere Lehrkraft in den Kauf genommen werden.

Rein ist ein überzeugter Anhänger der altklassischen Studien. Er sagt u. a.: „Der Gelehrte soll die Welt der Kultur umsegeln, den Gebildeten gestatten wir den Ausflug nach Frankreich und England, den Mann des Volkes behalten wir bei uns zu Haus". „Es ist nötig, daſs wir die historischen Fäden, an denen wir die Zukunft unserer Kultur vorwärts verfolgen, aufs behutsamste festhalten, damit sie uns nicht entschlüpfen. Und wenn dies keine andere Nation thut, so müſste es Deutschland für sich und für alle anderen thun."

Über die Verfassung der Schulen gibt Rein (S. 44) Ansichten zum besten, welche sich, wie er sagt, in den öffentlichen Versammlungen kein Gehör verschaffen können, jedoch in der Stille von der Wissenschaft in engeren Kreisen ausgebildet worden sind. Dieselben riechen allerdings etwas nach Schulstaub. Rein will, daſs den Faktoren, welche ein natürliches Anrecht an der Schule haben, nämlich der Familie, Gemeinde und Kirche, in der Schulverfassung Rechnung getragen werde. Die lokalen Schulgemeinden sollen sich zu Kreis- und Provinzialschulgemeinden erweitern und dementsprechend soll die Gliederung der Schulbehörden eingerichtet werden. Dadurch werde die enge Fühlung mit dem Volksgeiste gewahrt, wie dies bei einer von oben regierten Schule nie sein könne; endlich werde ein wirksamer Schutz gegen den Wellenschlag des politischen, religiösen und socialen Parteiwesens aufgerichtet. Neben dem ausführenden Amt soll eine repräsentative Versammlung geschaffen werden, neben dem Schulamt ein Schulvorstand, neben dem Kreisschulinspektor eine Kreisschulsynode, neben der Provinzialschulbehörde eine Provinzialschulsynode, neben dem Ministerium die Landesschulsynode. Aber ich fürchte, gerade durch solche Einrichtungen möchte der Wellenschlag des politischen, religiösen und sozialen Parteiwesens erst recht in die Schule hineinreichen. Das zeigt sich wenigstens in jenen groſsen Stadtgemeinden, wo die repräsentativen Körperschaften ein kräftiges Wort mitzusprechen haben. Da scheint doch die staatliche Allgewalt, wie Rein es nennt, noch besser, da sie den wechselnden und oft nachteiligen Tagesmeinungen weniger zugänglich zu sein pflegt. Andrerseits läſst sich nicht leugnen, dafs das Sichabschliefsen gegen die öffentliche Meinung zur Verknöcherung führen kann.

Burghausen.   A. Deuerling.

Wilhelm Lindemann's Geschichte der deutschen Literatur. 6. Aufl. I. Abt. von Dr. F. Brüll. Freiburg i. Breisgau. Herder. 1887. 3,40 M. II. Abt. von Joseph Seeber. 1889. 3,40 M. I u. II: 740 S. 8°.

Ein originelles Buch ist hier in neuer Auflage vorläufig in zwei Teilen erschienen; der I. Teil hat keine Umgestaltung oder Neubearbeitung erfahren, dagegen ist der II. Teil wesentlich bereichert und in einzelnen Partien mit ausgesprochener tendenziöser Entschiedenheit behandelt: originell sind die bisher erschienenen Teile, weil Wahres und Falsches, Schönes und Häfsliches, Anziehendes und Abstofsendes, Erhebendes und Frivoles neben und durch einander geboten wird: man fühlt sich gefesselt und innerlich ergriffen von den grofsen und in schöner Sprache ausgedrückten Gedanken, um im nächsten Augenblick durch die abscheulichsten Urteile und durch das absichtliche Wühlen im Unreinen abgestofsen zu werden. Es bezieht sich diese Kritik mehr auf den II. als auf den I. Teil. Der Verfasser war Oberpfarrer, und schon das kennzeichnet halbwegs das Gepräge, welches das Buch trägt. Die gefärbte Brille der Einseitigkeit, der Voreingenommenheit, der Parteilichkeit, der Mangel an freiem, offenem Blick, die Beschränktheit kleinlicher Anschauung fällt uns bei dem Studium des Buches nur zu häufig auf: der wahre Genufs geht verloren durch die immer wieder bemerkbare Absicht des Verfassers, jede der katholischen Konfession abholde Richtung in den Kot zu ziehen.

In fesselnder und bilderreicher Sprache sind im I. Teil die Einleitungen zu den einzelnen Abschnitten geschrieben. Dem gegenüber wirkt jedoch sehr störend die in den Text eingefügte Geschichte der einzelnen Literaturdenkmäler mit ihren Zahlen und Titeln, da dadurch der ruhige Flufs der Darstellung sehr gehemmt wird. Andrerseits ist es ein Verdienst, dafs — wenigstens im I. Teil — die neuesten Literaturerscheinungen fast ausnahmslos verwertet sind. Ein weiteres Verdienst des Buches läge darin, wenn der Verfasser, wie er verspricht, „das Volk und den Dichter selbst in ihrer eigenen Sprache reden" liefse. Allein er gibt die ahd. und mhd. Literaturdenkmäler oft nur sehr summarisch in nhd. Übersetzung, während ein richtiger Einblick in die Sprache erst gewonnen würde, wenn die Sprache des Originals neben der Übersetzung stünde: es zeigt sich diese Thatsache besonders beim Wessobrunner Gebet, das erst in der Ursprache gewaltig wirkt, während es in der gegebenen Übersetzung verwässert erscheint. Vom Ludwigslied fehlt jede Probe. Mit besonderer Vorliebe, vielleicht etwas zu eingehend, werden die geistlichen Dichter des 11. u. 12. Jahrhunderts behandelt, ebenso die Legendendichtung des Mittelalters: es fällt dies um so mehr auf, wenn man diese Ausführlichkeit mit der ziemlich kurzen und summarischen Behandlung Walthers von der Vogelweide und Luthers vergleicht.

Überflüssig für eine Literaturgeschichte ist die blofse Andeutung von Fälschungen wie die des Schlummerliedes aus heidnischer Zeit oder die, welche ein norddeutscher Gelehrter mit dem Gebet der alten heidnischen Sachsen gemacht hat. Bei der Besprechung der Merseburger Zaubersprüche hätte, da der Verfasser Vollständigkeit beansprucht, der Strafsburger Blutsegen, der Segen gegen die spurihelti und contra malum malannum, der Würmersegen und der Milchsegen nicht vergessen werden sollen; in der ahd. Periode vermissen wir auch die Besprechung der sächsischen, fränkischen und oberdeutschen Taufgelöbnisse, sowie die Strafsburger Eide, die ja auch von hohem historischen Interesse sind; bei den Lobgesängen (S. 37) wird das Augsburger Gebet, das Gebet Sigiharts, sowie die Besprechung des Lobgesanges Ratperts vermifst. Ettmüllers und Müllenhoffs Ansichten über die Abfassung des Gudrunliedes hätten angegeben werden sollen so gut wie die von Lachmann und Holtzmann über das Nibelungenlied. Bei dem Abschnitt über die antiken Einflüsse auf die mittelalterliche Dichtung fehlt Pindar und Ovid; auch die orientalischen Novellen hätten bei der Besprechung des Einflusses fremder Völker beigezogen werden sollen. Zu weit läfst sich der Verfasser von der Begeisterung für die auf antike Überlieferung fufsenden Dichter des Mittelalters fortreifsen, wenn er in deren Dichtungen, z. B. in Heinrich von Veldekes Eneit nur echt deutschen Charakter, „deutsches Schwert, deutsches Gesetz, deutsche Sitte" erkennen will. Bei Nidhart von Reuenthal fehlt die Angabe der neuesten Literatur, so namentlich der trefflichen Monographie von Keinz. Tannhäuser ist mit vier Zeilen doch zu kurz behandelt.

Für den Gebrauch in der Schule eignet sich das Buch selbstverständlich nach keiner Richtung hin schon wegen seines Umfanges, wegen der Ausführlichkeit und der Art der Behandlung, namentlich auch deshalb nicht, weil es nicht selten polemisch gegen den Protestantismus und jede freie Anschauung auftritt, sodann auch, weil es alle erotischen und unsittlichen Literaturerzeugnisse mit viel Behagen in den Kreis der Betrachtung zieht; dagegen ist es für jeden Gebildeten ein sehr interessantes Handbuch auch deshalb, weil der einseitige Standpunkt manche Partie, z. B. das deutsche Kirchenlied, das Volkslied, Luthers Stellung in der deutschen Literatur in ganz anderem Lichte darstellt als es die grofsen wissenschaftlichen Literaturgeschichten von Koberstein, Kurz, Scherer u. a. thun. Wenn der Verfasser auf Fragen der Konfession kommt, da ist sein Blick mit einem Male umflort, und man staunt, wie ein sonst so richtig sehender Mann im Handumdrehen die Sehkraft verliert: so wenn er als die „nächste Folge der Reformation eine lange schmachvolle Despotie seitens der Fürsten und eine Austilgung der volkstümlichen Freiheiten" ansieht, oder wenn er die Art des Einflusses der Antike in der Reformationszeit bedauert, da „die Beförderer klassischer Studien der Mehrzahl nach einseitig auch dem klassisch-heidnischen Leben huldigten". Es liegt ferner eine totale Verkennung der Kulturfaktoren jener Zeit darin, wenn Cola Rienzi, Petrarca, Boccaccio, Macchiavell als „ganz im Heidentum steckend" bezeichnet werden. Andrerseits aber muſs anerkannt werden, daſs der Verfasser Luthers Verdienste um die Verdeutschung der heiligen Schrift unumwunden zugesteht, wenn er auch sonst nicht verfehlt, dem Reformator am Zeug zu flicken und jene satirische Zeit nur mit dem Ausdruck „Grobianismus" belegt, wahrscheinlich im Anschluſs an Dedekinds Grobianus oder an Sebastian Brandts „neuen heiligen St. Grobian, dem will jetzt dienen jedermann." Murners „groſser lutherischer Narr' wird als die beste satirische Schrift aus der Reformationszeit bezeichnet: Gervinus nannte sie einfach ein Pasquill; und was diese Schrift, in der Luther geradezu als Bundeshauptmann einer Diebsgesellschaft dargestellt wird, der seine an einem Grind leidende Tochter dem Murner darbietet, gelesen hat, der muſs Gervinus Recht geben; Huttens und Fischarts Satire verdient doch ohne Zweifel über die Murnerische gestellt zu werden. Der Verfasser der epistolae obscurorum virorum ist mit 10 nichtssagenden Zeilen abgethan: dies bezeichnet mehr als alles andere den Standpunkt Lindemanns. Andrerseits gehört Manuels „Totenfresser' (S. 357), ein gemeines Pamphlet gegen die katholische Kirche, das ohne eine Spur von dichterischem Wert ist, überhaupt nicht in eine Literaturgeschichte, wenn diese nicht zur Literaturchronik herabsinken soll.

Der II. Teil, der bis zu Schillers und Goethes Wirken reicht, ist von Joseph Seeber bearbeitet, der möglichste Vollständigkeit und ausführliche Literaturangaben berücksichtigt und die neuen Forschungen redlich benützt und verwertet hat. Auch dieser Teil hält sich genau an die oben angedeutete Richtung; so heiſst es z. B. von Spee's Thätigkeit in der Nähe von Hildesheim: „In kurzer Zeit waren 26 Dörfer und viele protestantische Prediger katholisch geworden, auch die Stadt war bald dem Glauben gewonnen" (als ob nur der katholische Glaube diesen Namen verdiente!). Auffallend ist auch, daſs Spee's Regeln über Vers und Quantität, sowie seine Sprache, weil sie sich an die Verfasser der alten katholischen Kirchengesänge anschmiegte, viel günstiger beurteilt werden als Opitz, vielleicht weil dieser sich Ariost, Tasso, Ronsard als Muster wählte!

In der Beurteilung der Dichtungswerke lehnt sich der Verfasser vielfach an W. Scherer und, kommen konfessionelle Fragen in Betracht, an Eichendorff, an Baumgartner besonders bei der Besprechung Goethes, an Gietmann und Janssen an.

Bei Gryphius vermissen wir eine eingehende Beleuchtung der Satire desselben. Störend wirkt auch der Umstand, daſs die einzelnen Dichter wie Gryphius, Lohenstein, Chr. Weise da, wo sie genannt werden, nicht vollständig durchgesprochen werden, sondern daſs sie teils bei den Poeten der Sprachgesellschaften und der schlesischen Dichterschulen und dann wieder beim Drama, Lohenstein auch im Roman zur Besprechung kommen. Eigentümlich berührt die Charakterisierung Weises mit den Worten: „trotz seiner Professur ein geschworener Feind alles Steifen", als ob die „Liebe zum Steifen" mit der Professur unzertrennlich verbunden sein müsste! Kühn ist auch die Behauptung (S. 438), daſs Sebastian Wieland im 17. Jahrh. mit der Besingung des „Herrn Gustavus Adolfus" Begebenheiten behandelt hat, die „kaum der Geschichte angehören". Mindestens überflüssig ist bei der Besprechung von Grimmelshausen die besondere Bemerkung, daſs die simplicianischen Schriften keine Lektüre für die Jugend seien, während bei Lohensteins Dramen von einer solchen Warnung nichts zu lesen ist. Daſs Rabener besonders an Lucian, auch an Cervantes anknüpft, hätte angegeben werden sollen, weil dies ein grelles Schlaglicht auf seine Art von Satiren wirft, zumal im Gegensatz zu Liscow. Bei Giseke, dem Zeitgenossen und Freunde Klopstocks, fehlt der Vorname, der notwendig ist zum Unterschied von seinem im vorigen Jahr (1890) in der Irrenanstalt verstorbenen Urenkel Robert Giseke. Daſs der Verfasser dem Kanonikus Gleim zumutet, Psalmen statt Trinklieder zu singen, geht doch zu weit. Bei dem Benediktiner Xaver Brenner hätten als charakteristisch für die Idyllendichtung des vorigen Jahrhunderts neben seinen „Fischergedichten" seine „Lustfahrten ins Idyllenland" angeführt werden sollen.

Die Abschnitte, in denen die mittelalterlich-ritterliche und die neu erwachende Literatur zur Zeit Klopstocks und Lessings mit ihrem mehr bürgerlichen Charakter gekennzeichnet ist, dürfen in jeder Hinsicht uneingeschränktes Lob beanspruchen; dagegen verdient Klopstocks „deutsche Gelehrtenrepublik" denn doch nicht die harte Verurteilung, die ihr hier widerfahren ist, indem sie mit dem Prädikat „kindisch" bezeichnet wird.

Daſs Lessings Toleranzidee herzlich schlecht wegkommt, läſst sich nicht anders erwarten bei den Anschauungen des Verfassers, der die Keckheit hat, mit Baumgartner gegenüber „der christlichen Idee" heidnische, protestantische, modern-philosophische Ideen in einen Topf zu werfen, der das bekannte Wort Lessings: „Wenn Gott in seiner Rechten alle Wahrheit und in seiner Linken den einzig immer regen Trieb nach Wahrheit, obschon mit dem Zusatz, mich immer und ewig zu irren, verschlossen hielte und spräche zu mir: Wähle! — ich fiele ihm mit Demut in seine Linke und sagte: Vater gib! die reine Wahrheit ist ja doch für dich allein" mit den Prädikaten „Stolz und Unsinn" abthut. Gegenüber der hochmütigen Behauptung, daſs „Lessing ähnlich dem Geiste, der stets verneint, nur das Bestehende unterminiert, ohne etwas an die Stelle zu setzen", mag der Verfasser sich gesagt sein lassen, daſs der Kampf gegen konfessionelle Vorurteile und Unduldsamkeit genug Positives enthält; und gerade W. Scherer, auf den der Verfasser sonst schwört, hat Lessings religiöse Anschauungen kurz dargelegt mit den Worten: „Er wollte die christliche Religion, die bestehenden christlichen Kirchen unterscheiden von der Religion Jesu, des göttlichen Menschenfreundes, welche sein sanfter Jünger in die Worte zusammenfaſste: Kindlein, liebet euch unter einander." Selbstverständlich ist deshalb, daſs Nathan der Weise vom religiös-konfessiouelleu, weniger verständlich dagegen, daſs er auch vom dramatischen

Standpunkt aus verdammt wird. Lessing selbst nannte das Stück ein „dramatisches Gedicht", er erklärte, er glaube nie, daſs „sein Nathan auf das Theater kāme": und schon deshalb können von vornherein die strengen Forderungen eines Dramas nie an dieses Stück gestellt werden, wenn man unbefangene Kritik üben will. Andrerseits aber können wir, um gerecht zu sein, nicht verschweigen, daſs die Würdigung Lessings als Kritikers, sowie als Kenners des Altertums frei von Leidenschaftlichkeit und Verblendung ist. Unübertrefflich gut ist die Kritik Wielands in der Form einer Allegorie, indem die Wieland'sche Muse mit einer üppigen, lüsternen Schönen, der alle möglichen Reize und Laster anhaſten, verglichen ist. Dagegen verdient das Schubart'sche Unglück nicht die Verunglimpfung, die es hier gefunden hat, seine Dichtungen verdienen nicht durchweg die Bezeichnung „phrasenhaft und pathetisch"; denn der Groll und Schmerz z. B. um die nach dem Kap verkauften Landsleute lieſsen ihn in den Gedichten „Caplied" oder die „Fürstengruft" jedes Pathos vermeiden. Eigentümlich wirkt die Bemerkung, daſs Bürgers Mutter, die „zänkisch, roh, derb war, ihrem Manne das Leben zur Hölle zu machen wuſste", wie wenn dies die Aufgabe der Frauen wäre! Wohlthuend aber berührt bei der Besprechung Bürgers, daſs trotz der mit Recht vernichtenden Kritik über sein Leben seine dichterische Begabung, namentlich in der Sonetten- und Balladendichtung, vollauf gewürdigt wird. Dagegen ist geradezu widerlich, wie das Verhältniſs des charakterfesten und derben Voſs zu dem zum Katholizismus übergetretenen Grafen Fr. Leop. Stolberg zu abscheulichen Ausfällen gegen den „Schulmonarchen" und „Schulmeester Voeſs", gegen den „griechisch-lateinischen Schulpedanten, auf einen niedersächsischen Bauern gepropft," ausgebeutet wird. Ganz einseitig erscheint das Urteil, daſs „der Held des gefeierten 70. Geburtstages echt Vossisch nur im Mittagsschläfchen zu sehen" sei, daſs in der ‚Luise' einzelne Kapitel kulturhistorisch wichtig seien für ein Kochbuch: mag Voſs auch eitel, gerade, oft derb, mögen seine Idyllen auch oft recht verwässert und breit sein, so daſs sie unserem modernen Geschmack nicht mehr zusagen: so ist doch nicht zu vergessen, daſs wir auch Übersetzungen Homers, Hesiods, Theokrits etc. von ihm haben; schon die einzige Homer-Übersetzung gestattet nicht, ein so wegwerfendes Urteil über Voſs zu fällen, wenigstens verdient sein ehrenfestes Wollen nicht die ihm hier zugefügte Verunglimpfung: aber, er hat gewagt den Konvertiten Stolberg anzugreifen: Grund genug, seine Bedeutung zu schmälern und zu begeifern.

In ähnlicher Weise wird auch beim jungen Schiller nach allem gesucht, was dessen religiösen und sittlichen Ruf untergraben kann: sein Schwanken in der Wahl zwischen Charlotte und Karoline von Lengefeld, seine ‚Götter Griechenlands' etc. geben Anlaſs zu Ausfällen gegen sein moralisches Verhalten; und auch sonst ist der Verfasser bemüht, den Ruhm des aufstrebenden Schiller zu verkleinern und zu zerpflücken. Erst dem späteren Alter des Dichters wird der Verfasser mehr gerecht: da bedauert er, daſs Schiller bei seinen eminenten Anlagen und bei seiner notorischen „Vorliebe für katholische Stoffe

die angelernten protestantischen V o r u r t e i l e (!) nicht ganz aufgeben"
konnte, da zeichnet er ihn, besonders wenn die Dichtungen ein „speziell
katholisches Gepräge" haben, sogar mit einer Art von voreingenom-
mener Liebe, um ihn — als Folie gegenüber Goethe zu benützen.
Die „Goetheverhimmlung" ist ihm ein Greuel. „Das Leben der
Heiligen bleibe heutzutage ungelesen, dagegen krame das Publikum"
alles aus, was über des ‚Freimaurers Goethe' Leben vorhanden sei;
die Erschließung des Goethe-Archivs zu Weimar durch Erich Schmidt
und Suphan sei eine totale Verirrung! Hätte doch der Verfasser nur
einige Züge von der arg mitgenommenen Mutter Goethes, die ‚niemanden
bemoralisierte und immer die gute Seite auszuspähen suchte'! Das
Gegenteil thut Lindemann-Seeber. Alle Jugendsünden Goethes werden
in ekelerregender Weise breit getreten, man merkt überall die Absicht,
alles von der schlechten, unsittlichen, lüsternen Seite zu betrachten.
Die Wollust, mit welcher der Verfasser allen Liebeleien des jungen
Goethe nachgeht und sie des weiten und breiten auseinandersetzt und
anatomisiert, wirkt geradezu abstofsend und widerlich; auch aus dem
hochfahrenden Ton, in dem über all diese Verirrungen Goethes gesprochen
wird, weht den Leser immer das absichtliche Übelwollen und hämische
Splitterrichterei an, so z. B. wenn es heifst: ‚In Sesenheim verliebte
er sich in Friederike, tändelte mit ihr herum, schrieb ihr tiefempfundenе
Gedichte und liefs sie schliefslich sitzen'; oder ‚bei der juridischen
Dissertation erhielt er den Titel eines Licentiaten, nahm aber den
eines Doktors für sich und kehrte wohlgemut nach Hause zurück".
Wer so das Terenzische „homo sum, humani nil a me alienum puto"
verkennt, wer es nur darauf absicht, die Schattenseiten aus dem Leben
grofser Männer hervorzukehren: der kann keinen Anspruch auf einen
unparteiischen und objektiven Beurteiler machen.
Dafs Goethe das Verhältnis zu Charlotte Buff nach deren Ver-
heiratung an Kestner nicht abgebrochen habe, wird weiter behauptet
trotz Düntzers gegenteiligem Nachweis. Und was soll man sagen,
wenn lediglich aus den mehr witzig als ernst gemeinten Worten
Goethes in einem Briefe an Kestner: ‚wenn ich kein Weib nehme oder
mich erhänge, so sagt, ich habe das Leben recht lieb', sofort Selbst-
mordgedanken des Dichters herausgelesen werden! Nicht minder abstofsend wirkt das abfällige Urteil über die Beziehung Goethes zu
Herzog Karl August; der letztere habe nötig gehabt „einen Kraft-
menschen, der trotz seiner 26 Jahre schon tiefgehende Erfahrungen in
zarten Angelegenheiten gemacht hatte und stets bereit war, neue zu
sammeln; . . . ein burschikoser Jurist, der alle Juristerei und die
3 anderen Fakultäten satt hatte, aber in unverwüstlicher Kraft Tag
und Nacht zur Verfügung stand; ein Empiriker, der den Hof und den
Fürsten, Jagd und Bergbau, Staatsleben und Dichtung, Steine und
Frau von Stein (sic!), Sängerinnen und andere Mägdlichkeiten (!) als
interessante Objekte seines Studiums betrachtete"! Mit Bezug auf das
Verhältnis zu Lili Schönemann wird Goethe „ein echter Schlangen-
mensch" genannt, der nach Belieben die Haut wechselt; der Frei-
maurerloge allein verdanke er seinen Weltruf. Und in solchem cynischen

Stile bewegt sich so ziemlich die ganze Kritik über das jugendliche
Werden und Schaffen Goethes. Niemand, dem es um die Wahrheit
zu thun ist, wird die Liebschaften Goethes, mit denen er die schönste
Zeit seiner Jugend vertändelte, durch die er aber andrerseits die
feinsten und zartesten Regungen des Frauenherzens wie kein anderer
kennen lernte, in Schutz nehmen: aber beim Studium des Lindemann-
Seeber'schen Werkes werden wir, namentlich bei dem eben angedeuteten Abschnitt über Goethes Jugend, nie des Eindrucks der häm-
ischen Verkleinerung und engherzigsten Splitterrichterei ledig: man
riecht eben überall den Brandgeruch des ketzerrichtenden Scheiter-
haufens! Und doch trifft auf Goethe dasselbe Wort zu, was Hettner
von Schiller sagte: „Hätte er nicht die nach der Natur seines Geistes
unerläßlichen Bildungskämpfe voll und ganz ausgekämpft, er wäre
niemals dieser volle und große Mensch geworden."
    Aber ein großer Mensch ist eben Goethe in den Augen der Linde-
mann und Seeber nicht. Während seines Aufenthaltes in Weimar
soll er als Dichter „möglichst wenig" geleistet haben, als ob, um von
den lyrischen Dichtungen zu schweigen, seine Briefe aus der Schweiz,
Wilhelm Meister und die erste Bearbeitung von Iphigenie und die auf
die Gretchentragödie Bezug nehmenden Partien im Faust ‚wenig' wären!
Auch an Faust wird kaum etwas Gutes gelassen, da dieses dramatische
Gedicht mit der strengen katholisch-christlichen Kirchenlehre nicht in
Einklang zu bringen sei; ‚weil Goethe nie etwas gründlich gelernt habe,
breche er über alles Wissen den Stab'; anstatt des Lutherischen
Sprüchleins gebe hier Goethe als ein neuer Reformator die Parole aus:
‚Sündige tapfer, aber strebe noch tapfrer'.
    Der Hochmut, mit dem von Lindemann und Seeber über jedes
Streben, wenn es nicht auf i h r e m engherzigen Standpunkte steht, der
Stab gebrochen ist, wirkt entweder widerlich und ekelerregend oder
— komisch; denn wem Goethe nichts anderes ist als ein „alter Heide",
der darf gewiß nicht beanspruchen, daß sein Urteil, wenigstens in
Bezug auf jenen Dichterfürsten, ernst genommen wird.
    München.   Johannes Nicklas.

––– –––––––

Dr. Caesar Flaischlen, Graphische Literaturtafel.
Die deutsche Literatur und der Einfluß fremder Literaturen auf ihren
Verlauf vom Beginn einer schriftlichen Überlieferung an bis heute in
graphischer Darstellung. Stuttgart, G. J. Göschen'sche Verlagshandlung,
1890.
    Der Gedanke, eine geistige Entwicklung unter dem Bilde eines
allmählich wachsenden Stromes graphisch darzustellen, ist an und für
sich nicht absolut neu. Hier aber wird er zum ersten Mal auf die
Geschichte unserer Literatur angewendet und zwar mit dem aller-
größten Geschicke. Flaischlen, dem wir unter anderm ein gutes Buch
über den Schauspieldichter Freiherrn v. Gemmingen verdanken, zeichnet
eine Karte von mäßigem Umfang, so daß sie auf jedem mittelgroßen
Tische Platz hat, und stellt hier (in drei Feldern neben einander)

die deutsche Literatur von etwa 750 bis 1890 als einen Strom, die Einwirkungen fremder Literaturen auf sie als Nebenflüsse dieses Stroms dar, von ihm unterschieden durch Farbe und Schattierung. Auf beiden Seiten am Rande' sind die Jahreszahlen und die Namen der jeweiligen deutschen Kaiser angebracht; unmittelbar neben dem Strome sind die wichtigeren deutschen Dichter und Literaturkreise, bei den Nebenflüssen die besonders maßgebenden fremden Autoren, Sagen und Geistesbestrebungen verzeichnet. Mit feinem Takt und praktischem Verstand ist überall die rechte Mitte zwischen Zuviel und Zuwenig eingehalten. Die einigermaßen hervorragenden deutschen Schriftsteller sind mit ziemlicher Vollständigkeit angeführt, auch durch den Druck die bedeutenden vor den geringeren scharf hervorgehoben, und doch ist alles so angebracht und in solchen Schranken gehalten, daß das anschauliche Bild der Gesammtentwicklung nirgends durch jene Namen geschädigt wird. Manches konnte nur annähernd bestimmt werden, wie Flaischlen in den mit Recht spärlichen Bemerkungen, durch die er seine Karte einleitet, selbst zugesteht; hie und da dürfte wohl auch bei späteren Ausgaben noch eine Kleinigkeit verbessert werden. Ich vermisse am meisten im sechzehnten und in den folgenden Jahrhunderten bei Luther, den Kirchenliederdichtern, Klopstock und Herder die Andeutung der biblischen Einflüsse; um 1840—1850 sollte der Name Richard Wagner mit der entsprechenden Andeutung des antiken Einflusses verzeichnet sein. Aber das sind verschwindend kleine Mängel. Die Karte im ganzen erfüllt ihren Zweck meisterlich. Man erhält durch sie ein zusammenfassendes, dem Gedächtnis tief sich einprägendes Bild von der Entwicklung unserer Literatur, wie es in gleicher Anschaulichkeit keine geschichtliche Darstellung uns zu geben vermag. Für Lehrzwecke ist die Karte daher ein unschätzbares Hilfsmittel, gerade beim Gymnasialunterricht von höchstem Wert. Jeder Lehrer, der in den oberen Klassen des Gymnasiums deutsche Literatur vorträgt, sollte sich wiederholt aus ihr belehren und immer wieder seinen Schülern sie vorzeigen; was er sagt, wird so am leichtesten und zugleich am festesten in den Köpfen seiner Zöglinge haften bleiben.

München.   **Franz Muncker.**

Johann Elias Schlegel als Trauerspieldichter mit besonderer Berücksichtigung seines Verhältnisses zu Gottsched von Dr. Johannes Rentsch. Leipzig, Beyer 1890. 118 S.

Für Lehrer höherer Schulen, denen der Unterricht in der deutschen Literaturgeschichte obliegt, ist es oft von nicht geringem Interesse neben den zusammenfassenden Werken bei den großen Fortschritten, die auch auf diesem Gebiete in unserer Zeit fortwährend gemacht werden, zugleich die Einzelforschungen kennen zu lernen, insofern diese nicht etwa bloß mit der Aufhellung und Sicherstellung von Thatsachen, sondern gerade mit der Entwicklung der Literatur sich beschäftigen. Eine solche Schrift, die sich für den Unterricht·

höchst fruchtbar erweist, besonders wenn er darauf abzielt, den tiefen
Einfluſs des klassischen Altertums auf unsere nationale Literatur
durch geeignete Vergleichungen nachzuweisen, ist auch die vorliegende
treffliche Abhandlung über Joh. Elias Schlegel.

Nachdem durch A. v. Antoniewicz die auf die Ästhetik und
Dramaturgie bezüglichen Prosaschriften Schlegels neu herausgegeben
sind uud durch eine gründliche Einleitung deren Stellung in dem Ent-
wicklungsgange der Ästhetik und Poetik nachgewiesen worden ist,
(vom Referenten besprochen in diesen Blättern Bd. XXV, S. 192) wird
in der wissenschaftlichen Untersuchung des Verf. die Frage aufgeworfen, ob auch für die Trauerspiele Schlegels es als erwiesen
gelten könne, daſs dieser ein Vorläufer Lessings war, und ob, während
doch seine Dramen so gut wie die poetischen Leistungen Gottscheds
der Vergessenheit anheimgefallen sind, seine Stellung als Gottscheds
Schüler einem günstigeren Urteile über ihn nicht hindernd im Wege
stehe.   Da hiebei insbesondere die ziemlich verwickelte Frage des
persönlichen Verhältnisses Schlegels zu Gottsched klar beantwortet
worden ist, so darf die gründliche Untersuchung des Verf. auch neben
der inzwischen erschienenen in mancher Beziehung eingehenderen
Monographie Wolfs über Schlegel als eine höchst dankenswerte Gabe
für Freunde der Literatur betrachtet werden.

Schlegels jüngerer Bruder Adolf, der den Ruhm des früh Verstorbenen gerne dadurch erhöht hätte, daſs er ihn von dem Vorwurf
eines Gottschedianers rein zu waschen suchte, lieſs sich durch die so
natürliche Sympathie für seinen Bruder verleiten, ein freundschaftliches
Verhältnis zwischen diesem und dem älteren Gottsched geradezu zu
leugnen.   Darin hat er aber, wie nachgewiesen wird, durchaus Unrecht.   Trotz der frühen geistigen Reife und selbständigen Anschauungsweise Schlegels, der sich durch Gottscheds Ruhm keineswegs blenden
lieſs, hat doch Gottsched an der Entwicklung des jungen Mannes, der
1739 nach Leipzig kam, einen bedeutenden Anteil gehabt.   Wie es
auch sonst wohl vorkommt, daſs Schüler später einen Lehrer über-
flügeln, die vorher die nachhaltigsten Anregungen von ihm empfangen
haben und ebendeshalb in dem besten Verhältnis zu ihm gestanden
sind, während später naturgemäſs die Verbindung sich zuerst lockert,
dann auch die warme Teilnahme des älteren Mannes für den jüngeren er-
kaltet, so war es auch bei Schlegel der Fall.   Gottsched zeigte, weil
es ihm Freude machte, junge Talente zu fördern, ein wirkliches, kein
erheucheltes Wohlwollen für seinen Schüler (wie v. Antoniewicz meint)
und zwar um so mehr, da er von dessen Leistungsfähigkeit noch
keine richtige Vorstellung hatte.   R. begründet diese von ihm gewonnene Ansicht durch den Nachweis der Anregungen, die Gottsched
zu literarischen Produktionen gegeben hat, und der Bereitwilligkeit,
mit der er die Beiträge Schlegels in seine Zeitschrift aufnahm. Andrerseits wird auch nicht versäumt auf die stillschweigende Opposition
des letzteren gegen den literarischen Diktator aufmerksam zu machen,
der den groſsen Gegensatz noch nicht herausfühlte.   Weiter wird dann
der Einfluſs dargelegt, den der Streit mit den Schweizern und die

Übersiedlung Schlegels nach Dresden auf das Verhältnis der beiden Männer hatte. Schlegel suchte sich möglichst neutral zu halten, wenn er von der der Vergeblichkeit der Bemühungen Gottscheds überzeugt war. Zum Beweise dient die Darlegung der Einwirkung Liskows auf ihn und der in den Briefen Schlegels nachgewiesene mehr geschäftsmäfsige Ton. Daran schliefst sich die Besprechung des ungünstigen Urteils Gottscheds über Schlegels Hermann und was sonst diesen gegen seinen früheren Lehrer verstimmen mufste, wobei wieder durch den Briefwechsel des ersteren besonders mit Hagedorn interessante Blicke in die literarischen Verhältnisse jener Zeit eröffnet werden. Wir finden nun bei Schlegel das Bestreben vor, sich aus Gottscheds Schlingen allmählich loszumachen. Wie dann endlich durch die direkte Verbindung mit Bodmer der unvermeidliche Bruch mit Gottsched erfolgte, wird ebenfalls teils durch einschlägige Stellen aus Briefen, teils durch den Hinweis auf die Art seiner literarischen Thätigkeit ans Licht gestellt. Wenn trotzdem kein öffentlicher Angriff auf Gottsched erfolgte, so wird dies aus der zurückhaltenden Art Schlegels erklärt; hiebei wird letzterer gegen den Vorwurf der Zweizüngigkeit in Schutz genommen; um so ungünstiger mufs natürlich das Urteil über Gottscheds damalige Haltung ausfallen.

In dem II. Abschnitt werden die Trauerspiele Schlegels einer eingehenden Betrachtung unterzogen. Hiebei wird vor allem das Verhältnis zu den Quellen beleuchtet; bei „Orest und Pylades" z. B. geschieht dies in der Annahme, dafs Schlegel unmittelbar aus den griechischen Dramen schöpfte,[1]) durch eine skizzierende Gegenüberstellung des Ganges der Handlung in Euripides Iphig. in Tauris und der Nachbildung Schlegels. Die Untersuchung, weshalb dieser vom Original abwich, führt den Verf. auf eine Reihe von feinen Bemerkungen über den damaligen Zeitgeschmack. So wird besonders gezeigt, welch grofsen Einflufs das von den damaligen Dichtern befolgte Gesetz der Scenenbindung auf die Umgestaltung übte. Etwas mehr betont hätten auch die Vorteile werden sollen, die dem neuen Dichter gegenüber dem alten durch die bei der modernen Bühne stattfindenden Zwischenakte geboten waren. Weit mehr Rücksicht aber hätte auf den dramatischen Bau der Stücke genommen werden sollen. Ob bezüglich der steigenden und fallenden Handlung, bezüglich des Höhenpunkts und Umschwungs die dramatischen Gesetze richtig beobachtet sind, ob es angestrebt wurde und überhaupt bei dem Verfahren des jungen Dichters möglich war, durch eine ihm vorschwebende Idee eine befriedigende Einheit des Ganzen zu schaffen, sind Fragen, deren Beantwortung mehrfach vermifst wird.

Noch mehr war dies für das zweite Stück, das den Titel „Dido" führt, von Wichtigkeit da es „nicht in Anlehnung an das Drama

---

[1]) Dafs die Humanitätsidee der Goetheschen Iphigenie sich bereits vorgebildet findet in dem 1699 erschienenen französischen Drama von Lagrange, Oreste et Pilade, ou Iphigenie en Tauride, und dafs auch an eine Abhängigkeit Schlegels von Lagrange zu denken ist, ist inzwischen nachgewiesen worden von Morsch, Vierteljahrschrift für Literaturgeschichte 1891 S. 80 ff.

eines bühnengewandten Vorgängers entstand, sondern mit seiner Empfindung für den Unterschied von Epos und Drama aus widerstrebendem epischen Stoff herausgearbeitet werden mußte". Was hier über die Umgestaltung der Charaktere sowohl der Hauptpersonen des benützten Epos von Vergil als auch „der durch eigene Erfindung eingeführten Nebenpersonen", über ihr inneres Leben, den Grad ihrer Leidenschaft gesagt wird, zeugt von trefflicher Beobachtung. Didos tragische Schuld wird mit den Worten angedeutet, der Dichter lasse stärker als Vergil die Heldin die Schuld ihres Meineids gegen den ersten Gatten betonen. Richtig ist auch das gewonnene Ergebnis, daß es dem Stück an bewegter Handlung und spannender Entwicklung fehle; der junge Schlegel halte aber doch ein natürliches Gefühl dafür, zu zeigen, wie vom Höhenpunkt ab, — Befehl die Schiffe des Aeneas in Brand zu stecken und Abweisung des Hiarbas — das was Dido gethan, auf sie selbst zurückwirkt und Macht über sie gewinnt, und wenn er, wie R. sagt, auch nur den Versuch[1]) gemacht hat „die verzweifelnde und in ihrer Qual unthätige Dido Vergils zu einer rachsüchtigen, geschäftigen Medea umzugestalten", so macht dies seinem dramatischen Talent alle Ehre, und man sollte das Stück nicht so niedrig stellen, als es gewöhnlich geschieht.

Daher kann ich auch dem Verf. nicht beistimmen, wenn er dem dritten Stück „die Troianerinnen", das allerdings in der Zeit des Dichters höhere Anerkennung fand, mit Berufung auf das Urteil Mendelsohns ein größeres Lob spendet. Schon der Umstand, daß das Stück aus dem Stoff dreier antiken Dramen zusammengearbeitet ist, erscheint bedenklich. Die Frage, welche Idee denn nun bei Schlegel diese Fülle des Stoffs zu einem künstlerischen Ganzen verbinden soll, bleibt ungelöst; es heißt nur, daß diese Fülle der Einheit Eintrag gethan habe und daß nur die Rolle der Hekuba eine Verbindung zwischen dem sich verflechtenden Polyxena- und Andromachedrama herstelle. Daß Schlegel nicht wie Victor v. Strauß die Idee dieses Polyxenadramas allein sich zum Ziel seiner Bearbeitung setzte, trägt am meisten die Schuld am Mißlingen des Ganzen, mögen immerhin Charaktere und Situationen das damalige Publikum für den Fehler der Komposition entschädigt haben.

Konnte die Fülle der Handlung trotz des Mangels an Einheit damals gefallen, so mußte natürlich selbst bei dem vaterländischen Stoff des „Hermann" der Mangel an Handlung die Zuschauer unbefriedigt lassen. Und doch ist nicht das der Hauptfehler, daß es an äußerer Handlung gebricht, daß „vor der Schlacht sich eigentlich nichts ereignet und daß diese selbst hinter der Bühne vorgeht"; bot ja „gerade die Einfachheit der Handlung dem Dichter mehr als bisher Gelegenheit sich in der ausgeführten Zeichnung von Charakteren zu üben". Das vaterländische Schauspiel schließt mit dem

---

[1]) Treffende Bemerkungen über den dramatischen Gehalt der Didofabel finden sich in der Abhandlung von Dr. J. Friedrich, in der die diesen Stoff behandelnden Dramen von Dolce, Jodelle und Marlowe mit einander verglichen werden. Programm von Kempten 1888.

Siege Hermanns und der Wiedergewinnung seiner Thusnelda; es stellt
also einen Umschwung von Unglück zum Glück dar; da wo die Sache
Hermanns aufs höchste gefährdet ist und die des Gegenspielers, des im
Bunde mit Rom stehenden Segest, scheinbar die meiste Aussicht auf
das Gelingen hat, müssen die Schritte, die dieser gethan, von der Art
sein, daß sie durch das Eingreifen des Schicksals zu dem entgegengesetzten
Resultate führen. So ist das Drama in der That angelegt. Es mußte nun
aber, um Worte Gustav Freytags hier anzuwenden, „der Höhenpunkt
kräftig herausgetrieben sein", und die Trennung von Thusnelda, die wie
Thekla in Schillers Wallenstein durch die Bande des Bluts mit dem
verräterischen Vater, durch die Bande der Liebe aber mit dem Geliebten verbunden ist, mußte in einer groß ausgeführten Scene zur
Darstellung kommen. Dazu fehlte es jedoch dem Dichter noch an der
Fähigkeit die aufsteigende Handlung durch die innern Prozesse
des Haupthelden zu treiben, indem er von diesem dramatischen
Gesetz zwar ein dunkles Gefühl, aber noch keine klare Erkenntnis
hatte. Während vom Verf. einzelne Schwächen des Stücks wie dessen
Vorzüge treffend gekennzeichnet sind, ist dieser Hauptfehler, der mehr
ins Gewicht fällt als der Mangel an äußerer Handlung, nicht gebührend hervorgehoben.

Ähnliches läßt sich auch von dem nächsten Drama sagen,
bezüglich dessen, wie R. bemerkt, schon von Nicolai die Beobachtung
gemacht wurde, daß nicht Kanut sondern Ulfo der Hauptheld sei,
wobei er es durch Zeit und Umstände zu entschuldigen sucht, daß
das Drama nach dem ersteren benannt sei. Nicolai hatte eben, wenn
er dies für eine Unvollkommenheit erklärt, noch nicht erkannt, daß
für die Wahl des Titels ganz besonders die Idee des Stückes maßgebend ist, wie z. B. auch in Shakespeares Caesar nach dem Bau
des Stückes nicht Caesar sondern Brutus der Hauptheld ist, während
der Dichter durch den Titel auf das von Brutus bekämpfte aber siegende
monarchische Prinzip die Aufmerksamkeit der Zuhörer lenken wollte.
Gleiches gilt noch für manche Stücke der alten wie der modernen Literatur, in denen man verkehrter Weise bei den Personen, nach denen
das Drama benannt ist, eine tragische Schuld aufgespürt hat, wie
Nicolai auch für Kanut eine solche verlangte. — Nach einer kurzen
Besprechung der unausgeführt gebliebenen dramatischen Entwürfe
Schlegels gibt der Verf. noch einen Rückblick über die Theorie des
Dramas dieses Dichters, „die seiner Praxis weit voraneilte, da er erst,
nachdem er seine Lehrjahre hinter sich hatte, mit dem lästigen Regel-
zwang der alten Schule zu brechen begann."

Sehr verdienstlich ist die im III. Teil folgende gründliche Untersuchung des Verf. über die Sprache Schlegels, aus der in überraschender Weise sichtbar wird, wie zwar Gottsched gegenüber sich
ein merklicher Fortschritt verrät, wie aber durch das Metrum des
Alexandriners, von dem wie die damalige Dichtersprache überhaupt
so auch die seinige beherrscht war, für ihn noch kaum die Möglichkeit bestand, die alten Fesseln abzustreifen, und welch großer
Fortschritt dann durch Einführung des fünffüßigen jambischen Verses

in die deutsche Literatur erzielt wurde. Auf die noch geringe Abhängigkeit der Sprache Schlegels von den als Quelle benützten griechischen Dichtern in Vergleich zu dem, was Goethes Sprache durch
letztere gewonnen hat, hätte allerdings noch mancher vergleichende
Blick geworfen werden können; doch trug der Umstand, daſs der
Verf. sich auf die seiner Arbeit gesteckten Grenzen beschränkte, zu
gröſserer Gründlichkeit derselben bei.

Die genuſsreiche Schrift des Verf. kann allen Lehrern der
Literaturgeschichte zum Studium empfohlen werden; denn was Geiger
im Schluſswort seines scharf kritisierenden Artikels: Zur Literaturgeschichte des 18. Jahrhunderts (Allgem. Zeitung 1890 Nr. 306)
jüngeren Berufsgenossen im Hinblick auf manche weniger genieſsbare
Schrift empfiehlt: Schreibet lesbare, gut disponierte, künstlerisch
durchgearbeitete Bücher; lernt störenden Ballast von dem wichtigen
und unentbehrlichen Guten ausscheiden, das läſst sich dem Buche
von Rentsch unbedenklich nachrühmen.

Speier.   A. Nusch.

Wilh. Sommer, Deutsche Sprachlehre. Für Unter- und
Mittelklassen höherer Lehranstalten. 9. Aufl. Paderborn, Ferdinand
Schöningh. 1890. Preis M. 1. 35.

Es dürfte überflüssig erscheinen, zum Lobe dieses brauchbaren
und nunmehr zum neunten Male aufgelegten Lehrbuches viele Worte
aufzuwenden. Der Verf. hat sich durch dasselbe, sowie durch seine
übrigen dem deutschen Unterricht gewidmeten Werke einen geachteten
Namen erworben, den er nicht zum wenigsten dem Umstande verdankt, daſs er es in besonderer Weise versteht, den pädagogischen
Gesichtspunkt in Einklang zu bringen mit den wissenschaftlichen Forderungen, die sich in neurer Zeit im Gebiete des deutsch-grammatischen
Unterrichtes auch auf der Unterstufe geltend zu machen suchen.
Was hier Bedürfnis sei, was besser einer höheren Erkenntnisstufe
vorbehalten bleibe, hat der V. säuberlich zu sondern gewuſst und
demgemäſs mit dem Geschick eines erfahrenen Lehrers einen Leitfaden unserer Muttersprache hergestellt, der sich mit Ehren sehen
lassen kann vor Theoretikern, Historikern und Praktikern und nicht
zu befürchten braucht, daſs man ihm den Vorwurf eines einseitigen
Standpunktes entgegenschleudere sei es nach der Seite des rohen
Empirismus hin oder der allzugründlichen Theorie oder der übertriebenen historischen Forschung.

Gegenüber sonstigen Lehrbüchern weist das vorliegende Werk
verschiedene Eigentümlichkeiten auf, deren eine darin besteht, daſs
die Rektion der Verba und Adjektive von der Syntax weg in die
Formenlehre einbezogen ist. In diesem Gebiete könnte manche
Kürzung platzgreifen: so erscheint es z. B. überflüssig, eine lange Liste
derjenigen Adjektive aufzustellen, welche mit dem Dativ verbunden
werden. Diese peinlich genauen Aufzählungen sind herübergenommen
teils aus den altsprachlichen Grammatiken, teils aus den wissen-

schaftlichen Lehrbüchern der deutschen Sprache, in beiden Fällen wohl am Platze, nicht aber in einem Elementarzwecken dienenden Lehr- und Lernbuch der heimischen Sprache. Die den einzelnen Kapiteln beigegebenen, nicht gerade zahlreichen Übungen über die Formenlehre sind im ganzen instruktiv und gut ausgewählt, leiden aber an dem Fehler, dafs sie zuwenig die Einübung in Sätzen berücksichtigen. Die nach der früher beliebten Strichmanier eingerichteten Aufgaben wünschten wir ganz beseitigt zu sehen; denn sie stellen an das Denken entweder keine oder doch nur geringe Anforderungen und gleichen unserer Meinung nach sehr jenen Rätseln, welchen die Auflösung gleich beigegeben ist. Zu loben ist, dafs in Anmerkungen auch die frühere Gestalt unserer Muttersprache den Schülern vor Augen geführt wird, soweit es eben zum Verständnis der heutigen Erscheinungen anging; dabei ist der Ton hochgeschraubter Gelehrsamkeit vermieden und das Ergebnis der historischen Forschung in schlichten Worten dargelegt.

Nur weniges ist im Gebiete der Formenlehre zu beanstanden. Das Wort P f a u wird gewöhnlich schwach dekliniert, nicht stark, vgl. Engelien, Gr. der nhd. Spr. S. 144; am geratensten ist es, im Schulbetriebe dasselbe zur gemischten Deklination zu ziehen; vgl. Aufg. 9. — S. 13 mufs es Forst st. Frost heifsen. — S. 15 sind die Plurale F u f s e und Z o l l e zu streichen. Vorausgreifend in den orthographischen Teil bemerken wir, dafs das arab. Wort A l k o v e n mit Unrecht unter die ursprünglich griechischen Wörter geraten ist.

Das Lob, welches man der Formenlehre spenden mufs, gebührt in gleichem Mafse der Satzlehre: auch hier treffen wir jene Klarheit und Übersichtlichkeit der Darstellung, die so wohlthuend berührt und uns von vornherein für das Buch einnimmt. Dieser Teil der Grammatik ist mit gröfserer Breite dargestellt als man ihn sonst findet, und zwar mit Recht; denn gerade die Lehre vom Satze ist am besten geeignet, die Bedeutung der erlernten Formen klar zu machen und den Schüler in das Leben und Weben einer Sprache einzuführen. Auch die zugehörigen Übungen sind reichlicher ausgefallen und ihre Fassung verrät fast überall den gewiegten Praktiker; besonders sind in dieser Hinsicht zu loben die Analysen des erweiterten Satzes, die Material für viele Übungen bieten. Inhaltlich genommen bewegt sich die Darstellung in den alten Geleisen, wonach der Reihe nach behandelt werden: der einfache Satz, die Erweiterungen desselben, der zusammengesetzte Satz, die Periode; vermieden ist eine Anlehnung an Fr. Kerns Reformvorschläge, ein Verfahren, das nur zu loben ist; denn mag dieser auch in manchen Beziehungen recht haben, seine Ausführungen sind im grunde doch zu spekulativ, als dafs die daraus abgeleiteten Resultate für 10—12jährige Schüler schon verständlich sein könnten.

Ein Anhang enthält 1. die Rechtschreibung, 2. das Wichtigste aus der Verslehre; beide Abschnitte sind gleich übersichtlich dargestellt wie die übrigen Teile des empfehlenswerten Buches, und bieten in kurzem Umrifs alles, was dem Schüler zu wissen nötig ist.

Wilh. Vietor, Die Aussprache des Schriftdeutschen.
Leipzig, O. R. Reisland. 1890. S. 101. Preis 1.60 M.

Ausgehend von dem § 2 des preußischen Regelbuches: „Bezeichne jeden Laut, den man bei richtiger und deutlicher Aussprache hört, durch das ihm zukommende Zeichen" unternimmt es Vietor, bekannt durch seine unermüdlichen Bestrebungen auf dem Gebiete der Phonetik, dem deutschen Volke das Bild einer richtigen Aussprache vorzuhalten, indem er zu jedem Worte des in den Händen aller Lehrer und Schüler befindlichen Regelbuches die richtige Aussprache in phonetischer Umschrift beisetzt.   Voran gehen jedoch diesem Teile des angezeigten Büchleins zwei Abschnitte, deren erster in einer allgemeinen Lautlehre die Grundsätze der heutigen Lautphysiologie darlegt, während darauf fußend der zweite für jeden einzelnen Buchstaben eine lauttreue Schreibung herzustellen sucht.   Da der Verf. sorgsam sich davor gehütet hat, irgendwie anzudeuten, daß er diese phonetische Umschrift oder die damit bezeichnete Aussprache in die Schule eingeführt sehen möchte, — andre Phonetiker, minder behutsam, bestehen ungestüm und mit großem Geschrei auf Verallgemeinerung derselben, — so enthalten wir uns hier jeglicher Polemik gegen das aufgestellte System und beschränken uns einzig auf Prüfung des Dargebotenen, bezw. kurze Wiedergabe des Inhaltes.

Zuerst werden die Sprachlaute bestimmt; bei jedem Vokal unterscheidet der V. offenen und geschlossenen Laut, entsprechend ungefähr der geschärften und gedehnten Aussprache nach alter Bezeichnung (Brett — Beet, Salz — Same); dazu konstruiert er einen eigenen Mischvokal (tonloses e, z. B. in Apfel) und nasalierte Vokale, ebenso bei den Konsonanten einen besonderen Knacklaut (Kehlkopfverschluß), der angeblich in mustergültiger Aussprache starkbetonten Anlautvokalen regelmäßig vorangeht. Sodann werden Dauer, Stärke, Höhe der Laute besprochen und für die zwei ersteren bestimmte Zeichen gesetzt; bezüglich der Höhe unterscheidet Vietor steigenden, fallenden und ebenen Vortragston, vermeidet aber die Anbringung besonderer Zeichen in den Proben, da er ohnehin zur Veranschaulichung seines Systems nenn verschiedener Zeichen bedarf.

Im zweiten Abschnitt handelt der V. vom gesprochenen Deutsch, d. h. von der mündlichen Verwendung der Schriftsprache, welch letztere auch seitens der Gebildeten in den verschiedenen Landschaften keineswegs gleichmäßig ausgesprochen werde.   Als Norm wird die Bühnensprache hingestellt. Wenn aber der V. im Vorwort die Hoffnung ausspricht, auch seinerseits etwas beizutragen, daß eine reine, des geeinten Deutschlands würdige Aussprache zur Geltung gelange, so sehen wir erstens nicht ein, was die Aussprache mit Deutschlands Einigung zu thun hat, zweitens halten wir jene Hoffnung für einen Traum und nicht einmal für einen schönen; denn jeder Mensch hat — abgesehen von allen mundartlichen, in früher Jugend aufgenommenen Eigenheiten — seine besondere den Raumverhältnissen des Kehlkopfes und Mundes entsprechende Aussprache und Klangfarbe;

wenn er aber, selbst in gehobenem Vortrage, sich anders gibt, als seine Natur es zuläfst, dann spricht er eben „affektiert". Aufserdem würden die Bemühungen, die mit dem Durchführen einer so feinen und kitzlichen (norddeutsch gefärbten!) Aussprache verbunden sind, nicht im entsprechenden Verhältnis stehen zu dem erzielten Vorteile einer einheitlichen, alle Gebildeten Deutschlands umfassenden Sprechweise; es hat ja doch unsre Zeit wichtigere Aufgaben zu lösen als z. B. die peinlich genaue Unterscheidung der stimmhaften und stimmlosen Konsonanten herbeizuführen; in letzter Linie dürfte auch der alte Spruch zu beachten sein: Naturam expelias furca, tamen usque recurret.

Des weiteren werden die zweifelhaften Fälle in der heutigen Aussprache betr. e, g, ng, st, r usw. besprochen und allgemeine Normen aufgestellt. Auf Ersatz der heutigen auslautenden Mediae b und d durch die lautrichtigen Tenues verzichtet der V. mit Rücksicht auf verwandte Wortformen und zwar mit Recht; denn wieviele haben heutzutage ein so feines Gefühl dafür, dafs man eigentlich schreiben müsse: das Weip, aber des Weibes?

Am Schlusse des Abschnittes findet sich eine übersichtliche Zusammenstellung der den einzelnen Buchstaben zukommenden Lautwerte. Den Hauptteil des Büchleins bildet das amtliche Wörterverzeichnis mit beigefügter phonetischer Umschrift zu jedem einzelnen Wort. Warum dabei auf einsilbigen Wörtern der Wortaccent noch eigens bezeichnet wird, ist unerfindlich; es wird doch niemanden einfallen, bei antretender Endung denselben auf letztere zu legen? — Ein Anhang bietet Abschnitte aus deutschen Schriftstellern mit gegenüberstehender phonetischer Umschrift, — eine ziemlich überflüssige Beigabe, denn aus dem Vorausgehenden hat man zur Genüge ersehen können, auf was es der Verf. mit seinen Aufstellungen abgesehen hat.

Da derselbe im Vorwort versichert, es würde ihm eine ganz besondere Freude bereiten, wenn sein Büchlein dem oder jenem eine erspriefsliche Bekanntschaft mit den Lehren der Phonetik vermitteln könnte, so wollen wir unsererseits etwas beitragen, dem Verf. zu dieser Freude zu verhelfen, indem wir allen, die sich für diese Wissenschaft im allgemeinen und für eine richtige Aussprache im besonderen interessieren, das klar und gedrängt verfafste, sauber und schön gedruckte Büchlein zu geneigter Beachtung empfehlen.

Hof.   R ud. S c h w e n k.

Abhandlungen aus dem Gebiet der klassischen Altertumswissenschaft. W. von Christ zum 60. Geburtstag dargebracht von seinen Schülern. München 1891, C. H. Becksche Verlagsbuchhandlung. 8⁰. IV, 425 S.

Am 3. August 1891 feierte Wilhelm von Christ seinen 60. Geburtstag. Der Gedanke seiner Schüler, ihm zu diesem Tage eine Festschrift darzubringen, konnte durch das freundliche Entgegenkommen der Beckschen Verlagsbuchhandlung verwirklicht werden.

Ein stattlicher Band von über 400 Seiten! Er wäre noch umfangreicher geworden, wenn nicht Herr Rektor Roemer, der die mühevolle Arbeit eines Redakteurs übernommen hatte, sich genötigt gesehen hätte, viele Arbeiten wegen ihres grofsen Umfanges oder wegen verspäteten Eintreffens zurückzuweisen. Auch so sind es noch 36 wissenschaftliche Beiträge, welche ein gleich ehrenvolles Zeugnis ablegen für den Lehrer wie für das wissenschaftliche Streben der Schüler. Der Gesinnung letzterer hat Jos. Menrad, der magistellus Burghusiensis, in launigen, Ovids Manier nachgebildeten Distichen Ausdruck verliehen. Hier der Schlufs dieses ‚carmen salutatorium':

Ut vigor ingenii duret crescentibus annis,
    Ut tua mente agili sacra, Minerva, colat;
Neve sit, ut fere fit, oneri maturior aetas
    Semisenive viro semivirove seni;
Usque magisterio creberrima semina condat,
    Stetque procul lento Parca severa gradu!

Die Aufgabe folgender Zeilen ist es nicht eine Kritik des Werkes, sondern nur ein Referat über dasselbe zu geben. Referent wird sich dabei nicht an die nach andern Gesichtspunkten bestimmte Reihenfolge der Beiträge halten, sondern dieselben nach den grofsen Rubriken der griechischen und römischen Literatur und der Antiquitäten ordnen.

Phil. Thielmann behandelt die Verbindung von „Ἔχω mit Particip", S. 294—306. In erster Linie bespricht der Verf. die Stellen, an denen ἔχω in der Verbindung mit dem Particip Aoristi noch die Bedeutung des Besitzens gewahrt hat, z. B. ἔχω λαβών; eine weitere Reihe umfafst die Fälle, wo ἔχω den Sinn von „halten" hat, wie κρύψας ἔχω ich halte verborgen. Dies sind die beiden Vorstufen zu der umfangreichen Gruppe von Stellen, wo ἔχω c. part. aor. nicht anders denn als Umschreibung des einfachen Perfekts aufgefafst werden kann. Diese Umschreibung ist nach Thielmanns Ansicht in der Volkssprache erwachsen: sie findet sich namentlich bei den Tragikern in Dialogpartien, teils aus Versbedürfnis, teils als Ersatz des noch nicht völlig eingebürgerten aspirierenden Perfekts. Den Schlufs der interessanten, „reinlichen" Untersuchung bilden Bemerkungen über die Bedeutung einzelner Gruppen der Perfektumschreibung.

Aus dem Gebiet der alten Philosophie ist der Aufsatz von Max Offner „Die pythagoreische Lehre vom Leeren" S. 386—396. O. entwickelt im Anschlufs an Windelband, dafs κενόν und ἄπειρον den Pythagoreern identisch seien. Der Begriff des Leeren scheint den älteren Philosophen dieser Sekte noch nicht ganz klar gewesen zu sein; dagegen sind die späteren, offenbar von den Atomisten beeinflufst, zu einer schärferen Auffassung gelangt.

Alb. Bischoff „Die Rollenverteilung in den Bacchen des Euripides" S. 409—413, sucht nachzuweisen, dafs nicht Pentheus, sondern Dionysos Träger der Hauptrolle sei. Er führt zur Begründung dieser These an, dafs der Gott viel ausführlicher charakterisiert wird als Pentheus, dafs die Chorlieder überall Teilnahme für den Gott, nicht für Pentheus zeigen, daſs endlich auch auf den bildlichen Darstellungen des von Euripides behandelten Stoffes Dionysos mehr hervortritt.

Karl Meiser hat „Kritische Beiträge" beigesteuert. S. 5—8 spricht er über die Ächtheitsfrage des platonischen Kritou. Im Phädon leistet Kriton Bürgschaft dafür, daſs Sokrates bleiben werde, in dem nach ihm benannten Dialog rät er zur Flucht. Plato konnte den Charakter des Kritou nicht so bloſs stellen, daſs er beides, die Bürgschaft und den Plan zur Flucht, von ihm ausgehen ließ. Auch sonstige kleine Widersprüche mit ächten Schriften Platos weisen auf einen andern Verfasser. Im 2. Teile seiner Beiträge (S. 9—14) teilt Meiser eine Reihe Konjekturen mit: Hom. Od. 22, 186 liest er δὴν τότε γ'ἤδη κεῖτο; Soph. Ai. 1311 ἢ Κρήσσης ὑπὲρ | γυναικὸς υἱοῦ τοῦ ϑ'ὁμαίμονος λέγω. Es folgt eine groſse Anzahl von Emendationen zu den Sophokles-Scholien und dem Kommentar des Servius zu Vergil, welche hier nicht einzeln aufgezählt werden können.

Ebenfalls kritischer Natur ist der Beitrag des leider zu früh gestorbenen J. Baumann zu „Platons Politikos" S. 413—418. Er fordert p. 284d ἐκεῖνο für ἐκεῖνα, streicht p. 285e die Worte ῥᾳδίως καταμαϑεῖν als Glossem zu αἰσϑηταί und schlägt p. 289e συντάττουσι für τάττουσι vor.

Die Münchner Demosthenes-Handschrift n.85, welche durch Christ und Burmann bekannter geworden ist, bildet den Gegenstand einer Untersuchung von Fr. Burger „Der codex Bavaricus (Mon. 85) des Demosthenes und sein Verhältnis zum Marcianus F (n. 416)", S. 252 —263. Der Verf. kommt auf grund einer genauen Vergleichung von B zum Resultat, daſs zwar die Abhängigkeit des B von F durch die Kriterien, welche Burmann und er selbst gefunden, als erwiesen gelten kann; jedoch ist B nicht eine direkte Abschrift von F, sondern der Schreiber der Münchener Handschrift kopierte nach einer Vorlage, welche aus F abgeschrieben war, zugleich aber auch Varianten anderer Handschriften enthielt.

H. Reich, ein warmer Verteidiger des Demosthenes, gibt einige Beiträge „zum Prozeſs Ktesiphon", S. 280—293. Anſser anderem behandelt er das erste παράνομον. Er führt aus: Daſs Ktes. den sonst üblichen Vorbehalt bei dem Antrag auf Bekränzung „ἐπειδὰν τὰς εὐϑύνας δῷ" wegließ, erklärt sich daraus, daſs die Rechnungsablage in unserm Fall eine bloſse Form gewesen wäre. Denn Demosthenes hat als τειχοποιός vom Staat nicht 10 Talente bekommen, wie Aeschines fälschlich behauptet, sondern hat die Auslagen für den Mauerbau seiner Sektion völlig aus eigenen Mitteln bestritten. Diese Behauptung wird des weiteren ausgeführt.[1] Am Schluſs kommt Reich noch auf die Gründe zu sprechen, welche Äschines zum Verlassen Athens bewogen. Er glaubt den Hauptgrund in den unsicheren Verhältnissen zu finden, welche durch die Verarmung der Bürger damals entstanden waren. Äschines hätte in dem damaligen Athen sein ὁπωςδήποτε erworbenes Vermögen nicht in Ruhe und Behagen verzehren können.

---

[1] Den Aufsatz Ladeks in den Wiener Studien 1891 S. 63—123 konnte Reich nicht mehr benutzen.

L. D i t t m e y e r „Zur Aristotelischen Tiergeschichte" S. 114—124, bietet eine Reihe ganz vorzüglicher Konjekturen zu Buch 4 und 5.[1])

H. S t a d l e r „Theophrast und Dioscorides" S. 176—187 liefert einen wertvollen Beitrag zur Kenntnis der alten Botanik. Dioscorides hat den Theophrast nicht direkt benützt, sondern durch Vermittlung von Crateuas und Sextius Niger. Wir dürfen daher nie ohne weiteres die bei Th. und Diosc. unter gleichen Namen erscheinenden Pflanzen identificieren, sondern müssen erst untersuchen, woher jede einzelne Notiz des Dioscorides stammt.

L. G o e t z e l e r handelt über den „Einfluß des Dionysius von Halicarnass auf den Sprachgebrauch des Plutarch nebst einem Exkurse über die sprachlichen Beziehungen des Plutarch zu Polybius", S. 194—210. Er kommt nach Aufzählung einer Reihe von Beispielen zu dem Schluß, daß Plutarch aus dem Wortschatz und der Phraseologie des Dionysius geschöpft und sich auch verschiedene Neologismen des Polybios angeeignet hat.

J. M e l b e r „Dio Cassius über die letzten Kämpfe gegen Sext. Pompeius, 36 v. Chr.", S. 211—236, beweist, daß Dio ähnlich wie Diodor infolge Haschens nach rhetorischem Effekt vielfach ein falsches und unlogisches Bild der historischen Ereignisse·entwirft. Und zwar wird dieser rhetorische Effekt erzielt besonders durch ausgiebige, formelle wie inhaltliche, Nachahmung des Thukydides.

C. B a u e r „Handschriftliches zu Prokop" S. 418—421, gibt Nachricht über eine Münchener Excerptenhandschrift (c. gr. 267), durch welche die große Lücke de bello Pers. II 28 p. 282 Dd. ausgefüllt wird.

Heinr. L i e b e r i c h „Die handschriftliche Überlieferung des Bachmannschen Lexikons" S. 264—279, bietet einen genauen kritischen Apparat zu der von Bachmann aus cod. Coisl. 345 edierten Glossensammlung.

Wir gehen·über zu den Arbeiten aus dem Gebiete der l a t e i n i s c h e n L i t e r a t u r.

E. R e i c h e n h a r t „Tamquam und Quasi bei Lucretius" S. 399—404, stellt gegen Schmalz (Fleckeisens Jahrb. 1891 p. 218) fest, daß bei Lucrez tamquam sich 10mal, quasi 82mal finde. Der häufigere Gebrauch des letzten Wortes erkläre sich am natürlichsten daraus, daß der Dichter Daktylen brauchte.

M. S e i b e l macht S. 15—24 Mitteilung von einer bisher unbenützten „vatikanischen Handschrift des somnium Scipionis", nämlich dem cod. Vat. 3227. „Es ist wohl der Beweis erbracht," sagt der Verf. am Schluß, „daß wir an ihm nicht nur den besten Vertreter der Familie VFRB Goth. Vind. 1, sondern überhaupt eine Quelle haben, die dem Wortlaut des Archetypus näher steht als jede andere".

L. T r a u b e „de Cinnae Arateis", S. 372—374, behandelt fr. 13 des Helvius Cinna. Die Verse wurden bisher falsch ausgelegt. Unter „carmina Arateis lucernis elucubrata" sind nicht die Gedichte des Arat,

---

[1]) Kühn ist das Urteil über Scaliger, welcher S. 115 mehr wort- als geistreich genannt wird,

sondern Cinnas eigene Verse zu verstehen. Der ganze Ausdruck bedeutet nach Art der cantores Euphorionis nichts anderes als carmina diligentissime elucubrata.

In das Gebiet der Metrik führt uns B. G e r a t h e w o h l „Alliteration tontragender Silben an den beiden letzten Arsen des Hexameters in Vergils Aeneis" S. 155—175.[1]) Seine Zusammenstellungen zeigen jedenfalls, daſs bisher die Alliteration bei Vergil zu wenig beachtet wurde.

Chr. H ö g e r „zu Hor. epist. I 15 v. 10 fg." S. 374—379, übersetzt „(eques) laeva stomachosus habena" mit „unwillig den linken Zügel gebrauchen zu sollen = den l. Zügel nicht gebrauchen wollend".

Ed. H a i l e r untersucht die Frage über den „Verfasser der Elegien des Lygdamus" S. 404—409. Aus sprachlichen Eigentümlichkeiten wird der Schluſs gezogen, daſs der Verfasser ein jüngerer Zeitgenosse und Nachahmer des Properz, nicht des Tibull war.

Alph. S t e i n b e r g e r „Hercules Oetaeus fabula num sit a Seneca scripta" S. 188—193 kommt zu folgendem Resultat (S. 191): ‚Quid, inquam, prohibet, ne et eius fabulae haud exiguam partem ex variis temporibus incohatis neque perfectis scaenis aut ab ipso autore aut, — id quod mihi a vero propius abesse videtur —, a poëtae amicis scripta eius cuncta posteris tradendi cupidis in unum confusam et conglutinatam esse ducamus?'

K. W e l z h o f e r s Aufsatz über „Bedas Citate aus der naturalis historia des Plinius", S. 25—41, ist für die Überlieferungsgeschichte des Plinius von höchster Wichtigkeit. Vor allem wird die Rolle, welche hiebei England spielt, in helles Licht gesetzt.

Auf den nämlichen Schriftsteller bezieht sich H. K o e h e r t s Beitrag „das Kunstverständnis des Plinius" S. 134—146. Friedländer sprach dem Plinius jedes Kunstverständnis ab. Gegen ihn wandten sich K. Fr. Hermann und Urlichs. Koehert kehrt nun zu der heute wohl allgemein geltenden Ansicht Friedländers zurück und stützt sie dadurch, daſs er des Plinius Schilderungen und Urteile über Künstler und Kunstwerke im einzelnen vornimmt und kritisiert.

Mit Quintilian beschäftigen sich zwei Gelehrte: Mor. K i d e r l i n, „Kritische Bemerkungen zu Qu." S. 75—87, gibt eine Reihe beachtenswerter Vorschläge zum 5.—8. Buch der institutio oratoria; Karl R ü c k „Handschriftliches zur inst. or. Quintilians", S. 382—385, berichtigt Zumpts Kollation des cod. Flor. 46, 7 an 70 Stellen.

Einige Konjekturen „zu Tacitus" steuert Fr. W a l t e r bei (S. 396—398). Er schlägt folgende Änderungen vor: Agr. 33 quando in manus ⟨venient⟩? für quando animus? Ann. 12, 63 in extrema Europae parte. Hist. 1, 67 plus praedae ac sanguinis insuper bansit. Ibid. 4, 73 et populi Romani magnitudo virtutem etc.

Gg. S c h e p f s „Zu den mathematisch-musikalischen Werken des Boethius" S. 107—113, teilt eine Auswahl von Beobachtungen allgemeineren bibliographischen und literargeschichtlichen Inhalts mit,

---

[1]) Teil eines auf der 41. Philologenversammlung in München gehaltenen Vortrags.

welche er bei den Vorbereitungen zu der früher von ihm in Aussicht genommenen Ausgabe der math.-musikalischen Schriften des Boethius gemacht hat.

Mehreren Autoren kommen die kritischen Beiträge von G. L a n d - g r a f und C. W e y m a n zu gute. Ersterer teilt folgende „Coniectanea" auf S. 380—382 mit: Verg. Aen. 6, 463 imperiis egere tuis. Liv. 22, 12, 6 et prudentiam quidem non dimicantis dictatoris. Ibid. 60, 21 fuisse saluti erumpentibus. Varro de l. l. 5, 149 verteidigt L. die überlieferte Lesart; recipere für se rec. sei archaisch. W e y m a n („Zu latein. Schriftstellern" S. 147—154) führt für die Dekadeneinteilung des Livius ein Zeugnis aus den Acta S. Sebast. an; dann folgen kritische und sprachliche Bemerkungen zu Ovid. her. 16, 225, Pers. 4, 31, Sen. suas 2, 1, Apul. met. 5, 2 und einigen Kirchenschrift-stellern. Am Schluß werden Addenda lexicis latinis aus den von Caspari 1890 edierten Briefen und Abhandlungen angefügt.

Mit dem Gebiete der römischen Literatur berührt sich auch der Aufsatz von F. R u e f s „Gabelsberger und die tironischen Noten", S. 125—133. R. führt aus, wie grofsen Wert der Begründer der modernen Stenographie auf die tironischen Noten legte, wie er vor allem seine Form- und Klangkürzung auf sie zurückführte. Gabelsberger hatte nämlich die falsche Ansicht, dafs in der tironischen Kurzschrift ein förmliches, konsequent durchgeführtes System vorliege.

Den gröfsten Beitrag, zugleich einen der wertvollsten, gibt K. K r u m b a c h e r: ‚Colloquium Pseudodositheanum Monacense ad fidem codicum optimorum et antiquissimorum nunc primum edidit et apparatu critico adnotationibusque instruxit C. K.‘, S. 307—364. Das 3. Buch der Interpretamenta Pseudodositheana, enthaltend ver-schiedene Konversationen in griechischer und lateinischer Sprache zur Einübung des Griechischen, wird hier zum erstenmal auf grund alter Handschriften (Mon. 13002 = Ma und 22201 = Mb) herausgegeben. Der bisher bekannte Text (Haupt opusc. II 508 ff.) wird durch sie wesentlich verbessert. Auf eine kurze Einleitung, welche eine Ergänzung zu Krumbachers Dissertation bildet, folgt die Ausgabe: jede Seite ist in verschiedene Stockwerke geteilt; oben steht der rekon-struierte Text, dann folgt ein vollständiger Abdruck von Ma, hierauf die Abweichungen des cod. Mb von Ma, zuletzt noch die Lesarten der späteren Handschriften oder früheren Drucke und die Konjekturen. Hinter dem Texte sind wertvolle Annotationes beigegeben, welche manche wichtige Bemerkung über das Mittelgriechische enthalten (so über νερό S. 363).

H. S i m o n s f e l d publiziert und bespricht einen im cod. lat. Mon. 23499 erhaltenen „Bericht über die Eroberung von Byzanz im Jahre 1204" (S. 63—74). Es ist ein von Buoncompagnus den Führern des lateinischen Kreuzzuges untergeschobener Brief, der Wahrheit und Dichtung mischt.[1]

---

[1] S. 64 ist natürlich für servantur claustra virginum zu lesen: reserantur c. v.; ferner Cretam insulam für certam insulam. Druckfehler ist transacurant S. 63, vielleicht auch invascimus S. 64 und subjegit S. 65.

Ebenfalls einer Münchner Handschrift (cod. lat. 280b) verdanken wir den Beitrag von Gg. Laubmann „Helias Gruenpergs griechische Übersetzung von Ciceros 4. philippischer Rede" S. 365—371. Der sonst unbekannte Gruenperg lebte im 16. Jahrh.; sein Elaborat „bietet ein gutes Beispiel für die Gewandtheit und Fertigkeit im griechischen Ausdruck" in der damaligen Zeit.

Den zahlreichen auf die Literatur bezüglichen Beiträgen stehen blofs drei Arbeiten gegenüber, welche dem Gebiete der Antiquitäten angehören.

Eug. Oberhummer teilt uns „Studien zur alten Geographie von Kypros" mit (S. 88—106). Auf grund eingehender Kenntnis der Insel selbst wie der mittelalterlichen und neueren Literatur über dieselbe bestimmt er die uns von den Alten überlieferten Flufs- und Bergnamen. Für weitere Kreise interessant ist die Besprechung von Eurip. Bacch. 402, wo er des Meursius Konjektur Βωχάρου statt βαρβάρου mit schwerwiegenden Gründen stützt.

A. Fehlner „über die Entstehung der römischen Dictatur" S. 237—251, durchmustert zuerst die bisherigen Ansichten. Durch genaue Prüfung der einschlägigen Stellen des Dionysius von Hal. und Livius kommt er selbst zu dem Resultat, „dafs der Senat zur Einführung der Dictatur durch die Weigerung der Plebs, den Consuln Heeresfolge zu leisten, sich veranlafst sah, aber seinen Antrag ans Volk mit der Gröfse der Kriegsgefahr motivierte".

O. Hey „Zum Verfall der römischen Münztypik in der späteren Kaiserzeit" S. 42–52, behandelt die Aversbilder auf den Münzen von Gallien angefangen bis Anastasius. Nach eingehender Musterung derselben konstatiert der Verf. eine Verarmung des Kreises der Münzbilder bis zum gänzlichen Aufhören derselben.

Ein Sachregister und ein Verzeichnis der behandelten Stellen[1] erhöht die Brauchbarkeit des Werkes.

Leider ist eine grofse Zahl von Druckversehen stehen geblieben. So scheint der Name der Verfasser in den Miscellen von S. 372 an nachträglich an die Spitze des Beitrags gesetzt worden zu sein, wodurch sich erklärt, dafs S. 372 die Überschrift halb lateinisch, halb deutsch ist und dafs S. 328 Rück von sich als dem Unterzeichneten spricht. S. 380 ist der Haupttitel „Coniectanea" ganz ausgefallen. Die meisten Druckfehler wird der Leser selbst corrigieren. Ich notiere nur: S. 57 A. 2 lies Heroon des Herolds; S. 89 Z. 5 von unten lies beidemal ἥ; S. 192 in den Versen des Seneca „natum reposcit"; S. 312 im Apparat zu v. 1—7 (foeliciter P) PB; S. 387 Z. 7 von unten ist die in Parenthese gesetzte Bemerkung zu streichen; S. 391 Z. 2 v. oben lies: In den verschiedenen Fassungen.

München.   Theodor Preger.

Th. Preger „zum aristotelischen Peplos", S. 53—62. In der gediegenen Abhandlung tritt Pr. entschieden und mit Glück für den Philo-

---

[1]) Nachzutragen ist die Emendation περὶ φυτῶν ἱστορίας statt περὶ αὐτῶν ἱστορίας: Dioscor. III 130 . . S. 182.

sophen Aristoteles als den Verfasser des Peplos ein. Geschickt hat derselbe eine Andeutung Schneidewins benützend die Sammlung S. 56 um
ein schönesFragm. bereichert und die Bedeutung der Schrift für die Überlieferung von den Heroengräbern nachgewiesen. Was die mit dem prosaischen Teil verbundenen Epigramme anbelangt, so hält Pr. aus ge-
wichtigen Gründen an einem Verf. fest, hat dagegen durchaus keine
hohe Meinung von dem poetischen Werte derselben. Um so höher schätzt
er den prosaischen Teil, dessen reiche Fülle von Nachrichten, verbunden
mit der feinen Detaillierung des Stoffes auf einen Forscher weisen,
welcher nicht auf den gewöhnlichen Strafsen wandelte.   A. R.

T. Macei Plauti Comoediae. Recensuit instrumento critico et
prolegomenis auxit Fridericus Ritschelius sociis operae adsump-
tis Gustavo Loewe, Georgio Goetz, Friderico Schoell. Tomi IV fasciculus I: T. Macei Plauti Casina. Recensuit Fridericus Schoell.
Lipsiae in aedibus B. G. Teubneri MDCCCXC. S. XL. u. 172. gr. 8.

Unerwartet rasch ist der Neubearbeitung der Menaechmi die vorliegende Ausgabe der Casina gefolgt, ein Beweis für den rastlosen
Eifer, mit dem Schoell seinem grofsen Unternehmen obliegt. Da für
dieses Stück nicht die feste Grundlage einer Ritschl'schen Rezension vorhanden war, hatte S. noch erheblich gröfsere Schwierigkeiten
zu überwinden, um dasselbe der wissenschaftlichen Forschung allgemein zugänglich zu machen und eine den Anforderungen Plautinischer
Kritik entsprechende Ausgabe zu bewerkstelligen. Denn dafs eine
solche weder die i. J. 1866 erschienene Ausgabe der Casina von Geppert, noch die von Ussing (1887) zu nennen ist, gilt für den nur
einigermafsen mit den Plautinischen Studien Vertrauten als ausgemacht.
Was im Ambrosianus von dem Stücke erhalten ist — ungefähr
die Hälfte, nämlich vv. 38—188, 535—883, 957 bis zum Schlusse —
hat S. selbst, wie er in der Praefatio (S. XVIII) mitteilt, im J. 1888
innerhalb 16 Tagen mit möglichster Sorgfalt unter Benützung der
Kollationen Ritschls und Gepperts verglichen; auch einzelne, zerstreute
Bemerkungen und Angaben Studemunds sind bereits im Apparate verwertet, während dessen Apographum, das erst, nachdem Text und
Apparat gedruckt war, erschienen ist, nur noch in der Appendix insoferne benützt werden konnte, dafs wenigstens die wichtigsten Abweichungen angegeben wurden. Hiebei sei bemerkt, dafs S. in seiner
Vorrede in anerkennenswert bescheidener Weise gerne zugibt, Studemund („ommino in hoc negotio exercitatissimus"), der seit dem Jahre
1864 wiederholt sich mit der Vergleichung des Ambrosianus beschäftigt hat, habe in den meisten Fällen das Richtigere gesehen. Um so
freudiger wird man ihm daher das vollste Recht zugestehen, wenn
auch er auf eine wohlwollende Kritik seiner Bemühung Anspruch
machen zu dürfen glaubt. Dafs an verschiedenen Stellen die Angaben
nicht unbedeutende Abweichungen zeigen, ist bei der schwierigen Lesung des Palimpsests leicht erklärlich, und das Verlangen nach einer

einer wiederholten genauen Prüfung der abweichenden Angaben ist
sicher nicht unberechtigt.

Von den übrigen Handschriften hat den von Ritschl bereits aus-
gebeuteten Codex B (i. J. 1877) und den Ambrosianus E (i. J. 1880)
Loewe und auferdem (i. J. 1885) Schoell selbst verglichen, dieser auch
den Codex F Lipsiensis. Von dem ohnehin nicht sehr wertvollen Codex J Britannicus hat Goetz eine Kollation zur Verfügung gestellt, die
Schoell selbst als nachlässig bezeichnet und die O. Seyffert auf Grund
einer Kollation von A. Luchs „geradezu unbrauchbar" nennt (s. Berl.
Philol. Wochenschr. XI. (1891) Nro. 3 Sp. 73 ff.).

Von der Kollation des B sagt O. Seyffert (a. a. O.), sie sei
„sehr zuverlässig" und weiche nur „in wenig zahlreichen Fällen" von
der ihm vorliegenden Studemundschen ab, hingegen äufsert sich derselbe weniger günstig über die Kollation des E, von welchem ihm
auch „eine vollständige, alle Abkürzungen, Korrekturen etc. genau
wiedergebende Abschrift voliegt, die Studemund mit der ihm eigenen,
peinlichen Genauigkeit mit der Vorlage verglichen hat", und von
welcher „in einer nicht ganz unbeträchtlichen Zahl von Fällen"
Schoells Angaben abweichen.

Zum erstenmal ist in dieser Ausgabe der Casina benützt. der
Codex Vossianus Q. 30 (V), eine Leidener Handschrift aus dem Anfang des 12. Jahrh., welche J. S. Speijer in einem Aufsatze „Ad Plauti
Captivos" in Mnemos. N. S. XVI (1888) S. 124 ff. genauer beschrieben
und gewürdigt hat. Sie ist eng verwandt sowohl mit dem Codex J,
der somit noch vollends seine Bedeutung verloren hat, als auch insbesonders mit dem für die Kritik der ersten 8 Stücke des Plautus so
wichtigen Ambrosianus E und enthält von den ursprünglich auch in
ihm stehenden 8 Stücken heutzutage noch Aul. von v. 190 an, Capt.,
Curc., Cas., Cist., Epid. bis v. 244.

Während die Varianten dieser Handschrift für die Casina bereits
im krit. Apparat angegeben werden konnten — das Gleiche wird in
der Cistellaria - Ausgabe geschehen — hat S. die Varianten zu den
übrigen (schon veröffentlichten) Stücken in der Praefatio S. XXI—XXXIX
mitgeteilt (ebenso wie Goetz in der Praefatio zu Curc. den Apparat
des Epid. aus E ergänzt hat).

Was den kritischen Standpunkt Schoells anbelangt, so sei auch
hier wieder mit Vergnügen bemerkt, dafs er immer mehr einer kon-
servativeren Haltung zuzuneigen scheint (vgl. die Anzeige der Menaechmi
in diesen Blättern Band XXVII S. 115 ff). Abgesehen davon, dafs er
über die Erhaltung des Stückes überhaupt konservativ denkt, indem
er die Spuren einer Überarbeitung für unerwiesen erachtet (obwohl
aus dem Prolog deutlich zu sehen ist, dafs wir ein Exemplar aus der
Zeit einer Wiederaufführung vor uns haben), weist S. auch die Annahme von Dittographien und Interpolationen fast durchweg zurück
(z. B. gegenüber Weise, die Komödien des Plautus. Quedlinburg 1866
S. 83 ff.). Unter Hinweis auf die Erörterung in der Rudens-Ausgabe
(Praefatio S. XV ff.) nimmt S. auch für die Casina an, dafs die Überlieferung in den Palatinischen Handschriften auf einen Archetypus

zurückzuführen sei, der 20 Zeilen auf jeder Seite gezählt habe und der öfter entweder durchlöchert oder am Rande beschädigt gewesen sei, so daſs vorhandene Lücken aus solchen Schäden in demselben herzuleiten seien. Doch diese Frage dürfte noch nicht endgiltig entschieden sein; allgemeine Zustimmung hat wenigstens S. bis jetzt noch nicht gefunden (vgl. Seyffert a. a. O.).

Daſs bei der Herstellung des Textes von wesentlichem Einflusse die Autorität des A war, braucht kaum angeführt zu werden. Ihm verdanken wir an zahlreichen Stellen eine Verbesserung des Textes gegenüber den Fehlern der andern Handschriften; als offenkundiges Beispiel sei erwähnt v. 723, wo attat cesso magnifice patriceque amiceque ita . . . . verderbt ist aus attat cesso magnifice patriceque (patricieque nach Studemund) amicirier atque ita . . . Selbstverständlich ist es daher, daſs S. häufig der Lesart des A folgt, wo bisher der Text nach der Überlieferung anderer Handschriften gestaltet war: z. B. v. 92, 113, 129, 146, 186, 744, 748, 758, 801, 819 u. a. Sehr oft finden wir ferner bei seinen Textesverbesserungen den Zusatz „duce A", so daſs sein Bestreben, sich möglichst an dessen Überlieferung anzulehnen, auch in solchen Fällen hervortritt, wo er eine Änderung für nötig hält (vgl. v. 544, 656, 679, 871 u. a.).

Ob die Änderungen immer nötig oder glücklich gewählt sind, daran wird wohl zu zweifeln erlaubt sein. Daſs z. B. v. 847 die Änderung des von Schoell in A gelesenen pectus in tegus sich wegen der sonstigen Bedeutung dieses Wortes bei Plautus nicht empfiehlt, darin hat gewiſs O. Seyffert recht, auf dessen schon erwähnte eingehende Besprechung der vorliegenden Casina-Ausgabe in Nro. 3 u. 4 der „Berliner Philologischen Wochenschrift" XI (1891) bezüglich einzelner Stellen überhaupt verwiesen werden mag. Im übrigen möchte ich auch meinerseits dessen anerkennenden Schluſsworten zustimmen, die Schoells Verdienst hervorheben, „welches er sich durch diese Ausgabe erworben hat"; und mit Dank nehmen wir „hanc fabulae purgatae non purae editionem" entgegen, wie Schoell in der Widmung an Hermann Rassow seine Arbeit selbst bezeichnet hat.

München.   Dr. Weninger.

Qu. Horatus Flaccus. Erklärt von Hermann Schütz, Professor und Gymnasialdirektor a. D. Erster Teil: Oden u. Epoden. Dritte Auflage. Berlin, Weidmannsche Buchhandlung. 1889.

Der Verfasser besitzt in hohem Grade alle jene Eigenschaften, welche mir für den Herausgeber eines Dichters des Altertums notwendig zu sein scheinen. Er tritt an seinen Autor ohne vorgefaſste Meinung heran. Er sieht das Schöne, wo es sich findet, ist aber auch gegen die Schwächen des Dichters nicht blind und rechnet ihm dieselben an, ohne, wie es so viele andere in solchen Fällen thun, gleich die ganze Überlieferung umzustoſsen. Sehr richtig sagt er in dieser Beziehung S. 96: „Man wird um so mehr sich hüten müssen, in horazischen Gedichten nur vollendete Muster von Eleganz, gutem Geschmack oder gar von Moralität zu suchen."

Wo er aber einmal etwas beanstandet, geschieht es in maßsvoller Weise mit einem großen Aufgebot von Scharfsinn und Wissen. Der kritische Anhang ist geradezu vorzüglich. Wäre es nicht herkömmlich, bei Besprechung eines Buches auch auf einzelne Fehler hinzuweisen, so möchte ich am liebsten mein Referat mit einer Empfehlung der Schützschen Horazausgabe schließen. Ich will mich aber möglichst kurz fassen.

Nicht recht klar ist es mir, warum der Verfasser nicht jene Lesarten in den Text aufgenommen hat, welche er in den Anmerkungen verteidigt. Er hätte dies an vielen Stellen um so leichter thun können, als es sich dabei nicht um eine Konjektur, sondern nur um Aufnahme einer anderen, ebenfalls gut bezeugten Lesart handelt: Ich rechne darunter: fertilis in II 6, 19, wofür Sch. fertili im Text hat, während er doch jenes selbst verlangt und auch Keller es so gegeben hat. — Auch hält er in der gleichen Ode amictus oder Bentleys apricus für richtig, behält aber doch amicus bei, wiewohl er behauptet, Keller hahe amictus in den Text aufgenommen. (Ich finde übrigens dort amicus.) — In I 2, 39 hätte Sch. Marsi für Mauri schreiben sollen, wie auch Kießling gethan. Sehr gut hingegen hat der Herausgeber seine Rückkehr zur alten Lesart Hebro für Euro in I 25, 20 begründet. Das Gedicht I 7 möchte Sch. nach dem Vorgange anderer in 2 Teile zerlegen. Ich halte die Gründe dafür nicht für zwingend genug. Es ist zu unwahrscheinlich, daß die Verse 1—14 zwecklos sein sollten, während der übrige Teil — im gleichen Versmaß — für sich allein stünde. Ich finde den ganzen Bau und Gedankengang dieser Ode der 11. Epistel des I. Buches ähnlich. Leuchtenberger hat das Gedicht auch ganz richtig disponiert und Gebhardi es sehr gut erklärt. Daß die 3 Teile: Einleitung (1 – 14), Mitte (—21) und Schluß locker zusammenhängen, hat auch Kießling anerkannt und muß wohl jeder zugeben. Doch steht das Gedicht in dieser Beziehung nicht vereinzelt da. Den Schluß hat H. nur als Beispiel für die Wirkung des Weines herangezogen und etwas breit behandelt, wie er das bei mythologischen Einschiebseln überhaupt gerne thut. — In I. 13, 2 will mir die Zusammenstellung eines sonnenverbrannten Armes mit einem Rosennacken nicht gefallen. Zu einem sonnenverbrannten Arm gehört auch ein sonnenverbrannter Nacken. Lydia schätzt an Telephus offenbar das zarte Aussehen. Will Sch. nicht lactea wie Kießling, so muß cerea anders erklärt werden. In I 36, 8 scheint mir das rex puertiae nicht richtig erfaßt. Hier hat Kießling gewiß recht, wenn er sagt: rex puertiae ist poetischer Ausdruck für das, was Tac. von Burrus und Seneca mit hi rectores imperatoriae juventae bezeichnet. Ähnlich auch Nauck, der noch hinzufügt, daß diese Erklärung auch durch non alio geboten sei. Zu II 12, 37 ist Peerlkamps Wiedergabe der Stelle mit cum tamen magis quam is qui poscit, oscula sibi eripi gaudeat doch noch immer das Beste. Auf diesen Sinn deutet schon das magis, mit dem man sonst nichts anzufangen weiß. Wenn Sch. meint, das wäre ein kalter Liebhaber, so fällt das wenig ins Gewicht: er kann recht warm, das Mädchen aber doch noch feuriger lieben. — In II 20, 1 scheint mir die Erklärung des Verfassers, non usitata solle hier bezeichnen, daß Horaz zu fliegen nicht gewohnt sei, etwas gar zu spießbürgerlich zu sein. Es ist mit nec tenuis zu verbinden und heißt: mit nicht gewöhnlichem und nicht schwachem Fittich, also mit ungewöhnlichem, wunderbaren und kräftigen Fittich. Ziemlich mißlungen kommt mir die Auffassung von III 19 vor. Warum soll denn der gelehrte Freund nicht der angesprochene Telephus, sondern vielleicht Mäcenas sein? Mir scheint der Zusammenhang folgender zu sein: Beim Murena wird ein Gastmahl gefeiert. Der junge Telephus spricht über gelehrte Dinge. Da fährt Horaz dazwischen: Was soll das gelehrte Zeug? Sprich lieber etwas anderes: wann und wo wir unser nächstes Picknick abhalten. — Bestandteile desselben — und vor allem: jetzt wird einmal getrunken auf das Wohl des Hausherrn. Die Mischung nach Belieben! Lärmt, Kinder — und sage, wie steht es denn mit der Liebe? Du merkst vor lauter Gelehrsamkeit ja gar nicht, wie Dir Rhode nachsteigt, ein Mädchen, das man jetzt schon beachten darf. Ich hänge noch immer an der Glycera. Mit Recht sagt Gebhardi von diesem Gedichte: Die ausgelassene Stimmung eines, der „des Gottes voll" geworden ist, mit seiner Rücksichtslosigkeit, seinen Gedankensprüngen, ist ganz vortrefflich getroffen.

Zu III 24, 5—8 scheint Sch. (im kritischen Anhang) soweit das Richtige erkannt zu haben, als er nicht daran denkt, daß die Necessitas einen Nagel in den Scheitel eines Menschen einschlägt. Im übrigen aber holt er die Erklärung zu weit her. Die Necessitas, die hier dem Fatum ziemlich gleich ist, geht herum und sucht sich ihre Opfer aus. Wie der Forstmann den Baum, der zum Fällen bestimmt ist, mit einem Axthieb bezeichnet, so bezeichnet die Necessitas den Giebel des Gebäudes, das dem Untergang geweiht ist, mit ihrem Attribut, dem Balkennagel. Von diesem Moment an ist der Fall gewiß. Vielleicht aber ist verticibus metaphorisch und bezeichnet die höchsten Spitzen der Menschheit, denn gerade um die Reichen und Vornehmen handelt es sich.

Im kritischen Anhang zu IV 8 hat Sch. gut die ersten 8 Zeilen gerechtfertigt. Er hätte sich dabei anf I 7, 1—14 und I 20, 8—12 berufen können, wo sich dieselbe Art des Ausdruckes findet.

Hiemit will ich aber auch meine Ausstellungen beenden und das Buch nochmals allen Freunden des Dichters aufs wärmste empfehlen.

Landshut.   Proschberger.

Cicero de oratore. Für den Schulgebrauch erklärt von K. W. Piderit. 6. Auflage besorgt von O. Haruecker. Drittes Heft: Buch III. Leipzig, Teubner. 1890.

Mit dem vorliegenden dritten Heft ist die neue Auflage der bewährten Schulausgabe Piderits von Ciceros de oratore vollständig erschienen (I 1886, II 1889, III 1890). Das Ganze ist gegenüber der 5. Auflage um ungefähr 70 Seiten gewachsen, wovon ein großer Teil

auf die Vermehrung und besonders auf den übersichtlicheren Druck
der Anmerkungen entfällt. Diese sind auch im dritten Bändchen mit
Fleifs und Sorgfalt gesichtet und an sehr vielen Stellen verbessert;
kleinere Zusätze zeigen sich auch hier allenthalben, indem der neue
Herausgeber viel häufiger als Piderit gethan die Übersetzung schwieriger Stellen gibt, wohl in der berechtigten Anschauung, dafs eine
treffende Übersetzung die bündigste Interpretation sei. Manche halte
ich indes doch für überflüssig, wie S. 407 A. Z. 5 (§ 12) „divino consilio Ratschlufs, Vorsehung"; S. 411 A. Z. 2 (§ 22) „humi strati wir
etwa: im Banne irdischer Beschränkung, Schranken" („irdischer"
mufste wiederholt werden), verwischt das Bild, das in suspicere fortgesetzt wird; S. 411 A. Z. 14 (§ 23) „comitata est ist begleitet, d. h.
nicht völlig frei, nicht selbständig; wir etwa: ‚eingedämmt', abhängig,
bedingt, beeinflufst; vgl. u. oppressi beengt, befangen", ist überflüssig
und unrichtig zugleich. S. 413 A. Z. 17 (§ 28) „sonitum, tönenden
Klang" (vielmehr ‚klangvolle Sprache', ‚klangvolle od. gewaltige Worte').
Auch S. 438 A. Z. 12 (§ 86) ist die Bemerkung zu quos discentes
vita defecit zu entbehren. Eine Anzahl von Noten wünschte man berichtigt, ergänzt oder bestimmter gefafst. S. 425 A. Z. 18 (§ 58) „ab
opere, von ihrer Lebensaufgabe", opus ist wie Z. 15 (cum tempestatis
causa opere prohibentur) die Arbeit, Feldarbeit, das Tagwerk, daher
auch tamquam vorgesetzt (zur Sache vgl. Hor. sat. II 2, 119). S. 445
A. Z. 6 (§ 100) „ornatam (überall) in den schönsten Phrasen",
ginge also auf die ἐκλογὴ ὀνομάτων, ist aber nach dem Zusammenhang doch
wohl eher auf die σχήματα zu beziehen; ebenda ist auch die Erklärung
von festivam ungenau. S. 462 A. Z. 22 (§ 141): Die Worte ‚Itaque
ornavit (sc. Aristoteles) et illustravit doctrinam illam omnemque rerumque
cognitionem cum orationis exercitatione coniunxit' auf das dritte Buch
der Aristotelischen Rhetorik zu deuten, ist gar kein Grund vorhanden;
Cicero kannte, wie es scheint, die drei Bücher der Rhetorik nicht mehr
als zwei gesonderte Schriften, sondern bereits zu einem corpus vereinigt (wie Dionys von Halik.); übrigens pafst der schon von Brandis
u. a. dem 3. Buch vindicierte Titel περὶ λέξεως nicht; er kann den
zweiten Teil des Buches, περὶ τάξεως, nicht in sich begreifen. Um an
die Aristotelische Rhetorik noch eine Bemerkung anzureihen, so sehe
ich eine Übersetzung des Ausdrucks ἡ ἀνάλογον μεταφορὰ oder ἡ κατ'
ἀναλογίαν μεταφορὰ (III p. 1411a) in den Worten si sunt ratione trans-
lata und translatio, quae quidem sumpta ratione est § 159 und 160,
Piderit-Harnecker erklärt „mit Verstand d. h. in berechneter Weise".
S. 477 A. Z. 11 (§ 171) „continuatio verborum, Wortverbindung,
Periodenbildung"; letzteres sowie die aus dem or. beigezogene Stelle
ist unrichtig; im Gegensatz zu singula verba ist continuatio verborum
(wie kurz vorher § 167) = continuata verba § 149 = perpetua oratio
§ 201, also eine Aufeinanderfolge von Worten, fortlaufende Rede überhaupt, nicht in der speziellen Formung zu Perioden; auf diese geht
der zweite Teil der continuatio verborum, nämlich modus und forma,
wie auch § 199 numerus und forma richtig auf die Perioden bezogen
wird. Ib. Z. 14: Dem Gegensatz lēvis-asper entspricht im Griechischen

λεῖος-τραχύς (nicht σκληρός, Gegensatz μαλακός) cf. Dionys. Hal. p. 90
R, eine Stelle, die überhaupt zur Erläuterung des § 171 und 172
trefflich geeignet ist. S. 481 A. Z. 7 (§ 176) dispares numeri ist nicht
auf den oratorischen Rhythmus zu beziehen, dieser folgt unmittelbar
haec soluta . . . oratio; die dispares numeri sind die mannigfaltig
gemischten Rhythmen des Dithyrambus etc., vgl. § 185. S. 485 A.
Z. 11 (§ 184) sind unter numeri und modi, wie aus § 195 ff. erhellt,
Rhythmus und Melodie zu verstehen. S. 498 A. Z. 3 u. 4 (§ 206)
quae paribus paria referuntur sird die πάρισα (παρισώσεις), quae sunt
inter se similia die παρόμοια (παρομοιώσεις), nicht πάρισα.

Zu manchen Stellen vermisse ich eine erläuternde Parallele,
namentlich aus den einschlägigen griechischen Schriften, andere hätten
durch geeignetere ersetzt werden können. Z. B. S. 429 zu § 65 und
66 über die Stoiker pro Mur. c. 29—32 („nunquam sapiens irascitur,
nos . . . fugitivos, exules, hostes, insanos denique). Zu § 160 (S. 471)
ad sensus ipsos admovetur, maxime oculorum, qui est sensus acer-
rimus und dem folgenden Arist. rhet. III c. 11 τὸ πρὸ ὀμμάτων ποιεῖν
mit Beispielen. S. 477 A. Z. 14 (§ 171) über hiulcus statt Quint.
lieber rhet. ad Herenn. IV § 18. Zu § 178 wäre passend auf die
Schöpfungsgeschichte bei Ovid. met. I 1 verwiesen worden. Zu § 182
ff. war das 8. Kapitel im 3. Bch. der Aristotelischen Rhetorik aus-
giebiger heranzuziehen und zu bemerken, daſs es ein Miſsverständnis
des Cicero ist, wenn er in den Worten des Aristoteles (III p. 1408 b
32) eine Empfehlung des heroischen Rhythmus sieht.¹) Zu § 196 theatra
tota reclamant ist zu vergleichen Dionys. Hal. (de comp. verb. p. 55 R),
der solche Vorfälle selbst erlebt haben will. Doch lassen wir der Zusätze es genug sein, um noch einige Worte der Textesgestaltung zu
widmen.

Auch das dritte Bändchen bietet einen genau revidierten, durchaus gut lesbaren Text. Über die ziemlich zahlreichen Abweichungen
von der 5. Auflage gibt ein ausführlicher kritischer Anhang Aufschluſs.
Seinem Grundsatz (Einl. zu I S. XI), daſs die mutili die vornehmste,
bei weitem nicht einzige Grundlage des Textes seien, bleibt der Herausgeber auch hier treu. Von den Änderungen seien hervorgehoben:
§ 3 sic esse t u m iudicatum ‖ § 4 concidenda lingua statt excidenda
lingua, kaum richtig ‖ § 5 in auctoritatibus perscriptis statt in auctoritatibus praescriptis ‖ § 12 et ornatum et exstinctum esse mit der besseren
Überlieferung statt etortum et exstinctum esse ‖ § 20 una vor consen-
sione in Klammern mit denmeisten Hss. ‖ § 26 quanto admirabilius für
quanto mirabilius mit der besseren Überlieferung ‖ § 32 in sua qua-
que re commorans ist trotz Rubners Entgegnung gehalten (kaum mit
Recht) ‖ § 34 nach tantae dissimilitudines ist sunt eingesetzt ‖ § 47
Tum ille: Tu vero, quod monuit idem statt Tu vero, inquit ille, quoniam monuit idem ‖ § 69 Jonium in Klammern ‖ § 72 diserti a doctis
eingeklammert als deutliches (?) Glossem ‖ § 81 quos nemo [oratorum]
istorum ‖ § 99 quod ceram quam quod crocum statt quod terram

¹) richtig interpretiert or. § 192 u. 193.

quam quod crocum ‖ § 110 ex iure civili als Glossem gekennzeichnet und aut denique vi vor usurpare gestellt; kaum zu billigen: aut denique vi schliefst sich besser und richtiger an iure und iudicio an, wie auch der nachfolgende Satz (Nam illud ... id ipsum lacinia) an surculo defringendo. In dem gleichen § maxime in Klammern und attactum (st. attemptatum) nach den mutili ‖ § 119 partita ac tributa statt partita ac distributa ‖ § 125 scribet, et institutus nach den mutili ‖ § 129 in disceptationem quaestionemque vocaretur st. des Präs. ‖ § 134 et vor senatu in Klammern ‖ § 144 ut ipse [dicebas], Anm. „ut nach Mafsgabe deiner Erfahrung und Gewohnheit" (andere Beispiele, wo dieses ut in gleicher Weise mit einem Pron. verbunden ist?) ‖ § 149 ex continuatis [coniunctisque] constat ‖ ib. utimur für utemur ‖ § 150 igitur est [verbis] ‖ § 156 (5. Aufl. § 157) Similitudinis [est] ad verbum unum contracta brevitas, [quod verbum in alieno loco tamquam in suo positum,] si agnoscitur, delectat; ich halte den Text mit diesen Ausscheidungen nicht für geheilt ‖ § 158 tell missi für teli emissi ‖ § 168 inflexo immutatoque statt inflexo commutatoque ‖ § 181 (Schlufs) facile esse possit für posset ‖ § 183 dummodo ne continui sint statt dummodo ne continuum sit ‖ § 198 taciti statt tacite ‖ § 218 minatur st. minitatur.

Einigen Zuwachs und manche Nachbesserungen zeigen auch die reichhaltigen erklärenden Indices und das Register zu den Anmerkungen (früher lexikalisch-grammatischer Index).

Zum Schlufs seien noch einige Versehen und Druckfehler notiert, zum Teil eine Erbschaft aus früher Auflagen: S. 413 Z. 30 viris für vivis | S. 439 A. Z. 10 Mäfsigen für Müfsigen | S. 442 A. Z. 11 speciem pristinam civitatis für speciem pristinae civitatis | S. 443 Z. 5 dicenti statt dicendi | S. 450 A. Z. 4 ff. infinitia quaestio für infinita quaestio | S. 452 Z. 9 ist intellegentur doch wohl nur Druckfehler für intelleguntur, ebenso S. 461 Z. 10 aliqui für aliquis | S. 455 A. Z. 2 ist in dem Citat aus or. 46 nach Aristoteles ausgefallen adulescentes (im Index S. 529 richtig) | S. 469 A. Z. ἔστι δὲ καὶ μὴ ἡ εἰκών für ἔστι(ν) δὲ καὶ ἡ εἰκών | S. 473 Z. 5 praepositio statt praeposito | S. 481 Z. 5 diffilis st. difficilis | S. 526 Sp. 1 P. Antronius f. P. Autronius.

Im allgemeinen hat die neue Bearbeitung von De oratore durch Harnecker die Brauchbarkeit des Pideritschen Buches vielfach gefördert, wenngleich im Text und im Kommentar noch gar Manches der Verbesserung harrt.

Speier.   Dr. G. Ammon.

C. Julii Caesaris commentarii de bello civili. Erklärt von Fr. Kraner. Zehnte, vielfach umgearbeitete Auflage von Fr. Hofmann. Berlin, Weidmann. 1890. Preis: M. 2,25.

Die neue Auflage führt sich als vielfach umgearbeitete ein. Dies gilt zunächst von den sachlichen Erläuterungen, für welche Stoffels Guerre civile, die inzwischen erschienene Fortsetzung des Napoleonischen Werkes über Cäsar, Verwertung fand. Und thatsächlich hat

19*

die Ausgabe in der bezeichneten Richtung wieder bemerkenswerte Fortschritte gemacht.   Wo der Nachdruck auf Erschließung des Inhaltes gelegt werden will, wird man ihr den Vorzug vor allen anderen geben.
Aber auch der Text hat nicht wenige Änderungen erfahren, von denen
viele zugleich Verbesserungen sind.   Dem Vorgang H. Meusels und W.
Pauls folgend hat Hofmann nunmehr ebenfalls der römischen Handschriftenfamilie erhöhte Beachtung geschenkt.   Zugleich fanden ziemlich
viele Verbesserungsvorschläge, insonderheit Pauls, Berücksichtigung.
Meusels Arbeiten konnte der Herausg. allerdings noch nicht entsprechend
verwerten. Eine Schwäche des Kommentars berührt H. in der Einleitung:
derselbe will dem Schüler und dem philologisch gebildeten Leser zugleich dienen.   Jeder von beiden möge überschlagen, was er nicht
braucht. Das ist doch nicht ganz zu billigen.   Der Herausgeber sollte
eben das, was den Schüler nicht angeht, wenigstens in Klammern
setzen, damit dieser weiß, was er zu überschlagen hat.   Bei dieser
Einrichtung ließen sich die krit. Auseinandersetzungen sogar noch vermehren.   Freilich müßte damit eine etwas andersartige Behandlung
des Textes Hand in Hand gehen. Zu I 60, 4 wird beispielsweise die
Auffassung Pauls als zutreffend bezeichnet, daß die im Text stehenden
Worte: magna celeriter commutatio rerum die Randbemerkung eines
Lesers seien.   Da ist nun schwer einzusehen, weshalb dieselben nicht
in [ ] stehen. Das Richtige wäre doch, jene Worte samt Anmerkung
einzuklammern, zum Zeichen, daß beides den Schüler nichts angeht.
Anmerkungen wie die zu 61, 4 und 62, 1 sodann scheinen mir wenigstens nur zu beweisen, daß die daselbst verteidigten Lesarten nicht
zu halten sind.   Denn die beigebrachten Parallelstellen sind nicht
gleichartig.   Wenn man an beiden Orten die wohlbegründeten Vorschläge conquiri (st. -ere) und deduxerat (st. re-) mit * versehen in
den Text, die betreffende, der überlieferten Lesart gewidmete Anm.
aber wieder in Klammer setzte, so wäre auch hier den Bedürfnissen
beider Leserkreise Genüge geleistet, ohne daß der Schüler mit rein
philologischen Auseinandersetzungen behelligt würde. — Wir fügen
noch einige wenige spezielle Bemerkungen an. 2, 1 ist aderat zu
halten = ad urbem erat (aus in urbe). — 3, 1 ist Pompeius überflüssig, aber [promptos] uentbehrlich, letzteres auch mit Rücksicht auf
die Parallelstelle bei Tacitus gegen Pauls audaces zu halten. — 5, 3
kann ich von einer besonderen audacia der Senatoren nichts sehen.
Vgl. cap. 3, 5. — 7, 3 wird quae superioribus annis armis esset re-
stituta ganz weggelassen. Dem Zusammenhang entspräche aber doch:
quae . . ⟨ab⟩ armis esset tuta. — Zu 9, 4 Parth. bell. ließe sich auf
VIII 55, 1 zu 9, 5 auf VIII 52, 1 discederet etc. verweisen. — 25, 3
schreibt Paul [ab] extremis, Hofmann hielt ex für möglich. Am einfachsten scheint mir ⟨cum⟩. — Zu 35, 2 wäre zu vergleichen Alex.
67, 1; ebenso zu 58, 1 Al. 15, 6*). Die Beschreibung der Kämpfe um
Massilia hat überhaupt viele Ähnlichkeiten mit der des alexandrin.
Krieges. — 40, 3 impedimentaque ist kaum ächt, 1, 2 die Konjektur

---

*) Also kein non vor excipiebant.

infinite nicht so sicher. — 39, 3 Andierat-venturum gehört unmöglich
in dieses Kapitel. — 52, 1 wäre durch Einschiebung von in nach tamen zu bessern. — 61, 4 sollte es mit Göler heifsen XXX st. XX. —
Überhaupt wird H. in der Berücksichtigung von Besserungsvorschlägen
noch weiter gehen dürfen. So vermisse ich 23, 5 Meusels eodem die,
26, 1 Pauls quaternis, 45, 5 Meusels passus, 51, 6 Eufsners iumentorum.
— Die Vermehrung der Kärtchen ist sehr zu begrüfsen. Vielleicht
wird künftig auch noch eine Darstellung der Flucht des Pompejus und
ein Plan Alexandrias beigegeben. Die Klage des Herausgebers darüber, dafs eine Schrift von der Bedeutung des Bellum civile in der
Schule zu wenig gelesen werde, ist nicht unberechtigt. Bei uns in
Bayern wurde dieselbe im Jahre 1889—90 nur an 11 (von 33)
Anstalten gelesen. Zu beachten ist der Vorschlag Hofmanns (Einleit.
S. VII), man möge sich unter Beiseitelassung von einigen weniger
geeigneten Partien lieher auf Durchnahme der wichtigeren Abschnitte
beschränken, als dafs man die Schrift ganz übergeht.

C. Julii Caesaris commentarii de bello civili. Edidit
Guilelm. Theod. Paul. Vindobonae et Pragae, Tempsky; Lipsiae,
Freytag. 1889. Editio minor geh. 60, geb. 85 Pf. Editio maior geh.
Mk. 1,50.

Der Herausgeber will vor allem eine Schulausgabe des Bellum
civile liefern und ist deshalb nicht sparsam in der Aufnahme von
Konjekturen, welche geeignet sind, den Text lesbarer zu machen. Da
das Buch zugleich recht gut ausgestattet ist, kann es für den Schulgebrauch bestens empfohlen werden. — Die Editio maior unterscheidet
sich von der Schülerausgabe nur dadurch, dafs ihr ein umfangreicher
krit. Apparat beigegeben ist. Hier entfaltet der durch seine „Krit. Bemerkungen zu Cäsars Komm. d. b. Gallico" den Lesern der Zeitschr. f.
d. G. W. (Bd. XXXII 161—99 u. XXXV 257—91) wohl bekannte
Herausgeber seinen Scharfsinn in vollstem Mafse und gibt dem Lehrer,
der das Bellum civile zu erklären hat, reichliche Anregung, sich für
seine Person auch mit der Verbesserung des Textes zu befassen. Doch
machen Pauls krit. Bemerkungen nicht nur auf die zahlreichen Schäden
der Überlieferung aufmerksam, sondern sie bringen auch sprachliche
und sachliche Erläuterungen zu vielen Stellen. Deshalb ist die Editio
maior ein geradezu unentbehrliches Hilfsmittel für jeden, der sich mit
dem B. civile beschäftigt. Beachtenswert ist, dafs Paul die früher
geringer geachtete römische Handschriftenfamilie der französischen
nicht nur gleichgestellt wissen will, was H. Meusel durchgesetzt hatte,
sondern ihr sogar den Vorzug vor dieser einräumt. Von den Konjekturen des Herausgebers hat F. Hofmann nicht weniger als 33 in
seine Ausgabe herübergenommen. In allen Punkten wird man sich
mit Pauls Vorgehen kaum einverstanden erklären können.

So schreibt er I 11, 2 ante quam diem st. des überlieferten quem,
unter Berufung auf die anderen Stellen. Ebenso I 27, 2 ⟨in⟩ oppidum
irrumperent — obwohl hier der Ausfall von in nicht so leicht zu er-

klären ist wie II 13, 4 (quin ⟨in⟩) — mit Hinweis auf die sonstige Ge-
pflogenheit Cäsars. Umgekehrt bewährt sich Paul als Anomalist, wenn
er I 56, 3 das zweifelhafte haec statt hae in den Text setzt; oder II
7, 1 nullo usui st, nulli (Cäsar schrieb wohl nullí usu); oder I 20, 1
primo vesperi und II 43, 1 wieder primo vespere. Nun ist aber zu
beachten, daſs Cäsars grammatische Studien gerade der Formenbildung
gewidmet waren, daſs also bei ihm am ehesten auf diesem Gebiete
Gleichförmigkeit erwartet werden darf. — Paul war von jeher bemüht, fremde Zuthaten aus den Kommentarien auszuscheiden; so auch
diesmal. Z. B. III 63, 6 exercitus adventus exstitit mit Nipperdey. Fehlt
sogar im Text. I 60, 4 magna celeriter commutatio rerum. Man
könnte hier zweifeln, ob nicht umgekehrt die Erzählung über die See-
schlacht bei Massilia 56—58 erst nachträglich, wenn auch von Cäsar
selbst, eingeschoben wurde. 59, 2 Illi schlieſst unmittelbar an 55 fin.
an. Dann wären die Worte Hoc bis mutatur erst später hinzugekommen. Jedenfalls aber ist es kaum angängig, 60, 4 nur magna-
rerum einzuklammern. Es muſs auch perfecto ponte hinzugenommen
werden. — III 112, 2 angusto intinere et ponte habe ich im Philologus
gegen Schambach verteidigt, mit Änderung von et in ut. — Von den
beiden ähnlichen Sätzen III 9, 6 hic fuit oppugnationis exitus und 112,
11 haec initia belli Alexandrini fuerunt, welche Forchhammer beanstandete, wird nur der erstere eingeklammert, was zu billigen ist. —
II 1, 2 ad id mare quod adiacet ad ostium Rhodani hält P. für eine
Bemerkung zu portui navalibusque. Eher waren die Worte zu dem
folgenden mari angemerkt. — II, 41, 2 dat suis signum ist kaum zu
beanstanden. Es handelt sich nur um das 40, 3 verabredete signum,
welches eben ein signum proelii im gewöhnlichen Sinn des Wortes
nicht ist. — In der Einl. wird II 4, 1 remigum-suppetebat ange-
fochten. Doch möchte ich den Zusatz an jener Stelle nicht missen. Vielleicht fehlt nur ein et nach remigum. Ebenso ist I 58, 3 eher zu
emendieren als auszuscheiden. Überhaupt ist es Paul nicht gelungen,
eine gröſsere Anzahl von fremden Zusätzen mit Sicherheit nachzuweisen, geschweige denn ein förmliches System von solchen. Aber zu
billigen ist es, daſs er derlei Dinge einstweilen in Klammern setzt,
weil so nicht nur die Aufmerksamkeit auf dieselben gelenkt, sondern
auch dem Schüler ein glatterer Text geboten wird. Für spätere Auflagen empfehlen wir thunlichste Ausfüllung lückenhafter Stellen (wie
II 29, 4) durch sinngemäſse Ergänzungen. Der krit. Apparat entbehrt
noch einer übersichtlichen Gestaltung.

1. Anleitung zur Vorbereitung auf Cäsars gallischen Krieg
von A. Procksch. 1. Bändchen. Buch 1—3. Leipzig, Teubner. 1890.
Preis: M. 0,80.

2. C. J. Caesaris Belli Gallici libri VII und A. Hirtii
liber VIII. Für den Schulgebrauch erklärt von A. Doberenz.
Neunte, völlig umgearbeitete Auflage besorgt von B. Dinter. 2. Heft.
B. 4—6. Leipzig, Teubner. 1890.

Die Teubnersche Buchhandlung verlegt nun auch Schülerkommen-
tare, welche sich an die dortselbst erscheinenden Textausgaben anschliefsen. Zu Cäsars Bellum Gallicum liegt ein solcher aus der Feder
von A. Procksch vor. Derselbe ist umso mehr zu begrüfsen, als die im
gleichen Verlage erscheinende kommentierte Ausgabe von Doberenz-
Dinter den Bedürfnissen der Schüler zu wenig entspricht, nicht nur
wegen der erdrückenden Fülle von Anmerkungen und Citaten, sondern
auch weil der Herausgeber zugleich den Bedürfnissen der Erwachsenen genügen will. Der Kommentar von Procksch ist nach dem
Vorbild des Menge'schen gefertigt, ein Zeichen, dafs der von letzterem
eingeschlagene Weg der richtige ist. Es handelt sich um separat gedruckte Anmerkungen, welche in die Schule nicht mitgebracht werden,
deren Benutzung für die Präparation jedoch nicht nur gestattet, sondern sogar gefordert werden soll. Ärmere Schüler brauchen sich
nur die billige Textausgabe von Dinter anzuschaffen und können sich
den Kommentar für die Vorbereitung entlehnen. Besonders strebsame
mögen daneben noch die Ausgabe von Doberenz benützen, welche,
weil auch von Dinter besorgt, in der Textgestalt völlig mit der vor-
bezeichneten stimmt. Allerdings wäre sehr zu wünschen, dafs diese
nun, nachdem ein eigener Schülerkommentar vorliegt, ausschliefslicher
das berücksichtigen möchte, was den philologisch gebildeten Leser interessiert. Die 9. Auflage ist von Dinter sowohl in Bezug auf den Text
als auf die Anmerkungen vielfach umgearbeitet worden und zeichnet
sich besonders durch eingehende Behandlung der sprachlichen Erscheinungen aus.

Memmingen. Heinrich Schiller.

Maximiani elegiac. Ad fidem codicis Etonensis rec. et emend.
M. Petschenig [= Berliner Studien für class. Philol. u. Archäol.,
Bd. XI, 2. Heft], Berlin 1890, Calvary; 37, II SS. 8. Mk. 1.50.

Die gewandten, aber lasciven sechs Elegien des M. sind schon
oft gedruckt worden; die uns vorliegende neueste Ausgabe zeichnet
sich vor der Bährens'schen dadurch aus, dafs die Hs. von Eton (bei
Windsor) ,abiectis sordibus libr. deteriorum' zur Hauptgrundlage des
Textes gemacht wurde. Die unter dem Texte beigebrachten Erläuterungen grammatikalisch-hermeneutischer Art und der gründliche,
fast ein Drittel des ganzen Büchleins füllende Index sind dankbar zu
begrüfsen. Nicht mit Unrecht ist dagegen schon von anderen Rezen-
senten dem Wunsche Ausdruck gegeben worden, es möchten auch die
Stellen älterer Autoren verzeichnet sein, welche dem M. da und dort
als Vorbilder vorschwebten; sie sind schon in Wernsdorfs Ausgabe
und von Manitius, Rhein. Mus. 1889, S. 543 ziemlich vollständig zu-
sammengetragen worden, doch hoffe ich im folgenden einen nicht un-
erwünschten Nachtrag zu liefern, der zugleich geeignet ist, die bezügl.
der Lebenszeit des M. bestehende Streitfrage lösen zu helfen. Letztere
ist verknüpft mit der Auffassung von V. 47 ff. der 3. Elegie, wo M.
sagt, in seinem Liebesschmerz habe ihm ,solus Boethius, magnarum

scrutator maximus rerum' Hilfe gebracht. Lediglich eine verkehrte
und läppische Schlußfolgerung aus den Textesworten des zu erklärenden Autors selbst — man findet diese traurige Gelehrsamkeit bei den
Scholiasten ja häufig — ist beispielshalber die Anmerkung im Florentiner Kodex: ‚Boethius fuit quidam bonus m e d i c u s'. Daß es sich nur
um den berühmten Philosophen B. handeln kann, wird jetzt allseitig
zugegeben. Des weitern suchte Kollege Fr. Vogel im Rhein. Museum
1886, S. 158 in der 3. Elegie M.'s Anlehnungen an die consolatio des
B. darzuthun, erfuhr aber von Manitius a. a. O. Widerspruch, dem
sich auch Schwabe in der Neuauflage der Teuffel'schen Liter.-Gesch.
(5. Aufl., § 490, A. 2) angeschlossen hat. Manitius glaubt, daß die
Vogelschen Nachweise nicht genügen die thatsächliche Benutzung der
consolatio außer Frage zu stellen und nimmt an, daß el. III, 53—70
den Inhalt eines wirklichen Geprächs mit B. wiedergebe, mit welchem
M. persönlich befreundet sei.

Ich hoffe, Vogels Meinung mit zutreffenderen Belegen als die
sind, die er selbst vorführt, zur Gewißheit zu erheben dadurch, daß
ich, ohne es auf Vollständigkeit abzusehen und ohne die übrigen Elegien stärker beizuziehen, namentlich aus der für diesen Zweck besonders ergiebigen, noch von niemand ausgenützten e r s t e n Elegie solche
Stellen mitteile, an welchen m. E. eine so sichere Bezugnahme auf
die consolatio und zwar zumeist auf deren erste Partie vorliegt, daß
mich Traubes und Gottliebs Bemerkungen gegen diejenigen Forscher,
welche ‚bei den mittelalterlichen Autoren überall direkte Nachahmung
älterer Schriftsteller wittern' kaum treffen dürften.

Maximian el. I. *1)* V. 1. f. finem properare senectus .. venis;	Boethius ed. Peiper: *1)* 3,9 Venit enim properata malis inopina senectus;
2) 2 fesso (*al.* lasso) corpore;	*2)* 3, 12 tremit effeto corpore laxa cutis;
3) 3 mors est iam requies, vivere poena mihi;	*3)* 4, 20 protrahit ingratas impia vita moras;
4) 9 dum . . . . . maneret;	*4)* 4, 17 dum . . . . . faveret;
5) 11 (und 127) carmina;	*5)* 3, l carmina qui quondam u.s.w.
6) 12 et veros titulos;	*6)* 3, 4 et veris elegi fletibus;
7) 49 rigidum .. Catonem;	*7)* 47, 16 rigidus Cato;
8) 115 f. dulce mori miseris, sed mors optata recedit, at cum tristis erit, praecipitata venit;	*8)* 4, 13 f. mors hominum felix qui se nec dulcibus annis inserit et maestis saepe vocata venit;
9) 119 f. caligant lumina;	*9)* 7, 14 f. lumina caligantia;
10) 123 f. Lethaea (subeunt) ob- livia mentem nec confusa sui iam meminisse potest;	*10)* 7, 11 f. lethargum patitur .. mentium morhum, sui pau- lisper oblitus est;
11) 125 (mens) languet;	*11)* 6, 2 mens hebet;
12) 135 aret sicca cutis;	*12)* s. oben Nro. 2);
13) 217 f. prona senectus terram videt;	*13)* 6, 27 stolidam cernere terram;

14) 221 f. ortus cuneta suos re-
petunt ... redit ad nihilum,
quod fuit ante nihil;

15) 261 onerata malis incurva (*nach
Werndorfs App. in alten Ausg.*
inopina) senectus;

16) 262 cedens ponderibus ....
suis;

17) 289 felix qui meruit;

18) 290 stabiles clandere fine dies;

19) 291 dura satis miseris memo-
ratio prisca bonorum;

20) 292 summo culmine mersa
ruit;

21) el. II, 25 nivei circumdant tempora cani;

22) el. III, 43 stimulis (angebar);

[*23)*] el. III, 55 non intellecti nulla
est curatio morbi];

24) el. V, 129 totum moderans
sapientia mundum;

25) el. VI, 1 miseras .. querelas;

26) el. VI, 7 hac ... pariter.

14) 80, 107 ad nihilum (s. Peipers
App.) cuneta referuntur;

15) s. oben Nro. *1*;

16) 6, 26 declivem .. pondere vul-
tum;

17) 4, 21 felicem totiens iactastis;
86, 1 und 3 felix qui potuit;
vgl. 39, 1;

18) 4, 22 qui cecidit, stabili non erat
ille gradu; stabilis auch sonst
Lieblingswort des B.;

19) 32, 5 infelicissimum est genus
infortunii fuisse felicem (vgl.
Dante, infern. 5, 121);

20) 6, 1 praecipiti mersa profundo;
vgl. 115, 3;

21) 3, 11 funduntur vertice cani;

22) 64, V. 2 stimulis (agit); vgl.
56, 18;

[*23)*] s. Vogel und 10, 3 si operam
medicantis exspectas, oportet
vulnus detegas];

24) 70, 1 mundum ratione guber-
nas;

25) 29, 7 f. miseras ..... querellas;

26) 76, 1 huc omnes pariter.

Wer den Zusammenhang und Sinn dieser Stellen verfolgt, wird
sich unschwer von der Richtigkeit meiner obigen Behauptung überzeugen und mithin auch zu der Annahme geneigt sein, daſs M. wohl
erst geraume Zeit nach dem Tode des Boethius schrieb. Schließlich
erlaube ich mir noch darauf zu verweisen, daſs ich in der Ausg. der
Colloquia Petri Poponis, Würzb. 1882, S. 7 Nachahmungen des M.
(el. I 93) durch Peter Luder nachgewiesen (vgl. S. 27) und in der
Ausgabe des Konrad v. Hirschau, Würzb. 1889, S. 13 und A. 1 auf
einen kurzen Artikel über M. in zwei Münchener Hss. aufmerksam gemacht habe.

Speyer.   G. Schepſs.

Hilgenfeld (Henricus), L. Annaei Senecae epistulae
morales quo ordine et quo tempore sint scriptae, collectae, editae. Lips. 1890. B. G. Teubner. 8. (Jahrbb. für Philol.
Suppl. XVII p. 599—685).

Der Verfasser hat sich eine Aufgabe gestellt, deren endgiltige
Lösung bei dem Mangel äufserer Anhaltspunkte nahezu unmöglich ist.
Er ist ohne Zweifel auf dem richtigen Wege, wenn er im Gegensatze
zu seinen p. 602 ff. eingehend besprochenen Vorgängern mit inneren
Kriterien (Scheidung wirklicher und fingierter Briefe, Beobachtung des
sachlichen Zusammenhanges der einzelnen Serien; vgl. p. 627) operiert,
aber dem subjektiven Ermessen ist naturgemäfs dabei zu viel Spielraum offen, als dafs die gewonnenen Resultate unbedingtes Vertrauen
finden könnten.   Dieselben werden von Hilgenfeld p. 675 f. kurz zusammengefafst:. Die Briefe zerfallen in 4 (oder 5) von Seneca selbst
herausgegebene Sammlungen, nämlich I.) adhortatio ad philosophiae
studium (ep. 1—29), herausgegeb. im Anfang des Jahres 62, II.) de
philosophiae studio recte instituendo (ep. 30—52), herausgeg. Ende 62,
III.) de summo bono (ep. 53—83), herausgeg. im Frühling oder Sommer
64, IV.) moralis philosophiae commentarii (ep. 89—124), herausgeg.
Ende 64.   Vielleicht ist noch ein 5. corpus, de deorum cultu, herausgeg.
im Frühling 65) anzunehmen.   Die 1. und 2. Sammlung enthalten
meistens wirkliche Briefe, die 4. und 5. zum gröfsten Teile Abband-
lungen in Briefform, doch finden sich in beiden Gruppen auch einzelne
Stücke der andern Gattung.   Für diese Mischung werden einige Analogien aus der deutschen Literaturgeschichte beigebracht, für die angenommene Disponierung des moralphilosophischen Stoffes an einigen
griechischen Philosophen und Cicero (p. 677—80), sowie an der handschriftlichen Überlieferung (p. 680—84) Stützen gesucht. — Wie gesagt, des Verfassers Methode, durch sorgfältige Analyse der Briefe
selbst zur Bestimmung ihres Platzes in der Sammlung und weiterhin
ihrer Abfassungszeit zu gelangen, ist entschieden zu billigen, aber er
fehlt wohl darin, dafs er dem Philosophen so völlige Planmäfsigkeit
in der Abhandlung gewisser Themata aufdrängt und bei mehreren
Nummern, die auf jeden Unbefangenen den Eindruck von echten
Briefen machen, gezwungener Weise annimmt, die lebendige Situation,
aus der sie geschrieben sein wollen, sei von Sencca dem für ihn allein
wichtigen Connex ethischer Gedanken nur sekundär zugefügt.   Auch
die Interpretation einzelner Stellen fordert zum Widerspruch heraus.
So meint Hilgenfeld z. B. (p. 637 Anm. 1), dafs die Worte, ,mittam
itaque ipsos tibi libros' (ep. 6, 5) sich auf die erste Briefsammlung,
jedenfalls auf ein Werk Senecas beziehen; aber schon die folgende
Zeile, ,inponam notas, ut ad ipsa protinus quae probo et miror,
accedas' zeigt, dafs es sich um philosophische Schriften handelt, die
Seneca gerade gelesen hat.   Ep. 19, 1 (p. 607) ist in dem Satze
,quid enim habeo melius, quod amicum rogem, quam quod pro ipso
rogaturus sum?' ,pro ipso' sicher = ,pro amico ipso', nicht = ,pro
me ipso' zu fassen.   Bei Hilgenfelds Deutung bekäme, wie mein Freund

Boll fein bemerkt hat, das zweite rogare die nicht darin liegende Bedeutung „vom Schicksal wünschen". —

Kopp (W.), Geschichte der römischen Litteratur für höhere Lehranstalten und zum Selbststudium. 6. Auflage, nach der Umarbeitung von F. G. Hubert besorgt von O. Seyffert. Berlin 1891. Jul. Springer. 8. VIII, 142 S.

Durch die Rücksicht auf den erst vor wenigen Jahren verstorbenen Oberlehrer F. G. Hubert wurde der zweite Herausgeber an tiefer greifenden Änderungen gehindert. Er beschränkte sich auf Verbesserungen im einzelnen und Weglassung der noch der fünften Auflage (1885) beigegebenen Übersetzungsproben. Das Büchlein wird auch ohne dieselben seinen bescheidenen Zweck erfüllen. Ungenau wird § 94 S. 132 angegeben, daß Palladius das 14. Buch seines landwirtschaftlichen Werkes „nach dem Vorgange des Columella in elegischem Maße abgefaßt habe", unrichtig § 96 S. 134, daß Prudentius „zuletzt Mönch" gewesen sei, und daß sein Buch καϑημερινῶν „zwölf Morgen- und Abendgesänge" enthalte. Statt mitzuteilen, daß Paulinus von Nola „36 meist religiöse Gedichte" (nebenbei bemerkt sind es durch Brandes, Wiener Studien XII 280 ff. 37 geworden) verfaßt habe (a. a. O.), was ja bei einem Konvertiten der damaligen Zeit natürlich ist, hätte der Held seiner Dichtungen, der Martyrer Felix, namhaft gemacht werden können.

Lattmann (Hermann), Selbständiger und bezogener Gebrauch der Tempora im Lateinischen. Göttingen 1890. Vandenhoeck u. Ruprecht. 8. VI, 150 S.

Wetzel (Martin), Selbständiger und bezogener Gebrauch der Tempora im Lateinischen. Zugleich eine Entgegnung auf die gleichnamige Schrift von Dr. Herm. Lattmann. Paderborn 1890. Ferdinand Schöningh. 8. VIII, 107 S.

Die beiden homonymen Schriften, welche durch die Schuld des Unterzeichneten in diesen Blättern etwas spät zur Anzeige gelangen, sind bereits in der Wochenschrift f. klassische Philologie 1891, 464 ff., der philol. Rundschau 1891, 177 ff. (Lattmann), der Zeitschr. f. das Gymn.-W. XLV, 432 ff., der Zeitschr. f. d. öst. Gymn. XLII, 612 ff. und der Wochenschr. f. klass. Philol. 1891, 716 ff.[1]) (Wetzel) eingehend besprochen worden. Ich kann mich daher kurz fassen. Lattmann sucht zu erweisen, daß die Unterscheidung von temporaler Selbständigkeit und Beziehung die Grundlage für die Erklärung jeder Art des Tempusgebrauches bilde, und daß diese Begriffe in rein zeitlichem

---

[1]) Gegen diese Besprechung, sowie gegen eine kürzere, im Lit. Centralbl. 1891 Nro. 27 erschienene macht Wetzel im Anhange seines Schriftchens „Das Recht in dem Streite zwischen Hale und Em. Hoffmann über die Tempora und Modi in lateinischen Temporalsätzen" (Paderborn 1892) S. 42 ff. Front.

Sinne zu verstehen seien. Wetzel unterscheidet eine objektive und eine subjektive Relativität und stellt für Sätze mit korrelativem Inhalte folgendes Tempusgesetz auf: „In Sätzen mit korrelativem Inhalte werden v o r z e i t i g e Handlungen im Nebensatze nur bei übergeordnetem Präsens, Imperfekt und Futurum durch das entsprechende die Vorzeitigkeit bezeichnende Tempus, bei übergeordnetem Perfekt dagegen durch gleiches Tempus ausgedrückt; g l e i c h z e i t i g e Handlungen werden in solchen Sätzen i m m e r durch gleiches Tempus ausgedrückt" (S. 52). Beide Gelehrte haben sich durch reiche Stellensammlungen und verschiedene Einzelbeobachtungen um die syntaktische Forschung verdient gemacht, aber die vollständige Durchführung seiner Theorien ist keinem geglückt. Die Schrift Wetzels ist, was heutzutage eigens bemerkt zu werden verdient, nicht in dem sonst bei „Entgegnungen" üblichen Tone gehalten.

München.   ——————————   Carl Weyman.

H. S. Anton, Studien zur lateinischen Grammatik und Stilistik. 3. Heft. Naumburg a. S. Albin Schirmer 1891. 8. 312 S. Preis M. 7,50.

Der Verf. erörtert mit der Sachkenntnis und Gründlichkeit, welche auch seine früheren grammatisch-stilistischen Untersuchungen anerkanntermaßen auszeichnen, in der vorliegenden Schrift, ausgehend von der lateinischen Ausdrucksweise für „sonst", den Gebrauch von alias, alioqui, ceteroqui, aliter, alibi, alio, non alius, aliquis, quis, quidam, quispiam, quisquam, ullus in den verschiedenartigsten Verbindungen; hiebei findet er Gelegenheit, manche Satzbildungen, innerhalb deren die erwähnten Ausdrücke vorkommen können, z. B. dubito an, an non, num eingehend zu besprechen sowie zahlreiche Stellen aus Klassikern in oft feinsinniger Weise zu erklären. Wie schwierig bei verwandten Ausdrucksweisen die Feststellung eines faßbaren Unterschiedes oft ist, wie bedeutsam sich häufig der Umstand geltend macht, ob der Sprechende diese oder jene Färbung des Ausdruckes in seine Worte legen w i l l, wie wenig daher zu äußerlich und starr gefaßte Regeln den thatsächlich vorliegenden Sprachgebrauch der Schriftsteller zu erklären vermögen, zeigt sich hiebei in vielen Fällen; so bemerkt Anton S. 78 über zwei sehr ähnlich gebaute Stellen Ciceros, phil. 2, 99 omnibus eum contumeliis onerasti, quem patris loco, si u l l a in te p i e t a s esset, colere debebas und Verr. 3, 141 quem hominem, si q u i s (qui?) p u d o r in te atque adeo si q u i s (qui?) metus fuisset, sine supplicio dimittere non debuisti: „Beide Stellen sagen, daß weder pietas noch pudor in dem Angeredeten ist, beide sind negativer Art; aber da der pater dem Angeklagten näher steht als der homo, ist auch Cicero in dem ersten Fall von größerer Leidenschaft und heftigerem Zorne erregt; darum sagt er: „Wenn überhaupt irgend welche pietas in dir wäre, sie ist aber nicht in dir", während er hier ruhiger sagt: „Wenn du wirklich eine Art von Scham und Furcht gehabt hättest, wie du doch dir den Anschein gibst." Wie hier die Wahl des Ausdruckes

auf eine negative oder positive Färbung zurückgeführt wird, welche
der Sprechende seinen Worten unter Umständen geben kann, so erklärt Anton S. 219 die Vereinigung von quisquam und aliquis in
mehreren auf einander folgenden Fragen bei Cic. Sull. 45
mihi c u i u s q u a m salus tanti fuisset, ut meam neglegerem? per me
ego veritatem patefactam contaminarem a l i q u o mendacio? q u e m-
q u a m denique ego iuvarem, a quo etiam crudeles insidias reipublicae
factas et me potissimum consule putarem? „Auf alle drei Fragen wird
die Antwort gegeben: „Niemandes, mit keiner, niemanden"; setzt also
Cicero nicht ullo, sondern aliquo, so hat er den Gedanken, dafs einige
Zuhörer erwarten könnten, er werde sich einer Lüge bedienen. Man
würde aliquo übersetzen mit: irgend einer == auch nur einer, auch
der geringste oder wirklich einer. Die Ausleger Halm und Halm-
Laubmann sagen nichts." Dafs jedoch die erwähnten Übersetzungen
jene Färbung der lateinischen Wendung, welche einen dem Sprechenden
vorschwebenden positiven Gedanken andeutet, auch für den Deutschen
in fühlbarer und verständlicher Weise wiedergeben, bezweifle ich sehr;
diese Übersetzungen wären wohl auch bei u l l o ohne merklichen
Unterschied anwendbar. Die Freiheit der subjektiven Auffassung
zeigt sich auch bei num existimas quemquam und num putatis aliquem (S. 241), z. B. Cic. Sest. 105 num vos existimatis Gracchos aut
Saturninum aut quemquam illorum veterum . . . ullum unquam in
contione habuisse conductum? „Cicero nimmt an: Keiner hatte ja
Mietlinge und mithin ist quemquam allein möglich"; dagegen phil.
3, 20 sed cum tam atroci edicto nos concitavisset, cur ipse non ad-
fuit? Num putatis a l i q u a re tristi ac severa? vino atque epulis re-
tentus est. „Der Fragende denkt bei „etwas" an Positives" — gewifs
richtig, aber ebenso sicher ist, dafs es dem Redner freistand, in dem
nämlichen Satze mit etwas anderer Färbung des Gedankens u l l a re
tristi ac severa zu sagen. Hier hat wie so häufig Geltung, was der
Verf. bei einer anderen Gelegenheit S. 179 völlig zutreffend folgendermafsen ausdrückt: „Jene positiv-negativen Adjektiva und diese nega-
tiv-positiven Verba wie intermitto, despero, nego, indignor, miror, auch
adimo lassen uns so recht einen Blick thun in den Geist der lebenden
römischen Sprache, wie sie, obwohl regelrecht gebildet, doch noch
nicht in Regeln erstarrt ist, sondern wie d e r G e d a n k e a l s S p r a c h-
b i l d n e r in ihr herrschend die Wörter benützt und deren Gebrauch
bestimmt."

Die Erörterung über nihil aliud nisi und quam bei Cicero S. 45
ff. konnte noch die auch von Merguet aus den Fragmenten der acad.
(20) angeführte Stelle hominem natum ad nihil aliud esse quam houe-
statem berücksichtigen.

Die vorliegenden Studien wird man, auch wenn man den feinen
Ausführungen nicht in jedem einzelnen Punkte vollständig sollte zustimmen können, nie ohne vielfache Anregung und Belehrung durchgehen; sie sind für jeden, der sich mit den behandelten Fragen eingehender beschäftigt, unentbehrlich und sollten daher in keiner Bibliothek fehlen.

München. ——————— J o h. G e r s t e n e c k e r.

Hermann Rönsch, Collectanea philologa; nach dem
Tode des Verfassers herausgegeben von Carl Wagener. Bremen, Hein-
sius 1891. 8. 325 SS. Mk. 7.—.

Nur zu billigen war der Gedanke des u. a. durch seine Neuauflage der Neue'schen Formenlehre und als Redaktor der N. phil. Rundschau bekannten Herausgebers, die zahlreichen kleineren Arbeiten des
verdienstvollen Vulgärlatein- und Itala-Forschers H. Rönsch, soweit
sie in Zeitschriften untergebracht sind, in einem Bande zu vereinigen.
Ob die Art, wie der Gedanke ausgeführt wurde, auf allgemeine Zustimmung wird rechnen können, möchten wir hingegen bezweifeln.
Der mit einer Dedikation an Hrn. Prof. Wölfflin eingeleitete Band enthält 55 Aufsätze; mit Ausnahme von Nr. I, einem 1880 geschriebenen
und bisher ungedruckt gebliebenen zusammenfassenden Vortrag über
die ältesten lat. Bibelübersetzungen nach ihrem Werte für die latein.
Sprachwissenschaft', waren sie alle bereits zum Drucke gelangt. Nicht
weniger als 17 Nummern sind der Zeitschr. f. d. öster. Gymn. (1879
bis 1887), 14 den Jahrb. f. klass. Philol. (1879—1885), 9 Hilgenfelds
Zeitschr. f. wissensch. Theol. (1875—1883) entnommen. Während die
aus Vollmöllers Roman. Forschungen Bd. I—III stammenden besonders
umfangreichen Stücke als Nro. III.—VI. (auf S. 32—149) eng auf-
einanderfolgen, sind die Bestände der übrigen Mutterzeitschriften bunt
durcheinandergewürfelt und zudem die chronologische Abfolge der
Aufsätze völlig aufgehoben. Wenn aber für den Herausg., als er den
Neudruck begann, überhaupt ein bestimmtes Einteilungsprinzip — nach
dem vorgehefteten Inhaltsverzeichnis läßt sich ein solches durchaus
nicht deutlich erkennen und ein Vorwort fehlt gänzlich —, wenn ferner
für ihn die Zahl der aufzunehmenden Stücke feststand, so hätten doch
innerhalb des Textes durch ⟨ ⟩ Klammern oder am Rande gewisse
Hinweise Platz finden sollen, die es dem Leser verstatteten sich leichter
in dem Buch zurechtzufinden und dessen positiven Gehalt zu überblicken. So konnte beispielsweise in einer Abhandlung aus Zeitschr.
f. öster. Gymn. 1886, jetzt Collect. nro. XIII, S. 207, in welcher Rönsch
auf einen seiner Aufsätze in den Jahrb. f. klass. Philol. 1881 hinweist,
einfach durch ‚s. Coll. XVI‘ angedeutet werden, daß dieser auf S. 217
ff. folgen werde; das nämliche gilt mutatis mutandis für Nr. I, S. 18,
wo auf Nro. XXII zu verweisen war; beim Hinweis auf größere
Aufsätze konnte immerhin auch die pagina des ersten Druckes hinzugefügt werden, die ja W. löblicherweise stets am Rande des Abdruckes
verzeichnen ließ. Aus dem Fehlen solcher Zusätze würde sich umgekehrt für den Leser der Schluß ergeben, daß der Aufsatz oder der
Aufsatzteil, auf den Rönsch zurückverweist, nicht in der Collect. zu
finden ist; so auf S. 233, denn von dem daselbst bezeichneten Aufsatz in Zeitschr. f. wissenschaftl. Theol. 1875 ist unter Nro. XXXVI
nur ein Teil abgedruckt worden. Erwünscht wären häufigere Rück-
weise auf frühere Stellen der Coll., wie sie W. S. 116 und 242 angebracht hat, auch Vermerke, wie der auf S. 24 betr. Arch. f. latein.
Lex. I stehende, welcher aus einem gestrichenen kleinen Passus des

sonst als Nro. VIII aufgenommenen Aufsatzes in Zeitschr. f. d. öster. Gymn. 1884, S. 406 stammt. Über die Gründe, die W. veranlafsten diesem und jenem Aufsatz oder Abschnitt die Aufnahme zu versagen, hätte man füglich irgend eine Äufserung erwarten dürfen; so fehlen z. B. allein aus Zeitschr. f. öst. Gymn. 1883 der Abschnitt IV S. 11 f., der Aufsatz S. 171—173, ferner S. 407 f. (worauf Collect. S. 169 verwiesen ist), 409 f., 896 f., 898 und 899. Einen vollständigen Überblick in diese von W. ausgeschlossenen Stücke gewinnt man, wenn man das Verzeichnis der Rönsch'schen Schriften vergleicht, welches Vollmöller im Biograph. Jahrbuch ed. Bursian-Müller 1889, S. 163 ff. nach den eigenen Aufzeichnungen des verstorbenen Gelehrten veröffentlicht hat; allerdings bilden in demselben die Rönsch'schen R e - z e n s i o n e n, welche W. ganz fernhält, einen besonders starken Bestandteil. — Dafs W. zu den Rönsch'schen Arbeiten keine B e r i c h - t i g u n g e n und Nachträge erbringt, soll von uns im allgemeinen nicht beanstandet werden; es wäre das bei der Menge der neuen Erscheinungen (Bibeltexte, corpus glossariorum, Wiener patres, Wölfflins Archiv, Bonnets Gregor u. s. w.) eine nur sehr schwer zu erfüllende Forderung, die auch den selbständigen Charakter der Originalaufsätze zu beeinträchtigen drohte; da und dort hätte sich vielleicht in einer Fufsnote ein über den gegenwärtigen Stand der Sache aufklärender Wink geben lassen. — Wir haben eine Anzahl kleinerer Stücke mit den Urtexten kollationiert und den Abdruck der Hauptsache nach ziemlich treu gefunden, ja zuweilen erscheinen auch die Druckfehler in neuer unverbesserter Auflage, so S. 161 Origlnes, 163 extendentos, 308 die mangelhafte Interpunktion der Worte Tertullians über I. Cor. 15, 52; dafs in Nro. LIV eine kurze Stelle über den Stockholmer Gigas librorum, über den, worauf freilich verwiesen sein könnte, in Coll. S. 95 Ausführliches zu finden ist, oder dafs in Nro. LIII ein Kompliment gegen einen Gelehrten, der sich auch so allseitiger Ehrung erfreut, in Wegfall gekommen ist, darf dem raumsparenden Herausg. nicht verübelt werden; schlimmer ist, dafs S. 241 für eine Abteilung der Nro. XXI und S. 266 für Nro. XXXIII falsche Standorte angegeben werden; ersteres ist aus Jahrgang 1884, letzteres aus 1883 der betr. Zeitschr. entnommen; S. 300 Z. 1 ist die Stelle ,Gl. Ps.-Cyrill. p. 611, 23 σπανοπώγων' ausgefallen; aufserdem lies z. B. S. 3 Septuaginta; S. 160 toti (st. oti) und consortibus; S. 163 ἀνϑερεών und συσκιάζειν; 302 ἀνϑήσει; 312 (582) irgendwo.

Recht erwünscht und nützlich ist das S. 314—325 von Wagener angehängte Register der in den Collect. behandelten Vokabeln; aber auch hier sieht man nicht ein, warum z. B. festra, tristia (S. 192), proret (S. 306) und die Reihe inintensibilis—ininfernus (S. 299) fehlt, während doch die schon bei Georges stehenden ininitiatus—ininvestigabilis aufgenommen sind.

Unzweifelhaft wird das Buch auch in seiner jetzigen Gestalt viel Gutes stiften.

Speyer. G. Schepfs.

Sophocles' Antigone. Für den Schulgebrauch herausgegeben von Friedr. Schubert. Zweite verbesserte Auflage. Mit 7 Abbildungen. Preis geheftet 30 kr., gebunden 40 kr. Prag, Wien und Leipzig. Tempsky und Freytag 1889.

Für diese Ausgabe gilt in betreff der Einleitung und der andern Zuthaten das, was früher über die Oedipusausgabe des nämlichen Herausgebers bemerkt worden ist.[1]) Der Text zeigt an zahlreichen Stellen Abweichungen von der ersten Auflage. Da es aber zu weit führen würde auf alle diese Änderungen einzugehen, so sollen hier nur die hervorstechendsten behandelt werden. Da kommt denn natürlich zuerst Vers 4 an die Reihe, das bekannte und verzweifelte ἄτης ἄτερ. In der ersten Auflage hat es Schubert ruhig stehen lassen, in der zweiten nimmt er das Wecklein'sche ἄτης πέρα auf. (Übrigens hat Wecklein diese Änderung in keine seiner drei bis jetzt erschienenen Antigoneausgaben aufgenommen). Dafs damit die Stelle geheilt sei, könnte man nicht gerade sagen. Es wird am Ende immer noch das beste sein die alte Lesart beizubehalten und sich mit der Erklärung zu begnügen, dafs der an und für sich unrichtige Ausdruck sich hier unter Einwirkung der vorhergehenden Negationen eingeschlichen hat und ebensogut zu verstehen ist, wie wenn man im Deutschen sagte: „Es gibt nichts, was weder schmerzlich noch ohne Unheil wäre, nichts weder Schändliches noch Ehrloses, was wir nicht schauen mufsten." (Vgl. Schütz, Sophokleische Studien S. 202—206). — Die Verse 23—24, welche Dindorf in einen zusammenzieht — in der 1. Auflage ist der Herausgeber Dindorf gefolgt — behält Sch. bei, mit dem sehr ansprechenden Heilungsversuche von Schütz: Ἐτεοκλέα μέν, ὡς λέγουσι, σὺν δίκῃ | χρῆσθαι δικαιῶν τῷ νόμῳ κτλ. Im Vers 211 ist statt des überlieferten Κρέον — ποεῖν gesetzt. — Der Vers 269 hat sich ebenfalls eine Änderung gefallen lassen müssen: λέγει τις εἴς, ὅ liest er statt des überlieferten ὅς. Ein ganz mifsglückter Vorschlag. Der Singular pafst doch hier nicht. Wenn denn einmal geändert werden mufste — warum schrieb er nicht οἷς?[2]) Doch die Überlieferung genügt vollständig. Ebenso unnötig scheint mir die Änderung im V. 343, wo das überlieferte ἄγει, welches doch einen guten Sinn gibt, in ἀγρεῖ verwandelt ist. Eher kann man sich mit dem Heilungsversuche der Verse 353 ff. befreunden. Statt der überlieferten Worte: καὶ φθέγμα καὶ ἀνεμόεν φρόνημα καὶ ἀστυνόμους ὀργάς schreibt er mit Anlehnung an Valckenaer: καὶ φθέγματος ἀνεμόεν | φώνημα καὶ ἀστυνόμους ἀγοράς. — Im V. 392: ἡ γὰρ ἐκτὸς καὶ παρ' ἐλπίδας χαρά wurde ἐκτός mit αἴφνης vertauscht. Das Adverbium αἴφνης findet sich bei Sophokles nicht (ἐξαίφνης an mehreren Stellen). Aber nicht aus diesem Grunde ist diese Änderung zurück-

---

[1]) In diesen Blättern, Bd. XXVII, S. 568 ff.
[2]) Das würde allerdings der Absicht des Herausgebers im Wege stehen, da er wahrscheinlich nur deshalb ὅ geschrieben hat, um den einzigen Spondeus im Verse zu entfernen.

zuweisen, sondern weil sie unnötig ist. Die Worte ἐκτός (ergänze: ἐλπίδων) καὶ παρ᾽ ἐλπίδας bieten allerdings eine Tautologie; doch diese ist hier nicht, wie Schütz meint, nichtssagend, sondern paſst ganz gut zu der gesuchten Redeweise des Boten, der sich in den folgenden Versen so eigentümlich ausdrückt, daſs man fast versucht wäre, mit Nauck die ganze Stelle zu verkürzen. — In dem berühmten Chorgesang V. 583 ff. (εὐδαίμονες, οἷσι κακῶν κτλ.), welcher nicht wenig verzweifelte Stellen enthält, finden sich folgende neue Lesarten: V. 586 πόντιον σάλευμα (überliefert: οἶδμα). — V. 593 f. lauten bei Sch.: ἀρχαῖα τὰ Λαβδακιδᾶν φθιτῶν ὁρῶμμι | πήματα ζώντων ἔτι πήματα τίκτοντ᾽. — V. 599: νῦν γὰρ ἐσχάτας ὑπὲρ | ῥίζας ὅ τέτατο θάλος ἐν Οἰδίπου δόμοις κτλ. Die Überlieferung: ν. γ. ἐ. ὑ. ῥ. ἐτέτατο φάος verdient immer noch den Vorzug vor allen Änderungsvorschlägen. Hingegen ist die Aufnahme von Donaldsons Besserungsvorschlag zu V. 607 (ἀκάματοι θέοντες μῆνες, überl.: ἀ. θεῶν) nur zu billigen. — V. 612 f.: οὐδὲν ἕρπει | θνατῶν βιότῳ πλημμελὲς ἐκτὸς ἄτας. — V. 791 lautet: σὺ καὶ δικαίους ἀρετᾶς παρασπᾷς ἐπὶ λώβᾳ (statt: σ. κ. δικαίων ἀδίκους φρένας π.; der Korrespondenz wegen ist in der entsprechenden Zeile der στροφή das zweite Ἔρως weggelassen). V. 796: (ἵμερος) — τῶν μεγάλων ἔξεδρος ἀρχᾶς | θεσμῶν (also der ἵμερος ist auſserhalb der Macht der heiligen Satzungen, kehrt sich nicht an sie, ist mächtiger als jene). — V. 829 lesen wir χειμών statt χιών. Wozu? Vgl. die von Schneidewin angegebene Stelle aus Quint. Posthom. 1, 293 ὑπαὶ Σιπύλῳ νιφόεντι κτλ. — V. 845: ξυμμάρτυρας ὕμμε πέπαμαι (gewöhnliche Lesart — auch in der 1. Auflage) ὑμμ᾽ ἐπικτῶμαι). — Die Verse 861 ff., welche in der Überlieferung lauten: κοιμήματα τ᾽αὐτογέννητ᾽ | ἐμῷ πατρὶ δυσμόρῳ ματρός hat Sch. also geändert: κ. τ᾽αὐτῷ γεννήματι δυσμόρου ματρός. Die überlieferten Worte verdienen trotz oder vielmehr wegen der kühnen Hypallage den Vorzug. — Im V. 870 (ἰὼ δυσπότμων κασίγνητε γάμων κυρήσας), wo Antigone nach den Worten der Überlieferung an die unglückselige Heirat ihres Bruders Polyneikes denkt, ein Zurückgreifen auf frühere Ereignisse, welches, nach dem folgenden Verse zu schlieſsen (θανὼν ἔτ᾽ οὖσαν κατήναρές με), als für den Zusammenkang unpassend erscheint, ist durch die Aufnahme von Morstadts Vermutung (τάφων statt γάμων) die richtige Beziehung zwischen den beiden Versen hergestellt. — Von weiteren Änderungen mag nur noch die in V. 1165 f. vorgenommene erwähnt werden. In den meisten Ausgaben las man hier früher: τὰς γὰρ ἡδονὰς | ὅταν προδῶσιν ἄνδρες (überl.: ἀνδρός), οὐ τίθημ᾽ ἐγὼ | ζῆν τοῦτον. Schubert schlägt vor: τ. γ. ἡ. | ὅταν προδῷ τις ἀνδρός κτλ. Der Sinn, welcher dadurch der Stelle aufgenötigt wird, erscheint doch, namentlich wenn man den Nachsatz berücksichtigt, gar zu gezwungen: „Wenn jemand eines Mannes Lust vernichtet hat, von diesem sag᾽ ich nimmer, daſs er lebe"; von diesem bezieht sich natürlich auf den Genetiv, nicht auf das Subjekt, wie man beim ersten Lesen des Nachsatzes glauben möchte. Will man sich mit der gewöhnlichen Lesart nicht begnügen, so ist es am einfachsten den Vorschlag von Schütz anzunehmen, welcher προωσιν statt προδωσιν liest.

——————

Sophokles Antigone. Mit Einleitung und Anmerkungen für den Schulgebrauch herausgegeben von J. Rappold, k. k. Professor am Staatsgymnasium im 4. Bezirk in Wien. 1. Teil: Einleitung und Text. 2. Teil: Anmerkungen. Wien 1890, Alfred Hölder, Preis 80 Pf.

Diese Ausgabe, für den Schulgebrauch wie für die Hand des Lehrers eingerichtet, verdient auf das wärmste empfohlen zu werden. Sie besteht aus zwei Teilen, von denen der erste die „Einleitung" und den Text enthält. Der Einleitung geht ein „Vorwort" voraus, in welchem sich der Herausgeber über die befolgten Grundsätze ausspricht. Da finden wir aufser anderm den sehr richtigen — wenn auch nicht neuen — Satz, dafs „die Schule wahrlich etwas Besseres zu thun hat als über textliche Schwierigkeiten zu stolpern oder damit kostbare Zeit zu verlieren". Worin dieses „Bessere" besteht, wird uns im Anhang zu den Anmerkungen gezeigt, worauf wir noch werden zu sprechen kommen. In der Einleitung selbst wird in neun Paragraphen über den Ursprung und die erste Entwicklung der griechischen Tragödie, über das Theatergebäude und die Maschinerie, über das Theaterwesen in Athen mit besonderer Berücksichtigung der Tragödie, über die äufsere Gliederung der Tragödie, über den Chor und die Chorgesänge, über die Sprache in den Tragödien, über Metrisches[1]) und endlich über die Fabel der Antigone gesprochen. Dieser letzte Paragraph soll von den Schülern ins Griechische übersetzt werden. Anfser dieser Übung für die Schüler finden sich deren noch mehrere im zweiten Teile, welcher die Anmerkungen enthält. So sollen sich die Schüler ein Sammelheft anlegen und in dieses die Beobachtungen eintragen, welche sie in betreff der folgenden Punkte gemacht haben: Elision und Krasis, Synizesis und Aphäresis, altattische Wortformen und Dorismen in den lyrischen Teilen, Tropen und Figuren (namentlich Metaphern und Gleichnisse), Homerisches, Verwandtes aus deutschen Dichtern, Sentenzen, Mensch und Menschenleben, die Götter. In einem Anhange, welcher die Überschrift „zur Wiederholung und Zusammenfassung" trägt, werden dann endlich verschiedene Themata zur Bearbeitung von Seiten der Schüler aufgestellt und andere — über die Eigenschaften des Stückes, Charakteristik der verschiedenen Personen, Allgemeines über die Charaktere, Wertschätzung der Antigone — von dem Herausgeber selbst ausgeführt: kurz die Ausgabe enthält soviel Treffliches, dafs die Schüler, wenn alles so behandelt und durchgeführt wird, wie es Rappold wünscht und anstrebt, die Antigone aus dem Grunde kennen lernen.

Die Anmerkungen sind kurz gehalten und bieten nur das Aller-

——————

[1]) Hier steht irrtümlich, dafs die zweite Hauptcäsur im jambischen Trimeter nach der Thesis des fünften (statt: des vierten) Fufses stattfinde. Auch das gewählte Beispiel dazu (Ant. 676) ist nicht passend, da man in diesem Verse auch die Penthemimeres annehmen kann.

notwendigste. Hie und da finden sich auch Hinweise auf deutsche
Dichter oder Bemerkungen, die nur in losem Zusammenhange mit
der Tragödie stehen; so wird beim V. 1194 (ὀρϑὸν ἀλήϑει᾽ ἀεί) darauf
hingewiesen, dafs dieses der Wahlspruch eines Mannes gewesen sei,
der sich um die Gymnasien Österreichs (Rapp. ist Osterreicher) wohl
verdient gemacht habe, des H. Bonitz. Ich habe nur Weniges gefunden, dem ich meine Zustimmung versagen muſs: so die Bemerkung
zu V. 323 u. 324 (Wortspiel mit δοκεῖν), welche ganz unklar ist;
ferner die Erklärung zu V. 411 (καϑήμεϑ᾽ ἄκρων ἐκ πάγων ὑπήνεμοι):
„Von den Spitzen der Höhen aus vom Winde bestrichen. Ἄκρων ἐκ
πάγων gehört natürlich zu καϑήμεϑα und ὑπήνεμοι heiſst „sicher vor
dem Winde", der von der Leiche heranweht. Sehr gezwungen klingt
auch die Anmerkung zu V. 690 f. (τὸ γὰρ σὸν ὄμμα δεινὸν ἀνδρὶ δη-
μότῃ | λόγοις τοιούτοις οἷς σὺ μὴ τέρψῃ κλύων): „Zu δεινὸν treten zwei
Dative, einer der Person und einer der Sache. Flöſst dem Manne
aus dem Volke Furcht ein und hindert ihn dadurch dir solche Dinge
zu sagen." Hier wird der Herausgeber seinem im Vorworte ausgesprochenen Grundsatze untreu, indem er dem Dichter „etwas Unmögliches" zumutet. Denn etwas Derartiges ist doch in obigen Worten
nicht enthalten. Die Worte (im V. 691) befriedigen so, wie sie da-
stehen, nicht: entweder müssen wir den Vers 691 mit Nauck als
unecht entfernen oder ihn vor den Vers 690 stellen, so daſs sich dann
λόγοις τοιούτοις an ψέγειν ἔχει anschlieſst und den Inhalt des Tadels
angibt. — Zu V. 713 (κλῶνας ὡς ἐκσῴζεται) wird die Bemerkung gemacht: „Subjekt zu ἐκσῴζεται (hier fehlt das iota subscriptum) ist der
Relativsatz", nämlich: παρὰ ῥείϑροισι χειμάρροις ὅσα | δένδρων ὑπείκει.
Das ist doch entschieden eine für den Schüler unverständliche Erklärung. Statt dessen hieſse es doch besser: „Subjekt zu ἐκσῴζεται
ist das zu ὅσα zu ergänzende Demonstrativum ταῦτα".
      Was nun die Gestaltung des Textes betrifft, so hat sich der
Herausgeber, wie bereits angedeutet wurde, zum Grundsatz gemacht,
vor allem einen für die Schule leicht lesbaren Text zu bieten. Er
hält es nicht mit denen „welche Besseres an die Stelle des Guten
setzen", anderseits aber will er lieber ein Schreibversehen eines aus
der sicherlich langen Kette der Abschreiber (Deutsch!?) annehmen,
als dem Dichter etwas in irgend einer Hinsicht höchst Zweifelhaftes
oder geradezu Unmögliches zumuten". Von den Konjekturen wollen
wir nur diejenigen berühren, welche von Rapp. selbst herrühren,
bzw. herzurühren scheinen. So schlägt er im Vers 4 statt ἄτης ἄτερ
ein homerisches Wort vor: ἀάατον, „unheilvoll". Gegen dieses Wort
spricht am meisten der Umstand, daſs es im Rhythmus des Trimeters
nichts weniger als schön klingt: οὔτ᾽ ἀᾱᾰτὸν. Im homerischen Hexameter merkt man von dieser Kakophonie nichts; vgl. φ 81 u. χ 5-
— Die bekannten Verse 23 und 24 sucht er so zu heilen: Ἐτεο-
κλέα μέν, ὃν λέγουσι σύνδικον | χρησϑεὶς δικαίῳ καὶ νόμῳ κτλ.
Dazu finden wir die Anmerkung: „σύνδικος] Rechtsanwalt und Verteidiger." Ganz richtig, sofern man dabei nur an ein gerichtliches
Verfahren denkt. In dem übertragenen Sinne aber, in dem es

Rapp. hier angewendet wissen möchte und wie es an unserer
Stelle auch nur passen würde, kommt es bei den Tragikern nicht
vor. Man vergl. Aesch. Eum. 761 und Suppl. 726, wo neben
ξυνδίκους noch ἀρωγοὺς steht. — Im V. 211 a. E. ist statt
Κρέον — κυρεῖν eingesetzt. — Die Änderung im V. 221 ἀπ' ἐλπίδων
(überl. ὑπ' ἐλπ.) ist unnötig und auch deshalb zu verwerfen, weil
dadurch der Gedanke abgeschwächt würde. — Ebenso unnötig ist die
Änderung der Interpunktion im V. 269) λέγει τις, εἰς ὅς (statt λέγει
τις εἰς, ὅς) einer künstlichen Zahlen-Antithese zu liebe: εἰς und (ἡμᾶς)
πάντας. — V. 351: ἵππον ὀχμάζεται ἀμφιλόφῳ 'ν ζυγῷ. — Der
V. 361 f. lautet bei Rappold: Ἅιδᾳ μόνῳ | φεῦξιν οὐ πέπασται. Die
Erklärung des Dativs Ἅιδᾳ μόνῳ, welchen auch der Laurentianus A bietet
[ἀϊδα (darüber ι) μονωι (darüber ον)], ist nicht zutreffend; die an-
gezogene Stelle El. 875 πημάτων ἀρῇξιν, οἷς ἴασιν οὐκ ἔνεστ' ἰδεῖν hat
keine Beweiskraft; denn dort ist οἷς dativus commodi: „für welche
keine Heilung zu sehen ist = welche nicht geheilt werden können".
Darum empfiehlt es sich, die andere Lesart des La zu wählen: Ἅιδα-
μόνον (der Genetiv abhängig von φεῦξιν). — Ebensowenig kann es
gebilligt werden, dafs er im V. 368 die Überlieferung beibehält: νόμους παρείρων, wozu er die Erklärung giebt: „nebeneinander reihend
d. h. zusammen befolgend" (sic!) Warum sträubt sich Rapp.
gegen die Konjektur von Reiske: γεραίρων? — Umgekehrt hat sich
Rappold ohne Grund von dem überlieferten Texte abgewendet im
V. 551, der bei ihm also lautet: ἀλγοῦσα μὲν δῇτ', εἰ γέλως γ', ἐν σοὶ
γελῶ. — Im V. 557 (καλῶς σὺ μὲν τοῖς, τοῖς δ'ἐγὼ ἐδόκουν φρονεῖν)
verdient die Wecklein'sche Änderung wegen ihrer Einfachheit (er
schreibt σοί statt des ersten τοῖς) den Vorzug vor derjenigen Rappolds,
der schreibt: καλῶς σὺ μέν γ', οὐ σοὶ δ'ἐγὼ κτλ. — V. 578 f.: ἐκ-
δέτους δὲ χρὴ | γυναῖκας εἶναι τάσδε μηδ' ἀνειμένας. (Sehr an-
sprechend und der Überlieferung — ἐκ δὲ τᾶσδε — sehr nahe kom-
mend; M. Seyffert schlägt vor: εὖ δειᾶς). — V. 612 f.: — ἐπαρ-
κέσει | νόμος ὅδ', οὐδέν' ἕρπειν θνατῶν βίοτον πάμπολυν (über-
liefert: οὐδέν und βίότῳ πάμπολις) ἐκτὸς ἄτας: „dafs kein Leben der
Sterblichen während der ganzen langen Dauer aufserhalb des Unglücks
wandele". Diese Gestaltung hat etwas Ansprechendes, sofern man
zugibt, dafs jener Gemeinplatz — eine Variation des bekannten Solonischen Spruches — hier geduldet werden kann und man nicht
vielmehr den Gedanken erwarten mufs: „nichts Übermütiges und
Übermäfsiges wandelt aufserhalb der „Schuld" (Wecklein: οὐδὲν
ἕρπει θν. βιότῳ πάμπολυ (von Heath) ἐκτὸς ἄτας. — Den V. 718
behält R. bei, wie er überliefert ist: ἀλλ' εἶκε θυμῷ καὶ μετάστασιν
δίδου. Sehr gezwungen aber klingt die Erklärung zu dieser Stelle:
„Θυμῷ, Zusatz wie bei Homer Ἀγαμέμνονι ἥνδανε θυμῷ (ist aber
doch ein ganz anderer Fall!) u. ä. häufig, hier zugleich andeutend,
dafs es sich zum Unterschied von den vorausgehenden, aus der Natur
genommenen Beispielen nicht um äufserliches Nachgeben handelt.
— μετάστασιν δίδου. gewähre (mir) Umänderung d. h. lafs dich (von
mir) umstimmen." Ich gebe der Hermann'schen Fassung den

Vorzug: ἀλλ' εἶκε, θυμῷ καὶ μετάστασιν διδούς. — V. 851 ff. lauten
bei R.: ἰὼ δύστανος | ἔτ' οὖσ' ἐν βροτοῖς, οὐκέτ' οὖσα, | μέτοικος οὐ
ζῶσιν, οὐ θανοῦσιν. — Sehr ansprechend sind die Verbesserungsvorschläge zu V. 1035. Statt des unverständlichen ἄπρακτος finden
wir bei R. ἄθρακτος (= ἀτάρακτος, (vgl. Soph. frgm. 947 bei Nauck
1. Aufl.) und statt τῶν δ'ὑπαὶ γένους (mit Verkürzung des vorhergehenden εἰμί in εἰμ') ἐμοῦ δ'ὑπαὶ γένους. — Nicht zu billigen aber ist es,
daß der Herausgeber im V. 1065 die Überlieferung beibehalten hat:
κάτισθι μὴ πολλοὺς ἔτι | τρόχους ἁμιλλητῆρας ἡλίου τελῶν. Hier
wird wohl nichts andres übrig bleiben, als daß man mit Winkelmann ἡλίου τελῶν in ἥλιον τελεῖν ändert. Über den Infinitiv bei
Verben des Wissens vergleiche man Stellen wie Soph. Ant. 1092 und
El. 616, sowie Krüger Gramm. II, § 5, 6, 7, Anm. 1 u. 8. — Der
Vorschlag für den V. 1166 (τὰς γὰρ ἡδονὰς | ὅταν προδῷ δῶμ' ἀνδρός
κτλ.) muß schon des Mißklangs wegen, welcher durch den Zusammen-
stoß von προδῷ und δῶμ' erzeugt wird, zurückgewiesen werden.
(Vgl. Schütz, Sophokleische Studien S. 250 f.) — Im V. 1303 behält
R. das überlieferte λέχος bei und erklärt: Λέχος bei Homer öfter vom
Leichenbette, hier metonymisch = Tod. Zu dieser Erklärung ist
folgendes zu bemerken: 1) Sobald bei Homer vom Totenbette die
Rede ist, steht der Plural von λέχος. 2) In übertragenem Sinne, so
daß es die Bedeutung „Tod" hätte, findet sich λέχος bei Homer nicht.
3) Bei den Tragikern steht λέχος nie vom Totenbette, sondern bezeichnet ganz besonders das Ehebett und in übertragenem Sinne auch
die Ehegatten. Daraus dürfte soviel hervorgehen, daß es ein ver-
gebliches Bemühen ist, die Überlieferung beizubehalten und durch gekünstelte Erklärungsversuche annehmbar zu machen. Man kann nicht
recht einsehen, warum der Herausgeber sich gegen die so einfache
Konjektur von Bothe (λάχος statt λέχος) sträubt, zumal da sie in den
meisten neueren Ausgaben Aufnahme gefunden hat.

———————

Die Tragödien des Sophokles zum Schulgebrauche mit er-
klärenden Anmerkungen versehen von N. Wecklein. Erstes Bändchen:
Antigone. Dritte Auflage. München 1890. Verlag der J. Lindauer'schen
Buchhandlung. Preis: M. 1.20.

Bei der Besprechung der Wecklein'schen Antigoneausgabe
können wir uns etwas kürzer fassen, da die früheren Auflagen in
diesen Blättern ihre Würdigung gefunden haben und die Veränderungen
im Texte gegenüber der zweiten Auflage sich in verhältnismäßig geringer Anzahl vorfinden. — Schon der Umstand, daß fünf Jahre nach
dem Erscheinen der 2. Auflage — diese war 1885 herausgekommen —
eine neue Auflage nötig wurde, beweist, welcher Beliebtheit sich die
Wecklein'sche Ausgabe der Sophokleischen Dramen erfreut, und das
mit vollem Rechte. Die Anmerkungen sind trotz ihrer Knappheit so
erschöpfend, daß sie dem Schüler das volle Verständnis erschließen
helfen, und tragen durch die Hinweise auf die Krügersche Grammatik
(1. und 2. Teil) zur Vertiefung des grammatischen Wissens bei. Ich

möchte mir nur zu einigen Erklärungen etwas zu bemerken erlauben.
— So erscheint mir die Anmerkung zu V. 45 ($\tau\grave{o}\nu$ $\gamma o\tilde{\nu}\nu$ $\dot{\epsilon}\mu\acute{o}\nu$, $\varkappa\alpha\grave{\iota}$ $\tau\grave{o}\nu$
$\sigma\acute{o}\nu$ $\tilde{\eta}\nu$ $\sigma\grave{\upsilon}$ $\mu\grave{\eta}$ $\vartheta\acute{\epsilon}\lambda\eta\varsigma$) nicht gelungen zu sein. Ein jeder Versuch,
durch Hineininterpretieren den eigentümlichen Gegensatz $\tau\grave{o}\nu$ $\dot{\epsilon}\mu\acute{o}\nu$ und
$\tau\grave{o}\nu$ $\sigma\acute{o}\nu$ als weniger auffallend erscheinen zu lassen, kommt mir verfehlt vor. Die Worte sind eigentümlich und sollen es sein: wir
müssen sie uns eben als im Zorne und in der Absicht gesprochen
denken, die Ismene durch Hohn für ihre Ängstlichkeit zu strafen.
Im V. 43 spricht Antigone noch die Hoffnung aus, daſs die Schwester
ihr bei der Bestattung des Toten behilflich sein werde. Da muſs sie
unmittelbar darauf durch die Frage der Ismene erfahren, daſs diese
nicht daran denke oder vielmehr es nicht wage gegen das Verbot
des Königs zu handeln. Und diese ängstliche Frage hat jene sarka-
stischen Worte — denn so müssen wir sie fassen — zur Folge: „Nun,
ich wenigstens will meinen Toten (d. h. was mir an dem Toten gehört, also: mein Teil) bestatten, auch wenn dein Teil Du nicht bestatten willst." Mit dem Bedenken, die Worte enthielten ja eigentlich
einen Unsinn, da sie, wenn sie ihren Toten (nicht Bruder; denn Vers
45 muſs ausgeschieden werden) bestatte, ja auch den der Ismene bestatte, oder mit Erklärungen wie: „ich werde am Toten meine Pflicht
erfüllen (Schütz) oder: „mein Recht wenigstens soll gewahrt werden,
wenn auch Dein Recht zu wahren Du Dich scheust" (Wecklein): mit
solchen und ähnlichen Bemerkungen darf man nach meiner Ansicht
jenen Worten nicht nahe kommen, da ja dadurch doch nichts erreicht wird: sie sind einfach als Sarkasmus zu verstehen und sollen
durch das scheinbar Ungereimte, das in ihnen enthalten ist wirken.
— Zu V. 80 ($\sigma\grave{\upsilon}$ $\mu\grave{\epsilon}\nu$ $\tau\acute{\alpha}\delta$' $\ddot{\alpha}\nu$ $\pi\rho o\ddot{\upsilon}\chi o\iota$') habe ich eine Anmerkung
vermiſst. Ich fasse die Worte so: „Du dürftest dies nur zum Vor-
wand gebrauchen" oder: „Du gebrauchst dies, wie mir scheint, nur
zum Vorwand", nämlich um den eigentlichen Grund, die Feigheit, zu
verbergen. — Das Adjektivum $\dot{\alpha}\nu\tau\acute{\iota}\tau\upsilon\pi o\varsigma$ im V. 134 ($\dot{\alpha}\nu\tau\iota\tau\acute{\upsilon}\pi\alpha$ δ'$\dot{\epsilon}\pi\grave{\iota}$
$\gamma\tilde{q}$ $\pi\acute{\epsilon}\sigma\epsilon$) scheint mir mit den Worten: „zurückstoſsend, nicht nach-
gehend, hart nicht passend erklärt zu sein. Es ist doch entschieden
poetischer, das Wort in demselben Sinne zu fassen wie repercussus:
zurückstossend und damit den Ton zurückgebend == widerhallend,
zumal ja dadurch auch die Schwere des Falles gemalt wird. —
$To\tilde{\upsilon}\tau o$ $\tau\acute{\alpha}\gamma\alpha\vartheta\acute{o}\nu$ (V. 275) wird doch richtiger als ironisch (statt als
scherzhaft) erklärt. — Die Bemerkung zu $\alpha\dot{\iota}\mu\alpha\tau\acute{o}\epsilon\nu$ $\dot{\rho}\acute{\epsilon}\vartheta o\varsigma$ (V. 528)
„blutige Röte" könnte den Schüler — den bequemen sicherlich —
auf die Meinung bringen, $\dot{\rho}\acute{\epsilon}\vartheta o\varsigma$ habe die Bedeutung „Röte". Warum
nicht: „blutrotes Antlitz"?
      Über die Gestaltung des Textes in ausführlicher Weise zu
sprechen, halten wir nicht für nötig, da bei der Besprechung der
Rappold'schen Ausgabe der Text von Wecklein verschiedene male
zur Vergleichung beigezogen wurde und die 3. Auflage sich von der
zweiten naturgemäſs weniger unterscheidet als die letztere von der
ersten. Während die 2. Auflage gegenüber der ersten an 26 Stellen
Veränderungen aufwies (worunter fünf Konjekturen von Wecklein

waren) finden sich in der vorliegenden 3. Auflage an 16 Stellen Änderungen gegenüber der 2. Auflage, darunter eine von Wecklein selbst. Diese findet sich im V. 211, wo statt $K\varrho\acuteo\nu$ jetzt $\pi\alpha\vartheta\varepsilon\tilde\iota\nu$ gelesen wird, eine Änderung, die auch im kritischen Anhang hätte angeführt werden dürfen. Von den übrigen Abweichungen sind besonders folgende hervorzuheben: V. 83 $\nu\acute\varepsilon\mu\omega$ statt $\lambda\acute\varepsilon\gamma\omega$ (F. W. Schmidt); V. 702 $\varepsilon\dot\nu\kappa\lambda\varepsilon\acute\iota\dot\alpha$ statt $\varepsilon\dot\nu\kappa\lambda\varepsilon\acute\iota\alpha\varsigma$ (Johnson); V. 811 $\pi\acute\alpha\gamma\varkappa\sigma\iota\nu\sigmaς$ statt $\pi\alpha\gamma\varkappa\sigma\acute\iota\alpha\varsigma$ (Blaydes); V. 1110 $\pi\acute\alpha\gamma\sigma\nu$ statt $\tau\acute\upsilon\pi\sigma\nu$ (Blaydes); V. 1219 $\dot\sigma\xi\upsilon\vartheta\acute\upsilon\mu\sigma\nu$ statt $\dot\varepsilon\xi\ \dot\alpha\vartheta\acute\upsilon\mu\sigma\nu$ (Pompe van Meerdevoort); V. 1248 $\dot\varepsilon\xi\alpha\ddot\sigma\sigma\varepsilon\iota\nu$ statt $\dot\alpha\xi\iota\acute\omega\sigma\varepsilon\iota\nu$ (Semitelos); V. 1330 $\dot\varepsilon\chi\omega\nu$ statt $\dot\varepsilon\mu\tilde\omega\nu$ (Pallis).

———

Die Tragödien des Sophokles zum Schulgebrauche mit erklärenden Anmerkungen versehen von N. Wecklein. Sechstes Bändchen: Philoktetes. Zweite Auflage. München 1889. Lindauersche Buchhandlung. Preis: M. 1.20.

In erster Auflage war dieses Drama im Jahre 1881 erschienen. Die Notwendigkeit einer Neuauflage machte sich also nicht so rasch geltend wie bei der Antigone, was einfach darin seine Erklärung findet, daſs letztere Tragödie eben viel häufiger in den Schulen gelesen wird als der Philoktet. Was über die Anmerkungen zur Antigone bemerkt worden ist, gilt auch hier: sie zeichnen sich durch knappe und treffende Fassung aus und enthalten bei aller Kürze alles das, was zur Erleichterung des Verständnisses nötig ist. Dem Wortlaute nach stimmen die Anmerkungen der vorliegenden Auflage im ganzen mit denen der ersten Auflage überein. Doch wäre an manchen Stellen eine Änderung sehr erwünscht gewesen. So wird zu den Worten im V. 552 $\pi\varrho\sigmaς\tau\upsilon\chi\acuteo\nu\tau\iota$ $\tau\tilde\omega\nu$ $\ddot\iota\sigma\omega\nu$ wiederum bemerkt: „nachdem ich den billigen (verdienten) Lohn empfangen". Aber dieser Sinn kann nicht in den obigen Worten liegen; wer so erklären will, der muſs auch zugeben, daſs sich jene Worte auf den Satz: $\mu\dot\eta$ $\sigma\acute\iota\gamma\alpha$ — $\tau\dot\sigma\nu$ $\pi\lambda\sigmaῦ\nu$ $\pi\sigma\iota\varepsilon\tilde\iota\sigma\vartheta\alpha\iota$, also auf einen negativen Satz beziehen, was doch unmöglich einen guten Sinn geben kann: „ich beschloſs, nicht stillschweigend weiter zu fahren, nachdem ich den gebührenden Lohn empfangen, als bis ich Dich gesprochen". Man erwartet doch unbedingt: „als bis ich Dich gesprochen und den gebührenden Lohn empfangen, also statt $\pi\varrho\sigma\sigma\upsilon\chi\acuteo\nu\tau\iota$ etwa $\varkappa\alpha\dot\iota$ $\tau\acute\upsilon\chi\sigma\iota\mu\iota$ als Fortsetzung zu $\pi\varrho\dot\iota\nu$ $\varphi\varrho\acute\alpha\sigma\alpha\iota\mu\acuteι$ $\sigma\sigma\iota$. Der Vers 557, auf welchen hingewiesen wird, hat keine Beweiskraft: denn dort ist nicht von Lohn, sondern nur von Dank ($\chi\acute\alpha\varrho\iotaς$) die Rede. Halten wir an der Überlieferung fest, so bleibt nichts anderes übrig, als Schneidewins Erklärung anzunehmen, nach welcher jene Worte sich auf $\dot\varepsilon\delta\sigma\xi\acute\varepsilon$ $\mu\sigma\iota$ beziehen: „ich beschloſs, da ich das gleiche (Ziel) erreicht wie du, d. h. da ich ebenfalls nach Lemnos gekommen bin" — so daſs diese Worte zurückweisen auf V. 546: $\pi\varrho\dot\sigmaς$ $\tau\alpha\dot\upsilon\tau\dot\sigma\nu$ $\dot\sigma\varrho\mu\iota\sigma\vartheta\varepsilon\dot\iotaς$ $\pi\acute\varepsilon\delta\sigma\nu$. — Zu V. 583 f.: $\pi\acute\sigma\lambda\lambda'$ $\dot\varepsilon\gamma\dot\omega$ $\varkappa\varepsilon\acute\iota\nu\omega\nu$ $\ddot\upsilon\pi\sigma$ | $\delta\varrho\tilde\omega\nu$ $\dot\alpha\nu\tau\iota\pi\acute\alpha\sigma\chi\omega$ $\chi\varrho\eta\sigma\tau\acute\alpha$ ϑ', $\sigma\ddot\iota$ $\dot\alpha\nu\dot\eta\varrho$ $\pi\acute\varepsilon\nu\eta\varsigma$ findet sich die Anmerkung: „Für meine Dienste erhalte ich zur Belohnung manches,

was ich als armer Mann gut brauchen kann". Wie kann
οἶ᾽ ἀνὴρ πένης; diese Bedeutung haben? Diese Worte sind vielmehr
auf δρῶν zu beziehen und enthalten (wie O. R. 584) eine Beschränkung: „ich thue jenen vieles Gute, soweit ein armer Mann das
kann, und empfange dafür von ihnen vieles Gute". — Zu V. 830 f.:
ὄμμασι δ᾽ ἀντίσχοις | τάνδ᾽ αἴγλαν, ἃ τέταται τὰ νῦν wird folgende Über-
setzung und Erklärung gegeben: „Halte vor den Angen dieses Licht,
welches jetzt ausgebreitet ist", d. i. dieses lichtlose Licht, diese
Dunkelheit. Diese gekünstelte, von Hermann herrührende Erklärung
sollte man doch endlich (namentlich in einer Ausgabe für Schüler)
aufgeben, sei es nun, dafs man statt αἴγλαν mit Reiske ἀχλύν liest
oder ἀντίσχοις mit Wunder in ἀμπίσχοις verwandelt: „Verhülle den
Augen den jetzt ausgebreiteten Glanz!" (Vgl. Schütz, Sophokleische
Studien, S. 354 f.)

Der Text weist gegenüber der 1. Auflage an 24 Stellen Änderungen auf; darunter befinden sich acht Konjekturen von Wecklein
selbst. So hat er im V. 382 das Partizipium ἐξονειδισθείς in ἐξονει-
δίσας verwandelt, wodurch die sprachliche Härte, die darin bestand,
dafs man das am Ende stehende Objekt κακά auf das entfernte und
durch καὶ getrennte Partizipium ἀκούσας beziehen mufste, entfernt und
der Stelle ein passenderer Sinn gegeben wird: denn nun ist die Tauto-
logie (ἀκούσας κακά und ἐξονειδισθείς) geschwunden und Neoptolemos
bezeichnet sich, was besser in den Zusammenhang pafst, nicht nur
als leidend, sondern auch als thätig. — Im V. 559 ist γ᾽ ἔλεξας, welches
nach φράσον unpassend ist und zu manchen Vermutungen Anlafs
gegeben hat, mit κατῆρξας vertauscht worden, so dafs nunmehr der
Vers wohlverständlich ist. — Im V. 731, wo ἔχει überliefert ist (κά-
πόπληκτος ὧδ᾽ ἔχει), findet sich jetzt mit Recht das Aktivum: ἔχεις.
— Der Vers 763 (βούλει λάβωμαι δῆτα καὶ θίγω τί σου) ist schon
lange wegen δῆτα, das auch im vorhergehenden und im nachfolgenden
Verse vorkommt und zudem im La von zweiter Hand herrührt, verdächtig gewesen. Nauck hat auf gewaltsame Weise eine Heilung
versucht, indem er δῆτα und τί σου am Ende entfernte und die dadurch entstandenen Lücken durch Heraufziehen des folgenden Verses
ausfüllte, die folgenden Verse aber durch Versetzung einzelner Worte
und durch Auslassung anderer einrichtete. Viel einfacher und ansprechender ist die Konjektur Weckleins, der δῆτα auswirft und an
die Stelle von τί σου am Ende τοῦ σώματος setzt, so dafs der Vers
jetzt lautet: βούλει λάβωμαι καὶ θίγω τοῦ σώματος; — Im V. 1033 ist
πλεύσαντος, welches allerdings nicht verteidigt werden kann, durch
λυσσῶντος ersetzt. Aber nach dem Zusammenhange, nach der Frage
des Philoktet im V. 1029 (καὶ νῦν τί μ᾽ ἄγετε; τί μ᾽ ἀπάγεσθε;) erwartet man ein anderes Verbum. Darum könnte ich mich eher mit
ξυμπλέοντος oder mit der Änderung von Nauck, der παρόντος
schreibt, befreunden. — Meinen vollen Beifall hingegen zolle ich dem
Verbesserungsvorschlag zu V. 1220, wo das auffallende στείχοντα nach
Ὀδυσσέα entfernt und durch τ᾽ ἄνακτα ersetzt ist. Die beiden vorausgehenden Verse aber hat Wecklein aufgenommen wie sie überliefert

sind. Jedoch in dieser Fassung sind sie unhaltbar. Abgesehen davon, dafs ὁμοῦ mit Genetiv hier verdächtig ist, widerspricht der ganze Sinn der Stelle den nachfolgenden Versen: „Ich wäre wohl schon längst in der Nähe meines Schiffes" oder „schon längst auf dem Wege nach dem Schiffe, wenn wir . . nicht sahen.'' Ja, wenn sie in der Nähe ihres Schiffes sein wollten, dann hätten sie vorher fortgehen müssen, also dafs sie alsdann die Kommenden überhaupt nicht hätten sehen können. Der Zusammenhang verlangt doch offenbar den Gedanken: „ich würde jetzt fortgehen, wenn ich (oder wir) den Odysseus und Neoptolemos nicht kommen sähe (sähen)." Da sie aber jene kommen sehen, so entfernen sie sich nicht, sondern bleiben. Mor. Schmidt hat darum die Verse geändert, so dafs sie bei ihm so lauten: ἐγὼ μὲν ἤδη καὶ πάλαι παλίσσυτος | στείχων ἂν ἦ σοι τῆς ἐμῆς νεὼς πέλας, | εἰ μὴ πρὸς ἡμᾶς τὸν τ' Ἀχιλλέως γόνον | Ὀδυσσέα τε δεῦρ' ἰόντ' ἐλευσσόμεν. Diese Änderungen sind zu gewaltsam und verfehlen ihren Zweck, da jene oben angedeutete Hauptschwierigkeit nicht gehoben wird. Der Hauptfehler steckt nach meiner Ansicht in καὶ πάλαι. Ändern wir dieses in καὶ πάλιν (zurück) und schreiben statt ὁμοῦ bei νεὼς ἰθύς oder ἔπι, so bekommen wir den erwünschten Gedanken; στείχων ἂν ἦ ist soviel als ἔστειχον ἄν; man vergleiche Ai. 1324 δρῶν γὰρ ἦν τοιαῦτά με. Die beiden Verse lauten also nunmehr: ἐγὼ μὲν ἤδη καὶ πάλιν νεὼς ἰθύς (oder ἔπι) | στείχων ἂν ἦ σοι τῆς ἐμῆς, εἰ μὴ πέλας κτλ. — Im V. 1382 hat der Herausgeber an die Stelle von θεούς das Pronomen τινά gesetzt und im folgenden Verse statt des überlieferten ὠφελούμενος, welches er in der 1. Auflage mit ὠφελῶν τινα vertauscht hatte, nach dem Vorgange von Heath ὠφελουμένους geschrieben. Notwendig scheint mir die erste Änderung (θεούς in τινά) nicht zu sein, vorausgesetzt, dafs man im folgenden Verse mit Wecklein ὠφελῶν τινα oder mit Blaydes ὠφελῶν φίλους schreibt. — Die letzte Konjektur des Herausgebers findet sich im V. 1431, wo er βέλους statt στρατοῦ liest (ἃ δ' ἂν λάβῃς σὺ σκῦλα τοῦδε τοῦ βέλους). Jedoch σκῦλα βέλους kann kaum heifsen: die durch den Bogen gewonnene Waffenrüstung. Die Änderung läfst sich aber halten, wenn man schreibt: σκῦλ' ἐκ τοῦδε τοῦ βέλους. — Von den Konjekturen anderer, welche Aufnahme gefunden haben, verdienen folgende hervorgehoben zu werden: V. 187 βορᾶς' ἅ δ' (Schiller) statt βαρεῖ' ἅ δ'; V. 190 οἰμωγὰς ὑποκλαίει (Pflugk) statt οἴμ. ὑπόκειται; V. 630 πείσαντα δεῖξαι (Blaydes) ζῶντι' (Schubert) statt δεῖξαι νεὼς ἄγοντ'; V. 642 οἶδ' (Doederlein) statt οὐκ; V. 716 εἴ που γνοίη σταγόν' (Schultz) εἰσιδὼν (Gleditsch) statt ὅπου γνοίη στατὸν εἰς ὕδωρ; V. 842 ἔρχ' (Blaydes) statt ἔστ'; V. 1150 ἐλᾶτ' (Erfurdt) statt πλάζεσθ'.

Zweibrücken.   J. Herzer.

Euripides Hippolytos, Griechisch u. Deutsch von **Ulrich von Wilamowitz-Moellendorff**. Berlin. Weidmannsche Buchhandlung. 1891. S. 214. 8 M.

Der Ausgabe geht ein Vorwort voran „Was ist übersetzen"; dafs es vortreffliche Übersetzungen der Griechen im Deutschen gebe, hält

Wil. für eine gedankenlos oder böswillig nachgesprochene Unwahrheit.
Man ist berechtigt, so lautet der Schluß des Vorwortes, „jedem das
Übersetzen aus einer Sprache zu verbieten, der nicht belegen kann,
daß er in dieselbe stilgerecht übersetzen kann". Sich zu legitimieren,
gibt Wil. in dem Vorwort einige Proben seiner Übersetzungskunst in
das Griechische, an denen sich Philologiebeflissene ein Muster nehmen
können.   Allerdings ein Hexameter wie ὥς κ’ἐπ’ ὀνείρασι πείϑηται, ἔπος
οὔποτε κεῖνος (S. 15) ist nicht eben nachahmenswert.   Wil. dürfte indes
noch anderes als ἐπιδεύσεται S. 15 und δῆτ’ ὑβρισιής S. 21 leisten,
ohne befürchten zu müssen, daß ihm Jemand das Übersetzen aus dem
Griechischen verbiete.   Was nun seine Hippolytübersetzung betrifft,
so hat der Verf. sich über sie bescheiden so geäußert: „Man wird
(heißt es S. 1) mit dieser Hilfe in den Stand gesetzt werden, sich
selbst zu überzeugen, wie hoch das Original über der Übersetzung
steht".   Daß eine Reihe von Jahren hinging, bis die Übersetzung in
der jetzt vorliegenden Form zu stande kam, ersieht man aus der
Anmerkung auf S. 54; vor 20 Jahren war die Übersetzung noch eine
„unreife"; die jetzt reif gewordene liest jeder mit Interesse, auch nicht
ohne Genuß; damit ist nicht gesagt, daß alles Beifall verdient.   Wenn
V. 184 τὸ δ’ἀπὸν φίλτερον ἡγῇ in der Übersetzung lautet „brennend
begehrst Du, was Du nicht siehst", V. 243 „decke mich zu,
ich schäme mich so" (κρύψον κεφαλήν, αἰδούμεϑα γάρ), V. 1374
„ja mordet, ermordet mich elenden ganz", so mag Wil. dies stilgerecht finden, ein anderer wird anders denken.   Oder wenn V. 337 f.
lauten: „Unsel’ge Mutter, welche ein Liebeswahn — Was meinst
du, Tochter? denkst Du an den Stier?", so ist zwar ein Miß-
verständnis für jeden Leser ausgeschlossen; aber die Berechtigung
eines komischen Effekts wird nicht jeder einzusehen vermögen.   Doch
genug von solchem, bedenklicher sind andersartige Übersetzungen,
von denen ich hier wenigstens eine Probe geben muß.   Die Worte
(V. 964) κακὴν ἄρ’ αὐτὴν ἔμπορον βίου λέγεις, εἰ δυσμενείᾳ σῇ τὰ
φίλτατ’ ὤλεσεν bedeuten nach Wfl.: „So hat sie für die Ihren schlecht
gesorgt, wenn sie sie elend machte, Dir zu schaden".   Nach sonstiger
und des Ref. Auffassung ist dies der Sinn der Worte: „So hat sie
es schlecht verstanden, mit dem Teuersten, dem Leben Kauf zu treiben,
wenn sie es hingab, Dir zu schaden".   Hat Wil. es verschmäht,
von einem seiner deutschen Vorgänger zu lernen, so konnte er dies
auch der Anmerkung Weils (elle a fait un mauvais marché; τὰ φίλ-
τατα ce que l'homme a de plus cher, la vie) entnehmen.   „Ver-
schroben" nennt Wil. den Ausdruck in V. 368 τίς σε παναμέριος ὅδε
χρόνος μένει; seine Übersetzung ,wie kannst du dauern nur diesen
einen kurzen Tag' bemüht er sich zu rechtfertigen auch mit Berufung
auf Aristonikos zu A 472.   Soll nun etwa Phädra mit diesen Worten
auf die Notwendigkeit, sich noch am selbigen Tag den Tod zu geben,
von den zart fühlenden Frauen hingewiesen werden?   Die Übersetzung,
zu welcher ich gelangte: „Welches wird dein Geschick sein, wenn
dieser Tag sich zu Ende neigt" ist im wesentlichen dieselbe, die bei
Wecklein und Weil zu finden ist.

Über die 4 Haupthandschriften Marc. 471, Parisin. 2712, Laurent.
32, 2, Vatican. 909 wird vollständig berichtet; ob von den geringeren,
zur Aushülfe beigezogenen der Venet. 470 die ihm gewordene Berücksichtigung verdient, möchte man bezweifeln; erklärlich ist sie, da der
Verfasser selbst diese Handschrift verglichen hat. Die Kollation des
von V. 1234 an wichtigen Laurent. 31, 10 hat grofsenteils H. v. Arnim
für Wil. angefertigt: Wil. hatte die Handschrift ihres „abscheulichen
Äufseren wegen" kaum angesehen (S. 181). Die handschriftlichen
Angaben bei Wil. und Barthold differieren mehrfach; Zweifel könnte
nun berechtigt erscheinen, wenn selbst Wil. Bartholds Ausgabe dies
einräumt, dafs ihre Kollationen zum teil „sicherlich gut" waren. Das
statistische Material, welches von Wil. zur Beurteilung des Hand-
schriftenverhältnisses geboten wird, ist dankenswert, aber leider etwas
knapp ausgefallen; die Statistik so weit auszudehnen, dafs man über
die wissenswerten Punkte sich leichter und genauer unterrichtet, hätte
allerdings umständliche, den kritischen Apparat teilweise rekapitulierende
Zusammenstellungen erfordert; doch mochte mancher Leser gerade
diese von Wil. erwarten, da man ja an seinem Hippolyt als der Probe,
„nach der auch an anderen Dramen verfahren werden mag", den
Wert der Handschriften so kennen lernen soll, dafs man überzeugt ist.
  Die Textgestaltung war dem Verf. im Wesentlichen durch die
Ausgaben von Weil, Barthold und Wecklein gegeben. Letztere ist
zwar von Wil., soweit ich sehe, nicht genannt; aber zu behaupten,
dafs Wil. dieselbe nicht vielfach zu Rate gezogen, wäre eine Ungerechtigkeit.[1]) Selbstverständlich bietet der Verf. mehrfach Neues,
auch abgesehen von Orthographischem. (Wenn man 314 ἐκσῶσαι und
1242 σῶσαι im Texte liest, so ist diese Variation vom Verf. sicher
nicht beabsichtigt.) Am wertvollsten scheint mir die Konjektur zu
V. 274, wo Wil. ἀσθενεῖ δὲ für ἀσθενεῖ τε schreibt; ebenso ist κρανθὲν δ' (V. 868) gut für überliefertes κρανθὲν ohne δ'; richtig ist auch
erkannt, dafs τῆσδε V. 863 falsch ist, nur scheint mir die Korrektur
οἴδε, wie ich anderwärts zeige, nicht ausreichend; auch die Schreibung
Πελοπίας (V. 1459) ist beachtenswert. Öfter wird man da, wo Wil.
von seinen Vorgängern sich entfernt, Widerspruch erheben. V. 32 f.
hält Wil. mit Recht, aber in der Fassung: Ἱππολύτῳ δ' ἔπι τὸ λοιπὸν
ὠνόμαζον ἱδρῦσθαι θεάν, Die Übersetzung „den Tempel aber soll
die Nachwelt nennen die Aphrodite des Hippolytos" spricht für die
Emendation ὀνομάσουσιν; dieselbe ist jedenfalls sinnentsprechend, ὠνόμαζον aber ist verkehrt als dritte Person, fast noch verkehrter als
erste Person („Aphrodite sagte namengebend während der Weisung
etc." S. 188) — Dafs in V. 42 δείξω δὲ Θησεῖ πρᾶγμα κἀκφανήσεται
ein Widerspruch vorliegt mit der folgenden Entwicklung, ist klar und
schon von andern gesagt; Wil. hat im Texte δείξω δὲ Θησέως
παιδί, κἀκφανήσεται und in den Anmerkungen (S. 211) δείξω δὲ Θη-

---

[1]) Sogar einen Druckfehler der Weckleinschen Ausgabe hat Wil. in seinem
Kommentar aufgenommen; vgl. Anmerkung zu 903 bei Wecklein und bei Wilamowitz (S. 225).

σέως παιδὶ καὶ φανήσεται. Der Verfasser findet in den das Mittelstück
übergehenden Angaben: „Aphrodite wird dem Theseussohn es offenbaren und Theseus wird den Jüngling töten" die Absicht des Dichters,
den Hörer zu täuschen; anderen wird jene Gedankenverbindung zwar
lückenhaft und dunkel, aber nicht künstlerisch erscheinen; jeder aber
dürfte es unmethodisch finden, wenn das durchaus passende πρᾶγμα
entfernt wird, um Θησεῖ zu korrigieren. — Die Worte (V. 114 ff.)
ἡμεῖς δὲ — τοὺς νέους γὰρ οὐ μιμητέον φρονοῦντας οὕτως — ὡς πρέ
πει δούλοις λέγειν προσευξόμεσθα τοῖσι σοῖς ἀγάλμασι sind grammatisch
zulässig, wenn man mit dem Scholiasten ἡμεῖς προσευξόμεσθα ὡς
πρέπει δούλοις λέγειν konstruiert; und daſs man so verbinde, scheint
auch die Bemerkung auf S. 192 zu fordern. Aber was ergiebt sich so?
Wil. übersetzt: „Ich bin für solchen hohen Sinn zu alt, und offen
reden darf der Sklave nicht. Doch beten kann ich hier vor Deinem
Bilde". Das ist hübsch, nur hat Wil. übersehen, daſs sein griechischer
Text dann eine Wendung in dem Sinne von λέγοντες ὡς πρέπει
δούλοις λέγειν oder μεμνημένοι oder etwas ähnliches erfordert; ohne
einen solchen Zusatz haben seine griechischen Worte den in der Übersetzung bezeichneten Sinn nicht, und es ist müſsig darnach zu fragen,
ob sie einen andern Sinn haben könnten. — Wer mit Wil. V. 1336
ἔπειτα σὴ θανοῦς ἀπώλεσεν γυνὴ λόγων ἐλέγχους liest, wird vielleicht
im folgenden ὥστε σὴν πταῖσαι φρένα (statt πεῖσαι) vorziehen. —
V. 1070 liest Wil.: αἰαῖ πρὸς ἧπαρ δακρύων ἐγγὺς τόδε: er glaubt
also an die Ellipse πρὸς ἧπαρ, verwirft τ' nach δακρύων und erinnert
dabei an die ἀριδάκρυες Ἕλληνες, denen das Weinen längst kommt,
ehe sie bis ins Leben getroffen sind (S. 228). Meist nimmt man an,
daſs statt αἰαῖ oder nach αἰαῖ ein Verbum zu πρὸς ἧπαρ einzusetzen
ist, und das ist meines Erachtens richtig (meine Ergänzung findet man
oben S. 244; richtig wohl auch, daſs mit jener Auffassung des Hippolyt
die σεμνότης, die sein Wesen beherrscht, im Widerspruch steht.

Die Anmerkungen enthalten auch Grammatisches; hievon nur
eine Bemerkung, die von besonderem Interesse sein dürfte. Alte und
moderne Erklärer mühen sich die Masculinformen κεύθων — λεύσσων
(V. 1105 f.) mit Bezug auf den weiblichen Chor zu begreifen; Wil.
findet das Ei des Kolumbus: „Euripides hat die Endung -ων des
masculinen particips auch für das femininum gebraucht, nach
Analogie von πίων ἥττων εὔφρων". Welche Aussichten eröffnen sich
mit dieser Entdeckung der konservativen sowie der konjekturalen
Kritik! Überwiegend aber bewegt sich die Erklärung auf dem ästhetischen Gebiet, ist Inhaltsanalyse und Charakteristik: man begreift,
daſs Wil. hierbei öfter das Geleise der gewöhnlichen Auffassung verläſst (so namentlich in dem, was er zur Beurteilung der Amme sagt
und über ihr Verhältnis zu Phädra), man folgt nicht ohne Interesse,
selbst wenn die Ausführungen etwas breit werden. Recht anmutig
ist hier auch die Erzählung (S. 232) von dem „blutjungen deutschen
Grenadier und dem greisen französischen Schulmann, die sich mit
griechischen und französischen Versen regaliren und den Häuslersohn
das ragout von lapin und navets verspeisen lassen".

Man darf, um zum Schluſs noch eines zu berühren, sich keineswegs wundern über das Urteil des Verfassers, daſs die Konjekturalkritik seit dem Erscheinen von Kirchhoffs groſser Ausgabe nur ganz weniges geleistet babe. Wil. hat nämlich eigene frühere Konjekturen in seiner Ausgabe zurückgenommen, und wer sich in Allgemeinheiten ergeht, fällt gern auf Grund einer einzelnen Erfahrung ein Gesamturteil. Auf sorgfältige Umschau und Musterung kommt es dann weniger an, wie denn Wil. z. B. V. 277 οὐκ οἶδ᾽, V. 880 εἶδον γραφαῖς als eigene Emendationen bezeichnet, was (nach den nächstliegenden Ausgaben zu schlieſsen) eine Ungenauigkeit ist. Wenn die Ausgabe von Wil. bekannten und geschätzten Ausgaben eine besondere Anerkennung nicht spendet, so ist die Einrichtung der ersteren doch nicht von der Art, daſs die anderen nun an Wert verloren oder für weitere Studien entbehrlicher geworden sind.

Heidelberg.   Stadtmüller.

Thierry, Amédée, Histoire d'Attila et de ses successeurs. Herausg. v. Dr. Fritz Bischoff, ord. L. am Friedrichs-Gymnasium zu Berlin. 1890. Velhagen und Klasing. VI und (Préface IX u.) 213 SS. geb. M. 1,20.

Der vorliegende Auszug aus Thierry's Werk zerfällt in zwei Teile; der erste, in 8 Kapiteln, geht von 375 bis zum Tode Attila's (SS. 1—119), der zweite, mit 6 Kapiteln, behandelt die Geschichte der Söhne und Nachfolger Attila's, und endet mit dem Tode des Kaisers Justinus II. im J. 578. Der Herausgeber gedenkt auch noch die Fortsetzung: die Histoire de l'empire des Avars und die Histoire légendaire et traditionnelle d'Attila in dieser Sammlung zu veröffentlichen. Wir würden von der ersteren wenigstens abraten. Vielleicht wäre es vorteilhafter gewesen, überhaupt nur den ersten Teil des vorliegenden Bändchens, also die Geschichte Attilas allein, und das letzterwähnte Buch von der Hist. lég. et trad. in dieser Sammlung zu veröffentlichen. Denn es werden sich nicht viele Liebhaber für eine an sich interessante, aber keineswegs erfreuliche Geschichte von zwei Jahrhunderten finden, die von Raubzügen, Schlachten, Mordthaten, Grausamkeiten und tückischen Anschlägen erfüllt sind und deren Schilderung das Gemüt nicht erhebt, während ein kürzerer Zeitraum, wie die Lebenszeit Attilas, noch anziehend genug ist. Die sachlichen und die auf die Übersetzung sich beziehenden Anmerkungen sind gut und dankenswert. In grammatischen Erläuterungen geht der Herausgeber zu weit. So erörtert er Dinge, die in jeder, selbst der kürzestgefaſsten Schulgrammatik enthalten sind, wie S. 9³, 15¹, 26¹, 27², 38¹, 45¹, 61², 76⁵, 94³. Auch wiederholt er öfter dieselbe Bemerkung, anstatt auf die schon einmal gemachte zurückzuverweisen, so immer bei den Relativsätzen, die eine Absicht oder etwas Zukünftiges ausdrücken. Die Erklärung zu S. 10⁵ ist miſslungen, diese Stelle ist ebenso zu erklären wie die auf S. 70¹. Der Herausgeber liebt es, wohlbekannte Regeln in anderem als dem gewöhnlichen, klaren Ge-

wande vorzubringen und ihnen eine Art sprachphilosophischen An-
strichs zu geben, wodurch dem Schüler die Auffassung nur erschwert
wird, so z. B. S. 42[1] „... que vous l'acceptiez ou non, jurez-moi ...
der Konjunktiv mit dem zugehörigen que läfst das Ausgesagte als
etwas nur zweifelnd, als möglicherweise eintretend Angenommenes
erkennen“. Wäre es nicht einfacher gewesen, zu sagen, dafs soit vor
que zu denken ist? und S. 43[1] „50 livres d'or font une somme trop
forte pour que je puisse la dérober facilement ... nach trop steht
beim Substantiv und Infinitiv pour, beim Verbum finitum pour que:
was das anbetrifft, dafs; der Konjunktiv steht, weil stets von etwas nur
Angenommenem die Rede ist“. Pour que heifst aber gar nicht: was
das anbetrifft, sondern: auf dafs, als dafs. Der Subjonctif nach pour
que, wie nach dem vorhin genannten soit que ist aber Regel und
braucht nicht weiter begründet zu werden.   Dieser Hang zu sprachphilosophischen Erklärungen läfst den Herausgeber einmal ganz daneben
geraten auf S. 87[1] ,Si ses habitants se fussent alors dispersés, bien
des causes auraient pu empêcher leur retour; der Konj., weil es sich
um etwas der Wirklichkeit nicht Entsprechendes handelt. Die darauf
gegründeten Folgerungen hingegen (auraient pu u. s. w.) stehen im
Indikativ, weil ihr Eintreten mit Bestimmtheit zu erwarten stand,
sowie erst einmal das zuerst Angenommene eingetreten war“.   All
das ist hinfällig, denn es ist eben französischer Sprachgebrauch, dafs
man in Bedingungssätzen statt des Plusquamperfekts auch den entsprechenden Konjunktiv, und im zugehörigen Hauptsatze statt des
Conditionnel passé das Plus-que-parfait du Subj. setzen kann.   Der
erwähnten Neigung ist auch die seltsam klingende Erklärung S. 90[1]
entsprungen: „chefs et soldats; ohne den Artikel, weil zusammen eine
höhere Einheit (das Heer) bildend“ und ähnlich S. 121[2]: „Il fallut
tout morceler, territoire, populations, troupeaux; ohne den Artikel,
weil schon vorher durch tout zusammengefafst“.   Wie viel einfacher
ist hier doch die Erklärung der Schulgrammatiken, dafs bei Aufzählungen
der Artikel gewöhnlich wegfällt.   In ähnlicher Weise müht sich der
Herausgeber mit der Erklärung präpositionaler Verbindungen ab, so
z. B. S. 63[4]: „en un instant; en, weil die Handlung des Übergehens
aus einer Stimmung in die andere sich innerhalb eines Augenblickes
vollzieht“ und S. 123[2]: „iraient-elles, à grand surcroît de fatigues et
et de dangers, reprendre les terres .. à soll wohl die Bewegung auf
das schliefslich zu erreichende Ergebnis hin ausdrücken“.   Aus dieser
Stelle geht recht deutlich hervor, dafs es dem Herausgeber an Belesenheit und deshalb an Sprachgefühl fehlt, sonst würde er nicht
verkannt haben, dafs dieses à dem deutschen „unter“ (zur Bezeichnung der begleitenden Umstände oder des Mittels) entspricht, wie in
à grands cris, à coups de canon, à son de trompe, à grand renfort
de besicles (P.-L. Courier) u. s. w.   Solche wunderliche Erklärungen
finden sich auch noch S. 162[2], 167[3].   Auf S. 134[2] will er sogar
seinen Autor korrigieren: „jus commercii, un privilège qui ne s'octroyait
qu'à bon escient en faveur de voisins dont l'amitié semblait éprouvée,
qu' mufste eher vor en faveur als vor à bon escient stehen“.   Aber

qu' steht ganz richtig, da Thierry sagen will, dafs dieses Recht auch
befreundeten Nachbarn nur nach reiflicher Erwägung eingeräumt
wurde.   Wozu überhaupt die vielen grammatischen Bemerkungen?
Man überlasse diese dem Lehrer und beschränke sich auf die sachliche Erklärung, um dem Lehrer die Mühe des Verifizierens der Angaben des Autors abzunehmen und um dem Schüler das Verständnis
der Thatsachen zu erleichtern.

München.   Dr. Wohlfahrt.

Phonetische Studien. IV. Band, 3. Heft.   Herausgegeben
von W. Vietor. Marburg. G. Elwert. 1891.

Während die Reform bisher, wie A. Harnisch (Berlin) „die Verwertung der Phonetik beim Unterricht" p. 334—349 des vorliegenden
Heftes, die Phonetik und den Gebrauch der Lautschrift auf den
Anfangsunterricht beschränkt oder höchstens die Formenlehre auf
phonetische Grundlage stellt, geht G. Rollin (Prag) in seinem Essai de
grammaire phonétique noch einen Schritt weiter.   Er basiert den
ganzen grammatischen Unterricht, auch die Satzlehre, auf den Laut.
Alles sei phonetisch, Wörterbuch, Grammatik und Lesebuch.   In dem
letzteren finde der Schüler die in der Grammatik entwickelten Grundsätze systematisch angewandt.   Die Grammatik sei so einfach wie
möglich, frei von allem pedantischen „fatras", der sich unter dem
falschen Namen Wissenschaft verberge.   Rollin gibt zunächst eine
kurze Lautlehre (p. 311—327) mit vielen trefflichen Bemerkungen für
den Lehrer.   Hierauf folgt die eigentliche Grammatik, die mit dem
verbe beginnt.   Es gibt blos zwei Konjugationen, eine konsonantische
und eine vokalische, von denen allerdings jede zwei Unterklassen umfafst, in welchen sämtliche Verben einschliefslich der sogenannten unregelmäfsigen untergebracht sind.   Die Anweisungen über die Bildung
der Zeitformen all dieser Verba nehmen nicht mehr als sieben Druckseiten Raum ein.   Der Schlufs folgt im nächsten Heft.   Über den
Erfolg dieser Methode sagt H. Rollin im Eingang: ,munis d'un fond
de mots suffisant, sans connaissance aucune de l'orthographe officielle,
les étrangers sont arrivés facilement, après avoir parcouru la grammaire phonétique, à lire et à comprendre des livres français ; deux
ou trois observations leur étaient indispensables: que š est représenté
par ch, z par j".   Interessant wäre es auch zu erfahren, in wie viel
Zeit dieses Ziel erreicht ward.

Im „Sprechsaal" werden die Beantwortungen des Fragebogens
„Zur Methodik des Sprachunterrichts" fortgesetzt.   Schade, dafs auch
hier eine Frage nach der dem Unterricht zugemessenen Zeit fehlt.
Denn wer bei vier bis sechs Wochenstunden sechs bis sieben Jahre
vor sich hat, kann sich erlauben, einen andern Weg einzuschlagen,
als wer mit zwei bis drei Stunden vorlieb nehmen mufs und in vier
Jahren zum Ziele kommen soll.

R. J. Lloyd in Liverpool setzt seine gelehrte Abhandlung über
Speech sounds: their nature and causation (p. 275—306) weiter fort.

Miss Laura Soames legt gelegentlich einer Besprechung des neu erschienenen Primer of Phonetics von H. Sweet eine Lanze ein für den letztern gegen M. Lintock, der bekanntlich vor dem in Sweets „Elementarbuch" aufgenommenen „Cockney-English" gewarnt hat. Aber auch W. S. Logeman, der einige englischen Grammatiken rezensiert, erhebt klagend seine Stimme gegen das Lehren der nachlässigen (slovenly) Cockney Aussprache in der Schule, und ein aus der Times abgedruckter Briefwechsel zeigt, dafs die Stereotypisierung des vulgären Englisch in den Sweetischen Büchern keineswegs den ungeteilten Beifall der gebildeten Engländer findet.

Eine neue Zeitschrift „Bayerns Mundarten" ist unter der Leitung von Dr. Oskar Brenner und Dr. August Hartmann in München erschienen. Der vor dem Erscheinen derselben ausgegebene Prospekt, worin die Herausgeber zu Beiträgen auffordern und ihre Lautbezeichnung bekannt geben, findet sich unter den Notizen.

Zum Schlufs widmet Vietor dem am 28. Oktober 1890 verstorbenen Phonetiker John Ellis einen ehrenden Nekrolog.

Französische Familiennamen in der Pfalz und Französisches im Pfälzer Volksmund von Dr. Philipp Keiper, K. Gymnasialprofessor in Zweibrücken. Zweite vermehrte und verbesserte Auflage. Kaiserslautern, Gotthold. 1891. 82 S.

Der Verfasser zählt etwa 400 bis 500 französische Familiennamen auf, die zumteil in ihrer ursprünglichen Reinheit erhalten, zum teil entstellt, verstümmelt und nach deutscher Art mundgerecht gemacht sind. Es sind die Namen der in den letzten drei Jahrhunderten in die Pfalz eingewanderten Wallonen und Franzosen, welche um ihres Glaubens willen verfolgt in dem nachbarlichen, von reformierten Kurfürsten regierten Grenzlande wohlwollende Aufnahme fanden oder unter der französischen Herrschaft der Republik und Napoleons I. sich daselbst niederliefsen. Dafs dieser im Verhältnis zur Gesamtbevölkerung verschwindend kleine Bruchteil auf Sprache, Sitte und Wesen des einheimischen Stammes keinen tiefgehenden Einflufs auszuüben vermochte, kann nicht überraschen.

Der zweite Teil der Schrift umfafst eine Anzahl „Landavismen" d. h. Wörter und Redensarten, wie sie vornehmlich im Munde der Bewohner der Stadt Landau und ihrer Umgegend vorkommen, aber auch bis auf wenige Idiotismen in andern Orten der Pfalz zu finden sind. Diese nicht ohne Fleifs veranstaltete Sammlung volkstümlicher Gallizismen mag, wie der Verfasser hofft, zu dem von anderer Seite in Angriff genommenen „Pfälzischen Idiotikon" einen schätzenswerten Beitrag liefern.

K. hat sich bemüht, seiner Aufgabe nach der historischen wie nach der sprachwissenschaftlichen Seite gerecht zu werden. Dafs trotzdem manches dunkel und zweifelhaft geblieben ist, hängt mit der Schwierigkeit des Gegenstandes zusammen. Sollte z. B. das amisamé der Landauer Jungen den Masken gegenüber nicht das verderbte französische amusement, und biffe = trinken aus se piff(r)er (de vin) abzuleiten sein? In dem Zusatz „de Korb is futsch!" kann ich nicht die sinngetreue wörtliche Übersetzung von „Adje Panje" erkennen. In Adieu panier, vendanges sont faites bedeutet adieu panier: der Korb ist mir jetzt zu nichts mehr nütze. S. 38 ist Bally und Chally zu streichen, da die Silbe ally nirgends mouilliert gesprochen wird. In „Micknik" scheint mir das i der ersten Silbe durch einfachen Lautwandel entstanden zu sein, wie Himmer aus Hemder, cire aus cera. ·

Würzburg. _____ J. Jent.

1) **Marlowes Werke.** Historisch-kritische Ausgabe von H. Breymann, Prof. u. A. Wagner, Prof. II. Doktor Faustus. Herausgeg. von H. Breymann. Heilbronn. Henninger. 1889. 8. S.S. LV und 197. Mk. 4.—

2) Dasselbe. III. The Jew of Malta. Herausgeg. von A. Wagner. ebenda 1879. 8. S.S. XIV u. 111. Mk. 2.—

Diese beiden Neudrucke Marlowescher Dramen bilden den 5. und 6. Band von Prof. Vollmöllers verdienstvollen, in unseren Blättern schon früher angezeigten Engl. Sprach- und Literaturdenkmalen des 16., 17. und 18. Jahrhunderts. Herr Prof. Breymann läfst seinem Tamburlaine (Vollmöllers E. S. u. L. D. 2. B.) nun das bekannte Drama von Dr. Faust folgen, jene englische Bearbeitung der alten deutschen Volkssage, welche, durch englische fahrende Schauspieler alsbald wieder nach Deutschland gebracht, in den Mittelpunkt der neuen Literatur treten und unsere bedeutendsten Geister beschäftigen sollte.

Die dem Text vorangeschickte Einleitung unterrichtet uns genau über Alles, was mit der Überlieferung und Gestaltung des Textes in Beziehung steht. Von den 9 älteren Quartausgaben werden die wertvollsten eingehend besprochen und nach ihrer Abhängigkeit von einander untersucht, wobei sich ergibt, dafs Marlowe seinen Doctor Faustus unter Benützung der englischen Übersetzung des deutschen Faustbuches 1588/89 verfafst hat, und dafs höchst wahrscheinlich die Aufführung am 30. Sept. 1594 die erste war, sowie dafs die noch erhaltene älteste Ausgabe von 1604 wohl nur ein mehrfach unzuverläfsiger Abdruck einer 1601—1603 erschienenen Editio princeps des schon überarbeiteten Stückes ist, endlich dafs das Ergebnis einer eingreifenden zweiten Umarbeitung durch Bird und Rowley (1602) in der uns erhaltenen Ausgabe von 1616 (B') vorliegt. Diese zwei wertvollen Texte, die in nur je einem Exemplare — A' aus 1604 auf der Bodleiana zu Oxford, B' aus 1616 im Brit. Mus. London — auf uns gekommen sind, werden dann zu leichterer Vergleichung einandergegenüberstehend im Neudruck gegeben und dabei nur das geändert, was sich als offenbar verderbt erkennen liefs. Darauf, das Marlowesche

Original zu rekonstruieren, glaubte der Herausgeber verzichten zu sollen bis genauere Untersuchungen über des Dichters metrische, stilistische und syntaktische Eigentümlichkeiten an allen seinen Werken angestellt werden können. Seine ursprüngliche Absicht, zu Faust einen Ergänzungsband zu veröffentlichen, welcher die Ergebnisse einer allseitig erschöpfenden streng philologischen Untersuchung sowie ein Lexicon und die Bibliographie der einschlägigen Literatur enthalten sollte, konnte Prof. Breymann aus Mangel an Zeit leider nicht ausführen.

Kaum minder interessant, wenn auch lange nicht von so hoher allgemein literarischer Wichtigkeit ist The Jew of Malta. In der Einleitung hiezu weist Prof. Wagner nach, dafs die bis jetzt allgemein gültige Annahme, dafs das Stück nach 1588 verfafst sei, sich nicht beweisen lafse; beweisen kann man nur, dafs der Prolog nach der Ermordung des Herzogs von Guise 23. Dez. 1588 verfafst ist. Die Untersuchung über die Aufführung des Stückes zeigt, dafs es unter allen Maloweschen Werken während des längsten Zeitraumes und am häufigsten gespielt wurde; auch nach Deutschland wurde es gebracht: in Passau wurde 1607, in Graz 1608 ein Stück „von dem Juden" gegeben, welches freilich auch der aus dem ‚Jew of Malta' und dem ‚Merchant of Venice' zusammengeschriebene „Jude von Venedig" sein konnte; dagegen haben wir Zeugnisse, dafs in Dresden 1626 und in Prag 1651 der „Jude von Malta" aufgeführt wurde. Die Quellenfrage vermag der Herausgeber noch nicht zu lösen, er hegt die Vermutung, es möge Marlowe wie beim Tamburlaine eine spanische bis jetzt nicht bekannte Vorlage gedient haben. Was Marlowes Einflufs auf Shakespeare anlangt, so schliefst sich Professor Wagner der Ansicht an, dafs zweifellos der Jude Barabas das Prototyp des Shylock gewesen ist. Der in unserem Bande abgedruckte Text ist ein Neudruck der ältesten bekannten Ausgabe von 1633 mit einer Reihe von Änderungen; an ihn schliefsen sich eine grofse Zahl kritischer, metrischer und sachlich erklärender Anmerkungen. Die Herausgeber haben sich durch ihre mühevollen, höchst sorgfältigen Arbeiten grofse Verdienste um Marlowe erworben.

Hamlet, Prince of Denmark by Shakespeare. Mit Einleitung und Anmerkungen von Dr. Fritsche. Leipzig. Neumann. S.S. 164. Mk. 1.80.

Eine neue Ausgabe des neben Dantes Divina Commedia und Goethes Faust am meisten kommentierten und herausgegebenen Werkes. Die Einleitung enthält 1. eine kurze Darstellung der Amlethsage nach Saxogrammaticus, 2. eine erklärende Inhaltsangabe, in der nebenbei auch Stellung zur Baconfrage genommen wird; die erläuternden Anmerkungen unter dem Texte bringen teils Wort- und Sacherklärungen, teils recht gute Hinweise auf analoge Stellen aus Shakespeare selbst und anderen Schriftstellern. In der doch wohl für Studierende bestimmten Ausgabe vermifst man eine kurze einleitende Abhandlung über die Zeit der Abfassung und erstmaligen Aufführung, über die ersten Ausgaben (Quarto von 1604 (bez. auch 1603) und erste Folio 1623), endlich über die Quellen, bez. wenn Fritsche als unbedingt sichere Quelle die Historia Dandica des Saxo Grammaticus annimmt, über das Verhältnis des Stückes zu dieser. Sollte aber das Stück für Schüler herausgegeben sein, so wäre in erster Linie eine kurze biographische Skizze zu geben gewesen. Papier und Druck sind gut; Druckfehler selten (S. 161: tphis otion: this potion; Is is: it is), doch ist der Preis recht hoch.

München.   G. Wolpert.

F. Pietzker, Die Gestaltung des Raumes. Kritische Untersuchungen über die Grundlagen der Geometrie. Mit 10 Figuren im Texte. Braunschweig, Verlag von Otto Salle. 1891. VII. 111 S.

Der Verfasser dieser Schrift hat sich bereits seit Jahren viele Mühe gegeben, die neueren Raumtheorien, welche seit Anfang dieses Jahrhunderts hervorgetreten sind und auf die Ausbildung einzelner ihrer Zweige überaus fördernd eingewirkt haben, zu bekämpfen, und auch diesmal bleibt er diesem seinem Prinzipe getreu. Der Unterzeichnete war von jeher der Ansicht, daß die Polemik des Herrn Pietzker eine unrichtige Grundlage habe, und in dieser seiner Meinung ist er auch durch die vorliegende Schrift nicht erschüttert worden. Keiner der Forscher nämlich, so glaubt der Berichterstatter, welche an dem hier in frage kommenden, nunmehr schon recht stattlichen Wissensgebäude mitgearbeitet haben, glaubt in Wirklichkeit, der Raum könne anders beschaffen sein, als wir ihn durch unsere Erfahrung kennen gelernt haben, nämlich absolut krümmungslos, und keiner denkt daran, die Linie, deren sämtliche Punkte von einer Graden gleichen Abstand haben, könne etwas anderes als wieder eine grade sein. Die Objekte der Bolyaischen Geometrie sind keine der Raumanschauung zugänglichen Dinge, sondern es sind reine Gedankenobjekte, und ebenso ist es bloß eine der Bequemlichkeit halber durch geometrische Ausdrücke übersichtlicher gemachte analytische Untersuchung, welche Beltami, Riemann und Helmholtz über „ein von Null abweichendes Krümmungsmaß des Raumes" angestellt. Hält man dies fest, so kommt man zu der Überzeugung, daß die Gegnerschaft, gegen welche das vorliegende Buch gerichtet ist, in Wirklichkeit gar nicht existiert.

Sieht man aber von dieser Eigentümlichkeit ab, so wird jeder Mathematiker, der für die grundlegenden Partien seiner Wissenschaft Interesse besitzt, die Lesung dieser Monographie nicht bereuen. Der Verf. hat die Arbeiten, auf denen die „absolute" Geometrie beruht, sehr gründlich studiert und gibt von deren Inhalt eine gute Übersicht. Auch seine zahlreichen kritischen Bemerkungen verdienen Beachtung; der Hauptzweck freilich, die Widerlegung der heute fast allseitig geteilten Ansicht, daß die Raumlehre eine reine Erfahrungswissenschaft sei, wird nicht erreicht werden. Der Raum ist eben eine dreifach ausgedehnte Mannigfaltigkeit, deren Wesenheit dem Menschen zu tief eingedrückt ist, als daſs seine Anschauung sich aus diesen Fesseln zu befreien vermöchte, allein glücklicherweise gibt es auch einen der Anschauung entrückten Teil der Mathematik, die Algebra, und weshalb sollte man nicht diesen zur Erforschung allgemeiner Mannigfaltigkeiten verwerten, als deren spezieller Fall sich der unseren Sinnen zugängliche Raum darstellt?

München. S. Günther.

Dr. Karl Schwering, 100 Aufgaben aus der niederen Geometrie nebst vollständigen Lösungen. Mit 104 Abbildungen. Freiburg im Breisgau. Herdersche Verlagshandlung. 1891. 154 S.

Vorliegende Aufgabensammlung will als Führer bei einer vollständigen Wiederholung des geometrischen Lehrstoffes in den oberen Klassen unserer höheren Lehranstalten dienen. Der erste Teil enthält 60 planimetrische Aufgaben, meist Konstruktionsaufgaben, deren Lösung, Beweis und Einschränkung vollständig angegeben sind. Der zweite Teil behandelt Aufgaben der räumlichen Geometrie. Es werden namentlich Konstruktions- und Rechnungsaufgaben über das Dreikant und das Tetraeder gelöst; auch einige Aufgaben aus der Mechanik und der sphärischen Trigonometrie sind eingefügt. Bei der Wahl der Aufgaben befolgte der Verf. folgende Grundsätze: „Der zur Lösung führende Gedanke soll an jeder Aufgabe klar hervortreten; die Schwierigkeit soll ein gewisses Mittelmaſs nicht überschreiten, aber auch erreichen; der Lösungsgedanke soll für andere Aufgaben fruchtbar sein. Die Aufgaben sollen womöglich praktischen oder wissenschaftlichen Hintergrund haben; Künsteleien sind streng zu meiden."

Kein Lehrer der Mathematik dürfte das Buch ohne groſse Befriedigung lesen. Auch wird er dem Verfasser Dank wissen für die Abfassung einer Sammlung von Musterbeispielen, welche besseren Schülern der oberen Klassen in die Hand gegeben werden kann.

Dr. Richard Heger, Planimetrie zum Gebrauche an höheren Unterrichtsanstalten. Zweite, verbesserte und vermehrte Auflage. Breslau, Ed. Trewendt. 1890. 136 Seiten.

Eigentümlich ist dem vorliegenden Lehrbuch vor allem die vollständige Ausführung der Beweise, welche die Ausarbeitung eines Heftes für den im Buche mitgeteilten Lehrstoff unnötig machen will. Zur Umsetzung des Wissens in Können sollen nach Ansicht des Verf. möglichst frühe und möglichst zahlreich einzuschaltende Übungslehrsätze und Aufgaben dienen. Der Vorlage ist indes solches Übungsmaterial nicht beigegeben.

Die Behandlung des Lehrstoffes weicht nur in der Kongruenzlehre von der herkömmlichen ab. Die Sätze über das gleichschenklige Dreieck erscheinen hier nicht als Folgerungen aus den Kongruenzsätzen, sondern sie werden aus der unmittelbar anschaulichen Deckung der Hälften der symmetrisch geteilten Figur abgeleitet; an ihnen werden Begriff und Wert der Symmetrie dargelegt. Von den vier Kongruenzfällen wird nur der Dreiseitensatz auf Deckung zurückgeführt, die drei übrigen ergeben sich als Resultate eindeutiger Konstruktion aus drei gegebenen Stücken; die zu dieser Herstellung erforderlichen Sätze aus der Kreislehre sind an passender Stelle eingeschaltet. Bei der Entwicklung der Eigenschaften des Parallelogrammes zieht der Verfasser meist die unmittelbare Deckung der Anwendung der Kongruenzsätze vor. Von vielen anderen Lehrbüchern unterscheidet sich das vorliegende noch durch den größeren Umfang des Lehrstoffes, indem aus der neueren Geometrie viele Sätze in das Lehrsystem aufgenommen worden sind. In den Paragraphen über den Durchschnitt eines Winkels mit Parallelen schaltet der Verf. die Sätze über harmonische Punkt- und Strahlenpaare, sowie über die Transversalen eines Dreieckes ein und an die Ähnlichkeitslehre fügt er noch je einen Paragraphen über die Kreisbüschel und die Kreisverwandtschaft. Die Konstruktionsaufgaben nehmen einen großen Raum ein; es werden die wichtigeren geometrischen Örter abgeleitet, die elementaren Konstruktionen und viele Musterbeispiele ausführlich behandelt. Auffällt, daß die algebraische Analysis nicht erwähnt wird.

Die Darstellung ist klar und nicht zu breit. Die Ausstattung verdient Anerkennung. Somit kann die Vorlage jedem Lehrer, der ein ausführliches Lehrbuch seinem Unterricht zu Grunde legen will, empfohlen werden.

— —

Dr. H. Servus, Ausführliches Lehrbuch der Stereometrie und sphärischen Trigonometrie. Zum Gebrauch an höheren Lehranstalten und zum Selbststudium. I. Teil. Leipzig, B. G. Teubner. 1891. 48 Seiten.

Der Verfasser hat noch kein ausführliches Lehrbuch der Stereometrie gefunden und will hiemit dem von ihm empfundenen Bedürfnisse abhelfen. Der vorliegende erste Teil behandelt die Lage der Geraden und Ebenen im Raume und die körperlichen Ecken. Im letzteren Abschnitte fällt die Umständlichkeit einiger Beweise auf. Der Satz: In jeder dreiseitigen körperlichen Ecke liegt der größeren von zwei Seiten auch der größere Winkel gegenüber, ist s i e b e n Seiten lang. Sollte dem Verfasser keine kürzere strenge Begründung dieses Satzes bekannt sein?

Dr. E. Schilke, Sammlung planimetrischer Aufgaben
für den Gebrauch an höheren Schulen.   Leipzig, Teubner. 1890. 8.
54 Seiten. kart. 1 Mk.

Der Verfasser beabsichtigte mit dieser Sammlung dem Schüler
ein leicht zu beschaffendes Übungsmaterial von möglichst geringem
Umfange in die Hand zu geben, das jedoch genügend erscheint, ihn
zur Anwendung der Hauptsätze der Planimetrie auf das Lösen irgend
welcher Aufgaben innerhalb dieser Grenzen zu befähigen.   Die Vorlage
enthält fast 900 Aufgaben, in der Mehrzahl Konstruktionsaufgaben,
und folgt in der Anordnung der meist gebräuchlichen Einteilung des
planimetrischen Lehrstoffes.   Irgend welche Andeutungen zur Lösung
sind den Aufgaben nicht beigefügt.   Als Ergänzung zu einem Leitfaden
ohne Übungsmaterial dürfte dieses Büchlein manchem Lehrer willkommen sein.

Würzburg.   ————————   J. Lengauer.

Noack, Dr. K., Leitfaden der Elementarmathematik
2. Auflage, 104 S. Berlin, Springer 1890. M. 1,40.

Wenn ein Schüler niemals krank würde und jeder Schüler immer
mit gespannter Aufmerksamkeit am Unterrichte teilnähme, so würde
der hier vorliegende Mathematik-„Extrakt“ ein ideal gutes Unterrichtsmittel sein.   Denn er bietet eine an und für sich durchaus tadellose
Disposition des Mathematikstoffes, „einen Faden, an welchen der Lehrer
sich halten“ und dabei seine eigene unterrichtende Thätigkeit glänzend
entfalten kann.   Aber da Schüler nicht immer mit gleicher Sorgfalt
mitarbeiten, zuweilen beim Unterrichte fehlen, und entweder allein
oder unter nichtfachmännischer Leitung, — für welche es unmöglich
wäre, das Buch zweckmäßig zu verwerten und zu ergänzen — Ver-
säumtes nachholen müssen, so könnte die Einführung dieses Buches
an einer Schule namentlich mit grofser Schülerzahl nicht empfohlen
werden.

————————————————

Lorberg, Prof. Dr. H. Lehrbuch der Elementarmathe-
matik für höhere Unterrichtsanstalten. 152 S. Strafsburg, Schmidt'sche
Universitätsbuchhandlung.   1890.

Auch dieser Leitfaden zeichnet sich durch aufsergewöhnliche
Kürze aus, jedoch nicht in dem Mafse, dafs man gegen dessen Ein-
führung an einer gröfseren Schule die bei dem zuvor besprochenen
Buche erwähnten Bedenken haben müfste.   Ergänzungen seitens des
Lehrers, namentlich bei manchen ohne Lösung gebotenen nicht leichten
Aufgaben und bei einigen gar nicht angeführten Sätzen [ptolemäischer
Satz, reguläre Zehnecksseite, Anwendung der Algebra auf Geometrie]
sind jedoch ebenso unerläfslich, wie die Benützung einer eigenen algebraischen Aufgabensammlung.   Dafs über höhere Gleichungen, welche
sich auf quadratische zurückführen lassen, sowie über logarithmische
gar nichts gesagt ist, ist auch zu wenig.

Die Darstellung ist durchweg trotz der Kürze sehr klar und schön. Dies gilt namentlich von dem Aufbau der algebraischen Sätze. Derselbe könnte den Berichterstatter fast mit der Einführung der Zahlenreihe in die Elemente versöhnen.

Nur die algebraische sowohl (S. 74) als die Zahlendivision (S. 80) ist in einer durchaus unpassenden, fehlerhaften und unvollständigen Form gegeben. Ferner ist die dekadische Ergänzung im § 101 als „bequemer" auf eine Weise empfohlen, welche Kopfschütteln und Widerspruch erregen muſs. In dieser nämlichen Weise ist sie auch S. 111 bei Berechnung von x aus sin x $= \frac{1}{2}$ angewendet. Überhaupt beruht die von vielen Mathematikern beliebte Empfehlung der dekadischen Ergänzung auf der Idee, daſs die Subtraktion schwerer sei als die Addition. Diese Idee ist aber durchaus tadelnswert. Denn die 4 Grundrechnungsarten müssen alle Schüler mit einer absoluten, mechanischen Fertigkeit handhaben können, etwa wie die Deklinationen und Konjugationen. Auch erspart die dekadische Ergänzung in Wahrheit keine Subtraktion, ja vermehrt sogar bei einer gröſseren Anzahl von Subtrahenden dieselben, verlangt bei Proportionalteilen, bei Cosinus- und Cotangenslogarithmen eine besondere Aufmerksamkeit, welche auch einem gewandteren Rechner den Gang der Rechnung verzögert.

— — —

S c h u l z e , Dr. K a r l , Lehrer an der Bieberschen Realschule in Hamburg. L e i t f a d e n f ü r d e n t r i g o n o m e t r i s c h e n u n d s t e r e o m e t r i s c h e n U n t e r r i c h t an höheren Bürger- und Realschulen. 1. Heft. Trigonometrie. 72 S. M. 1,20; 2. Heft Stereometrie. 60 S. Leipzig, Teubner 1890.

Der Anfang der Trigonometrie ist etwas sehr weitschweifig und doch in § 2. II nicht streng und vollständig genug. In § 20 ist bei einigen Aufgaben eine Zeichnung von Hilfsdreiecken verlangt, während dieselbe weder notwendig noch die Lösung erleichternd ist. Von diesen kleinen Aussetzungen abgesehen ist die vorliegende Trigonometrie ein ganz vorzügliches Hilfsmittel für Schulen mit beschränktem Mathematikunterricht, und somit auch für unsere humanistischen Gymnasien. Besonders zu rühmen ist, daſs sie nach dem Vorgange von Hubert Müllers Trigonometrie (vergl. d. Bl. Bd. XXIV S. 143, Zeitschrift Gymnasium V S. 818) vom Besondern zum Allgemeinen schreitend die Idee der negativen trigonometrischen Funktionen und Strecken in zielbewuſster einfacher Weise, von dogmatischer Definition sich fernhaltend, entwickelt.

Auch die Stereometrie ist durch ihre einfache Darstellung sehr schätzenswert und hält sich von zu schweren Aufgaben durchaus fern. Beim Gebrauche an Gymnasien dürfte es jedoch nötig sein, daſs der Lehrer da und dort, namentlich bei den Winkeln an einer körperlichen Ecke die unvollständige und allzupopuläre Darstellung ergänzt. Die Figuren könnten durch Unterbrechung der unsichtbaren Linien und durch Schattierung der Ebenen verständlicher und täuschender gemacht werden.

Münnerstadt.   Dr. A. Schmitz.

_____

Die griechischen Volksbeschlüsse. Epigraphische Untersuchungen von Heinrich Swoboda, Dr. phil., Privatdocent an der deutschen Universität zu Prag. Leipzig, Teubner 1890, X u. 320 S. 8. Preis 8 M.

Vorbild und Ausgangspunkt für seine Arbeit war dem Verfasser die im J. 1878 in Wien erschienene Abhandlung W. Hartels, „Studien über attisches Staatsrecht und Urkundenwesen", worin derselbe zum ersten Male die attischen Psephismen in formeller Hinsicht einer genauen Betrachtung unterzog und daraus eine Reihe von bemerkenswerten Resultaten für das attische Staatsrecht gewann. Was Hartel für die attischen Dekrete als Grundsatz zu erweisen suchte, daſs für die Abfassung derselben ganz bestimmte Regeln maſsgebend gewesen seien, das sucht Swoboda für das gesamte Material der ihm bekannt gewordenen griechischen Psephismen festzustellen.

In der Einleitung (S. 1—24) behandelt er die Frage, nach welchen Gesichtspunkten die Formulierung eines griechischen Volksbeschlusses zu beurteilen sei. Zur Erledigung dieser Frage sind zunächst einige Zusätze zu erörtern: 1) Der Zusatz τὸ δὲ ψήφισμα τόδε ἅπαν εἶναι εἰς φυλακὴν τῆς χώρας (oder ähnliche) hatte wohl ursprünglich eine Bedeutung, da man sich eine besondere Behandlung der auf die Tagesordnung gesetzten Maſsregeln, welche sich auf die Landesverteidigung bezogen, sehr wohl denken kann, aber durch Zusammenstellung verschiedener Fälle, wo diese Vorbedingung nicht mehr zutrifft, erweist der Verfasser, daſs die Formel allgemein üblich wurde, um die hervorragende Wichtigkeit einer Sache zu bezeichnen, oder endlich als eine Art frommer Segenswunsch, ähnlich dem bekannten ἀγαϑῇ τύχῃ. 2. Mehr als formelle Bedeutung haben jene Zusätze, in welchen eine in dem voraufgehenden Antrag vorgeschlagene Maſsregel nach ihrer Durchführung beurkundet wird, z. B. die Wahl einer Kommission, die Absendung von Gesandten, wobei auch die Höhe der zu gewissen Zwecken ausgeworfenen Geldsumme angegeben werden kann. 3. Gehören hieher die Amendements als Zusätze, welche während der Verhandlungen zum ursprünglichen Antrag hinzugekommen und geeignet sind, jenen zu erweitern oder zu modifizieren; dieselben finden sich auſser Attika seltener, woraus hervorzugehen scheint, daſs dieselben nicht als solche beurkundet, sondern bei der Formulierung der Dekrete mit dem ursprünglichen Antrag zu einem Ganzen verschmolzen wurden. 4. Besondere Wichtigkeit hat die sogenannte „Bescheidenheitsformel" z. B. ἐὰν καὶ τῷ δήμῳ δοκῇ u. a., die man sich nur denken kann als einen aus dem Antrag stehen gebliebenen formellen Überrest; denn in einem perfekten Beschluſs hat sie keine rechte Stelle. Sie begegnet auch in auſserattischen Dekreten. Durch genaue, stets mit zahlreichen Zeugnissen belegte Feststellung des Charakters dieser Zusätze beweist Swoboda, wie ich glaube, genügend seine Auffassung von der Entstehung der griechischen Volksbeschlüsse: „die griechischen Volksbeschlüsse sind vom Standpunkt des Antrags oder vielmehr des Antragstellers aus concipiert." Capitel 1 handelt vom Präscript und der einfachen Sanktionsformel (S. 24—33). Naturgemäß ist der in staatsrechtlicher und formeller Beziehung wichtigste Bestandteil eines Psephisma das Präscript, daran ist wieder das notwendigste Stück die Sanktionsformel und zwar ist die älteste Form derselben ἔδοξε τῷ δήμῳ oder ἔδοξε τῇ βουλῇ καὶ τῷ δήμῳ, wodurch schon das Zusammenwirken zweier Versammlungen, der vorberatenden und der die Entscheidung gebenden ausgedrückt wird. Diese Form stellt also ein früheres Stadium der Formulierung dar, welche später fallen gelassen wurde, aber in einer Anzahl griechischer Städte wurden eigentümlicher Weise die Psephismen nur durch die Sanktionsformel beurkundet, so besonders bei den nordgriechischen Städten, so daß man von einem nordgriechischen Lokalstil sprechen kann. Nicht so notwendig als die Sanktionsformel ist 2. die Nennung des Antragstellers (cap. 2, S. 34—36), aber an sie haben sich gerade die meisten Varietäten des Psephisma geknüpft in formeller, wie in staatsrechtlicher Beziehung. Die älteste Form lautet: ὁ δεῖνα εἶπεν; dazu kommt höchstens noch der Vatername und die Volksabteilung ohne Rücksicht darauf, ob der betreffende Privatmann oder Mitglied des Rates oder Beamter ist, so zu Athen im 5. Jahrhundert; im 4. Jahrhundert dringen neue Elemente in die Formulierung ein, ohne sich jedoch behaupten zu können (z. B. γνώμη στρατηγῶν, γν. πρυτανέων), vielmehr lehnte man sich noch in der Kaiserzeit an jene ältere Form an. An das athenische Muster schließen sich an zunächst die Kleruchien, die ja in ihrer Gemeindeverfassung die Institutionen Athens auf das Genaueste nachgebildet haben, außerhalb derselben findet sich nur einmal, in Kyzikus, das specifische Kennzeichen einer Gattung der attischen Psephismen, die probuleumatische Formel wieder. Es stellt sich also die nachweisbare Einwirkung Athens auf die Präscripte der übrigen griechischen Psephismen als eine verhältnismäßig geringe dar und selbst bei den attischen Kleruchien (Salamis, Delos, Lemnos, Samos) ändert sich die Fassung des Präscriptes, sobald sie sich von der athenischen Herrschaft ganz oder teilweise befreit haben. Dagegen hat Athen nach der Ansicht Swobodas in Bezug auf die Gliederung des Inhaltes einen tiefgehenden Einfluß auf den Stil der Urkunden ausgeübt. Dieser Inhalt wurde in der älteren Form einfach im Infinitiv an die Sanctionierungsformel angeknüpft z. B. ἔδοξε τῷ δήμῳ ἐπαινέσαι τὸν δεῖνα, eine Begründung mit ἐπειδή geht demselben nicht vorauf, sondern wenn eine solche überhaupt gegeben wird, so folgt sie hinter der Mitteilung der Ehren und erweist sich dadurch als eine spätere Erweiterung. Für die jüngere Form dagegen ist die Voranstellung der Begründung mit ἐπεί oder ὅτι charakteristisch; regelmäßig von den sechziger Jahren des 4. Jahrhunderts an: Antragsteller, ausführliche Be-

gründung, probuleumatische Formel oder Wiederholung der Sanktionsformel, Antrag auf Belobung und die Auszeichnungen, am Ende die
Aufschreibungsformel. Dieses jüngere Formular bildet von da ab die
typische Form der Ehrendekrete Athens, welche „aber auch in der
überwiegenden Mehrzahl der übrigen griechischen Städte genau nach
demselben Schema abgefaßt werden, und diese Form hat sich zäh bis
in die Kaiserzeit hinab behauptet; wenn die Dekrete auch umfangreicher und weitschweifiger werden, das feste Gerüste bleibt stets
dasselbe. Demnach ist im Urkundenstil Athen den Griechen vorausgeeilt und derselbe ist in den übrigen Städten zurückgeblieben".

Am wenigsten also offenbart sich die Anregung Athens zur Fortbildung der Dekrete in der Formulierung der Präscripte, weil eben
in diesem Teile die lokalen Unterschiede in der Verfassung der einzelnen Städte am deutlichsten zum Ausdruck kommen, vielmehr hat
das Präscript vielfach eine von Athen abweichende Entwicklung genommen. So wird im 3. cap. Scheidung der Sanktionsformel (S. 56
—63) im Anschluß an Hartel gezeigt, daß in Athen die probuleumatischen Dekrete und die Volksdekrete durch die verschiedene
Sanktionsformel ἔδοξε τῇ βουλῇ καὶ τῷ δήμῳ und ἔδοξε τῷ δήμῳ ausdrücklich geschieden wurden, während eine solche Differenzierung der
Sanktionsformel in den übrigen griechischen Städten nicht nachweisbar
ist. Dagegen pflegte man die Trennung zwischen probuleumatischen
und Volksdekreten anderwärts statt durch Verschiedenheit in der
Sanktionsformel durch Fortbildung in der Einführung des Antragstellers zu beurkunden (cap. IV, S. 68 – 102), während man in Attika
bei der alten Formel ὁ δεῖνα εἶπεν stehen blieb. Ausgehend von den
zahlreichen Dekreten von Kalymnos gewinnt S. das sichere Ergebnis,
daß die probuleumatischen Dekrete, welche im Namen und Auftrag
des Rates von dessen Präsidenten an die Volksversammlung gebracht
wurden, bezeichnet werden durch die Formel γνώμα προστατᾶν, wogegen ein Beschluß, der einen Privatmann zum Urheber hat, welcher
den Vorschlag direkt an das Volk bringt in Form einer Rede, charakterisiert wird durch die Formel ὁ δεῖνα εἶπεν. Bei letzterer liegt also
ein meritorisches Probuleuma des Rates nicht zu Grunde, sondern
derselbe beschränkt sich nur auf die verfassungsmäßige Einbringung.
An Stelle der ersten Formel heißt es z. B. in Jasos γνώμη πρυτάνεων,
nach denselben Kriterien werden beurteilt die Dekrete von Samos
(γνώμη πρυτάνεων), Eretria (οἱ πρόβουλοι εἶπον) und bis S. 86 noch
eine ganze Reihe anderer Städte. Daraus ergibt sich, daß, während
in Athen für jeden Antrag der Antragsteller verantwortlich ist, gleichviel, ob er seine Vorschläge als Privatmann oder Ratsherr oder Mitglied einer Behörde einbringt, in anderen griechischen Städten, wo
die probuleumatischen Dekrete mit πρυτάνεων oder προστατᾶν γνώμη
eingeführt werden, eine solidarische Verantwortlichkeit dieses ganzen
Collegiums besteht; ferner ist für unsere Kenntnis des Verfassungs-
wesens wichtig, daß nicht überall wie in Athen der Vorstand des
Rates eine wechselnde Abteilung dieser Körperschaft ist, sondern ein
für ein volles oder halbes Jahr bestelltes Magistratscollegium, dessen

Befugnisse sich freilich größtenteils oder ausschließlich auf die Leitung des Rates concentrierten. S. 88—94 wird eine Reihe solcher Magistrate mit verschiedenen Namen zusammengestellt, in den athenischen Kleruchien dagegen ist der Vorstand der βουλή ganz wie in Athen zusammengesetzt, ebenso wird dann S. 94—100 eine weitere Anzahl von Städten aufgeführt, wo der Ratsvorstand ähnlich wie in Athen als Ausschuß aus dem Rate zu denken ist.

Das folgende cap. V (S. 102—116) beschäftigt sich mit der Stellung von Nichtbuleuten; wer immer einen Antrag einbringen wollte, mußte sich, gleichviel welcher Art dieser Antrag war, mit einem Gesuch an den Ratsvorstand wenden; in ganz gleicher Weise stehen die Beamten dem Rate gegenüber, auch ihr Verkehr mit dem Volke wurde durch den Rat vermittelt. Die Beamten als Antragsteller bespricht das VI. cap. (S. 116—127). In Athen waren die Strategen die einzige Behörde, welche Buleutenrecht hatte, im Rate Anträge stellen und dieselben in ihrem und des Rates Namen vor der Volksversammlung selbst vertreten durfte. Dasselbe Recht hatten gewisse Kategorien von Beamten (oder die Gesamtheit der höheren Magistrate) auch in anderen Städten. Ein weiterer Schritt geschah nun in einigen Städten dadurch, daß den Beamten und zwar dann meist den vereinigten Collegien der wichtigsten und höchststehenden Magistrate die ständige Berichterstattung zugeteilt wurde, sie traten an die Stelle des Ratsvorstandes, der Ausschüsse oder Prytanen. Bei den Achäern ist der Name dafür συναρχίαι = collegia, wiewohl man eigentlich ἡ συναρχία erwarten sollte, eine Benennung, die auch in anderen Städten sich nachweisen läßt. (cap. VII. S. 128—153.) Daran schließt sich in cap. VIII (S. 154—175) eine ausführliche Beschreibung der literarischen und urkundlichen Nachrichten über den Vorsitz und das Verhandlungsrecht der Beamten in Rat und Volksversammlung: nicht überall fiel das Präsidium des Rates mit dem der Volksversammlung zusammen, sondern war öfters davon getrennt. S. 174 folgt eine kurze Übersicht über die Beamten, welche mit diesen Funktionen betraut waren. Es sind dies in erster Linie solche Behörden, welche gewissen Staaten, Staatenvereinen oder Landschaften eigentümlich waren, so die Ephoren in Sparta, die Kosmen in Kreta, die ταγοί in Thessalien, die Demiurgen in den achäischen Städten, die Politarchen in Macedonien, an verschiedenen Orten Strategen und entsprechend die Polemarchen in Böotien.

Besonders eingehend stellt S. im IX. cap. (S. 176—221) die Veränderungen dar, welche die Verfassung der griechischen Städte unter dem Einflusse der Römer erlitt. Einzelne fallen allerdings schon in die Zeit der Republik, so erhielt Macedonien nach seiner Unterwerfung eine gleichmäßige Verfassung, Flamininus ordnete die Verhältnisse in Thessalien, die Achäer erhielten von Rom neue Institutionen, ja es scheinen sich auch Spuren davon zu finden, daß die Römer auch an der Verfassung der böotischen Städte geändert haben, ferner hat Cäsar nach der Schlacht bei Pharsalos in Athen Reformen vorgenommen, welche die Macht der beiden Räte, der Bule und des

Areopags gegenüber dem Volke stärken sollten. Aber erst die Kaiserzeit hat in dieser Beziehung Epoche gemacht und zwar nicht nur in
Kleinasien, sondern auch in jenen Städten von Hellas und den Inseln,
welche sich bisher ihre Verfassung unversehrt erhalten hatten. S. beschränkte sich, seinem Stoffe entsprechend, auf die Darstellung der
Veränderungen, welche das Verhandlungsrecht der Magistrate mit Rat
und Volk erfuhr. Da ergibt sich denn, dafs in der überwiegenden
Mehrzahl von Fällen fortan die Magistrate allein es sind, welche an
Rat und Volk referieren und dafs jeder Antrag, mochte er nun von
wem immer gestellt sein, ihrer Prüfung und Begutachtung unterworfen werden mufste; gewöhnlich ist dann nicht ein einzelner Beamter, sondern eine Synarchie mehrerer Behörden im Besitz dieser
Rechte und häufig ist auch der Vorsitz in Rat und Volksversammlung
auf die Magistrate übergegangen. Dies wird nun an den Volks-
beschlüssen der einzelnen Städte, zunächst Kleinasiens, dann des
eigentlichen Hellas gezeigt. So hatte z. B. in Athen, wie schon
Dittenberger bemerkte, der στρατηγὸς ἐπὶ τὰ ὅπλα in der Kaiserzeit
entweder allein oder vereint mit anderen Magistraten die Anträge zu
stellen. Welche Beamte die Befugnis der Antragstellung und Verhandlung in verschiedenen Städten besitzen, wird S. 205 zusammengestellt. Eine besonders wichtige Rolle spielt von jetzt ab der
Schreiber (γραμματεὺς τῆς βουλῆς oder τῆς πόλεως oder τοῦ δήμου),
dem in den Synarchien die bedeutendste Aufgabe zufiel: er hatte die
Formulierung der Anträge und öfters referierte er auch über diese
Vorschläge an das Volk; auch die Geschäftsführung im Rate wird mehr
und mehr auf ihn übergegangen sein. Häufig bekleidete er noch
andere hohe Ämter, besonders Priestertümer, ein Beweis, dafs er
einer der ersten Würdenträger war. — Interessant ist das Ergebnis,
dafs das selbständige Fortleben der griechischen Gemeinden bis in
das 3. Jahrhundert nach Christus sich erhalten hat. Der letzte datier-
bare griechische Volksbeschlufs (aus Aigiale auf Amorgos) gehört in
das Jahr 242 nach Chr.

Nachdem so der Verf. die wichtigsten Bestandteile des Präscriptes eines griechischen Volksbeschlusses, die Sanktionsformel und
die Einführung des Antragstellers bis zum Ausgang der griechischen
Gemeindeverfassung verfolgt hat, bespricht er im X. cap. (S. 222
—253) die zur Datierung dienenden Teile des Präscriptes. Dies sind
die Bezeichnungen des Jahres durch einen oder mehrere Eponyme
und die Anführung des Monats mit oder ohne Tag. Dieser Teil wird
vielfach auch in Gestalt eines Postscriptes gegeben.

Im Schlufscapitel XI (S. 254—310) gibt S. ein ausführliches
Verzeichnis der Präscripte und Postscripte in den Dekreten, welches
nach der alphabetischen Reihenfolge der Städtenamen angelegt ist:
es hat den Zweck, den ganzen bisherigen Bestand des Materiales
nachzuweisen und die rasche Orientierung zu erleichtern. Zwei indices,
ein sachlicher und ein geographischer, die mit besonderer Ausführlichkeit bearbeitet sind, erleichtern ferner die Benützung des Buches ungemein.

Ich habe im Vorstehenden versucht, eine Übersicht zu geben von dem reichen Inhalt des Werkes; man wird schon daraus ersehen, wie sehr der Verfasser bemüht war, immer ein Capitel gleichsam aus dem anderen hervorgehen zu lassen und so scheint denn auch ein Ergebnis sich ganz folgerichtig an das andere anzureihen. Aber man mufs die einzelnen Abschnitte selbst durchgegangen haben, um beurteilen zu können, welche Summe von Arbeit und Fleifs hier niedergelegt ist. Schon das Verzeichnis der wichtigsten Abkürzungen der benützten Inschriftensammlungen, Zeitschriften etc. auf S. VIII--X weist eine stattliche Anzahl von Nummern auf; nun hat aber S. gewissenhaft nicht blofs jede ihm erreichbare Inschriftenpublikation herangezogen, sondern auch alle einzelnen Abhandlungen über die oder jene Inschrift, alle Dissertationen über die Verfassungseigentümlichkeiten einzelner griechischer Städte, die zusammenhängenden Darstellungen griechischer Staatsaltertümer und zwar mit solcher Vollständigeit, dafs kaum etwas nachzutragen sein dürfte. Wenn man aus der Arbeit selbst sieht, mit welcher Mühe sich der Verfasser sein Material zusammentragen mufste, so darf man den Klagen über die Schwierigkeiten des Unternehmens, denen die Vorrede Ausdruck gibt, vollkommene Berechtigung zugestehen. Bei der umfassenden Materialsammlung und der gründlichen Verarbeitung und Verwertung des Gesammelten wird das Buch für jeden, der auf dem Gebiete der griechischen Staatsaltertümer thätig ist, namentlich auch für die zusammenhängende Darstellung der letzteren unentbehrlich sein.

München.   Dr. J. Melber.

Berner Ernst Dr., Kgl. Preufsischer Hausarchivar, Geschichte des Preufsischen Staates. Reich illustriert mit Tafeln, Beilagen und Textbildern, teilweise in Farbendruck. München u. Berlin 1890. Verlagsanstalt für Kunst und Wissenschaft, vormals Friedrich Bruckmann. Erste Abteilung. S. 96. Gr. 8. Preis 2 M.

Das Werk ist auf 7—8 Abteilungen berechnet; die Fertigstellung des Ganzen wurde für etwa Weihnachten 1891 in Aussicht genommen. Die vorliegende erste Abteilung behandelt die historischen Anfänge der Markgrafschaft Brandenburg von dem Übergange Karls des Grofsen über die Elbe (789) bis zum Tode des Kurfürsten Joachim I. (1535). Die Absicht des Verf. zielt darauf ab, „in klarer, dem Laien verständlicher und in fesselnder Sprache allen strebenden Gebildeten die gesicherten Ergebnisse geschichtlicher Quellenforschung zu vermitteln, die Entwickelung des preufsischen Staates in ihren Hauptzügen zu verfolgen." Ohne Berücksichtigung verwirrender Einzelheiten und absehend von einer trockenen Aneinanderreihung von Krieg und Frieden sollen vielmehr diejenigen Persönlichkeiten, Umstände, Bedingungen und Ereignisse hervorgehoben werden, welche für die Entstehung und Bildung des Staates von mafsgebender Bedeutung gewesen sind.

Ein das Buch besonders auszeichnender Bestandteil sind zahlreiche Quellenillustrationen, um dem Leser über räumlich oder zeitlich ihm entrückte Gegenstände eine unmittelbare Anschauung zu gewähren. Die erste Lieferung allein enthält nicht weniger als 72 dem Texte einverleibte Abbildungen, zu denen noch 17 Einschaltbilder mit Beilagen (Urkundentexte, Transskriptionen, Übersetzungen, Erläuterungen), kommen, sämmtlich sei es mit, sei es ohne Farbendruck in musterhafter Ausführung. „Die stattliche Zahl von Faksimile-Reproduktionen der in schwer zugänglichen Archiven, Bibliotheken, Kunstsammlungen u. s. w. aufbewahrten wertvollsten Reliquien mittelalterlicher Kultur und Kunst, meist unedierter Unika, soll uns das unmittelbare Umwehen der Vorzeit vermitteln, von dem wir berührt werden, wenn wir die Zeugen der Zeiten still, aber lebendig zu uns reden lassen. Nicht der Inhalt allein, auch Sprache und Stil, die ganze äußere Erscheinung der Urkunde, des Siegels, der Miniatur, der Handschrift, des Drucks, der Münze, Architektur, Skulptur, des Porträts, Zeitbildes, Kostüms u. s. w. ist ja in Wirklichkeit ein Überbleibsel der Entstehungszeit, ein lebendiger Erzähler, nachdem der Mund menschlicher Zungen verstummt".

Nach dieser Richtung verspricht das Buch, soweit sich aus der ersten Abteilung auf das Ganze ein Schluß ziehen läßt, dank den unermüdlichen und in keiner Weise kostenscheuen Bestrebungen der rühmlich bekannten Verlagshandlung, eine in hohem Grade anerkennenswerte Leistung zu werden.

Nun noch ein Wort über die Auffassung und über die Art der Darstellung! Die preußische Geschichte enthält so viele und so glänzende Lichtseiten, daß es mit nichten erforderlich ist, nicht fehlende Schattenseiten entweder zu bemänteln oder gar auch sie hellfarbig zu malen. Es ist nicht unbedenklich, daß schon die erste Lieferung Stellen aufweist, welche auf eine ziemlich starke Neigung hiezu deuten. In konfessioneller Hinsicht tritt gleichfalls bereits in dieser ersten Abteilung die protestantische Auffassung handgreiflich genug hervor. Sowenig hiegegen zu erinnern ist, so dringend wünschenswert erscheint es schon im Interesse des vorzüglich ausgestatteten Werkes, daß künftig Witzeleien unterbleiben, wie eine solche S. 34 vorgetragen wird: „Das Wunderblut von Milsnack heilte weder das besondere Elend der einzelnen, noch die schwere Krankheit, an der das märkische Staatswesen (zur Zeit der Wittelsbacher- und der Böhmen-Luxenburger-herrschaft) so schnell dahinsiechte". Wir sähen das Buch namentlich gern in den Händen von Schülern oberer Klassen; derlei Ausfälle machen diese Absicht für einen großen Teil unmöglich.

Die Form der Darstellung ist in der That klar und fließend. Vergeblich sucht man sonst einen so gänzlich mißlungenen Satzbau, wie der auf S. 23 vorliegende ist: „Indem Ludwig der Bayer die Ehe des Herzogs Johann von Luxemburg und der Herzogin Margarete von Tirol ohne Rücksicht auf das der Kirche zustehende Recht trennte und die geschiedene Herzogin mit seinem ältesten Sohn, dem Markgraf Ludwig von Brandenburg, vermählte, erregte er nicht nur

den vollen Zorn des Papstes, sondern versuchte zugleich
eine Verbindung zwischen Tirol und der Mark herzustellen". Auch die Ausdrucksweise ist meist tadellos. Wendungen
wie: „Burggraf Friedrich hatte einen anderen Mörtel zur Hand, mit
dem er Stein auf Stein fügte zum festen Unterbau des Staates (S. 44)
oder S. 48: „Der Erzbischof von Magdeburg wurde mit den alten
Edelleuten vertragen" bilden eine unschöne Ausnahme.

Mit Interpunktionen ist der Verf. etwas gar zu freigebig. Besonders fällt auf die folgende immer wiederkehrende Art zu inter-
pungieren: „Die frühere Bedeutung des, in seiner finanziellen Lage
nicht beförderten, Adels war zum Schaden desselben zurückgetreten.
(S. 28.)

In der Orthographie wird einerseits Konsequenz vermißt, anderseits mangelt es nicht an Eigenartigem. S. 37 steht aufs anßer-
ordentlichste, S. 70 aufs Tiefste, sonst wiederholt nach Aufsen, von
Aufsen, von Neuem, der Einzelne u. dgl. Der Verf. schreibt ferner
konsequent Hufs, Mathias, S. 8 Sarrazenen. S. 51 ist statt Johann
XXII zu lesen Johann XXIII; S. 38 kriegerisch statt triegerisch.

Wittneben, A., Oberlehrer am K. Gymnasium zu Leer.
Tafelförmiger Leitfaden für den Geschichtsunterricht
auf höheren Lehranstalten. I. Heft: Morgenländische Völker und
klassisches Altertum. Leipzig, Verlag von Julius Baedeker. 1890.
VII u. 96 S. gr. 8. Preis 1 M.

Der Verf. bietet eine in mancherlei Beziehung von den gewöhnlichen Geschichtstafeln abweichende Darstellung.

Vorausgeschickt ist für die alte Geschichte eine „erste Ent-
wickelungsreihe" S. 1—12, welche die wichtigsten Orientvölker der
kaukasischen Rasse umfaßt; als „zweite Entwickelungsreihe" folgt
S. 13—96 das klassische Altertum, eine „dritte Entwickelungsreihe"
(Germanisch-deutsche Geschichte mit den nötigen weltgeschichtlichen
Ausblicken bis zur Gegenwart) wird in Aussicht gestellt.

Das Streben des Verf. geht nämlich dahin: in Tafelform
möglichst übersichtlich, doch zugleich in der natürlichen Entwickelung (genetisch) dem Schüler die wichtigsten
Ereignisse vor Augen zu halten. (Vgl. dessen Darlegungen in Fricks
und Meiers Lehrproben und Lehrgängen XVII, 29 ff.). Sein Leitfaden
will in bewußtem Gegensatz zu den meist recht äußerlich abgefaßten
Geschichtstabellen „die in der Weltgeschichte wirkenden Kräfte zu
verständnisfördernden Gesichtspunkten zusammenfassen". Hiebei soll,
schon durch die Dispositionsform der Fassung veranlaßt, „lediglich
die Logik der Thatsachen" zu Wort kommen. So soll der Leitfaden
„den unentbehrlichen Niederschlag des Unterrichts als bleibenden
Grundstock für die Einzelerinnerungen festlegen"; er soll von der
Quarta bis zur Prima dem Schüler ein treuer Mentor werden.

Bei der Auswahl ist die Länder- und Völkerkunde, weil sie Grundbedingungen des geschichtlichen Lebens darbietet, zur Geltung gebracht, „die kulturhistorischen Strömungen nur in soweit sie historisch begleitend oder bestimmend mitwirken". „Im Geschichtsstoff gibt die staatliche (politische) Entfaltung der Völker mit den führenden Personen den Hauptfaden an die Hand". An der Spitze der gröfseren Einheiten führt der Leitfaden Quellenschriften vor, in erster Linie aus den Schulschriftstellern und ihnen nahestehenden Werken ausgewählt. „In der Kunst sollen für die Füllung der kurzen Sätze die gehörigen Anschauungsmittel, in der Literatur die Sprachdenkmäler sorgen".

Die Gliederung des gebotenen Stoffes ist übersichtlich und zweckmäfsig, der Druck korrekt. Die äufsere Ausstattung gut.

Heuermann A., Dr. und **Zwitzers**, A. E., **Übersicht der Geschichte der christlichen Kirche für Schule und Haus.** Essen, Druck und Verlag von G. D. Bädeker. 1891. S. VII u. 100. kl. 8. Preis 1 Mk. 40 Pf.

Ein anspruchsloses Büchlein, das zunächst für die Zwecke des Unterrichtes an höheren Schulen, doch nicht für diese allein bestimmt ist. In ersterer Beziehung kann es sich bei ihm ausschliefslich nur um Schulen protestantischen Charakters handeln, da so ziemlich alle katholischen Glaubenssätze, Einrichtungen und Übungen, deren in demselben gedacht wird, abfällig behandelt werden. Von diesem Standpunkte aus ist hier an einseitiger Geschichtsauffassung wohl das anständiger Weise Mögliche mit zielbewufster Konsequenz geleistet.

Die Gruppierung des verarbeiteten Stoffes ist übersichtlich und zutreffend, die Erzählung klar und angemessen, fast durchweg auf das Wichtigste sich beschränkend. Dem Ausdruck und der grammatikalischen Korrektheit war stellenweise eine gröfsere Sorgfalt zuzuwenden. So steht S. 12: „sie bekannten, dafs sie sich zum Christentum bekannten": S. 12, 19 u. 37 „Bonifacius statt Bonifatius"; S. 70: „Luther war ein Wirt vieler Gäste und ein seliges Ende fand er am 18. Febr. 1546". Eine ähnliche schülerhafte Satzverbindung mit „und" bietet S. 12; „Über die schätzbaren Dichter dieser Zeit ragt Paul Gerhardt um Haupteslänge hervor" (S. 76); „Das deutsche Reich bestrebt eine soziale Reform gröfsten Stils". (S. 98).

Anerkennung verdienen die saubere Ausstattung und die Reinheit von Druckfehlern, insbesondere die hübschen und für Schülerkreise instruktiven aus Dr. W. Buchners Leitfaden herübergenommenen 13 in den Text eingedruckten Holzschnitte zum Basiliken-, zum byzantinischen-. zum romanischen- und zum gotischen- Kirchenbaustil.

München. ——————— Markhauser.

Dr. Ludwig Trost, König Ludwig I. von Bayern in seinen Briefen an seinen Sohn, den König Otto von Griechenland. Bamberg, Buchner. S. XI u. 202. M 6.

Aus vierhundert und mehr im K. Geheimen Haus- und Reichsarchiv befindlichen Briefen König Ludwigs I. entwirft der Verf. ein

gedrängtes Lebensbild des grofsen bayrischen Fürsten und zwar meist
mit dessen eigenen Worten. Anmerkungen in knapper Form enthalten
nähere Angaben zum besseren Verständnis des Textes. Wer es nicht
schon ohnedies weifs, erhält aus den unmittelbaren Herzensergiefsungen
des Königs an seinen geliebten Sohn Kenntnis von der uneigennützigen
Liebe, mit welcher König Ludwig I. das neuentstandene Königreich
Griechenland umfafste. Man erkennt aus ihnen, welch' hohe Auffassung
er von seinem königlichen Berufe hatte und wie er diese auch seinem
Sohne einzupflanzen suchte und wufste. Man lernt durch sie das
edle Gemüt des Königs schätzen; aus welchem ein reicher Born der
Liebe und treuen Fürsorge für die Seinigen flofs. Man begreift aber
auch den Schmerz des Königs über die Täuschung, welche ihm das
sog. Hellenenvolk schuf, seine Betrübnis über die Undankbarkeit,
mit welcher die Hellenen seinem Sohne lohnten, der ihnen seine
schönsten Jugend- und Mannesjahre in rastloser und aufopfernder
Arbeit gewidmet hatte.

Sehr wichtig sind die S. 85—196 abgedruckten Urkunden, Ori-
ginalbriefe des Königs Ludwig an seinen Sohn, an dessen Gemahlin,
Briefe des Königs Friedrich Wilhelm von Preufsen und des Kaisers
Franz Joseph von Österreich an Otto von Griechenland und von diesem
an jene, Gutachten, Berichte von Gesandten und Staatsmännern u. s. w.
Treffend ist, was König Otto u. a. aus Aulafs seines fünfundzwanzigjährigen Regierungsjubiläums am 6. Februar 1858 an seine Schwägerin
Königin Marie von Bayern schreibt: „Ich komme mir wie ein geschmücktes Opferlamm vor, das zu einem Feste geschleppt wird, das
für dasselbe kein Fest ist". Die Briefe und Berichte machen es
zweifellos, dafs das perfide Albion, vorab der englische Gesandte Sir
Edmund Lyons und der Premierminister Palmerston, die Seele der gegen
Otto von Griechenland gespielten Intriguen waren, denen er schliefslich
weichen mufste.

Das sind nur kurze Andeutungen über den reichen Inhalt des
Buches, das wir wegen seiner grofsen Bedeutung für einen wichtigen
Abschnitt der neueren Geschichte angelegentlich empfehlen.

D.

Tanera, Deutschlands Kriege von Fehrbellin bis
Königsgrätz. Eine vaterländische Bibliothek für das deutsche Volk
und Heer. München, Beck. 9. u. 10. Bd. Die Befreiungskriege à Bd.
2 M. 50 Pf.

Das in 12 Bändchen erscheinende Werk Taneras über die Kriege
Deutschlands von Fehrbellin bis Königsgrätz eröffnen verheifsungsvoll ·
der 9. und 10. Band, welche die Befreiungskriege 1813, 1814 und 1815
behandeln. Nicht der Historiker, sondern der Soldat von Beruf führt
die Feder und spricht mit packender Lebendigkeit, mit hinreifsender
Kampfeslust und todesmutiger Vaterlandsliebe zu dem Leser.

Er beginnt mit dem Wendepunkt der napoleonischen Macht, als
die ersten Nachrichten über das Mifslingen des russischen Feldzugs in

Deutschland eintrafen und in dem gänzlich zu Boden geschlagenen preußischen Volke die ersten Hoffnungen auf Befreiung von dem Joche des Korsen erweckten. Sie hatten den Übertritt Yorks auf die Seite der Russen und die allgemeine Volkserhebung im Gefolge und erregten die Begeisterung und Opferwilligkeit, welche Leben und Güter der Sache der Freiheit weihte. Scharf umgrenzt zeichnet der Verfasser die prächtigen Gestalten Blüchers, Scharnhorsts und Gneisenaus, welche die Führung der Truppen übernehmen, schildert dann die Entstehung der vaterländischen Wehrkraft, besonders der Freiwilligenscharen, die Eröffnung der Kämpfe und die Schlachten bei Möckern, Grofs-Görschen, Bautzen und Haynau, hierauf den Wiederbeginn des Krieges nach dem Waffenstillstand mit den furchtbaren Schlachten bei Grofsbeeren, Hagelsbach und an der Katzbach.

Die einzelnen Vorgänge, die Truppenaufstellung und das Terrain, die Führung, die Hoffnungen und Befürchtungen der Feldherren, die falschen Voraussetzungen und die Irrtümer, die Berichte über den Gang der Schlacht sind so klar und anschaulich dargestellt, mit soviel Lebendigkeit und dabei doch so gedrängt vorgeführt, dafs wir im Geiste das Schlachtfeld, die heranziehenden, zurückweichenden und wiederandrängenden Truppen, das Erreichen und Verlieren der Vorteile, das ermüdende Hin- und Herwogen des Kampfes bis zum endlichen Erlahmen des Widerstandes oder dem ersehnten Einbruch der Nacht vor uns zu sehen glauben. Die siegreiche Schlacht bei Leipzig und der Kampf bei Hanau schliefsen den 9. Band.

Der 10. beginnt mit der Ankunft Napoleons in Paris, berichtet dann von der Unentschlossenheit und den Meinungsverschiedenheiten der Verbündeten, den Winkelzügen ihrer Diplomaten und der daraus hervorgehenden Verzögerung in der Verfolgung des geschlagenen Tyrannen, welche die folgenden Schlachten von Brienne, La Rothière u. a. nötig machte.

Die meisterhaften Schilderungen dieser Kämpfe wechseln mit Berichten über die unbegreifliche, an Verrat grenzende Unthätigkeit Schwarzenbergs, über die sich entgegenstehenden Absichten der im Felde anwesenden Monarchen, die rastlose Thätigkeit Napoleons und Blüchers Wut auf die „Diplomatiker und Federfuchser", welche selbst nach Erfolgen der Armee zu schmählichen Friedensanerbietungen bereit waren. Mit Zorn und Entsetzen sehen wir, wie durch die Feigheit und das Zurückweichen Schwarzenbergs, dessen Vereinigung mit Blücher dem Heere eine ungeheure Übermacht über die Franzosen gegeben hätte, Tausende von dem jeden Vorteil begierig ergreifenden Napoleon nach einander abgeschlachtet werden konnten. Viel mehr mit Grauen als mit Anerkennung der Tapferkeit erfüllt es uns, wenn wir sehen, wieviel kostbares deutsches Blut auf diesen Schlachtfeldern nicht der Kampf für Vaterland und Freiheit, sondern die Uneinigkeit und Unbotmäfsigkeit der Führer, vor allem aber die Zaghaftigkeit und das oft berechnete Zögern Schwarzenbergs als Opfer forderten. Hell vor allen strahlt hier das Bild Blüchers, der allein grofs genug war, der grofsen Sache Ehrgeiz und Überzeugung unterzuordnen. Der Einzug der Truppen in Paris, Napoleons Absetzung, seine Rückkehr aus Elba, die Schlachten von Ligny, Quatrebras und Belle Alliance und die nochmalige Einnahme von Paris geben dem Verfasser häufig Gelegenheit zur Erzählung interessanter Zwischenfälle, zu scharfer Charakteristik der Feldherrn und zu prächtiger Ausmalung seines Lieblingshelden, des alten Blücher. Viele seiner köstlichen Anssprüche und einige seiner kurzen, naiven Briefe gibt er zum grofsen Ergötzen des Lesers im Originaltext.

Die Darstellung der beiden Bücher trägt das Gepräge der frischesten Ursprünglichkeit und verleugnet nirgends, dafs der Verfasser Soldat ist mit Leib und Blut; darum halten wir ihm auch gern einige Derbheiten und Unebenheiten des Ausdrucks und die vorkommenden Provinzialismen zu gute.

In der hübschen Ausstattung mit dem künstlerischen Bilde auf der Titelseite bilden die beiden Bändchen eine schöne Gabe für die deutsche Jugend.

München.   R ö c k l.

Diercks, G., Helgoland. Hamburg 1891. 33 S.

Der interessante Gegenstand wird hier nach folgenden vier Gesichtspunkten behandelt: 1. Physikalische Geschichte, 2. Name, 3. Ethnographische Charakteristik, 4. Politische und Kulturgeschichte. Der erste Punkt ist von besonderem Interesse, weil ein πολὺ ϑρυλούμενον der geographischen Wissenschaft. Es ist nämlich festgestellt, dafs Helgoland früher bedeutend gröfser war als gegenwärtig, und dafs die Insel erst in historischer Zeit infolge von Abtrümmerungen durch das bewegte Meer zu dem nur 0,6 ☐km grofsen Felsbrocken zusammengeschwunden ist, den sie heute darstellt. Eine aus dem Jahre 1649 stammende Karte, die auch ich in meiner „Historischen Landschaftskunde" (S. 42) verwertet habe, gibt ein Bild von den Stadien dieses Verkleinerungsprozesses in den Jahren 800, 1300 und 1649. Aufser dieser Karte, der wir (wie ich a. a. O. hervorhob) wenigstens den Wert zusprechen dürfen, dafs sie die im Jahre 1649 gangbare Tradition über die vormalige Gestalt des Eilandes uns überliefert, besitzen wir aber auch ein ausdrückliches historisches Zeugnis aus dem XI. Jahrhundert, wodurch das älteste jener Kartenbilder bestätigt zu werden scheint. Wir meinen die Beschreibung Helgolands von dem Chronisten des deutschen Nordens Adam von Bremen, enthalten in seiner descriptio insularum Aquilonis (MG. SS. VII, 367—388). Hier erscheint es als Insel von nicht ganz 8 Milien Länge und 4 Milieu Breite, also von viel gröfserem Umfang als jetzt. Der Verf. teilt zwar diese Schilderung mit, aber ohne ihren Wert, wie mir scheint, hinlänglich zu würdigen. Adam von Bremen war nämlich, wie auch Wattenbach (Deutsche Geschichtsquellen[5] II 73 f.) betont, ein äufserst sorgfältiger und gewissenhafter Chronist, wefshalb seine Beschreibung der deutschen Nordseeküste mit Recht die Grundlage aller späteren Darstellungen

22*

dieser Gegend geworden ist. Die physikalische Geographie pflegt freilich mit ungläubigem Lächeln auf jenes historische Inselbild zu blicken; aber so lange sie gegen dasselbe keine triftigeren Argumente vorzubringen hat, als die von D. (S. 8 u. 10) mitgeteilten, wird sie es kaum zu entwerten vermögen.

Übrigens trägt die vorliegende Monographie zur Lösung dieser Frage, wie überhaupt zur Förderung der wissenschaftlichen Erkenntnis Helgolands wenig bei; ihr Verdienst besteht vielmehr darin, das bisher Erforschte übersichtlich zusammengestellt und in gefälliger Form einem größeren Publikum zugänglich gemacht zu haben.

———————

Meyer, Ch., Eine deutsche Stadt im Zeitalter des Humanismus und der Renaissance. Hamburg. 1891. 36 S.

Der Verf. wollte einen „kulturgeschichtlichen Umwandlungsprozeſs", nämlich den Übergang des Mittelalters zur Neuzeit, an einem besonders geeigneten Typus anschaulich machen und wählte dazu die Stadt Augsburg.

Zunächst werden die unerquicklichen religiösen Zustände im Ausgang des XV. Jahrhunderts geschildert, wobei die katholische Geistlichkeit schlimm wegkommt. Dann zeichnet M. den auch hier auftauchenden Humanismus in seinen bekannten drei Hauptvertretern, Konrad Dentinger, Markus Welser und Hieronymus Wolf.

Der umfangreichste und beste Teil der Schrift ist der Kunstgeschichte gewidmet. In der Architektur war Augsburg, „in einer bruchsteinlosen Gegend gelegen", bis zum XV. Jahrhundert hinter andern deutschen Städten zurückgeblieben, holte aber von da an soviel nach, daſs es von einem französischen Touristen im Jahre 1580 für die schönste Stadt Deutschlands erklärt wurde.

Unter den Augsburger Malern figuriert vor allen natürlich Holbein, über den freilich nichts Neues beizubringen war. Eine Spezialität von Augsburg waren die Hausfresken, die es zu einem „deutschen Verona" machten. Von ihren Schöpfern werden drei eingehend und sehr gut charakterisiert: der schlechte Staffelei- und vortreffliche Wandmaler Rottenhammer, der geniale Manierist Pordenone und Ponzano der glückliche Nachahmer Tizians.

Wie die Kunst auch das häusliche Leben verklärte, ersehen wir aus ergötzlichen gleichzeitigen Schilderungen, die S. 20—23 mitgeteilt werden. Zum Schluſse (S. 25—36) entwirft der Verf. auf grund einer sehr interessanten Selbstbiographie noch die Lebensskizze des Augsburger Baumeisters Elias Holl, des „Revolutionärs unter den Architekten", der im XVI. und XVII. Jahrhundert die mittelalterliche Physiognomie des Stadtbildes durch Um- und Neubauten vollständig ins Moderne verändert hat.

Passau.   J. Wimmer.

Kettlers Schulwandkarte von Deutsch-Ostafrika.
Maßstab 1 : 2 Mill. Weimar. Geographisches Institut. 3 M.

Die Karte entspricht rücksichtlich der Darstellung des gebotenen
Stoffes den Anforderungen, die man an eine Schulwandkarte stellen
kann. Das Land hebt sich durch kräftig aufgetragene Grenzfarben
deutlich von den umliegenden Gebieten ab, der Maßstab der Karte
ist groß, die Flüsse sind deutlich gezeichnet und, was die Hauptsache
ist, die neueren Forschungen sind berücksichtigt. Und doch macht
die Karte den Eindruck einer gewissen Öde und entspricht nicht den
Erwartungen, die wir uns von der Specialdarstellung eines kleineren
Gebietes (im Verhältnis zum ganzen Kontinent!) machen. Denn dieselbe enthält nicht viel mehr und kann auch nicht viel mehr enthalten als jede neuere Schulwandkarte von Afrika überhaupt. Viele
Gebiete im Süden und im Innern des Landes erscheinen auf der
Karte noch als leere Flächen, und einzig das zur Bezeichnung der
Höhe gewählte Flächencolorit (200—1000 m hellbraun, 1000—2000 m
dunkelbraun) ist es, was einige Abwechslung in dieselben bringt.
Von nicht wenigen Flüssen ist die Richtung erst vermutungsweise
(durch punktierte Linien) angegeben, mehrere Seen, wie der nicht unbedeutende Rikwa-See, der Manjara-See, der Viktoria-Njansa, dessen
Südwestufer uns erst kürzlich durch die Aufnahmen des P. Schynse
genauer bekannt wurden, sind noch nicht fest umgrenzt, und ebenso
fehlt es natürlich auch noch an der detaillierten Bezeichnung der
Gebirgszüge. Es fragt sich eben, ob es angezeigt oder notwendig ist,
schon jetzt von einem speziellen Gebiete eine kartographische Darstellung zu geben, welches im einzelnen noch nicht genügend bekannt
ist. Die nächsten Jahre gehören noch der wissenschaftlichen Erforschung dieses uns jetzt ausschließlich überlassenen Gebietes und
der Bekanntgabe ihrer Resultate in den geographischen Zeitschriften.
Namentlich müssen nach dem Vorgange Dr. Meyers und Dr. Bau-
manns noch genaue Positionsbestimmungen in allen Teilen des Landes
gemacht werden, welche die Grundlage guter Karten bilden, erst daran
kann sich die Darstellung des Landes für die Schule reihen.

Eine im Maßstab der Hauptkarte ausgeführte, zum Größen-
vergleich dienende Nebenkarte, Mitteldeutschland vorstellend, würde
man lieber durch eine andere ersetzt sehen, welche ein geschlossenes,
mehr abgerundetes Gebiet, z. B. Süddeutschland darstellt. Die Um-
grenzung der einzelnen Negerreiche durch punktierte Linien hat wenig
Wert, weil diese Grenzen nicht genau zu bestimmen sind und oft
wechseln, wichtiger wäre vielleicht die Angabe der Distriktseinteilung
des Landes, wie sie durch Gouvernementsbefehl vom 5. April 1891
angeordnet wurde, vorausgesetzt, daß dies schon jetzt möglich ist,

Kiepert H., Politische Schulwandkarte von Süd-Amerika. 1 : 8 Mill. Neubearbeitung von Rich. Kiepert. 4. Aufl. 1891. Berlin. Dietr. Reimer. 4 Bl. Preis im Umschlag 6 M., auf Leinwand in Mappe 10 M., mit Stäben 12 M.

In genügend grofsem Mafsstabe führt uns diese schöne Karte die politische Begrenzung der Staaten Südamerikas vor. Zwischen mehreren südamerikanischen Staaten, wie zwischen Brasilien und Venezuela, Chile und Bolivia, Chile und Argentinien, sind in letzter Zeit die Grenzen genauer bestimmt oder geändert worden. Die Darstellung dieser Veränderungen war auch auf einer Schulwandkarte erwünscht. Aber auch in Einzelheiten sind die Resultate neuerer Forschungsreisen gewissenhaft benützt worden, wie im Quellgebiete des Maranjon, im südlichen Chile, in Brasilien, im westlichen Argentinien etc. In absehbarer Zeit werden hoffentlich auch die letzten, jetzt noch auf der Karte punktierten Flüsse in Brasilien und Argentinien erforscht sein. Die Ausdehnung der einzelnen Staaten ist durch kräftig hervortretendes, gut zusammenstimmendes Flächenkolorit dargestellt, dessen Wirkung noch durch eine farbige Grenzlinie (rot) verstärkt wird. Bei Brasilien sind auch die Provinzen durch ein schmales rotes Grenzband angegeben. Die Gebirgszüge sind durch kräftig hervortretende braune Schraffierung bezeichnet, welche das politische Kolorit, das für Südamerika doch ziemlich einfach ist, in keiner Weise stört. Weniger glücklich scheint die Angabe der Höhen in Dekametern statt in Metern. Von den zwei der Hauptkarte beigegebenen Nebenkarten gibt die eine in kleinerem Mafsstab (mit Weglassung der Flüsse, Gebirge etc.) die staatliche Begrenzung mit aufgedruckten Namen, so dafs auf der Hauptkarte die grofsen Schriftzeichen wegbleiben können, die andere stellt Südwesteuropa dar in gleichem Mafsstab mit der Hauptkarte, wodurch ein erwünschter Gröfsenvergleich zwischen den südamerikanischen und europäischen Ländern ermöglicht wird.

Bambergs Schulwandkarte vom Königreich Bayern. Mafsstab 1 : 375000. Berlin und Weimar. Verlag von C. Chun. Preis unaufgezogen M. 12, aufgezogen auf Leinwand in Mappe M. 16.50, mit Rollstäben M. 18.

Mit vorliegender Karte ist einem längst gefühlten Bedürfnis abgeholfen, wir haben endlich eine gute, zweckentsprechende Schulwandkarte von Bayern. Dafs eine Karte von Bayern in Berlin erscheint, ist allerdings auffallend, doch wollen wir uns deshalb die Freude an derselben nicht verderben lassen, ist sie doch unter Kontrolle einer besonderen Kommission von Fach- und Schulmännern in München bearbeitet und vom Verwaltungsrat des Königl. Kreismagazins von Oberbayern für Lehrmittel und Schuleinrichtungsgegenstände in München zur Ausstellung und zur Aufnahme in den Katalog genehmigt worden.

Die Karte, auf welcher anfser den natürlichen auch die politischen Verhältnisse des Landes zur Darstellung kommen, umfafst, wohl mit Rücksicht auf die Pfalz, auch Württemberg, Baden, Hessen und Elsafs und könnte somit eigentlich Karte von Süddeutschland heifsen. Die Grenzen der in genügend grofsem Mafsstab angelegten Karte sind durch ziemlich breite rote, nach innen schwächer werdende Randlinien, die einzelnen Kreise durch schmale rote Linien bezeichnet. Die Flüsse sind, wie es für Wandkarten am geeignetsten erscheint, in schwarzer Farbe kräftig ausgeführt und so, dafs man sie in ihrer ganzen Ausdehnung von der Quelle bis zur Mündung, auch in gröfserer Entfernung verfolgen kann. Von Nebenflüssen sind nur die gröfseren aufgenommen, nur wenig mehr, als diejenigen, welche gewöhnlich in der Schule gelernt werden. Die mit Blau bezeichneten Seen heben sich schön und deutlich aus dem sie umgebenden Höhen- und Gebirgsland ab. Die orographischen Verhältnisse werden in der Weise dargestellt, dafs Tiefland bis 150 m über dem Meere mit einem gesättigten Grün, Tiefland bis 300 m mit hellgrüner, Hügelland bis 500 m mit hellbrauner, das eigentliche Hochland mit dunkelbrauner Farbe überzogen ist. Die Gebirgszüge selbst sind dann noch durch feine, im Detail sorgfältig ausgeführte Schummerung bezeichnet. Mit der Farbe des Hochlandes (über 500 m) wären auch noch die Höhenzüge an der Amper abwärts von Dachau bis zur Abens und Laber hin zu bezeichnen.

An dieser Höhenabstufung läfst sich keine Ausstellung machen, dagegen frägt es sich, ob die Wahl der Farben selbst immer ganz glücklich ist. Es läfst sich wenigstens nicht leugnen, dafs beim ersten Anblick der Karte das Auge von dem vielen Dunkelbraun, womit etwa zwei Dritteile derselben überzogen sind, etwas abgestofsen wird, auch stimmt das dunkle Grasgrün, welches den Rhein zu beiden Seiten begleitet, nicht fein zu dem helleren Blaugrün, womit das Neckar- und mittlere Maingebiet bedeckt ist. Die beiden erstgenannten Farben hätten etwas mehr abgetont, d. h. heller genommen werden sollen. Dadurch würde auch der schroffe Übergang von Hügel- in Hochland, der ja in Wirklichkeit nicht vorhanden ist, und wodurch z. B. Oberbayern in zwei Teile zerrissen ist, vermieden werden. Auch würde dadurch das politische Moment der Karte, welches etwas stiefmütterlich behandelt ist, mehr hervortreten.

Was die Auswahl des Stoffes anlangt, so enthält die Karte im allgemeinen nicht viel mehr, als was auf dieser Stufe erforderlich erscheint. Immerhin könnte bei der Auswahl der Wohnorte noch manche Vereinfachung eintreten, namentlich bei dem Kreise Mittelfranken, welcher mit kleinen Städten sehr reich gesegnet ist. Namen wie Kolmberg, Leutenshausen, Langenzenn, Abenberg und andere in anderen Kreisen würde man gern entbehren. Es würde dadurch auch die Übersichtlichkeit der Karte bedeutend gewinnen; denn die vielen schwarzen Ringe und Punkte, welche die Lage dieser Städtchen bezeichnen, machen die Karte stellenweise unruhig. Aus dem gleichen Grunde könnten auch die Vicinaleisenbahnen weggelassen werden.

Sollen sie aber einmal angegeben werden, so sind noch Murnau-Partenkirchen, Gemünden-Hammelburg, Neustadt a. S.-Bischofsheim v. Rh. nachzutragen. Umgekehrt ist irrtümlicherweise auf der Karte Amorbach mit Walddürn in Baden mit einer noch dazu schnurgerade verlaufenden Eisenbahn verbunden.

Im allgemeinen aber macht die Karte den Eindruck grofser Verlässigkeit und solider Durchführung. Da auch die Ausstattung tadellos und der Preis für das Gebotene nicht zu hoch ist, so kann die Karte mit gutem Gewissen für unsere Schulen empfohlen werden.

Klöden, Leitfaden beim Unterrichte in der Geographie. 8. verb. Aufl. bearbeitet von Dr. Fr. Krüner. Berlin. Weidmannsche Buchhandlung. 1890. 232 S. M. 1.80.

Das im J. 1880 in 7. Auflage noch vom Autor herausgegebene Büchlein ist nach längerer Pause von Krüner neu bearbeitet erschienen. Der 1. Abschnitt des Buches enthält die Grundzüge der mathematischen und physischen Geographie, der 2. eine Übersicht über die Kontinente, im 3. Abschnitte werden die aufsereuropäischen Erdteile, im 4. die einzelnen Länder von Europa, im 5. speziell Deutschland und Oster-reich behandelt. In dieser Verteilung des Stoffes unterscheidet sich vorliegendes Buch nicht von den früheren Auflagen. Dagegen sind selbstverständlich die neueren Forschungen auf geographischem Ge-biete verwertet worden und ist namentlich der ursächliche Zusammen-hang zwischen den einzelnen geographischen Momenten mehr hervor-gehoben als früher, wenn auch allerdings noch nicht überall in aus-giebiger Weise. Dies gilt namentlich von dem für die Fruchtbarkeit eines Gebietes so aufserordentlich wichtigen Klima, welches in dem Buche bei manchen Ländern gar nicht, oft nur nach seinen Wirkungen, nicht nach seinem ursächlichen Zusammenhang mit anderen Faktoren behandelt wird. Auch das geologische Moment ist sehr in den Hintergrund gedrängt. Dagegen ist die politische Geographie sehr ausführlich, stellenweise wohl zu eingehend behandelt. Es finden sich aufserordentlich viele Namen und Zahlen, namentlich im 2. Abschnitt, die vielfach nur einen unnützen Gedächtniskram für den Schüler bilden. Dagegen sind stellenweise eingehende Schilderungen einge-flochten, z. B. von den Arabern, von Jerusalem, von der Lehre des Buddha u. dgl., welche eigentlich nicht in den Rahmen eines Leit-fadens gehören. Der beständige Vergleich fremder Gebiete hinsicht-lich ihrer Gröfse mit Preufsen oder anderen deutschen Ländern wirkt ermüdend und verfehlt häufig seinen Zweck, namentlich wenn der zum Vergleich herangezogene Gegenstand selber kein in sich abge-rundetes Bild gibt, z. B. Kaukasien so grofs wie Preufsen, Bayern, Sachsen, Hessen und Württemberg, Argentinien dreimal so grofs wie Deutschland und Österreich und hat so viele Bewohner wie Pommern und Baden etc.

Die geographische Länge ist jetzt nach Greenwich berechnet,

die Aussprache der französischen Namen gestrichen. Aber doch findet sich noch die falsche Aussprache Kang (Caen) und Rângs (Reims). Im einzelnen sind aufgefallen: Neuholland (S. 33) statt Australien. Der Njassa-See Quellsee des Sambesi (S. 48). Der Gaurisankar 8940 m statt 8840 m (89). Zu Chinesisch-Asien ist auch Japan gerechnet (96). Die Halbinsel Arabien hat nur soviele Bewohner wie Portugal oder Belgien (100). Damaskus liegt auf der von allen Karawanen Asiens eingeschlagenen Strafse (104). Die Bucht von Rio de Janeiro 1531 entdeckt (136). Rufsland reicht durch alle Zonen, die tropische ausgenommen (169). Far Öer statt Fär Öer (176).

Hefsler Karl, Kurze Landeskunde der deutschen Kolonien. Mit 5 Karten. 75 Pf. Leipzig 1891. G. Lang.

Vorliegendes Büchlein, ein Auszug aus desselben Verfassers gröfserem Werke: Die deutschen Kolonien (welches in kurzer Zeit eine 2. Auflage erlebte), enthält eine gedrängte, nach bestimmten Gesichtspunkten geordnete Beschreibung unserer Kolonien in Afrika und in der Südsee und erscheint geeignet, bei der Durchnahme dieser Partien in der Schule ergänzend einzutreten. Trotz der knappen Darstellung (48 S.) finden sich noch eingehende Schilderungen über die Religionen der Eingebornen Afrikas, über die Polynesier, Mikronesier und Melanesier und über ihre Religionen, über die Kriegszüge Wifsmanns gegen Buschiri 1889 und 1890, Schilderungen, welche aus dem gröfseren Werke herübergenommen sind und nun in den engen Rahmen nicht recht passen. Die 5 beigegebenen Kärtchen sind übersichtlich und, wenn auch in Einzelheiten verbesserungsfähig, doch für den vorliegenden Zweck genügend.

Zu verbessern wäre: Der Kilima Nscharo ist nicht 5700, sondern nach den Vermessungen des ersten Besteigers Dr. Meyer 6100 m hoch (S. 21). Der Bau der Eisenbahn zwischen Bagamoyo und Dar es Salaam ist nicht in Angriff genommen. (S. 25).

Buchholz Dr. Paul, Charakterbilder aus Amerika. 2. vielfach verb. Aufl. Leigzig 1891. J. C. Hinrichssche Buchbandlung. 96 S. M. 1.20.

Von den in den letzten 6 Jahren erschienenen Buchholzschen „Hilfsbüchern zur Belebung des geographischen Unterrichtes" liegen mehrere bereits in 2. Auflage vor, darunter das 8. Bändchen „Amerika". Diese „Charakterbilder" geben in knappen Umrissen und in ruhiger, nicht selten aber auch zu lebhafter Schilderung sich steigernder Sprache eine anschauliche Vorstellung von den Ländern, Produkten und Bewohnern Amerikas, sowie von den Beschäftigungen derselben. Dieselben sind meist nach bestimmten, auch äufserlich hervortretenden Gesichtspunkten gegliedert, z. B. die Llanos: a) Oberflächenbau, b) vor dem Regen, c) nach dem Regen, d) Anbau und Bewohner; Rio de

Janeiro: a) die Bucht, b) Anblick von aufsen, c) innere Stadt, d) Bewohner.   Dies ist ein weiterer Grund, der diese Charakterbilder zur Aufnahme unter die geographischen Lehrmittel bestens empfiehlt.

Als Änderungen für die nächste Auflage mögen folgende Punkte berücksichtigt werden: Die Abschnitte über Mexiko dürften sich besser gleich an Mittelamerika anreihen, statt in die Schilderungen über die Union eingeschoben zu werden.   Auffallend, beziehungsweise unrichtig sind folgende Ausdrücke: Das mit Wüsten ummauerte Afrika (S. 5). Amerika ist gleichsam eine ungeheure Einöde, welche blofs zur Entwicklung des Pflanzenwuchses und für das Tierreich bestimmt zu sein scheint (S. 6).   Das Tropenland mit seinen prachtvollen Bewohnern mit krächzender Stimme (S. 10).   Wenn im Dezember die Sonne sich wieder südwärts wendet (S. 17).   Die Bodenbildung von Patagonien ist in der östlichen Hälfte des Landes, vom atlantischen Meere bis zu den Anden, eine ganz andere als in der westlichen Hälfte, vom Kamme des Gebirges bis zum grofsen Ozean (S. 32), (da der westliche Abfall des Landes jetzt zu Chile gehört).   Jede Arbeit (auf Kuba) wird nur von Negersklaven gethan (S. 48).   Die Angaben endlich über den Kanal von Panama (S. 43) sind schon zum Teil antiquiert.

Freising.   Biedermann.

III. Abteilung.

Literarische Notizen.

~~~~

Prof. Dr. Aug. Heinrichs, Das Schulbücherwesen mufs verstaatlicht werden. Zittau, Pahlsche Buchhdlg. 1890. IV, 88 S. Der Verf. legt mit grofser Sachkenntnis, oft unter Beibringung drastischer Beispiele, die Mifsstände dar, welche mit dem jetzigen Schulbücherwesen für die Verfasser von Lehrbüchern, für die Eltern, Schüler und Lehrer verbunden sind. Er will den Nachweis liefern, wie durch Verstaatlichung des Schulbücherwesens viele Klagen und Mifsstände aus dem Wege geräumt werden können. H. folgt ohne Zweifel einem Zuge der Zeit, wenn er dem Staate, dem heutzutage immer mehr Aufgaben zugeschoben werden, auch diese Aufgabe zuweist. Dafs aber die Aufhebung des freien Wettstreites in Dingen, die doch immerhin mehr geistiger als materieller Art sind, rätlich sei, dürfte füglich zu bezweifeln sein. Manche mit den heutigen Verhältnissen verknüpfte Mifsstände, wie die Interlinearversionen auf alten Exemplaren, die Verschiedenheit der Texte, die vielfach verschiedenen Fassungen der Regeln u. s. w. könnten allerdings, wie H. überzeugend darthut, bei der Einführung des staatlichen Monopols und der dadurch herbeigeführten Verbilligung der Lehrmittel teils auf ein geringes Mafs zurückgeführt, teils beseitigt werden. Aber dieselben lassen sich bei einiger Thatkraft und Aufmerksamkeit des Lehrers auch jetzt unschädlich machen. Dagegen würde bei der Verstaatlichung des Schulbücherwesens die Schablone und Uniformität, welche jetzt überall drohend ihr Haupt erhebt, auch auf Gebiete verpflanzt werden, welche die freie Bewegung am wenigsten entbehren sollen. Die Klagen, die sich jetzt gegen die Verleger und Verfasser von Schulbüchern wenden, würden dann eben auf den Staat und die oberste Schulbücherbehörde abgeladen werden; denn nirgends wechseln die Ansichten mehr und öfter, als in Sachen der Methodik.

Deutsche Schriften für nationales Leben. Herausgegeben von Eugen Wolff. 1. Reihe. 1. Heft: Nationale und humanistische Erziehung von Karl von Kalkstein, Minna Cauer und Albert Eulenburg. Kiel und Leipzig, Lipsius u. Tischer. 1891. 48 S. Das Ziel dieser neuen Zeitschrift ist nach dem ziemlich phrasenhaften und unklaren Vorwort des Herausgebers die Förderung nationaler Erziehung. Grundelement sei das Heimische, das Fremde Zuthat. Kalckstein folgt im wesentlichen den Spuren Görings, Güfsfeldts und Preyers, berührt die meisten Fragen des Unterrichtes und der Erziehung in radikaler, der Form nach mafsvoller Weise. Minna Cauer weist auf die Thatsache hin, dafs bei der Gestaltung des Mädchenunterrichtes und der Mädchenerziehung der Individualität des Weibes zu wenig Berücksichtigung geschenkt werde. Eulenburg endlich behandelt die hygienische Seite der Erziehung und verlangt, dafs neben der Gehirnarbeit der Gehirnersatz, die ausgleichende Muskelarbeit hergehe. Neue Gedanken wird man in den so oft besprochenen Dingen nicht verlangen; am meisten Selbständigkeit beanspruchen die Ausführungen Minna Cauers.

Dr. Karl Schmidt's Geschichte der Pädagogik in der vorchristlichen Zeit, umfassend die Erziehung bei den Naturvölkern im Orient, bei den Griechen und Römern. Vierte Auflage, vielfach vermehrt, verbessert und umgearbeitet von Prof. Dr. Emanuel Hannak, Direktor des Pädagogiums der Stadt Wien. Cöthen. Paul Schlettlers Erben. 1890. XXXII u. 958 S.S. Der Bearbeiter des vorliegenden Teiles der Geschichte der Pädagogik Karl Schmidts sucht eine objektive, streng historische Darstellung zu geben im Gegensatz zu Schmidts „subjektiver, unter dem Einflusse Hegelischer Philosophie stehender" Anordnung und Behandlung des Stoffes; der Inhalt ist unter sorgfältiger Benützung der neueren Schriften bedeutend vermehrt; auch ist jedem Abschnitt eine kurze Übersicht der Quellen und Hilfsschriften vorangeschickt.

Dr. Fr. W. Schütze, Evangelische Schulkunde. Praktische Erziehungs- und Unterrichtslehre für Seminar- und Volksschullehrer. 7. Auflage. Nach dem Tode des Verfassers besorgt von dessen Sohne E. Th. Schütze. Leipzig, Teubner. 1890. XII u. 865 S.S. Diese Schulkunde enthält fünf Teile: I. Pädagogische Menschenkunde, II. Schulkunde im engeren Sinne, III. Unterrichtslehre, IV. Erziehungslehre im engeren Sinne, V. Kurze Geschichte des evangelischen· Erziehungs- und Unterrichtswesens.

F. Pietzker, Oberlehrer am Gymnasium zu Nordhausen, Humanismus und Schulzweck. Entgegnung auf die Schrift des Professor Paulson: Das Realgymnasium und die humanistische Bildung. Braunschweig. Salle. 1889. 54 S.S. Der Verf. bekämpft Paulsens Verteidigung des Übergewichts der sprachlich-historischen Fächer in der höheren Schule (vgl. Bd. XXVI, S. 437 d. Bl.); in seiner Verkennung des Wertes der sprachlichen Vorbildung läfst er sich zu dem Satz fortreifsen: „die Ausbildung durch den sprachlich-geschichtlichen Unterricht ist für den Lehrer der exakten Fächer nach meinen Erfahrungen einfach wertlos"; aus der zugestandenen Verschiedenheit der Beanlagung für die sprachlich-historischen und mathematisch-naturwissenschaftlichen Fächer schliefsen wir nur die Notwendigkeit von dem Gleichmafs der Anforderung an alle Schüler in allen Fächern abzustehen.

Theodor Henrich, Lehrer an der Mittelschule in der Rheinstrafse zu Wiesbaden, Preisgekrönte pädagogische Aufsätze. Wiesbaden, Bechtold u. C. 132 S.S. In dieser Schrift werden wirksame und mafsvolle Grundsätze für den Elementarunterricht entwickelt.

Übersicht der deutschen Metrik und Poetik von Dr. J. B. Peters, 4. Aufl. Berlin. Springer, 1890. Ein hübsch ausgestattetes Büchlein von 72 S.S., welches das Wichtigste aus der Poetik enthält. Ob es nötig war, die Lehre vom Versbau mit Rücksicht auf die „neue Begründung" der Betonungsgesetze durch Beyer umzuarbeiten, scheint fraglich; denn Lehrbücher sollen nur das allgemein als richtig und wichtig Anerkannte der Schule vermitteln.

Zeitschrift des allgemeinen deutschen Sprachvereins, herausgegeben von H. Riegel. II. B. 1883 u. 1889. Braunschweig, Meyer Wenn schon die Bestrebungen des deutschen Sprachvereins Anspruch auf die Teilnahme aller Gebildeten haben, so verdienen sie und die Vereinszeitschrift vor allem die Beachtung der Lehrerwelt in hohem Grade. Es ist keine Redensart, wenn auch von dem zweiten Band der Zeitschrift gesagt wird, dafs er eine reiche Quelle der Anregung und Belehrung sei. Namentlich sind auch manche Spracherscheinungen, die der Tag bringt und die auch Eingang in die Schüleraufsätze finden, hier besprochen.

Vergils Gedichte erkl. von Th. Ladewig und C. Schaper. Zweites Bändchen: Äneide I—VI. 11. Aufl. bearbeitet von P. Deuticke. Berlin 1891. Weidmann, V, 236 S. M. 2, 25. Die Anmerkungen haben eine den Zwecken der Schule durchaus entsprechende Umgestaltung erfahren. Eine präzisere Fassung der Noten hat der neue Herausgeber beständig im Auge behalten. Unnötige Angaben, z. B. über den Sprachgebrauch des Dichters wurden ausgeschieden, die Verweisungen namentlich auf das erste und dritte Bändchen vermieden und auch sonst wesentlich beschränkt, die Citate gesichtet und teilweise ausgeschrieben. Besondere Sorgfalt ist der sachlichen Erklärung gewidmet; die wissenschaftliche Begründung bringt, wie schon früher, der Anhang. In demselben findet man die wichtigeren Arbeiten der Neuzeit sorgfältig nachgetragen und unter Umständen kurz erläutert, beziehungsweise gewürdigt. Insofern darf der Anhang zugleich als willkommene Ergänzung zu dem kritischen Apparat der Textausgabe des Verf. (Berlin 1889) betrachtet werden. Dieser Ausgabe ist der Text, auch was die Interpunktion anlangt, möglichst angepafst; doch sind die Änderungen nicht sehr

zahlreich (etwa 30 im ganzen). Vgl. z. B. was den Text betrifft, III 76, 210,
340, 464, 475, 558, 627, was die Interpunktion betrifft, II 101 f., 136, 600, 701 f.
diese mit der vorigen Auflage. An einzelnen Stellen hat der Herausgeber gegenüber
der Textausgabe seine Ansicht geändert; II 584 steht wieder das handschriftliche
nec habet st. habet haec (Serv.) u. VI 602 quo super R st. quos super MB. —
In dem „Verzeichnis der bei Vergil zuerst vorkommenden Wörter" sind mephitis,
semivir, umbo getilgt, villosus ist neu eingesetzt.

Dr. Herm. Warschauers Übungsbuch zum Übersetzen aus
dem Deutschen in das Lateinische im Anschluß an die gebräuchlichsten
Grammatiken, besonders an die von Ellendt-Seyffert, herausgegeben von Dr.
Conrad Dietrich. 1. Teil: Kasuslehre. 5. verb. Doppelauflage. Leipzig,
Reichardt. 1890. 130 u. 48 S.S. M. 1,20, geb. M. 2. Da das Warschauersche
Buch sich in der Anordnung des Übungsstoffes über die Kasuslehre an die Grammatik von Ellendt-Seyffert hauptsächlich anschließt, so machte die Umgestaltung
dieses Lehrbuches es dem Herausgeber zur Pflicht, die Reihenfolge der Kasus mit
demselben in Einklang zu bringen. Diese neue Gruppierung des Stoffes hatte im
einzelnen einige kleinere Veränderungen zur Folge, die jedoch nicht so einschneidend
sind, daß nicht auch die frühere Auflage neben der fünften gebraucht werden
könnte.

Dr. V. Müller, Lateinisches Lese- und Übungsbuch für Sexta.
Altenburg. Pierer 1891. 124 S.S. M. 1,60. Der Verf., welcher eine Sammlung
von Übungsbüchern für Sexta bis Quarta herauszugeben beabsichtigt, liefert hiemit
den ersten Teil für Sexta, welcher in der ersten Abteilung lateinische Übungsstücke enthält, in der zweiten deutsche, die durchaus Umschreibungen der entsprechenden lateinischen Abschnitte sind, so daß die Übersetzung derselben dem
Schüler nicht schwer wird. Innerhalb jeder dieser zwei ziemlich gleich umfangreichen Abteilungen werden in einem ersten Kursus alle regelmäßigen Formen,
dann in einem zweiten alle Abweichungen zur Einübung gebracht, eine Einrichtung, welche volle Anerkennung verdient. Mit Recht hat der Verf. auf den
Inhalt der Stücke besonderes Gewicht gelegt, weshalb die zusammenhängenden
Stücke aus dem Erfahrungskreis des Schülers oder aus dem auf Sexta fallenden
Sagenkreis der Ilias und Odyssee geschöpft sind. Die Verteilung des Lehrstoffes
ist sehr zweckmäßig. Das Buch verdient jedenfalls alle Beachtung.

Gedikes Lateinisches Lesebuch, bearbeitet von Dr. Otto
Stiller. 36. Aufl. Gütersloh. Verl. von Bertelsmann. 1891. 248 S.S. Wenn
ein Schulbuch sechsunddreißig Auflagen erlebt, so ist dies allein schon ein Beweis
für die Brauchbarkeit desselben. Wie Fr. Hofmann, welcher nach Gedike die
Herausgabe besorgte, so hat sich auch der neue Bearbeiter alle Mühe gegeben,
nicht nur den grammatischen Teil, sondern auch die Lesestücke durch Vereinfachung, Entfernung der allzu wissenschaftlich formulierten Regeln und Ergänzungen zu verbessern.

Lateinisches Lesebuch für Sexta und Quinta im Anschluß an die
Grammatik von Ellendt-Seyffert von Wilh. Tell. 4. umgearbeitete Auflage bes.
von Karl Jahr. Berlin. Weidmann. 1890. 237 S.S. M. 2. Tells lateinisches Lesebuch, welches bekanntlich eine Ergänzung zu Haacke's „Aufgaben zum Übersetzen ins Lateinische" bieten soll, erfuhr in der neuen Bearbeitung durch Jahr
einige wesentliche Veränderungen, welche eine größere Übereinstimmung mit dem
Übersetzungsbuche von Haacke bezwecken. In dem Abschnitte für Sexta sind in
den Stücken 1—70 die hinsichtlich der Form und des Inhalts ungeeigneten Sätze
durch neue ersetzt und nach dem Inhalte gruppiert worden; auch viele Fabeln,
welche zu schwer oder mit fern liegenden Vokabeln überladen waren, wurden
beseitigt und auch die beibehaltenen Fabeln und Erzählungen wesentlich leichter
gestaltet. Auch die Abteilung für Quinta hat durch Streichung schwieriger Teile
und durch Einfügung leichteren Übungsstoffes eine nicht unbedeutende Vereinfachung erfahren. Nimmt man dazu die vielfachen Ergänzungen und Verbesserungen im Wörterverzeichnis, so läßt sich nicht in Abrede stellen, daß das Buch
durch die neue Auflage an Wert gewonnen hat.

Chr. Herwig, Griechisches Lese- und Übungsbuch für Tertia.
Bielefeld und Leipzig. Verlag von Velhagen & Klasing. 1891. 118 S.S. Dazu:
Vokabularium und Regelverzeichnis. 162 S.S. H. geht bei seinem
Lese- und Übungsbuch von dem Prinzipe aus, dafs dem Schüler nur inhaltlich
zusammenhängende Lesestücke zu bieten seien. Im Vergleich mit seinen Vorgängern auf dieser Bahn hat er Besseres geleistet. Das gebotene Übungsmaterial
ist aber kaum ausreichend; mit 104 Lesestücken und 65 Übungssetücken ist es
nicht möglich, den Schüler zu einer sicheren Anwendung der verschiedenen
Formen zu bringen, zumal da die deutsch-griechischen Kapitel nur Umformungen
der griechischen Lesestücke sind. Die äufsere Ausstattung ist gut, der Druck fast
fehlerlos. In dem beigegebenen Vokabularium und Regelverzeichnis gibt H. zu
jeder Nummer des Lesebuches in drei getrennten, schon durch verschiedenen Druck
für das Auge gekennzeichneten Abteilungen die nötigen Vokabeln und Ausdrücke
an. Mag man auch mit dem Prinzipe Herwigs nicht einverstanden sein, das mufs
man ihm zugeben, dafs er mit grofsem Geschicke und anerkennenswertem Fleifse
gearbeitet hat.

Bernh. Gerth, Griechisches Übungsbuch. 2. Teil (Obertertia).
Leipzig. Winter. 1890. 154 S.S. Im Gegensatze zu Herwig liefert uns Gerth im
vorliegenden Übungsbuche zur Einübung der Verba auf μι und der unregelmäfsigen
Verba Einzelsätze gröfseren und kleineren Umfangs, erst am Schlufs eines Abschnittes sind zusammenhängende Lese- und Übungsstücke eingefügt. Das Satzmaterial ist durchaus gut. Was die Anlage betrifft, so ist die allerdings absichtliche Zerlegung der Beispiele für τίθημι in fünf, der Sätze für δίδωμι, ἵημι und
ἵστημι in je drei Paragraphen nicht zu billigen, da sie eine Auseinanderzerrung
von systematisch-zusammenhängenden Formen ist. Eine getrennte Behandlung
von ἵστημι erscheint sicher gerechtfertigt, da der Schüler bei diesem Verbum neben
der Schwierigkeit der Formenbildung noch die Schwierigkeit der Bedeutung zu
überwinden hat. Da letzteres aber bei den anderen Verben wegfällt, liegt kein
Grund einer getrennten Einübung vor; im Gegenteile dürfte die gleichzeitige
Einübung der Formen dieser Verba dem Schüler einen tieferen Einblick in die
Konjugation der Verba geben und ihn zu regerer Selbstthätigkeit veranlassen. Den
Übungsstücken sind einige syntaktische Regeln über die wichtigsten Konstruktionen
der abhängigen Sätze beigegeben. Das Vokabular ist sorgfältig hergestellt. Ein
griechisch-deutsches und deutsch-griechisches Register sind am Schlusse angefügt.
Der Druck ist sehr korrekt und für das Auge trotz der etwas kleinen deutschen
Lettern gut.

Scherer-Schnorbusch, Übungsbuch nebst Grammatik für
den griechischen Unterricht der Tertia. 4. verb. Aufl. Paderborn. Schöningh.
1890. 346 S.S. Die neue Auflage hat nicht unwesentliche Verbesserungen erfahren
einerseits im grammatischen Teile durch Weglassung des syntaktischen Abschnittes,
der für diese Altersstufe entbehrlich ist, sowie durch Streichung entbehrlicher
Wörter, andererseits im Übungsbuch durch Vereinfachung schwierigerer Konstruktionen und Entfernung von weniger bekannten Vokabeln. Ein sehr brauchbares Buch.

Dr. W. Hensell, Griechisches Übungsbuch im Anschlufs an die
Schulgrammatiken von Curtius — von Hartel und Gerth auf Grund der 13. Auflage
des griechischen Elementarbuches von K. Schenkl. I. Teil: Das Nomen und
das Verbum auf ω; II. Teil: Verba auf μι und unregelmäfsige Verba. Syntax.
Leipzig, Freytag. 1891. Die beiden Bändchen, welche die ganze Formenlehre und
die leichteren Regeln der Syntax behandeln, sind nach Anlage und Inhalt geradezu vorzüglich. Hensell hat seine Grundsätze, welche ihm bei Umarbeitung
des Schenkl'schen Buches leiteten, eingehend in der Vorrede zum 1. Bändchen
klargelegt; diese werden wohl für jedes Übungsbuch mafsgebend sein und bleiben.
Die Auswahl des Satzmaterials, die passende Einfügung von zusammenhängenden
griechischen Stücken in den ersten Teil kann nur gelobt werden. Was allenfalls
zu wünschen übrig bleibt, ist, dafs hie und da der gebotene Übungsstoff vermehrt
werden dürfte. Ganz besondere Beachtung verdienen die präzisen Übungsbeispiele

zur griechischen Syntax; auf 23 Seiten wird in Einzelsätzen ein völlig genügender Übungsstoff geboten; die letzten 13 Seiten bieten gute zusammenhängende Stücke zur Einübung der Syntax. Der Druck ist fehlerfrei und dem Auge äußerst wohlthuend. Die Anlage des Vokabulars ist im ersten und zweiten Teil gut. Das Wörterverzeichnis dürfte vollständig sein. Hensells Übungsbücher gehören unstreitig zu den besten, die wir besitzen.

Bretschneider, Praktische Grammatik der Englischen Sprache. 2. verbesserte Auflage. Wolfenbüttel. Zwißler 1890. Nebst Übungsbuch zur Grammatik der englischen Sprache. Ein brauchbares Buch, dessen Verfasser Formenlehre, Syntax, und eine beschränkte Anzahl von Prosastücken und Gedichten in einem mäßig umfangreichen Bande vereinigt hat. Die Aussprachlehre dürfte in manchen Punkten genauer sein; auch die englischen Übungssätzchen sind im Anfang zuweilen keineswegs geistreich.

L'Art Poétique, ein Lehrgedicht in 4 Gesängen von N. Boileau Despréaux. Zum Schul- und Privatgebrauche mit Noten versehen von Dr. W. Ulrich. Leipzig 1892. Neumanns Verlag. — M. 60 Pf. Diese mit einer kurzen biographischen Einleitung und sachlichen wie sprachlichen Anmerkungen hinter dem Texte versehene Ausgabe von Boileaus bekanntem Werke wird in den oberen Klassen geeignete Verwendung finden können.

Gurcke, G., Englische Schulgrammatik. I. Teil. Elementarbuch Bearbeitet von Lindemann. 28. Aufl. Hamburg. O. Meißner. Ein zwar öfters an Ollendorf erinnerndes, aber im ganzen brauchbares Buch für solche, die ohne tiefer in den Geist der Sprache eindringen zu wollen, sich die Kenntnis derselben anzueignen wünschen.

Sammlung gemeinverständlicher wissenschaftlicher Vorträge von Virchow und Holtzendorff. N. F. V. S. H. 120 Dr. Nover, Ernst Moritz Arnt. 1891. 28 S. 50 Pf. Der Verf. erzählt mit Schwung und patriotischer Begeisterung das Leben und Trachten des großen Freiheitssängers und gibt damit zugleich ein Bild der tiefsten Erniedrigung Deutschlands und seiner glorreichen Volkserhebung vom J. 1813. Die Einleitung, welche die ersten sechs Seiten umfaßt, ist sprachlich und sachlich dem edlen Stoffe nicht angemessen und reich an Übertreibungen. Das Citat aus Torquato Tasso, welches der Verf. auf S. 4 anführt, ist unrichtig wiedergegeben.

Jaenike, Die deutsche und die brandenburgisch-preußische Geschichte. Berlin, Weidmann. 1 Mk. 20 Pf. I. Teil: Die deutsche Geschichte bis zum westfälischen Frieden. Das Buch ist ein wohl brauchbarer, verständlich und leichtfaßlich geschriebener Leitfaden. Für Deutlichkeit und Leichtigkeit des Überblicks und für die Repetition ist durch hervortretende Abteilungen und Überschriften, durch verschiedenen Druck und durch Zeittafeln gesorgt.

Krüger, Geschichte Preußens in Einzelbildern. Danzig 1891. 4°. 142 S.S. 80 Pf. Das Buch gibt eine für den ersten Geschichtsunterricht in Mittelschulen bestimmte Darstellung der preußischen Geschichte, in welcher auch die Kulturentwicklung berücksichtigt, namentlich aber Züge der Vaterlandsliebe und Tapferkeit sowie die landesväterlichen Wohlfahrtsbestrebungen der Hohenzollern hervorgehoben sind. Die edlen Frauengestalten, an denen die preußische Geschichte so reich ist, sind gleichfalls mitaufgenommen. Die Sprache ist einfach, volkstümlich und leichtfaßlich, die Holzschnitte sind aber gerade kein Schmuck für das Buch.

Gotthold Klee, Bilder aus der älteren deutschen Geschichte. 1. Reihe: Die Urzeit bis zum Beginn der Völkerwanderung. 1890. 284 S.S. 2. Reihe: Die Zeit der Völkerwanderung. 400 S.S. Gütersloh, Bertelsmann 1891. In einer Reihe von Einzelbildern wollte der Verfasser nach seinem eigenen Ausspruche die anziehendsten Abschnitte unserer älteren Geschichte vorführen, für jeden nicht gerade gelehrten Leser erfreulich und lehrreich zu lesen. Liebe und Verständnis für die Vorzeit möchte er fördern und viel Wissenswertes, was der

Unterricht nur kurz berühren kann, erzählen. Vorzugsweise wählt er solche
Stoffe, die geeignet sind, menschliche und vaterländische Teilnahme zu erwecken,
und meist läfst er die alten Quellen selbst sprechen. Nur wo dies nicht rätlich
schien, entnahm er den besten Historikern seine Darstellungen. Seine Sprache ist
einfach, anschaulich, lebensvoll, edel und von hoher Gesinnung durchdrungen.
Namentlich die prächtigen Bilder aus der deutschen Urzeit werden einen mächtigen
Reiz auf die Phantasie der Knaben ausüben. Die Geschichte der Gothen macht
den tiefsten Eindruck auf jedes jugendlich warme Gemüt und erfüllt es mit ihren
grofsartigen Beispielen von Mannesmut und Treue, von Tapferkeit und Güte.
Bedeutsam schiiefst der Verfasser mit der Aufforderung an unser Volk, nie die
Warnung zu vergessen, die aus dem harten Schicksal der Gothen zu uns spricht:
nicht abzulassen vom Geist der Mäfsigung und Einigkeit. Nur ungern versagt es
sich der Ref. hier Beispiele der edlen Sprache und der tiefsinnigen Auffassung
der geschichtlichen Vorgänge anzuführen. Vor vielen anderen Büchern seien
diese zur Aufnahme in die Schülerbibliotheken der Mittelschulen auf's wärmste empfohlen.

Renneberg, A., Grundrifs der Erdkunde. Ein geographisches
Lern- und Aufgabenbuch für die oberen Klassen der Volksschulen, für
Mittelschulen, die unteren Klassen der Gymnasien u. s. w. 2. verb. Auflage.
Leipzig. C. Merseburger 1890. 80 Pf. Das Büchlein, welches einen Auszug aus
desselben Verfassers gröfserem „Lehrbuch der Erdkunde" darstellt, ist im Jahre
1872 in erster Auflage erschienen. Die Anlage und Einteilung des Büchleins
(A. Allgemeine Erdkunde, B. besondere Erdkunde) hat sich in vorliegender 2. Auflage nicht geändert, dagegen wurden Kürzungen im „Lernstoff" vorgenommen, die
seit dieser Zeit zahlreich erfolgten Änderungen in den politischen Verhältnissen
einzelner Länder, die neuen Zählungen sind berücksichtigt und die Gröfsenangaben
in Kilometern eingeführt. Zahlreiche „Aufgaben", die aber sicher teilweise zu
schwer sind (namentlich in der 1. Hälfte), begleiten die einzelnen Paragraphen
des Textes. Auf sachliche Unrichtigkeiten und mangelhafte Ausdrücke im einzelnen näher einzugehen, würde hier zu weit führen.

IV. Abteilung.

Miscellen.

Personalnachrichten.

Ernannt: Dr. Julius Miedel, Assist. in Passau zum Stdl. in Memmingen;
Dr. Georg Bart, Lehrer an der Kreisrealschule in Passau zum Gymnl. (n. Spr.)
in Aschaffenburg.

Versetzt: Dr. Mich. Waldmann, Gymnl. (n. Spr.) vom neuen Gymnasium in Regensburg an das alte Gymn. dortselbst; Dr. Arthur Ranmeier,
Gymnl. (n. Spr.) von Aschaffenburg nach Regensburg (n. G.).

Gestorben: Dr. Franz. Xav. Seidl, Gymnprof. (n. Spr.) in Regensburg
(a. G.); Eberhard Holland, Stdl. in Ingolstadt.

I. Abteilung.

Abhandlungen.

~~~~~~

Das zehnklassige Gymnasium.

Das 7. Heft der Schriften des Einheitsschulvereins enthält eine Abhandlung des Prorektors Dr. Juling, worin er zu dem Schlusse kommt, nur auf der Grundlage eines 10klassigen Gymnasiums könne eine Versöhnung der berechtigten Zeitforderungen und der auch von ihm gebilligten Ansprüche auf volle Berücksichtigung der altklassischen Sprachen und Literaturen erzielt werden. In einer Vorbemerkung der Schriftleitung schreibt Dr. Hornemann die Verantwortung für den Inhalt der Schriften des Einheitsschulvereins den jeweiligen Verfassern zu. Nur für den Grundgedanken, d. i. für die innere Berechtigung einer das Gymnasium und Realgymnasium verschmelzenden höheren Einheitsschule mit Beibehaltung des Griechischen suche der Einheitsschulverein zu wirken. Die Schriftleitung hat hiebei, worüber man sich billig wundern muß, übersehen, daß Juling weit entfernt ist auch nur diesen Grundgedanken festzuhalten. Nach seinem Vorschlage soll nämlich das Realgymnasium, das er lieber Oberrealschule nennen möchte, mit der Prima des 10 Jahreskurse umfassenden Gymnasiums in der Art vereinigt werden, daß es neben der 8. und 9. Klasse desselben einhergeht, während die Vorbildung für die Oberrealschule in der 7kursigen Realschule gewonnen wird. Nun aber soll die Realschule in den 3 obersten Klassen Latein erhalten und dieses Latein in den 2 Kursen der Oberrealschule fortgesetzt werden, vom Griechischen ist aber weder hier noch dort die Rede, woraus folgt, daß das Prinzip der Männer des Einheitsschulvereines in Julings Abhandlung ein großes Loch bekommen hat.

Nach Julings Zugeständnis hat der Hornemannsche Lehrplan seines griechischen Gymnasiums (s. Nr. 2 der Schriften des Einheitsvereins S. 108) keinen großen Anklang gefunden. Dem Lehrplane Julings dürfte es nicht besser ergehen. Nach meiner Überzeugung wird der Einheitsschulverein überhaupt keinen Lehrplan fertig bringen, der sich verwirklichen läßt: Feuer und Wasser lassen sich eben nicht zu einem neuen Gebilde vermengen. Der Verein will einerseits allen auf volle Berücksichtigung der modernen Bildungsstoffe gerichteten Bestrebungen gerecht werden und andrerseits die antiken Bildungselemente in möglichst weitem Rahmen beibehalten. Dies hat in den Hornemannischen Vorschlägen dazu geführt, eine beträchtliche

Mehrung der Unterrichtsstunden zu verlangen, ohne daſs jedoch die
alten Sprachen eine eigentlich centrale Stellung einnehmen, dies hat
Juling veranlaſst einen 10jährigen Gymnasialkurs zu fordern, in welchem
wohlgemerkt trotz der Verlängerung der Studienzeit dennoch jede
Klasse eine gröſsere Stundenzahl haben soll als es bisher in dem
schon gut mit Stunden bedachten preuſsischen Gymnasium der Fall
ist. Es würden sich nämlich von Sexta an gerechnet in den einzelnen
Klassen 29, 29, 30, 30, 33, 33, 33, 33, 33, 33 statt der bisherigen
28, 30, 30, 30, 30, 30, 30, 30, 30 Lehrstunden ergeben, sonach ohne
die neue 10. Klasse 283, mit Einschluſs derselben 316 an Stelle der
bestehenden 268 Stunden. Dabei ist von dem Singunterrichte abgesehen, welcher in Julings Zukunftsgymnasium mit mindestens 10
obligatorischen Stunden bedacht ist, während ihm bislang im preuſsischen
Gymnasium nur in den beiden untersten Klassen 2 Pflichtstunden
zugeteilt sind, von der Quarta an auf Grund ärztlichen Zeugnisses
oder wegen Mangels an Befähigung zum Singen von dem Direktor
Dispens gewährt wird.

Juling hat unleugbar viel Fleiſs und Kunst aufgewendet, um
seine Lehrpläne aufzubauen. Aber seine Schöpfung gleicht doch nur
zu sehr einem Kartenhaus, das ein leichter Windhauch umbläst.
Besehen wir uns das Gebäude etwas näher!

Juling verlangt 1.) eine (lateinlose) höhere Bürgerschule
mit 6, 2.) eine Realschule mit 7, 3.) eine Oberrealschule
(Realgymnasium) mit 9, 4.) ein Gymnasium mit 10 Jahreskursen.
Nur die Absolvierung einer jeden dieser Schulgattungen würde die
Berechtigung zum Einjährigen-Militärdienste gewähren: dadurch würde
das Gymnasium bedeutend entlastet. Die vollständige Absolvierung
einer jeden dieser Schulgattungen würde auſserdem besondere Berechtigungen verleihen. Dem Abiturienten der höheren Bürgerschule
und der Realschule würde der Zugang zu bestimmten subalternen
Stellen im Staate, dem der Oberrealschule oder des Realgymnasiums
der Zugang zu höheren Verwaltungsstellen und - zu den Hochschulen,
endlich dem Absolventen des Gymnasiums allein der Weg zu den
Universitätsstudien sich öffnen. Es ist lehrreich die Musterkarte von
Berechtigungen kennen zu lernen, welche in Preuſsen mit dem erfolgreichen Besuch der Tertia, Untersecunda, Unterprima verbunden sind.
Juling hat ohne Zweifel recht, wenn er behauptet, daſs die Loslösung
dieser Berechtigungen aus dem Organismus des Gymnasiums diesem
selbst zum Segen gereichen würde. Er hat, weil nach seiner Vermutung die Behörden das Latein kaum erlassen würden, den 3 oberen
Kursen der Realschule und den 2 Klassen der eigentlichen Oberrealschule je 7 Lateinstunden zugeteilt. Das erscheint als ein Rück-
schritt zu einem Standpunkte, der überwunden schien: die Verquickung
von realer und humanistischer Bildung, welche schon manchen Schaden
gestiftet hat, würde dadurch noch gesteigert.

Die 2 untersten Klassen sollen in allen Schulgattungen gleich
organisiert sein und als einzige Fremdsprache das Französische
mit je 8 Stunden bekommen. Dadurch würde der Übergang von

einer Schulgattung zur anderen erleichtert: diejenigen, welche das
Zeug zum höheren Studium nicht haben, würden nach 2 Jahren auf
die höhere Bürgerschule oder die Realschule übergehen. In der
3. Klasse beginnt am Gymnasium der Unterricht im Lateinischen,
an der höheren Bürgerschule und der Realschule (Oberrealschule) das
Englische. Die höhere Bürgerschule und die Realschule sind gleich
eingerichtet, so dafs der Übergang von der einen auf die andere von
selbst gegeben ist. Aber auch der Übertritt von denselben auf das
Gymnasium und umgekehrt ist nicht schwer. Im ersteren Falle läfst
man sich an der Real- oder Bürgerschule etwa im letzten Kursus vom
Englischen dispensieren und holt durch privaten Unterricht das
Lateinische nach, derjenige, welcher von dem Gymnasium zu den
realen Anstalten übergehen will, holt in gleicher Weise das Englische
nach. Man hat also mit geringer Einschränkung einen gemeinsamen
Unterbau für 4 Jahre. Mit dem Nachholen der erwähnten Fremd-
sprachen dürfte es indessen für jene, welche die Schulgattung wechseln
wollen, seine Schwierigkeiten haben.

Diejenigen Schüler, welche nur das Einjährigenzeugnis oder geringere Berechtigungen erstreben, bleiben noch 2 Jahre, also im 5. und
6. Kursus, auf der höheren Bürgerschule, jene aber, welche einen
höheren Schwung in sich fühlen, mögen vom 5. Schuljahre an die
Realschule besuchen, wo sie neben der Berechtigung für den Ein-
jährigendienst mehrere bessere Berechtigungen zu subalternen Staatsstellen oder Berufen sich erwerben, als auf der höheren Bürgerschule.
Hat einer nach Absolvierung der Realschule den Beruf zu noch
Höherem, so geht er zur Oberrealschule über, die er nach 2 Jahren
verläfst, um aufser der schon mitgebrachten Anwartschaft zum Ein-
jährigendienst die obengenannten Berechtigungen sich zu verschaffen.
Um den Übergang von der einen Schule auf die andere zu erleichtern,
soll in der Übergangzeit billige Nachsicht geübt werden.

Juling setzt es als selbstverständlich voraus, dafs durch diese
Art der Einschachtelung und Durchsiebung nur ganz brauchbare Leute
aufs Gymnasium und so zu den Universitätsstudien kommen werden.
Die weniger Talentvollen gehen von den höheren Schulgattungen
herab zu den niedrigeren: so klappt alles aufs schönste. Diese Rechnung hat nur den einen Fehler, dafs sie falsch ist. Die Standes- und
Besitzverhältnisse sind es zunächst, welche die Wahl des Berufes bestimmen. Gesetzt der Julingsche Reformplan würde verwirklicht, so
würde es auch dann nicht selten vorkommen, dafs gar manche für
die höheren Studien nicht befähigte junge Leute das Gymnasium besuchen und auf diesem trotz ihrer Mifserfolge festgehalten würden.
Als es bei uns in Bayern noch kein Einjährigenzeugnis gab und mit
der Absolvierung gewisser Klassen noch wenige andere Berechtigungen
verbunden waren, da fanden sich auch viele ihrer Aufgabe schlecht
oder gar nicht gewachsene junge Leute auf dem Gymnasium, die
Zahl derer, welche regelmäfsig alle Klassen ohne Anstofs durchliefen
und das Ziel des Gymnasiums überhaupt erreichten, war gleichfalls
nicht allzu grofs. Dafs wirklich heutzutage mehr zu den   heren

Studien weniger befähigte junge Leute sich aufs Gymnasium begeben
als früher und dafs der Grund hievon in der gröfseren Zahl von
Berechtigungen liegt, die das Gymnasium verleiht, mag ja richtig sein.
Aber der Hauptgrund für diese Erscheinung liegt meines Erachtens
in der Änderung der sozialen Verhältnisse: es suchen heutzutage viel
mehr Leute in öffentliche Dienste zu gelangen, weil die Konkurrenz
auf dem Gebiete des Gewerbes und Handels eine weitaus gröfsere
ist. Auch bei einer anderen Einrichtung des höheren Schulwesens
würde der Zudrang zu den Staatsstellen kaum geringer werden und
es ist eine grofse Selbsttäuschung fast aller Schulreformer, dafs sie
die Durchführung ihrer Vorschläge als ein Allheilmittel gegen alle
Schulübel empfehlen. Als ob alle Studierenden, alle Eltern den ihnen
empfohlenen Studiengang einhielten! Übrigens ist Juling auch die
Antwort auf die Frage schuldig geblieben, was jene Schüler des
Gymnasiums anfangen sollen, welche nach dem erfolgreichen Besuche
der Secunda oder Oberprima abgehen oder abgehen müssen. Denn
dafs dieser Fall auch in Julings Zukunftsgymnasium vorkommen
würde, wage ich trotz seiner Überzeugung vom Gegenteile zu vermuten.
    Das eigentliche Gymnasium soll 4 Abteilungen enthalten. 1. f ü r
klassische Philologie, 2. für Theologie, 3. für höhere
Technik und Militärfach, 4. für die übrigen Fakultäten
und Fächer. Diese 4 Spezies sollen in der Religionslehre, im
Deutschen, im Französischen, in der Geschichte und Geographie, in
der Mathematik und im Rechnen, in der Naturwissenschaft, im Schreiben
und Singen den gleichen Unterrichtsstoff und die gleiche Stundenzahl
erhalten. Ein Unterschied soll im Lateinischen, Griechischen, Hebräischen
und im Zeichnen statthaben. In der 1. Abteilung sind 68, in den
übrigen drei Abteilungen 64 Stunden Latein angesetzt, das Griechische
soll in der 1. Abteilung 40 Stunden, in den übrigen Abteilungen 36
Stunden bekommen, die 1., 2. und 4. Abteilung sind mit 12, die
3. Abteilung (höhere Technik und Militärfach) ist mit 20 Wochenstunden Zeichnen bedacht. Der Unterschied, der durch die Mehr-
oder Minderansätze in einzelnen Lehrfächern erwächst, wird dadurch
ausgeglichen, dafs die 2. Abteilung (Theologie) 8 Stunden Hebräisch,
die 4. Abteilung 8 Stunden Englisch in den letzten 4 Jahrgängen erhält. Auf diese Weise würde sich für die 4 Abteilungen die gleiche
Stundenzahl ergeben.
    In dieser Schöpfung — sit venia verbo — ist der Gedanke,
dafs das Gymnasium Vorbereitungsschule für bestimmte Fächer an
der Universität sei, nackt und pure ausgedrückt. Die Idee, dafs das
Gymnasium die höher Gebildeten wie durch ein geistiges Band umfassen soll, indem es ihnen eine allseitige, harmonische Bildung verleiht und das für die einzelnen Berufsfächer Nützliche oder Notwendige der Universität oder dem späteren Leben vorbehält, ist dem
Verfasser nicht auf- oder wieder verloren gegangen.
    Juling hat auch die praktischen Folgen seiner Vorschläge gar
nicht überlegt. Wenn die künftigen Philologen in den 4 letzten
Kursen je eine Wochenstunde Latein und Griechisch mehr haben,

wenn die Schüler der 3. Abteilung (höhere Technik und Militärfach) in den obersten 4 Klassen je 2 Stunden Zeichnen mehr erhalten — wie wird es dann mit der Qualifikation der Schüler in mehreren Lehrfächern gehalten werden? Ist ja doch der Unterricht in denselben gemeinsam und doch nicht gleich rücksichtlich der Stundenzahl. Sollen also in diesen Unterrichtsgegenständen die gleichen oder verschiedene Leistungen gefordert werden?

Es erhebt sich noch ein gewichtigeres Bedenken. Juling hebt gegenüber dem Verein für Schulreform, welcher einen gemeinsamen 6klassigen Unterbau für die höheren Schulen fordert, es als einen Widerspruch hervor, dafs derselbe die Berufswahl etwa bis zum zurückgelegten 15. Lebensjahre hinausschieben wolle, in Wirklichkeit aber bei den Aspiranten der humanistischen Abteilung des Gymnasiums vor dem Abschlusse des 6jährigen Kursus 3 Jahre hindurch den Be‍trieb des Lateinischen und 1 Jahr lang den Betrieb des Griechischen, folglich eine weit frühere Entscheidung voraussetze. Er selbst aber macht sich in dreifacher Weise dieses Widerspruchs schuldig: nach 2, 4 und 6 Jahren soll eine Scheidung der Geister vorgenommen werden und zwar immer mit Hinblick auf die künftige Berufswahl. Er meint allerdings, es würden sich so jedesmal die Elemente zusammenfinden, die für gewisse Lebensaufgaben zu einander pafsten. Aber der Gesichtspunkt der späteren Berufswahl entscheidet bei ihm über die Lehrstoffe und Lehrgegenstände, über die Reihenfolge und den Nachdruck, mit welchem dieselben betrieben werden sollen. Das läfst sich an dem Beginn des französischen, englischen, lateinischen und griechischen Unterrichtes ersehen. Nach meiner Ansicht mufs bei jedem Schulorganismus vor allem der Gesichtspunkt zur Geltung kommen, dafs die einer bestimmten Schulgattung ihr charakteristisches Gepräge verleihenden Lehrgegenstände rücksichtlich des An- und Umfangs ihres Betriebes ihre rechte Stelle angewiesen erhalten ohne Rücksicht auf jene, welche später zur Erreichung des ursprünglich vorgesetzten Zieles entweder die Lust oder die Kraft nicht besitzen. Eben die Aufserachtlassung dieses vornehmsten Gesichtspunktes hat jene vielen Vorschläge gezeitigt, welche so zu sagen auf jeden einzelnen Schüler zugeschnitten sind, und, zur Ausführung gebracht, vielleicht einigen wenigen Vorteile, der Gesamtheit aber Schaden bringen würden.

Ich will jetzt einzelne Vorschläge Julings näher beleuchten. Das Französische soll an allen Vollanstalten, also auch am Gymnasium, 42 Wochenstunden erhalten, das Griechische in der 5. Klasse beginnen und 36 Stunden umfassen. Man sollte es doch als selbstverständlich ansehen, dafs zum Heimischwerden in den alten Sprachen und Literaturen weit mehr Zeit erforderlich ist als zur Aneignung der modernen Sprachen und Literaturen. Der gröfsten Verkehrtheit aber macht sich Juling in seinen Vorschlägen über das Englische schuldig. Dasselbe soll nicht in den Gymnasialabteilungen für klassische Philologie, Theologie sowie höhere Technik und Militärfach, sondern in der die übrigen Fakultäten und Fächer umfassenden Abteilung in den oberen 4 Klassen mit je 2 Stunden gelehrt werden. Es scheint dieser Vorschlag Julings von seinem Bestreben, allen Abteilungen die gleiche Stundenzahl zu geben, ausgegangen zu sein. Unter den übrigen Fakultäten und Fächern versteht er wohl die Rechtswissenschaft, Heilkunde, Mathematik, Nationalökonomie u. s. w. Aber sollte wirklich, um von der Philologie zu schweigen, ein künftiger Offizier oder Techniker das Englische später weniger nötig haben als ein Jurist oder Mathematiker, wenn wir die Sache von dem Nützlichkeitsstandpunkte Julings betrachten wollen? Er hätte jedenfalls, nachdem er Beiträge zu den Veröffentlichungen des Einheits-Schulvereins liefert, sich die früheren Hefte des Vereins etwas näher anschauen sollen; er hätte dann gefunden, daß G. Barkhausen, Professor der Ingenieurwissenschaften an der Technischen Hochschule zu Hannover, das Englische für spätere Techniker für besonders wünschenswert hält (S. Heft 4 S. 38).

Im Rechnen und in der Mathematik will Juling die Stundenzahl von 34 auf 42 erhöht wissen. „Unser Gymnasium" sagt er, „wird dann also noch sphärische Trigonometrie und analytische Geometrie lehren, was ja so vielfach gewünscht wird." Ja, was nicht alles gewünscht wird! Vielleicht wünscht ein anderer auch noch Integral- und Differentialrechnung, ein dritter das ganze Gebiet der höheren Mathematik. Dann würde ein zweiter Juling kommen und noch ein 11. und 12. Jahr ans Gymnasium anfügen wollen. Der Verfasser weiß offenbar die Zeichen der Zeit nicht zu deuten. Diese bedeuten „Abspannung", nicht noch weitere Anspannung. Es sollen die Bildungsziele nicht so hoch gesteckt, dafür aber soll ein sicheres Wissen, ein gediegenes Können angestrebt und der bedenklichen Viel- und Halbwisserei entgegen getreten werden. Gerade Lehrer der Naturwissenschaften verlangen ein Herabsetzen der Unterrichtsziele in in der Mathematik; ich verweise auf die Ausführungen des Professors Lothar Meyer in Tübingen (Schriften des Einheitsschulvereins 1. Heft S. 56 ff.).

Diesem Vielwissen — vielleicht dürfte man es Bildungs- oder Schulwut nennen — huldigt Juling auch hinsichtlich des naturgeschichtlichen und Geschichtsunterrichts. Das Realgymnasium scheint ihm mit seinen 30 Stunden naturwissenschaftlichen Unterrichts dem Bildungsideale näher zu sein als das humanistische Gymnasium, dessen 18 Stunden nicht ausreichten. Es könne nicht zugegeben werden, daß die 8 Physikstunden genügten: es sei daher fast unmöglich, daß die Abiturienten des humanistischen Gymnasiums „genügende Kenntnisse" mitfortnehmen. Also auch hier wieder die Ansicht, daß es sich um die Aneignung eines möglichst großen Maßes nützlicher Kenntnisse handle. Darum fordert er fürs Gymnasium 25 Stunden naturwissenschaftlichen Unterrichtes, nämlich 10 Stunden Naturgeschichte und 15 Stunden Naturlehre. Auch hierüber hätte sich Juling fruchtbare Belehrung in dem 1. Hefte der Schriften des Einheitsschulvereins S. 53 erholen können, wo sich

Lothar Meyer ausdrücklich gegen eine Erhöhung der Wissensziele in den Naturwissenschaften erklärt.

Statt der nach den preußischen Lehrplänen vom Jahre 1892 allerdings etwas karg zugemessenen 21 deutschen Lehrstunden beansprucht Juling für sein 10klassiges Gymnasium deren 28, statt der bisherigen 28 Geschichtsstunden deren 33 — doch genug dieser Überspanntheiten! Da ist es freilich kein Wunder, daß die bisherige 9jährige Studienzeit am Gymnasium nicht ausreicht. Es würde, wie erwähnt, auch bei einem 10jährigen Kursus eine unerträgliche Belastung der Schüler mit Lehrstunden herbeigeführt werden.

Juling verweist auf Würtemberg, wo allerdings ein 10jähriger Gymnasialkursus besteht und die Knaben schon nach zurückgelegtem 8. Lebensjahre in das Gymnasium eintreten. Aber man hat bei der neuesten Würtembergischen Schulreform, was allerdings Juling noch nicht wissen konnte, mit Beibehaltung des 10klassigen Gymnasiums den Anfang des Lateinunterrichtes aus der 1. in die 2. Klasse verlegt, so daß die 1. Klasse, in welcher keine Fremdsprache gelehrt wird, eine Art Vorschule darstellt. Man ging offenbar hiebei von der Ansicht aus, daß zuvor eine genügende Grundlage im Deutschen und im Rechnen vorhanden sein müsse, wenn der Unterricht in einer fremden Sprache erfolgreich sein solle. In Bayern ist der Eintritt in die 1. Klasse nach zurückgelegtem 9. Jahre gestattet, aber nur der kleinere Teil der Knaben tritt in diesem Lebensjahre ins Gymnasium ein, die Mehrzahl erst mit 10 Jahren oder darüber, weil, wie die Erfahrung lehrt, für die Knaben von mittlerer Begabung die 3 Volksschuljahre zu einem erfolgreichen Betriebe des Deutschen, Lateinischen und der Arithmetik häufig nicht ausreichen.

Juling vertraut, daß, wenn auch der Gymnasialkursus 10 Jahre umfasse, derselbe doch verhältnismäßig früher absolviert werde, als der jetzige 9jährige Kurs. Seine Vorschläge, meint er, würden zur sicheren Folge haben, daß nur gutbefähigte junge Leute aufs eigentliche Gymnasium kommen würden. Ich beneide Juling um die Stärke seiner Illusionsfähigkeit: jedenfalls übersieht er gänzlich, daß die Bestimmung der Jünglinge für die Universität oder andere Schulgattungen zumeist von dem Stande der Eltern und von äußeren Verhältnissen abhängt.

Als Beweise für seine Behauptung führt er Zuschriften zweier Würtembergischer Schulmänner an. Pressel, Rektor des Heilbronner Gymnasiums, schreibt an ihn: „Das gewöhnliche Alter unserer Abiturienten ist etwas unter oder etwas über 18 Jahre. Klassen, in denen die Mehrzahl der Schüler des Kursus in einem Jahre nicht zu absolvieren pflegt (so!), gibt es bei uns nicht". Ja wohl, füge ich bei, auch bei uns nicht, und vermutlich auch im übrigen Deutschland nicht. Auch wäre doch der Kernpunkt der Sache gewesen zu sagen, wie es sich mit dem „etwas über 18 Jahre" eigentlich verhält. Hehle, Rektor des Gymnasiums zu Ehingen, hatte an Juling geschrieben: „Es ist an sich klar, daß man in 10 Jahren mehr lernt als in 9 Jahren, speziell, daß die Schüler nach einem 6jährigen Studiengang besser

vorbereitet als nach einem fünfjährigen ins Obergymnasium eintreten".
Meines Erachtens ist es nicht „an sich" klar, dafs man in 10 Jahren
mehr lernt als in 9 Jahren. Ich behaupte vielmehr, dafs ein geistig
reiferer, entwickelterer und besser geschulter Knabe in 5 Jahren mehr
lernt als ein geistig weniger entwickelter und geschulter in 6 Jahren.
Übrigens imponieren mir solche Gutachten, die zu einem bestimmten
Zwecke eingeholt sind, durchaus nicht; es ist menschlich erklär- und
entschuldbar, dafs jeder das ihm Zugehörige im schönen Lichte erscheinen lassen will. Deshalb imponiert mir auch Julings Berufung
auf das Altonaer Realgymnasium nicht, das ihm als Ideal gilt: denn
der Ruhm des Altonaer Realgymnasiums geht, wie ich schon bei
anderer Gelegenheit hervorhob, hauptsächlich vom Altonaer Realgymnasium aus.
    Sonderbar berührt Julings Behauptung, bei der heutigen Vor-
bereitung auf einen Lebensberuf spiele eine etwas längere Zeit keine
Rolle; ein Beamter erreiche meistens erst mit 50 Jahren eine seiner
Vorbildung entsprechende Stellung. Er führt Fichte, F. A. Wolf,
Thiersch, Joh. Schulze, Passow u. a. an, um zu zeigen, dafs man
früher viel zeitiger zu hervorragenden Stellungen oder Leistungen kam
als jetzt. Diesen Behauptungen gegenüber wird es erlaubt sein zu
bemerken, dafs in dem kurzen menschlichen Leben ein Jahr einen
verhältnismäfsig grofsen Zeitabschnitt darstellt, dafs überhaupt sehr
viel Zeit auf den Schulen verhockt wird, weil man vielfach zu um-
fangreiche Wissensziele gesteckt hat. Die Beispiele der hervorragend
begabten Männer beweisen gleichfalls nichts, weil sie Ausnahmen
bilden, Ausnahmen, die sich auch heutzutage auffinden liefsen.
Aufserdem ist es eine eigentümliche Logik, zu sagen: Weil man heutzutage nicht mehr so jung zu bedeutenden Stellungen kommt, wie
früher, so kommt es auf ein Jahr mehr oder weniger nicht viel an.
Vielmehr würde diese Folgerung am Platze sein: Weil die meisten
heutzutage nicht mehr in jüngeren Jahren zu einer bedeutenden
Stellung kommen, so sollten Mittel und Wege geschaffen werden, um
die Vorbereitungszeit nicht allzuweit hinauszuschieben.
    Nach Julings Meinung würde es kein so grofser Nachteil sein,
wenn die jetzt früh zur Universität abgehenden Gymnasialschüler in
Zukunft ein Jahr länger das Gymnasium besuchen müfsten; denn
solche Musterschüler erfüllten in der Regel die auf sie gesetzten
Hoffnungen nicht. Sie geniefsen, meint er, auf der Universität das
Leben in vollen Zügen, da sie das Leben erst jetzt kennen lernen
oder versimpeln in anderer Weise. In diesen Behauptungen finde ich
viel Verkehrtes. Es hat einerseits nicht wenige in jungen Jahren zur
Universität übergehende Gymnasialschüler gegeben, aus denen etwas
Tüchtiges geworden ist, während schon viele in vorgerücktem Alter
die Universität bezogen, welche nachher verunglückten. Oder sollte
etwa schon der Gymnasialschüler das Leben in vollen Zügen gekostet
haben, um desto solider auf die Universität zu kommen? Solche allgemeine Behauptungen, wie die oben erwähnte Julings, sind richtig
oder unrichtig, je nachdem man diese oder jene einzelnen Fälle im

Auge hat. Eher könnte man, wenn man generalisieren wollte, behaupten, dafs die als bemooste Häupter auf die Universität kommenden Abiturienten häufig blasiert und für ideale Ziele abgestumpft seien. Am meisten aber spottet Juling seiner selbst und weifs nicht wie, wenn er die in jungen Jahren zu hohen Stellen und grofsen Leistungen emporgestiegenen Männer rühmt: sie sind ein deutlicher Beweis, dafs nicht die Jugend und die frühere Reife des Geistes es ist, welche versimpeln läfst.

Auch die meisten anderen Behauptungen Julings beruhen auf keiner stärkeren Grundlage, als die angeführten. Möge der Versuchsballon, den er steigen läfst, in seinem Elemente Wolkenkukuksheim verbleiben und die Vorschläge seines Erbauers eben dahin mitnehmen! Möge bald der Zeitpunkt eintreten, wo man aufhört, einen neuen Vorschlag jedesmal durch einen neuesten zu Tode zu hetzen. Denn die wie Pilze aus der Erde hervorspriefsenden neuen Projekte dienen nicht dazu, das Verständnis der an sich verwickelten Schulfrage zu erleichtern, sondern sie sind dazu angethan, dieselbe noch mehr zu verwirren.

Burghausen. A. Deuerling.

_____

Zu Euripides' Bakchen 859, 908, 506, 1274, 502, 1353.

Die Verse von dem zugleich furchtbaren und huldreichen Gott (859):

$$\gamma\nu\omega\sigma\varepsilon\tau\alpha\iota \ \delta\grave{\varepsilon} \ \tau\grave{o}\nu \ \varDelta\iota\grave{o}\varsigma$$
$$\varDelta\iota\acute{o}\nu\nu\sigma\sigma\nu, \ \ddot{o}\varsigma \ \pi\acute{\varepsilon}\varphi\nu\varkappa\varepsilon\nu \ \grave{\varepsilon}\nu \ \tau\acute{\varepsilon}\lambda\varepsilon\iota \ \vartheta\varepsilon\grave{o}\varsigma$$
$$\delta\varepsilon\iota\nu\acute{o}\tau\alpha\tau\sigma\varsigma, \ \dot{\alpha}\nu\vartheta\rho\acute{\omega}\pi\sigma\iota\sigma\iota \ \delta'\mathring{\eta}\pi\iota\acute{\omega}\tau\alpha\tau\sigma\varsigma$$

hat wohl noch keiner gelesen, ohne an $\grave{\varepsilon}\nu \ \tau\acute{\varepsilon}\lambda\varepsilon\iota$ und an $\dot{\alpha}\nu\vartheta\rho\acute{\omega}\pi\sigma\iota\sigma\iota$ Anstofs zu nehmen. „Furchtbar den Widersachern, gnädig denen, die ihn als Gott anerkennen, verehren, seinen Freunden und Bundesgenossen" erwartet man. Für $\dot{\alpha}\nu\vartheta\rho\acute{\omega}\pi\sigma\iota\sigma\iota$ ist $\varepsilon\mathring{\nu}\tau\rho\acute{o}\pi\sigma\iota\sigma\iota, \ \varepsilon\mathring{\nu}\nu\sigma\acute{o}\sigma\iota$, $\varepsilon\mathring{\nu}\sigma\varepsilon\beta\sigma\tilde{\nu}\sigma\iota, \ \alpha\mathring{\nu}\xi\acute{\alpha}\nu\sigma\nu\sigma\iota, \ \grave{\varepsilon}\nu\nu\acute{o}\mu\sigma\iota\sigma\iota$ vorgeschlagen; der richtige Ausdruck kommt der Überlieferung näher; Dionysos durchzieht die Länder der Erde, um seinen Dienst einzuführen, seine Herrschaft zu begründen, er findet dabei Gegner und ergebene Bundesgenossen. Man vgl. nun Herod. IX 9 $\dot{A}\vartheta\eta\nu\alpha\acute{\iota}\omega\nu \ \mathring{\eta}\mu\tilde{\iota}\nu \ \grave{\varepsilon}\acute{o}\nu\tau\omega\nu \ \mu\mathring{\eta} \ \dot{\alpha}\rho\vartheta\mu\acute{\iota}\omega\nu, \ \tau\tilde{\omega} \ \delta\grave{\varepsilon} \ \beta\alpha\rho\beta\acute{\alpha}\rho\omega$ $\sigma\nu\mu\mu\acute{\alpha}\chi\omega\nu$, ferner IX 37, VII 101, Odyss. π 427: $\mathring{\eta}\varkappa\alpha\chi\varepsilon \ \Theta\varepsilon\sigma\pi\rho\omega$-$\tau\sigma\acute{\nu}\varsigma, \ \sigma\mathring{\iota} \ \delta'\mathring{\eta}\mu\tilde{\iota}\nu \ \mathring{\alpha}\rho\vartheta\mu\iota\sigma\iota \ \mathring{\eta}\sigma\alpha\nu$, endlich Aeschyl. Prom. 190 (Prometheus von Zeus): $\tau\mathring{\eta}\nu \ \delta'\dot{\alpha}\tau\acute{\varepsilon}\rho\alpha\mu\nu\sigma\nu \ \sigma\tau\sigma\rho\acute{\varepsilon}\sigma\alpha\varsigma \ \mathring{o}\rho\gamma\mathring{\eta}\nu \ \varepsilon\mathring{\iota}\varsigma \ \dot{\alpha}\rho\vartheta\mu\grave{o}\nu \ \grave{\varepsilon}\mu\sigma\grave{\iota} \ \varkappa\alpha\grave{\iota} \ \varphi\iota$-$\lambda\acute{o}\tau\eta\tau\alpha \ \sigma\pi\varepsilon\acute{\nu}\delta\omega\nu \ \sigma\pi\varepsilon\acute{\nu}\delta\sigma\nu\tau\acute{\iota} \ \pi\sigma\vartheta' \ \mathring{\eta}\xi\varepsilon\iota$. Auf eine naheliegende Korrektur von $\grave{\varepsilon}\nu \ \tau\acute{\varepsilon}\lambda\varepsilon\iota$ kam man bis jetzt nicht, weil man immer an einen persönlichen Dativ dachte. Aber die Überlieferung weist einen anderen Weg: nicht „er ist den Gegnern furchtbar", sondern „er ist furchtbar im Kampf, wenn man sich auflehnt". Man kann nur schwanken, ob $\grave{\varepsilon}\nu \ \tau\acute{\varepsilon}\lambda\varepsilon\iota$ aus $\grave{\varepsilon}\nu \ \sigma\tau\acute{\alpha}\sigma\varepsilon\iota$ oder $\grave{\varepsilon}\nu \ \pi\acute{\alpha}\lambda\eta$ entstanden ist. Dem letzteren gebe ich den Vorzug. So lautet die Stelle:

$$\varDelta\iota\acute{o}\nu\nu\sigma\sigma\nu, \ \ddot{o}\varsigma \ \pi\acute{\varepsilon}\varphi\nu\varkappa\varepsilon\nu \ \grave{\varepsilon}\nu \ \pi\acute{\alpha}\lambda\eta \ \vartheta\varepsilon\grave{o}\varsigma$$
$$\delta\varepsilon\iota\nu\acute{o}\tau\alpha\tau\sigma\varsigma, \ \dot{\alpha}\rho\vartheta\mu\acute{\iota}\sigma\iota\sigma\iota \ \delta'\mathring{\eta}\pi\iota\acute{\omega}\tau\alpha\tau\sigma\varsigma.$$

(Wünscht man einen gröfseren Parallelismus der antithetischen

Glieder und erinnert sich an Hor. Od. II 19, 25, so könnte man auf folgende Wendung kommen: ὡς πέφυκεν ἐν πάλῃ θεὸς δεινότατος, ἐν χοροῖσι δ'ἠπιώτατος. Doch halte ich an ἀρθμίοισι fest.)

Von den Hoffnungen der Menschen heißt es 908:
μυρίαι δὲ μυρίοισιν
ἔτ' εἴσ' ἐλπίδες· αἱ μὲν τελευτῶσιν ἐν ὄλβῳ
βροτοῖς, αἱ δ'ἀπέβησαν.

Seltsam ist ἀπέβησαν, und Bruhns Bedenken gegen den Ausdruck nicht unberechtigt. Ich dachte an αἱ δ' ἀπατῶσιν, aber vielleicht kommt αἱ δ'ἐμάτησαν der Überlieferung näher (vgl. Prom. 57 περαίνεται δὴ χοὺ ματᾷ τοὔργον τόδε; das euripideische τελευτᾶν-ματᾶν entspricht dem äschyleischen περαίνεσθαι-ματᾶν). Übrigens ist ἔνεισ' ἐλπίδες für ἔτ' εἴσ' zu schreiben; ἔτ' paßt namentlich nicht bei folgendem Praeteritum ἐμάτησαν.

Die fehlerhafte Überlieferung 506:
οὐκ οἶσθ' ὅ τι ζῆς οὐδ' ὁρᾷς οὐθ' ὅστις εἶ
hat manchfache Verbesserung gefunden. Wecklein schreibt (an Reiske anlehnend) οὐκ οἶσθ' ἁτίζων οὐθ' ὃ δρᾷς οὐθ' ὅστις εἶ, — „Du weißt nicht, was Du thust, wer Du bist", es fehlt „was Du sagst"; dies ist unentbehrlich; denn im vorhergehenden heißt es ἐγὼ δὲ (sc. αὐδῶ) δεῖν γε. Man hat also τι ζῆς zu verwandeln in βάζεις; denn dies bezeichnet mehr als λάσκεις (woran ich früher dachte) die Worte des Königs als leeres, n. ichtiges Gerede. Der Vers lautet also:
οὐκ οἶσθ' ὃ βάζεις οὐδ' ὃ δρᾷς οὐδ' ὅστις εἶ.

Soll man V. 1274:
σπαρτῷ μ'ἔδωκας, ὡς λέγουσ', Ἐχίονι
in ὡς λέγουσ' den Ausdruck der Skepsis finden neben σπαρτῷ oder einen Anflug von Ironie, veranlaßt durch eine überflüssig scheinende Frage? Ich erinnere an das homerische ὅς κέ σ'ἐέδνοισι βρίσας οἴκόνδ' ἀγάγηται; vielleicht ist ὡς wie häufig verschrieben aus εἰς, also:
σπαρτῷ μ'ἔδωκας εἰς στέγας Ἐχίονι,
und eine gewisse Bestätigung dieses Vorschlags gewährt der folgende Vers: τίς οὖν ἐν οἴκοις παῖς ἐγένετο σῷ πόσει; nach vorhergehendem εἰς στέγας erscheint ἐν οἴκοις nicht mehr als zweckloser Zusatz.

In V. 502:
παρ' ἐμοί σὺ δ'ἀσεβὴς αὐτὸς ὢν οὐκ εἰσορᾷς
hat αὐτὸς ὢν vielfache Veränderungen erfahren; das Verkehrte des Pronomens beweisen am besten die Erklärungsversuche, die es gefunden. Der Gottlose sieht den Gott nicht, in dessen Nähe er steht, ich meine:
σὺ δ'ἀσεβὴς ἐγγὺς ὢν οὐκ εἰσορᾷς.

An gleicher Versstelle findet sich dieses ἐγγὺς ὢν z. B. Aias 1046: ὁρῶ μαθεῖν γὰρ ἐγγὺς ὢν οὐ δυσπετής, Hel. 1295 ἐγγὺς ὢν εἴσει τάδε; auch vergl. man Rhes. 641 οὐκ οἶδεν οὐδ' ἤκουσεν ἐγγὺς ὢν λόγον. Übrigens steht ἐγγὺς ὢν οὐκ εἰσορᾷς parallel dem vorhergehenden πλησίον παρὼν ὁρᾷ (500).

Den lückenhaften Vers 1353 hat man verschieden ergänzt, nicht sehr wahrscheinlich nach Chr. pat.:

⟨πάντες⟩ σύ θ' ἡ τάλαινα σύγγονοί τε σαί.

Wecklein schreibt mit Fix σύ θ' ἡ τάλαινα σύγγονοί θ'ὁμόσποροι. Zu einem weiteren Ergänzungsversuch veranlafst mich Hel. 1664: σωτῆρε δ'ἡμεῖς σὼ κασιγνήτω διπλώ, also διπλώ am Ende des Verses und σὼ κασιγνήτω entsprechend obigem σύγγονοι σαί; auch begreift man den Wegfall von διπλαῖ nach τε σαί. Euripides wird demnach geschrieben haben:

σύ θ' ἡ τάλαινα σύγγονοί τε σαὶ διπλαῖ.

Heidelberg.   H. Stadtmüller.

_____

Aristoteles' Ἀθηναίων πολιτεία und die bisher darüber erschienene Literatur.

(Fortsetzung.)[1]

Eine vortreffliche Würdigung und Verwertung des neugefundenen Werkes nach einer bestimmten Seite hin liefert Lipsius in seinem in der Sitzung der K. sächsischen Gesellschaft der Wissenschaften zu Leipzig am 28. Februar 1891 gehaltenen Vortrage „Das neugefundene Buch des Aristoteles vom Staate der Athener" (veröffentlicht in den Berichten 1891, S. 41—69). Er beschränkt sich nämlich auf die ihm als dem Neubearbeiter des „Attischen Prozesses" von Meier und Schoemann besonders naheliegende Aufgabe, die Bereicherung unserer Kenntnis des attischen Rechtes und Rechtsverfahrens einer zusammenfassenden Erörterung zu unterwerfen. Hiefür mufs er naturgemäfs den zweiten Teil besonders heranziehen, doch zeigt er zunächst auch, wie uns im ersten Teile, wo zum ersten Male eine vollständige und zugleich mit allen Mitteln der antiken Forschung entworfene Darstellung der Verfassungsgeschichte Athens bis auf den Ausgang des 5. Jahrhunderts vorliegt, über die wichtige Frage nach der Entwicklung der Volksgerichtsbarkeit ein festeres Urteil jetzt durch die präzisere Angabe ermöglicht wird, dafs bereits Solon die den Bürgern aller Klassen zugänglichen Volksgerichte als Appellhöfe eingerichtet hat, an welche vom Spruche der Beamten Berufung eingelegt werden konnte: früher wollte man mit Grote dem attischen Rechte jedes Berufungsverfahren absprechen. Auch dafs in der älteren Zeit die Beamten, d. h. die Archonten die Rechtshändel endgültig entschieden, bestätigt Aristoteles (Kap. 3) mit dem Beifügen, dafs in seiner Zeit ihnen nur noch die Instruktion der Prozesse verblieben sei. Die Einsetzung der Geschwornengerichte ist aber schon mit der Umgestaltung des delischen Bundes in ein attisches Reich unter dem Einflusse des Aristides in Zusammenhang zu bringen; denn die damit den athenischen Gerichten auferlegte Geschäftslast hat bald die Berufung von 6000 Bürgern zum Richteramte notwendig gemacht.

_____

[1] Siehe S. 29 des heurigen Jahrgangs dieser Blätter.

Von S. 45 an erörtert Lipsius, wie reichliche Belehrung wir aus dem 2. Teil über die Gerichtsverfassung und die Prozessarten des 4. Jahrhunderts oder genauer der Zeit zwischen 329—325, wo das Buch abgefafst ist, schöpfen. Unter den Kompetenzen der einzelnen Behörden wird auch ihre Jurisdiktion entwickelt; allerdings war der bedeutendere Teil der Rechtssprechung in den Händen von Behörden, welche in dieser von Anfang an ihren eigentlichen Beruf hatten, für die öffentlichen Klagen in den Händen der Thesmotheten, für die privatrechtlichen Klagen in der Hand der Vierzigmänner und der εἰσαγωγεῖς. Im Allgemeinen war es um unser Wissen von der Kompetenz der Thesmotheten und der drei oberen Archonten bisher schon ziemlich gut bestellt, wenn schon auch hier manche Ergänzung gewonnen wird. So ist es z. B. von Bedeutung, dafs bei der γραφή παρανόμων der Zusatz gemacht wird καὶ νόμον μὴ ἐπιτήδειον θεῖναι; denn damit gewinnt die zuletzt von R. Schöll (Sitzungsber. d. bayr. Akad. d. Wissensch. Phil.-hist. Cl. 1886, I, S. 136 f.) vertretene Ansicht volle Beglaubigung, dafs wenigstens gegen Gesetzesanträge auch ihre materielle Schädlichkeit zu einer Klage berechtigte, die von der nur gegen Psephismen gerichteten γραφή παρανόμων wohl zu scheiden ist. Bezüglich einer Reihe anderer Ergänzungen und neuer Nachrichten kann Lipsius mit berechtigter Genugthuung darauf hinweisen, dafs er bereits in seiner Neubearbeitung des attischen Prozesses das Richtige vermutet hat. Erwähnenswert ist, dafs wir bezüglich der Kompetenz des Polemarchen, vor dessen Forum alle den Status oder das Familienrecht der Metoiken betreffenden Klagen gehörten, erfahren, dafs auch die Privatklagen gegen Metoiken, Isotelen und Proxenoi bei ihm anhängig zu machen, von ihm aber an die Vierzigmänner zu weiterer Behandlung abzugeben waren. Erst durch Aristoteles tritt die Bedeutung der Vierzigmänner und der εἰσαγωγεῖς in volles und sicheres Licht. Was Lipsius über die ersteren im attischen Prozess vermutet hatte, findet vollauf Bestätigung: 1. dafs vor ihr Forum die grofse Menge der vermögensrechtlichen Klagen zu bringen war; 2. dafs sie nicht in ihrer Gesamtheit, sondern in geschiedenen Abteilungen für die einzelnen Phylen amtierten, eine Einrichtung, die ihre natürliche Erklärung darin findet, dafs ihre ursprüngliche, durch den älteren Namen (δικασταὶ κατὰ δήμους) zum Ausdruck gelangte Bestimmung war, in den Demen Termine zur Aburteilung von Bagatellklagen abzuhalten; 3· dafs hierin später eine Änderung eintrat und sie nur noch in der Stadt amtierten. Je 4 sind aus einer Phyle erlost, an sie gibt auch der Polemarch die an ihn gelangten vermögensrechtlichen Klagen gegen Metoiken; da aber für die Verteilung unter die 10 Sektionen der Vierzigmänner in diesem Falle die sonst entscheidende Zugehörigkeit zu einer Phyle nicht in Frage kommt, so mufs darüber das Los entscheiden. Daraus leitet Lipsius S. 55, Anm. 3 mit Recht einen Beweis ab gegen die Meinung von Wilamowitz, Hermes XXII, S. 211 f., dafs den Metoiken ein Quasibürgerrecht in den Demen zugestanden habe. Beschränkt war die Jurisdiktion der Vierzig durch die εἰσαγωγεῖς, über die Kap. 52 ausgiebige Belehrung gewährt: über ihre Zusammensetzung (sie bestehen aus 5 erlosten Mitgliedern, jedes für 2 Phylen), sowie über den Kreis der ἔμμηνοι δίκαι, d. h. der binnen Monatsfrist zu erledigenden Klagen, der sich jetzt als ein weit größerer darstellt. Nur bei den ἔμμηνοι δίκαι war eine Mitwirkung der öffentlichen διαιτηταί wegen Einhaltung des gesetzlichen Termines ausgeschlossen, sonst aber bilden die öffentlichen Diäteten für Privatprozesse die unerläßliche erste Instanz, an die auch die Vierzig abgaben, was über 10 Drachmen Wert hinausging. Über die Bestellung der öffentlichen Schiedsrichter gibt Aristoteles überraschenden Aufschluß: von den 42 Altersklassen, aus welchen die waffenpflichtige Bürgerschaft besteht, hat die jedesmal älteste, also die Bürger, die im 60. Lebensjahre stehen, als Diäteten des Jahres zu fungieren. Unter sie verteilen die Vierzig durch das Los die vorkommenden Rechtsfälle zur schiedsrichterlichen Entscheidung und zwar jede Sektion der Vierzig gesondert, aber nicht nur an Glieder ihrer Phyle. — In welcher Weise die Gerichtshöfe gebildet wurden, welche die von den Beamten an sie gebrachten Rechtsstreite zu entscheiden hatten, davon handeln die letzten, leider nur sehr fragmentarisch erhaltenen Kapitel des Werkes, jedenfalls aber steht das wichtige Ergebnis fest, daß noch zu Aristoteles' Zeit die Richter phylenweise erlost wurden durch die 9 Archonten, denen als Vertreter der 10. Phyle der Schreiber der Thesmotheten zur Seite trat (so behält R. Schöll, Sitzungsber. d. bayr. Akad. d. Wiss., phil.-hist. Kl. 1887, I, S. 6 ff. Recht). Auch die Verteilung der Richter unter die 10 Sektionen geschah nach Phylen in der Art, das jeder Sektion annähernd die gleiche Zahl aus jeder Phyle zugewiesen wurde. (Kap. 63), der Richtersold hatte sich auch zu Aristoteles' Zeit noch auf der Höhe von 3 Obolen erhalten. — Eine Reihe von neuen Mitteilungen erhalten wir über die Dokimasie der für das nächste Jahr erlosten Buleuten, Archonten und anderen Beamten (Kapp. 45 u. 55), besonders aber über das Gegenstück der Dokimasie, die Euthyna, Rechenschaftsablage. Deutlicher als bisher stellen sich als eigentliche Rechnungsbehörde die Logisten dar, welche mit den ihnen beigeordneten συνήγοροι die eingereichten Rechnungen zu prüfen und eine eventuelle Anklage vor Gericht zu vertreten hatten, beides Aufgaben, die man bisher mit Unrecht vielmehr den Euthynen hat zuweisen wollen. Diese letzteren treten nämlich in ein neues Licht durch das K. 48 Gesagte. Darnach war jeder der 10 εὔθυνοι mit seinen zwei gleichfalls erlosten πάρεδροι einer Phyle zugewiesen, deren Versammlungen er beizuwohnen hat. An ihn sind binnen bestimmter Frist gegen Beamte, die vor dem Gerichtshof bereits Rechenschaft abgelegt haben, Klagen auf Grund persönlicher Beschwerden schriftlich einzureichen mit Beifügung eines Strafantrages. Findet der Euthyne die Klage begründet, so gibt er sie, falls das zur Last gelegte Vergehen lediglich Private betrifft, an die Demenrichter der betr. Phyle, falls es den Staat angeht, an die Thesmotheten zur Einführung an den Gerichtshof.

Soweit Lipsius. Ich habe die Resultate seiner Untersuchung eingehender mitgeteilt, um zu zeigen, welch reiche Fülle von Belehrungen gründliches und sachverständiges Vertiefen in die Schrift derselben auch nach e i n e r Richtung schon abgewinnen kann:

In seinem 2. Teile beschäftigt sich auch das schon oben besprochene Buch von C a u e r (Hat Aristoteles die Schrift vom Staate der Athener geschrieben? Ihr Ursprung und i h r W e r t f ü r d i e älteste athenische Geschichte) mit dem Werte der in der 'Αθηναίων πολιτεία überlieferten Thatsachen der älteren Geschichte Athens. S. 59 f. gibt Cauer zu, dafs unsere Kenntnis der solonischen Zeit und der solonischen Verfassung aus der neuen Quelle in wichtigen Stücken bereichert und berichtigt wird; insbesondere erklärt er, dafs verschiedene Behauptungen, welche er in seiner Habilitationsschrift (P a r t e i e n u n d P o l i t i k e r i n M e g a r a u n d A t h e n, Stuttgart, 1890) aufgestellt hatte, hinfällig geworden sind. Wir erfahren jetzt 1. dafs es schon vor Solon eine Partei gegeben hat, welche eine Neuaufteilung des Grundes und Bodens forderte, 2. dafs die 9 Archonten erst durch Solon als einheitliches Kollegium konstituiert sind, während vorher der Archon, der König, der Polemarch und die Thesmoteten ihre Funktionen getrennt von einander ausübten, 3. dafs bis 457 die Angehörigen der beiden oberen Steuerklassen, von da ab auch die Angehörigen der 3. Klasse zum Archontat Zutritt hatten, 4. dafs bis zum Archon Telesinos (einige Jahre nach der Schlacht von Marathon) die Archonten gewählt wurden, wogegen in dessen Jahre eingeführt wurde, dafs jedesmal 500 Kandidaten von den Demen vorgeschlagen und aus diesen 500 die neuen Archonten ausgelost wurden. Ferner weist Cauer darauf hin, dafs durch das reichere Material der neuen Schrift manche früher aufgestellten Hypothesen an Wahrscheinlichkeit gewinnen oder unbedingt bestätigt werden, so die Ansicht K ü h l e r s (Athen. Mitteil. IX. X.), dafs die solonische Münzreform in keinem Zusammenhang mit der Schuldentilgung stehe, vielmehr ihren Grund nur in einem engen handelspolitischen Anschlufs an die Staaten gehabt haben kann, deren Münzsystem angenommen wurde; des weiteren wird jetzt die bisher allein von Busolt, Griech. Geschichte I, S. 498, A. 8 vertretene Ansicht, dafs die kylonischen Unruhen vor die Gesetzgebung Drakons gehören, bestätigt. Auch seine eigenen Anschauungen über die Bedeutung der Regierung des Peisistratus, deren Schwerpunkt er in der Fürsorge für den Bauernstand sah, findet Cauer durch die Schrift vom Staate der Athener ausdrücklich bestätigt, da der Verfasser Peisistratus in erster Linie als väterlichen Freund der Bauern kenne. Dagegen behauptet Cauer S. 70: „A l l e s, w a s i n d e r n e u e n Q u e l l e v o n d e r a n g e b l i c h e n V e r f a s s u n g D r a - k o n s b e r i c h t e t w i r d, i s t a u s v e r s c h i e d e n e n G r ü n d e n z u v e r w e r f e n." Diese Gründe sind folgende: 1. Zu Drakons Zeit galt das Vieh noch als Wertmesser; denn nach Pollux IX, 61 war an irgend einer Stelle seiner Gesetze eine Bufse von 20 Rindern erwähnt; daher können unmöglich von Drakon Vermögensstrafen in Geld normiert gewesen sein; 2. wenn angegeben wird, dafs die Pentakosiomedimnen, Ritter und Zeugiten im Falle der Versäumung einer Ratssitzung oder Volksversammlung 3, resp. 2 und 1 Drachme zu zahlen

hatten, so werden damit unrichtiger Weise die Klassen der Grundbesitzer auf die Zeit vor Solon übertragen; 3. ebensowenig kann vor
Solon, dem Begründer des attischen Münzwesens, der Geldwert des
Vermögens massgebend gewesen sein für die Qualifikation zu Ämtern;
4. es verrät endlich naive Unkenntnis der athenischen Geschichte,
wenn Drakon für die Ämter der Strategen und Hipparchen einen
10mal so hohen Census festgesetzt haben soll, als für die Archonten
und Finanzbeamten; denn das Amt der Archonten war damals das
erste im Staate, dagegen waren die Strategen jedenfalls noch gegen
Ende des 6. Jahrhunderts den Polemarchen untergeordnet und erlangen
erst nach den Perserkriegen größeren Einfluß. Demnach kommt
Cauer S. 71 zu folgendem Schlusse: „Die angebliche Verfassung
Drakons entspricht den Zuständen, die gegen Ende des
fünften Jahrhunderts bestanden und ist dem von den
Oligarchen des Jahres 411 ausgearbeiteten Entwurfe
nachgebildet. Sie ist dem Streben entsprungen, was
man in der Gegenwart für wünschenswert hielt, in der
Vergangenheit als wirklich nachzuweisen." Damit spricht
also Cauer den Verdacht einer oligarchischen Fälschung der Verfassung Drakons aus.

An diesen Gedanken nun knüpft ein jüngst im Philologus, 50,
(neue Folge 4) S. 393—400 erschienener Aufsatz von G. Busolt,
Zur Gesetzgebung Drakons, an. Auch Busolt zählt zunächst
eine Reihe von Ähnlichkeiten der Politeia Drakons mit den Verfassungs-
einrichtungen und politischen Idealen der Oligarchie der Vierhundert,
besonders des Theramenes auf und gibt unbedingt die Berechtigung
der Ansicht Cauers zu, daß die Oligarchen ihrer Staatsumwälzung
dadurch eine gewisse Legitimation verleihen wollten, daß sie wiederholt betonten, es handle sich dabei um die Wiederherstellung der
πάτριος πολιτεία, der πάτριοι νόμοι. Aber diese Ähnlichkeiten werden
von Busolt in einer Weise erklärt, deren Berechtigung sofort ein-
leuchtet: Die πάτριος πολιτεία war eben im Sinne der Oligarchen von
411 gehalten; denn der oligarchische Charakter der vorsolonischen
Verfassung steht außer Zweifel, und die Verfassungsausschüsse der
Oligarchen, von denen z. B. einer ausdrücklich den Auftrag erhielt
zur Erforschung der πάτριοι νόμοι, οὓς Κλεισθένης ἔθηκεν, fanden
eben vieles für eine Wiedereinführung Brauchbares in den Gesetzen
Drakons. Also die Politeia Drakons ist nicht eine oligarchische Fälschung, sondern die Verfassung von 411 ist
teilweise eine Nachahmung der drakontischen. Alsdann
geht Busolt im Einzelnen näher auf die von Cauer aufgestellten
Aporien ein und sucht sie zu lösen. Zunächst erweist er die Angabe,
daß die Klassen der Grundbesitzer schon vor Solon unterschieden
wurden[1]), als richtig. Der Ausdruck πεντακοσιομέδιμνος muß vor
Solon schon in einer Zeit üblich gewesen sein, wo in der Boden-

---

[1]) Rühl, Rhein. Museum 46, S. 446 nennt sie „etwas wahrhaft Phänomenales",
nämlich an Ungereimtheit.

wirtschaft noch die Getreideproduktion weitaus den Öl- und Weinbau
überwog; denn die Griechen hatten von Anfang an besondere Maße
für das Trockene, das Getreide (μέδιμνοι), und das Flüssige (μετρῆται);
im Schatzungssystem des Solon bestimmen aber die Einheitsmaße des
Trockenen und Flüssigen zusammen die Klassen; denn nicht wer 500
μέδιμνοι erntete, gehört zur ersten Klasse, sondern wer vom eigenen
Lande πεντακόσια μέτρα τὰ συνάμφω ξηρὰ καὶ ὑγρά Ertrag hatte, der
also etwa πεντακοσιόμετρος hätte heißen müssen. Demnach hat Solon
offenbar einen älteren Namen für Großgrundbesitzer in sein System
aufgenommen. Übrigens bedeutete der Name in vorsolonischer Zeit
weit mehr als in solonischer, da dortmals äginaisches Maß galt und
500 äginaische etwa = 700 attische μέδιμνοι sind. Also machte
allein die Änderung des Maßsytems eine Neuregulierung der Schatzungs-
klassen durch Solon notwendig.

Weiter hatte Cauer die Angabe, der Geldwert des Vermögens sei
für die Bekleidung von Ämtern maßgebend gewesen, für unmöglich
erklärt. Es heißt nämlich Kap. 4: ᾑροῦντο δὲ τοὺς μὲν ἐννέα ἄρχοντας
καὶ τοὺς ταμίας οὐσίαν κεκτημένους οὐκ ἔλαττον ἢ δέκα μνῶν
ἐλευθέραν, τὰς δ' ἄλλας ἀρχὰς τὰς ἐλάττους ἐκ τῶν ὅπλα παρεχομένων,
στρατηγοὺς δὲ καὶ ἱππάρχους οὐσίαν ἀποφαίνοντας οὐκ ἔλαττον ἢ
ἑκατὸν μνῶν ἐλευθέραν καὶ παῖδας ἐκ γαμετῆς γυναικὸς γνησίους
ὑπὲρ δέκα ἔτη γεγονότας. Busolt beweist nun, daß οὐσία ἐλευθέρα
δέκα μνῶν nicht heißt ein „schuldenfreies Vermögen von 10 Minen",
wie Kaibel übersetzt und natürlich auch Cauer es auffaßt, sondern
„ein hypothekenfreies Eigentum im Werte von 10 Minen." Eine
solche Censusforderung ist für die wirtschaftlichen Verhältnisse zu
Drakons Zeit besonders charakteristisch und zweifellos um so ächter, als
in den Verfassungen der Oligarchen davon keine Rede ist, sie also kein
Interesse hatten, derartiges für Drakon zu erfinden. — Das Bedenken,
Drakon habe Strafen für eine versäumte Sitzung noch nicht in Geld
normieren können, da in seinen Gesetzen Bussen von 20 Rindern vor-
gekommen wären, sucht Busolt durch die Annahme zu beseitigen, daß
Drakon bei der Knappheit des Bargeldes einen Teil der Strafen noch
nach Rindern bestimmt habe, z. B. bei Privathändeln, während für
die Gemeindekasse natürlich Bussen in Rindern sehr unbequem waren
und möglichst in Geld umgesetzt wurden. Und in der That, wenn
Solon einige Jahrzehnte später eine Münzreform durchführte, so muß
doch die äginaische Währung, an deren Stelle er die attische setzte,
wenigstens eine Zeit lang vorher in Attika bestanden haben! — Am
wenigsten vermag Busolt Cauers Bedenken bezüglich der Stellung der
Strategen zu entkräften. Er spricht die Vermutung aus, die Aristokratie
habe nach dem Staatsstreiche Kylons aus Mißtrauen die militärische
Amtsgewalt des Polemarchos beschränkt, indem sie ihm die Komman-
deure der damaligen 4 Regimenter mit erhöhter Kompetenz an die
Seite stellte und für die Strategen einen so hohen Census festsetzte,
um diese Stellen ihren reichsten Familien zu wahren. Das ist eben
nur Vermutung; persönlich möchte ich mich eher der Ansicht zuneigen, daß die zweite Zahl der oben citierten Stelle des Textes

verderbt ist. Es holst, dafs die Archonten und Finanzbeamten ein hypothekenfreies Eigentum von 10 Minen Wert aufweisen mufsten, während die übrigen geringeren Ämter aus der Zahl derer besetzt wurden, die eine Waffenrüstung stellen konnten, ausgenommen die Strategen und Hipparchen. Diese Anordnung, nach welcher die obersten Ämter zuerst genannt sind, legt doch den Gedanken nahe, dafs in ἑκατὸν μνῶν ein Verderbnis vorliegt; daher ist auch in der deutschen Ausgabe πέντε μνῶν vermutet.

Busolts Untersuchung kommt zu folgendem Resultat: „Die Darstellung der Verfassung Drakons dürfte ächt sein, aber schwerlich, wie Kaibel anzunehmen geneigt ist, unmittelbar auf der Verfassungsurkunde Drakons beruhen. Hätte Aristoteles diese vor sich gehabt, so würde er kaum solche Fetzen geboten haben. Seine Darstellung macht den Eindruck einzelner, aus der Chronik zusammengelesener Stücke."

Am ausführlichsten beschäftigt sich mit der Abschätzung des Wertes der neugefundenen Schrift das zu Anfang Juli 1891 erschienene Buch von Adolf Bauer, Literarische und historische Forschungen zu Aristoteles' Ἀθηναίων πολιτεία' (München, Beck; 190 S. 3 M.). Dasselbe zerfällt in 2 Teile: 1. Aristoteles Stellung in der griechischen Historiographie; 2. Historische Ergebnisse aus Aristoteles' Ἀθηναίων πολιτεία. Der erste Teil besonders verrät ein gründliches und liebevolles Eingehen auf die Eigentümlichkeiten des Autors, den wir jetzt auch als Geschichtsschreiber kennen gelernt haben und kann wohl mit als das Beste bezeichnet werden, was bisher in dieser Hinsicht über den neuen Fund veröffentlicht worden ist. Nachdem Bauer durch einen raschen Überblick und eine kurze Charakteristik der historischen Aufzeichnungen der älteren Kulturvölker des Ostens gezeigt hat, dafs erst die Griechen die Geschichtsschreibung als Kunst betrieben und zum Range einer Wissenschaft erhoben haben, bespricht er zunächst den grofsen Fortschritt, welchen diese Gattung von Herodot zu Thukydides gemacht hat, verweilt mit besonderer Ausführlichkeit bei diesem, geht dann auf die unbedeutenderen Xenophon über, sowie auf Ephoros und Theopomp, um zu zeigen, dafs Thukydides unter den Geschichtsschreibern im engeren Sinne keine Schule gemacht, dafs aber unter seinem Einflufs eben in der Zeit, wo die Historie eine Beute der Rhetorik geworden war, die Verfassungsgeschichte des Aristoteles als neue Gattung entstand, um die dieser die Geschichtsschreibung bereicherte, ebenso wie er die Politik als Staatswissenschaft begründete. In dem besonderen Abschnitte, welcher der literarhistorischen Betrachtung der Schrift gewidmet ist, erörtert Bauer zunächt die wichtige Frage nach der Tendenz der Schrift; er kommt zu dem Schlusse, dafs der historische Überblick, mit welchem Aristoteles die Schilderung der Verfassung Athens in seinen Tagen eröffnet, den Eindruck der vorurteilslosen, durchaus unbefangenen, von wissenschaftlichem Interesse geleiteten Darlegung erweckt, in der irgendwelche politische Tendenz nicht zum Ausdruck gelangt.[1]) Bauer weist sodann darauf hin, daſs, wie des Thukydides Werk nur aus der Zeit des Perikles heraus richtig gewürdigt werden kann, so auch das des Aristoteles nur dann sein rechtes Licht erhält, wenn es aus der Geschichte Athens in den Tagen Alexanders des Groſsen heraus betrachtet wird.   Indem sich Bauer sodann gegen jene Art der modernen Kritik wendet, welche dem Thukydides den Text liest und auch vor dem Werke des Aristoteles nicht Halt machen wird, erklärt er, die Frage müsse aufgeworfen und beantwortet werden, ob und wie weit wir durch eine Betrachtung dessen, was der Schriftsteller betont, und dessen, was er übergeht, zu einer genaueren Würdigung seiner Eigenart und zu einem besseren Verständnis seiner literarischen Absichten gelangen können.   Als Resultat dieser Betrachtung ergibt sich S. 30, daſs die Schrift des Aristoteles nicht eine Tendenzschrift im gewöhnlichen Sinne des Wortes ist, aber auch nicht eine bloſs gelehrten Interessen dienende Abhandlung, sondern wir gewinnen daraus den Eindruck, daſs sie mit der Gegenwart versöhnen soll, daſs sie dem Leser zeigen will, wie wenig begründet die Deklamationen seien über den Verlust der Freiheit, die noch tagtäglich zu hören waren, daſs Athen vielmehr im Vergleich zu den vergangenen Zeiten unter Alexanders Herrschaft zwar in bescheidenen Grenzen, aber inner- halb dieser ein beneidenswertes Dasein hatte.   Aus der Absicht, dies zu zeigen, die Aristoteles neben dem wissenschaftlichen Interesse am Gegenstand hatte, müssen eine Reihe von Auslassungen ebenso wie der Accent, der auf eine Reihe anderer Dinge gelegt wird, er- klärt werden.

Im Folgenden kommt Bauer auf das Verhältnis des Aristoteles zu seinen Vorgängern[2]) zu sprechen; er bemerkt, daſs Aristoteles für

---

[1]) Hier möchte ich kurz des Schriftchens gedenken: „Vom neuen Ari- stoteles und seiner Tendenz." Bemerkungen von D. Paul Cassel, Berlin 1891. VIII, 39 S. Cassel führt den Gedanken durch „das neu publizierte Buch ist eine fein und präzis gegebene Warnung vor der Republik in welcher Gestalt auch immer. Aristoteles, der Lehrer des Königssohnes Alexander, welcher Mann und Philosoph genug war, auch bei Königen zu lehren, hat durch sein Buch der Welt in macedonischem Interesse zeigen wollen, daſs die Monarchie allein Dauer, Erfolge und Macht hat." Dieser Gedanke ist jedoch sicherlich verfehlt; denn ganz abgesehen davon, daſs dann Aristoteles auch in der Form der Dar- stellung diese vermeintliche Tendenz deutlicher hervortreten lassen würde, wird man vor allen Dingen fragen: Wozu diente denn dann der ganze zweite Teil? Was für eine Tendenz sollen denn die übrigen πολιτεῖαι des Aristoteles gehabt haben?

[2]) Hier sei auf einen Aufsatz von Holzinger, Aristoteles athenische Politie und die Heraklidischen Excerpte, Philologus, 1891 (Bd. 50), S. 436—446 hingewiesen, der gleichfalls eine literarhistorische Frage behandelt und dabei zu dem Ergebnis kommt: Unsere Heraklidischen Excerpte stellen sich nicht als ,excerpta excerptorum' dar, wie man früher meinte, sondern einfach als Excerpte aus unserer Politeia, von denen indes manche Teile nicht auf uns gelangt sind. Dies dürre Schulexcerpt kann jedoch nicht Heraclides Ponticus, den alten Platoniker zum Verfasser haben, sondern es stammt, wie schon V. Rose behauptete, von dem jüngeren Heraklides aus Herakleia im Pontus, der sich mit Unterricht befaſste (σχολαρχῶν: Suidas).

sein Werk unzweifelhaft viel aus den Atthiden entnommen hat, ebenso aus Herodot und Thukydides, wie er auch Xenophon kannte;
Thukydides ist jedoch der dem Aristoteles geistig ver-
wandteste unter den griechischen Historikern.

Bauer sucht nun die Beziehungen zwischen den beiden gewaltigen
Geistern genauer festzustellen: 1. beiden Männern ist vor allem
gemeinsam, politische Gegensätze und ihren Zusammenstofs lediglich
als Machtfragen und als deren Lösungsversuche aufzufassen und darzustellen, beides suchen sie menschlich zu begreifen; 2. das Verwerten
vorhandener Einrichtungen zu Rückschlüssen auf ihr Entstehen und
ihre Entwicklung, sei es, wenn keinerlei Kunde vorlag, sei es, wenn
zwischen widersprechenden Angaben zu entscheiden war, kurz jene
wissenschaftliche Methode der Erforschung und Darstellung des Altertums, die Thukydides zuerst mit siegreicher Genialität gefunden und
angewendet hat, ohne jedoch damit bei den Historikern im engeren
Sinne Schule zu machen. wird von Aristoteles als gelehrigem Schüler
in seiner Verfassungsgeschichte befolgt; 3. wie Thukydides steht auch
Aristoteles im Gegensatz zur rhetorischen Richtung seiner Zeit ganz
auf dem Boden solider Forschung; 4. Thukydides hat es zuerst als Aufgabe des Geschichtsschreibers betrachtet, die Ereignisse aus ihren
Voraussetzungen zu begreifen und hat damit die Geschichte zum Rang
einer Wissenschaft erhoben. Aristoteles' Betrachtungsweise ist gleichwertig; auch er erklärt die bestehende Verfassung Athens aus ihren
geschichtlichen Voraussetzungen, nur darum hat er den 1. Teil seines
Buches geschrieben.

Der gröfsere 2. Teil der Bauer'schen Schrift: Historische Ergebnisse
aus Aristoteles' Ἀθηναίων πολιτεία zerfällt in folgende Abschnitte: 1. die
solonische Gesetzgebung und die Tyrannis der Peisistratiden (S. 44
—62); 2. die Pentekontaëtie (S. 62—148); 3. die Verfassungskämpfe
von 411—403 (S. 148—171). Hievon ist besonders der 1. Teil ansprechend wegen einiger hübscher Resultate. Es heifst bei Aristoteles
(Kap. 14), Peisistratos habe im 32. Jahre nach Solons Gesetzgebung
die Akropolis gewonnen und sei Tyrann geworden. Nun wissen wir
durch anderweitige Nachrichten sicher, dafs das Archontat des Komeas
560/61 fällt. Demnach müfste Solons Gesetzgebung und Archontat
592/91 gesetzt werden. Also ist in der Zahl bei Aristoteles ein
Fehler enthalten; es hat die häufige Verlesung von δ´ für zwei statt
vier stattgefunden und mufs τετάρτῳ καὶ τριακοστῷ ἔτει gelesen werden.
Diese Verbesserung ist überzeugend und hat auch in der Ausgabe von
Kaibel-Wilamowitz Aufnahme gefunden. Ferner hat Bauer auch die
chronologischen Angaben des Aristoteles über die Peisistratidenherrschaft
einer eingehenden und umsichtigen Prüfung unterzogen. Die erste
Vertreibung fand statt ἕκτῳ ἔτει μετὰ τὴν πρώτην κατάστασιν ἐφ'
Ἡγησίου ἄρχοντος. Hier ist mit Bauer die Ordinalzahl einschliefslich
des terminus a quo zu verstehen, also 556/5 und nicht mit Kaibel-
Wilamowitz 555/4 als Jahr der ersten Vertreibung zu nehmen. Die
erste Zurückberufung durch Megakles soll stattgefunden haben ἔτει
δωδεκάτῳ μετὰ ταῦτα. Diese Angabe findet Bauer mit Recht unhalt-

24*

bar, mit den deutschen Übersetzern rechnet er die 11 Jahre vom
Beginn der Tyrannis an und kommt so auf 550/49, demnach wäre
also μετὰ ταῦτα zu streichen oder in μετὰ ταύτην (sc. τὴν πρώτην
κατάστασιν) zu ändern. Kaibel-Wilamowitz lesen ἔτει τετάρτῳ, nehmen
also 552 1? als Jahr der ersten Rückkehr. Auch die folgende Zahl
hat Bauer mit Recht beanstandet. Der Handschrift zufolge soll nämlich die 2. Tyrannis 6 Jahre gedauert und im siebenten (ἐξέπεσεν τὸ
δεύτερον ἔτει μάλιστα ἑβδόμῳ μετὰ τὴν κάϑοδον) die 2. Vertreibung
stattgefunden haben, weil Peisistratos mit der Tochter des Megakles nicht,
wie er sich verpflichtet hatte, in ehelicher Gemeinschaft lebte und also
beide Parteien zugleich fürchten mußte. Unmöglich kann nun der
Vater Megakles, wie Bauer mit Recht bemerkt, 6 Jahre zugewartet
haben, bis Peisistratos sein Eheversprechen erfüllte. Demnach muß
statt ἑβδόμῳ eine erheblich kleinere Zahl eingesetzt werden; denn da
Aristoteles selbst sagt, die 2. Tyrannis habe nicht lange gewährt
(οὐ γὰρ πολὺν χρόνον κατέσχε), die erste aber 6 Jahre dauerte, so
muß die 2. jedenfalls bedeutend kürzer gewesen sein. Eine bestimmte
Zahl schlägt Bauer nicht vor; Kaibel-Wilamowitz haben τρίτῳ emendiert. — Von S. 54 an stellt Bauer die historischen Ergebnisse für
die Peisistratidenzeit aus Aristoteles zusammen: 1. in die Zeit des
2. Exils und der 3. Tyrannis fällt die Anknüpfung der Beziehungen
Athens zum Auslande. So hat das persönliche Regiment des P. der
attischen Politik auf lange Zeit den Weg gewiesen; 2. die Grundlage
der finanziellen Macht des P. war in der Strymongegend gelegen
(selbständiges Reich während des 2. Exiles am goldreichen Pangäon);
3. unter P., der zu Naxos, Macedonien, Thessalien Beziehungen hatte,
greift Athen infolge der Verbindung des Tyrannen mit Argos in die
peloponnesischen Verhältnisse ein.

Das 2. Kapitel beschäftigt sich mit der Pentekontaëtie,
d. h. dem Zeitraum von nicht ganz 50 Jahren vom Ende des zweiten
Perserkrieges bis zum Beginn des peloponnesischen Krieges, und zwar
werden zunächst S. 67 ff. die chronologischen Grundlagen festgestellt.
Als Grundstein der Chronologie galt bisher die Nachricht von der
Flucht des Themistokles zum Perserkönig, die man in die Jahre 466/5
und 465/4 setzte. An ihre Stelle setzt nun Bauer die Angabe des
Aristoteles, daß Themistokles 462 1 unter Konons Archontat noch in
Athen sich aufhielt und Mitglied des Areopags war. Auf diesem
Grundstein muß nun nach Bauers Ansicht die Chronologie und Geschichte der Pentekontaëtie abermals neu aufgebaut werden. Hiezu
benützt er als weitere Marksteine die beiden Angaben: 1. daß im
3. Jahre nach der Schlacht bei Salamis, also 478/7 Aristides den
ersten athenischen Seebund begründete; 2. daß Perikles im Innern
sich erst in den Jahren von 451 0 an politisch zu bethätigen begann.
Hiebei hat nun der unbedingte Autoritätsglaube an die Richtigkeit der
Aristotelischen Angabe vom Sturz des Areopag 462/1 durch Ephialtes
und Themistokles Bauer zu einer neuen Konstruktion der Chronologie
von 462/1—446/5 geführt, mit welcher man sich trotz aller Anerkennung des Scharfsinnes, der Gründlichkeit und Genauigkeit, womit er

seine Aufstellungen zu stützen sucht, nicht wird einverstanden erklären können; denn was soll man dazu sagen, wenn der Angabe des Aristoteles zu Liebe, chronologische Ansätze, die bisher unangefochten und fest waren, ohne weitere Begründung um Jahre verschoben werden? Dies geschieht z. B. mit dem berühmten S e e z u g e d e s T o l m i d e s; diesen berichtet Diodor XI, 84 zum Jahre des Archon Kallias 456/5, dasselbe Jahr gibt mit Nennung des Archon der Scholiast zu Äschines (II, 75). Bauer verlegt den Zug vom Sommer 456 auf den Frühling 454 und bemerkt dazu S. 125: „Einen Grund für diese bereits einer älteren Quelle angehörige Verschiebung (bei Diodor etc.) um 2 Jahre nach rückwärts vermag ich nicht anzugeben." Dadurch gibt er selbst zu, dafs er rein subjektiv, um die Angabe des Aristoteles zu halten, die Thatsache umdatiert hat. Ähnlich verhält es sich mit der Ansetzung der Niederlage, welche athenische Kolonisten gegen die Thracier bei Drabeskos erlitten. Nach der bestimmten Angabe des Thukydides IV, 102 hat im 29. Jahre nach der Niederlage bei Drabeskos Hagnon Amphipolis gegründet; dessen Gründung fällt aber 437/36, darnach ergibt sich als Jahr der Schlacht bei Drabeskos 465/4, wie bis jetzt auch allgemein angenommen wurde. Der Archon dieses Jahres heifst Lysitheos, demnach hat man den Lysikrates des Scholiasten zu Äschines II, 31 in Lysitheos verbessert. Da nun am Gründungsjahre von Amphipolis sich nichts ändern läfst, so mufs Bauer bei Thuk. IV, 102, 2 eine Verschreibung des KΘ statt KB annehmen[1]), wodurch die Niederlage bei Drabeskos ins Jahr 459 fallen würde. Der Archon dieses Jahres heifst Philokles; natürlich vermag jetzt Bauer nicht zu erklären, wie der Äschines-Scholiast zu der Angabe ἐπὶ Λυσικράτους gekommen ist. — Mit einem an diesen Beispielen gekennzeichneten Verfahren steht es in offenem Widerspruch, wenn Bauer in einer anderen Frage S. 131 die Autorität des Aristoteles gegenüber Herodot nicht gelten läfst. Nach letzterem ist es Themistokles, der die Athener beim Herannahen des Xerxes bestimmt, auf die neugeschaffene Flotte vertrauend, Land und Stadt zu verlassen und zur See den Persern entgegenzutreten. Aristoteles sagt dagegen (Kap. 23), die Strategen hätten, unschlüssig was zu thun sei, den Herold verkündigen lassen, jeder solle sich retten; der Areopag aber habe jedem Athener 8 Drachmen gewährt und die Leute auf die Schiffe gebracht, woher denn auch das Ansehen stammte, dessen er sich nach dem Siege von Salamis neuerlich zu erfreuen hatte. Bauer kann sich nicht entschliefsen, die Überlieferung Herodots, die ja auch durch Thukyd. (I, 74. 1, 93. 2) bestätigt wird, aufzugeben, andrerseits will er doch auch die Nachricht des Aristoteles nicht so aufgefafst wissen, dafs dadurch der Anteil des Themistokles an der Rettung Athens in Frage gestellt wird. Er sucht daher nach einer Vermittlung und kombiniert in der Weise, dafs er annimmt, Aristoteles

---

[1]) Wie Bauer sich diese Verderbnis des KB in KΘ denkt, ist mir nicht klar geworden; denn die Zahl ist im Text des Thukyd. IV, 102 so ausgedrückt: ἑνὸς δέοντι τριακοστῷ ἔτει!

sei es bei seinem Überblick der Verfassungsgeschichte nur auf die
Hervorhebung der Stellung des Areopag angekommen; des Themistokles
Haltung im Feldherrnrate sei dafür gleichgültig gewesen. Dieser
Ausweg scheint mir wenig wahrscheinlich, vielmehr hätte Bauer konsequenter Weise auch hier an der Autorität des Aristoteles festhalten
sollen. Allein eben dieser Autoritätsglaube ist übertrieben. Warum
sollte nicht auch Aristoteles das eine oder andere Mal haben irren
können? In dieser Beziehung hatte schon Rud. Schöll den richtigen
Weg gewiesen in seinem Aufsatze. Aristoteles' Staat der Athener
(Sonderabdruck aus der Beilage zur „Allgemeinen Zeitung" Nr. 107
und 108 vom 9. und 11. Mai 1891), S. 21 f. Schöll weist bezüglich
des Anteils des Themistokles am Sturze des Areopag mit Recht
darauf hin, dafs Plutarch und die spätere Geschichtsschreibung die
Fabel trotz Aristoteles Autorität keiner Erwähnung gewürdigt hat; das
Beispiel enthält eine nicht überflüssige Mahnung auch für uns, nicht
ohne kritische Prüfung jede Abweichung unserer historischen Quellen
dem Namen Aristoteles gegenüber preiszugeben. Demnach ist es mit
Schöll als eine Verwirrung der Chronologie anzusehen, wenn bei
Aristoteles Cimon erst nach dem Falle des Areopag (462) zum ersten
Male als „jüngerer Mann und erst kürzlich in das politische Leben
eingetreten" erscheint, zu einer Zeit, wo der Seeheld bereits alle seine
glänzenden Erfolge hinter sich und seine politische Rolle nahezu ausgespielt hatte. Der Versuch Bauers, hier die Autorität des Aristoteles dadurch zu retten, dafs er νεώτερος und νέος als einen sehr
dehnbaren Begriff erweist, der in Athen noch einen Vierziger bezeichnen konnte, kann kaum als gelungen gelten und auch das, was
er im Anhang S. 187 f. gegen Schöll vorbringt, wird diesen kaum
überzeugt haben.

Der letzte Abschnitt des Hauptteiles von Bauers Buch: 3. Die
Verfassungskämpfe von 411—403 beschäftigt sich hauptsächlich mit
dem Verhältnis des Aristoteles zu Thukydides und Xenophon in der
Darstellung jener Ereignisse und mit der Kritik der Überlieferung des
Xenophon. — Darauf folgen Zeittafeln der Ereignisse von 594/3—446/5,
die zugleich das Resultat der Untersuchungen Bauers enthalten und
als Inhaltsverzeichnis dienen. Ein kurzer Anhang mit Nachträgen
macht den Beschlufs (S. 186—190).

So wie Lipsius in seiner academischen Abhandlung gezeigt hat,
welche Bereicherung unsere Kenntnis des attischen Rechtes und
Rechtsverfahrens durch die neugefundene Schrift erfährt, haben auch
bereits andere Gelehrte in kurzen Angaben zusammengestellt, was sich
für das von ihnen speciell bearbeitete Gebiet der griechischen Altertumswissenschaft aus dem neuen Aristoteles gewinnen läfst. So gibt
Albert Müller, die neueren Arbeiten auf dem Gebiete
des griechischen Bühnenwesens (VI. Supplementbd. des Philologus) 1891 in einem Anhang S. 107—108 jene Stellen der 'Αθηναίων
πολιτεία an, welche teils Neues lehren, teils die Resultate neuerer
Forschung bestätigen. Darunter möchte eine der wichtigsten die sein
(Kap. 28), durch welche wir erfahren, dafs das θεωρικόν nicht von

Perikles, wie man bisher annahm, sondern von dem Demagogen Kleophon eingeführt und später von Kallikrates erhöht worden ist. In ähnlicher Kürze stellt C. Wachsmuth, Rhein. Museum 1891, S. 329 ff. zusammen, was sich für die Topographie Athens aus Aristoteles *Ἀϑηναίων πολιτεία* gewinnen läfst.

(Wird fortgesetzt).

München. Dr. J. Melber.

Zur Arbeitsweise des älteren Plinius.

In der naturalis historia des älteren Plinius findet man bei genauerer Lektüre eine Menge von Wiederholungen. Von diesen sind die einen beabsichtigt und enthalten daher stets einen Hinweis auf die frühere Stelle; andere aber unfreiwillig und unbewufst. Der viel beschäftigte Mann erinnerte sich nämlich bei seiner raschen Arbeitsweise und der ungeheuren Fülle des zu bewältigenden Stoffes gar oft einer schon früher ausgeschriebenen Stelle nicht mehr: trat ihm nun eine solche in einer neuen Quelle abermals entgegen, so nahm er sie eben wieder in seine Sammlung auf. Ganz besonders trat dieser Fall dann ein, wenn der Verfasser aus irgend einem Grunde die erste Quelle falsch verstanden hatte und somit in der zweiten etwas Neues zu finden vermeinte. So habe ich in meiner Dissertation (die Quellen d. Plinius im 19. B. d. nat. hist.) darauf hingewiesen, dafs er n. h. 17, 239 und 19, 87 infolge falscher Übersetzung von Theophrast. Hist. plant. IV 16, 6 dasselbe vom raphanus erzählt, was er selbst n. h. 20, 84 (nach Sextius Niger, wie die Deckung mit Dioscorid. mat. med. II 146 beweist) sowie n. h. 20, 92 und 24, 1 richtig der brassica zuerkennt. Das gleiche Verhältnis besteht: n. h. 19, 80 — Theophr. H. VII 4, 4 — und n. h. 20, 79, wo die Sache ganz richtig gegeben wird, während an erster Stelle wieder der Übersetzungsfehler: ῥάφανος Theophr. = raphanus statt brassica gemacht ist. Das unerklärliche ‚heliam‘ letzterer Stelle ist übrigens auf ein griechisches Original zurückzuführen, wo etwa stand: τῆς δὲ κράμβης τριχῇ διαιρουμένης πρώτη μὲν . . . . δευτέρα δὲ ἡ λεία . . . .) Dieses ἡ λεία (bestätigt durch Cato de agri cultura 157, 1: prima est levis quae nominatur: ea est grandis, latis foliis, caule magno . . .) ist einfach in helia zusammengezogen. ·Ganz besonders aber zeigt sich eine solche Doppelredaktion an folgenden Stellen:

Theophr. H. VII 6, 2. ἡ δὲ γογγυλίς (ἀγρία) καὶ τὴν ῥίζαν ἔχει μακράν καὶ ῥαφανιδώδη καὶ τὸν καυλὸν βραχύν.	n. h. 18, 130 tertiam speciem silvestrem appellavere, in longitudinem radice procurrente, raphani similitudine
⟨ϑριδακίνη δὲ⟩ τό τε φύλλον βραχύτερον τῆς ἡμέρου, καὶ τελεουμένης ἀκανϑοῦται, καὶ τὸν καυλὸν ὁμοίως, τὸν ὀπὸν δὲ δριμὺν καί φαρμακῶδη. φύεται	et folio anguloso scabroque, (statt βραχύτερον las oder hörte er: τραχύτερον) suco acri.

δ'ἐν ταῖς ἀρούραις· ὀπίζουσι δ'αὐτὴν ὑπὸ πυραμητὸν καί φασι κα-
θαίρειν ὕδρωπα καὶ ἀχλὺν ἀπ'
ὀφθαλμῶν ἀπάγειν καὶ ἄργεμα ἀ-
φαιρεῖν ἐν γάλακτι γυναικείῳ.

qui circa messem exceptus

oculos purget medeaturque cali-
gini admixto lacte mulierum.

Das: ,θριδακίνη δὲ‘ ist also, infolge von Flüchtigkeit oder einer
Lücke in der Handschrift des Plinius ausgefallen; so wird nun vom
rapum silvestre erzählt, was doch nur von der lactuca silvestris gelten
kann. Dieselbe Theophraststelle hat aber auch, wohl über Crateuas,
den Weg zu den Medicinern gefunden, und daher holt sich dieselbe
Notiz, nunmehr aber auf die richtige Pflanze bezogen, Plinius im
20. Buche der nat. hist.

Diosc. m. m. II 135. ἡ μέντοι
ἀγρία γογγύλη φύεται ἐν ἀρούραις
. . . . . .

n. h. 20, 20. Silvestre rapum in
arvis maxime nascitur; das Folgende
entspricht Dioscorid., von obiger
Geschichte findet sich hier nichts.

Diosc. II 165 ἡ δὲ ἀγρία θρίδαξ
. . . . . ὡμοίωται δὲ κατὰ ποσὸν
τῇ δυνάμει μήκωνι, ὅθεν καὶ τὸν
ὀπὸν αὐτῆς ἔνιοι μίσγουσι τῷ μη-
κωνίῳ . . . . ἀπο-
τίθεται δὲ ὁ ὀπὸς ἐν κεραμίοις
ἀγγείοις προσηλιαζόμενος . . . .
ἀποκαθαίρει δὲ καὶ ἄργεμα καὶ
ἀχλὺν· ποιεῖ δὲ πρὸς ἐπικαύσεις
ἐγχριομένη σὺν γυναικείῳ γάλακτι.

n. h. 20, 61. (Lactucae sponte
nascentis) . . . . sucus omnibus
candidus, viribus quoque papaveri
similis, carpitur per messes inciso
caule, conditur fictili novo, ad
multa praeclarus. sanat omnia
oculorum vitia cum lacte mulierum,
argema, nubiculas, cicatrices, adu-
stionesque omnes, praecipue cali-
gines.

München.

Dr. H. Stadler.

~~~~~~

Die Elemente der Metaphysik. Als Leitfaden zum Gebrauche bei Vorlesungen sowie zum Selbststudium zusammengestellt von Dr. **Paul Deussen**, o. Prof. der Philosophie an der Universität Kiel. 2., durch einige Zusätze verm. Aufl. Leipzig, Brockhaus 1890. XVI und 271 Seiten. 8. Preis 4 M.

Ein ungesundes Buch, dessen Studium nicht empfohlen werden kann, weil es durchaus keine Befriedigung gewährt, sondern höchstens geeignet erscheint, die heutzutage ohnehin tief gesunkene Achtung vor der philosophischen Spekulation noch mehr herabzudrücken. Es verbreitet über die Dinge der Welt nur deshalb Klarheit, um dieselbe im Sumpfe des Schopenhauerschen Pessimismus und im Nebel asiatischer Schwärmerei sofort wieder untergehen zu lassen. . Ein einziges Beispiel dürfte dieses widerspruchsvolle Verfahren genügend kennzeichnen. S. 206 sagt Deussen: „Fragt nach allen diesen Erörterungen noch jemand: bin ich denn nun eigentlich frei in meinem Handeln oder bin ich es nicht? so ist die präcise Antwort diese: Du bist es nicht; denn deine Handlung ist das notwenige Produkt von Faktoren, welche als Ursachen zeitlich vorhergehen, folglich im Augenblick des Handelns der Vergangenheit angehören, folglich nicht mehr in deiner Hand sind und doch unerbittlich die Gegenwart bedingen; Du bist nicht frei, das ist ebenso gewifs, wie es gewifs ist, dafs dieser Tisch vor dir steht, ganz ebenso gewifs — aber auch nicht gewisser! Und so wie dieser Tisch in Raum und Zeit nur empirische Realität hat, als Ding an sich aber zugleich raumlos und zeitlos ist (so wenig wir es begreifen), so ist deine Handlung nur in der Erscheinung determiniert, hingegen ihrem an-sich-seienden Wesen nach zugleich kausalitätslos, d. i. frei (so wenig wir es begreifen), also: Du bist doch frei". So hat D. auf eine der wichtigsten metaphysischen Fragen aufser der „präcisen" Antwort eine (nicht präcise?) zweite in der Tasche, welche der ersten schnurstracks zuwiderläuft. Wenn das noch Philosophie ist, dann könnte unsere Jugend vor dem Studium derselben nicht eindringlich genug gewarnt werden.

S. 268 erklärt D. das Prinzip der Verneinung für Gott. Bei ihm ist also der Geist, der stets verneint, Goethes Mephistopheles, auf den himmlischen Thron gestiegen; aber nicht etwa als Persönlichkeit — diese ihm zuschreiben zu wollen wäre nach D. geradezu eine „Blasphemie", sondern als „eine überweltliche Kraft, ein weltwendendes

Prinzip, ein Etwas, welches kein Auge schaut, kein Name nennt, kein Begriff erreicht (hat?) noch je erreichen kann." Dann aber behauptet D. sofort: „Und dieses Wesen sind im letzten und tiefsten Grund wir selbst". Dabei bedenkt er nicht, daſs wir selbst doch persönliche Wesen sind, und zwar im letzten und tiefsten Grund; daſs also, wenn wir selbst Gott wären, dieser auch ein persönliches Wesen sein müſste, obwohl er ihn zehn Zeilen weiter oben für absolut unpersönlich erklärt hat.

So erscheint denn das Buch lediglich als ein neuer Beweis für die furchtbaren Verwüstungen, welche Schopenhauers Pessimismus in vielen Köpfen angerichtet hat. Gleichwie dieser geniale, aber krankhafte Denker den Umgang mit seinem Hunde dem mit Menschen vorzog und so das Tier die Stelle des Menschen einnehmen ließ, ebenso setzt nunmehr sein Schüler D. an die Stelle des allliebenden himmlischen Vaters einen — unpersönlichen Mephistopheles. Mit Recht bezeichnet er S. 16 die Konsequenzen des Materialismus als trostlos und sucht nach einem Standpunkt, von wo aus er diesen aus den Angeln heben könnte, weil „schwer auf unserem Gemüte der Druck einer Welt lastet, in der für Gott, Freiheit und Unsterblichkeit kein Platz übrig bleibt". Aber wehe unserer studierenden Jugend, wenn man sie nur dadurch aus der Scylla des Materialismus retten kann, daſs man sie in die Charybdis des Pessimismus schleudert!

D. tritt mit groſsem Selbstbewuſstsein auf und behauptet, die Lehre, daſs Raum, Zeit und Kausalität nur in der Vorstellung des Menschen liege, sei eine unumstöſsliche Wahrheit, und die Erschütterung seines auf 18 Beweise gegründeten Systems für alle Zeiten unmöglich. Wer Raum, Zeit und Kausalität für Eigenschaften der Dinge hält, den bezeichnet er ohne weiteres als Halbphilosophen. D. sollte doch bedenken, daſs diejenigen, welche die Geschichte als ganze Philosophen anerkennt, meist eine bescheidenere Sprache geführt haben, und daſs seine 18 Beweise sämtlich erschlichen sind. Ich will hier bloſs die Wertlosigkeit des ersten Beweises für die Idealität des Raumes darthun. Dieser lautet: „Ich habe die Anschauung des Raumes. Dieselbe muſs entweder aus der Erfahrung oder aus mir selbst stammen. Aus der Erfahrung nun kann sie nicht geschöpft sein: denn jede Erfahrung setzt sie schon voraus, weil Erfahrung nur dadurch zu stande kommt, daſs ich gewisse Empfindungen auf etwas auſser mir und ihre Verschiedenheit auf verschiedene Orte, die auſsereinander sind, beziehe; dies setzt bei jeder Erfahrung die Vorstellung des Raumes voraus." Es ist aber unwahr und eine grobe petitio principii, daſs die Erfahrung durch Anwendung der schon vorher vorhandenen Raumvorstellung auf Empfindungen zu stande kommt. Vielmehr wird die Raumvorstellung erst aus den Empfindungen, d. h. aus den Einwirkungen der Dinge auf unsere Sinnesorgane gewonnen. Ein Kind bekommt erst dann eine Anschauung von Raum, wenn es viele räumliche Dinge angeschaut hat. Bevor es aus dem angeschauten Räumlichen die Vorstellung des Raumes abgezogen hat, so gut wie die Vorstellungen von Farben, besitzt es durchaus keine wirkliche Vorstellung vom Raum, sondern nur die Fähigkeit, aus vielem angeschauten Räumlichen diese Vorstellung abzuziehen. Mithin stammt die Raumvorstellung von aufsen. Wäre dies nicht der Fall, so müfste auch ein Wesen ohne Gesicht, Tastsinn und Gemeingefühl eine Raumvorstellung haben können, was unwahrscheinlich ist, weil bei jedem Versuch, einen reinen Raum vorzustellen, sich unwillkürlich Gesichts- oder Tastsinnempfindungen einfinden, mit denen die Seele der reinen Vorstellung nachzuhelfen trachtet und dadurch verrät, woher sie überhaupt die Vorstellung bezogen hat. . Könnte nun die Seele keine Gesichts- und Tastempfindungen liefern, so wäre die reine Raumvorstellung ohne alle Stütze und wahrscheinlich unmöglich. Wenn man willkürlich annimmt, dafs jeder Mensch bereits die Raumvorstellung hat, bevor er etwas Räumliches anschaut, so kann man natürlich leicht daraus beweisen, dafs diese Vorstellung nur dem menschlichen Intellekt entstammt; denn man hat das, was zu beweisen war, bereits als richtig vorausgesetzt.

D. wird also wohl den Halbphilosophen gestatten müssen, an seiner Unfehlbarkeit ein bifschen zu zweifeln und mit Herbart anzunehmen, dafs die Welt da ist, auch wenn sie nicht vorgestellt wird, sowie dafs Raum, Zeit und Kausalität Eigenschaften der Dinge sind und nicht erst von unserem Intellekt in sie hineingetragen werden. Der Beweis hiefür ist sogar leicht zu führen. Alle Vorstellungen nämlich, welche wir aus uns selbst erzeugen, sind dem Willen der Seele unterstellt und können von ihr beliebig verändert werden. Wenn nun die räumliche Gestaltung z. B. des Tisches, den ich hier vor mir sehe, nicht eine Eigenschaft dieses Tisches selbst, sondern lediglich von meiner Seele demselben beigelegt wäre, so müfste es in meinem Belieben stehen, mir den Tisch auch anders gestaltet vorzustellen als er mir · erscheint. Nun bin ich aber durch die Einwirkung des Tisches auf meine Sinne gezwungen, ihn in einer ganz bestimmten Gestalt vorzustellen, welche meine Seele, auch wenn sie noch so sehr sich bemüht, nicht verändern kann. Demnach ist klar, dafs die räumliche Vorstellung des Tisches ihren Grund nicht in mir, sondern im Tisch selbst hat. Brächte meine Seele die Räumlichkeit wirklich zur Anschauung des Tisches hinzu, so müfste sie diese Zugabe auch verweigern und einen unräumlichen, gestaltlosen Tisch vorstellen können. Da sie das aber nicht vermag, sondern eine ganz bestimmte Gestalt des Tisches vorzustellen sich genötigt sieht, so mufs am Tisch etwas sein, was mir die Raumvorstellung aufnötigt, d. h. der Tisch mufs an sich selbst räumlich sein.

Im übrigen kann ich nur wiederholen, was ich im XX. Band dieser Blätter (1884) S. 518 ff. bei Besprechung einer Schrift von Elise Last (die realistische und idealistische Weltanschauung, entwickelt an Kants Idealität von Zeit und Raum) gegen Kant gesagt habe. Dortselbst habe ich entwickelt, wie Kant auf seine dem gesunden Menschenverstand niemals zusagende Lehre kam, dafs Zeit und Raum nur auf unserer Vorstellung beruhen, und wie in dem Wesen der Räumlichkeit und Zeitlichkeit selbst der

Grund für die Allgemeingültigkeit und Notwendigkeit der mathematischen
Lehrsätze zu suchen ist, nicht aber darin, daſs sie keine Eigenschaft
der Dinge wären, sondern nur in unserer Vorstellung existierten.

Zum Schluſs wollen wir unseren Pessimisten noch schärfer
packen, und zwar durch folgenden Gedangengang: Wir sind gezwungen,
die Dinge räumlich, zeitlich und kausal vorzustellen.   Dieser Zwang
kann nur entweder von den Dingen oder von unserem eigenen Geiste
ausgehen.   Zwänge uns aber unser eigener Geist, die Dinge
räumlich, zeitlich und kausal vorzustellen, obwohl sie
keine von diesen drei Eigenschaften besitzen, so wäre
unser eigener Geist ein Lügengeist, der zur Erkenntnis
der Wahrheit unbrauchbar sein würde.   Sollen also überhaupt Wissenschaft und Philosophie möglich sein, so muſs der Zwang,
die Dinge räumlich, zeitlich und kausal vorzustellen, nicht von unserem
eigenen Geiste, sondern von den Dingen selbst ausgehen, d. h. sie
müssen eben wirklich diese drei Eigenschaften besitzen.   Demnach
haben Kant und Schopenhauer, als sie behaupteten, daſs Räumlichkeit,
Zeitlichkeit und Kausalität nur in unserem Geiste existierten, nicht
gesehen, daſs sie damit den Ast absägen, auf dem sie mit ihrem
Philosophieren sitzen.   D. muſs also entweder zugeben, daſs der Mensch
einen zur Erkenntnis der Wahrheit unbrauchbaren Lügengeist besitzt,
welcher ihm fälschlicher Weise die Dinge als räumliche, zeitliche und
kausale vorspiegelt, obwohl sie es in der That nicht sind; oder er
muſs zugeben, daſs die Dinge selbst räumlich, zeitlich und kausal sind.
Tertium non datur.

Bayreuth.   Ch. Wirth.

Dr. Theobald Ziegler, Professor der Philosophie und Pädagogik an der Universität Straſsburg, Die Fragen der Schulreform. Zwölf Vorlesungen. Stuttgart, Göschen 1891.   176 S.

Diese Schrift ragt als besonders erfreuliche Erscheinung aus der
Masse der literarischen Erzeugnisse hervor, welche die Schulreform-
bewegung hervorgerufen hat.   Der Verf. ist mit Recht der Ansicht,
daſs auch die Erörterung der pädagogischen Zeitfragen Sache des
Universitätsunterrichts ist, und er nahm daher Gelegenheit in diesen
Vorlesungen, welche er im Sommer 1891 an der Straſsburger Uni-
versität hielt, an die Verhandlungen und Ergebnisse der Berliner
Schulkonferenz anzuknüpfen und seine Anschauung über die wichtigsten
Aufgaben der Schulreform zu begründen.   In lebendiger den Leser
stets neu anregender Sprache weiſs er überall die entscheidenden
Punkte dem Urteil nahe zu rücken; denn das Auge des Professors
der Pädagogik ist durch die langjährige Praxis des bewährten Schul-
mannes geschärft; dabei ist er ein Feind alles unklaren, überspannten
Wesens und gewohnt die Wahrheit zu bekennen ohne ängstliche Um-
kleidung.   In dem Bestreben das Gute und Wirksame der bestehenden
Schuleinrichtungen zu würdigen, aber auch das Vergängliche von dem
Bleibenden zu scheiden, stimmen wir ganz mit ihm überein; es zeugt

aber von der Schwierigkeit der vorliegenden pädagogischen Streitfragen, daſs sich sofort nicht unwesentliche Unterschiede der Auffassung herausstellen, wenn wir im Folgenden auf die Bedeutung des
Inhalts dieser Vorlesungen hinweisen und auch einige der umstrittensten
Probleme berühren.

Da von manchen Seiten an das Schlagwort des erziehenden
Unterrichts übertriebene Anforderungen geknüpft werden, legt Ziegler
in dem Abschnitt „Erziehen und Unterrichten" einen besonderen Nachdruck auf den Satz, daſs jeder gute Unterricht erziehende Wirkung
in sich schlieſse; das erste Kennzeichen dieses guten Unterrichtes sei
aber darin gegeben, daſs er die Schüler nicht langweile. „In der That
ist die Fähigkeit des Lehrers Interesse zu wecken die erste Bedingung
eines erziehenden Einfluſses überhaupt; und je mehr dadurch der
Schüler Freude an selbständiger geistiger Arbeit gewinnt, je mehr sich
damit Gewöhnung an Pflichttreue und Gewissenhaftigkeit in allen
Leistungen verbindet, um so sicherer bietet der Unterricht einer Lehranstalt die Gewähr, daſs er zugleich der sittlichen Erziehung dient".
Wir pflichten durchaus bei, wenn in solcher Weise die bisherige Lehrthätigkeit an unseren höheren Schulen in Schutz genommen wird;
dennoch haben wir auch immer denjenigen Bestrebungen zugestimmt,
welche im Gegensatz zu dem formalistischen Betrieb darauf gerichtet
sind, die Lehrgegenstände je nach der ihnen eigentümlichen Kraft in
höherem oder geringerem Maſse zu einer mehr direkten Einwirkung
auf den Charakter auszunützen. Ein Beispiel mag dies erläutern.
Die Homerlektüre bietet in vielen tiefsinnigen Sagen, in dem freundlichen oder feindlichen Zusammentreffen der Charaktere, in der ernsten
oder heiteren Betrachtung der menschlichen Schicksale eine Fülle
sittlichen Gehalts; und dieser Gehalt ist uns nicht fremd; der Dichter
ist der Herold allgemein menschlicher Empfindung und damit auch
unserer eigenen, so daſs wir uns häufig gedrängt fühlen, auszurufen:
so sind in Wahrheit die Menschen, auch diejenigen, welche uns begegnen, und so hinwiederum sollten sie sein. Wenn die Aufmerksamkeit der Schüler darauf gelenkt wird, nicht etwa in methodisch abgemessener Weise, sondern wo immer der Inhalt natürlichen Anlaſs
bietet, so ist darin gewiſs ein fruchtbarer Beitrag zur Veredlung der
Sinnesart unserer Jugend enthalten. Wenn dagegen, wie dies so lange
geschehen ist, über der Beobachtung der sprachlichen Gesetze oder
auch der Schönheit der Form der Inhalt vernachlässigt wird, so ist
ein solcher Unterricht nicht notwendig ein langweiliger, auch er kann
gut sein, insoferne er lebendiges Interesse strebsamer Kräfte erregt
und sich durch Förderung energischer geistiger Arbeit in den Dienst
der Erziehung stellt, aber eine derartige erziehende Wirkung eignet
jedem anregenden Unterricht; in unserem Falle handelt es sich darum
die dem Lehrstoff eigentümliche Kraft das Innere des Menschen zu
ergreifen zu ausreichender Geltung zu bringen. Und so lieſse sich an
einer Reihe von Lehrstoffen nachweisen, wie in ihnen die Rücksicht
auf Gesinnungstüchtigkeit wirksamer werden kann, ohne daſs damit
den Gegenständen Zwang angethan wird. Die Herbartianer haben

durch starres Festhalten an oft unfruchtbaren Prinzipien und einseitige Methodensucht in mancher Beziehung mehr Wirrnis als Klarheit
in die Lehrstoffe gebracht, aber dafs sie dem Unterricht eine ent-
schiedencre Richtung auf Charakterbildung angewiesen haben, bleibt
beachtenswert.

In den folgenden Abschnitten tritt Ziegler für das Studium der
altklassischen Sprachen ein, insbesondere auch für den Geist der
Schönheit und Freiheit, welcher uns aus der klassischen griechischen
Literatur entgegenquillt; sehr entschieden wendet er sich auch gegen
den Plan, mit einer neueren Sprache zu beginnen und den Anfang
des lateinischen und griechischen Unterrichts in die höheren Klassen
hinauszuschieben.   In Bezug auf die Mathematik wird einmal die
Frage angeregt, ob nicht auch hier eine Ausscheidung und Vereinfachung statthaben könne, wie man sie in anderen Lehrfächern vorgenommen hat.   Eine drastische Abfertigung erfährt der neuerdings
empfohlene und auch bereits in Lehrbüchern durchgeführte rückwärts
schreitende Lehrgang in der Geschichte.   Als direkte Schädigung des
Gymnasialunterrichts wird ferner die Prüfung bezeichnet, welche nach
dem Beschlusse der Berliner Schulkonferenz nach dem sechsten Schuljahre zum Nachweise der Befähigung für den Einjährig-Freiwilligendienst
eingeschoben werden soll.   Den Klagen wegen Überbürdung wird die
Notwendigkeit entgegengestellt an pflichtmäfsige Arbeit zu gewöhnen
und in den Hausarbeiten die Kraft selbständigen Thuns zu üben.
Die von der Konferenz empfohlenen „taktvollen Hausbesuche" werden
im allgemeinen mit guten Gründen verworfen, Ziegler will aber auch
von der Überwachung des sittlichen Lebens der Schüler aufserhalb
der Schule durch Disziplinargesetze ganz absehen, worin wir nicht
beistimmen können.

Zur Beseitigung mancher Mifsstände im Schulwesen werden in
dem Abschnitt „Das Abiturientenexamen und der Schulrat" vor allem
gute Schulräte gefordert.   Die Schulräte zerfallen nach Zieglers Erfahrungen in drei Klassen und er entwirft ausdrucksvolle Bilder des
idealen, des Durchschnitts- und des schlechten Schulrates. Das Spiegelbild des letzteren, welcher protzend in seiner Machtfülle dasitzt und
ohne Unterlafs den Schwächen der Schüler und Lehrer auflauert, ist
wohl geeignet zur Ausrottung dieser Klasse beizutragen, wenn, um mit
Ziegler zu sprechen, dieselbe überhaupt nicht vorhanden sein sollte.
Sehr nach Verdienst geht Ziegler in der zwölften Vorlesung auch mit
den Juristen ins Gericht, welche „auch die höheren Stellen im Schulwesen alle den Lehrern vorenthalten und für sich reserviert haben".
Er fordert im Interesse der Schule sowohl als des Standes die notwendige Änderung und verweist auf das Beispiel Württembergs, „wo
nun seit drei Generationen — und nicht zum Schaden seiner Schulen —
frühere Gymnasiallehrer erst Schulräte, dann Direktoren der Kultus-
ministerialabteilung für Gelehrten- und Realschulen geworden sind".

Die wissenschaftliche Vorbildung der Gymnasiallehrer ist in der
Schulkonferenz nur oberflächlich berührt worden, und doch führen,
wie Ziegler überzeugend ausführt und wie auch wir immer behauptet

haben, die Schulfragen notwendig zur Erkenntnis der Unerläfslichkeit einer Reform des Universitätsunterrichts. Dafs der Student einer Anweisung bedarf, wie er seine Studien einzurichten habe, und dafs in dem Studienplan des künftigen Gymnasiallehrers Philosophie und deutsche Literatur eine ganz andere Stelle einnehmen müssen, als dies jetzt gewöhnlich der Fall ist, das sind notwendige Anforderungen, welche wir aus der Zahl der sehr beachtenswerten Richtpunkte, welche Ziegler gibt, besonders herausheben. Was die pädagogische Ausbildung betrifft, so wendet Ziegler gegen die neuen preufsischen Einrichtungen unter Anderem mit Recht ein, dafs es schwer sein wird für 80 Seminarien eine hinreichende Anzahl solcher Persönlichkeiten zu finden, welche, wie die Verordnung sagt, „Interesse für die hochwichtige Frage, besondere Bewährung auf dem Gebiete der Pädagogik und Didaktik, hervorragende Lehrerfolge" aufzuweisen haben. Wir haben in unseren Beiträgen zur Lösung der Frage der Lehrerbildung immer darauf hingewiesen, dafs solche Seminareinrichtungen nur gedeihen können, wenn die Aufgaben, welche ihnen gestellt werden, wenigstens zum Teil in den Plan der Universitätsbildung der Gymnasiallehrer aufgenommen werden. Auch Ziegler hat sich, wie er mitteilt, nach längerem Schwanken dafür entschieden, dafs die Universität die pädagogische Berufsbildung in Angriff zu nehmen hat, und er hat diesen Gedanken auch in die Praxis übergeführt, wie uns in der zwölften Vorlesung in Kürze auseinandergesetzt wird. Man kann auch gegen diesen Versuch Manches einwenden; aber je mehr der Aufgabe in solcher Weise praktisch näher gerückt wird, umso eher ist auch Aussicht vorhanden, dafs wir allmählich auf sicheren Boden gelangen. Ziegler will übrigens Professoren ausschliefslich für Pädagogik nicht aufgestellt wissen und er ist ferner der Meinung, besser als ein Vertreter der Philosophie eigne sich für die vorliegende Aufgabe ein Philologe, Historiker oder Mathematiker, der zuvor längere Zeit an einem Gymnasium unterrichtet habe; in jedem Falle solle indes die vornehmlich auf die zukünftige Praxis der Studierenden gerichtete Lehrthätigkeit ein Nebenfach bleiben. Wenn nun aber ein Professor für Gymnasialpädagogik über Geschichte des höheren Unterrichts vorträgt und damit zeitweise Vorlesungen nach Art der uns vorliegenden über die pädagogischen Zeitfragen verbindet; wenn er Didaktik der einzelnen Lehrgegenstände nach dem Beispiele Schillers in seinem Handbuch der praktischen Pädagogik liest, wenn er sich die schulmäfsige Erklärung der alten und der deutschen Autoren zum besonderen Vorwurf nimmt, wenn dabei überall das Bedeutende der umfangreichen pädagogischen Literatur zur Sprache kommt und wichtige Fragen des Unterrichts und der Erziehung in den Seminarien zur Diskussion gestellt werden, so liegt hier eine solche Fülle wissenschaftlicher Thätigkeit vor und diese sogenannte pädagogische Vorbildung wird zu einem so wesentlichen Teile der Berufsbildung des Gymnasiallehrers anwachsen, dafs diese Studien weder von dem Professor noch von dem Studierenden nur so nebenbei betrieben werden können. Diese erhöhte Richtung des Universitätsstudiums auf den

Beruf muſs dann allerdings auch Änderungen der Lehramtsprüfung
im Gefolge haben und es muſs zugleich in anderer Beziehung Erleichterung eintreten. Darauf weisen aber auch die neueren Reformen
der Lehrpläne des Gymnasiums hin, durch welche die Berufsthätigkeit
der Lehrer von der Aufgabe zur Fertigkeit des sprachlichen Ausdrucks
im Lateinischen und Griechischen anzuleiten mehr oder minder entlastet wird. Die Anforderung virtuoser Leistung im Gebrauche der
alten Sprachen wird auch in der Lehramtsprüfung zurücktreten zu
gunsten gründlicher Kenntnis der Schulautoren und der Kunst dieselben geschmackvoll ins Deutsche zu übertragen, und in der Altertumswissenschaft überhaupt wird man sich mehr als bisher auf das
Bedeutende einzuschränken haben. Wie ferner im Gymnasium die
deutsche klassische Literatur immer mehr zu ihrem Rechte kommt
und der deutsche Aufsatz zum entscheidenden Gradmesser der geistigen
Reife wird, so dürfte auch in der zukünftigen Lehramtsprüfung auf
eingehende Kenntnis der klassischen deutschen Schriftwerke, insbesondere der für die Jugend geeigneten, gröſseres Gewicht gelegt
werden und als vollgültiges Zeugnis hinreichender Berufsbildung wird
nicht etwa eine lateinisch geschriebene Abhandlung über irgend einen
entlegenen Gegenstand der Altertumswissenschaft angesehen werden,
sondern der Nachweis der Fähigkeit über ein bedeutenderes Thema
aus der antiken oder modernen Literatur auf Grund der vorhandenen
Vorarbeiten in gutem deutschen Ausdruck Gedanken zu entwickeln.
　　Wenn ich bisher bei der Andeutung des reichen und wertvollen
Inhalts dieser Vorlesungen im ganzen zu einem zustimmenden Urteil
gelangte, so stehen jetzt noch einige Fragen aus, welche ich abweichend beantworten muſs und deren besondere Bedeutung auffordert
die gegenteilige Ansicht, wenigstens in Kürze, zu begründen. Zunächst
ein Wort über den deutschen Unterricht, von welchem in der achten
Vorlesung gesprochen wird. Ziegler hat wohl Recht, wenn er die
Leistungen unserer Schüler im Gebrauch der Muttersprache gegen
übertriebene Klagen der Universitätslehrer in Schutz nimmt und auch
auf den Miſsstand des Universitätsunterrichts hinweist, „bei dem der
junge Mann unter Umständen Jahre lang keine einzige deutsche Arbeit
anfertigt oder die wenigen, die er zu machen hat, nur selten auch
auf Stil und Ausdrucksweise hin geprüft und mit ihm besprochen
werden". Auch wenn er die Anfänge der deutschen Grammatik dem
lateinischen Unterricht zuweist und vor ausgedehntem Betrieb der
Literaturgeschichte warnt, stimmen wir zu; nicht aber, wenn er die
Vermehrung der deutschen Unterrichtsstunden nicht für notwendig
erklärt und alle weiteren Klagen und Wünsche mit der Mahnung ab-
schneidet: „schafft gute Lehrer überhaupt und ganz besonders gute
Lehrer für das Deutsche, das ist alles, was in dieser Beziehung dem
Gymnasium Not thut und was es immer neu nötig hat". Auch wenn
wir nur gute Lehrer haben, können dieselben nicht in einer Stunde
das vollenden, wozu zwei erforderlich sind; wenigstens was das dem
deutschen Unterricht in den höheren Klassen zugewiesene Zeitmaſs
betrifft, befindet sich derselbe heute noch in der Lage des Stiefkindes,

von dem man Alles fordert, dem man aber nicht ausreichend gewährt, was leistungsfähig macht. Fassen wir nur kurz zusammen, was ziemlich allgemein als Aufgabe dieses Unterrichts bezeichnet wird. Es soll ein doch nicht allzu oberflächlicher Einblick in die Entwicklung unserer Muttersprache gegeben werden; ein befriedigender Erfolg ist hier nur dann zu erwarten, wenn nicht etwa blofs in einer Klasse etwas Mittelhochdeutsch getrieben wird, sondern durch alle Klassen der wissenschaftlichen Betrachtung des Wechsels der Formen und der Bedeutung der Wörter und Redewendungen einige Zeit zugewandt werden kann. Ferner können nicht häufig genug mündliche und schriftliche Übungen unternommen werden, um den sprachlichen Ausdruck zu bilden und die logische Gedankenentwicklung zu fördern; die deutsche Stilübung hat hier allmählich, wenigstens in den obersten Klassen, in die Erbschaft des Zeitmafses einzutreten, welches man früher dem lateinischen Stil einräumte. Und endlich, was auch uns wie Ziegler die Hauptsache ist, soll man die Werke unserer Klassiker, in einer doch nicht allzu dürftigen Auslese, in der Weise lesen, dafs sie von der Jugend allseitig verstanden und eben deshalb umso freudiger genossen werden, soll man wertvolle Abhandlungen aus der neueren Zeit eingehender behandeln. Ich stehe daher nicht an zu behaupten, dafs diesen erhöhten Anforderungen und dem entscheidenden Gewicht, welches mit Recht der Leistung im Deutschen zukommt, die jetzt übliche Zahl der Lehrstunden nicht entspricht; man wird sie in den obersten Klassen verdoppeln und auf gleicher Höhe mit der dem lateinischen oder dem griechischen Unterricht zugemessenen Stundenzahl halten müssen.

Eine zweite Frage, in welcher ich zu einem entgegengesetzten Ergebnis gelange, ist die des Abiturientenexamens. Ziegler erklärt, dafs er sich „wenn schon nicht ganz leichten Herzens und nicht frei von allerlei Zweifeln" für das Fortbestehen desselben entschieden habe, und zwar hauptsächlich aus zwei Gründen. Erstens sei es nützlich und notwendig, dafs am Schlufs einer neunjährigen Schulzeit noch einmal sozusagen die Summe des Ganzen gezogen werde und der Abiturient zusammenfasse, was er nun eigentlich gelernt und erworben habe; derselbe werde bei der Repetition auch manches Vergessene oder nie gründlich Gelernte und Verstandene nachholen. Ich möchte zunächst darauf hinweisen, dafs auch der Beschlufs der Schulkonferenz die Prüfung auf das Pensum der Oberklasse beschränkt wissen wollte und dafs gerade das Streben in derselben eine Art Facit des Gesamtunterrichts zu ziehen zu unerträglicher Überbürdung führen mufs. Wir heimsen Jahr für Jahr in unzähligen schriftlichen und mündlichen Prüfungen die Ergebnisse unserer Lehrthätigkeit ein und der gute Unterricht strebt doch gewifs überall dahin auch gröfsere Pensen in Wiederholungen zusammenzufassen, soweit es immer ohne Überlastung geschehen kann; auch in der Oberklasse wird Monat für Monat geprüft und zusammengefafst: warum dann am Schlufs noch diese potenzierte für Schule und Lehrer unnütze Plackerei zum Zwecke der Zusammenfassung? Der Ansicht aber, als ob so der Abiturient

Gelegenheit erhalte, sich anzueignen, was er früher nicht gründlich
genug erfaſst habe, steht doch die Erfahrung entgegen, daſs überall
die Masse des Lehrstoffes der Gründlichkeit im Wege steht. Der
zweite für Ziegler maſsgebende Grund ist das Interesse der Lehrer
in der staatlichen Kontrolle Schutz zu finden gegen den Verdacht und
Schein der Parteilichkeit. Es scheint mir nicht, als ob derartige Anklagen jemals aufhören werden, auch wenn der Schulrat allen Schul-
prüfungen beiwohnte; die durch eigene Schuld Geschädigten werden
auch das Urteil des staatlichen Kommissärs nicht anerkennen, sondern
auch dann geneigt sein ihr Unglück auf Gunst oder Ungunst des
Kollegiums oder einzelner Lehrer zurückzuführen, zumal da sie sehen,
daſs der Schulrat in der Regel dem Urteil der letzteren zustimmt
und sagen können, die Entscheidung des Kollegiums habe auf diesen
eingewirkt. Der Lehrer muſs sich hier mit allen denjenigen trösten,
welche im öffentlichen Leben stehen und ihre Schuldigkeit thun.
Und warum sollen gerade die Lehrer der Oberklasse eines auſserordentlichen Schutzes bedürftig sein, während in den nächst vorhergehenden Klassen oft nicht minder wichtige Entscheidungen ohne
besondere staatliche Aufsicht getroffen werden? Oder ist es so ein
erheblicher Unterschied, ob ein Schüler in der IX. Klasse (Oberprima)
oder in der VIII. (Unterprima) sein Ziel nicht erreicht? Wenn ich
somit Zieglers Gründe für das Fortbestehen einer besonderen Reifeprüfung nicht billigen kann und auch seine Vorschläge zur Vermeidung
der damit notwendig verbundenen Nachteile nicht zutreffend finde,
so erkenne ich doch mit ihm in der Revision des Gymnasiums durch
gute Schulräte eine besonders heilsame Einrichtung; dieselbe hat sich
aber in der Regel auf alle Klassen zu erstrecken.

Wichtiger für die Zukunft unseres Gymnasiums als die Antwort
auf solche Fragen des Lehrbetriebs ist die Entscheidung über die
Berechtigungen. Ziegler will den Bildungsweg überhaupt freigeben
und bekämpft daher den Beschluſs der Konferenz, welche das Realgymnasium beseitigt wissen will. Er geht von der Schwierigkeit des
Begriffes der Bildung aus, deren Besitz der Lauf durch das Gymnasium
keineswegs garantiere, und von dem Satze, daſs keine Schulart, auch
das Gymnasium nicht, das Ganze der Bildung darbieten könne, sondern
immer nur Bruchstücke und Teile, welche erst im späteren Leben
ihre Ergänzung finden müssen. Von der Verschiedenartigkeit der Vorbildung erwartet er sogar besondere Vorteile, nämlich „eine umso
allseitigere Würdigung der gerade in Frage stehenden Angelegenheiten"
und „verständnisvolles Anhören und freundliche Duldsamkeit auch
abweichenden Ansichten gegenüber". Dieser Empfehlung verschiedenartiger Bildungswege gegenüber wird man zunächst einräumen, daſs
es allerdings kein Universalmittel gibt um das zu gewinnen, was als
wahre Bildung bezeichnet wird und daſs oft gerade der Hochmut
derjenigen, welche sich des Besitzes der klassischen Bildung rühmen,
das sprechendste Zeugnis dafür ist, daſs sie nicht auf dieser Höhe
angelangt sind; wenn aber auch verschiedene Wege zu dem Ziele der
Bildung führen können, so ist damit noch nicht gesagt, daſs dieselben

auch gleichwertig sind; ob das Ziel mehr oder weniger vollkommen erreicht wird, hängt von der Güte oder Mangelhaftigkeit des Bildungsweges ab. Soweit z. B. die Bildung auch auf einer gründlichen Kenntnis der schönen Literatur beruht, ist doch derjenige vollkommener, idealer durchgebildet, welcher durch das Studium der antiken Literaturgattungen hindurchgegangen ist. Ziegler schätzt auch diese antike Bildung zu hoch als dafs er nicht mit Nachdruck betonte, es müsse ein erheblicher Bruchteil unserer gebildeten Jugend derselben teilhaftig werden; er sieht auch nicht über die Nachteile hinweg, welche dem Studium an der Universität durch verschiedenartige Vorbildung erwachsen müssen, aber er findet hinreichend Trost in einem Glauben, den wir leider nicht teilen können: nach Aufhebung der Berechtigungen des Gymnasiums, meint er, würde im Grunde alles bleiben wie bisher, einzig das medizinische Studium ausgenommen. „Was seither der Staat mit seinen Verordnungen erzwungen hat, das würde künftighin die Sitte in derselben Weise normieren und als das Zweckmäfsige und Richtige festhalten: Theologen, Philologen, Juristen — sie würden sicherlich ihre Vorbildung nach wie vor auf dem humanistischen Gymnasium suchen, höchstens dafs mit der Zeit vielleicht auch einmal unter den Juristen sich etliche Realgymnasiasten einstellten". Ich fürchte, dafs letzteres sehr bald geschehen würde. Oder dürften wir wirklich bei der grofsen Mehrzahl der Väter unserer Schüler und bei diesen selbst eine so ideale Gesinnung voraussetzen, dafs sie nicht den leichteren Bildungsweg wählen sollten um die erstrebte Lebensstellung sich zu sichern, wenn er auch zu weniger vollkommenem Bildungserwerb führen sollte als ein anderer schwierigerer? „Über das, was der Einzelne studieren will, entscheiden meist recht weltlich realistische Rücksichten", sagt Ziegler selbst bei einer anderen Gelegenheit. Der Optimismus derjenigen, welche den Altertumsstudien die Kraft zutrauen über alle diese äufseren Rücksichten zu obsiegen, läuft Gefahr denselben das Grab zu graben. Wer dazu nicht beitragen will, mufs an den Berechtigungen des Gymnasiums festhalten.

F. Hornemann, Oberlehrer am Lyceum I in Hannover, Die Berliner Dezemberkonferenz und die Schulreform. Von geschichtlichem Standpunkt aus beleuchtet. Hannover, Carl Meyer. 1891. 112 S.

Dr. A. Grumme, Direktor des Fürstlichen Gymnasiums zu Gera, Die wichtigeren Beschlüsse der Berliner Schulkonferenz von 1890 nebst ein paar kurzen Betrachtungen über die Reform des höheren Schulwesens. Gera, Hofmann. 1891. 30 S.

Dr. Conrad Rethwisch, Oberlehrer am k. Wilhelmsgymnasium in Berlin, Die Schulfrage in ihrer Wendung durch die Kaiserworte und die Dezemberkonferenz. Separatabdruck aus den Jahresberichten über das höhere Schulwesen. V. Jahrgang. Berlin, Gärtner 1891. 28 S.

Die Berliner Schulreform-Conferenz. Referat von Dr. S. Frankfurter, Amanuensis der k. k. Universitätsbibliothek in Wien. Erweiterter Abdruck aus „Zeitschrift für die österr. Gymnasien" 1891 Heft 7—8. Wien, Gerold u. C. 1891. IV u. 62 S.

Alphabetisch geordnetes Sachregister zu den Verhandlungen über Fragen des höheren Unterrichts. Herausgegeben von Dr. Hermann Guido Stemmler, Lehrer an dem Gräflich Gleichenschen Gymnasium zu Ohrdorf. Selbstverlag des Verfassers. Ohrdorf 1891.

Hornemann, welcher an den Verhandlungen der Berliner Schulkonferenz teilnahm, verteidigt in der vorliegenden Schrift die Beschlüsse derselben als Ergebnis der geschichtlichen Entwicklung des höheren Schulwesens von allgemeinen Gesichtspunkten der Pädagogik aus. Das Gymnasium soll so gestaltet werden, dafs es die notwendige Vorbildung für alle wissenschaftlichen Fächer der Universität gewährt, und Hornemann sucht nachzuweisen, dafs die nämliche Vorbildung auch dem Studium auf der Technischen Hochschule vorauszugehen habe. Zu diesem Zwecke mufs das Gymnasium „alle Hauptbestandteile der allgemeinen Bildung in sich aufnehmen", das „philologische Gymnasium" mufs sich in ein „wahrhaft humanistisches" umwandeln; durch Zurückdrängen des grammatischen Betriebs in den alten Sprachen und durch Empfehlung des Englischen und des Zeichnens habe die Konferenz solchen Anforderungen entsprochen. Den Gefahren der Überbürdung und Zersplitterung wird nach H. durch Herabsetzung der häuslichen Arbeitszeit und durch Vereinfachung und Verknüpfung der Lehrstoffe hinreichend vorgebeugt werden können. Aus der vorgeschlagenen Stundenverteilung für das neue Gymnasium heben wir heraus, dafs für Deutsch in den beiden obersten Klassen je 5 Stunden angesetzt sind.

Aus dem Lehrplan der Realschulen oder höheren Bürgerschulen will H. den lateinischen Unterricht im allgemeinen ausgeschieden wissen, er hält es aber zur Hebung und Mehrung solcher Schulen für notwendig, dafs dieselben in kleineren Städten, in welchen sich kein Gymnasium befindet, in einer Selekta Gelegenheit geben Griechisch und Lateinisch zu lernen zum eventuellen Übertritt in die Prima eines Gymnasiums. Es ist nur dabei sehr zweifelhaft, ob die Mehrzahl der gut vorbereiteten Schüler in Prima den von der Realschule kommenden Bruchteil weniger gut vorbereiteter sich so leicht werde „assimilieren" können, wie H. annimmt.

Sehr nachdrücklich wird S. 83 ff. eine dem zukünftigen Beruf mehr entsprechende Universitätsbildung der Gymnasiallehrer gefordert. In Bezug auf die jüngst in Preufsen eingerichteten Seminare an den Gymnasien erfahren wir nicht gerade Erfreuliches; ich habe stets betont, dafs solche Seminare schwerlich gedeihen werden, wenn die

Leitung derselben ein Nebenamt sein soll; Hornemanns Klagen bestätigen diese Anschauung: „Die beauftragten Lehrer werden so mangelhaft remuneriert, die Arbeit am Seminare aber ist, wenn sie ernst
genommen wird, so anstrengend und zeitraubend, dafs sich bald
niemand mehr dafür finden wird".

Auch G r u m m e stimmt den Beschlüssen der Schulkonferenz im
allgemeinen zu; von dem Verzicht der Realschulen auf das Lateinische
hofft er sehr günstige Folgen betreffs des „unheilvollen Schulstreites";
inzwischen ist freilich nach neuerlichen Äufserungen des preufsischen
Kultusministers die Einschränkung der Realgymnasien auf die modernen
Bildungselemente sehr fraglich geworden. Aber von einer Herabsetzung
der Lehrstunden für die alten Sprachen fürchtet G. schwere Schädigung;
sei dieselbe unabwendbar, so müsse man als notwendige Folge auch
die Herabsetzung der Lehrziele verordnen. In der That scheint man
das letztere nicht überall genügend einzusehen. Von der Einführung
einer Prüfung für die Einjährig-Freiwilligen in Untersekunda erwartet
G. mit Recht mehr Schaden als Nutzen.

Über die gymnasialpädagogischen Anschauungen des Herausgebers
der Jahresberichte für das höhere Schulwesen haben wir uns bei
Gelegenheit der Anzeige dieser Berichte in diesen Blättern schon mehrfach ausgesprochen s. XXV. Bd. S. 490 ff. und XXVII. Bd. S. 360 ff.
Wir stimmen bei, soweit er dem Gymnasium ausgedehntere Pflege
der deutschen Literatur empfiehlt und demgemäfs auch in den Lehr-
amtsprüfungen erhöhte Anforderungen in Bezug auf deutsche Sprache,
Literatur und Geschichte stellen heifst, auch wenn er fordert, dafs
man Ernst mache mit dem Grundsatz, die Kenntnis der Autoren sei
der mafsgebende Endzweck des altsprachlichen Unterrichts, und wenn
er deshalb die Aufnahme einer Übersetzung aus dem Deutschen ins
Lateinische in die Reifeprüfung verwirft. Dagegen fürchten wir von
dem Streben nach der sogenannten abgeschlossenen Mittelschulbildung
für die VI. Gymnasialklasse, durch welches R e t h w i s c h offenbar auch
veranlafst ist die neue Militärprüfung „schätzenswert" zu finden, nur
schädliche Folgen für den Gesamtunterricht des Gymnasiums; ferner
haben wir bereits an anderer Stelle (s. oben S. 386 ff.) die Ansicht bestritten, dafs eine Bildung ohne genauere Kenntnis der alten Autoren von
gleichem Werte sei wie diejenige, welche auf dem Altertum fufsend
in das Verständnis der neueren Literatur eindringt, und ebenso die
damit zusammenhängende Forderung allen Schularten die gleichen
Berechtigungen zu gewähren. Wenn R. rät, „die Erforschung alles
dessen, was an besonderen Vorkenntnissen für das erwählte Berufsfach
erforderlich ist, auf die Staatsprüfungen zu versparen", so dürften
dagegen am ersten die Lehrer der Universitäten Protest einlegen; denn
es würden sich die Klagen früherer Zeiten wiederholen, als es an einer
einigermafsen gleichmäfsigen Vorbildung der Studierenden gebrach.

Wer nicht Mufse und Lust hat sich durch die 800 Seiten der
„Verhandlungen über Fragen des höheren Unterrichts, Berlin 4. bis
17. Dezember 1890" hindurchzuarbeiten, wird in F r a n k f u r t e r s
Auszug das Wichtigste zusammengefafst finden, und dem Mangel eines

alphabetischen Sachregisters zu dem starken Bande, welcher diese Verhandlungen ausführlich enthält, sucht S t e m m l e r abzuhelfen.

Bamberg.   J. K. F l e i s c h m a n n.

D e n k m ä l e r d e r ä l t e r e n d e u t s c h e n L i t e r a t u r für den literaturgeschichtlichen Unterricht an höheren Lehranstalten, herausgegeben von Dr. G. B ö t t i c h e r und Dr. Karl K i n z e l. I. Die deutsche Heldensage. 1. Hildebrandslied und Waltharilied übersetzt und erläutert von G. B ö t t i c h e r. Zweite vervollständigte und verbesserte Auflage. Halle, Buchhandlung des Waisenhauses. 1891. VIII u. 59 S. 0,60 M.

Die erste Auflage des genannten Bändchens der Denkmäler ist bereits im XXVI. Bande S. 480 dieser Blätter von Prof. Dr. Brenner in lobender Weise angezeigt und auch für unsere bayerischen Gymnasien als eine willkommene Ergänzung zum mittelhochdeutschen Lesebuch bezeichnet und empfohlen worden. Und in der That nehmen diese „Denkmäler" in der Reihe der Lehrmittel für den Unterricht in der deutschen Literaturgeschichte eine hervorragende Stelle ein. Während man früher zur Kenntnisnahme einer geeigneten Auswahl aus den Werken der Literatur auf den Gebrauch umfangreicherer Sammlungen von Proben sei es im Urtext oder in Übersetzung angewiesen war, ist durch das Unternehmen der Herausgeber der Schüler in stand gesetzt Einzelnes und zwar das Beste, was er zum Privatstudium nötig hat, je nach den erhaltenen Anregungen oder eigenen Wünschen sich anzuschaffen und durch die beigegebenen trefflichen Unterweisungen in verhältnismäfsig kurzer Zeit und auf angenehme Weise einen Überblick über das Gebotene zu gewinnen.

Für unsere bayerischen Gymnasien ist nach der neuen Schulordnung zur Lektüre im Urtext mit Recht nur das Nibelungenlied, Kudrun und Walther von der Vogelweide zugelassen: es wird dadurch einer Zersplitterung des Interesses vorgebeugt; allein „d e r E n t w i c k l u n g s g a n g der Literatur soll mit charakteristischen Belegen zur lebendigen Anschauung gebracht werden". Dies kann nur im Vortrag des Lehrers durch Mitteilung interessanter Partien in gutgelungener den Geist des Originals atmender Übersetzung geschehen; denn das blofse Anhören von Stellen im Urtext wäre wirkungslos. Ist nun in der Klasse durch Mitteilung der Proben die Anregung gegeben, so sollen und werden sich immer einzelne Schüler finden, die den Wunsch hegen auch selbst in das Original oder in eine Übersetzung einen Blick zu werfen, um das Gehörte sich noch einmal zu vergegenwärtigen oder auch aus freiem Antrieb weiter zu lesen. Dazu eignen sich nun diese Bändchen vorzüglich. Sei es dafs sie durch den Lehrer ausgeliehen oder durch Kauf in die Hände der Schüler gelangt sind, werden sie die beste Förderung bieten für eine Vertiefung in die Stoffe, für welche die Schüler das nötige Interesse gewonnen haben.

In erster Linie dienen dazu die zwar knapp gehaltenen, aber alles Wesentliche in klarer und schöner Sprache bietenden Einleitungen. Beispielsweise wird in der Einleitung zum Hildebrandslied zuerst das geistige Leben, wie es zur Karolingerzeit in den Klöstern herrschte, ins Licht gestellt, weil diesem Lehen das Lied seinen Ursprung verdankt; nach kurzer Erwähnung, wie dieses Literaturdenkmal auf unsere Zeit gelangte, wobei auf die Gebrüder Grimm hingedeutet ist, wird dem Lied nach Form und Inhalt seine Stelle in den deutschen Sagenkreisen angewiesen. Dann wird sein Kunstwert und die Darstellung des tragischen Motivs und der dem Lied eigene Heldengeist besprochen. Schliefslich wird auch angedeutet, wie der im Liede erzählte Vorgang ein Lieblingsgegenstand der deutschen Sage und Dichtung geblieben ist. Letzteres wird der Lehrer nicht verfehlen noch weiter auszuführen, da hier in Bezug auf spätere Lieder ein folgendes Bändchen zitiert wird. Die unter dem Text stehenden kurzen sachlichen Anmerkungen sind für das Bedürfnis der Schüler wohlbemessen, ohne der Erklärung des Lehrers vorgreifen zu wollen. Andrerseits wird durch manchen geeigneten Wink die Aufmerksamkeit auf wichtige Fragen z. B. ästhetischer Natur gelenkt. Wenn unter anderm bei Besprechung des Seelenkampfes in Hildebrand auf die Darstellung ähnlicher Seelenkämpfe in alter und neuerer Literatur hingewiesen ist, so sollte jedoch auch die Erwähnung des Kampfes von Rustem und Suhrab in Firduris Königsbuch und in Rückerts Nachdichtung nicht fehlen.

Die mit Beibehaltung der Alliteration gelieferte Übersetzung ist von ihrem Kunstwert ganz abgesehen, jedenfalls der pädagogischen Absicht entsprechend; denn sie verfolgt auch den Zweck den gegenüberstehenden ahd. Text ohne Aufwand von sprachlichen Anmerkungen im allgemeinen verständlich zu machen. Schüler, die auch für das Sprachliche dadurch tieferes Interesse gewinnen, mögen sich dann mit Fragen an den Lehrer wenden; denn ein Wörterverzeichnis ist nicht beigegeben; nur auf einige allgemeine Erscheinungen der ahd. Sprache ist aufmerksam gemacht.

Ähnlich wie beim Hildebrandslied ist das Verfahren Bötticher bei den als Beigabe an den Schlufs gestellten Merseburger Zaubersprüchen und dem Muspilli. Dagegen ist bei dem Waltharilied mit Recht von einer Gegenüberstellung des lat. Originals abgesehen, aber als Probe des lateinischen Texts ist der Anfang desselben (v. 1—33) am Schlusse beigegeben. Die Übersetzung schliefst sich mit Beibehaltung der hexametrischen Form auch hier eng an das Original an und verrät Gewandtheit und poetische Darstellungsgabe. Dafs die Verszahl des lateinischen Textes nicht beigesetzt ist, wirkt störend für solche, die die Übersetzung an dem Originale prüfen wollen. Einige Irrtümer und Mifsverständnisse der ersten Ausgabe sind jetzt beseitigt. Bedenken erregende Verse wie 257: „Hiltgund lenket das Rofs, mit manchem Talente beladen", finden sich selten. Vergl. aufserdem V. 21. 268. 390. 829. Im V. 88 „Nahm er in Treuen sich an der fremden vergeiselten Kinde" ist die gewählte Pluralform nur solchen Schülern

verständlich, die schon durch mhd. Lektüre sprachlich geschult sind.
Sonst sind altertümliche Worte und Formen mit Recht möglichst
vermieden.

Was aber den Schüler, der eine klassische Bildung geniefst, an
dieser Lektüre besonders anziehen mufs, das ist die überraschende
Ähnlichkeit mit der Kunstform Homers. Wie mufs ihn das Gefühl
erfreuen, dafs unsere Altvordern an ihren Liedern etwas gehabt haben,
was diesem grofsen Dichter nahekommt! Das dürfte denn auch der
wesentlichste Gewinn sein, der aus einer Beschäftigung mit einer gelungenen Übersetzung des alten Liedes hervorgeht, dafs das National-
gefühl dadurch eine lebendige Förderung erhält.

Dafs das Waltharilied nicht ganz mitgeteilt ist, sondern die
minderwichtigen Stellen durch eine verbindende Inhaltsangabe in Prosa
ersetzt sind, ist bei dem Plan der Herausgeber nur zu billigen. Beigegeben ist dem Liede noch eine kurze Mitteilung „über den Wasgenstein" nach den Angaben von Scheffel und Holder, wornach die dem
Liede entsprechende Örtlichkeit in dem Wasgenstein an der Südgrenze
der Pfalz gefunden wird. Vermifst wird jedoch hiebei eine Angabe
darüber, ob die wirkliche Entfernung dieser Burgruine von Worms
auch mit der Entfernung stimmt, wie sie der Dichter sich gedacht
und durch die Schilderung des Weges zum Ausdruck gebracht hat.
Vielleicht bringt uns eine neue Ausgabe auch noch eine illustrierende
Abbildung des Burgfelsens.

Damit wünschen wir dem Unternehmen der Herausgeber den
besten Erfolg und stimmen gern den empfehlenden Worten bei, die
dasselbe bereits anderwärts z. B. in der Zeitschrift für den deutschen
Unterricht gefunden hat.

Denkmäler der älteren deutschen Literatur herausgegeben von Dr. G. Bötticher und Dr. K. Kinzel. I. Die deutsche
Heldensage. 2. Kudrun, übertragen und erläutert von H. Löschhorn. Halle, Buchhandlung des Waisenhauses. 1891. 126 S. 0,90 M.

Von der ersten „die deutsche Heldensage" betitelten Abteilung
der Denkmäler liegt uns jetzt auch das 2. Bändchen vor, welches die
Kudrun enthält. Dasselbe hat H. Löschhorn zum Verfasser und
schliefst sich in derselben Weise behandelt dem 1. Bändchen würdig
an. Die Einleitung gibt zunächst darüber Aufschlufs, wo und in welchem
Zustand, sprachlich und sachlich betrachtet, das Gedicht aufgefunden
wurde, ehe im Jahre 1835 der mhd. Text wiederhergestellt worden
ist. Dabei wird nicht unterlassen darauf aufmerksam zu machen, dafs
das Gedicht verschiedenartige Bestandteile enthält und dafs dieser
Zustand der Überlieferung zu lebhafter Kritik herausforderte, ohne
dafs es bisher gelungen ist ein allgemein befriedigendes Resultat über
den als ursprünglich anzusehenden Kern der Dichtung zu erzielen.
Sodann wird der zu grundliegende Sagenstoff besprochen, in die
Hilden- und die Kudrunsage geschieden und seine Verbreitung aus
dem Norden nach dem südlichen Deutschland erwähnt. Den Spiel-

leuten wird die Schuld der kritiklosen Vereinigung beider Sagen zugeschrieben und als ihr Werk auch der Bericht über die Vorfahren der Helden der Dichtung erkannt, der zu einem ganz neuen Eingang der Dichtung sich auswuchs. Dieser erste Teil der Dichtung „die Vorgeschichte" ist dann nur dem Inhalt nach mitgeteilt, jedoch unter Einflechtung einer Anzahl von Strophen, die zugleich als Proben der echten Kudrunstrophe gelten sollen. Der Verf. hat diese nämlich in seiner nun folgenden Übertragung keineswegs beibehalten; denn da sie schon im Original als künstliche Nachbildung der volksmäfsigen Nibelungenstrophe gelten müsse, so stelle sie auch einer wirksamen Übertragung des Lieds allerlei Schwierigkeiten in den Weg und thue der Wirkung der poetischen Form Eintrag, die reiner und schöner durch die echte Nibelungenstrophe erzielt werde. In dieser wird denn auch die Nachdichtung geboten, die sich dabei noch insofern freier bewegen konnte, als der Verf. zwar die als echt und alt geltenden Strophen in erster Linie berücksichtigt hat, ohne sich jedoch ängstlich an die bisherige gelehrte Forschung zu binden, deren genaue Kenntnis jedoch sich überall verrät. Auch diese Übertragung darf wie die im 1. Bändchen von Bötticher gelieferte und vom Ref. oben besprochene als gewandt und wohl gerundet bezeichnet werden. Die ausgelassenen Verse sind nur an wenigen Abschnitten durch berichterstattende Prosa ersetzt. Dafs an einer dieser Stellen (S. 65) das Praeteritum gebraucht ist statt des berichtenden Praesens ist nicht zu billigen.

Zu wünschen wäre an manchen Stellen der unter dem Text befindlichen Anmerkungen ein Hinweis auf neuere poetische Darstellungen einzelner schöner besonders lyrischer und dramatischer Partien des Sagenstoffs z. B. zu dem Abschnitt „Wie Kudrun waschen mufste" die Erwähnung des schönen Liedes von E. Geibel „Kudruns Klage". (Gesammelte Werke Bd. III, S. 87.)

Dagegen ist öfter auf verwandte Klänge in den mittelalterlichen Dichtungen aufmerksam gemacht; bei der Sage vom Magnetberg hätte jedoch neben der Mitteilung der Jugenderinnerung Goethes auch das Vorkommen dieser Sage in der Spielmannsdichtung Herzog Ernst und in Uhlands gleichnamigem Drama eine Erwähnung verdient. Dafs die Binnenreime mittelst durchschossener Lettern hervorgehoben sind, sieht etwas sonderbar aus. Man möchte fragen, warum der Verf. nicht auch die unreinen Reime und die blofsen Assonanzen sichtbarer hingestellt hat. In Bezug auf die Wiedergabe einzelner Verse hier Ausstellungen zu machen, ist nicht unsere Absicht. Der Verfasser wird bei wiederholter Prüfung gewifs noch manches finden, was der nachbessernden Hand bedarf. Der Anhang enthält zur Vergleichung zuerst eine Probe des Textes nach dem Ambraser Heldenbuch und dieser gegenüber die gleiche Stelle in dem wiederhergestellten mhd. Text.

Wir wünschen auch diesem Bändchen zur Erreichung des angestrebten Zweckes beim Gebrauch in unsern höhern Schulen den besten Erfolg.

Speier   A. Nusch.

H. Düntzers Erläuterungen zu den deutschen Klassikern. 17. Bändchen: Goethes Tasso. 19. Goethes Faust. 1. Tl. 32. Lessings Minna v. Barnhelm. 39. und 43. Schillers lyr. Gedichte. 46. und 47. Schillers Wallenstein. 50. und 51. Schillers Jungfrau von Orleans. 77. und 78. Uhlands Balladen und Romanzen. Leipzig. Wartig. 1890.'91.

Die teils in 4. und 5. Auflage erschienenen Bändchen geben Zeugnis, dafs diese in ihrer Art einzig dastehende Sammlung von Erläuterungen zu den edelsten Werken unserer deutschen Klassiker immer gröfsere Verbreitung und Anerkennung findet, deren sie sich im Verlaufe von bald 40 Jahren seit ihrer ersten Einführung in die literarische Welt durch ihre vielen unbestreitbaren Vorzüge in vollem Mafse würdig gemacht hat.

Durch die von dem rühmlichst bekannten Goetheforscher und Literaturkenner eingeführte und bewährte Methode, durch die Gründlichkeit und Vielseitigkeit in Bezug auf Quellennachweis, Entstehung und Kritik der Dichterwerke, mit welch letzterer man freilich nicht immer einverstanden sein kann, durch die reiche sprachliche und sachliche Erklärung und durch die eingehende ästhetische Würdigung der Dichtungen nimmt diese Sammlung unter allen anderen ähnlichen Erzeugnissen des Büchermarktes sicherlich einen der ersten Plätze ein. — Die vorliegenden Bändchen sind teilweise neu durchgesehen, teilweise auch durch die Ergebnisse der neuesten Forschung verbessert und vermehrt, so vor allen die Erläuterungen zu Goethes Faust, 5. Aufl., welche gerade zur Jahrhundertfeier desselben erschienen sind; ebenso haben auch die Erläuterungen zu Goethes Tasso, Schillers Wallenstein und Uhlands Balladen und Romanzen teilweise entsprechende Neubearbeitungen erfahren.

———————

G. Ephr. Lessings sämtliche Schriften, herausgegeben von R. Lachmann. 3. vermehrte Auflage besorgt durch Franz Muncker. IV—VII. Band. Stuttgart. Göschen. 1889—91.

Der IV. Band der Lachmannschen von Munker neu bearbeiteten und vermehrten Ausgabe der sämtlichen Schriften Lessings enthält die ersten prosaischen Arbeiten des jungen Dichters, meistens Beiträge zu Zeitschriften. Wo es galt, sich für Aufnahme oder Ablehnung neuer Aufsätze zu entschliefsen, geschah das eine oder andere erst nach sorgfältigster Prüfung mit der strengsten Vorsicht und nicht ohne Fühlung mit anderen berufenen Lessingforschern. Der verdiente Herausgeber hat überall seinem Texte die Originaldrucke zu Grunde gelegt, die nicht immer leicht zu beschaffen waren. Orthographie und Interpunktion sind ebenso wie in den ersten Drucken, Änderungen wurden nur bei wirklichen Druckversehen vorgenommen. Im V. Band ist der gröfste Teil der prosaischen Arbeiten Lessings aus den Jahren 1752—1754 enthalten. Aufser zahlreichen Aufsätzen in der „Berlin. privilegierten Zeitung" und dem „Vademecum für Lange" sind dies namentlich die im 2. und 3. Bande der Lessingschen „Schrifften" von 1753 und 1754 enthaltenen Briefe und Rettungen, bei welchen der Herausgeber nicht nur die Zusätze Lessings, wie Lachmann und die folgenden Kritiker gethan haben, sondern auch die übrigen von ihm herrührenden Verbesserungen der späteren Ausgaben (1784 und 1785) in den Text aufgenommen hat. Am meisten vermehrt sind die Bei- träge zur „Berlinischen Zeitung" (um 24) und vollständiger als in jeder früheren Ausgabe. Der VI. Band bringt die „theatralische Bibliothek" nur im Auszuge, da der Herausgeber nach den für seine Arbeit geltenden Grundsätzen alles ausschliefst, was blofse Übersetzung ist und als solche für das Verständnis des Zusammenhangs entbehrt werden kann; aufserdem enthält derselbe die Vorrede zu den ver- mischten Schriften des Mylius und die von Lessing und Moses Mendels- sohn gemeinsam verfafste Schrift: „Pope ein Metaphysiker". Bei allen diesen Schriften wurden nur die ersten Drucke aus den Jahren 1754 —1758 zu Grunde gelegt, da nur sie von Lessing selbst überwacht worden sind. Die „Geschichte der englischen Schaubühne" hat der Herausgeber gleich Danzel und Maltzahn, deren Ansicht neuerdings auch Erich Schmidt sich anschlofs, als fast allgemein Fr. Nicolai zu- geschrieben, von Lessings Schriften ausgeschlossen. Im VII. Bande folgen zunächst der Abschlufs der Berliner Aufsätze aus dem Jahre 1755, die nur um drei vermehrt sind, dann die Arbeiten, welche der darauffolgenden Leipziger Periode angehören, darunter neu aufgenommen: „Nachricht" über einen „Schlachtgesang und zwei Siegeslieder von einem preufsischen Grenadier" und „Nachschrift an den Leser" zu „Kriegs- und Siegeslieder der Preufsen" u. s. w., endlich die Ausgabe der Sinngedichte Logaus sowie die Abhandlungen über die Fabel, welche kritisch geprüft und unter dem Texte mit allen Veränderungen versehen wurden, die an Lessings Worten in den verschiedenen kritisch beachtenswerten Ausgaben der „Literaturbriefe" vorgenommen worden sind. Der Herausgeber hat sich durch seine fleifsige Forschung und die gewissenhafte Prüfung der aufzunehmenden Stücke sowie durch die vorsichtige Behandlung kritischer Fragen um die Verbesserung und Vervollkommnung der Lachmannschen wie der kritisch wenig zuverlässigen Maltzahnschen Ausgabe der sämtlichen Schriften Lessings ein grofses Verdienst erworben, so dafs man dem Erscheinen der folgenden Bände mit grofsem Interesse entgegen sieht.

Würzburg.   —— · ——— ·   A. Baldi.

Chr. Wirth, Erste Anleitung zur selbständigen Fertigung deutscher Aufsätze. Nach der neuen Schulordnung für obere Gymnasialklassen bearbeitet. Bayreuth, Heuschmann. 1892. 8. 27 S. Preis 50 Pf.

Ein vortreffliches Büchlein, kurz und gut, so recht aus dem Unterrichte selbst herausgewachsen! Es wird den Schülern der oberen Klassen der Gymnasien die besten Dienste leisten, da es über die verschiedenen Arten der nach § 9 Abs. 19 der neuen bayrischen

Schulordnung in den 3 oberen Klassen zu behandelnden Themen jedesmal eine kurze Anleitung gibt und ein passendes Dispositions-Beispiel beifügt (§ 8 —16). Hat der Schüler den Inhalt desselben sich zum vollen Verständnis gebracht, so wird er an kein wie immer beschaffenes Thema der einschlägigen Arten ratlos herantreten. Dabei ist nicht zu befürchten, daſs nach einer bestimmten Schablone gearbeitet werden wird. Es muſs immer und immer wieder betont werden, daſs die praktische Geschicklichkeit durch die Theorie nicht unterdrückt, sondern gehoben und verinnerlicht wird, daſs die Methode erst eine einsichtsvolle, wissenschaftliche Thätigkeit ermöglicht. Der Wert unseres deutschen Aufsatzunterrichtes wäre gleich Null, wenn die Anleitung zum Disponieren immer von Fall zu Fall gegeben werden müſste, wenn nicht durch gewisse, immer wiederkehrende Gesichtspunkte für die einzelnen Arten der zu behandelnden Gegenstände eine so zu sagen bewuſste, fortschreitende Kunstübung erzielt werden könnte. Wir kämen dann aus einem rohen Versuchswesen nicht heraus und der Schüler würde Gefahr laufen, nach 99 Versuchen beim hundertsten auf das Raten angewiesen zu sein. Die Mannigfaltigkeit der Themata, die fortgesetzte mit theoretischer Einsicht arbeitende Praxis, die sicher leitende Hand des Lehrers werden nicht bloſs verhüten, daſs die maſsgebenden Kategorien mechanisch angewendet werden, sondern auch bewirken, daſs die für den bestimmt vorliegenden Fall passenden Gesichtspunkte zur Verwendung kommen.

Aber, um von dieser Abschweifung zurückzukommen, nicht bloſs dem Schüler wird das vorliegende Büchlein nützen. Auch dem Lehrer gewährt es eine übersichtliche Zusammenstellung der beim Aufsatzunterrichte in Betracht kommenden Gesichtspunkte. § 1 handelt von der Einleitung und nennt als die wichtigsten und gebräuchlichsten Ausgangspunkte: 1. ein mit dem Thema zusammenhängendes Ereignis aus der Geschichte oder Sage; 2. etwas Allgemeineres als das Thema selbst ist; 3. ein Ähnliches; 4. ein Gegenteiliges. Ich möchte der Einleitung noch als 5. Kategorie die Erklärung schwieriger Wörter oder Ausdrücke des Themas zuweisen. Nicht als ob ich Wirth unrecht gäbe, wenn er bei solchen Themen, deren Sinn nicht klar zutage liegt, die Darlegung des Sinnes hinter die Propositio verlegt, d. i. nach der Anführung des Themas selbst folgen lassen will. Das ist allerdings die naturgemäſse Stellung. Aber nicht selten gibt die Erörterung der im Thema enthaltenen schwierigen Ausdrücke den allerpassendsten Ausgangspunkt und leitet am sachgemäſsesten zur Propositio über. Einige Beispiele sollen dieses darthun. Eines der Themen bei der Reifeprüfung im Jahre 1881 hatte zum Inhalte das bekannte Distichon:

„Was die Epoche besitzt, verkünden hundert Talente,
Doch der Genius bringt ahnend hervor, was ihr fehlt."

Allerdings könnte ein passender Eingang von einem ähnlichen Epigramme Schillers, z. B. dem Epigramm „der Genius", „der Nachahmer", „Genialität" genommen werden. Aber naturgemäſser ist wohl folgende Einleitung. Die Eigenschaften des Genies sind folgende: es ist erfinderisch, ursprünglich, eigentümlich. Es bringt einem Jahrhundert gleichsam infolge innerer Eingebung neue Ideen, Erfindungen, Thaten, welche in irgend einem Betrachte einen Wendepunkt bedeuten. Aber das Talent münzt sozusagen das vom Genie gefundene Gold aus: es er- erweitert, ändert um, bildet im einzelnen fort. Übergang zur Propositio: Diesen Unterschied zwischen Genie und Talent spricht der Dichter schön und treffend aus in dem Distichon: Was die Epoche besitzt u. s. w. Das Hauptstück (die Tractatio) erbringt den Beweis 1. aus der politischen, 2. aus der Kulturgeschichte.

Ein anderes Beispiel! Eines der Aufsatzthemen vom Jahre 1882 lautete: „Inwiefern können die Griechen vorzugsweise ποιητικοί, die Römer πρακτικοί genannt werden". Meines Erachtens besteht die naturgemäfse Einleitung in der Entwicklung und Erklärung der Be- griffe ποιεῖν (ποίημα, ποιητικός) und πράττειν (πρᾶγμα, πρακτικός) etwa in folgender Weise: Unter ποιεῖν verstanden die Griechen be- sonders das freie Schaffen der Phantasie, weshalb sie das Dichten κατ᾽ ἐξοχήν als ποιεῖν, den Dichter als ποιητής, das Gedicht als ποίημα bezeichneten. Ποιητικός im weiteren Sinne ist also derjenige, welcher ohne Rücksicht auf den Nutzen die Darstellung des Schönen sich zur Aufgabe setzt. Πράττειν dagegen bedeutete dem Griechen das thätige Schaffen im privaten wie im öffentlichen Leben, besonders das letztere; darum ist πράττειν auch = πολιτεύεσθαι; πρᾶγμα ist das Re- sultat dieses Schaffens, πρακτικός derjenige, welcher im besonderen ge- neigt und befähigt ist das Bedürfnis des Lebens und den Nutzen ins Auge zu fassen, thätig zu schaffen und zu wirken. Übergang zur Propositio: Wendet man die Begriffe ποιητικός und πρακτικός auf die zwei bedeutendsten Kulturvölker des Altertums an, so wird man die Griechen vorzugs- weise ποιητικοί, die Römer πρακτικοί nennen müssen.

§ 2 behandelt das Hauptstück oder die eigentliche Abhandlung, § 3 den Schlufs. Nach Wirth kann der Schlufs eine Folgerung aus dem Hauptstücke, eine Aufforderung oder Warnung enthalten, er kann auch historisch sein. Ferner kann er zu etwas Allgemeinerem empor- steigen oder von etwas Ähnlichem sprechen, wenn es in der Einleitung noch nicht geschehen ist. Auch hier dürfte sich häufig eine weitere Kategorie verwenden lassen, die Einschränkung des thema- tischen Inhaltes. In dem oben an zweiter Stelle besprochenen Thema mufs schon mit Rücksicht auf die Fassung des Themas: vorzugsweise ποιητικοί, vorzugsweise πρακτικοί der natur- gemäfse Schlufs etwa also lauten: Man würde indes irren, wollte man den Griechen den praktischen Sinn, den Römern Empfänglichkeit für ideale Bestrebungen absprechen. Die Hellenen waren tüchtige See- fahrer, geschickte und betriebsame Kaufleute, berühmte Kolonisatoren. Andrerseits haben die Römer in einzelnen Künsten und Wissenschaften, die weniger dem praktischen Bedürfnisse dienen, z. B. in der Dicht- kunst, Geschichtschreibung Grofses geleistet.

Ein anderes Aufsatzthema, bei der Reifeprüfung des Jahres 1890 gegeben, lautet: „Über die Vorliebe der Deutschen für das Fremde nach ihren Licht- und Schattenseiten". Hier würde ich den Schluß folgendermaßen gestalten: In der neueren Zeit, besonders seitdem die Einheit und Macht des Reiches wieder hergestellt ist, werden die Deutschen ihres eigenen Wertes sich mehr bewußt. Dennoch ist nicht zu fürchten, daß sie nach Art der Franzosen in den anderen äußersten Gegensatz verfallen und etwa zu solchen Äußerungen nationaler Eitelkeit und Prahlerei sich hinreißen lassen werden, wie der Franzose Victor Hugo, der Hauptrepräsentant des echtfranzösischen Wesens, der Frankreich die Sonne des Weltalls, Paris das Auge der Welt, und was dergleichen thörichte Redensarten mehr sind, nannte. Diese Einschränkungen sind notwendige Korrekturen des thematischen Inhalts, durch welche der mittels der Abhandlung erzielte Gewinn erst abgerundet und vervollständigt wird. Sie sind, wenn auch mit dem Gegenteil verwandt, doch keineswegs demselben gleichzustellen.

§ 4 behandelt die Arten der Beweisführung, § 5 den sprachlichen Ausdruck, § 6 die Übergänge, § 7 die Arten der Themata, über welche in den §§ 8--16 im einzelnen Vorschriften gegeben werden. Ich möchte dabei noch auf § 13 hinweisen, welcher Anleitung zu Charakteristiken von geschichtlichen oder dichterischen Personen gibt. Jeder Lehrer wird schon die Erfahrung gemacht haben, daß die Schüler ohne vorherige Kenntnis der Grundzüge der Psychologie häufig über die sogenannten Seelenvermögen und die denselben entsprechenden Eigenschaften im unklaren sind. Wirth hat nun die in Betracht kommenden Begriffe klar und kurz entwickelt, so daß der Studierende, der sich dieselben angeeignet hat, bei der Disponierung nicht leicht irre gehen kann. Doch fand ich bei der Definition der Vernunft einige Unebenheit in der Darstellung. Man liest nämlich daselbst: die Vernuuft ist derjenige höhere Verstand, durch welchen der Mensch . . . begreift, daß die Seele mit i h r e m eigenen Leib, mit i h r e r Familie . . . zusammenhängt.

Burghausen.   A. Deuerling.

Musterstücke deutscher Prosa. Von Prof. Dr. Richard Jonas, Direktor des K. Wilhelmsgymnasiums zu Krotoschin. Zweite durchgesehene und erweiterte Auflage. Berlin 1891. R. Gaertners Verlagsbuchhandlung.

Ein in der That recht erquickliches Buch: die Prinzipien, nach denen der Herausgeber seine Sammlung gestaltet, sind ebenso richtig, wie sie klar dargelegt sind. Vor allem ist die Form der Lesestücke eine sehr glückliche zu nennen, indem nur solche von mäßiger Länge gewählt wurden, auf daß die unentbehrliche Übersichtlichkeit insbesondere der Gedankendisposition gewahrt bleibe. Auch liegen die meisten Nummern innerhalb des Gesichtskreises der oberen Klassen unserer Mittelschulen und ist der allmälige Übergang vom Leichteren, also den historischen Lesestoffen, zum Schwierigern, also den literaturgeschichtlichen und philosophischen Themen, sofort ersichtlich. Was die Autoren selbst betrifft, sind die gediegensten Namen aus Nord und Süd vertreten. Ob aber der Herausgeber mit Recht alle klassischen Stücke, weil ohnehin in die Lektüre der Schule gehörend, ausgeschlossen hat, darüber liefse sich wohl rechten. Auch scheint mir das allerletzte Lesestück nach Inhalt und Form mindestens sehr fragwürdig.

Deutsches Lesebuch für höhere Lehranstalten. Herausgegeben von Dr. L. Bellermann, Dr. J. Imelman, Dr. F. Jonas, Dr. B. Suphan. Vorschule. Oberstufe. Erste Klasse. Zweite Auflage. — Deutsches Lesebuch etc. etc. Vorschule. Unterstufe: Zweite Klasse. Berlin 1891. Weidmannsche Buchhandlung.

Die beiden Sammlungen sind nicht besser und nicht schlechter als hundert andere; die Auswahl der Lesestücke für die bezeichneten Schulstufen finden wir im allgemeinen entsprechend; nur fühlt man, auch wenn das Titelblatt die vier Arbeitskräfte nicht nennen würde, bald heraus, dafs die Bücher nicht aus einem Gusse geformt noch von einheitlichem Geiste zusammengestellt sind. Namentlich in der Reihenfolge der Dichtungen herrscht eine Willkür, wie sie wohl kaum im Interesse einer geordneten Lehrmethode liegen dürfte. Wenn z. B. „Der Peter in der Fremde" von zwei gemütsinnigen lyrischen Sängen „Der Morgen im Walde" und „Die drei (christlichen) Feste" in die Mitte genommen wird, so kann man sich des Lächelns kaum erwehren. Ob ferner nicht bei Lesestücken wie „Gerettet" den Leser das Gefühl übermannt, als habe man es mit einer ganz artigen Münchhausiade zu thun, überlasse ich dem Urteil der Fachmänner. Abgesehen aber von einzelnen Unebenheiten mögen die beiden Bücher ihren Zweck immerhin erfüllen.

Deutsches Lesebuch. Zweiter Teil. Für die mittleren Klassen höherer Lehranstalten. Herausgegeben von Franz Linnig. Siebente verbesserte Auflage. Paderborn. Druck und Verlag von Ferd. Schöningh. 1891.

Im ganzen konnte diese neue Auflage des trefflichen Buches wesentliche Neuerungen und Änderungen wohl nicht erfahren. Nur mufsten einem Ministerial-Erlasse zufolge die Lesestücke, welche deutsche Geschichte behandeln, vermehrt werden und zwar in der Weise, dafs nach der neuesten Zeit hin Ergänzungen vorgenommen und Lücken ausgefüllt wurden. Was nun diese neu eingereihten Stücke betrifft, so scheinen sie dem Schreiber dieser Zeilen wenigstens vom westphälischen Frieden an zu einseitig aus der preufsischen Geschichtssphäre allein entnommen, als ob die anderen Staaten des deutschen Reiches sowohl in politischer als kultureller Beziehung nicht auch in wesentlichen Betracht kämen. Zudem vermissen wir sehr ungern die geographischen und naturgeschichtlichen Bilder (S 329—360 der letzten Auflage) insbesondere die von Brehm, Rufs und Masius, die den oben-

genannten Geschichtsbildern weichen mufsten. Ob dies wirklich so
notwendig war, um den Umfang und Preis des Buches nicht wesentlich erhöhen zu dürfen, entzieht sich unserer endgiltigen Beurteilung.

Dr. Karl Zettel.

Dr. Otto Lyon, Abriſs der deutschen Grammatik und
kurze Geschichte der deutschen Sprache. Stuttgart, G. J. Göschensche
Verlagshandlung. 1891. S. 122. Preis 80 Pf. in elegant. Leinwand-
band (Sammlung Göschen Nr. 20).

Es ist naturgemäfs, dafs in einem Abrisse, der in engem Rahmen
das unumgänglich Notwendige darbieten will, besondere Merkmale und
auffallende Vorzüge vor anderen Werken nicht wohl wahrgenommen
werden können, man müfste denn eben das Geschick in der sorgfältigen Ausscheidung und übersichtlichen Gruppierung eigens betonen
und dasselbe gleichfalls zu den inneren Vorzügen eines Buches rechnen
wollen.

Auch der vorliegende Abriſs bietet, was den Inhalt anbelangt,
wenig Neues, dagegen unterscheidet sich die Darstellung durch ein
Merkmal vor allen Grammatiken älteren Schlages: Formen- und Satzlehre sind nicht getrennt behandelt, sondern in eins verschmolzen, —
ein Verfahren, das angeblich die lehrhafte Darstellung wesentlich ver-
einfachen soll. Auch den Kern'schen Reformvorschlägen hat sich der
V. nicht ganz verschlossen, indem er die seither üblichen Begriffe
zusammengezogener (nicht zusammengesetzter, wie es im
Vorwort heifst!) und verkürzter Satz ausschied. Im Hinblick auf
den Lyon'schen Standpunkt ist es deshalb auch nicht zu verwundern,
dafs die Grammatik nicht mit dem ABC eröffnet wird, sondern mit
der Definition von Prädikat und Subjekt, worauf die vier Arten des
einfachen Salzes entwickelt werden. An und für sich ist ja dieses
Verfahren wohl zu rechtfertigen, gleichwie die wissenschaftliche Behandlung der Formenlehre, wenn z. B. der Artikel hinter die Pronomina
gestellt wird, statt naturgemäfs vor dem Substantiv seinen Platz zu
finden; ob aber dann die Büchlein noch für den Unterricht der Volksschule und der untersten Klassen höherer Lehranstalten geeignet ist,
dürfte uns zweifelhaft erscheinen. Im Elementarunterricht sind die
Formen doch immer die Hauptsache und das Leichtere, und deshalb
müssen sie an die Spitze treten ; zur Erfassung der Satzlehre ist ein
gereifteres Verständnis erforderlich. Wir gestehen offen, dafs in dem
heutzutage auf allen Gebieten des Unterrichtes hervortretenden Widerstreit zwischen neuem Wissen und altem Glauben wir solange dem
letzteren zuneigen, bis die Vorzüglichkeit der neuen „Entdeckungen"
unwiderleglich bewiesen und praktisch erprobt ist. Eine gewifse Vorsicht dürfte gerade in pädagogischen Dingen eher am Platze sein als
voreilige Umstofsung von Lehrsätzen und Aufstellungen, welche die
Weihe der Jahrhunderte empfangen haben.

Was den Inhalt des vorliegenden Werkchens betrifft, so gliedert
er sich in 2 Gruppen von ungleichem Umfange; die erste bietet eine

Grammatik, die zweite eine allerdings kurzumrissene Geschichte der deutschen Sprache. Der grammatische Teil wird disponiert in A) Satz- und Wortlehre, B) Lehre vom zusammengesetzten Satze. Man kann gerade nicht behaupten, daſs diese Teilung eine logisch scharfe sei. Wie schon oben angedeutet wurde, ist die Kasus- und überhaupt die Satzlehre innig mit der Formenlehre vermengt, derart daſs letztere aus ersterer entwickelt wird. So ist z. B. gemeinsam behandelt in § 3 die Lehre vom Subjekt und Nominativ, in § 4 die vom Genitiv-Attribut und vom Genitiv; in § 5 und 6 werden die 3 Objekte besprochen, während erst in § 10 die 4 Fälle systematisch vorgeführt werden. Ob diese Art der Behandlung, die das Schwierige vor das Leichte setzt, ersprieſslich sei, kann füglich bezweifelt werden. In welcher Weise übrigens durch diese Anordnung Zusammengehöriges auseinander-gerissen wird, davon zeugen die Überschriften der §§ 53—54: Inter-jektion, Übersicht der Wortklassen, Apposition.

Was der V. in § 8 über das Geschlecht der Substantive und insonderheit über das Neutrum sagt, ist ja wissenschaftlich genommen sehr schön und interessant, allein man muſs doch an dem Grundsatze festhalten, daſs 10jährige Schüler vor allem die g e w o r d e n e Sprache kennen lernen müssen, bevor man ihnen einen Einblick gestattet in die w e r d e n d e; und in dieser Hinsicht ist es eine Thatsache, daſs seit langer Zeit das Neutrum neben dem Maskulin und Feminin den Rang einer besonderen Sprachgeschlechtsform angenommen hat. Daran haben sich die Schüler zu halten! Eine überflüssige Ausführlichkeit haben die Substantive mit doppeltem Geschlecht und Plural erhalten; wozu in einem kurzen Abriſs soviele Doppelformen, die oft nur mund-artliche Geltung beanspruchen dürfen?

Im Gebiete des Substantivs wäre etwa Folgendes zu bemerken: Nicht F r o s t, sondern F o r s t geht nach der gemischten Deklination. — Bei den Zusammensetzungen mit -mann hätte das Wort Staats-mann nicht übergangen werden sollen. — Ist die Form d e s S c h r e c k e s noch gangbar oder zu empfehlen? — Bei der Nachsilbe e n d hätte auch die Form a n d z. B. in Heiland, Weigand erwähnt werden können mit gleichem Rechte wie auch das Suffix odja angezogen wird in Einöde, Kleinod. — Ebenso vermiſst man nach heit, schaft, tum das ursprüngliche Substantiv rich in Enterich, Wegerich u. ä. — Die Silbe ier in Papier ist stammhaft und dient nicht zur Ableitung wie in Barbier.

In der Lehre vom Adjektiv ist zu loben, daſs auch hier eine ge-mischte Deklination aufgestellt wird. Bei der Steigerung wird unter-schieden zwischen relativem und absolutem Superlativ. Das präposi-tionale Attribut und Objekt wird erst nach dem Verbum behandelt. Auffällig ist, daſs letzteres trotz seiner Schwierigkeit in wenigen Zeilen abgemacht wird, ganz im Gegensatz zu den breitspurigen Erläuterungen, deren zu Anfang des Büchleins die einfachsten Dinge teilhaftig werden. Bei den Präpositionen fanden die Formen meinetwegen u. s. w. keine Berücksichtigung. Der zusammengezogene Satz ist, wie oben bereits erwähnt, ausgemerzt, dafür aber ein Kapitel über mehrgliedrige Satz-

teile eingeschaltet — im ganzen doch nur ein andrer Titel für die
gleiche Sache.   Sehr kurz im Vergleich zu den landläufigen Grammatiken ist die Lehre vom zusammengesetzten Satze ausgefallen.
Zuerst wird die Unterscheidung desselben vom einfachen erörtert,
wobei der V. ersterem einen übergroßen Umfang gewährt, wenn er
Sätze wie: Gott liebt und belohnt das Gute, aber bestraft das Böse —
Er eilte, um zu rechter Zeit am Bahnhofe einzutreffen — noch als
einfache ansieht.   Sodann werden nach einer kurzen Darlegung der
Begriffe Haupt- und Nebensatz, Satzverbindung und Satzgefüge sehr
eilig die Arten der Nebensätze aufgezählt und zwar ganz in der alten
Manier nach Form und Inhalt betrachtet.   Damit wird der grammatische
Teil abgeschlossen.

  In der Geschichte der deutschen Sprache bespricht der V. kurz
und bündig die indogermanische Grundsprache, darauf in längerer
Ausführung die erste und zweite Lautverschiebung bezüglich der Ver-
schlußlaute und berührt dann noch das Verner'sche Gesetz, worauf
die Einteilung der germanischen Mundarten vorgeführt wird.   Eingehender verbreitet sich dann die Darstellung über die drei Abschnitte
in der Entwicklung der deutschen Sprache, das Ahd., Mhd. und Nhd.,
und gibt deren hervorstechende Kennzeichen; alsdann bespricht
der V. das Herauswachsen der nhd. Sprache aus der Sprache der
kursächsischen Kanzlei.   Schließlich wird noch der Brüder Grimm
ehrend gedacht und mit der Aufforderung, unsre Schriftsprache, die
wir unter schweren Kämpfen als ein köstlich Rüstzeug des Geistes errungen haben, immer als ein hohes und heiliges Gut zu pflegen und
zu hüten, wird dieser kurze, aber viel des Wissenswerten bietende
Teil des Büchleins abgeschlossen.

  Wir wünschen dem Werkchen, das nicht nur inhaltlich trefflich
ausgeführt, sondern auch äußerlich gut ausgestattet ist, vollen Erfolg
und möchten es besonders jenen empfehlen, welche, an eingehenden
Studien durch anderweitige Beschäftigungen gehindert, in kurzer Zeit
einen Einblick in das System und die Geschichte der deutschen Sprache
gewinnen wollen.

  Hof.   Rud. Schwenk.

  Bayerns Mundarten, 3. Heft.   Das nunmehr erschienene
3. Heft von B. M. beendet in einem Zeitraum von nicht ganz einem
Jahre planmäßig den 1. Band der neuen Zeitschrift.   Es bietet die
Fortsetzungen der systematisch angelegten und wissenschaftlich durchgeführten Dialektforschungen von G. Franke: „Ostfränkisch und Ober-
sächsisch" und H. Gradl: „Die Mundarten Westböhmens", sowie des
lexikalisch behandelten Wortschatzes „aus dem bairischen Wald" von
M. Himmelstofs.   Sämtliche drei Arbeiten erwarten ihre weitere
Durchführung im nächsten Bande.

  · Ferner bringt das Heft den Abschluß von J. R. Fischers „Letzte
Weltsucht", kommentierter Neudruck, besorgt von A. Holder, und
das vorläufige Ende der Komödie „Der Prinz von Arkadien", vorläufig.

weil der Herr Herausgeber der Hoffnung lebt, dafs der vorerst ver-
mifste Schlufsteil noch einmal aufgefunden und veröffentlicht werden
könne, was dem Mundartenforscher gewifs zur Freude, dem Freunde
von Literatur und höfischer Kulturgeschichte zur Förderung bereits er-
weckter Interessen und dem neutraleren Leser zur ferneren Erlustigung
gereichen würde.

Zu seiner oben erwähnten Gabe bringt A. Holder eine „Geschieht-
liche Skizze der neueren schwäbischen Dialektliteratur", wobei er eine
ausführliche Behandlung des Stoffes in einem eigenen Werke in Aussicht stellt. L. Hertel gibt in gedrängter Kürze eine die Anschauungen
von B. Spiefs in dessen „Fränkisch-Hennebergischer Mundart" be-
richtigende Darstellung der „Grenze des Fränkisch-Hennebergischen
gegen Nordwesten".

Aufser der ständigen, stets in belehrender Reichhaltigkeit besorgten Bücherschau und einigen Miscellen gibt O. Brenner die Anregung zur Einsendung von Volksliederverzeichnissen aus möglichst
vielen Orten [Angabe der ersten Zeile bzw. Zeilen!]. Gegenstand der
Verzeichnisse sollen sein alle Lieder, die an einem Orte, bezw. in
einer Gegend vom Volke gesungen werden, und daneben nicht-
gesungene Spielverse. Vielleicht ist auch der eine oder andere aus
dem kundigen Leserkreise dieser Blätter in der Lage und geneigt, der
gegebenen Anregung zu entsprechen.

Was nun schliefslich das nach Versprechen dem 1. Bande bei-
gefügte Register betrifft, so mag man sich im ganzen mit den Prinzipien, nach welchen es hergestellt wurde, völlig einverstanden erklären.
Eine andere Frage ist, ob die Durchführung jedermann bei einer angestellten Probe völlig befriedigen wird. Eine solche Probe wird nämlich das eine oder andere im Text behandelte Wort vermissen lassen,
ohne dafs man gerade immer Veranlassung hätte, dasselbe zu denjenigen Wortformen zu stellen, „die nach klaren Regeln die hoch-
deutschen vertreten" und die in das Verzeichnis nicht aufgenommen
wurden, „wenn das Wort als solches keinen Anspruch auf Einreihung
ins Register hat". Belege für obige Behauptung kann jeder ausgedehntere Versuch beschaffen. Nun dürfte es aber kaum bestritten
werden, dafs eine möglichst grofse Ausführlichkeit des Registers den
praktischen Wert von B. M. nur erhöhen könnte und dafs dieser
Wert im gleichen Verhältnisse mit der wachsenden Anzahl der Bände
stiege, zum mindesten für diejenigen, denen ein so gedachtes Register
für die handsame Benützung von B. M. wünschenswert und er-
erforderlich wäre. Es will z. B. jemand die im Königreiche Bayern
vorkommenden mundartlichen Wortformen für den allgemeinen Begriff „Kleid" behandeln. Er erkundigt sich im Register, ob der
Wortschatz des 1. Bandes von B. M. ihm Material hiezu bietet, sucht
aber hier vergebens leitende Stichwörter, wie Bekleidung, Kleid, Gewand oder auch Habit und doch steht pag. 37, 1 mit Fufsnote: Häs
[hès] Habit = Kleid = Gewand. Ähnliche Erfahrungen müfsten
dann denjenigen, der zu dergleichen Zwecken sein Material sich mit
Hülfe des Registers beschaffen wollte, einfach zum Verzichte auf die

Benützung desselben veranlassen und zur Durcharbeitung des ganzen
Werkes nötigen.   Damit soll übrigens ja nicht gesagt sein, dafs diese
Mängel im Register zum 1. Bande zahlreich seien; sie lassen sich im
Gegenteil nur vereinzelt konstatieren und man darf wohl erwarten,
dafs bei Herstellung des nächsten Registers lieber ein paar Wörtern
mehr, trotz scheinbarer Unwürdigkeit, die Ehre der Aufnahme erwiesen werde, als dafs auch nur eines unverdientermafsen zurück-
gesetzt oder vergessen würde.   Auch das ausführlichste Register wird
ja die Benützung des Werkes selbst niemals und in keiner Weise
überflüssig machen, schon deshalb nicht, weil die Verweisung durch
Angabe der Seitenzahl zu dieser Benützung nötigt; und wenn je durch
möglichst grofse Ausführlichkeit gegen die Absicht und den Willen der
Herausgeber so eine Art Wörterbuch entstände, könnte eine solche
Metamorphose des Registers den glücklichen Besitzern von B. M. die
Zeitschrift nur noch umso angenehmer und wertvoller machen.

Kempten.   Franz Jacobi.

T. Macci Plauti Miles gloriosus.   Recensuit Fridericus
Ritschelius. Editio altera a Georgio Goetz recognita. Comoediarum
Plautinarum tom. IV. fasc. 2.   Lipsiae in aedibus B. G. Teubneri
MDCCCXC. S. XXIV, 235. gr. 8.

Mit diesem Bändchen der bekannten kritischen Plautus-Ausgabe
erscheint das von Ritschl bereits i. J. 1849 herausgegebene Stück in
neuer Auflage bearbeitet von G. Goetz.   Es braucht nur erwähnt zu
werden, dafs in dem langen Zwischenraum von über 40 Jahren
Fleckeisen, Brix, Lorenz, Ribbeck, Ussing, Tyrrell ebenfalls Ausgaben
des Stückes veranstaltet haben, und man wird begreiflich finden, dafs,
wenn auch die vorliegende noch die erste Ausgabe Ritschls als sichere
und feste Grundlage betrachtet und erkennen läfst, der Text doch
bei der gewissenhaften Benützung all der bezüglichen Arbeiten und
Forschungen, wie sie dem neuen Herausgeber eigen, vielfach eine
andere Gestalt bekommen mufste.   So habe ich denn nahezu 500
Stellen gezählt, an denen die neue Ausgabe von der Ritschlschen abweicht, und es ist mithin ungefähr der dritte Teil der gesamten Verse
der Komödie, welcher mehr oder weniger bedeutende Änderungen erfahren hat.   Sofern es sich nicht etwa blofs um die Orthographie
handelt, hat G. jedesmal die Abweichung von Ritschl aufs sorgfältigste
in dem kritischen Apparate angegeben, der — nebenbei bemerkt — noch
wie bei Ritschl auch alles das enthält, was F. Schoell (der bekannte
Mitarbeiter an dieser Plautusausgabe) in einer besondern Appendix critica
zu vereinigen pflegt, und der deshalb — infolge der reichlich ange-
wachsenen kritischen Literatur — den Text selbst oft bedeutend über-
wuchert und an Übersichtlichkeit zu leiden anfängt.   Vielleicht sind
diesem Umstande auch einige kleine Versehen zuzuschreiben: so fehlt zu
v. 630 die Angabe, dafs Ritschl die Stellung manibus, pedibus nach cod.
B beibehalten hat, während G. mit Bugge schreibt sum pernix pedibus,
manibus mobilis. — v. 1038 Ritschl mit Hermann: pollicitere, G. mit

Müller: póllicitarere. — v. 1286 Ritschl mit Pylades: causa cum hoc, G.: causa hoc (mit den Handschr.). — v. 1335 Ritschl: labra in labris ferruminat. quid agis malum? G. (mit Brix, Ribbeck): labra áb labellis aúfer, nauta: cáve malum (die Angabe „labra in labris ferruminas" Ritschelius in adn. ist insofern unvollständig und unklar, als Ritschl schreibt: acrest malum — was mehrfach vorgeschlagen wurde — sic tantum tutari licebit, ut praecedat „labra . . . . in labris ferruminas"). — v. 1356 Ritschl: mavelim nach FZ, G.: malui (B). — 1395 Ritschl: discindite mit den Handschriften, G. mit Palmer: vestem ei discindite. — v. 126 erfahren wir nicht, dafs Ritschl in seiner Ausgabe schreibt: Ait fúgere sese Athénas cupere, was er allerdings selbst in den Corrigenda praef. Stich. verworfen hat, wo er mit den Handschriften will: Ait sése Athenas fúgere cupere. — Auch bei v. 843 ist nicht angegeben, dafs Ritschl in seiner Ausgabe liest: sério, wofür G. den Namen Lúrcio einsetzt, wie er ihn mit Fleckeisen schreibt, während er bei Ritschl noch Lucrio heifst, wenigstens in der Ausgabe. — v. 150 vermisse ich, dafs mit A auch die andern Handschriften vicem haben, wo Ritschl in vicem schreibt. — Von diesen höchst unbedeutenden Mängeln abgesehen[1]) ist jedoch im übrigen die Genauigkeit und Vollständigkeit der Angaben rühmlichst anzuerkennen. Was G. in dem Apparate nicht mehr verwerten konnte, nämlich eine Arbeit von Theodor Hasper (in den Commentat. Fleckeisen. Lips. 1890) verschiedene Emendationen von Fr. Schoell, Oskar Seyffert, Alfred Fleckeisen u. a., das finden wir in der Praefatio am Schlusse (XXI—XXIV) von ihm zusammengestellt.

In der Frage der Contamination des Stückes schliefst sich G., wie wir aus der Praefatio (XX) erfahren, an Lorenz, Schmidt, Ribbeck, Langen an; auch die Spuren späterer Bearbeitung einzelner Szenen scheinen ihm sicher, aber die Schwierigkeit, sie im einzelnen zu verfolgen, zu grofs, weshalb er nur in möglichster Kürze auf das verweisen will, was darüber vorgebracht worden ist   Hinsichtlich der Entstehungszeit des Stückes stimmt er der Ansicht derjenigen bei, welche ausgehend von den V. 210 ff. die erste Aufführung ungefähr in das Jahr 550/204 setzen (vgl. Lorenz u. Brix, Einleitung zum Miles gloriosus).

Was nun den Standpunkt anbelangt, den G. bei der Neugestaltung des Textes einnimmt, so begegen wir wieder denselben konservativen Grundsätzen, nach denen schon seine früheren Ausgaben, namentlich die der Bacchides und des Pseudolus, angefertigt sind, und die auch die allgemeine Billigung gefunden zu haben scheinen (s. Bursian-Müller, Jahresbericht LXIII, 53 u. 82). Mit grofser Zurückhaltung verfährt G. auch hier der Überlieferung gegenüber, die entgegen den oft sehr willkürlichen Änderungsversuchen, welche Ritschl teils selbständig teils andern folgend am Texte vorgenommen hat, wo nur immer möglich zu halten gesucht wird, wobei allerdings nicht unerwähnt bleiben darf, dafs ihm hierin häufig schon andere Herausgeber, wie Ribbeck, desgleichen auch Brix und Lorenz, vorangegangen sind.

---

[1]) v. 913 ist mir ein Accentfehler aufgefallen: véra dicis st. vera dícis. — v. 794 im Apparate: Est primé cate st. cata.

Vor allem ist es die Autorität des cod. A., welcher G. rück-
halllos folgt, so dafs er dessen Lesart fast überall da, wo sie sicher
ist — im ganzen sind 724 Verse des Stückes in demselben erhalten —
in den Text aufnimmt oder mit offenkundiger Vorliebe wenigstens
solche Änderungen oder Verbesserungen einsetzt, welche in der Lesart
des A ihre Grundlage haben (ca. 130 Stellen), während nur äufserst
selten von G. eine Änderung zugelassen wird, welche der in A erhaltenen Lesart entgegen ist.   Dafs G. in der Benützung dieser für
die Überlieferung der plautinischen Stücke wichtigsten Handschrift
Ritschl gegenüber bedeutend im Vorteil war, brauche ich kaum zu
bemerken.   Denn nach Ritschl hat zuerst Geppert wieder den cod. A
verglichen, und nach diesem — ‚multo felicius' — der an einer be-
absichligten, erneuten Vergleichung leider durch den Tod verhinderte
Gustav Loewe, dessen Aufzeichnungen zum Teil bereits Ribbeck (im
Rhein. Mus. B. 36 J. 1881 und in seiner Ausgabe) veröffentlicht hat.
Im Sommer des Jahres 1888 hat G. selbst sich an die schwierige
Arbeit gemacht; und diese also verbesserte Kollation liegt nun der
neuen Ausgabe zu grunde.   Dazu kommt endlich, dafs aufserdem noch
von G. das „lang ersehnte" Apographum Studemunds aufs sorgfältigste
benützt wurde.   Wenn daher auch betreff der Abweichungen an den
Stellen, wo Studemund Loewes Angaben noch nicht vor Augen hatte,
G. die Absicht ausspricht, bei Gelegenheit den Codex von neuem zu
prüfen, so haben wir doch bereits jetzt schon eine Grundlage der Rezension, die kaum mehr zu wünschen übrig läfst.   Und dafs G. dieser
Grundlage so rückhaltlos folgt, wird jeder Freund einer besonnenen
Kritik, mag er auch im einzelnen nicht jedesmal ganz mit G. einverstanden sein, um so mehr gutheifsen, als das vorliegende Stück
durch die sog. Palatinischen Handschriften (BC) und den Vaticanus
(D) sehr schlecht überliefert ist.   Der neuen Grundlage verdanken
wir die sichere Lesart an mehrereren Stellen, wo es bei Ritschl heifst:
nihil legi in A potuit; so v. 194 ad ómnis mores málíficos. — v. 555
et ibi ósculantem meum hóspitem cum ista hóspita, während Ritschl
nur lesen konnte: et ibi osculantem m . . . . os . ., (bei Rib-
                       ??   ?
beck steht: ME . . MTUU·U·CUMISTAHOSPITA). — v. 33. v. 402 u. a.
    Mit Recht wurde von G. nach dem Vorgange der andern Heraus-
geber aus A der in den andern Handschriften fehlende v. 185b eingesetzt, den Ritschl für eine Erklärung des folgenden hielt, wodurch
er veranlafst wurde, in diesem den in allen Handschriften erhaltenen
Anfang Eárumque zu ändern.   Dahingestellt aber möchte ich es lassen,
ob es nicht zu weit gegangen ist, wenn G. (mit Seyffert) den nur in
A auf dem obern Rande entdeckten v. 996b ohne Bedenken in den
Text aufzunehmen versucht, zumal er, von einer ‚manus coaeva' geschrieben, nur sehr unvollständig und unleserlich überliefert ist.   Es
dürfte vielleicht doch eher angezeigt sein, den Fehler in dem nächsten,
sehr verderbten Verse zu suchen.
    Von den Textesänderungen, welche auf der Überlieferung des
A fufsen oder wenigstens derselben sehr nahe kommen, mögen er-

wähnt sein: v. 158 Mi equidem iam (duce A Beckerus). — v. 182:
Si istist mit Lorenz (Istis iube . . A), v. 701 sunt: nam hercle si
istam semel (duce A Geppertus, Ribbeckius, Bentleius), v. 366 Tun
me mit Ribbeck (TUNE . . . A), v. 385 mihi devortisse visi (G. duce
A), v. 857 Abi abi ꞏ intro (Ribbeckius cum D³FZ ex spat. A teste
Loewio), v. 1178 et scutulam (Studemundus ex A); v. 473 wird ab-
geteilt SC. Magis hercle metno. PA. Sed nunquam . . . (duce A, wie
G. angibt): in wiefern aber v. 1014 zu der in den Text aufgenommenen
Änderung et celas et non celas bemerkt sein kann: Ussingius,
Luchsius . . . duce A, ist mir etwas unklar und scheint das Bestreben
zu verraten, wo möglich alles auf die beste Handschrift zurückzuführen;
denn wenn A ‚teste Loewio‘ bietet CELOHAUCELOIMMOETIAMSIC
(vel SED) NONCELAS, ‚teste Studemundo‘ nur OHAU✳✳✳OIMMOE✳✳✳
L✳SETNONCELAS, wobei zu bemerken ist, dafs nach den Zeichen
im Apographum die Buchstaben aufser OKAU (sic!) ✳✳✳O und CELAS
höchst unsicher sind, so ist es doch gewagt. auf solche unsichere
Grundlage hin die Autorität des A für eine Änderung in die Wagschale legen zu wollen, die den übrigen Handschriften durchaus entgegen ist, welche haben Immo etiam sed non celas, und es ist hier
wohl die Lesart Ritschls (nach Bothius), welche auch von Brix und Lorenz
angenommen wurde: Immo etiam sic non celas, der handschriftlichen
Überlieferung [nâherstehend und wahrscheinlicher. — Dafs bei der
Bedeutung, welche A gegenüber den andern Handschriften hat, G.
des öfteren ersterem folgt, wo Ritschl die Lesart der letzteren aufgenommen hat, kann nicht befremden; dies geschieht z. B. v. 377
Nimis mirumst (Nimis mirum est ‚iam Gruterus‘, NIMISMISERUMEST
. . . A), v. 607 aut hinc aút ab laeva mit Ribbeck (‚ex A‘), v. 807
Quem nominem mit Ribbeck (für Ritschl, wie es scheint, in A nicht
lesbar), v. 1169 istinc té procul (ex A Ribbeck, während Ritschl:
istic ‚cum reliquis A‘), und so an mehreren Stellen, wo erst die genauere Vergleichung eine Verschiedenheit ergeben hat.
     Von den übrigen Handschriften werden, wie bei Ritschl, die
Verschiedenheiten im Apparate angegeben aus BCDF, dazu noch die
Abweichungen der Editio princeps (= Z). Nachdem Lorenz schon
Ritschls Kollation des cod. B verbessert hatte, wurde dieser nochmal
für die vorliegende Ausgabe verglichen von August Mau, der — wenige
Stellen ausgenommen — die Angaben von Lorenz bestätigt, jedoch
mit diesem und Ritschl darin übereinstimmt, dafs er nur e i n e r
zweiten Hand die sämtlichen Verbesserungen in der Handschrift zuweist und nicht, wie jene, zwei Korrektoren unterscheidet. C und
D hat „mit gröfster Sorgfalt“ Fr. Schoell verglichen, der auch noch
eine dritte verbessernde Hand unterschieden hat. Aufser den genannten Handschriften hatte Ritschl in der ersten Szene zum Vergleich mehrere herangezogen, welche — als von keiner Bedeutung — in
dieser Ausgabe gar keine Berücksichtigung mehr fanden.
     Auch der Überlieferung der übrigen Handschriften (aufser A)
gegenüber bewahrt G. seinen konservativen Standpunkt, so dafs wir
eine Reihe von Stellen, namentlich in den Partien, welche A nicht

erhalten hat, nach denselben hergestellt finden, wo Ritschl und andere
eine Änderung in den Text aufnehmen zu müssen glaubten: so v. 115
quantum vivos póssum nach BCD, v. 142 In eó conclavi égo perfodi
párietem (trotz Hiatus, nach den Handschriften), v. 230. 231 recipio ‖
Ad me (mit Brix), v. 290 Prófecto vidi (mit Brix, was nicht bemerkt
ist), v. 431 quispiam (mit Brix, dem auch Ribbeck folgt), v. 502 vir-
garum (mit Ribbeck, Brix, Lorenz), v. 530 ut pote quae nón sit eadem
(mit Ribbeck, Brix, Ussing), v. 616 míserum (Ribbeck, Brix), v. 770
út hic eam abducát abeatque (Brix, Ussing), v. 888 Ea sibi (BDFZ),
v. 927. 928 ni lúdificata lépide ‖ Ero culpam (BC), v. 935 onerátum
huc acciébo nach Z (oneratur huc acibo B, oneratur huc aciebo CD,
oneratum huc aciebo F) v. 1066 Eu ecástor hominem périurum (mit
Brix, Ussing), v. 1168 intro ire (mit Ussing nach den Handschriften
trotz Hiatus) u. a. Unbeanstandet wird von G. der von Ritschl und
andern als „nicht plautinisch" erklärte v. 132 aufgenommen; eingesetzt
wird auch v. 191, der in A fehlt und von Ritschl gleichfalls weggelassen wurde (s. u.). Die Annahme einer Lücke fällt in Übereinstimmung mit Ribbeck weg bei v. 527. 528 entgegen der in der
praef. (VIII) enthaltenen Anschauung Ritschls. Ganz besonders deutlich aber tritt der konservative Standpunkt, den G. verfolgt, darin
hervor, dafs er in der Stellung und Anordnung der Verse fast durchweg den Handschriften folgt, was gewifs um so mehr zu billigen ist,
als es bei der oft höchst willkürlichen Umstellung Ritschls überaus
schwer würde, die Frage zu beantworten, wie denn die Abschreiber
gerade zu der uns überlieferten Anordnung gekommen seien; liegt ja
doch, wenn man überhaupt einmal von der Annahme ausgeht, dafs
also das Unterste zu oberst gekehrt sei, eine Menge von Möglichkeiten
offen, wie sich denn auch zur genüge bei den verschiedenen Herausgebern zeigt, deren jeder wieder seine eigene Meinung vertritt. So
lange noch eine Erklärung sich finden läfst, haben wir kein Recht,
die überlieferte Anordnung der Verse nach unserm Gutdünken, das
oft falschen Pzinzipien folgen kann, zu ändern, und sie ist daher von
G. (mit Ussing) beibehalten: v. 187—194, wobei er sich dadurch hilft,
dafs er mehrere Diaskeuasten annimmt, so dafs eine dreifache Rezension herauskommt: 187. 188. 193. 194 = 187. 188. 189a. 189b
= 190. 191. 192. Mag die unbedingte Richtigkeit dieser Anschauung
dahingestellt bleiben, jedenfalls hat sie mehr Wahrscheinlichkeit als
Ritschls Ansicht von der Umstellung, dessen Abhandlung über diese
schwierige Stelle übrigens nach seinem eigenen Willen in der praef.
(XIII—XIX) wiederholt ist. (Welche Meinungsverschiedenheit in dieser
Frage besteht, zeigt die von G. angeführte reiche Literatur in genügender Weise). Auch v. 637—670 sind (wie bei Ussing) vollständig
in der überlieferten Reihenfolge wiedergegeben, selbst der in B nur
auf dem Rande beigeschriebene v. 648 ist an der von den übrigen
Handschriften ihm angewiesenen Stelle eingefügt (mit Ribbeck), während
Ritschl (und Brix) ihn auf v. 656 folgen lassen. Mit Ritschl wird,
wie von den andern Herausgebern (aufser Ussing), eine Lücke vor
v. 638 angenommen; v. 642. 643, welche Ribbeck „einer andern Re-

zension" zuschreibt, sind in Klammern gesetzt, desgleichen die nach Annahme Ribbecks von einem oder auch von zwei Interpolatoren herrührenden v. 652—656. Von v. 658—671 hingegen, welche Ribbeck ebenfalls auf Rechnung einer zweiten und sogar dritten Rezension setzt, scheinen G. nur v. 658—660 und (mit Lorenz) v. 666—668 verdächtig zu sein, da nur diese in Klammern stehen. Auch bei dieser Partie empfiehlt sich jedenfalls die Annahme von Interpolationen mehr, als eine Durcheinanderwürfelung der Verse, durch welche ein logischer und tadelloser Zusammenhang hergestellt werden sollte; andrerseits aber ist auch davor zu warnen, überall gleich an Interpolation zu denken, wo in unverhältnismäfsiger Breite und Geschwätzigkeit ein Gedanke in der Komödie ausgesponnen wird (vgl. Trautwein, De prologorum Plautinorum indole atque natura, p. 13). An ihrer Stelle bleiben ferner: v. 228 (von G. eingeklammert, während Ribbeck ihn nach v. 201 oder 212 setzen will), v. 600. 601, welche Ritschl auf v. 603 folgen läfst (v. 602. 603 sind in Klammern gesetzt nach dem Vorgange Ribbecks, der diese und dazu v. 601 einem Interpolator zuschreibt), v. 684 (von G. in Klammer gesetzt nach Ribbeck), v. 694, v. 1327 (von Ritschl nach 1328 gesetzt, von Lorenz und Ribbeck als Dittographie ausgemerzt, daher von G. in Klammer [ ] gegeben).

Kommt nach dem Bisherigen die Überlieferung im vollsten Mafse zu ihrem Rechte, so ermangelt doch G. auch nicht die Verbesserungen sich zu eigen zu machen, welche seit Erscheinen der ersten Ausgabe Ritschls von verschiedenen Seiten gemacht wurden, so dafs an einer Reihe von Stellen den Änderungen Ritschls neuere Emendationen entgegengestellt werden. Insbesonders ist zu erwähnen, dafs G. in ausgedehntem Mafse Ritschls eigene Verbesserungsvorschläge benützt, welche dieser seiner Ausgabe gegenüber an andern Orten vorgebracht hat. So rühren von Ritschl selbst her oder sind von ihm angenommen die Änderungen v. 57 invictíssumum, v 263 erili se vidisse eam (nach A), v. 313 in terra te älter est, v. 497 Expúrigare vólo me, v. 515 tecum aequóm siet (R. in margine exemplaris). v. 517 Me expúrigare, v. 521 te iúbeo: i, placide, v. 798 ego ei reí, v. 846 qui promptet, v. 889 faciúndumst, eadem evéniet (R. in adn.(?)), v. 1036 vocon érgo (vocone ergo?), v. 1042 virtute et forma et factis, v. 1267 ted MIL. Ut iussísti, v. 1308 Amóris (st. Maris), v. 1341 ét amice, v. 1344 Jám resipisti, Philocomasium?

Sehr bemerkenswert und ein Beweis grofser Zurückhaltung und Selbstverleugnung ist es, dafs wir bei den zahlreichen Textesänderungen gegenüber der früheren Ausgabe nur sehr wenig eigenen Konjekturen (im ganzen höchstens 30) begegnen. Es genüge hier anzuführen: v. 298 pro ea périeris (nisi ‚simul perieris‘ males Anm.), v. 323 nam illa quidem certost domi, v. 360 Quamobrem peream? v. 613 Magis nón potest esse ád rem utibile: fáce modo, v. 926 Eo pótuit hercle lépidius nil fieri, v. 1234 Ne oculi ilico eius, v. 1244 mulier (nisi ‚ipsa ultro‘ males: Anm.), v. 1276 vir éius med ut préndat (vir eius me comprehendat: Ribbeck), v. 1319 nám pietas cogit. PL. Sapis. v. 1343b lúx salveto. PA. Sálvos eum, v. 997 Dómo si ibit, clam ut

húc transbitat. quae („dubitanter‘), v. 217 , an lárvatus ésl? — hens
tu, Palaestrio („in loco desperato‘), v. 438 Abi, picra's tu, nón cluci-
data. et méo ero facis iniúriam („in loco desperato‘).   Sehr fraglich
erscheint mir v. 853 Sed in célla erat non nímium, was dadurch begründet werden soll, dafs non nimium = paulum ist; warum schreibt
G. nicht mit Brix: in cella paulum erat nimis loculi lubrici oder mit
Scyffert: in cella erat paulum nimio loculi lubrici? Sehr ansprechend
ist die zu v. 1216 in der Anmerkung ausgesprochene Vermutung:
Non video; ubist? Ml. Ad laevam? die jedoch G. nicht in den Text
aufzunehmen gewagt hat — bei der Bescheidenheit, mit der er überhaupt
der Überlieferung gegenüber auftritt.

Alles in allem liegt eine Ausgabe des plautinischen Miles gloriosus
vor uns, welche mit Freude aufgenommen zu werden verdient: sie
zeichnet sich aus durch mafsvolle und besonnene Kritik und bezeichnet
immerhin wieder einen bedeutenden Fortschritt in der Herstellung der
plautinischen Komödien.   Angesichts dieser Ausgabe hätte vielleicht
Ritschl selbst zurückgenommen, was er in der Praefatio zu diesem
Stücke ausgesprochen hat: ‚Possum profecto in quibusdam falli, possum
in multis: qualia cum minime dubitem quin sagaciores aliquando vel
correcturi sint vel perpolituri probabiliter, tamen idem confido id
non timiditate potius quam audacia maiore effectum iri‘.

München.   Dr. Weninger.

M. Sonntag, Vergil als bukolischer Dichter.   Leipzig,
Teubner 1891. IV u. 249 S. M. 5.

Die Einleitung bespricht in übersichtlicher Gruppierung die neueren
Ansichten über Abfassungszeit und Reihenfolge der bukolischen Dichtungen Vergils. Strittig ist hauptsächlich die Frage, ob Ecl. I. IX. VI,
welche durch die Äckerverteilung an die Veteranen des Oktavian nach
der Schlacht bei Philippi veranlafst sind, vor oder nach IV und VIII entstanden sind.   Sonntag vertritt, wie schon in seinem Frankfurter
Programm v. J. 1886, die letztere Ansicht; zwei Drittel des vorliegenden
Buches (P. 15—174) sind der ausführlichen Begründung derselben
gewidmet. Verf. setzt bei Ecl. I ein.   Da die Inanspruchnahme des-
jenigen Gebiets, auf dem Vergils Besitztum lag, des Mantuanischen,
bei den genannten Ansiedelungen erst in zweiter Linie d. h. erst für
den Fall, dafs sich die benachbarten Ländereien von Cremona als unzulänglich erwiesen, in Betracht kam und andererseits die Vermessungs-
arbeiten, wie an der Hand der Gromatiker nachzuweisen versucht
wird, einen längeren Zeitraum erforderten, dürfte — so folgert der
Verfasser — für die Entstehung der I. Ekloge, worin der Dichter
dem Oktavian seinen Dank für die Zurückerstattung seines Eigentums
kundgibt, nicht schon das Jahr 41, sondern erst das J. 38 in Betracht
kommen.   Das Gleiche gilt für Ecl. IX; denn beide müssen „unter
ganz gleichen Verhältnissen und in schneller Aufeinanderfolge‘ abgefafst sein.   Was aber Ecl. VI betrifft, so ist schon von anderer
Seite (Bischofsky, Progr. Stockerau 1876) nachgewiesen, dafs dieselbe
unmittelbar auf IX gefolgt sein müsse.   Neu ist ferner die Theorie,

dafs die Eklogen ursprünglich in einer doppelten Sammlung erschienen sind. Die erste, Ecl. II—V. VII. VIII umfassend, behandelte
im Anschlufs an Theokrit Darstellungen friedlichen Hirtenlebens; sie
ist also eine bukolische im eigentlichen Sinn des Worts, weshalb
Verf. allegorische Deutungen in derselben zurückweisen zu müssen
glaubt. Diese Sammlung soll unter Voranstellung der zuletzt ge-
dichteten VIII. Ekloge dem Asinius Pollio bei seiner Rückkehr aus dem
Feldzug gegen die illyrischen Parthener überreicht und durch die
v. 6—13 besonders zugeeignet worden sein. (Sommer 39 v. Chr.) Ecl.
II und III seien ihm schon früher als Proben für des Dichters Talent
vorgelegen. Die zweite Sammlung enthielt die 4 übrigen Eelogen;
sie hatte, so zu sagen, politischen Charakter — Verf. bezeichnet sie als
Tityrus-Sammlung (Tityrus = Vergil) — und wurde dem Oktavianus
Augustus als Huldigung für den dem Dichter grofsmütig gewährten
Schutz dargebracht. Ob Vergil selbst beide Sammlungen vereinigt
hat oder erst Varius und Tucca, will Verf. nicht entscheiden. Es ergeben sich demnach für Abfassung und Reihenfolge folgende Daten:

v. Chr.	Ecl.	v. Chr.	Ecl.
41—40	II. III, dann V	Zweite Hälft. v.38	I. IX. VI
Ende 40	IV	38 37	X u. Herausg.
40 39	VII		der 2. Sammlg.
Sommer 39	VIII u. Herausg. der I. Sammlung		

In der Kette der Beweisführung für die spätere Abfassung der
Ecl. I. IX. VI bildet das wichtigste Glied die Behauptung, dafs die
assignatio mit all' den komplizierten Formalitäten verbunden gewesen
sein müsse, welche die Gromatiker Frontinus, Hyginus und Siculus
Flaccus ausführlich schildern. Die S. 30 erwähnten Stellen aus Horaz
und Properz beweisen lediglich, was sich übrigens von selbst versteht,
dafs eine metalio stattgefunden hat. Dafs man aber in diesem Fall
sich mit einem abgekürzten Verfahren begnügte, ist umso wahrscheinlicher, als das Versprechen der Länderanweisung schon im J. 43 bei
der Zusammenkunft der Triumvirn in Bononia (oder Mutina) erfolgt
war. Oktavian erkannte auch die Ungeduld der Soldaten nach
Appian V, 15 in. als berechtigt an. Wären so zeitraubende Vorarbeiten,
wie sie Verf. im Auge hat, erforderlich gewesen, so hätte sie Appian
V, 12 bei Besprechung der sich entgegenstellenden Schwierigkeiten
(καταλέγοντι δ'αὐτῷ τὸν στρατὸν εἰς τὰς ἀποικίας καὶ τὴν γῆν ἐπι-
νέμοντι δυσεργὲς ἦν) sicherlich erwähnt. Was ferner die angeblichen
Widmungsverse der ersten Sammlung, VIII 6—13, betrifft, so sprechen
gegen diese Hypothese vor allem zwei Gründe. Wie kommt es, dafs
an der Spitze der Ekloge 5 Verse stehen, welche sich, wie Sonntag
selbst zugibt, auf den Inhalt der VIII. Ekloge beziehen, und nicht
gleich den folgenden Versen auf alle 6 Gedichte? Ferner beweist der
Wechsel zwischen dem Singular carmine v. 3 und Plural carmina
v. 10 keineswegs, dafs das zweite Mal an eine Mehrzahl von Gesängen
gedacht werden mufs. Man vergleiche z. B. Aen. VIII 287 mit 303,
wo carmine und carminibus doch sicherlich das Nämliche bezeichnen.

(Derselbe Einwand dürfte sich wohl auch gegen die Erklärung von
carmina in den Eingangsversen des Culex, s. p. 213, erheben). Damit
fällt zugleich die originelle Deutung der Worte tu mihi VIII 6, welche
Verf. p. 91 II. gegeben hat. Übrigens scheint mir der Hauptwert des
Buches gerade in der sorgfältigen, eingehenden und sachkundigen Besprechung der Eklogen teils im einzelnen teils nach ihrem Gedankengang, wozu sich dem Verf. im Lauf seiner Untersuchung vielfach
Gelegenheit bietet, zu liegen. Manches wird freilich auch hier Bedenken erregen, so z. B. die Interpretation der bekannten Worte IV 8
nascenti puero, nach Sonntag = dum oder cum nascetur puer. Die
Frage, wer dieser puer gewesen, hält S. für ganz müßig, da das
Anbrechen des goldenen Zeitalters von dem Dichter nur als möglich
gedacht, niemals aber in die Erscheinung getreten sei. Das letztere
ist richtig; dagegen zeigt namentlich v. 61 deutlich genug, daß man
die Geburt eines gottbegnadeten Knaben damals thatsächlich erwartete; Ribbeck Gesch. der römischen Dichtung II 24 vermutet
richtig, daß unter den zahlreichen umlaufenden Prophezeiungen sich
auch eine befunden habe, welche für das J. 714 a. u. jenes außer-
gewöhnliche Ereignis ankündigte.

Das letzte Drittel des Buches, p. 175—249 beschäftigt sich mit
den Überlieferungen der Alten über Vergil und seine dichterische
Entwicklung. Als unzuverlässige Quelle wird C. Melissus nachgewiesen;
dagegen hebt Verf. die Bedeutung des C. Varius, des Asconius
Pedianus, dem wiederum die vita des M. Valerius Probus zum größten
Teil entlehnt sei, und des Sueton (vita bei Donat) gebührend hervor.
Zu den mannigfachen Notizen, welche bei letzterem mit Vorsicht aufzunehmen sind, rechnet Verf. auch die Nachricht über die sog. Jugend-
gedichte Vergils, welche Sueton als einheitliche Sammlung (Culex,
Dirä, Copa, Ätna, Ciris, Priapea, Epigrammata) vorlagen und ihm als
echt galten. Wie Verf. schon im Frankf. Progr. 1887 ausgeführt hat,
sind dieselben sämtlich als Fälschungen anzusehen. Die Beweise dafür
sind jetzt vervollständigt (vgl. die lesenswerte Vergleichung zwischen
Ätna und Ciris p. 231—235); sie beruhen, wie bekannt, auf den vielfachen Anlehnungen der Appendix an Vergils echte Gedichte, auf der
Dürftigkeit ihres Inhalts und auf der handgreiflichen Ungeschicklichkeit
in der Verwendung poetischer Mittel. Wenn Verf. aus der Gemeinsamkeit dieser Fehler im Zusammenhalt mit dem Umstand, daß die 7 Gedichte zu Suetons Zeit ein Ganzes bildeten, den Schluß zieht, dieselben
seien das Werk eines Verfassers, so muß derselbe als sehr gewagt
erscheinen. Auch über die Zeit ihrer Entstehung werden sich sichere
Vermutungen nicht leicht aufstellen lassen. Während Sonntag das
J. 64 n. Chr. für sämtliche Gedichte festgestellt hat, nimmt Ribbeck
a. a. O. p. 350 ungefähr das J. 30 n. Chr. und Leo in seiner Ausgabe 1891 p. 16 die letzten Jahre vor oder die ersten Jahre nach
Christi Geburt für den Culex allein an.

Nürnberg.   H. Kern.

A. Kornitzer, M. Tulli Ciceronis pro Murena oratio. Vindobonae. Gerold. 1891. kart. 40 kr.

E. R. Gast, Ciceros erste, vierte und vierzehnte Philippische Rede. Leipzig. Teubner. 1891.

Halm-Laubmann, Die Reden gegen L. Sergius Catilina und für den Dichter Archias. 13. Auflage. Berlin. Weidmann. 1891. 1.20 M.

Kornitzer's Ausgabe zeigt den bekannten deutlichen Druck und die saubere Ausstattung, enthält eine im allgemeinen genügende Einleitung, der man freilich anmerkt, dafs sie nicht von Cicero verfafst ist, und ein Verzeichnis der vorkommenden Eigennamen und schwereren sachlichen Ausdrücke (z. B. rebus prolatis, was man jedoch eher unter p suchen würde); einige Vorsicht ist auch bei diesen Erläuterungen am Platze, da z. B. Cicero im Jahre 62 seine lex Tullia de ambitu eingebracht haben soll. Der Text selbst ist nach C. F. W. Müller eingerichtet mit Anklängen an Nohl und andere, worüber ein kritisches Vorwort Auskunft gibt. Zustimmung verdiente die Stelle § 71: ut suffragentur, nihil valent gratia, wenn man nicht zu suffragari eine Bestimmung, entsprechend dem folgenden pro nobis, erwartete; näher der Überlieferung und dem Zusammenhange liegt es daher zu schreiben: si nobis suffragantur, d. h. wenn sie für uns Stimmen werben wollen, so u. s. w.; vgl. § 76 ut studeat tibi, Caecil. 23 amicus eius tibi suffragatur. Als eigene Vermutung des Herausgebers findet sich § 49 inflatum cum spe multorum (st. militum), tum collegae mei — promissis. Die Unrichtigkeit von militum ist ja allgemein anerkannt, in der Aufnahme von dem nichtssagenden multorum wird sich kaum eine Nachfolge finden. Es müssen die Helfershelfer Catilinas deutlich bezeichnet werden, die er sonst comites: exhaurietur ex urbe tuorum comitum magna et perniciosa sentina reipublicae (Cat. I, 12) oder ohne Hohn desperatorum hominum flagitiosi greges (Catil. II, 10) nennt. Den überlieferten Buchstaben entspricht satellitum, das man der Konzinnität wegen wohl schwerlich in ministrorum atque satellitum erweitern darf, so verlockend auch die Parallelstellen sind; vgl. Mil. 90 uno ex suis satellitibus dùce, dom. 72 quem isti satellites tui felicem Catilinam nominant.

Was die philippischen Reden anlangt, so kann man über die Auswahl derselben verschiedener und doch je nach dem Standpunkte richtiger Meinung sein. Nohl hat kürzlich neben I und II noch III als leichte und belehrende Lektüre herausgegeben, Gast verwirft II als „Schmähschrift", als Zeichen von „Prahlerei", von „Spiegelfechterei", die nur der Form nach eine Rede, in Wahrheit eine „Verteidigungs- und Schmähschrift" sei, empfiehlt dagegen IV, die zeigt, „wie fein Cicero es versteht, seine Quiriten nach seiner Pfeife tanzen zu lassen" (edler Ausdruck in einer Ausgabe für Primaner!); ebenso sei XIV „ihrem geschichtlichen Inhalte nach" die wichtigste. Auch diese Ansicht hat ihre Berechtigung. Wenn aber für den Schüler

das Beste noch gut genug ist und er an erhabenen Mustern sich selbst
erheben und begeistern soll, so würde es, falls wegen Mangels an
Zeit nur die Wahl zwischen Verr. IV und V, Mil. und Sull. und erst
gar Muren. oder den philippischen Reden erlaubt wäre, aus pädagogischen Gründen geboten sein, letztere ganz aufser acht zu lassen;
es handelt sich eben nicht um den Lehrer, der wohl als „Privatlektüre" weniger Interessantes· zur Abwechslung lesen mag, sondern
um die Schule. — Der Text ist der Teubnersche; doch ist es unpraktisch, wenn an einigen verderbten Stellen „Unverständliches, das
anderwärts in Klammern steht", weggelassen wird. Die Hauptstärke
der Bearbeitung soll nach des Herausgebers Bemerkung in den Einleitungen und den Erklärungen liegen. Jede Rede hat ihre eigene
zutreffende Einleitung, den Hauptteilen geht die entsprechende Disposition voraus, die wohl auch ein Primaner noch hätte leisten können
oder die ein unmittelbares E r g e b n i s der Lektüre sein sollte. Neben
entschieden guten Bemerkungen finden sich zahlreiche schwache; als
Probe möge eine aufs geratewohl herausgenommene Stelle dienen
XIV. 13: ‚uni] mihi. gratulabantur] wozu? gratias agebant] wofür?
magnum] = grave, honestum. bene merentibus] ganz allgemein gesagt, er meint aber sich. impietatis] gegen sein Vaterland! (vgl. Kap.
3, 6 zu pietas) also: Vaterlandsverrat". — Neben animadversio – eversio
(1 5) beabsichtigter Gleichklang (παρονομασία, annominatio) mufste
auch insepultam sepulturam ein Oxymoron (ἄταφος τάφος) genannt
werden; mit der Übersetzung „verunglückt" wird die Sache verwischt.
Was soll man ferner 1 7 mit ‚reversionis] nicht reditionis!' anfangen?
Doch dürften die angeführten sachlichen und stilistischen Proben ge-·
nügen, um die neue Bearbeitung als verbesserungsfähig zu kennzeichnen.

Anders steht es mit Halm-Laubmanns dreizehnter Auflage der
·Reden i n C a t i l i n a m, deren hohe Zahl ja schon die Güte beweist.
Im Texte hat sich der Herausgeber mit anderen nunmehr wieder der
Klasse α der Handschriften aus praktischen Gründen angeschlossen.
Eigene Vermutungen werden nicht aufgenommen; auch andere werden
mit wenigen Ausnahmen, die aber auch nicht durchweg einwandfrei
sind (IV. 11 u. a.), dort gelassen, wohin sie gehören. Der kritische
Anhang ist diesmal recht übersichtlich und, wie eine freilich nur oberflächliche Musterung zeigte, ziemlich ausgiebig gestaltet. Auch die
Einleitung ist gefeilt; doch steht noch § 10, dafs „der Untersuchungs-
richter" verurteilt habe statt der von dem Prätor bestellte iudex.
Ähnliches gilt von § 17 E., wo die Fassung der Worte den Anschein
erregt, als ob Cicero die Reden gar nicht gehalten hätte, während er
sie im Jahr 60 umarbeitete und dann erst herausgab. „Ohne über
ihre Endabsichten schon entschieden zu sein" (§) 23 leidet nicht an
mustergiltiger Klarheit. Auch der Schlufs § 28 „mit einem Mute der
Verzweiflung, der einer besseren Sache würdig gewesen wäre" ist
mehr Phrase als Logik. — Am meisten hat für die Schule die Erklärung gewonnen, wie eine Vergleichung mit der letzten Ausgabe
beweist. Ein scheinbarer Widerspruch ist die neue Bemerkung Cat. I 3:

‚illa nimis antiqua: Mit dem Plural deutet Cicero an, daſs noch andere Fälle als der eine von Ahala angeführt werden könnten, wiewohl derselbe (?) beim pron. dem. gen. neutr. auch sonst oft statt des Sing. steht‘. Doch abgesehen von der Fassung der Worte ist es doch bedenklich, daſs das Beispiel des Ahala erst n a c h folgt; die ganze Stelle quod — occidit sieht wie eine Randbemerkung eines geschichtskundigen Lesers aus, die auch an sich nicht zu dem gehobenen Tone der Stelle paſst. — Mit dem bloſsen Gitat ferner I 4 C. Gracchus: s. Vell. Pat. II 6 ist der Sache nicht gedient. I 4 sollte hebescere aciem erklärt werden, etwa „der Schärfe die Spitze abbrechen“. Ferner genügt „tabulis, s. Mommsen Röm. Staatsrecht“ nicht; tabulae ist hier örtlich zu fassen. Ebenso ist doch cupio mit Infinitiv eine so bekannte Regel, daſs man den schwer zu beschaffenden Kühner II, § 127 A. 4 nicht nachzuschlagen braucht. War pro Arch 27 die aedes Herculis et Musarum wirklich i m Circus Flaminius erbaut? Doch betreffen diese und andere Dinge nur Kleinigkeiten, die dem Werte der gesamten Bearbeitung keinen Abbruch thun.

München.   C. H a m m e r.

C. J u l i i C a e s a r i s c o m m e n t a r i i de b e l l o G a l l i c o. Für den Schulgebrauch erklärt von Dr. Rudolf M e n g e. Gotha, Perthes. 1. Bd. (Buch I—III), 3. Aufl. 1889. 2. Bd. (Buch IV—VI). 3. Aufl. 1889. 3. Bd. (Buch VII u. VIII), 2. Aufl. 1887: à M. 1.30. — 4) Anhang (Einleitung. Anleitung zum Übersetzen. Übungen. Geograph. Abriſs. Karte v. Gallien). 1889. 60 Pf. — 5) Krit. Anhang. 1885. 16 S.S.

Diese kommentierte Ausgabe ist ausschlieſslich für Schüler bestimmt und dem Standpunkt derselben recht gut angepaſst, so daſs sie aufs Wärmste empfohlen werden kann. Menge will dem Schüler nur das geben, was derselbe zu einer guten Präparation bedarf. Seine Anmerkungen sind nichts weniger als Eselsbrücken, nötigen vielmehr zum Nachdenken und zur Selbstthätigkeit. Bisweilen geht uns der Verfasser etwas zu weit. So wenn er zu IV 29, 3 navibus fractis anmerkt: frangi ist der gewöhnliche Ausdruck für „scheitern, zerschellen“. Eher wäre darauf hinzuweisen, daſs wir zwar von einem Schiffbruch sprechen, aber nicht sagen können, daſs die Schiffe zerbrechen. Den richtigen Ausdruck findet dann jeder von selbst. Aber im Ganzen hat M. das Richtige getroffen. Die Ausgabe ist in 3 Teile geteilt, wobei Menge voraussetzt, daſs die Lektüre entweder mit Buch I oder mit IV begonnen wird. Die Anmerkungen zu diesen beiden sind für Anfänger berechnet, die zu II und III bezw. V und VI setzen dann bereits mehr voraus. Endlich sind die Noten zu VII und VIII so gehalten, daſs einer der beiden ersten Teile bereits gelesen sein muſs. Wo diese Ausgabe eingeführt ist, wird der Lehrer rascher zu einer guten Übersetzung kommen und gröſseren Nachdruck auf die Erklärung des Inhaltes legen können. Was den Text anlangt, so entfernt sich derselbe wenig von den älteren Ausgaben: die groſse

Schwenkung, welche sich eben zu Gunsten der Klasse β vollzieht, macht Menge nicht mit. Doch bezweifle ich, ob er auf die Dauer wird widerstehen können. Nachdem es recht wahrscheinlich ist, dafs die uns vorliegende Textgestalt der Kommentarien vielfach entstellt ist — Menge selbst nimmt an, dafs wir die Ausgabe Cäsars gar nicht mehr besitzen und dafs schon Hirtius allerlei abgeändert hat - dürfte wohl in einer für die Schule bestimmten Ausgabe in Bezug auf Herübernahme von Lesarten, die dem gewöhnlichen Sprachgebrauch entsprechen, und auf gute Konjekturen etwas weiter gegangen werden. Wenn Cäsar, wie· wir annehmen dürfen, selbst eine Ausgabe seines Bellum Gallicum veranstaltet hat, so hat er dabei ohne Zweifel seine auf strenge Regelmäfsigkeit gerichteten Grundsätze durchgeführt; dann hat er VI 13, 1 nicht nullo oder VII 89, 5 toto als Dativ gebildet. An ersterer Stelle hat ja auch β nulli, an der zweiten lesen einige Handschriften toto exercitu. Da Cäsar nach Gellius den Dativ der 4. Deklination auf -u bildete, ist eher anzunehmen, dafs ein beigeschriebenes i statt zu toto, zu exercitu bezogen wurde. Keinesfalls sind derlei Abweichungen, so gut beglaubigt, dafs man sie mit Sicherheit auf Cäsar zurückführen könnte. So ist es vielleicht besser, in einer Schulausgabe alles Unregelmäfsige fernzuhalten, statt der Jugend eine Menge von Dingen vorzuführen, welche wahrscheinlich die Willkühr und Unachtsamkeit mehrerer Jahrhunderte in den Kommentarien abgelagert hat. Ausgaben freilich, welche einer wissenschaftlichen Beschäftigung mit dem Schriftsteller dienen sollen, werden alle Kuriosa der Handschriften genau registrieren. Wir wünschen also, dafs der Herausgeber in Bezug auf den Text ebenso streng zwischen den Bedürfnissen der Schüler und denen der Erwachsenen scheiden möge, wie er dies bezüglich der Anmerkungen bisher schon gethan hat. — Zu bemerken ist noch, dafs Text und Anmerkungen auch gesondert gedruckt sind, so dafs ärmere Schüler eventuell nur den ersteren anzuschaffen brauchen.

C. Julii Caesaris commentarii de bello Gallico. Für den Schulgebrauch herausgegeben von Ignaz Prammer. Wien und Prag. F. Tempsky. 1891. 4. Aufl. Preis: Geh. 55 Kr., geb. 70 Kr.

Die 4. Auflage unterscheidet sich von der im Jahre 1883 erschienenen ersten in mehrfacher Hinsicht. An Stelle des kritischen Apparates ist eine kurze Einleitung über die Kämpfe der Römer mit den Galliern vor Cäsar und über Cäsars Leben und Schriften getreten. Als Anhang wurde beigegeben ein Namenregister mit kurzen Erklärungen und besonders ein Abrifs über das römische Kriegswesen in Cäsars gallischen Kriegen, geschrieben von E. Kalinka. Die Karte von Gallien hat eine Legende erhalten. Der Text schliefst sich jetzt enger an β an. Wir können uns mit allen Neuerungen einverstanden erklären und halten die sehr gut ausgestattete Ausgabe für recht empfehlenswert. Für die Erklärung sorgt Prammer durch ein illustriertes Schulwörterbuch (Geb. 1 M. 65 Pf.); aufserdem ist im gleichen Verlag auch ein Schülerkommentar von Schmidt erschienen, der jedoch mit Erfolg nur da benützt werden kann, wo die häufig zitierte Grammatik eingeführt ist.

Memmingen.   Heinrich Schiller.

L. Annaei Senecae ad Lucilium epistulae morales selectae. Für den Schulgebrauch erklärt von G. Hess. I. Heft. Gotha 1890. F. A. Perthes. 8. VI 148 S. (Bibliotheca Gothana).

Behringer hat einmal den Wunsch ausgesprochen, dafs auf der obersten Lehrstufe eine „klare Darlegung der christlichen Ideen im Gegensatz zu dem Ideenkreise des Altertums"[1]) gegeben werde. Bei der Interpretation der meisten Schulschriftsteller dürfte die Erfüllung dieses Wunsches mit Schwierigkeiten, ja mit Gefahren verbunden sein, bei der Lectüre des Philosophen Seneca ist sie nicht zu umgehen. Denn die zahlreichen Stellen seiner Werke, welche an christliche Gedanken anklingen, dienen ja nur jenen zur Folie, an welchen der unüberbrückbare Gegensatz stoisch-römischer und christlicher Weltanschauung grell hervortritt, und hier wie dort öffnet sich ein Feld für den Ausleger. Ich weifs freilich nicht, ob die von Eckstein[2]) erwähnte Vorschrift, nach welcher in den bayerischen Oberklassen für die statarische Lectüre neben Cicero und Tacitus auch Senecas kleinere philosophische Schriften und Briefe zu verwenden sind, heute noch Geltung besitzt.[3]) Sollte der als Philosoph, Stilist und Mensch oft und hart Gescholtene noch auf dem Index der — erlaubten Bücher stehen oder wieder auf denselben gesetzt werden, so sei die oben genannte Ausgabe ausgewählter Briefe, die um so verdienstlicher erscheint, als weder in der Teubnerschen noch in der Weidmannschen Sammlung erklärender Ausgaben Seneca vertreten ist, hiemit zu eventueller Benützung empfohlen. Sie rührt von einem Schulmanne her, dessen Name nicht zum ersten male in der Senecaliteratur auftaucht,[4]) gewährt dem jugendlichen Leser die nötige Unterstützung in grammatischer und antiquarischer Hinsicht und enthält für den Lehrer beachtenswerte Fingerzeige nach der oben mit Behringers Worten bezeichneten Richtung. — Dafs S. 100 (ep. 70, 20) die Worte ‚ad emundanda obscoena‘ durch 3 Punkte ersetzt wurden, ist eine unmotivierte Prüderie.

[1]) Ich finde die Worte citiert in dem letzten Werke seines Freundes Hetting·r: Timotheus. Briefe an einen jungen Theologen. Freiburg i. B. 1890 S. 84. Der Würzburger Apologet war ein warmer und beredter Anwalt der humanistischen Studien.

[2]) In Schmids pädag. Encyklopädie XI' S. 640.

[3]) Unsere jetzige Schulordnung weifs davon nichts.   Die Redakt.

[4]) In seinen curae Annaeanae I. (Altona 1897 Progr.) p. 16 ff findet sich eine von Anmerkungen begleitete deutsche Übersetzung der Briefe 1, 2, 6 - 8; vgl. Gertz, Berl. philol. Wochenschr. 1888, 395. — Zu meinem Bedauern mufs ich bei der Korrectur meiner Anzeige den inzwischen erfolgten Tod des Herausgebers melden. Ein Lebensabrifs aus der Feder K. H. Kecks ist seinem nachgelassenen Buche „Geist und Wesen der deutschen Sprache" (Eisenach 1892) vorausgeschickt.

Ludewig (Antonius), Quomodo Plinius maior, Seneca philo-
sophus, Curtius Rufus, Quintilianus, Cornelius Tacitus, Plinius minor
particula ‚quidem' usi sint. Fasciculus I. Prag 1891. H. Dominicus
(Th. Gruss). 8. 1 Bl., 76 S. (Prager philologische Studien, mit Unterstützung des K. K. Unterrichtsministeriums herausgegeben von Otto
Keller. III. Heft).

Ludewigs Schrift gehört zu jenen verdienstlichen sprachlichen
Arbeiten, die einerseits ein beträchtliches Stoffgebiet umspannen,
andrerseits nicht auf mehr oder minder mechanische Weise, sondern
aus aufmerksamer Lectüre und sorgfältiger Abwägung aller einschlägigen
Stellen und ihres jeweiligen Zusammenhanges erwachsen. Der Verf.
führt die Untersuchung Wilhelm Grofsmanns, der den vorciceronischen
und ciceronischen Gebrauch von quidem dargestellt hat (De particula
quidem. Regim. 1880) weiter, und zeigt, wie die Hauptvertreter der
silbernen Latinität (am wenigsten Quintilian, der begeisterte Verehrer
Ciceros) auch in der Handhabung dieser Partikel die vom Meister des
Stiles gewiesenen Bahnen verlassen haben. Während dieser, um nur
ein signifikantes Beispiel zu erwähnen, in den Büchern de oratore
jedes dritte, in den Briefen jedes vierte quidem mit einem Relativ-
pronomen verbindet, lassen sich aus dem älteren Plinius nur 7, aus
Tacitus nur 3 Fälle dieses Gebrauches nachweisen. Die gemeinsame
Durchbrechung der klassischen Schranken bildet natürlich kein Hindernis
für individuelle Liebhabereien, wie denn gerade zwischen den beiden
letztgenannten Schriftstellern eine Reihe von Differenzen, zwischen
Tacitus und Curtius eine Anzahl von Berührungspunkten ermittelt
werden konnte. Der Gebrauch von ne—quidem wird späterer Untersuchung vorbehalten, equidem und siquidem dagegen sind p. 32 ff.
und p. 50 ff. besprochen. Der bescheidene Ertrag für die Textkritik
ist p. 73 ff. zusammengestellt.

München.   Carl Weyman.

————————

Lateinische Syntax. Im Auszuge bearbeitet von Dr. Theod.
Arndt. Zweite verbesserte Auflage. Leipzig, Teubner 1891. II und
37 S. 75 Pf.

Die ganze Syntax auf 37 Seiten! Es ist nicht zu verwundern,
wenn sie sich auf das Allernotwendigste beschränkt, was Schüler der
mittleren Stufen brauchen. Je kürzer übrigens die Grammatik ist,
desto mehr Arbeit bleibt dem Lehrer, desto reichlicheren Stoff mufs
das Übungsbuch bieten, wenn nicht der Oberflächlichkeit Thür und
Thor geöffnet werden soll.

An sich betrachtet zeichnet sich das Büchlein durch übersichtliche Anordnung, präzise Fassung der Regeln und gut gewählte Beispiele aus. Bei einer Neuauflage dürften unter anderem folgende
Dinge zu bessern sein: § 8: admirari kommt intr. nicht vor; § 23:
‚wie viel jemand an etwas gelegen ist" soll durch die genitivi pretii

ausgedrückt werden können? § 56 Anm. 4, Zusatz: „Partizipia haben
auf die consecutio temp. keinen Einfluſs?" nur drei Zeilen vorher steht
ein Beispiel aus Corn. Nep. Arist., welches diese Behauptung widerlegt; § 59, 1 „es müſste.gewünscht werden etc. etc." ist doch wohl
eine nicht ganz logische Ausdrucksweise; § 63b „eant sie gehen, eas
man gehe' sind unverständlich.

Lateinische Schulgrammatik von Dr. Karl Stegmann,
Oberlehrer am Progymnasium zu Geestemünde. 5. Aufl. Leipzig,
Teubner 1890. X u. 250 Seiten; 2 M. 40 Pf.

Die 1885 zum erstenmale erschienene Grammatik wurde in
,dritter Auflage (1888) von K. Welzhofer in diesen Blättern Bd. XXV
S. 251—255 (Jahrg. 1889) besprochen.   Dortselbst findet sich eine
genaue Angabe ihres Inhalts und der Anordnung des grammatischen
Lehrstoffs, auf die ich mich beziehe, da in dieser Hinsicht eine Veränderung nicht eingetreten ist.   Aber auch der Würdigung, welche
die Grammatik an jener Stelle gefunden hat, schlieſse ich mich vollständig an: in der That ist die Auswahl des Stoffes, die übersichtliche
Ordnung, die präzise Fassung, die Sorgfalt in Aufstellung geeigneter
Beispiele nur zu loben.   Aber auch darin hat Welzhofer recht, wenn
er am Schlusse seiner Besprechung sagt: „Im allgemeinen gibt die
Grammatik den Lehrstoff unserer Lateinschule; nur wenig fällt den
Gymnasialklassen zu, andrerseits ist manches wohl sogar für Latein-
klassen zu dürftig behandelt".   Doch gilt dies nicht sowohl von der
Formenlehre als vielmehr von der Syntax und hier hauptsächlich
wieder mit Ausschluſs der Kasuslehre.   Es ist zwar seit der 4. Auflage
noch ein Anhang. bestehend in grammatisch-stilistischen Bemerkungen
hinzugekommen (S. 216—224), allein auch dieser Anhang beschränkt
sich auf das Allernotwendigste, was der Schüler schon in den mittleren
Klassen wissen muſs.   Es ist also in dieser Hinsicht die Verwahrung,
die der Verfasser im Vorwort zur 5. Auflage gegen Ziemer einlegt,
weil dieser behauptet habe, das Buch reiche nur bis Gymn.-O. III aus.
kaum am Platze.   Wohl aber ist dem Verfasser recht zu geben,
wenn er sich gegen den Vorwurf mangelnder Sorgfalt, welchen ihm
ebenfalls Ziemer machen zu müssen glaubte, energisch zur Wehre
setzt.   Denn in der That zeigt jede Seite die bessernde Hand des
Verfassers, wie er denn auch den Anregungen, die ihm Welzhofer
gegeben, gewissenhaftest und mit rühmlicher Vorurteilslosigkeit nachgegangen ist.

Schlieſslich seien ein paar Einzelbemerkungen gestattet. § 61
sollte nicht mit so kleinen Lettern gedruckt sein; auch fehlt hier
mindestens alibi, alio, aliunde. In § 80 ff. wäre statt oder neben der
Angabe trans., intr., je ein kurzes Beispiel erwünscht, da diese Angaben ohnedies leicht übersehen werden können; ebendaselbst sollten
die Ersatzformen für fehlende Perfekta und Supina noch häufiger angegeben sein z. B. posco, poposci, ⟨postulatum⟩. Sehr dankenswert

ist hier die häufige und übersichtliche Vorführung der wichtigsten
Komposita.   Beim verbum simplex ist jedoch, wie auch in anderen
Grammatiken, allzusehr auf die Angabe der adäquaten Bedeutung
Verzicht geleistet, obwohl diese namentlich der Erlernung der Kasuslehre bedeutenden Vorschub leisten würde; z. B. sequi, begleiten, befolgen; uti Gebrauch machen von, nubere sich verhüllen, mittere gehen
(laufen, ziehen etc.) lassen = schicken.   In der Wortbildungslehre
fehlt häufig die Angabe der Bedeutung z. B. bei nominatim = unter
(ausdrücklicher) Namensnennung; dies gilt auch von manchen Stellen
in der Kasuslehre z. B. § 115b.   Zu § 123 ist zu ergänzen hoc celor.
§ 127: interrogare = eine Zwischenfrage an jemand stellen" kommt
auch in der amtlichen Sprache vor.   Unverständlich ist in § 147 der
terminus ,ablativus sociativus'; wenn cum steht, so ist es kein „blofser"
Ablativ mehr.   Eine ähnliche Verwirrung des Begriffs herrscht auch,
wie übrigens in den meisten Grammatiken, beim abl. modi vor, wenn
der Gebrauch von cum vorangestellt ist.   § 165 stehen manche Adjektiva, die nicht besonders aufgezählt zu sein brauchen, z. B. mächtig,
teilhaftig.   § 184 sind die Begriffe nicht systematisch geordnet, z. B.
gehört cunctari zu vereri.   § 193: Die Auflösung des Partizips mit
einem Kondizionalsatz will bei beiden Beispielen nur schwer gelingen.
Im übrigen wäre noch zu wünschen, dafs die Grundbedeutung bei
einzelnen Wörtern und Wendungen, die meistens zugleich die dem
Deutschen adäquate Bedeutung ist, noch häufiger, als bereits geschehen
ist, angegeben und durchgehends allen anderen Bedeutungen
vorangestellt würde; z. B. sequor befolge (nicht verfolge), begleite, folge; deficio lasse im Stiche, fehle; quaero = suche herauszubringen, frage; vel wenn man will, möglicherweise; sive wenn du
willst; at (eigentlich ad, adv. Präpos.) = dazu kommt (aber) noch
folgendes.

——   ———

Lateinische Schulgrammatik in kurzer, übersichtlicher
Fassung und mit besonderer Bezeichnung der Pensen für die einzelnen
Klassen der Gymnasien und Realgymnasien von Dr. Friedrich
Holzweifsig, Direktor des kgl. Viktoriagymnasiums zu Burg. 5. neu
durchgesehene Auflage.   Hannover 1892. Norddeutsche Verlagsanstalt.
O. Gödel. VIII u. 224 S.
    Schon die 1. Aufl. (1885) fand verdientes Lob in diesen Blättern.
Jahrg. 1886, S. 133 ff.   Nicht minder verdient die vorliegende Ausgabe Anerkennung.
    Vor allem sei eines Charakteristikums erwähnt, das ich
weder loben noch tadeln möchte; es besteht in der sorgfältigen Abgrenzung des Lehrstoffs für die einzelnen Klassen durch Anwendung
verschiedener Typen und Zeichen; diese Ausscheidung der Pensa erfolgte laut Vorwort auf Grund eingehender Beratungen in Fachkonferenzen des Lehrerkollegiums des Gymnasiums zu Burg und unter
Benützung der von dem ehemaligen Direktor dieses Gymnasiums,
Dr. Otto Frick, und von dem Direktor Dr. Schiller zu Giefsen an-

gelegten Normalexemplare. Neuerdings hat der Verf. „gemäfs der zu erwartenden Beschränkung des Unterrichts in der lateinischen Grammatik und Stilistik" die Pensa noch weiter ermäfsigt. Es ist hier nicht der Platz, die vorgenommene Pensenverteilung einer Kritik im einzelnen zu unterziehen, und ich beschränke mich daher auf die Bemerkung, dafs dieselbe im ganzen als angemessen zu bezeichnen ist und sich namentlich von übertriebenen Anforderungen ferne hält. Einen Nachteil hat die Anwendung des Fettdrucks zur Bezeichnung derjenigen Pensa, die jeweilig auf der ersten Stufe zu behandeln sind; er besteht darin, dafs auf diese Weise eine Hervorhebung wichtiger Besonderheiten unmöglich gemacht wurde, was vom didaktischen Standpunkte einigermafsen zu bedauern ist. Es würde sich aus diesem Grunde vielleicht ein ähnliches Verfahren, wie es Lattmann angewendet hat, empfehlen. Doch genug von dieser ganzen Eigentümlichkeit, die mir weder in sachlicher noch formeller Hinsicht von besonderer Bedeutung zu sein scheint.

Entschiedene Vorzüge weist die Grammatik in folgenden Punkten auf: in der Übersichtlichkeit, mit welcher das Material vorgeführt ist, in der weisen Beschränkung auf das Notwendige unter Vermeidung allzugrofser Kürze, in der Präzision der Darstellung, die selbst wieder eine Folge der sorgfältigen Sichtung und gründlichen Beherrschung des grammatischen Stoffes ist und in der ·Trefflichkeit des stilistischen Anhangs. Eine wesentliche Veränderung wäre nur in zwei Punkten vorzunehmen: erstens sind die Versregeln gröfstenteils recht geschmacklos; mit Ausnahme einiger weniger (§ 13, 17, 18a, 27a, 32, 48, 53) dürften alle gestrichen und durch Prosaregeln ersetzt werden. Nebstdem ist auffallend der Mangel an Beispielen; besonders in der Syntax ist ein treffend gewähltes Beispiel von aufserordentlichem Werte. Das Streben nach einer „kurzen Grammatik" ist doch wohl nicht daran schuld?

Zum Schlusse seien noch ein paar geringfügigere Einzelheiten angeführt. In § 42 vermifst man eine Aufzählung der Adjektiva dreier Endungen umsomehr, als auch diejenigen Adjektiva auf er, welche einer Endung sind, nicht angegeben wurden; keinem Fehler begegnet man bei der Deklination der Adjektiva häufiger als der Verwechslung der Adjektiva auf er. § 58 wäre hinzuzufügen, in welchen Fällen exterus und die übrigen Positive angewendet werden, also nationes exterae, mare inferum, mare superum, posteri. § 64 empfiehlt es sich a me, a te u. s. w. zu setzen = „von mir", „von dir" u. s. w. Statt bei den unregelmäfsigen Verben die Konjugation fortlaufend mit 1, 2, 3, 4 zu kennzeichnen, wäre es besser, stets den Infinitiv beizufügen, zumal da auch die deutsche Bedeutung immer im Infinitiv angegeben ist. § 138 f. genügt quamvis, licet = „obgleich" nicht. § 147d ist das Beispiel nicht passend wegen § 143, 1. § 56 sollte es statt: „unregelmäfsig bilden" heifsen: „unregelm. werden kompariert"; falsch ist die Angabe der Quantität zu abolevi § 103. — Recht übersichtlich und dankenswert ist, um noch dies eine zu erwähnen, der Anhang von der Wortbildung, S. 84—90.

Kleine lateinische Sprachlehre zunächst für die uutern
und mittlern Klassen der Gymnasien und Realgymnasien bearbeitet
von Dr. Ferdinand Schultz, geh. Regierungs- und Provinzial-
schulrat zu Münster. 21. vereinfachte und verbesserte Ausgabe.
Paderborn, Schöningh. 1890. VII u. 268 Seiten. 2 M.

Im Jahre 1850 erschien die erste Ausgabe des „kleinen
Schultz" als eine Art Auszug aus der kurz vorher erschienenen
gröfseren „lateinischen Sprachlehre", welch letztere 1881 ihre 9. Auflage erlebte; seitdem ist die erweiterte Sprachlehre nicht wieder
herausgegeben worden. Sollte dies nicht mit dem seit einem Jahr-
zehnt immer entschiedener hervorgetretenen Bestreben, den grammatischen Lehrstoff zu beschränken, in ursächlichem Zusammenhang
stehen? Was speziell die kleine Sprachlehre betrifft, so sollte sie
nach dem Vorwort zur 5. Aufl. (1858) nur „gleichsam ein Sprach-
katechismus" sein, und der Verf. hegte daselbst die Hoffnung, dafs
„bis zur Gymnasialsekunda etwas Wesentliches in dem Buche
nicht werde vermifst werden". Letzteres ist der Fall, ja man kann
sogar heutzutage sagen, die Formenlehre wenigstens biete des Guten
zu viel; sie hat den Löwenanteil erhalten: 153 von 241 Seiten. Doch
scheint dies aus dem Grunde geschehen zu sein, weil aller Gedächtnisstoff besser gleich von Anfang an voll und ganz aufgenommen wird.
Immerhin sollte in diesem Teile der Grammatik noch bedeutend gestrichen werden; z. B. adulter § 17, pelagus § 19 etc. etc.   Scheint
so die Formenlehre im allgemeinen mehr zu bieten, als nicht blofs
für die unteren, sondern auch für die obersten Klassen notwendig ist,
so hält die Syntax in beiderlei Hinsicht den rechten Mittelweg ein und
genügt, abgesehen von Stilistik und Synonymik, welche mangeln, auch
für die oberen Klassen. Über Einzelnes kann man geteilter Meinung
sein; zu knapp gehalten scheint dem Ref. namentlich die Lehre von
den Präpositionen und die Moduslehre, besonders der Potentialis:
auch sollte zu den Präpositionalausdrücken (§ 150) öfters ein charakteristisches Verbum hinzugefügt sein, da ohne ein solches die Anwendung einzelner Präpositionen nicht klar ist. Nicht recht übersichtlich ist mancher § der Kasuslehre; die „Zusätze" verwirren hier
nicht selten; der Stoff sollte in mehr §§ zerlegt sein. Die Angabe
der adäquaten Bedeutung ist nicht konsequent durchgeführt; sie fehlt
z. B. § 180, § 190. In der Syntax sollte der kleine Druck viel
seltener sein z. B. § 195, § 255; sehr gut ist hingegen die typographische Hervorhebung des Bedeutsamen in der Formenlehre. Hinsichtlich der Anordnung kann noch manches geschehen z. B. § 184,5
sollte ein selbständiger § sein; § 184, 5 Zus. gehört zu § 181; § 182,2
ebenfalls; § 190 Zus. 2 gehört zu Zus. 1; irrideo (§ 191) zu § 180
Zus. 3; § 206, 1 Zus. 3 soll Zus. 1 sein; auch § 205, § 210 sind
nicht zum besten geordnet; auseinandergerissen sind die Ortsbestim-
ungen § 187, 219, 221. Verbesserungen sind an folgenden Stellen
empfehlenswert: § 22 ff. heros, custos etc. etc., die grofsen Anfangsbuchstaben verwirren die Schüler. § 180: adulor regiert doch auch

den Dativ! aemulor alicni fehlt; § 181 convenire alqm. jemand aufsuchen, besuchen; § 181 Zus. 3 obsidere, umsitzen?; § 192 circumdo,
ich gebe ringsum?; § 187 zwischen domus Heimat und domus Haus
ist nicht unterschieden; § 190 consulo tibi soll synonym sein mit
suadeo tibi?; § 191 arrideo ist besser zu streichen; § 221 fehlt re-
(ac-)cumbo; § 198 I Zus. 4: Livius hat con iuravimus und nur dieses dient
zum Beleg für die betreffende Regel. § 202: zuerst sollte gesagt sein,
wann der Genitiv steht, dann erst sollten die Ausnahmen kommen;
memini patris, ich denke eben jetzt (?) an den Vater; hiefür: ich
bin des Vaters eingedenk, habe ihn im Andenken; § 205 Zus. 1 fehlt:
„das Neutrum eines Pronomens"; Zus. 2a: „durch die adverbialen
Accusative"; b ist vorauszustellen; § 233 nunquam putavi (streiche
„oder putaram"); § 220: in bello = auf dem Kriegsschauplatz;
§ 254: nach iurare kann auch das Präsens vorkommen; da überdies
auch ein Perfekt und bei sperare Präsens und Perfekt möglich ist,
ist von Anfang an der Zusatz nötig: „wenn die Handlung sich auf
die Zukunft bezieht". Verdruckt ist S. 176 triciti, S. 186 Hiberna,
§ 198 I 1 Pronomen. Abgesehen von diesen kleineren Verstöfsen ist
die Grammatik nach wie vor ein gutes Schulbuch; besonders verdienstlich ist die reichliche Angabe von Kompositis bei den unregelmäfsigen Verbis, die kurze und präzise Fassung der Regeln in der
Lehre von den Nebensätzen, die sorgfältige Auswahl knapper und
lehrreicher Beispiele, wobei sich der Verf. mit Recht nicht auf Cicero,
Caesar, Cornelius Nepos beschränkt hat, sondern auch namentlich die
Dichter Ovid, Vergil, Horaz u. a. zu Worte kommen liefs. Viele dieser
Beispiele eignen sich zum Auswendiglernen und dürften in diesem
Falle für den Schüler einen wertvollen Schatz für alle Zukunft bilden.

Lateinische Schulgrammatik. Bearbeitet von J. H.
Schmalz und Dr. C. Wagener. Bielefeld und Leipzig. Velhagen
und Klasing. 1891. IV u. 233 S.

Hiezu: Erläuterungen zu meiner lateinischen Schulgrammatik. Von J. H. Schmalz. Progr. v. Tauberbischofsheim.
1890. 50 S.

Nach der Seite der Wissenschaftlichkeit steht diese Grammatik
sicher auf der Höhe der Zeit; dafür bürgen schon die Namen ihrer
Verfasser, Wagener und Schmalz; von ersterem ist die Formenlehre,
von letzterem die Syntax. Eine andere Frage ist es aber, ob die
Schulpraxis sich dieser an sich ja zweifellos höchst bedeutsamen
Leistung mit Erfolg bedienen kann. Referent ist dieser Ansicht nicht.
Denn, um es mit einem Worte zu sagen, sowohl die Formenlehre als
insbesondere die Syntax sind in methodischer Hinsicht für die
Stufen, auf welchen dermalen (und wohl noch auf lange) Latein ge-
lehrt wird, zu hoch. Betrachten wir zuerst die Syntax von Schmalz.
Hier ist zunächst der in den übrigen Grammatiken mit „Kasuslehre"
überschriebene Abschnitt unter Adoptierung der Kern'schen Grund-

sätze, die dieser in die deutsche Grammatik eingeführt hat, zerlegt in die Lehre von Subjekt und Prädikat, vom Attribut, von den Prädikatsbestimmungen a) durch einen Objektskasus, b) durch einen adverbialen Kasus mit oder ohne Präposition, c) durch Prädikativa. Schmalz hat hier also nach Kerns Vorgang den einfachen Satz als Sache für sich betrachtet und ihn in seine Bestandteile zerlegt. Theoretisch genommen hat diese Systematik sehr viel für sich; in der That wird auf diese Weise die Grammatik zugleich eine Art „Schule der Logik" (cfr. Erläuterungen" S. 12). Allein der praktischen Verwertung stehen bedeutende Hindernisse im Wege. Erstens wird es nun und nimmer gelingen, dafs Schüler im Alter von durchschnittlich 13 Jahren die abstrakte Terminologie, die infolge des genannten Prinzips zur Anwendung kam, beherrschen, und es wird dadurch die Aneignung des grammatischen Lehrstoffs, um den es sich doch auf dieser Stufe in erster Linie handelt, den gröfsten Schaden erleiden; hat doch selbst der Lateinkundige oft grofse Mühe, auch nur einigermafsen den tieferen Sinn der „Regeln" zu erkennen, ohne dafs er die nachfolgenden Beispiele zu Hilfe nimmt. Dazu kommt eine grofse Zersplitterung des Stoffes, indem seiner Form nach Zusammengehöriges sehr häufig auseinandergerissen ist; um ein Beispiel zu erwähnen, findet sich das Gerundium und Gerundivum, bevor (§ 216—217) seine Bildung gelehrt wird, antizipando an ungefähr 12 Stellen. Gleichwohl vermochte der Verf. trotz besten Willens gewisse Dinge dem Schema nicht einzufügen, weil, wie er selbst zugesteht, ihre Erlernung dadurch auf unüberwindliche Schwierigkeiten gestofsen wäre, und er wurde so selber seinem Prinzipe untreu; die Zeit- und Ortsbestimmungen, sowie der Infinitiv sind abgesondert für sich behandelt. Wie Schmalz auch in der Nebensatzlehre von obigem Schema abgewichen ist, werde ich weiter unten zeigen. Allein damit noch nicht genug: ein weiterer und nicht der geringste Nachteil besteht darin, dafs der Schematisierung zu Liebe auf Spezialitäten zu grofses Gewicht gelegt wird; so kommt es denn, dafs der Umfang des sonst mit „Kasuslehre" bezeichneten Abschnittes der Grammatik auf 3 volle Bogen grofs 8 angewachsen ist, und das trotz des ausdrücklichen Hinweises, dafs eine recht kurze Grammatik geliefert werden wollte.

Sonach mufs das angewendete Prinzip als unzweckmäfsig bezeichnet werden. Untersuchen wir die Gründe, weshalb der Verf. die neue Methode wählte! erstens, sagte er: Die lateinische Grammatik soll eine „Schule der Logik" sein; allein kann sie dies nicht auch ohne den grammatischen Schematismus werden, durch den man doch eigentlich nur eine klarere Einsicht in das Wesen der einzelnen Satzteile gewinnt? Ebenso wenig stichhaltig ist die Berufung auf Kerns Systematisierung der deutschen Grammatik; denn hier haben wir es eben mit der Muttersprache zu thun, dort mit einer in ihrer Bildungsweise dem Schüler noch unbekannten, schwierigen, mit dem Deutschen wenig übereinstimmenden antiken Sprache. Auf einer späteren Stufe (Sekunda) wird eine derartige Behandlungsweise sehr förderlich sein, für den Anfangsunterricht ist sie nicht geeignet.

Das Gesagte gilt, wie bemerkt, zunächst von dem einfachen Satze. Schon weniger bedenklich wäre es indessen, wenn man den untergeordneten Satz systematischer behandelte, als dies bisher zu geschehen pflegt. Denn vor allem ist es eine höhere Stufe, auf welcher diese Materie gelehrt wird, eine Stufe, auf der das sprachliche Denkvermögen des Schülers durch die vorausgegangenen syntaktischen Übungen einigermaſsen geschult ist; auch ist hier eine logische Gliederung leichter zu bewerkstelligen. Da fällt es nun aber erst recht auf, daſs Schmalz gerade in diesem Teile der Syntax nicht, wie in der sogen. Kasuslehre, nach den Kategorien des Subjekts, Objekts, Attributs, Adverbs etc. eingeteilt hat. Seine Einteilung ist hier vielmehr eine mehr oder weniger äuſserliche: in Frage-, Relativ-, Konjunktionalsätze, „weil (siehe „Erläuterungen" S. 15) aus dem Fragepronomen das Relativum hervorgegangen ist und aus dem Relativum die meisten (!) unterordnenden Konjunktionen sich herleiten". Auch in diesem Kapitel vermiſst man in hohem Grade die Übersichtlichkeit; dieselbe wird auch nicht durch den Hinweis auf § 116 B gewonnen; denn dort sind die Konjunktionen (von Wagener) anders geordnet.

Im einzelnen ist gleichfalls vieles zu beanstanden. Die grammatisch-logische Erklärung läſst trotz der gewählten Devise öfter zu wünschen übrig, besonders ist dies der Fall wenn ein „Merke" dasteht, eine Eigenart des Verfassers, die nebenbei bemerkt das Zitieren nicht erleichtert: dies gilt von iubeo mit passivem Infinitiv (§ 219); § 218 sind die Verba, welche einen Infinitiv regieren, nicht logisch geordnet; z. B. suchen, begehren, sich Mühe geben" gehen zurück auf „wollen". Ferner ist die Fassung der Regeln häufig nicht durchsichtig und deshalb sehr schwer verständlich; viele Regeln sind infolge dessen kaum erlernbar oder dauernd dem Gedächtnisse einzuprägen; so § 135; 136; 137; 143, 4; sehr geschraubt ist § 202 der Abl. absol. erklärt als „ein mit einem Subjekts-Prädikativum versehener Ablativ"; viel praktischer dürfte es doch sein, ihn adverbial (temporal, modal) zu erklären. Die § 146 (Anfang) aufgeführten Verba können zum Teil auch im Lateinischen intransitiv gebraucht werden, und umgekehrt ist auch im Deutschen hier überall ein transitives Verbum möglich; der Verf. hat ja selbst einige solche beigefügt; zu ergänzen wäre übrigens sequor = begleite, imitor nehme mir zum Muster. Einige adäquate Ausdrücke in § 155 sollten mehr mit Rücksicht auf die Übersetzung ins Passiv gewählt sein; persuadeo = rede ein, invideo = bringe Miſsgunst entgegen; auch hier ist die Unterscheidung zwischen transitiven und intransitiven Verben nicht verständlich, falls man nicht in die Regel das Wörtchen „gewöhnlich" einschiebt. Ein teilweiser Widerspruch besteht zwischen § 153, 2 und Anm. 1; der Fehler liegt im Ausdruck. § 139 Zeile 2 streiche „auch"; ebenso steht in § 143, 3 (S. 106) ein falsches „auch"; unklar ist ferner § 140 A. 2; § 142: die vielen Worte für einen ganz einfachen Vorgang verwirren nur. Der oben im allgemeinen gerügte Mangel an Übersichtlichkeit ist auch im einzelnen nicht selten störend; vgl. z. B. S. 107 oder § 172. Nicht glücklich scheint mir die Erklärung zu sein in folgenden Fällen:

§ 143, 1 postulatio ignoscendi u. a. als Gen. definitivus; es liegt
doch ein einfacher gen. obj. vor; § 143, 1 A. 3 der Genitiv bei causa
und gratia ist ursprünglich doch wohl ein gen. subj.; § 164 u. 165:
der Ausdrusk „sociativer Ablativ“ ist nicht glücklich gewählt; und
dann befremdet es, daſs nicht mit dem Instrumentalis der Anfang gemacht wurde; was den „Abl. comitativus“ betrifft, so ist er gar kein
eigentlicher Ablativ; denn er kommt ja nur mit cum vor. S. 110,
c. 2 -- das Zitieren ist, wie schon gesagt, oft sehr schwer, da der
Zeichensetzung durchwegs geringe Sorgfalt zugewendet ist — fehlt
q n o r u m unus. § 307 A. 1 fehlt der Hinweis auf den entsprechenden
§ der Moduslehre. § 326 haec „das römische Reich“ versteht man
nicht; § 332 fehlt bei ceteri, reliqui = „die anderen“; § 327 „unmittelbar aus dem Blutbad“ ist schlecht ausgedrückt; § 324 ist
„bräuchte“ schriftdeutsch? § 146: „hat das Glück mit seiner Tapferkeit gleichgemacht“ ist schlecht ausgedrückt. § 148, 2 besteht insoferne eine Inkonsequenz, als die lateinischen Verba daselbst teils im
Inf. Präs. teils in der 1. Pers. Sing. Ind. Präs. aufgeführt sind.

Was sodann d i e F o r m e n l e h r e v o n W a g e n e r betrifft, so
ist es die daselbst in der Deklination angewendete S t a m m t h e o r i e,
welche die Brauchbarkeit des Buches auf der u n t e r s t e n Stufe des
Lateinunterrichts sehr erschwert. Im übrigen ist gegen diesen Teil
der Grammatik nicht viel einzuwenden; doch dürfte b und c (S. 30,
31) besser umgestellt werden und sollten wegen fit, refert (§ 112) die
verba anomala vor § 112 gebracht sein. Der Druck der unregelmäfsigen Verba ist viel zu klein. An Druckfehlern fielen auf § 5, 1
pamultina, § 220 proverbls.

Ist nach dem Gesagten die vorliegende Grammatik im Elementarunterricht nicht verwendbar, so ist sie doch sicher für jeden Lehrer
eine reiche Quelle der Belehrung und Anregung. Insbesondere sind
auch die „Erläuterungen“ von Schmalz, welche von der Verlagshandlung
von Velhagen und Klasing unentgeltlich abgegeben werden, als der
Niederschlag gründlicher wissenschaftlicher und praktischer Thätigkeit
auf diesem Gebiete der Beachtung aller Lateinlehrendeu wärmstens
zu empfehlen.

München.   Dr. G e b h a r d.

A u s g e w ä h l t e T r a g ö d i e n d e s E u r i p i d e s. Erstes Bändchen.
Die B a k c h e n. Dritte Auflage. Erklärt von E w a l d B r u h n. S. 150.
8. Berlin, Weidmannsche Buchhandlung. 1891. Preis: 1 M. 50 Pf.

Vielleicht erwartet mancher Leser von der neuen Ausgabe neuen
Aufschluſs über schwierigste Stellen, wie V. 1002—1007, V. 1067 und
ähnliche, aber offen erklärt der Verf. solchen gegenüber seine Rat-
losigkeit, und dies ist in Ordnung. Wer der Hoffnung ist, in dieser
Separatausgabe einer euripideischen Tragödie das kritische Material
vollständig oder annähernd vollständig vereinigt zu finden, der täuscht
sich; in dem kritischen Apparat (der doch wohl nicht ausschliefslich
„dem Anfänger“ bestimmt ist) findet man nur die handschriftlichen

Lesarten und die in den Text gesetzten Änderungen.   Mancher wird
dies mit Recht bedauern; denn auch der Verfasser kann die Ein-
bildung nicht haben, daſs er überall Echtheit und Unechtheit der
Überliefernng mit Sicherheit geschieden, immer von verschiedenen
Emendationsversuchen für den thatsächlich besten sich . entschieden
habe.   Der Kommentar ist zwar keine abschlieſsende, vollendete Leistung,
aber wohl geeignet, nicht blos den Anfänger zu belehren, sondern
auch andere vielfach zu interessieren.   Namentlich werden jenem die
lexikalischen und archäologischen Erklärungen gute Dienste leisten;
sie sind meist auch mit entsprechender Knappheit und Schärfe gegeben.   Allerdings fehlt es nicht an Trivialitäten, so wenn Br. 357
ἰδεῖν als „erleben", 1262 *οὐκ εὐτυχοῦσα* als concessiv, 1348 *ὀργάς* als
acc. des Bezuges, die Bedeutung von *εἰρήσεται* 776 erklärt; daſs in
τοὺς λόγους ἐλευθέρους das Adjektiv „prädikativ" ist, sieht jeder
Sekundaner; will ein Euripidesherausgeber zu der Stelle eine Bemerkung
machen, so muſs er zeigen, w a r u m die prädikative der attributiven
Ausdrucksweise vorgezogen ist.   Ebenso verhält es sich mit der Bemerkung zu 905 *ἕτερα* „Accusativ des Bezuges"; dies ist wohl auch
dem „Anfänger" klar, aber er begehrt Aufschluſs über die Bedeutung
und Berechtigung von *ἕτερα* neben *ὄλβῳ καὶ δυνάμει*.   Anderes anzuführen, was als entbehrliche Zugabe des Kommentars erscheinen
könnte, ist zwecklos, auch kaum bemerkenswert, daſs man manches
vermiſst, z. B.   ein Wort der Erklärung zu *Βάχχιον εὐαζομένα* 67,
ὅσσοις ἔχων 236, *οἴκει* 331, *λόχου* 916 (wofür man *στόλου* setzen
möchte), *ἐκλελοιπότα* 1054, eine anschauliche Erklärung zu *ἔμβολα*
591.   Hält der Verf. das zu 647 bemerkte für eine ausreichende
Interpretation des Ausdrucks *ὀργῇ δ'ὑπόθες ἥσυχον βάσιν?* Übrigens
ist hier von Br. und andern entschieden mit Unrecht das überlieferte
ἥσυχον πόδα aufgegeben; ich will nur an Antig. 715, an Orest. 706,
an Medea 217 *οἳ δ'ἀφ' ἡσύχου ποδός* erinnern.   Der Fehler der
Überlieferung liegt nicht im Schluſs, sondern im Anfang des Verses.
Es ist zu schreiben (vgl. Herc. f. 1244);
ἴσχε στόμ', ὀργῇ δ'ὑπόθες ἥσυχον πόδα.
Ein *κλῇσον στομ'* würde der Überlieferung äuſserlich näher
kommen, aber ist trotz Phoen. 865 und Aristoph. Eq. 1316 doch
wohl abzuweisen. — Eigene Konjekturen gibt Br. in geringer Zahl:
ὄχθων δ'ἐπ' ἀμβὰς scheint mir nicht annehmbar; die Änderung von
ἀμφὶ δρυμοῖς in *ἀμφὶ δρυμούς* ist ganz zwecklos, vor den Accusativen
οἰστροπλῆγας ἀθλίας geradezu störend, *ᾗπερ* für *ὅπερ* 1140 ist wohl
nur ein Versehen.   Hinsichtlich der Erklärung und Textgestaltung soll
von Einzelheiten nur noch folgendes bemerkt werden.   Die Worte
γέρων γέροντα παιδαγωγήσω σ'ἐγώ (193) sind als Frage zu fassen, wie
191 und 195.   Es ist ein flüchtiges Bedenken, das in Kadmos auf-
steigt (zu vergleichen mit *μόνοι δὲ πόλεως Βαχχίῳ χορεύσομεν*) und
das Teiresias mit den Worten: *ὁ θεὸς ἀμοχθεὶ κεῖσε νῷν ἡγήσεται*
zurückweist. — V. 341 ist nicht *σοῦ* (*σιγῶ κάρα*) zu schreiben, im
Betonungsfalle müſste *σόν* oder *σοί* stehen; aber nach *ὦ μὴ πάθῃς;*
σύ stand wohl ursprünglich kein Pronomen, sondern *δεῦρ' ἕπου* (für

δεῦρό σου), vergl. Herc. fur. 724 δεῖρ' ἔπεσϑε an gleicher Versstelle.

Zu den problematischen Stellen gehört V. 314. Mit Wilamowitz
nimmt ᵦᵣ. eine Lücke an, es soll so ergänzt werden: ⟨ὡς ἔλασσον ἢ
σφε χρῇ⟩ οὐχ ὁ Διόνυσος σωφρονεῖν ἀναγκάσει γυναῖκας. Eine recht
unnatürliche Wendung, der gewiſs mancher Hermanns Auffassung der
Stelle „Dionysos wird die Weiber zu unsittlichem Thun nicht zwingen"
vorzieht. Hermann liest nämlich οὐχ ὁ Δ. μὴ φρονεῖν ἀναγκάσει. Bei
dieser Auffassung könnte man auch οὐχ ὁ Διόνυσος σωφρορεῖν ἀπερ-
νέπει γυναῖκας vermuten „Dionysos wehrt den Weibern nicht, tugendhaft zu sein". Allein die Sache verhält sich so; es mag vor 314 ein
Vers ausgefallen sein, welcher den Übergang zu dem neuen Thema
enthielt, der Widerlegung des Vorwurfs, daſs mit den Dionysosfeier
Ausschweifungen verbunden seien; V. 314 selbst aber ist korrekt.
Man hat den Tiresias als den Verteidiger des Gottes sagen lassen
„Dionysos wird nicht zum Laster die Frauen zwingen", da müſste doch
mindestens statt des Futurums das Präsens stehen; vielmehr sagt Tir.,
wie überliefert ist, „D. wird nicht zur Tugend zwingen": das soll
man nicht von ihm erwarten, nicht verlangen; die Tugend gibt der
Gott nicht, sie ist in das Herz gepflanzt ἀλλ' ἐν τῇ φύσει τοῦτο,
und wer sie besitzt, der verliert sie nicht durch die Verehrung des
Gottes: καὶ γὰρ ἐν βακχεύμασιν οὐσ' ἥ γε σώφρων οὐ διαφϑαρήσεται.
Kurz Tiresias meint: „Wer lasterhaft ist, wird nicht durch Bacchus
tugendhaft, umgekehrt der tugendhafte durch ihn nicht lasterhaft.

V. 147 schreibt Br. δεσμὰ διελύϑη πεδῶν (mit Meineke) für überliefertes ποδῶν, weil „die Bakchen auch an den Händen gefesselt
sind". Unzweifelhaft waren sie dies; trotzdem ist es sehr bedacht
ποδῶν zu ändern; denn daſs die Füſse der Fessel ledig waren, sagt
speziell der Dichter darum, weil vorangeht λελυμέναι πρὸς ὀργάδας
σκιρτῶσι. — Weshalb der Verf. in derselben Strophe Νύσης τῆς,
aber ὀλβοδόταν schreibt (556 u. 572), vermag ich nicht einzusehen;
und bei der im folgenden (zu 598) gegebenen Erklärung ἔλιπε κε-
ραυνῷ πληγεῖσα darf es wohl auch den Anfänger befremden, wenn
er im Text κεραυνοβόλος und nicht κεραυνόβολος findet. — 694 wird
νέαι παλαιαί, παρϑένοι τ' ἐτ' ἄζυγες trotz der verkehrten Einteilung
verteidigt, Useners σύζυγοί τε κἄζυγες, das von Br. freilich nicht erwähnt wird, trifft jedenfalls den erforderlichen Sinn. — Dagegen ist
die Änderung von ἐκρύπτομεν in ἐκρυπτόμην ganz unberechtigt; weder das V. 722 (ἐλλοχίζομεν κρύψαντες αὑτούς) und das
V. 734 (φεύγοντες ἐξηλύξαμεν) Gesagte spricht für sie, noch der
euripideische Sprachgebrauch (vgl. auch Suppl. 273). — Noch un-
begreiflicher ist mir, wie man νόϑων 1060 halten und erklären kann;
Tyrwhitts Interpretation wird allerdings nicht ohne Bedenken von
Br. acceptiert; konnte sich Br. nicht für eine der vorgeschlagenen
Emendationen entscheiden, so war das nachher von Br. bei V. 1067
gewählte Verfahren das richtige; ich möchte Μαινάδων ὀρεινόμων
oder ὀρειδρόμων vorschlagen. — Verkehrt ist die Erklärung von
μόσχος 1185, das Wort kann hier nur den jungen Löwen, nicht ein

junges Rind bedeuten; denn bevor Agaue zum Bewußtsein erwacht, kann nicht die Vorstellung von ihrer Heldenthat durch eine andere, das Frohlocken herabstimmende Auffassung ersetzt werden. — Die Worte εἰς γόον, εἰς δάκρυα 1162 werden von andern mit dem vorhergehenden, von Br. mit dem folgenden verbunden: jene Verbindung ist die einzig natürliche, wenn man καλλίνικος mit Br. in dem Sinne von „Siegeslied“ faßt; die Stelle läßt sich in gewissem Sinne vergleichen mit dem häufig wiederkehrenden Motiv der Epitymbien, die über die Wandlung des Brautliedes zum Grabgesang klagen. — V. 1288 (τὸ μέλλον καρδία πήδημ' ἔχει) hat man für καρδία des Pal. den gen. gesetzt, den Dativ (καρδίᾳ — ἄγει), den Accusativ; für letzteren erklärt sich Br. mit der für den Anfänger wohl etwas rätselhaften Bemerkung καρδίαν πήδημ' ἔχει = καρδία δέδοικε. Der Nominativ wird meines Erachtens mit Recht von Nanck, Kirchhoff, Wecklein gehalten. — Der Ergänzungsversuch nach 651: θεόν γε τὸν διμήτορ' αἰνίσσειν δοκεῖς ist auch abgesehen von dem unglaublichen αἰνίσσειν mißlungen, man erwartet nach ὃς τὴν πολύβοτρυν ἄμπελον φύει βροτοῖς etwa ein höhnisches: ὃς ἐν γυναιξὶν ὀργιαζούσαις πρέπει.

Gegen anderes werden andere Widerspruch erheben, manche wohl mit dem Ref. finden, daß namentlich die Chorpartien Sicherheit des Verfassers vermissen lassen. Aber wie dem sei, die Ausgabe ist keineswegs wertlos, und an vielen Stellen muß Ref. dem Verf. zustimmen (z. B. auch wenn er 1312 ἐλάμβανεν hält, 799 Βάκχας schreibt; nur sollte an letzter Stelle bemerkt sein, daß dieses Βάκχας nicht überliefert, sondern eine Verbesserung Weckleins ist).

Konjekturen außer den in den Text gesetzten erfährt der Leser nur ausnahmsweise, wenn z. B. Bruhn einmal einen Vorschlag von Wilamowitz lobend erwähnt. Die Zusammenstellung der beachtenswerten Konjekturen in dem kritischen Apparat würde diesen nicht wesentlich belastet, anderseits die wünschenswerten textkritischen Studien zu den Bakchen erleichtert haben, der Verf. hielt jene Zugabe für unzweckmäßig oder unbequem, man darf darum nicht mit ihm rechten; auch daß Konjekturen wie das unlogische πρῶτον (1179, Wilamowitz), das willkührliche ἄξιος (796, Wilam.), χέρ' αἵματι στάζουσαν περιβαλεῖν τέκνου (1163, Wilamowitz) im Text erscheinen, läßt sich wenigstens psychologisch erklären; nur wird der Leser fragen, ob denn der Autor dieser Konjekturen selbst sie nicht über kurz oder lang verworfen wird. — Von Versehen sei nur das störende Ἄγγελος für Ἀγαύη (S. 127) genannt.

Heidelberg.   Stadtmüller.

Quinti Smyrnaei Posthomericorum libri XIV. Recognovit et selecta lectionis varietate instruxit Albertus Zimmermann. Lipsiae, in aed. B. G. Teubneri. 1891.

So groß und anerkennenswert auch die Verdienste sind, die sich Herrn. Köchly durch seine Ausgaben des Quintus Smyrnaeus (Qu. Smyrn. Posthom. libri XIV. Rec., proleg. et adnot. crit. instr.

Arm Köchly. Lipsiae, ap. Weidmannos. 1850. — Qu. Smyrn. Posthom. libri XIV. Relegit Arm. Köchly. Lipsiae, sumpt. et typ. B. G.
Teubneri, 1853) erworben hat, so ist doch sein kritisches Verfahren
von einer gewissen Willkür und Einseitigkeit nicht freizusprechen.
Denn während er mit Recht das Vorgehen Heyne's und Tychsen's
bekämpfte, welche eine beträchtliche Anzahl von Stellen der Posthomerica für Interpolationen erklärten, nahm er, von der allerdings
nicht zu leugnenden Thatsache ausgehend, dafs der uns vorliegende
Text mehrfache Lücken aufweist, an nicht weniger als 167 Stellen
solche Lücken an, von denen eine ruhig abwägende Kritik verhältnismäfsig nur wenige anerkennen kann, Hiezu kommt, dafs Köchly von
einer wichtigen Handschrift, dem codex Parrhasianus, sonst Neapolitanus genannt, nur eine unvollständige Kollation besafs.   So war denn
eine neue kritische Ausgabe des Quintus Smyrnaeus ein unabweisbares
Bedürfnis.

   Der neueste Bearbeiter des Dichters, Herr A. Zimmermann in
Wilhelmshaven, wurde bei seiner Aufgabe hauptsächlich durch zwei
Momente unterstützt, durch seine genaue Kenntnis des Sprachgebrauches
des Quintus wie des Nonnus und durch den Besitz einer zuverlässigen
Vergleichung des Parrhasianus,[1] welche ihm von M. Treu (vgl.
dessen Abhandlung: Über den parrhasischen Codex des Quintus, Hermes
IX 1875, S. 365 ff.) überlassen worden war.   Zu bedauern bleibt nur,
dafs Treu, wie er selbst sagt, bei Anfertigung der Kollation in seiner
Zeit beschränkt war und von einer Nachvergleichung absehen mufste;
leider war es auch dem Herausgeber nicht möglich eine nochmalige
Durchsicht des cod. P anzustellen oder anstellen zu lassen.   Die
Handschriften des Quintus zerfallen in zwei Sippen, die beide auf
einen jetzt verlorenen Archetypus zurückgehen.   Die eine Familie,
welche die bessere Überlieferung bildet, besteht in dem Monacensis,
welche leider unvollständige Handschrift bereits Köchly ausgenützt hat,
und dem Parrhasianus.   Die zweite Familie stammt durch das Mittelglied des gleichfalls verlorenen cod. Hydruntinus von jenem Archetypus ab; in ihr ragen ein Venetus, ein Escurialensis, ein Vaticanus
und ein Cantabrigiensis etwas hervor, ohne jedoch den beiden vorher
erwähnten an Güte gleichzukommen.

   Die vorliegende Ausgabe des Quintus bedeutet in kritischer Beziehung einen wesentlichen Fortschritt gegenüber der Köchly'schen
Behandlung des Textes.   Die Begründung seines kritischen Verfahrens
hat Z. in seiner bereits im Jahre 1889 erschienenen Schrift: „Kritische
Untersuchungen zu den Posthomerica des Quintus Smyrnaeus, Leipzig
bei Teubner" in einer Weise gegeben, die sofort erkennen liefs, dafs
er der nicht leichten Aufgabe, Köchly's Textbearbeitung zu ersetzen,
vollkommen gewachsen sei.   Der bedeutendste unmittelbar in die
Augen fallende Unterschied zwischen der Ausgabe Köchly's und der
neuesten besteht darin, dafs letztere beträchtlich weniger Lücken-

---

[1] Diese Bezeichnung gibt Zimmermann nach dem Vorgange Treu's der
Handschrift, weil ihr nachweislich erster Besitzer Janus Parrhasius war.

zeichen aufweist als erstere. Die verzweifelte Stelle I 389a, an der Köchly in der Textausgabe eine Lücke annahm, — in der grofsen Ausgabe suchte er durch gewaltsame Konjektur zu helfen — hat Z. mit Verwertung des Sprachgebrauchs des Dichters in befriedigender Weise verbessert. In anderen Fällen war es ihm möglich, auf die neuesten Ergebnisse metrischer Forschungen gestützt, über seinen Vorgänger hinauszukommen. So erhob A. Ludwich (Hexametr. Untersuchgn. I: Muta c. liquida bei Quintus, Fleckeisen's Jahrb. f. Ph. 1874, S. 243) auf Grund metrischer Beobachtungen Bedenken gegen die an sich sehr wahrscheinliche von Köchly gegebene Lesung von I 492: ὡς Δαναῶν κέκλιντο πολὺς στρατὸς κτλ. und vermutete ὡς Δ. κέκλιται πουλὺς στρ. Hiegegen jedoch wurde von Z. (krit. Untersuchungen S. 33) eingewendet, dafs Quintus das Perf. Pass. nie in Aoristbedeutung gebraucht. In der Ausgabe hat der Verf. die von Ludwich in seiner Rezension der „krit. Untersuchungen" (Berliner philol. Wochenschrift 1890, N. 21, S. 660 f.) vorgeschlagene Änderung: ὡς Δ. πουλὺς κέκλιτο στρ. gebilligt. — IV 579 gab der handschriftlich überlieferte Hypermeter ἀμφ' Ἀχιλῆος ἄεθλα πονεύμενος· ἢ γὰρ ἔμελλεν ἱκάνειν Köchly Veranlassung, ἱκάνειν als Schlufs eines ausgefallenen Verses zu betrachten und demgemäfs eine Lücke anzunehmen. Sehr ansprechend ist die Vermutung des Verf, dafs ἔμελλεν aus ἔμιμνε verdorben worden sei und nun die Ergänzung ἱκάνειν veranlafst habe. — V. 67 hat Köchly, nachdem er die Unzulässigkeit der von ihm gemachten Besserungsversuche nachgewiesen, den Ausfall mehrerer Verse angenommen. Z. stellt durch blofse Änderung der Reihenfolge der überlieferten Worte einen befriedigenden Sinn her. — XI 404 schreibt Z. zwar kühn aber ansprechend statt des überlieferten ἀμφὶ δὲ μηλονόμοι τε καὶ ἄλλ᾽ ὅσα πάντα φέρονται, wofür alle möglichen Vermutungen aufgestellt wurden: ἀμφὶ δὲ μῆλα τρέμουσι καὶ ἄλλυδις ἄλλα φέρονται. — XIV 209 ff. hatte schon C. L. Struve (opuscula selecta S. 46) hinter V. 214 eine Lücke angenommen, und auch Köchly war dieser Ansicht. Dafs die Stelle nicht in Ordnung ist, steht aufser Zweifel. Der Verf. hat sie mit feiner Beobachtung des Sprachgebrauchs des Quintus durch ein paar leichte Änderungen geheilt.

Zur Verbesserung anderer Stellen bot ihm cod. Parrhasianus die Handhabe. So VI 314, wo die Konjektur Sylburgs πρίν γ᾽ ἴ κτάμεν (vulg. πρὶν ἢ κτάμεν) durch cod. P. bestätigt wird. Dadurch ist zugleich erwiesen, dafs Quintus eine Längung des ι in πρίν vor einem Vokale weder in arsi noch in thesi zugelassen hat. I 110 widerspricht diesem Gesetze nicht (s. Zimmermann, kritische Untersuchungen S. 118). — VII 88 f. lauten in der gröfseren und in der kleinen Ausgabe Köchlys: Ἐσθλὸν μὲν νίσσεσθαι ἐς οὐρανὸν ἄφθιτον αἰεί, Ἀργαλέον δὲ ποτὶ στυγερὸν ζόφον κτλ. Hier ist στυγερὸν nur eine ans cod. Caesareus (Vindobonensis) von Tychsen und nach ihm von Köchly aufgenommene Ergänzung des defekten Verses. Die richtige Lesart gibt P.: ἐσθλῶν μὲν νίσσεσθαι ἐς οὐρανὸν ἄφθιτον αἰεὶ Ψυχὰς, ἀργαλέων δὲ ποτὶ ζόφον. — Wichtig ist P ferner für eine richtigere Betonung der Eigennamen, wie z. B. VII 611 die von P. gebotene Accentuation

Κελτός (statt Κέλτος) auch anderweitig belegt ist. — VII 704 wird durch P die Form σόωσιν (für σώωσιν oder σάωσιν) festgestellt. — IX 316 hat Z. nach P das dem Sprachgebrauche des Dichters angemessene ἀμφ᾽ Ἀχιλῆος (Vulgata ἀμφ᾽ Ἀχιλῆα) aufgenommen. — XI 242 wird Köchly's scharfsinnige Annahme einer Lücke durch P bestätigt, der hinter 242 einen vollständigen Hexameter hat, welchen keine der anderen Handschriften kennt. — Bemerkenswert ist, wie XIII 291, wo bisher nach Rhodomannus, dem „sospitator Quinti“ (Köchly) gelesen wurde: ἄλλοι δ᾽ αὖτ᾽ ἄλλοις ἐν δώμασι θυμὸν ἔλειπον. nicht diese Konjektur, sondern das gleichfalls von Rhod. vorgeschlagene ἀλλοίοις durch P bestätigt wird; der Vers lautet in P: ἄλλοι δ᾽ ἀλλοίοις ἐνὶ δώμασι θυμὸν ἔλειπον. In der adnot. crit. der Ausgabe Z.'s vermißt man die Bemerkung, daß ἀλλοίοις bereits von Rhod. vermutet worden ist. — Wie scharf Köchly trotz aller Einseitigkeit gesehen, beweisen u. a. zwei Stellen, wo die von ihm angenommenen Lücken durch P ausgefüllt werden; XXII 432 hat K. in dem defekten Vers ὦρο δ᾽ἄρα κτύπος αἰνός, καίοντο δὲ πάντα die von Rhod. vorgeschlagene Einschiebung von ὁμοῦ nach αἰνός verwerfend das Zeichen einer größeren Lücke gesetzt: und in der That bietet hier P zwei Hemistichien· ὦρο δ᾽ἄρα κτύπος αἰνός, ‖ ὑποτρομέοντο δ᾽ἀγυιαί· Καίετο δ᾽Αἰνείαο δόμος, καίοντο δὲ πάντα. In ein noch glänzenderes Licht tritt Köchly's Scharfsinn durch den Umstand, daß XIV 386 seine Ergänzung der schon von anderen vermuteten Lücke fast wörtlich durch P bestätigt wird. — Interessant ist die Subskription des letzten Buches im cod. P von der Hand des Schreibers: τέλος κοΐντου τῶν μεθ᾽ ὅμηρον λόγων. Dadurch erhält also der Titel des Epos, wie ihn Köchly auf Grund von Eustath. ad Iliad. A p. 5 (ed. Bas.) hergestellt hat, eine unzweifelhafte handschriftliche Bestätigung. — Diese wenigen Einzelheiten werden genügen, um die Wichtigkeit des cod. P für die Textgestaltung des Quintus darzuthun.

Vollständigkeit in der Angabe des kritischen Apparates hat Z. nicht erstrebt; doch ist wohl keine wichtigere Lesart übergegangen. Daß der neue Text in der Orthographie oft von dem der früheren Ausgaben abweicht, ist selbstverständlich. Den einzelnen Gesängen stellte der Verf. die von Tychsen herrührenden lateinischen Argumente voran. Den Schluß des Buches bildet der von Spitzner zusammengestellte, von Z. vermehrte und verbesserte Index der Eigennamen. Möchte der mit Quintus so sehr vertraute Verf. bald in der Lage sein, die von ihm in der Vorrede zu den „kritischen Untersuchungen“ erwähnten Früchte langer und sorgfältiger Beschäftigung mit dem Dichter, nämlich einen Index zu den Prolegomena und Anmerkungen in Köchly's großer Ausgabe und einen vollständigen index verborum zu den Posthomerica dem philologischen Publikum zugänglich machen zu können.

München.   M. Seibel.

Platonis Laches, für den Schulgebrauch erklärt von Dr.
Chr. Cron. 5. Aufl. Leipzig, Teubner 1891.

Dem nunmehr verlebten Oberstudienrat und Studienrektor a. D.
Christian Cron, dem feinfühligen und gelehrten Erklärer und Herausgeber platonischer Dialoge war es vergönnt noch die 5. Auflage seiner
Lachesausgabe zu erleben, die er seinen Freunden A. Fleckeisen und
G. Autenrieth gewidmet hat. In das Ende seines Lebens fallen auch
die Gymnasialreformbestrebungen, die ihn mit einer gewissen Besorgnis
zu erfüllen schienen; denn er gibt im Vorwort „dem Wunsch und
der Hoffnung Ausdruck, dafs auch nach den neuesten Reformen im
höheren Schulwesen dem griechischen Philosophen der Zugang zu den
deutschen Gymnasien geöffnet bleibe".

Die 4 Abschnitte der Einleitung nun zur Lektüre des Laches,
nämlich Gegenstand des Gesprächs, künstlerische Behandlung, Gang
und Gliederung, Zweck und Grundgedanke des Dialoges, sind in ihrer
gründlichen historisch-ästhetisch und philosophischen Durcharbeitung
für den Lehrer eine willkommene Beigabe, die ihm jene gründliche,
wissenschaftliche Vorbereitung gewährt, ohne welche der Unterricht
nicht anregend und lebendig sein kann. Der Schüler dagegen wird
am besten mit der Lektüre des Dialoges selbst beginnen.

In den Anmerkungen hat der Herausgeber alle grammatischen,
stilistischen und sachlichen Schwierigkeiten berührt, so dafs sich der
Schüler nirgends im Stich gelassen sieht; ja man findet eher zu viel
als zu wenig. Zu viel für den Schüler wenigstens ist die Häufung
der citierten Parallelstellen, die nur für den Lehrer und den Herausgeber zum Zweck des Analogiebeweises wünschenswert sind. Durchgehends zeigt sich jedoch der feinsinnige Sprachkenner und der er-
fahrene Schulmann, der die Bedürfnisse der Schüler kennt und die
feinsten Gedankenschattierungen der philosophischen Erörterung unterscheidet. Ein besonderer Vorzug liegt in der trefflichen Erklärung
der Partikeln, wodurch die logischen Beziehungen der Gedanken
verdeutlicht werden. Nur verschwindend wenige Stellen haben mich
nicht ganz befriedigt. S. 32, 6 bemerkt der Herausgeber, dafs das
Perfekt παραγέγονα nicht selten in der Bedeutung des Aorist vorkomme.
Dies ist ein Irrtum; aufserdem verlangt die Stelle keine aoristische
Handlung, vielmehr eine abgeschlossene, fertige Thatsache, die ja
durch das Perfekt bezeichnet wird. Dies bestätigen die ebenfalls erzählenden Sätze 34, 13; 39, 12; 40, 4 und 50, 9. Ferner war
S. 33, 12 die Bedeutung von σύφισμα dem Schüler anzugeben.
S. 49, 3 erklärt der Herausgeber bei ἔδωκας σαυτοῦ πεῖραν ἀρετῆς
mit Unrecht, dafs beide Genetive von πεῖραν abhängig seien. Das
aus Protagoras angeführte Beispiel pafst nicht hierher, weil es die
Form der sog. Prolepsis zur Anschauung bringt, welche hier unmöglich
ist. S. 49, 8 endlich ist ἡμέτερον δὴ ἔργον ohne Verbum und ohne
abhängigen Kasus nicht genügend aufgeklärt.

In der Textgestaltung ist der Herausgeber der kritischen Grundlage von Schanz und der Textausgabe von Král gefolgt, ohne sich

jedoch bei strittigen Stellen an sie zu binden. Im Gegensatz nämlich
zu den strengeren Kritikern glaubte Cron der Konversationssprache der
platonischen Dialoge einen freieren Spielraum gewähren zu müssen. Er
scheint damit vielfach um so mehr das Richtige getroffen zu haben, als
sich auf diese Weise die Lesarten der besten Codices beibehalten liefsen.
Nur an folgenden ganz wenigen Stellen wird die Schule noch Schwierig-
keiten finden. S. 21, 5 sind die Partizipien $\dot{v}\pi o\mu\nu\eta'\sigma o\nu\tau\epsilon\varsigma$ und $\pi\alpha\varrho\alpha$-
$\varkappa\alpha\lambda o\tilde{\upsilon}\nu\tau\epsilon\varsigma$ unverständlich. S. 36, 2 ist entweder $\nu\tilde{\upsilon}\nu$ $\delta\epsilon$ oder $\gamma\dot{\alpha}\varrho$ zu
streichen. S. 37, 23 ist mit Jakobs, Schanz und Král das störende
$o\tilde{\upsilon}$ als eine Wiederholung des $\tau o\dot{\upsilon}\tau o\upsilon$ wegzulassen; ebenso ist S. 58, 4
$\pi\epsilon\varrho\dot{\iota}$ $\dot{\alpha}\nu\delta\varrho\epsilon\dot{\iota}\alpha\varsigma$ als Interpolation herauszunehmen. S. 77, 11 ist die
Stelle $\tau\dot{\alpha}$ $\delta\epsilon\iota\nu\dot{\alpha}$ $\varkappa\alpha\dot{\iota}$ $\tau\dot{\alpha}$ $\mu\dot{\eta}$ $\varkappa\alpha\dot{\iota}$ $\tau\dot{\alpha}\gamma\alpha\vartheta\dot{\alpha}$ noch nicht geheilt. Im ganzen
wurden 7 Druckfehler bemerkt.
Diese wenigen Ausstellungen können jedoch im Verhältnis zum
grofsen Ganzen nicht in betracht kommen und sind nicht im stande
den hohen wissenschaftlichen Wert der Ausgabe und die Brauchbarkeit derselben in der Schule zu beeinträchtigen.

Würzburg.   N u s s e r.

-- ----- -

D e m o s t h e n e s' a u s g e w ä h l t e S t a a t s r e d e n.   Für den
Schulgebrauch erklärt von Dr. F e r d i n a n d R ö s i g e r. 1. Bdch.: Die
hellenischen Reden: Über die Symmorien. Für die Freiheit der
Rhodier. Für die Megalopoliten (XIV—XVI). Paderborn. F. Schöningh.
1892.

Die Gründe, welche vor Jahren Fox veranlafsten, mit seinem
umfassenden Kommentar und einer Schulausgabe der 16. R. hervorzutreten, (besprochen von Dr. Ortner im Bd. XXVII S. 394 d. Bl.)
waren auch dem Herausgeber mafsgebend für seine Schulausgabe
sämtlicher 3 hellenischen Demegorien. Er sagt in seiner Vorrede:
„Der Reichtum an politischen Gedanken, der sie neben der bewundernswerten Gewandtheit in der Behandlung der Gegenstände und der
logischen Schärfe der Darstellung auszeichnet, empfiehlt sie um so mehr,
als die blofse Beschränkung auf die philippischen Reden nicht immer
den Eindruck der Einförmigkeit abwehren kann. Auch fordert die
unbefangene geschichtliche Betrachtung, dafs man die Zustände
Griechenlands unmittelbar vor dem Auftreten Philipps genauer kennen
lernt, um den Verlauf des Kampfes, der zum Untergange der griechischen
Selbständigkeit führte, wahrhaft zu verstehen. Ferner bieten diese
Reden geringere sprachliche Schwierigkeiten als die leidenschaftlichen
Kampfreden der späteren Zeit, und dienen so zweckmäfsig zur Einführung in das Studium des Redners."
So gerne nun Ref. die Gründe anerkennt, welche jene Erstlings-
werke der politischen Beredsamkeit des D. für die Schullektüre empfehlen, so kann er es doch nicht billigen, dals die Behandlung derselben in der Schule auf Kosten der philippischen Reden erfolge; denn
erst in letzteren zeigt sich die wahre $\delta\epsilon\iota\nu\dot{o}\tau\eta\varsigma$ des Redners und der

Gipfelpunkt seiner Beredsamkeit. Mit Recht sagt daher der Recensent der Fox'schen Ausgabe der Rede für die Megalop., L. Cohn, in N. 2 Jahrg. 12 der Berliner philol. Wochenschrift: „Die ruhige Behandlung der verwickelten politischen Verhältnisse der griechischen Kleinstaaten hält keinen Vergleich aus mit der patriotischen Begeisterung der philippischen Reden".

Dagegen stimmen wir dem H. vollkommen bei, wenn er diese Reden zum Teil der Privatlektüre zuweisen will, was allerdings nur bei einer guten Klasse möglich sein wird. Auch möchten wir der Erwägung der Fachgenossen die Frage empfehlen, ob es nicht angezeigt wäre, statt die Schüler mit der hohlen Phrasenhaftigkeit des Isokrates oder mit den unseren modernen Verhältnissen oft recht fern liegenden Procefsreden des Lysias bekannt zu machen, abwechslungsweise auch einmal diese 3 Demegorien des D. in den Bereich der Lektüre von Kl. VIII zu ziehen, wie es ja unsere Schulordnung gestattet. Diese Reden (und vorzugsweise die „über die Symmorien") würden sachlich und sprachlich als Einführung in das Studium des Redners dienen und die Lektüre der philippischen Reden wesentlich vorbereiten, erleichtern und somit fruchtbringender gestalten.

Dem Text der 3 Demegorien folgt zu jeder derselben eine historisch-politische Einleitung und vom Text getrennte Anmerkungen. Letztere enthalten kurze Dispositionen der einzelnen Teile einer Rede, an welche sich dann grammatische sowie sachliche Erklärungen anschliefsen. Besonders war R. „um klare Darlegung der historischen und politischen Verhältnisse bemüht, um die Lektüre auch zu dem geschichtlichen Unterricht in lebendige Beziehung zu bringen". Von diesem Standpunkt aus können auch die gezogenen geschichtlichen Parallelen volle Billigung finden, vorausgesetzt, dafs sie dem Schüler verständlich sind, was sich z. B. von der blofsen Angabe des frz. Wortes archiprêt = $\dot{\epsilon}\dot{\xi}\eta\tau\alpha\sigma\mu\dot{\epsilon}\nu\eta$ $\varkappa\alpha\dot{\iota}$ $\pi\alpha\varrho\epsilon\sigma\varkappa\epsilon\nu\alpha\sigma\mu\dot{\epsilon}\nu\eta$ (XIV, 7. Anm.) nicht erwarten läfst. Hier sollte doch entweder daran erinnert werden, dafs dieses vom franz. Sprachgebrauch nicht sanktionierte geflügelte Wort, das durch die Ereignisse in so verhängnisvoller Weise Lügen gestraft wurde, dem französischen Kriegsminister Leboeuf seine Entstehung verdankt, oder es sollte ganz wegbleiben.

Bei der Textgestaltung hat R. eigene Änderungen sehr wenig vorgenommen, ein paar ihm verdächtig scheinende Stellen (unseres Erachtens ohne zwingenden Grund) eingeklammert. Den Schlufs der rhodischen R. hält er für einen Zusatz aus späterer Zeit; den Grund dieser Athetese, welche Ref. entschieden ablehnen mufs, verschweigt er jedoch. Wenigstens habe ich die Begründung, welche nach dem Versprechen des Vorworts „wenigstens andeutend im Kommentar angegeben werden soll", dort nicht finden können. Mehrfach ist R. hinter Blafs, von dem er manches angenommen, zurückgegangen; mit vollem Recht, nachdem Bl. selbst seine radikale Behandlung des Textes nicht mehr ganz aufrecht erhält; andrerseits ist er an einigen Stellen radikaler verfahren als jener, z. B. XIV. 23., wo er meines Erachtens mit Recht $\varkappa\alpha\dot{\iota}$ $\tau\varrho\iota\dot{\alpha}\varkappa$. — $\dot{\epsilon}\chi\eta$ einklammert nach dem Vorgang Dobrees und Weils. Un-

28*

gerechtfertigt dagegen erscheint mir (mit Weil und Blafs) die Klammerung
von ἤδη § 24, wenn man es nur richtig zu φανεροῦ τινος bezieht,
nicht zum folgenden. Die Streichung verbietet sich schon wegen der
dann aufeinanderfolgenden 4 Kürzen. Ähnlich steht § 27 νῦν, welches
Blafs und der H. streichen. mit Nachdruck am Ende des Satzes.
Auch das eingeklammerte οὕτω — ἀποσχήσομεν § 24 mufs ich mit Bl.
und W. verteidigen. — § 25 ziehe ich mit W. die La. ταυτηνί vor.
Der dadurch entstehende Hiat ist jedenfalls erträglicher als der Gleichklang ἣν. Ἐν. Der Redner zeigt mit der Hand von der erhöhten
Πνύξ aus auf die unten liegende Stadt; das deiktische ταυτηνί hat
also seine volle Berechtigung. — § 28 hat R. οὗτος vor καιρός; im
Text weggelassen; allerdings sehe ich im Kommentar, dafs auch er es
stehen läfst und dafs es nur durch Versehen im T. fehlt. Dagegen
möchte ich aus der Abweichung der codd. in der Stellung des pron.
(Σ vor, die andern n a c h καιρός) schliefsen, dafs dasselbe interpoliert ist.
Aus gleichem Grunde betrachte ich § 32 ἐστι (vor oder nach δυσ-
τυχής) mit Blafs als Glossem. — § 35 ziehe ich mit Bl. und W. die
Änderung Schäfers: ἅπαντα (st. ἅπαντας) vor: πρὸς ἅπαντα = für
alle Fälle, quoi qu'il arrive (W.). — XV. 15 ist ὑμῖν nach αὐτῶν
mit Tournier (Bl. W.) einzuklammern; es ist eine Interpolation ähnlicher Art wie wir sie XIV. 28 u. 32 konstatiert haben. — § 16
ziehe ich mit Bl. und W. die Wortstellung des Σ vor: ὠφέλειαν αὐτοῖς. — § 23 halte ich die Klammerung von καὶ — αὐτῶν mit Blafs
und Weil für ungerechtfertigt. — § 28 a. E. möchte ich καὶ vor τῶν
δικαίων mit Rüdiger halten. — XVI. 4 erscheint die Einschiebung von
ἂν vor γενέσθαι unnötig trotz der Erklärung des H. (cfr. Weil z. d.
St.). — § 17 ziehe ich die Lesart des Σ vor: ὅπως ohne ἂν (mit
Blafs, Weil, Fox). — § 23 setzt R. vor τοὺς Λακεδ.: τῶν ein — meines
Erachtens ohne zwingenden Grund. Mit der Erklärung der St. durch
Weil ist ganz gut zurechtzukommen trotz der Bedenken Cohns gegen
die Überlieferung. — § 28 ist ἔτι nach Μεγαλοπολῖται mit Benseler
(Bl. u. W.) wegen des Hiat zu streichen. — § 30 möchte ich nach
dem Vorschlag Weils schreiben: τούτοις μὲν ὑπάρξει δή; dadurch wird
der Hiat vermieden.

Ref. kann es sich nicht versagen auf die verhältnismäfsig grofse
Zahl von Druckfehlern aufmerksam zu machen, die der Gediegenheit
des Werkchens Eintrag thun. Zunächst einige im Text: XIV. 1 fehlt
nach ἐγκωμιάζουσι: ποιεῖν (i. Komm. richtig). — 41 a. Schi. bei
ὀργεῖσθ' die Elision, XV. 12 bei ᾗ 'κεῖνον die Aphäres. nicht angegeben. — 24 fehlt ἄλλως nach οὐδαμῶς (i. Komm. steht's). — XVI.
22 ὠρέγοντο. Mehr finden sich im Kommentar, besonders Accentfehler:
S. 36 Anm. ναύκραριαι. — S. 45 Z. 6 v. o. τοῦτ' st. ταῦτ'. — S. 48
Z. 16 v. u. und S. 55. Z. 17 v. u.: αν ohne A. — S. 54 Disp. 3:
Furcht v o n st. v o r. — S. 56 Z. 9 v. u. οντες ohne Accent und
Spiritus. — S. 58 Z. 25 steht als Jahr des antalkideischen (sic!)
Friedens 382 (S. 29 richtig 387). — S. 59 Z. 12 v. o. soll es heifsen:
ἀπαγγ. st. ἀγγ. — S. 62 ff. vermisse ich die fortlaufende Nummer
XV am Kopf der Seiten. — S. 69 ὡς ohne Spiritus. — S. 74 Z. 7

ν ephelk. zu streichen. — S. 76 § 29 Z. 2 v. u. fehlt Accent und
Spiritus. — Z. 5 v. u. Spiritus lenis statt asper. — S. 82 Z. 7:
Berger. — S. 84 Z. 13 Peloponn. verschrieben. — S. 87 Z. 14 v. u.
fehlt ein Spiritus, ebenso S. 88 Z 1. — S. 91 Z. 17 ορχοι ohne Acc.
und Spiritus. — ibid. Z. 2 soll es heifsen: ἐπίστασθε st. ἴστε, Z. 12
ἂν ἔλωσιν st. ἐὰν ἴωσ. — S. 93 § 12. 4: τούτους st. τούς, ibid. Z. 16
v. u. βούλωνται statt des Indikativs. — S. 96 Z. 11 v. u. τούτον statt
τούτων. — S. 97 § 19. 1 γε ohne Acc. — Selbst im Nachtrag sind
Zahlen falsch: Z. 2 v. u. soll es heifsen: 10 st. 9 und 19 st. 18· —
Dies sind zwar meistens kleine Versehen, indes wird die grofse Zahl
derselben bei einer Schulausgabe berechtigte Bedenken erregen. Als
Fehler gröberer Art mufs es jedoch bezeichnet werden, wenn R.
folgenden Satz leistet: „Dem echten Demokraten war der Schein tieferer
etc. Bildung und einer daraus hervorgehenden Bildung sogar verdächtig" (XV A. zu § 9. S 67 Z. 8 v. u.); für das 2. „Bildung" mufs es
doch wohl „geistige Überlegenheit" heifsen. Was sollen ferner unsere
Primaner, die für die Versehen der Lehrer einen überaus scharfen Blick
haben, sich denken, wenn sie S. 93 Z. 10 ein deutsches Satzgefüge
lesen, in dem ein Nebensatz kein Prädikat hat! Entweder mufs
„welche" oder „und" getilgt werden. Auch der schleppende Satz
S. 61 Abs. 3 „In Rhodus etc." kann einem Schüler schwerlich als
Muster deutschen Periodenbaus empfohlen werden.

Ref. spricht zum Schlusse den Wunsch aus, der H. möge bald
Gelegenheit haben, die gerügten Mängel bei einer Neuauflage des im
übrigen so gediegenen Werkchens zu verbessern.

München.   Dr. Burger.

Rost, Deutsch-Griechisches Wörterbuch. Elfte Auflage, neu bearbeitet von Dr. E. Albrecht. Göttingen, Vandenhoeck
und Ruprecht. 1889. IV u. 838 S. Preis: 8 M.

Der Herausgeber des altbewährten Rostschen Wörterbuchs hat
sich seine Arbeit nicht leicht gemacht. Durch Ausscheidung zahlreicher Ausdrücke, die sich aus der guten attischen Prosa nicht belegen liefsen, hat er zunächst für Verbesserung der Gräcität gesorgt.
Sodann hat er aus dem deutschen Wortvorrate viele entbehrliche
Wörter und Wortbedeutungen entfernt. In diesem Punkte hätte er
indessen meines Erachtens immerhin noch weiter gehen und noch
manches Fremdwort, manchen mundartlichen oder ungebräuchlichen
Ausdruck weglassen dürfen, so z. B. Aktie, Arie, aufmerken = auf-
zeichnen, aussäubern, durchtauen (διαττίχεσθαι), Legitimationskarte,
Mandeltorte, Rungen (am Leiterwagen), Striezel u. a. m. Neben dieser
Einschränkung des Stoffes ist selbstverständlich vielfach auch eine Erweiterung desselben eingetreten, teils durch Einfügung neuer, teils
durch Ergänzung schon vorhandener Artikel. Der Hauptvorzug der
neuen Auflage aber liegt in der von dem Bearbeiter in ganz vortrefflicher Weise hergestellten Übersichtlichkeit innerhalb der einzelnen Artikel, nicht nur der längeren, sondern auch kürzerer; durch

diese äufserst praktische Einrichtung wird das Nachschlagen ungemein erleichtert. Am Schlusse ist auf 25 Seiten ein Verzeichnis von Eigennamen beigegeben, das zwar weniger umfangreich ist, als z. B. das bei Pape, aber wohl ausreicht. Druckfehler finden sich nur wenige; ich habe folgende bemerkt: S. 41 unter „Arkade" στόα, S. 357 Hundezahn f. Hundszahn, S. 441 unter „nachfeiern" ἐπιτελειοῦν, S. 569 Silberde, S. 633 unter „Treue" ἐνέργεια == Tr. von Bildwerken f. ἐνέργεια, S. 695 verhältnifsmäfsig.

Um schliefslich mein Gesamturteil auszusprechen: Das Rost-Albrechtsche Wörterbuch ist eines der besten, die wir haben.

Dr. G. E. Benseler, Griechisch-deutsches Schulwörterbuch. Neunte verbesserte Auflage, besorgt von Dr. G. Autenrieth. Leipzig, Teubner. 1891. X u. 930 S. Preis 6 M. 75 Pf.

Das Benseler-Autenrieth'sche Schulwörterbuch zu loben und zu empfehlen, ist nachgerade überflüssig. Es ist unsern Gymnasiasten längst unentbehrlich geworden, und das mit vollem Rechte. Was wir Älteren bei der Vorbereitung auf die Lektüre aus oft spaltenlangen Artikeln unter grofsem Zeitaufwand mühsam zusammensuchen mufsten, das findet die jetzige Generation, in der Regel auch noch ganz wesentlich verbessert, in wenigen Zeilen. Es ist geradezu erstaunlich, mit welcher Umsicht und mit welchem Geschicke das dem Schüler Notwendige unter sorgfältiger Weglassung alles irgendwie Entbehrlichen ausgewählt ist. Möge das treffliche Buch auch ferner recht fleifsig benützt werden und immer neue Freunde gewinnen!

Ein paar Bemerkungen, die ich mir zum Schlusse vorzubringen gestatte, möchte ich lediglich als Beweis meines Interesses an dem Buche betrachtet wissen. In der Vorrede zur ersten Auflage ist unter den berücksichtigten Schriften auch Plutarchs Marcellus aufgeführt; wenige Stichproben haben mir aber ergeben, dafs mehrere in demselben vorkommende Wörter fehlen, so z. B. ἀστείζομαι c. 21, ἐπαποδέω c. 3, παρεμπίπλημι c. 18, προςκαταριθμέω c. 30, τρισμός c. 5, ὑπάκτιος c. 3. — Da auch die neue Schulordnung, wie die frühere, in der 8. Klasse die Lektüre des Lykurgos gestattet, so dürfte es sich vielleicht empfehlen, ihn bei der nächsten Auflage zu berücksichtigen. — Unter ἡλιοστρεῖς genügt es wohl — στεγής als Variante anzuführen; mit dem Namen „Koraes" wissen unsere Primaner doch nichts anzufangen. — Von den beiden Übersetzungen zu γραμματεύω „Sekretär sein, das Amt eines Sekretärs innehaben" scheint mir eine entbehrlich zu sein. — Die bei den Zeitwörtern aufgeführten Flexions- und Diälektformen sind zwar in der Regel mit einem Zusatze, wie att., ep. u. s. w. versehen; doch ist in dieser Beziehung noch manches nachzutragen, um die Schüler vor Irrtümern zu behüten. So steht bei ἀνέρχομαι, „Fut. ἀντλεύσομαι, Aor. ἀνήλυθον" ohne jede Bemerkung; ähnlich ist's mit βεβωμένος unter βοάω, mit ζώννυται unter ζώννυμι. Bei ἀνέχω scheinen die Formen etwas unter einander geraten zu sein. — Druckversehen sind mir nicht aufgefallen.

Regensburg.   Fr. Zorn.

Dr. Reichenberger, Hauptregeln der griechischen
Syntax. München, Oldenbourg, 1891.

Der vom Verfasser selbst ausgesprochene Zweck vorliegender
Grammatik ist, „unsern Gymnasiasten ein Büchlein in die Hand zu
geben, in welchem sie alle für sie nötigen Gesetze der griechischen
Syntax in kurzer, übersichtlicher und leicht begreiflicher Form finden
könnten." Und es unterliegt wohl keinem Zweifel, dafs Reichenberger
diese seine Aufgabe mit gutem Erfolge gelöst hat.

Was an dem Buche vor allem einnimmt, ist die glückliche Auswahl der Mustersätze. Kurz und für den Schüler nicht zu schwierig
zeigen sie die Regel klar und deutlich. Wie schwer empfindet man
es nicht beim Unterrichte, wenn bei Übersetzung eines Beispieles das
Nebensächliche oft mehr erläuternde Worte erheischt als die betreffende
Regel! Die Fassung der Regeln selbst ist mit geringen Ausnahmen
bündig und leicht verständlich; zu rügen ist, dafs manchmal zu sehr
die Übersetzung vom Deutschen in das Griechische berücksichtigt
wird, wodurch dem Geiste der fremden Sprache zu wenig Rechnung
getragen wird. Hieher setze ich Wendungen wie § 50. III 1, § 55. 1,
§ 59. I 1, § 77. 2 b β A. 2.

Um nach diesen allgemeinen Bemerkungen nun zum Einzelnen
überzugehen, möchte ich auf Folgendes hinweisen: § 1, 2 ist bei dem
Beispiele κατηγοροῦσιν ἀμφοῖν τοῖν πολέοιν bez. der Konstruktion
auf einen späteren § verwiesen; desgl. § 3, 3 bei ἐπιθυμεῖν, § 7, C
bei ἀφαιρεῖσθαι. Am besten würden diese Beispiele durch solche ersetzt, welche der Schüler ohne jede Bemerkung zu übersetzen vermag. — § 1, 7 ist sonst hübsch gruppiert; doch fehlen „zur Bezeichnung des Ortes" die Adjektiva μέσος, ἄκρος, ἔσχατος (§ 7, C) und die
Pronomina οὗτος, ὅδε, ἐκεῖνος (§ 3, A 2, A. 2). — § 2 und § 3
handeln vom Artikel, § 4 von der Apposition. In letzterem Paragraphen dürfte bei 2 in dem Satze „bei Flufsnamen kommt letztere
Stellung immer in Anwendung" mit Rücksicht auf den jetzt in die
Reihe der Schulautoren aufgenommenen Arrian das immer in häufig
geändert werden. Arrian gebraucht nämlich auch die Form ὁ ποταμός ὁ . . . das Verhältnis zur gewöhnlichen Form ist ca. 16 : 90.[1]

Die nächsten Paragraphen behandeln die Substantivierung (§ 5),
die Adjektivierung (§ 6), die attributive und die prädikative Stellung
(§ 7). § 7 B 2 mufs es heifsen: „der Genitiv der persönlichen
Pronomina und von αὐτός", da die reflexiven Pronomina attr. Stellung
haben. — § 7 D ist ein dem Schüler leicht fafslicher Unterschied
zwischen πάντες οἱ στρατιῶται und πάντες στρατιῶται statuiert. — § 8 enthält die Orts-, § 9 die Zeitbestimmungen, welche beide in bündiger und
doch genügender Form gegeben sind. — § 10—§ 38 incl. bringen den Gebrauch der Kasus. Hiebei zeigt die eine oder andere Anmerkung, dafs

---

[1] Vergl. Kallenberg, Studien über den griech. Artikel, II. Wissenschaftliche Beilage zum Programm des Friedrichs-Werderschen Gymnasiums zu
Berlin. Ostern 1891. (Programm N. 55).

der Verf. auch Selbständiges zu bieten vermag, so z. B. § 26,
A. 2 gen. appos. — In § 39—41 werden die Präpositionen behandelt.
Hier hätte ich gerne noch mehr oder lauter konkrete Beispiele gewünscht:
das ewige σύν τινι, ἀντί τινος, ἐκ τινος, μετά τινος, ἐπί τινι, παρά τινός τι
regt den Schüler nicht an.   Aufserdem dürfte gerade bei den Präpositionen eine reichlichere Paragrapheneinteilung am Platze sein.
Es ist doch etwas umständlich, wenn z. B. bei χαίρειν ἐπί τινι citiert
werden mufs: § 41, 1 B c oder bei ἀποθνήσκειν ὑπὲρ τῆς πατρίδος
§ 40, 4 A b. — § 42—§ 47 enthalten die Pronomina. — § 42, 2
nebst Anmerkungen würde ich lieber in die Formenlehre als in die
Syntax setzen. — § 46 fehlt die Regel über den Ersatz eines zweiten
Relativs bei Verbindung mehrerer Relativsätze. — § 48 behandelt die
Genera des Verbums. Unter I dürften ein paar wichtigere Verba wie
ἐμβάλλειν, εἰςβάλλειν hineinwerfen, einfallen, πράττειν thun, sich befinden etc. noch aufgeführt werden; dann halte ich dafür, dafs eine kurze
Aufklärung über die -- ja nur scheinbare — intrans. Bedeutung bes. bei
den Verben der Bewegung (vergl. Kurz § 130, Anm., Koch § 91) dem
Schüler dienlich sein dürfte. — Dafs unter III das sog. Medium der
Energie (oder das dynamische Medium) aufser acht gelassen ist, findet
meinen Beifall.   In meinen Augen sagt Dr. Grofse[1] mit vollem
Rechte (pag. 5): „Mich will es immer bedünken, als nenne man so
alles, was unter dem reflexiven Medium nicht untergebracht werden
kann.   Es soll darin eine besondere Kraftäufserung ausgedrückt sein:
ich versichere, dafs ich dies bei den angeführten Verben, wie auch
bei sonstigen Beispielen der Schulgrammatiken nicht finden kann".
§ 49—§ 54 incl. ist eine mit grofser Sorgfalt detaillierte Tempuslehre
gegeben. Die getrennte Behandlung der absoluten und relativen Tempora
halte ich noch für gut; hingegen fürchte ich, dafs durch die doppelte, ja
selbst dreifache Unterabteilung: A Indikativ, B Konjunktiv etc.. C Particip
und Aa absolute Tempora, Ab relative Tempora, wozu § 54 noch I. Haupt-
tempora und II. Nebentempora kommt, der Schüler sich manchmal
um so schwerer zurechtfindet, als die äufserliche Gliederung in genügend
viele Paragraphen nicht vorhanden ist.   Die gebotenen Beispiele sind
gerade in diesem Teile sehr treffend. — Bei § 50, III 2 — ingressiver
Aorist — dürfte wohl ein Drittel der angeführten (28) Beispiele genügen.   Auch würde ich den aoristus tragicus eher zum ingressiven
als zum gnomischen Aorist stellen. — § 53 ist die Hauptregel, „das Particip
hat fast immer temporale Bedeutung" zu vag. Aufserdem möchte ich
bezweifeln, ob z. B. bei περιορᾶν und φθάνω das Partizip des Aorists so
ganz zeitlos ist, vgl. das von Reichenberger selbst gebotene Beispiel
Th. II, 91, 1. — § 55—58 incl. behandeln die Modi — in der unabhängigen Satzform — in der normalen Reihenfolge Indikativ, Konjunktiv, Optativ, Imperativ. — Bei § 57, 1 finde ich den Zusatz „ohne
ἄν" als gar zu sehr auf den Schüler zugeschnitten für überflüssig.

---

[1] Dr. Hermann Grofse, Beiträge zur Syntax des griechischen Mediums
und Passivums. (Fortsetzung.) Programm des Kgl. Gymnasiums zu Dramburg.
1891. (Programm N. 131).

— In § 59—§ 63 incl. wird die Lehre vom „Infinitiv und den Infinitiv-
sätzen" — so dürfte die Überschrift richtiger lauten — gegeben.
Die in § 60 gebotene Regel ist zwar in allen Punkten richtig, aber
für die Praxis zu kompliziert. — § 61 A. 1 dürfte besser mit den
Beispielen bei § 67, 2 gebracht werden. — In § 64 folgt die indirekte
Rede. Da hiezu denn doch die Kenntnis der Deklarativsätze mit ὅτι
oder ὡς (§ 64, 1) sowie der indirekten Fragen (§ 64, 3) gehört,
welch beide erst in späteren Paragraphen (67, bezw. 66, 2, b und
ad 3, b) behandelt werden, so wäre eine Umstellung jener Partie
wohl angezeigt. — § 65 und § 66 behandeln die Fragesätze. Die in
§ 65, C gegebene „Vorbemerkung" würde ich wegen ihrer Wichtigkeit
einer anderen Stelle zuweisen, als zwischen der Überschrift „C. Form
der Fragen" und der die Anticipatio behandelnden Vorbemerkung
gewifs kein Zusammenhang besteht. — § 67 — § 70 enthalten
die Lehre von den Deklarativsätzen mit ὅτι oder ὡς, von den Kausal-
und Finalsätzen und von den Konsekutivsätzen. Den die einzelnen
Satzarten einleitenden Verben bezw. Konjunktionen folgt stets die
Angabe der gebräuchlichen Tempora und Modi. — § 71—§ 75 handeln
von der Gruppe der hypothetischen Sätze, von den reinen Kondicional-,
den Konzessiv-, Temporal-, Komparativ- und Relativsätzen. Die Form, in
welcher die Kondicionalsätze behandelt werden, ist für den Schüler sehr
durchsichtig z. B. 3. der Fall der Wiederholung in der Vergangenheit. Kondicionalsatz: εἰ mit Opt. Präs. oder Aor., übergeordneter Satz Imperf., seltener Aor. — Bei § 75, B 3 dürfte der zu εἰσίν
οἵ gegebenen Anmerkung „Dafür auch ἔστιν οἵ" doch ein „seltener"
beigefügt werden. — § 76 macht den Schüler mit der im Griechischen
so häufig vorkommenden Attraktion bezw. Assimilation des Modus
genauer bekannt. Der Schlufssatz „Der Optativ darf jedoch nur dann
attrahiert werden etc." dürfte mit Rücksicht darauf, dafs unsere Schüler
die ganze Regel denn doch mehr beim Übersetzen aus dem Griechischen
ins Deutsche als umgekehrt benötigen, besser aus der Hauptregel
ausgeschieden und in der Form „Der Optativ wird nur attrahiert etc."
als Anmerkung gegeben werden. — § 77—§ 80 enthalten den Gebrauch
des Partizips, § 81 enthält die Lehre von der Negation, § 82 eine Zusammenstellung der wichtigeren Partikeln. Die Auswahl dürfte bei
letzterem § eine reichlichere sein; es fehlt z. B. γοῦν, das weder
selbständig, noch bei γέ, noch bei οὖν angeführt ist; ferner πέρ, die
Fragepartikel ἄρα (die Wunschpartikel εἰ γάρ = utinam ist aufgeführt);
bei καί fehlt die Angabe des so häufigen Gebrauchs in Komparativ-
sätzen — ὥσπερ καί, οὕτως καί.
    Die Beigabe eines Wort- und Sachregisters würde die Brauch-
barkeit des Buches erhöhen.
    Der Druck ist sehr sorgfältig. Bemerkt habe ich: pag. 2, Nr. 6
mufs es statt vgl. § 3 A 4 b heifsen § 3 A 5 b; pag. 46 und 48
steht jedesmal § 49; pag. 51 (§ 50 a II) Anm. 2 steht πέμπειν, pag.
66 (No. 7) ἄν st. ἄν; pag. 75 (§ 61 2 b) Anm. 2 οὐδείς st. οὐδείς;
pag. 76 Zeile 6 v. o. ist zu trennen δυσχερέ-στατον; p. 77 Zeile 2 v.
o. mufs es heifsen πλήν statt πλίν, Zeile 10 v. o. steht ἕνεα statt

ἕνεκα; p. 113 (§ 81) Anm. 3 steht καὶ οὗ statt καὶ οὐ.   Auch wäre
wohl ττ dem σσ, welches fast immer gebraucht ist, vorzuziehen.

Soll ich mein Urteil über vorliegendes Buch kurz zusammen-
fassen, so stehe ich nicht an, zu behaupten, dafs einerseits die gerügten
Mängel sich bei einer Neuauflage leicht beseitigen lassen, andererseits
die unzweifelhaften Vorzüge wie besonders die geschickte Auswahl der
Musterbeispiele und des für die Schule notwendigen Lernstoffes eine
Einführung im Schulgebrauche genügend rechtfertigen.

München.   Dr. Stapfer.

――― ―― ― ―

Racine, Athalie.   Mit Einleitungen u. Anmerkungen. Herausg.
von K. A. Martin Hartmann. Leipzig 1891. E. A. Seemann.
XX u. 86 SS.   Dazu gesondert 61 SS. Anmerkungen. geb. M. 1,00.

Die Verse sind durchlaufend gezählt, also von 1—1816.   Die
Einleitung, die Erklärungen und Anmerkungen sind sehr interessant.
Der Herausgeber zeigt die Geduld, die Belesenheit und den Spürsinn
des ächten Kommentators, der auch zerstreutes und entlegenes Material
aufzufinden und für seinen Zweck nutzbar zu machen weifs.   Im Anhang findet sich 2 Chronica 22—23 in französischer Sprache.   Auch
in den Anmerkungen sind die von Racine benützten biblischen Stellen
französisch angeführt.   Diese schön gedruckte, elegante Ausgabe macht
einen sehr guten Eindruck und ist für ein eingehendes Studium sehr
zu empfehlen.

Voltaire, Le siècle de Louis XIV.   Im Auszuge herausg.
von Adolf Mager, K. K. Prof. an der Staatsoberrealschule in Marburg
a. D. Leipzig 1891. Aug. Neumann's Verlag, Fr. Lucas. Heft I. Text:
IX u. 117 S. Heft II. Anmerkungen: 20 Seiten. 8. br. M. 1,80.   Der
Herausgeber hat seine Auswahl auf Kap. III—IV (die Ereignisse vom
Tode Ludwigs XIII. bis zur Eroberung Hollands) beschränkt.   Diese
Ausgabe erscheint in Anbetracht des Gebotenen, als zu teuer, nachdem die Weidmann'sche Ausgabe per Band 1,50, die Velhagen'sche
1,20 kostet.   Die Anmerkungen enthalten die gewöhnlichen Erklärungen
von Namen und Sachen.   Die dem Texte auf 5 Seiten vorausgeschickte
Notiz über V.'s Leben und Schriften ist stilistisch nicht glücklich.
Wir glauben nicht, dafs diese Ausgabe ein Bedürfnis oder auch nur
eine gute Spekulation war.

―――――――

Pünjer, J., Schulvorsteher in Altona, Lehr- und Lernbuch
der französischen Sprache, zweite, umgearbeitete Auflage.
Erster Teil. Hannover. Carl Meyer (G. Prior). 1891. gr. 8. M. 1,20.

Dieses Buch ist für den Unterricht an lateinlosen Schulen oder
wenigstens für solche Schulen berechnet, an denen das Französische
schon sehr früh gelehrt wird.   Die Methode ist die der Anschauung:

es wird z. B. ein Baum an die Tafel gezeichnet, dann der französische Name dazu geschrieben, hierauf werden die Teile, wie Wurzel, Stamm, Krone namhaft gemacht, ebenfalls angeschrieben, von dem Schüler nachgesprochen und nachgeschrieben. Dann werden kleine Sätzchen gebildet und so weiter, bis die nächstliegenden Gegenstände, als der Garten, das Haus, der Salon, das Schlafzimmer, die Küche, die Familie, die Uhr, die Schule, die Tiere durchgesprochen sind und dadurch ein Wortschatz vermittelt ist, der die Behandlung gröfserer Aufgaben ermöglicht. Mit all dem ist die Grammatik eng verbunden, und der Schüler erlangt schon von der ersten Stunde an eine nicht zu unterschätzende Übung des Ohrs und der Zunge. Das Buch ist sehr geschickt gemacht und verdient für die genannten Schulen warme Empfehlung.

* Otto, Dr. Emil, Französische Konversations-Grammatik zum Schul- und Privatunterricht. Neu bearbeitet von H. Runge, Lehrer der neueren Sprachen. 24. verbesserte Auflage. Heidelberg. 1891. Julius Groos. gr. 8. 448 Seiten. M. 3, 60.

Diese neue Auflage weist eine Umarbeitung der Aussprachelehre (10 Seiten), ferner ein neu hinzugekommenes Verzeichnis der in den 40 Lektionen des ersten Kursus vorkommenden Wörter mit nebenstehender phonetischer Umschrift (20 Seiten), sowie ein deutsch-französisches Wörterbuch zu den Aufgaben des zweiten Kursus auf (10 Seiten). Aufser dem sind mehrere Regeln präziser gefafst worden. Das Buch ist sehr beliebt, wie die hohe Auflagenzahl beweist, doch ist die Methode nur die des Plötz, aber leichter gemacht. Bei den unregelmäfsigen Verben sind zu wenig Übungsstücke. Was den Titel: Konversationsgrammatik anlangt, so hat Referent seine Bedenken über dessen Berechtigung und Verbesserungsvorschläge betreffs der „Conversation" genannter Fragen- und Antwortsätze schon auf S. 263 des XXVII. Bandes dieser Zeitschrift ausgesprochen und vorgetragen. Die Ausstattung des Buches ist in jeder Beziehung sehr elegant.

Ulrich, Dr. Wilh., Rektor des Realprogymnasiums zu Langensalza, Übungsstücke zum Übersetzen aus dem Deutschen ins Französische behufs Einübung der Regeln des Konjunktivs und der Partizipien. Eine Beigabe zu französischen Schulgrammatiken. Leipzig 1891. Aug. Neumann (Fr. Lucas). gr. 8. 40 S. M. 0.90.

Da auch die Regeln selbst noch in das Büchlein aufgenommen sind, und ein 5 Seiten umfassendes Vokabelverzeichnis beigegeben ist, so treffen eigentlich blofs 25 Seiten auf die Übungsstücke, von denen 8 Seiten zusammenhängend sind, das Übrige sind Einzelsätze. Als Abwechslung für die in den gewöhnlichen Grammatiken gebotenen Stücke dürften sie den Lehrern willkommen sein.

Duschinsky, Wilh., K. K. Professor, **Die Lehre vom fran-zösischen Verb.** Prag 1890. H. Dominicus. (Th. Grufs.) Lexikon 8. 15 Seiten und 2 Tabellen mit 53×71 und 68×53 Centimeter.

Auf den 15 Seiten des Textes ist in systematischer Weise und mit fast mathematischer Kürze die Bildung der Formen der fran-zösischen Verba behandelt. Auf der ersten Tabelle sind in 4 neben einander stehenden Kolumnen die verschiedenen Arten der Bildung des Futur, des Présent, des Passé défini und die Participe passé der unregelmässigen Verba zur Anschauung gebracht. Auf der zweiten Tabelle stehen in der ersten Kolumne der Infinitiv sämtlicher un-regelmäfsigen Verba unter einander, daneben stehen in acht Kolumnen Futur und Conditionnel, dann das Présent de l' Indicatif, der Impératif, das Présent du Subjonctif, das Imparfait, das Part. prés., das Passé déf., das Part. passé. In der letzten Kolumne stehen, wo nötig, noch Bemerkungen zu den einzelnen Verben nebst den composés. Die Tafeln sind· wegen ihrer Gröfse beim Schulunterrichte nicht wohl zu brauchen, auf Pappe geklebt können sie von den Schülern des Ver-fassers bei der häuslichen Arbeit benützt werden.

Chronological Chart of English Literature. Compiled by Jos. Alex. **Donner**, Lector on the English Language and Literature at the K. K. techn. Hochschule, Vienna, Austria. Vienna 1890. Ed. Hölzel. 94×57 Centimeter, zusammenlegbar in Pappumschlag in Quart.

Diese Übersichtstafel der englischen Schriftsteller, vom 12. Jahr-hundert bis zum 19. einschliefslich, ist durch horizontale Linien in 8 Teile geteilt, von denen jeder den Zeitraum eines Jahrhunderts darstellen soll, und zwar beträgt die vertikale Entfernung jedes Horizontal-striches von dem nächstfolgenden 100 Millimeter, so dafs also auf jedes Jahr ein Millimeter trifft. Durch grofse 5 Centimeter hohe blaue römische Ziffern, die in die Mitte des jedem Jahrhundert (von XII—XIX) zugewiesenen Raumes eingeschrieben sind, ist die rascheste Orientierung ermöglicht. In diese 8 Zeiträume sind nun die englischen Autoren eingetragen, und zwar so, dafs ihre längere oder kürzere Lebensdauer durch längere oder kürzere vertikale Linien bezeichnet ist, so dafs man schon aus der blofsen Betrachtung dieser vertikalen Linien, ohne eine Berechnung anstellen zu müssen, erkennen kann, ob der betreffende Autor lange oder kurz gelebt hat; ebenso erkennt man sofort aus dem Anfangspunkte jeder einzelnen Lebenslinie, ob ein Autor früher oder später als ein anderer geboren ist, und wen er und wer ihn überlebt hat. Aus diesen vertikalen Linien ist aber auch zu ersehen, in welchem Zweig der Literatur der Schriftsteller sich besonders ausgezeichnet hat: eine einfache, schwarze Linie bedeutet einen Prosaiker, zwei schwarze Linien einen Dramatiker, eine aus ein-zelnen Strichen bestehende Linie bezeichnet einen Lyriker oder Epiker. Hat ein Schriftsteller sich in mehreren Literaturgattungen bewährt, so sind die betreffenden Linien parallel neben einander gesetzt. (Einige

ausländische, hervorragende Autoren sind durch von kleinen Horizontal-
strichlein gekreuzte, etwas dünnere Linien gegen den Rand der Tafel
zu bezeichnet.) Über dem Anfang jeder Lebenslinie steht der Name
des Autors mit dem Geburtsjahr, am Schlufse derselben das Todesjahr.
Diese Linien sind so genau in den Zeitraum der Jahrhunderte eingetragen, dafs man auch ohne die beigeschriebenen Jahreszahlen,
schon aus der blofsen Länge und Anfangs- und Endstelle jeder Lebenslinie das Lebensalter, das Geburts- und Todesjahr eines jeden Schriftstellers erkennen könnte, da jeder Millimeter der Lebenslinie ein Jahr
vorstellt. Die Autoren einer und derselben Stilgattung stehen bei
einander, die Periode des Puritanismus ist durch rote Farbe, die des
Verfalls des englischen Dramas (1660—1700) durch Schattierung kenntlich gemacht. Ferner sind den Namen der Schriftsteller die Titel
ihrer bedeutendsten Werke beigesetzt und am linken Rande der Tabelle
finden sich die Namen der englischen Regenten von 1100 bis heute.
Dieses Tableau ist mit unendlicher Mühe und Sorgfalt hergestellt und
ist ein interessanter und, wie man sagen darf, wohlgelungener Versuch, die Lebensdauer und Zeitstellung der Schriftsteller einer ganzen
Nation nebst ihren Hauptwerken übersichtlich und bequem zur Anschauung zu bringen.

Boz, Sketches, Herausg. von Ed. Paetsch, Prof. am Realgymnasium zu Potsdam. 1890. Velhagen u. Klasing. XIV u. 166 SS.
geb. M. 0,90.

Diese Skizzen aus dem Londoner Leben, die Erstlingsarbeit des
so berühmt gewordenen Ch. Dickens, sind eingeteilt in Scenes, welche
mit scharfer Beobachtung und in lebendigem Stil das Treiben auf den
Londoner Strafsen, die öffentlichen Fuhrwerke und ihre Insassen,
Vorgänge im Parlament und bei öffentlichen Festessen schildern, sowie
in Characters, welche in der Form der Erzählung eine Weihnachts-
und Neujahrsfeier, das Leben im Hospital, die Schicksale einer armen,
unglücklichen Wittwe, einen herabgekommenen Gentleman, ein Privat-
theater darstellen. Nach des Herausgebers Urteil eignet sich der Text
wegen seiner Schwierigkeiten für vorgerückte Schüler; übrigens hat
derselbe durch genaue und sachgemäfse Noten das Verständnis hinreichend erleichtert, um die Lektüre trotz der Schwierigkeiten zu einer
genufsreichen zu machen.

Shakespeare, Coriolanus. Herausg. von Dr. Oskar
Thiergen, Oberlehrer am K. Kadettencorps zu Dresden. 1890.
Velhagen u. Klasing. XXIV u. 211 S. geb. M. 0,90.

Die Anmerkungen sind zahlreich und erklären, übersetzen auch
manchmal, die schwierigen und dunkeln Stellen, damit der Schüler
durch zu langes Grübeln nicht das Interesse an der Handlung verliere
und nicht zu Übersetzungen greife. Um die Seiten nicht zu sehr zu
überladen, sind die längeren Anmerkungen in einem Anhang gegeben.

In der Einleitung findet sich die Biographie des Dichters, eine Aufzählung seiner Werke, das Wichtigste über seinen Versbau und Angaben über den Coriolanus.   Die sorgfältig gearbeitete Ausgabe ist eine Bereicherung der Sammlung, der sie angehört.

Macaulay, Warren Hastings.   Mit einer Übersichtskarte von Ostindien. Herausg. von dem Vorigen. 1890. Velhagen u. Klasing. XII u. 237 S. geb. M. 1,20.

Dem nicht gekürzten Essay sind eine Biographie des Autors, Bemerkungen über das Werk und eine kurze Übersicht über die Geschichte Vorderindiens bis zur Zeit des W. Hastings vorausgeschickt. Die Anmerkungen sind sorgfältig, lehrreich und frei von überflüssigen grammatischen Erörterungen.

München.   Dr. Wohlfahrt.

Deutschbein, Dr. K.   Kurzgefafste englische Grammatik und Übungsstücke für reifere Schüler, insbesondere für die Oberklassen der Gymnasien.   Dritte, verbesserte Auflage. 1891. VIII, 79 SS. 8. und IV, 146 SS. geb. 2,40 Mark.

Methodisches Irving-Macaulay-Lesebuch mit Vorstufen, Anmerkungen, Karten und Anhang.   Zweite, verbesserte und vermehrte Auflage. 1892. VII u. 228 SS. 2,50 Mark.

Die zwei Bücher des durch seinen theoretisch-praktischen Lehrgang der englischen Sprache längst bekannten Deutschbein ergänzen einander in der Weise, dafs der grammatische Übungsstoff grofsenteils dem Lesebuche entnommen ist; dadurch wird er viel gehaltvoller als in den meisten derartigen Büchern; zugleich wird der in der Lektürstunde durchgearbeitete Lesestoff sicherer geistiges Eigentum der Schüler, wodurch der ganze Unterricht an Vertiefung gewinnt.

Ihrem Zwecke entsprechend wurden in der kurzgefafsten Grammatik die Formenlehre und die für das volle Verständnis der englischen Sprache notwendigen syntaktischen Regeln in wesentlich knapperer Fassung gegeben als in Deutschbeins Lehrgang; ein weiterer sehr schätzenswerter Vorzug derselben ist, dafs von Lektion 14 an der Lernende durch zusammenhängende Übungsstücke aus dem Englischen und in dasselbe über eine Reise nach England Kenntnis von dem fremden Lande und seinen Einrichtungen sowie Vertrautheit mit dem Wortschatze des Alltagslebens erlangt.

Das schon in seiner 1. Auflage in diesen Blättern empfohlene Lesebuch hat in der neuen Bearbeitung eine bemerkenswerte Bereicherung erfahren, indem die Zahl der Lesestücke der beiden Vorstufen vermehrt und ein Anhang von Stellen und Szenen aus Shakespeare neu hinzugefügt wurde, welcher die Schüler auf das Studium des grofsen Dramatikers vorbereiten soll.   Warum das zum Lesebuch gehörige Wörterverzeichnis künftig getrennt unter dem Titel Wörterbuch zu dem Irving-Macaulay-Lesebuch erscheint, ist nicht genügend ersichtlich.

München.   G. Wolpert.

Dialog über die beiden hauptsächlichsten Weltsysteme, das Ptolemäische und das Coppernicanische, von Galileo Galilei. Aus dem Italienischen übersetzt und erläutert von Emil Strauſs, ord. Lehrer an der Realschule „Philanthropin" in Frankfurt a. M. Leipzig, Druck und Verlag von B. G. Teubner. 1892. LXXIX. 586 S.

Der tüchtige junge Gelehrte, dem wir dieses vortreffliche Buch verdanken, ist nicht mehr; am Schlusse des letzteren macht die Verlagshandlung bekannt, daſs jener unmittelbar nach erfolgter Herausgabe, noch nicht 33 Jahre alt, einer Lungenentzündung erlegen sei. Ein tragisches Schicksal, denn der Verewigte durfte sich in der That der glücklichen Lösung der schwierigen Aufgabe erfreuen, welche er sich gestellt hatte. Das wichtigste, für die Wissenschaft wie für das Lebensschicksal seines Autors bedeutungsvollste Werk Galileis war noch immer nur in engen Kreisen näher bekannt; das italienische Original wird uns allerdings in Bälde durch die groſsartige Ausgabe Favaros näher gerückt werden, aber wie wenige, denen Kenntnis des Inhaltes erwünscht wäre, haben Zeit, Lust und Sprachkenntnis genug, um sich hineinzustudieren, abgesehen davon, daſs ohne genauen Kommentar auch dem Sachkenner manche Schwierigkeiten beim Studium erwachsen müssen. Nachdem nun Ostwalds bekannte „Klassiker der exakten Wissenschaften" die ‚Discorsi e dimostrazioni‘ in deutscher Bearbeitung gebracht haben, muſste das Bedürfnis, auch den ‚Dialogo‘ in dieser Gestalt zu erhalten, ein noch lebhafteres werden, und durch die vorliegende Strauſssche Ausgabe, durch die Teubnersche Buchhandlung in allbekannter Weise würdig ausgestattet, wird nun diesem Bedürfniſse derart abgeholfen, daſs nichts mehr zu wünschen übrig bleibt.

In der, wie schon die Seitenzahl ersehen läſst, sehr stattlichen Einleitung gab der Herausgeber eine Übersicht über das Leben und Wirken Galileis, wobei natürlich dessen Beziehungen zur coppernicanischen Reform, sowie der Konflikt, in welchen er nach und nach mit den kirchlichen Gewalten geriet, in den Vordergrund gestellt werden. Nicht weniger als 485 Seiten nimmt die deutsche Übersetzung der zwischen Sagredo, Salviati und Simplicio geführten Gespräche in Anspruch, denen Titelblatt und Titelbild des Originaldrucks vorgesetzt sind, daran reihen sich die handschriftlichen Zusätze, welche Toaldo dereinst in dem heute in Padua befindlichen Gebrauchsexemplare des groſsen Naturforschers vorgefunden hat, und endlich folgen noch beinahe 100 Seiten erläuternde Anmerkungen. Die lichtvolle Darstellung Galileis hat Strauſs mit entschiedenem Glücke nachgebildet, was recht oft schwierig genug gewesen sein mag, denn obwohl die Literaturkenner

gerade dieses Werk zu den schönsten Zierden des toscanischen Prosa-
stiles zählen, so ist die Schreibart eben doch eine etwas altertümliche
und zudem nicht frei von Provinzialismen, wie denn für die Erklärung
einzelner nicht schriftmäßiger Worte, die bekanntlich nichts weniger
denn klassische venezianische Mundart herangezogen werden mußte.
Der Kommentar ist mit großer Hingebung und mit höchst anerkennenswerter Beherrschung aller in betracht kommenden wissenschaftlichen
Momente abgefaßt und erweist sich selbst für den Unterrichteten, der
doch sonst da und dort nachzuschlagen genötigt wäre, überaus hilf-
reich.   Auf manche den Geschichtschreibern ganz entgangene Punkte
wird hier unser Augenmerk gerichtet, so z. B. (S. 568) darauf, daß
Galilei bereits jene stehenden Schwingungen des Wassers in betracht
zog, welche neuerdings unter dem Namen der „Seiches" in Binnen-
seen und abgesonderten Meerbusen so bekannt geworden sind.
     Über einzelne Punkte würde der Unterzeichnete, falls der
Herausgeber noch lebte, gerne mit diesem in Diskussion getreten sein,
allein bei der gegebenen Sachlage verzichtet er naturgemäß hierauf.
Nur eine Frage, der vielleicht ein etwas größeres Interesse zukommt,
sei kurz gestreift.   Strauß weist (S. 519) C. Sternes Ansicht zurück,
daß Tycho Brahe — die Schreibweise Tycho de Brahe ist unrichtig —
schon die Achsendrehung der Erde gelehrt habe, und in der That
steht nichts Ähnliches in dessen Schriften.   Gleichwohl erscheint es
uns auch nicht unwahrscheinlich, daß der große Astronom sich in
seiner letzten Lebenszeit zu diesem Kompromisse mit der neuen Weltordnung bequemt habe.   Denn wenn ein sonst wenig selbständiger,
aber ganz in Tychos Gedankenkreisen aufgewachsener Gelehrter, wie
Longomontanus, dieses Zugeständnis macht, wenn ferner auch andere
Tychonianer (z. B. Origanus) die Erdrotation annehmen, aber die
Revolution verwerfen, so liegt die Vermutung nicht ferne, daß man
es hier mit gewissen vom Meister selbst ausgesprochenen Anschauungen
zu thun habe, und als „ganz unrichtig" möchten wir Sternes Hypothese
keinesfalls bezeichnen.   ———————— -

Vorlesungen über Geschichte der Mathematik von
Moritz Cantor.   Zweiter Band.   Von 1200—1668.   Erster Teil.
Leipzig, Druck und Verlag von B. G. Teubner. 1892. 499 Sgr. 8.
     Über ein Jahrzehnt war seit dem Erscheinen des ersten Bandes
des groß angelegten Cantorschen Geschichtswerkes dahingegangen.
ehe der zweite, und zwar auch vorläufig nur in der Gestalt eines
Halbbandes, das Licht der Welt erblickte; die horazische Regel ist
also wohl gewahrt worden, nach der Meinung mancher die Fortsetzung
sehnlich Erwartenden fast etwas zu sehr.   Aber eine vorzügliche
Leistung ist uns dafür auch geboten worden.   Der Berichterstatter im
besonderen, der Jahre lang besonders auf dem Gebiete arbeitete.
welches in der Vorlage die erste wirklich voll befriedigende Gesamt-
darstellung erfahren hat, freut sich des Buches, welches den trotz
aller Schwierigkeiten sich stetig mehrenden Freunden der Geschichte

der exakten Wissenschaften eine feste Grundlage für ihre Studien darbietet und zugleich alle die Punkte bezeichnet an denen der Hebel für weitere Forschung einzusetzen ist; allein da er eine eingehende Analyse bereits in der „Beil. d. Allg. Zeitung" veröffentlicht hat, so glaubt er an diesem Orte auf eine gedrängte Kennzeichnung des vom Verfasser eingehaltenen Ganges sich beschränken zu sollen.

Der erste Band endete, wie man weifs, beim Auftreten Leonardo Fibonnacis. Ihm, den Herr Cantor schon bei früheren Gelegenheiten mit begreiflicher Vorliebe behandelt hat, da er als ein wahres Phänomen in der wissenschaftlichen Einöde seines Zeitalters zu bezeichnen ist, wird ein umfangreicher Abschnitt eingeräumt. Nicht ganz so hoch, wie der Pisaner, aber doch auch sehr hoch über dem Mittelmafse steht unser Landsmann Jordanus Nemorarius, dem sich der Verfasser hiernächst zuwendet, und auch seine Verdienste erfahren eine gründliche Würdigung, wogegen über Sacrobosco, Campanus und andere Gelehrte des XIII. Jahrhunderts kürzer hinweggegangen wird. Im nächsten Säkulum ziehen zuerst einige Engländer und Franzosen unsere Aufmerksamkeit auf sich, unter letzteren der geistvolle Nicole D'Oresme, und auch von ein paar Italienern ist Interessantes zu berichten, wogegen das merkwürdigste literarische Denkmal Deutschlands aus jener Zeit der von dem preufsischen Hochmeister Konrad von Jungingen veranlafste Leitfaden der praktischen Geometrie (,Geometria Culmensis') sein dürfte. Weitaus günstiger für unseren Nationalstolz in dieser Richtung gestalten sich die Dinge von 1400 an: Johannes von Gmünd, Peurbach, Regiomontanus, daneben der phantasievolle Kardinal von Cusa, dessen Eigenart der Verf. mit scharfen Strichen zeichnet, sind hochbedeutende Männer, und zu Ende dieses Jahrhunderts begegnen wir den schon ganz respektabeln Anfängen einer deutschen Algebra, die auch schon, wenngleich noch recht bescheiden, in die Reihe der akademischen Vorlesungsfächer eintritt. Aber auch Italien ist durch Lionardo da Vinci und Luca Paciuolo glänzend vertreten, und in Frankreich erstehen bedeutende Algebraiker in Chuquet und Lefèvre. Die Zeit von 1500—1550, deren Schilderung die Schlufsabteilung dieses Halbbandes gewidmet ist, weist auch wieder gleichmäfsig deutsche und italienische Vertreter auf — hier A. Dürer, Chr. Rudolff, M. Stifel und eine ganze Anzahl tüchtiger Hochschullehrer, dort die Männer, welche in der Entwicklungsgeschichte der kubischen und biquadratischen Gleichungen eine entscheidende Rolle gespielt haben. Es gehört zu den besonders anerkennenswerten Verdiensten Herrn Cantors, die Abwägung der gegenseitigen Verdienste eines Cardano und Tartaglia einmal mit aller Energie und Klarheit durchgeführt und eine ganze Menge überlieferter schiefer Urteile berichtigt zu haben; Cardano ist und bleibt das schöpferische Genie, mag auch sein sittlicher Charakter ein höchst unerquicklicher gewesen sein, und Tartaglia erscheint als ein kenntnisreicher und fleifsiger Arbeiter, der aber keine triebkräftigen Ideen sein eigen nannte, dessen Namen man sogar, nach des Verf. Ansicht, aus der Geschichte der Mathematik wegstreichen könnte, ohne die Lücke als eine solche zu empfinden. Stellenweise

war er sogar, was man bisher noch nicht wußte, ein gemeingefähr-
licher Plagiator.

Einzelnes bleibt, je nach individueller Neigung, dem Berichterstatter auch bei dem besten Buche zu wünschen übrig. So ist
uns die überaus strenge Beschränkung auf „reine Mathematik"
zwar wohl verständlich, aber nicht durchweg sympathisch. Bei Werken,
wie des Nonius „Liber de crepusculis', bei den kartographischen Arbeiten von Apian und Stab-Werner und bei ähnlichen Gelegenheiten
hat diese Enthaltsamkeit wirklich ihre Schattenseiten, denn die Aufgabe, z. B. eine ebene Figur zu zeichnen, welche von einer auf der
Kugelfläche gegebenen Figur in vorgeschriebener Weise abhängt, erscheint uns wenigstens als ein Problem der reinen Geometrie. Einem
strebsamen Jünger der Wissenschaft, der freilich vor einer mühsamen
und oft wenig dankbaren Thätigkeit nicht zurückschrecken müßte,
ließe sich sogar die Aufgabe stellen, eine Nachlese zu dem Cantorschen
Werke zu liefern und die Bereicherungen zu sammeln, welche der
Mathematik als solcher in Schriften zur angewandten Wissenschaft,
zur Stern- und Sonnenuhrkunde insbesondere, zu teil geworden sein
mögen. Herr Cantor, dessen sind wir überzeugt, wäre gewiß der erste,
der einem solchen Unternehmen seine Zustimmung und Unterstützung
zu teil werden ließe.

München.   S. Günther.

Dr. W. Láska, Sammlung von Formeln der reinen
und angewandten Mathematik. Braunschweig, Friedrich Vieweg
und Sohn. Dritte Lieferung, erste Abteilung.

Die beiden ersten Lieferungen (vgl. d. Bl. Band XXV, S. 476 ff.)
von Láskas Sammlung enthalten die reine Mathematik, die dritte
Lieferung, von welcher die erste Abteilung vorliegt, bringt die angewandte Mathematik. Der Inhalt dieses Heftes ist folgender: Physikalische Maße, Astronomie, Astromechanik, Dioptrik, mechanische Wärme-
theorie, Theorie der Bewegung und der Kräfte, Elastizität, Hydrostatik,
Hydrodynamik, Aerostatik, Aerodynamik, Akustik, Wärmeleitung, Elektrizität und Magnetismus, Optik. Die Sammlung beschränkt sich auf die
wichtigeren Resultate der Physik; wer weiteren Aufschluß sucht, findet
in der Vorlage die einschlägigen Originalwerke und Handbücher angegeben.

Fehler finden sich in diesem Hefte weniger als in den beiden vorhergehenden; doch sind auch hier noch manche Versehen zu berichtigen.
Auf Seite 588 sollte Zeile 2 lauten: $\cos \delta \sin \alpha = \cos \beta \cdot \cos \epsilon \cdot \sin \lambda$
$-\sin \beta \sin \epsilon$. Auf derselben Seite sind in Fig. 8 — einer gänzlich
mißlungenen Zeichnung — α und λ, sowie δ und β zu vertauschen. —
Seite 589, Z. 10 v. o. lies $\sin a$ statt $\sin \alpha$. — S. 589, Z. 10 v. u.
lies $\tan \psi = \tan \delta : \cos t$ und Z. 7 v. u. $\sin \delta = \varkappa \sin (\varphi - \psi)$. —
Seite 600, Z. 3 v. o. ist dt durch dv und $\varkappa$ durch $\varkappa^2$ zu ersetzen. —
Z. 8 v. u. fehlt auf der linken Seite der Gleichung und Z. 6 v. u. auf
der rechten Seite der Faktor 2. — Z. 5 v. u. ist der Faktor π aus-
gefallen. — S. 601, Z. 16 ist zu lesen $\dfrac{\varkappa t \sqrt{1+m}}{p^{\frac{3}{2}}}$. Die gleiche Be-

richtigung ist S. 602 Z. 4 v. u. vorzunehmen. — S. 602 Z. 8 v.
o. ersetze tg u durch tg $\frac{u}{r}$. — S. 619 Z. 6 v. u. lies d Φ (p, v) statt
d Φ (u, v).

Würzburg.   J. Lenganer.

Heilermann, Dr. H., Direktor des Realgymnasiums und der
höheren Bürgerschule zu Essen, Lehr- und Übungsbuch für den
Unterricht in der Mathematik an Gymnasien, Real- und
Gewerbschulen. I. Teil, Geometrie der Ebene. 4. Aufl. 163 S.
8. Frankfurt a. M. Jäger 1891.

Das angezeigte Buch gibt den planimetrischen Lehrstoff in vollständiger, nur an Realgymnasien zu erschöpfender Ausdehnung, ist
jedoch auch für Gymnasien mit beschränkterem Mathematikbetrieb
sehr brauchbar, da das dort nicht Verwendbare leicht übergangen
werden kann. Die Darstellung ist überall sehr klar und tadellos.
Zum Selbststudium wäre das Buch nicht zu verwenden, da für die
weitere Ausführung der vorgetragenen Lehren und namentlich der
Aufgaben vieles dem Lehrer überlassen ist, was ja auch für ein
Schulbuch durchaus zweckmäfsig ist. Indessen wären bei einigen
schwereren Aufgaben einige Winke erwünscht gewesen; denn so ganz
andeutungslos kann man sie den Schülern nicht zur Erprobung ihrer
Kraft vorlegen. In der Parallelentheorie ist der Fundamentalsatz:
„Wenn eine Gerade die eine von 2 Parallelen schneidet, so schneidet
sich auch die andere" als „Zusatz" angeführt, es sind ferner die Sätze
„dafs es durch einen Punkt zu einer Geraden nur eine Senkrechte
gibt" und „dafs zwei nicht parallele Gerade sich schneiden" still-
schweigend als richtig angenommen. Daher kann der Parallelentheorie nicht das gleiche Lob wie den übrigen Teilen des Lehrbuches
gespendet, sondern es mufs dieselbe als der vollständigen Umarbeitung
bedürftig bezeichnet werden. Für Schulzwecke kann man in der
Parallelentheorie nur zwei Wege einschlagen: entweder man hält sich
genau an Euklid, oder man betrachtet den Winkel als die Gröfse der
Drehung. welche nötig ist, um eine Gerade mit einer zweiten zur
Deckung zu bringen, sowie parallele Gerade als solche von gleicher
Richtung. Dann folgt sofort der Satz, dafs parallele Gerade von jeder
dritten unter gleichen korrespondierenden Winkeln geschnitten werden;
daraus ergibt sich der Satz von der Winkelsumme des Dreiecks und
daraus ein Beweis für das Postulat von Euklid.

Münnerstadt.   A. Schmitz.

W. Reeb, Algebraisches Übungsbuch. Giefsen. E. Roth.
1889. 3. Aufl. 1,50 M.

Das Buch bietet auf 126 Seiten nicht nur eine grofse Anzahl
methodisch geordneter, vielfach aus verwandten Unterrichtszweigen,
besonders Geometrie, beigezogener Übungsbeispiele, sondern ist auch
durch Einflechtung von passend gestellten Fragen, Erklärungen und

kurzen Regeln darauf berechnet, dem Schüler die häusliche Wiederholung des in der Schule durchgenommenen theoretischen Teiles zu
ermöglichen und zu erleichtern, und so ein eigenes Lehrbuch auf den
unteren Stufen entbehrlich zu machen. In diesen Fragen etc. zeigt
sich besonders die pädagogische Bildung und praktische Erfahrung des
Verfassers; und es ist nicht zweifelhaft, daß die Verwendung dieses
Buches im Schulunterricht anregend und fruchtbringend wirken wird.

München.   Sondermaier.

G. Maspero, Ägypten und Assyrien. Geschichtliche Erzählungen für Schule und Haus. Übersetzt von D. Birnbaum.
Leipzig. Teubner 1891.

Sicher war es ein glücklicher Griff der Verlagsbuchhandlung,
dieses ausgezeichnete französische Werk in das Deutsche übertragen
zu lassen. Bei uns herrscht zweifellos ein fühlbarer Mangel an wahrhaft populären und zugleich wissenschaftlich bedeutenden Werken, die
das Interesse weiter Kreise zu erregen vermögen. Besonders über den
alten Orient fehlt es noch immer an tüchtigen volkstümlichen Arbeiten.
Erst seit kurzer Zeit machen berufene Fachmänner derartige Versuche,
die vielfältigen Ergebnisse der orientalischen Entdeckungen und Forschungen zu einem übersichtlichen Bilde zusammenzufassen, Versuche,
die natürlich stets unvollkommen ausfallen müssen, aber nicht zu entbehren sind, wenn nicht die ganze Wissenschaft in Mißkredit oder
Vergessenheit geraten soll. In Frankreich waren solche Versuche von
Anfang an ein Hauptbemühen der hervorragendsten Orientalisten, und
in den letzten zwei Jahrzehnten hat in dieser Beziehung Maspero das
Größte geleistet. Er trat zuerst mit einer zusammenfassenden „Geschichte der Völker des alten Orients" hervor, die auch in Deutschland
lange Zeit als die beste Arbeit dieser Art anerkannt war und von
Auflage zu Auflage sich verbesserte. An dieses größere Werk schloß
sich jüngst eine kleine Histoire de l'Orient zum Gebrauch der Schulen,
für welche in Frankreich die tüchtigsten Gelehrten schreiben. In dem
vorliegenden Buche nun hat sich Maspero die Aufgabe gestellt, ein
Bild des Lebens der Ägypter und Assyrer zu entwerfen, an der Hand
der Denkmäler die damaligen Zustände zu schildern und den Leser
mitten in das Treiben der Menschen, die vor zwei und drei Jahrtausenden gelebt haben, zu versetzen. Zu solchen Zwecken dient
bei uns bekanntlich noch immer der historische Roman, in Frankreich
aber hat man schon längst den Geschmack verloren an dem wider-
spruchsvollen Phantasiegebilde, welches durch die Übertragung moderner
Gedanken und Gefühle auf verklungene Zeiten und fremdartige Menschen
entsteht, und man verlangt dort, daß jeder geschichtliche Gegenstand
wahrhaft geschichtlich behandelt wird. So hat auch Maspero auf
jede romanhafte Form oder Einkleidung verzichtet, wodurch er sich
zwar seine Aufgabe erschwert hat, aber der geschichtlichen Wahrheit
um so näher gekommen ist. Er versetzt sich lediglich in das vierzehnte und siebente Jahrhundert v. Chr., in die Hauptstadt von Ägypten

und in die Residenz Assurbanipals. „Ich schaute fleißig mich um und betrachtete alles so gut als möglich und auch so viel wie möglich. Ich schlenderte durch die Strafsen der Stadt und warf einen Blick in halbgeöffneten Thüren; ich trieb mich zwischen Läden und Buden umher und achtete auf das Gerede der Leute. Wenn Pharao oder der König von Ninive vorüberzog, lief ich mit den Müfsiggängern hinterher und begleitete ihn in den Tempel, den Palast oder auf die Jagd". Im Vorwort wird dieser Gedanke auseinandergesetzt, im Buche selbst tritt nirgends die Person des Erzählers aus der Erzählung heraus. Die gleichmäfsig ruhige und doch anschauliche Darstellung macht einen überaus wohlthuenden Eindruck. Maspero zählt nicht unter die glänzenden Stilisten Frankreichs, aber seine Darstellungsweise zeichnet sich aus durch durchsichtige Klarheit und anmutige Einfachheit. In der Übersetzung Birnbaums kommen diese Vorzüge des Verfassers nicht immer hinreichend zur Geltung. Damit soll nicht gesagt sein, dafs diese Übersetzung schlechter ist als andere derartige Übersetzungen. Bei der immer mehr um sich greifenden Verwilderung unseres Schrifttums ist man ja äufserst genügsam geworden in den Anforderungen hinsichtlich der Sprachreinheit und Sprachklarheit; bei Übersetzungen vollends nimmt man auch die zahlreichsten und gröbsten Verstösse gelassen hin. Der Übersetzer des vorliegenden Buches verfiel vornehmlich in den Fehler, dafs er sich zu ängstlich an den Wortlaut des Originals hielt. Dadurch sind viele Härten und Unklarheiten in die Übersetzung gekommen. Sehr zweideutig klingt der Satz im Vorwort: „Ich habe in Assyrien die meisten der Vorgänge behandelt, die ich schon in Ägypten beschrieb". Es soll heifsen: „im Abschnitt über Assyrien". Undeutsch ist auf derselben Seite der Ausdruck: „Eine Bestattung kam mit grofsem Lärm an mir vorüber". Infolge der allzuwörtlichen Wiedergabe entstehen Konstruktionen wie die folgende: „Der Tempel, den er in Luxor zu Ehren Amons errichtete, ist ein, dem Andenken an jene geheimnisvollen Ereignisse, die seiner Geburt vorangingen, geweihtes Bauwerk". Übersetzungen von Büchern, die für die Jugend bestimmt sind, sollten mit Sorgfalt gefertigt werden. Und Maspero hat sein Buch ganz besonders der Jugend gewidmet. Er hebt dies nicht blofs im Vorwort hervor, sondern beweifst es auch durch die ganze Art seiner Darstellung. Er ist mit bewundernswerter Geschicklichkeit den Klippen ausgewichen, welche sich bei einer Popularisierung der ägyptischen und assyrischen Altertümer entgegenstellen, er hat mit peinlicher Sorgfalt alles vermieden, was als ein Verstofs gegen moderne Wohlanständigkeit und Sittlichkeit gelten könnte. Das war keine kleine Aufgabe, denn man weifs, wie sehr sich das nach unseren Begriffen Unanständige fast auf allen orientalischen Denkmälern breit macht. Wohl aus denselben Anstandsrücksichten ist der Darstellung der Religionsanschauungen und Göttergeschichten ein ziemlich kleiner Raum zugewiesen. Dagegen ist Kriegswesen und Jagd sehr ausführlich behandelt, wiederum hauptsächlich aus Rücksicht auf das Interesse der Jugend.

Vortrefflich ist die Gruppierung des Stoffes. Zehn Kapitel behandeln Ägypten, ebensoviele Kapitel Assyrien. Für Ägypten ist die
Zeit Ramses' II. gewählt, weil aus dieser Periode die meisten und
ausführlichsten Urkunden und Denkmäler stammen. Die glanzvolle
Hauptstadt Theben, das Treiben des Volkes und das Gewerbsleben
werden geschildert. Dann folgen zwei lehrreiche Kapitel über den
Gottmenschen Pharao und über den mächtigen Schutzgott Amon.
Hierauf wird eine Truppenaushebung genau beschrieben. Der auf
die Truppenaushebung folgende Ausmarsch und Kampf mit dem Feinde
ist mit Absicht in die letzten Kapitel verlegt; dazwischen liegen
Schildereien von Landbau, Fischfang und Jagd, von Krankheit und
Tod, von Begräbnis und Grab. Bei Assyrien ist im wesentlichen dieselbe Reihenfolge eingehalten, und beständig wird dem Leser Anregung
gegeben zu Vergleichen zwischen ägyptischen und assyrischen Zuständen. Überall nimmt sich der Verfasser die geschichtliche Wahrhei t
zur unabänderlichen Richtschnur und widersteht jeder Versuchung,
die Dichtung an die Stelle der Wahrheit zu setzen. Gleichwohl dürfte
der Leser manchmal einen gar zu günstigen Eindruck von den alten
Ägyptern und Assyrern bekommen. So lesen wir über die Stellung
der ägyptischen Frau: „Die Ägypterin aus dem Volke und den Mittelklassen ist die geachteste, unabhängigste Frau der Welt". Das Gleiche
wird über die assyrische Frau gesagt: „Die Assyrerinnen aus dem
Volke erfreuen sich einer fast unbeschränkten Unabhängigkeit". So
glücklich war die Lage der Frauen nicht. Der Verfasser muß an
anderer Stelle selbst zugeben, daß das Leben der Ägypterin in
schwerer, aufreibender Arbeit verfloß und daß in Assyrien die Ver-
heiratung der Mädchen in der Regel durch einen Kauf stattfand, der
mit dem Kauf einer Sklavin viel Ähnlichkeit hat (S. 239). Die
schlimmen Eigenschaften der Ägypter, besonders ihr sklavischer Sinn
sind nicht genug hervorgehoben. Die Schilderung von dem „Stocke,
der die Pyramiden gebaut, die Kanäle gegraben, den Eroberern die
Siege verliehen hat etc." (S. 7) ist zwar vortrefflich, streift aber nur
die tiefer liegenden Ursachen. Beinahe noch günstiger sind die assyrischen Zustände und Sitten geschildert. Nur nebenbei werden
einige Schwächen der Assyrer, wie ihre brutale Grausamkeit und
Habgier erwähnt. Der Verfasser mag bei Beendigung seiner Darstellung selbst das Gefühl gehabt haben, daß er seinem Bilde zu viel
Licht und zu wenig Schatten gegeben habe, und vielleicht zur Ausgleichung schloß er sein Werk mit der von dem Propheten Nahum
entworfenen Schilderung, die mit den Worten beginnt: „Unglück über
diese blutdürstige Stadt voll Betrug und Verbrechen, die nicht abläßt
von ihren Räubereien". In dieser jüdischen Darstellung ist ohne
Zweifel viel Übertreibung.

Doch genug der Ausstellungen. Die kleinen Mängel verschwinden
unter den großen Vorzügen. Das Buch verdient die wärmste Empfehlung. Es sollte in keiner Lehrerbibliothek, in keiner Schülerbibliothek fehlen, es eignet sich wegen seiner schönen Ausstattung
vortrefflich zu Geschenken. Nicht weniger als 190 in den Text ge-

druckte Abbildungen, alle schön ausgeführt nach Zeichnungen eines hervorragenden französischen Künstlers schmücken das Werk.

Würzburg.   Heinrich Welzhofer.

Die griechischen Sacralaltertümer, bearbeitet von Dr. Paul Stengel, Oberlehrer in Berlin. München 1890. Iwan Müllers Handbuch der klassischen Altertumswissenschaft, 5 Bd. 3. Abteilung, S. 1—175 mit 5 Tafeln.

Der Darstellung der Kultusaltertümer geht eine ·allgemeine Einleitung voraus, welche sich über Begriff, Quellen und Geschichte der Disziplin verbreitet. Hiebei wird aus der früheren Literatur besonders der II. Bd. von Schömanns griechischen Altertümern, welcher das Religionswesen enthält, als die vorzüglichste systematische Behandlung der Kultusaltertümer, die wir besitzen, hervorgehoben. Stengel bemerkt weiter, dafs die ihm gestattete Frist für die Ausarbeitung nur kurz war, dafs er grofse Teile des Gebietes, das er in Angriff nehmen sollte, bisher nur gestreift, und nur auf einem verhältnismäfsig geringen Raume selbständig gearbeitet habe. Daher werden wir es nicht so auffällig finden, wenn die kleinere erste Hälfte des Buches sich meist an Schömann anschliefst. Allerdings ist dieser Anschlufs zuweilen ein so enger geworden, dafs einzelne Partien geradezu wörtlich herübergenommen wurden. Darin scheint mir Stengel doch etwas zu weit gegangen zu sein. Wie Schömann eröffnet er die Darstellung der gottesdienstlichen Altertümer mit einer allgemeinen Charakteristik der griechischen Religion und weist gleich jenem den Versuch, der Urzeit des Hellenenvolkes den Monotheismus aufoktroiren zu wollen, als verfehlt zurück, dagegen scheint mir sein eigener die griechische Religion als Naturreligion zu leugnen, des Beweises zu entbehren. Mit dieser allgemeinen Charakteristik ist wie bei Schömann die Erörterung des Verhältnisses des Staates zum Kultus verknüpft. Die eigentliche Darstellung gliedert sich in 4 gröfsere Abschnitte 1) die Kultusstätten (S. 10—24), 2) Kultusbeamte (S. 24—57), 3) Kultushandlungen (S. 58—129), 4) Kultuszeiten (S. 130—175). Der erste, Kultusstätten, entspricht dem Schömann'schen: Kultlokale; sein erster Teil a) Altäre, enthält in keinem Punkte etwas, was nicht bereits in der Darstellung Schömanns enthalten wäre, wenn man von einigen Inschriftencitaten absieht, vielmehr finden sich manche wörtliche Anklänge z. B.

Schömann S. 197:	Stengel S. 13:
Vom profanen Raum wurde der Altar durch eine Umfriedigung abgesondert, die bald in einer niedrigen Mauer, bald nur in einer umhergezogenen Kette oder einem Reif bestand.	Altäre, welche auf vielbetretenen Plätzen standen, waren in der Regel durch eine Umfriedigung oder eine herumgezogene Kette geschützt.

Ebenso stimmt im nächsten Absatz b) die Tempelbezirke und

Tempelgüter alles mit Schömann, es sind nur aus den Inschriften
noch mehr Beispiele für die Vorschriften angeführt, welche ein Betreten des Heiligtums von Seiten gewisser Personen oder Tiere ver-
boten, sowie Bestimmungen über Verpachtung der Tempelgüter.
Manches ist direkt herübergenommen, z. B.

Schömann, S. 197:	Stengel S. 16:
Zwischen Eleusis und Megara lag ein der Demeter und Kore geweihtes Stück Landes, die heilige Orgas genannt, weil es mit üppiger, aber nur wildwachsender und unbenützter Vegetation bedeckt war.	Ebenso hatten Demeter und Kore zwischen Eleusis und Megara ein Stück geweihtes Land, das den Namen Orgas führte, weil es nur von wildwachsenden Pflanzen bestanden war.

Als Belegstelle dafür, dafs manche τέμένη nicht benützt werden
durften und daher oft eine Wildnis bildeten, wird S. 16, Note 22
Soph. Trach. 400 citiert; dort steht aber nichts davon, ich vermute,
dafs v. 436 gemeint ist . . . τοῦ κατ' ἄκρον Οἰταῖον νάπος |
Διὸς καταστράπτοντος. Warum für den herrlichen Schmuck der
Giebelfelder eines Tempels S. 19, 1 blofs auf die Vorderansicht des
Äginetentempels bei Baumeister verwiesen wird, sehe ich nicht ein;
mit demselben Rechte waren, wenn überhaupt ein Beispiel gegeben
werden sollte, doch Olympia und der Parthenon zu nennen; wenn es
aber geschah, um sich rasch bei Baumeister ein Bild aufschlagen zu
können, dann konnte z. B. auch für die columnae caelatae das Arte-
mision in Ephesus Baumeister S. 281 citiert werden. Selbstverständlich sind bei der Betrachtung der Tempel die kunstgeschichtliche Entwicklung, sowie die architektonischen Eigentümlichkeiten derselben nur
kurz angedeutet. Daher hätte Tafel II Tempelgebäude: Aufrifs des
Apollotempels in Didymos bei Milet, des Zeustempels in Olympia und
des Parthenon, sowie Grundrifs des Parthenon füglich entbehrt, und
der Raum für nötigere Abbildungen reserviert werden können; denn
solche, wie die genannten findet man einmal leicht überall und dann
sind damit ja doch nur zwei verschiedene Tempelgattungen dargestellt
im Gegensatz zu den manigfaltigen im Text berührten. Wie sehr
sich übrigens Stengel auch hier an Schömann anlehnt, mag folgendes
Beispiel zeigen:

Schömann S. 221:	Stengel S. 18:
Den Unterbau bildet eine stufenförmig emporsteigende Terasse, deren Stufen aber gewöhnlich höher waren, als dafs die Menschen bequem auf ihnen hätten zum Tempel steigen können, weswegen denn stellenweise, besonders dem Eingang gegenüber Einschnitte mit kleineren Stufen angebracht waren. Die Zahl der Stufen war herkömm-	Alle Tempel erhoben sich auf einem Unterbau, der gewöhnlich stufenartig anstieg, doch waren diese Stufen zu hoch, um auf ihnen emporsteigen zu können und so mufste denn, namentlich dem Eingang gegenüber ein treppenartiger Einsatz zur Benützung für Tempelbesucher angebracht werden. Die Zahl der Stufen war ungerade;

lich eine ungerade, damit des guten Vorzeichens wegen die erste und letzte Stufe vom rechten Fufs betreten werden konnte.

denn es galt für ein gutes Vorzeichen, die erste und letzte Stufe mit dem rechten Fufs zu betreten.

Jetzt verläfst Stengel die Anordnung Schömanns und beginnt einen 2. Teil: Die Kultusbeamten, um erst an 3. Stelle die Kultushandlungen zu bringen, die bei Schömann an zweiter stehen. Zu den Kultusbeamten werden gerechnet a) Priester, b) Gehilfen und Diener der Priester, c) Scher und Weissager. Diese letztere Klasse gibt Veranlassung, hier gleich die Mantik und das Orakelwesen ausführlich zu betrachten, welchen Abschnitt Schömann unter die Kulthandlungen gestellt hat, und zwar, wie ich glaube nicht mit Unrecht; denn von Kultusbeamten ist in der That in diesem Abschnitte auch bei Stengel wenig die Rede. Was er sonst über Priester, sowie deren Gehilfen und Diener sagt, findet sich alles bereits bei Schömann.

Bei Erwähnung der *νεωκόροι* sollte auch das Buch von Buechner, de neocoria, Giefsen 1888, verzeichnet sein. An der Spitze des Abschnittes über die Mantik steht derselbe Satz wie bei Schömann.

Schömann S. 281:
Die Alten unterscheiden zweierlei Arten der Mantik, die natürliche oder kunstlose und die kunstmäfsige

Stengel S. 38:
Die Alten selbst unterscheiden zwei Arten der Mantik, die natürliche oder kunstlose und die kunstmäfsige

Die Ausführung weifst nur in der Anordnung bei beiden Autoren eine Verschiedenheit auf, indem bei Schömann die kunstmäfsige Mantik vorausgeht und die kunstlose folgt, während bei St. die Reihenfolge umgekehrt ist, naturgemäfs ist Schömann an vielen Stellen ausführlicher und auch hier sind aus ihm ganze Sätze herübergenommen. Bei den Orakeln (*β*) behandelt Stengel das Zeichenorakel des Zeus in Dodona zuerst, dann die Spruchorakel, Schömann umgekehrt; die Anordnung Stengels ist doch wohl die richtigere, da die Zeichenorakel jedenfalls die älteren waren. Was die Darstellung des Orakels von Dodona anlangt, so geht Stengel natürlich über die Angaben Schömanns hinaus, da ihm die Resultate des Werkes von Karapanos, Dodone et ses ruines zur Verwertung zu Gebote standen. Dagegen stimmt die Schilderung des delphischen Spruchorakels des Apollo in allen Einzelheiten mit Schömann, besonders die Beschreibung des Sitzes der Pythia und die Art und Weise, wie sie zum Orakelerteilen schritt, vgl. Schömann II, S. 314 u. 316 = Stengel, S. 51 f.

Bei Erwähnung des Orakels in Klaros bei Kolophon konnte angeführt werden: Buresch, K. *Ἀπόλλων Κλάριος*, Untersuchungen zum Orakelwesen des späteren Altertums, Leipzig 1889. — Neu eingefügt ist nur der Abschnitt § 49 über die Art der Fragen, welche man den Orakeln vorzulegen pflegte (nach den Arbeiten von Pomptow und Karapanos), sowie im folgenden Abschnitt die Schilderung der Orakel über Kuren im Asklepinion zu Epidaurus (nach den Ausgrabungen und den daran sich anschliefsenden Arbeiten).

Kurz sind schliefslich die Totenorakel S. 56 behandelt; hier

stimmt Stengel gegen Schömann mit Lobeck darin überein, daſs in
der Odyssee noch keine Spuren davon zu entdecken seien; denn sonst
hätte Odysseus nicht in die Unterwelt hinabzusteigen brauchen, wenn
er ein Totenorakel hätte befragen können.   Der umfangreichste Abschnitt ist der 3., welcher der Reihe nach die Kultushandlungen
schildert: a) Gebet, b) Fluch, c) Eid, d) Weihegeschenke, e) Opfer.
Die Absätze a—d bringen, mit Schömann verglichen, nicht wesentlich
Neues (bei der Literatur über das Gebet kann jetzt dem Vortrag
Sittl's über die Gebärden beim Beten etc. auf der Züricher Philologen-
versammlung auch auf dessen Buch, die Gebärden der Griechen und
Römer, Leipzig · 1890 verwiesen werden), dagegen ist weitaus das
Interessanteste und Wertvollste bei Stengel das Kapitel über die Opfer;
denn hier ist der Verfasser nicht nur durchaus selbständig, sondern
seine Darstellung beruht auch auf einer ganzen Reihe von Einzel-
forschungen über die kleinsten Details, welche das Opferwesen im
Altertum betreffen. Untersuchungen, welche Stengel seit den 70er
Jahren in den Jahrbüchern für Philologie, im Hermes etc. und in
Gelegenheitsschriften veröffentlicht hat.   Schon die Titel der einzelnen
§§ geben einen Begriff von der Reichhaltigkeit dieses Abschnittes.
Dabei legt aber Stengel mit lobenswerter Beschränkung nur die Re-
sultate seiner Spezialforschungen vor und verweist für eingehendere
Belehrung auf diese selbst.   Weniger originell ist das folgende Kapitel
„Über Reinigungen und Sühnungen"; es schlieſst sich vielmehr im
Groſsen und Ganzen an Schömann II, S. 352 ff. an, sowohl in der
Angabe der Fälle, wo Reinigung notwendig war, als auch in der
Schilderung der dabei befolgten religiösen Zeremonien.   Dagegen sehr
ausführlich und durchgehends auf der neuesten Literatur und den
Ergebnissen der jüngsten Ausgrabungen fuſsend ist der Abschnitt über
Mysterien und andere geschlossene Vereinigungen, besonders über die
Eleusinischen Mysterien; gegenüber Schömann ist hier neu hinzu-
gekommen ein §: Geschlossene Kultgenossenschaften, ἔρανοι, ϑίασοι,
ὀργεῶνες.
    Als 4. Abschnitt folgen die Kultuszeiten und zwar a) die National-
feste, an deren Spitze billiger Weise die olympischen Spiele stehen.
Es ist doch wohl nur ein Versehen, wenn unter den Literaturangaben
der ausführliche, 90 Seiten umfassende Artikel „Olympia" von Flasch
in Baumeisters Denkmälern fehlt.   Die Schilderung der olympischen
Spiele, welche Stengel entwirft, zeichnet sich nicht nur durch die
vollständige Berücksichtigung aller neueren Untersuchungen, sondern
namentlich auch durch eine schöne, formvollendete Darstellung aus,
die man mit wirklichem Genusse liest.   Dem gegenüber steht die
Beschreibung der 3 übrigen Nationalspiele etwas zurück, einmal wegen
der geringeren Bedeutung und der spärlicheren Überlieferung, dann
aber muſste natürlich auch die lästige Wiederholung in der Schilderung der Kampfarten etc. vermieden werden.   Den Beschluſs des
Ganzen machen b) die Feste der einzelnen Staaten, wobei begreiflicherweise die athenischen Feste den gröſseren Raum einnehmen.
    Ein zusammenfassendes Urteil muſs unumwunden anerkennen,

daß der Verfasser in jenen Partien, die er selbständig beherrscht —
und es ist das der größere Teil des Buches — die Resultate eigener,
wie fremder Forschung knapp und übersichtlich, dabei aber doch in
gefälliger und anziehender Form wiedergegeben hat, während er sich
in anderen ziemlich enge an Schömann anlehnt. Doch dafür hat er
sich ja in der Vorrede selbst gerechtfertigt.

München.   Dr. J. Melber.

Strehl Willy Dr., Kurzgefasstes Handbuch der Geschichte. Erster Band. Orientalische und Griechische Geschichte.
Breslau. Verlag von Wilhelm Koebner. 1892. S. VI u. 244. Preis 4 M.

Der Verf. beabsichtigt die Herstellung eines Handbuches der
Geschichte, das eine gedrängte Übersicht der Quellen, der neueren
Literatur und der Thatsachen in chronologischer Anordnung bieten,
den Studierenden in den an ihn herantretenden Stoff einführen und
dem Fortgeschritteneren als Repetitorium dienen soll.

Das vorliegende erste Bändchen enthält auf 244 enggedruckten
Seiten die griechische Geschichte mit besonderer Berücksichtigung der
orientalischen. Es verdient, trefflich ausgestattet, die volle Beachtung
der mit diesem Unterrichtszweige oder mit der Leitung der Lektüre
antiker Autoren am Gymnasium betrauten Lehrer. Auch für die
Schülerlesebibliothek der beiden obersten Klassen läßt es sich unter
richtiger Anleitung verwendbar machen.

Je nach dem Standpunkt, auf den sich die Beurteilung stellt,
wäre es sicher nicht schwer, den Nachweis zu liefern, daß hier eine
Quelle, dort ein Literaturwerk zu viel oder zu wenig genannt oder
doch nicht in wünschenswerter Weise betont worden ist; daß einmal
ein Ereignis berührt wird, das in einem so knapp abgefaßten Werke
lieber vermißt würde, während ein anderesmal ein geschichtliches
Faktum in kaum genügender Beleuchtung erscheint. Allein wer sich
einen so reichen Stoff in einen so spärlich zugemessenen Raum einzu-
schließen genötigt sieht wie der Verf. unsers Handbuches, wird es in
dieser Beziehung auch beim besten Willen nie allen recht machen
können. Im großen und ganzen und in billiger Würdignng der obwaltenden, sehr beträchtlichen Schwierigkeiten wird das Verfahren des
von Anfang bis Ende zielbewußt vorgehenden Verfassers und die von
ihm in den verschiedenen Richtungen der Arbeit bethätigte Berücksichtigung, beziehungsweise Nichtberücksichtigung fast durchweg als
nach Maßgabe der Absicht des Werkes den Bedürfnissen entsprechend
zu bezeichnen sein. Es werden somit, wie bereits angedeutet, Lehrer,
zumal Anfänger, zugleich aber diejenigen, welche vermöge weitgehender, auch anderweitig auf ihnen lastenden Obliegenheiten die von
Woche zu Woche mehr anschwellende Literatur in dem erforderlichen
Grade unmöglich bewältigen können, an dem Handbuch in zahlreichen
Fällen einen willkommenen Berater finden, der, weil für den Schulbedarf
selten versagend, dankbar zu begrüßen ist. Möge der Verf. auf dem
weiten noch vor ihm liegenden Gebiete mit gleicher Unverdrossenheit,

mit gleichem Glücke und Geschicke vorwärts schreiten, wie er den
ersten Teil seines Weges zurückgelegt hat.

Während in formeller Hinsicht die Diktion des Buches allenthalben als angemessen zu loben und im übrigen die Sauberkeit der Arbeit zu rühmen ist, gilt nicht das Gleiche von den griechischen Citaten.
Hier haben sich recht viele Druckversehen eingeschlichen; die Korrektur der beigegebenen Berichtigungen erstreckt sich nur auf einen
kleinen Teil derselben. Mit der chevaleresken Bemerkung auf S. IV,
der Leser werde einzelne derartige Versehen selbst berichtigen, ist nichts
gethan. Indes lassen wir diese gern als Dinge untergeordneter Art
gelten und empfehlen so das Buch wiederholt aus voller Überzeugung
der ihm gebührenden Beachtung.

Voders Joseph Dr., Realgymnasiallehrer, **Grundriſs der
Geschichte.** Zunächst im Anschluſs an **Welters** Lehrbuch der
Weltgeschichte zusammengestellt. I. Teil. Geschichte des Altertums,
32 S.; II. Teil. Geschichte des Mittelalters, 40 S. Münster i. W. (sine
anno). Druck und Verlag der Aschendorffschen Buchhandlung.

Lange Vorreden sind gewiſs vom Übel; anderseits ist das Fehlen
jedes orientierenden Wortes doch auch nicht zu billigen, wenn, wie
bei dem vorliegenden „Grundriſs", über die Ziele so viel Unklarheit
besteht.

Der Leser wird vor allem fragen: Wozu über Hechelmanns
Auszug aus Welters Lehrbuch der Weltgeschichte hinaus noch einen
Grundriſs im Anschluſs an das nämliche Buch?

Indes der „Grundriſs" ist so nicht gemeint. Was hier Grundriſs
heiſst, nennt man sonst Geschichtstabellen recht dürftiger Art.
Gegen den I. Teil, die Geschichte des Altertums, wird, auf
diesen bescheidenen Titel zurückgeführt, hinsichtlich des Inhaltes Er-
hebliches nicht zu erinnern sein, wohl aber gegen den II., die Geschichte
des Mittelalters, zumal da er sich unter dem Beisatz einführt: „Zunächst
im Anschluſs an Welters Lehrbuch der Weltgeschichte". Weltgeschichte ist im Mittelalter doch nicht identisch mit deutscher Geschichte; über letztere hinaus aber enthält der „Grundriſs der Geschichte"
kaum ein Wort, soweit es nicht der unmittelbarste Zusammenhang
mit der deutschen Geschichte erheischt, soweit nicht Geschichtstabellen
der deutschen Geschichte ganz dasselbe als völlig unerläſslich enthalten
müſsten. Lediglich in der ersten Unterabteilung der dritten Periode
hätte sich bei der Behandlung der Kreuzzüge S. 22—25 einiges
kürzen lassen. Zum Jahre 1492 wird nicht einmal der Entdeckung
Amerikas gedacht. Vielleicht beabsichtigt der Verf. die mittelalterliche
Geschichte der nichtdeutschen Staaten in einem dritten Teil nachzuholen.
Allein eine solche Absicht war sicher anzudeuten; auch wird, falls
dieselbe besteht, eine solche Loslösung der Geschichte nichtdeutscher
Staaten vom didaktischen Gesichtspunkte aus schwerlich zu billigen sein.
Die Bemerkung „im Anschluſs an Welters Lehrbuch der Welt-

geschichte" läſst sich nur insofern rechtfertigen, als damit angedeutet ist, daſs der „Grundriſs" vielfach auf einem gründlich veralteten Standpunkt steht. An Geschichtstabellen, dickleibigen und mageren, guten und nicht guten, besteht wahrlich kein Mangel. Werden auch noch im Anschluſs an die Weltgeschichte von Schloſser und Weber, von Cantu und Weiſs und wie sie alle heiſsen mögen, derlei „Grundrisse" hergestellt, so können wir uns auf eine recht beträchtliche Erweiterung dieser Sparte der Schulliteratur gefaſst machen. Der Verf. scheint mit dergleichen zu drohen, wenn er sagt: „z u n ä c h s t im Anschluſs an Welters Lehrbuch der Weltgeschichte". Oder soll „zunächst" bedeuten: in weiterer Ferne wurden bereits hier auch andere Werke benützt? Die Arbeit selbst, wie sie vorliegt, spricht nicht für diese Auffassung.

So viel über das Titelblatt; nun noch ein paar Worte über die Leistung an und für sich, soweit sie nicht schon oben berührt wurde.

Die Ausstattung ist gut, die Korrektur sauber. Ein zielbewuſstes Vorgehen wird mehrfach vermiſst. Eine Bezeichnung der Aussprache nicht deutscher Namen, dem Schüler oft so wünschenswert, wird nirgends geboten. Der deutsche Ausdruck ist meist untadelig; Wortbildungen wie Übergröſse (I, S. 13), die Fidenater (I, 16), Erkaufung des Friedens (II, 5) gehören zu den seltenen Ausnahmen; desgleichen falsche Beugungsformen wie seine Untergebene (II, 15). I, 11 wird die Genetivform Egestäs wohl nur ein Druckversehen ein, auch Aigospotamos (I, 11) und Busentum (I, 31) wollen wir als solche gelten lassen. Ob der Geschichtschreiber I, 10 und 28 wird gleichfalls nicht viel Aufhebens zu machen sein.

Die Orthographie ermangelt mehrfach der unerläſslichen Konsequenz. So steht I, 4 Cecrops, 7 Cekrops; I, 5 begegnet uns Polynices, I, 10 Cos, I, 7 Sizilien, I, 11 Cyzicus, anderswo Kodrus, Thrakien, Kynoskephalae u. dgl. Wieder anderer Art sind die Sidiziner I, 19 und Pharnazes I, 27. Auch Piräeus (I, 9) ist eigentümlich und ebenso eigentümlich Ptolemäus Philadelphos (I, 15).

Die Lage mitunter gar wenig bekannter Orte ist in der Regel nicht näher bezeichnet, so z. B. nicht die von Colonne und von Paterno (II, 17), nicht die von Tilleda (II, 28). Aus der ganzen Geschichte des Altertums wird nur Aquae Sextiae (I, 25) eines Beisatzes „im südlichen Frankreich" gewürdigt, der II, 4 wiederholt ist; in der Geschichte des Mittelalters auſserdem Fontenai (13), Uölsen, Böckelheim und das Welfesholz (21), Piacenza (22), Marienburg (25), Wahlstadt (29), das Marchfeld (31), Göllheim (32), Guttenstein und Rense (33). Die Lage der Eresburg wird bestimmt II, 15, nicht vorher II, 9. Übrigens wird mit der Bestimmung Ober-Marsberg zahlreichen Schülern so wenig gedient sein, wie wenn Fiorentino II, 30 beigesetzt ist bei Luceria, oder wenn II, 32 Buonconvento den Beisatz erhält bei Siena, weil den meisten dieser Art von Schülern die Lage des bestimmenden Ortes gleich unbekannt sein wird wie die des bestimmten. Wenn vollends II, 22 Clermont beigefügt ist „in Frankreich", so ist

man zu einem risum teneatis versucht. Der Bergabhang Morgarten
wird II, 33 als Engpafs bezeichnet, S. 35 als Ort.

Folgende Persönlichkeiten treten mit der beigefügten Charakteristik
vor die Schüler: Caligula „Thorheiten"; Claudius „Schwächling"; Nero
„Bösewicht"; Domitianus „lasterhafter Mensch" (I, 29); Wenzel „Jäh-
zorn und Trunkenheit" (II, 35); die übrigen bleiben hinsichtlich ihrer
Charaktereigenschaften unbehelligt.

München.   _____   Markhauser.

Der „Nikolaus Magister" der Augsburger Postzeitung und
die wahrheitsgetreue Geschichtsdarstellung.

Als Beilage Nr. 50 der Augsburger Postzeitung erschien am
11. Dezember vorigen Jahres ein Aufsatz, betitelt „Lehrbücher der
Geschichte an unseren Mittelschulen, von Nikolaus Magister". Der
ungenannte Verfasser unterwirft die an den bayerischen Realschulen
in Gebrauch befindlichen Lehrbücher einer Prüfung und kommt auf
Grund derselben zu dem Resultate, dafs kein einziges dieser Lehrmittel einem katholischen Schüler in die Hand gegeben werden darf,
ohne seine geistige Entwicklung aufs bedenklichste zu gefährden. Wir
stellen uns nun keineswegs die Aufgabe, die betreffenden Lehrbücher
gegenüber dem Unbekannten zu verteidigen, das überlassen wir den
Verfassern selber, umsomehr, als wir in der That manche der angezogenen Stellen teils im Interesse der Wahrheit teils im Interesse
des religiösen Friedens gestrichen, beziehungsweise das Lehrbuch
aufser Gebrauch gesetzt wünschen. Nikolaus Magister begnügt sich
indes nicht, eine Blumenlese von „Entstellung der historischen Wahrheit" zu geben, er fügt zugleich an vielen Punkten gleichsam als
Muster für den Geschichtslehrer sein Urteil über historische Ereignisse
und Persönlichkeiten, vornehmlich aus dem Mittelalter und ganz besonders aus der salischen und Hohenstaufenzeit hinzu, weil er hier
„die Kenntnis des wirklichen Zusammenhanges für wenig verbreitet
hält". Diese Musterproben des Ungenannten sollen nun unsererseits
einer Prüfung unterzogen werden, inwieweit sie den Anforderungen
entsprechen, welche der Verfasser selber programmatisch seiner Arbeit
vorausschickt: „1. Es darf nur das geboten werden, was durch eine
ernste, allgemein anerkannte Forschung als sicher nachgewiesen
ist, 2. die Helden müssen ohne irgendwelche entstellende
Tendenz in treuem, objektiven Befunde nach allen Richtungen ihrer
Wirksamkeit charakterisiert werden". Für diese Prüfung sollen keineswegs die wundesten Punkte ausgewählt werden; diese richten sich
selber. Ein ungünstiges Ergebnis der Prüfung mufs für den Verfasser
um so bedenklicher sein, als er Musterproben unparteiischer Geschichtsdarstellung bieten will.

1. Über die konstantinische Schenkung äufsert sich die Beilage
also: „Wenn man die konstantinische Schenkung leugnet, kann man
nur die uns überlieferte Urkunde einer solchen als gefälscht erklären".
„Diese war jedoch keine gewöhnliche gemeine Fälschung, sondern nur

der Versuch, die w i r k l i c h e n V e r h ä l t n i s s e, ein historisches Recht
auf einen gesetzlichen Akt zurückzuleiten, von dem noch die Überlieferung der karolingischen Zeit zu erzählen wußte". Kennt der
Verfasser den Inhalt der Urkunde? Ein Artikel derselben lautet:
Konstantin überläßt die bleibende Herrschaft über R o m u n d d i e
P r o v i n z e n, die Städte und Burgen von g a n z I t a l i e n u n d d e n
w e s t l i c h e n G e g e n d e n dem Papste Sylvester · und seinen Nach-
folgern. Die Urkunde ist in der Zeit der Karolinger, bez. Arnulfinger
fabriziert worden. Verzeichnet unser Artikel die d a m a l i g e n B e s i t z -
v e r h ä l t n i s s e des apostolischen Stuhles? Soll er nicht vielmehr
den über den damaligen Besitzstand hinausgehenden Prätentionen der
Kurie als Basis dienen? Die Überlieferung, besser gesagt die Fabel
von der konstantinischen Schenkung läßt sich allerdings etwas weiter
zurückverfolgen als die Urkunde selber, sie hat aber ebenfalls keine
historische Grundlage.

2. „Die Dekretaliensammlung des Pseudoisidor hat zur Ausbildung und Anerkennung des römischen Primates, zur Unabhängigkeit der Kirche vom Staate nichts beigetragen. Der Papst war an ihr
nicht beteiligt; sie enthält viel Echtes, freilich auch 35 gefälschte
Stücke; Ausgang derselben scheint Mainz zu sein. Diese Sammlung
wird als Kampfmittel gegen das Papsttum ausgebeutet, indem der
Schein erweckt wird, als ob der Papst diese Fälschung bewirkt habe,
um auf sie gestützt neue, unberechtigte Machtansprüche zu erheben,
als ob eine bewußte Urkundenfälschung die illegitime Grundlage der
päpstlichen Gewalt sei". Die pseudoisidorische Sammlung begegnet
uns unter dem Namen des Isidor Mercator in der Zeit Hinkmars von
Reims bei Rechtshändeln westfränkischer Kleriker, ihre Heimat wird daher
allgemein in F r a n k r e i c h gesucht, meist in der Diözese Reims.[1]
Daß der Papst oder die Kurie bei der Fabrizierung mitgewirkt, ist
noch von keiner Seite behauptet worden und wird auch an der angezogenen Stelle des Herbstschen Lehrbuches nicht gesagt; Nikolaus
Magister führt also Fehde gegen einen markierten Gegner. Die Sammlung selber besteht aus d r e i Teilen. Der erste Teil enthält die sogenannten 50 apostolischen Canones und dann 59 gefälschte Papst-
briefe von Klemens bis Melchiades. Der zweite Teil gibt neben der
konstantinischen Schenkung die Canones von Synoden nach der gallischen Redaktion der Isidoriana. Der dritte Teil endlich enthält
Papsterlasse von Sylvester bis Gregor II, darunter 35 unechte. Die
Tendenz dieser nahezu hundert Fälschungen geht dahin, die Bischöfe
der Jurisdiktion der Metropoliten und der weltlichen Gewalt zu entziehen, die Provinzialsynode als erste, den römischen Stuhl als höchste
Instanz des Episkopates zu legitimieren. · Ursprünglich im Interesse
der Bischöfe fabriziert, ist die Fälschung doch eigentlich dem römischen
Papste zugute gekommen. Schon Nikolaus hat die pseudoisidorischen

---

[1] N. Wasserschleben, der zwischen einer älteren kürzeren Form und einer
vervollständigten Sammlung unterscheidet, vermutet als Entstehungsort der ersteren
Mainz.

Dekretalen rezipiert und sie für vollgültige Aussprüche seiner Vorgänger erklärt, deren Dekretalen im Archiv der römischen Kurie aufbewahrt seien (vergl. Föste, die Rezeption Pseudoisidors unter Nikolaus
und Hadrian I.) Wer das Registrum Gregorii VII. gelesen hat, weifs,
wie oft man bei diesem Papste Stellen aus Pseudoisidor begegnet.
Pseudoisidor fand auch Aufnahme in das Deretum Gratiani und in
das corpus iuris canonici.

3. Von den beiden ersten Saliern sagt Nikolaus Magister: „Zur
Aufbringung der Kosten mufsten sie die königlichen Einnahmen erhöhen und verbanden allmählich regelmäfsige und unregelmäfsige Abgaben, weiche ungeheuren Kaufsummen entsprachen, mit der Verleihung
geistlicher Pfründen", trieben also das, was die Kirche damals mit
dem Namen Simonie brandmarkte.   Gewifs mufste Konrad II. die Besetzung der hohen geistlichen Pfründen als Einnahmequelle dienen
— hierin war ihm schon Heinrich I. der Heilige vorangegangen —,
aber welchem Kenner mittelalterlicher Geschichte entgeht der gewaltige
Gegensatz zwischen dem kirchlich völlig indifferenten Konrad II. und
dem halb priesterlichen Charakter Heinrichs III.?   Gerade Heinrich III.
war es, der die von Clugny ausgehenden Bestrebungen gegen die
Simonie am meisten gefördert hat.   Heinrich III. war es, der nach
dem Berichte eines Clugniazensers, Rodulfus Glaber hist. V, c. 5,
wahrscheinlich auf der Paveser Synode 1046, folgende Worte an die
Erzbischöfe und Bischöfe seines Reiches gerichtet hat: „Lugens vobis
incipio loqui . . . Sicut enim ipse (Christus) gratuita bonitate . . . ad
nos venire dignatus est redimendos, ita suis praecepit . . .: ‚Gratis
accepistis, gratis date!'' Vos enim avaricia et cupiditate corrupti,
qui benedictionem conferre deberetis, in huiusmodi transgressionis
dando et accipiendo secundum canonem maledicti estis.   Nam et
pater meus, de cuius animae periculo valde pertimesco, candem dam-
nabilem avariciam in vita nimis exercuit: Idcirco quicumque vestrorum
huiusce maculae ⟨labe⟩ sese norunt contaminati, oportet ut a sacro
ministerio secundum dispositionem canonicam arceantur.   Patet ergo
manifestissime, quoniam propter hanc offensam venerunt super filios
hominum diversae clades . . . Omnes quippe gradus aecclesiastici a
maximo pontifice usque ad ostiarium opprimuntur per suae damna-
tionis precium, ac iuxta vocem dominicam in cunctis crassatur spiri-
tale latrocinium".

Nach demselben Berichterstatter brachte dann Heinrich III. ein
Edikt in Vorschlag, nach welchem der Kauf eines geistlichen Amtes
mit Amtsentsetzung und Exkommunikation bestraft werden sollte. —
Auf dieselben zwei Träger der Kaiserkrone, Konrad II und Heinrich III.,
beziehen sich folgende Worte des Nikolaus Magister: „Der päpstliche
Stuhl bildete als der Hort des Rechtes das gröfste Hindernis für ihre
Bestrebungen; darum betrachteten sie mit Wohlgefallen seine Erniedrigung und suchten ihn in gänzliche Abhängigkeit von der kaiserlichen
Gewalt zu bringen". In der Zeit Konrads II. und Heinrichs III. bis
zum Ausbruch des Schismas regierten die lasterhaften Päpste Johann XIX.
und Benedikt IX.   Erst nach Beseitigung des Schismas haben die von

Heinrich III. erhobenen Päpste, Klemens II., Damasus II., Leo IX.,
Viktor II. den päpstlichen Stuhl aus seiner Erniedrigung erhoben, der
römischen Kirche ein Bewuſstsein ihrer hohen Stellung gegeben, den
päpstlichen Stuhl, um mit den Worten des Nikolaus Magister zu
sprechen, zu einem „Hort des Rechtes" gemacht, wenn man nicht
lieber, entsprechend den damaligen Verhältnissen und den damaligen
Anschauungen, diese Eigenschaft lediglich dem Kaisertum zuspricht.
Und doch soll Heinrich III. mit Wohlgefallen die Erniedrigung des
päpstlichen Stuhles betrachtet haben.   „Wer ihnen hinderlich im Wege
stand, muſste fallen, und nach dem Zeugnisse von Zeitgenossen
schreckten sie vor den verwerflichsten Mitteln, wie Hinterlist und
Mord, nicht zurück".   Auf Grund welcher Quellenstelle hat Nikolaus
Magister die Stirne, gegen einen Heinrich III. eine solche Anklage in
die Welt zu schleudern? — Und nun ·zur berühmten Romfahrt
Heinrichs III. 1046—47, die Nikolaus Magister, um „grobe Vorwürfe
und Unwahrheiten richtig zu stellen" besonders eingehend würdigt.
Die Römer hatten Benedikt IX. vertrieben und 1044 Silvester III. auf
den päpstlichen Stuhl erhoben, um ihn nach wenigen Wochen wieder
fallen zu lassen.   Im Frühjahr 1045 verkaufte Benedikt IX. den
päpstlichen Stuhl an den Erzpriester Johann, der den Namen Gregor VI.
trägt.   Auf seiner italienischen Reichsheerfahrt 1046/47 lieſs Heinrich III.
nach jener oben genannten Paveser Synode und nach der Beseitigung
der drei Gegenpäpste (‚explosis tribus illis, quibus idem nomen papatus
rapina dederat‘, Schreiben Clemens II.) auf den Synoden von Sutri
und Rom den Bischof Suidger von Bamberg als Clemens II. zum
Papste erheben.   Ich übergehe, ·daſs Nikolaus Magister Gregor VI.
„rechtmäſsig zum Papste gewählt sein läſst".   Doch derselbe fährt
weiter, Heinrich habe vor der Synode von Sutri Papst Gregor VI.
die Erklärung gegeben, daſs er ihn als Statthalter Christi anerkennen
werde, daſs keinem Menschen das Recht zustehe, über einen Papst
zu richten.   Dann habe er den Papst gebeten, eine Synode zu berufen, und durch diese erklären lassen, daſs Gregor unrechtmäſsiger
Papst sei.   Gewiſs schwerwiegende Anklagen gegen Heinrich III., und
bei diesen Anklagen stützt sich unser Kritiker, beziehungsweise dessen
Gewährsmann sogar auf eine Quelle, auf Bonithos Schrift ‚Ad amicum‘.
Doch dieser Bonitho schrieb im Jahre 1085 86, vierzig Jahre also
nach dem Römerzuge Heinrichs III., auf Grund lediglich mündlicher
Überlieferung, zu einer Zeit, da die früher gefeierte Machtentfaltung
Heinrichs im Dienste der Kirche der hierarchischen Partei bereits
unbequem geworden war, mit der ausgesprochenen Tendenz, die
Gegner Heinrichs IV. im offenen Kampfe gegen ihren kaiserlichen
Herrn zu bestärken.   Eine aus solcher Quelle stammende Nachricht
wird ein ernster Historiker nur verwerten, wenn sie durch eine andere
unabhängige und unparteiische Quelle Bestätigung findet, wenn sie
innerlich wahrscheinlich ist.   Weder das eine noch das andere ist hier
der Fall.   Nicht bloſs die beste Quelle für den Römerzug, die Annales
Corbeienses bringen keine derartige Notiz, auch nicht Petrus Damiani,
nicht einmal die entschieden antikaiserlichen Quellen.   Desiderius und

Bernold. Und was die innere Wahrscheinlichkeit betrifft, konnte ein Kaiser, der unmittelbar vorher in der von Rodulfus Glaber überlieferten Rede sein Programm gegenüber dem simonistischen Papsttum kund-gegeben, dem durch Simonie in den Besitz des päpstlichen Stuhles gelangten Gregor Versprechungen machen, wie sie Bonitho auftischt? Welch ein Zerrbild empfängt der Leser aus der Feder des Nikolaus Magister von der sittlich hohen Kaisergestalt eines Heinrich III., der dem Clugniazenserorden sein weltgeschichtliches Werk, die Reformation des päpstlichen Stuhles, ermöglichte, dessen Gregor VII. an mehreren Stellen seines Registrum mit den ehrendsten und pietätvollsten Worten gedenkt, mit dem der von der Kirche heilig verehrte Petrus Damiani keinen Mann auf Erden an Würde und Ruhm vergleichbar findet, dem er im Liber gratissimus ein unvergängliches Denkmal gesetzt hat. (‚Post deum scilicet ipse nos ex insatiabilis ore draconis eripuit, ipse simoniacae haereseos, ut revera multiplicis hidrae, omnia capita divinae virtutis mucrone truncavit. Qui videlicet ad Christi gloriam non im-merito potest dicere: Quotquot ante me venerunt, fures fuerunt et latrones‘).

4. „Nicht eine falsche Erziehung allein hat Heinrich IV. die verderblichen Bahnen geführt, er folgte den Spuren des Vaters, wenn er der Herrschsucht fröhnte und seine Gegner zu vertilgen suchte“. In der That hat der vielgelästerte Heinrich IV. in all den Fragen, welche seine lange Regierungszeit zu einer ununterbrochenen Kette von Kämpfen machen, nur die Politik seines Vaters fortgesetzt, in der Investiturfrage, in der sächsischen Frage, in seiner Begünstigung des niederen Adels und der Reichsministerialität gegenüber dem selbst-süchtigen Fürstentum. Diese Thatsache ist gerade von kaiserfeindlicher Seite nicht immer gebührend gewürdigt worden. Man könnte also unserem Kritiker Dank zollen, dafs er sie betont hat. Indes nach der Würdigung, die Heinrichs IV. Vater, Heinrich III., bei ihm er-fahren, erscheint die Anerkennung dieser Thatsache in einem anderen Lichte. Weil der Kritiker, beziehungsweise dessen Gewährsmann, zu-geben mufs, dafs Heinrich IV. in Wirklichkeit nur die Politik seines Vaters fortsetzte, mufs diese Politik dadurch gebrandmarkt werden, dafs das Bild Heinrichs III. in dem denkbar schlimmsten Lichte ge-zeichnet wird.

5. Und nun zum Papste Gregor VII. „Mit dem Verbote der Laieninvestitur machte er einem Zustande ein Ende, welcher die un-tauglichsten Personen durch schmählichen Kauf und Willkür der Herrscher in die wichtigsten kirchlichen Ämter gebracht und Klerus und Volk in sittliche Verderbnis zu stürzen drohte“. Selbst-verständlich kann man von Nikolaus Magister keinen Aufschlufs darüber erwarten, auf welchem Wege denn die weltlichen Gewalten zum Be-setzungsrecht der kirchlichen Stellen gelangten, dafs die hohen Kirchen-ämter — diese kommen hier zunächst in Frage — im Mittelalter einen fast mehr weltlichen als geistlichen Charakter trugen, dafs die kirch-lichen Würdenträger zugleich Reichsfürsten waren, Grafschaftsrechte, ja Herzogsgewalt ausübten (Bischof von Würzburg, Erzbischof von

Köln), und daß auch Gregor nicht daran dachte, diese Temporalien auch nur teilweise zu opfern, selbstverständlich kann man von ihm auch nicht einen Hinweis darauf erwarten, daß noch heutzutage in einem dem Verfasser wohlbekannten Lande die Bischofsstühle durch königliche Ernennung besetzt werden. Die „untauglichsten Personen" sollen durch die königliche Besetzung in die wichtigsten kirchlichen Ämter gebracht worden sein. Ein Vergleich derjenigen geistlichen Würdenträger aber, welche durch kaiserlichen Einfluß auf die Bischofsstühle des Reiches gelangten, mit denen, welche zur Zeit des späteren Mittelalters, sei es durch kanonische Wahl, sei es durch päpstliche Provision auf dieselben erhoben wurden, würde ohne Zweifel zu Gunsten der ersteren ausfallen; der Kritiker könnte unter diesen sicherlich selber eine stattliche Anzahl von Männern anführen, die neben einer trefflichen Verwaltung ihrer Territorien um Kirche und Staat sich außerordentlich verdient gemacht haben. Schmählichen Kauf verbindet Nikolaus Magister mit dieser Laieninvestitur. Simonie und Investitur sind indes ganz verschiedene Dinge. Sie werden aber in der Beilage der Augsburger Postzeitung, wie schon in den Tendenzschriften zur Zeit des Investiturstreites, mit Absicht vermengt. Allerdings hat, wie schon früher erwähnt, der erste Salier, Konrad II., von den zu investierenden Kandidaten Abgaben erhoben, nicht aber sein Sohn Heinrich III., und durch die neueste Forschung ist der Beweis erbracht, daß auch Heinrich IV. gerade in den Fällen, die immer als Beispiele seiner Simonie angeführt worden sind, von derselben freizusprechen ist. — „Gregor suchte keineswegs die Regierung der einzelnen Länder an sich zu reißen, sondern rief nur Königen und Fürsten kraft seiner himmlischen Vollmachten ins Gedächtnis, daß auch sie, so gut wie der geringste Unterthan, den göttlichen Geboten, den Forderungen des Rechtes und der Sittlichkeit unterworfen seien". Nun aber schließt das zweite Bannungs- und Absetzungsdekret wider Heinrich IV. vom 7. März 1080 also: „Heiligste Väter und Fürsten — die Apostelfürsten Petrus und Paulus sind gemeint —, lasset die ganze Welt einsehen und erfahren, daß, wenn ihr im Himmel binden und lösen könnt, ihr auf Erden Kaiserreiche, Königreiche, Fürstentümer, Herzogtümer, Markgrafschaften, Grafschaften und aller Menschen Besitzungen je nach dem Verdienste einem jeden entziehen und verleihen könnt. Denn ihr habt oft Patriarchate, Primate, Erzbistümer, Bistümer schlechten und unwürdigen Menschen genommen und frommen Männern gegeben. Denn wenn ihr über das Geistliche richtet, was muß man dann von euren Befugnissen über weltliche Dinge glauben? Und wenn ihr die Engel, die über die stolzen Fürsten gebieten, richten werdet, was seid ihr dann mit deren Knechten zu thun befugt? Kennen lernen sollen nunmehr die Könige und die weltlichen Fürsten, wie hoch ihr steht, was ihr vermögt, und scheuen sollen, sie sich gering zu achten das Gebot eurer Kirche. Und an vorgenanntem Heinrich übet so rasch euer Gericht, daß alle wissen, daß er nicht durch Zufall, sondern durch euere Macht und Gewalt fällt". Und will sich der Kritiker weiter unterrichten, wie Gregor VII. vom Königtum

30*

von Gottes Gnaden gedacht hat, so empfehlen wir ihm eine Lektüre
des Schreibens an Bischof Hermann von Metz.   Hier teilen wir nur
eine Probe aus demselben mit, die Gedanken Gregors über den Ursprung der weltlichen Obrigkeit: „Wer wüfste nicht, dafs die Könige
und Herzöge mit solchen ihren Anfang genommen, welche, Gott nicht
kennend, durch Hochmut, Raub, Treulosigkeit, Mord, kurz durch fast
alle denkbaren Arten von Verbrechen auf Anstiften des Fürsten dieser
Welt, nämlich des Teufels, in blinder und unerträglicher Herrsch-
begierde sich angemafst haben, über ihresgleichen, nämlich über
Menschen, zu herrschen". — „Die Welt mufs Gregor danken, dafs er
durch sein Auftreten wider Heinrich IV. die Welt vor der Stagnation,
die russischer Absolutismus, byzantinisches Popentum und sittliche
Versunkenheit erzeugen, bewahrt hat".   Auch der Schreiber dieser
Zeilen ist Verfechter eines freien Kirchentums, schon aus dem Grunde,
weil eine freie Kirche auch in weltlicher Beziehung ein Bollwerk für
die Freiheit der Völker bilden kann, auch er hält es nicht für unmöglich, dafs die Verquickung von Kirche und Staat im römisch-
deutschen Kaiserreich zu einem Cäsaropapismus hätte führen können,
war aber diese Gefahr nicht ebenso zu befürchten von dem Papsttum eines Gregor VII., Innozenz III., Bonifaz VIII., welche die oberste
geistliche wie w e l t l i c h e Gewalt beanspruchten? (P ä p s t l i c h e
Schwertertheorie, ‚Potestas ecclesiae directa in temporalia!')

6. Lothar ist dem Kritiker „ein wahrhaft grofser Herrscher", er
verhält sich nach ihm genau so, wie er die Stellung und Aufgabe des
Kaisers gezeichnet habe.   Auch ich zähle Lothar zu den grofsen
Herrschern auf dem deutschen Throne. Weifs aber unser Berichterstatter oder verschweigt er es absichtlich, dafs gerade dieser sein
idealer Herrscher zweimal vom Papste Innozenz II. nicht blofs die im
Wormser Konkordate dem Kaiser zustehenden Rechte, sondern Erneuerung des den deutschen Königen vor dem Wormser Konkordate
zustehenden unbeschränkten Investiturrechtes verlangt hat und dafs er
nur dem Widerstande des hl. Bernhard und des hl. Norbert gewichen
ist?   Bedarf es eines stärkeren Beweises dafür, dafs für den mittelalterlichen Kaiser die Investiturfrage eine Lebensfrage war? Der Papst
Innozenz II. war damals geneigt zur Erfüllung der kaiserlichen Forderung
und war auch sonst verhältnismäfsig nachgiebig.   Trotzdem ist der
von der Kirche erhobene Lothar in den letzten Jahren seiner Regierung
mit der Kurie in Gegensatz geraten, unter der päpstlichen Regierung
eines Innozenz' III. oder Bonifazius' VIII. wäre es sicher zum offenen
Bruche gekommen, — weil eben trotz aller schönen Redensarten
unseres Kritikers über das Verhältnis zwischen Kaiser und Papst ein
idealer Kaiser und ein idealer Papst (im Sinne der mittelalterlichen
Papalisten) nicht friedlich im selben Hause nebeneinander wohnen
konnten.

7. „Kaum schlofs Lothar nach ruhmvoller Herrschaft das Auge,
so erschlich Konrad zwei Monate vor dem bestimmten Wahltage durch
eine Winkelwahl das Königtum." Allerdings war die tumultuarische
Erhebung Konrads III. durch einige wenige Fürsten der Rheinlande

zu Coblenz am 7. März 1138 eine Winkelwahl, aber diese Winkelwahl ging nicht, wie man nach der Darstellung des Nikolaus Magister annehmen muſs, von der antipäpstlichen Partei aus, sondern von derselben Partei, von welcher Lothar erhoben worden, der er aber sich und seine Familie in letzter Zeit entfremdet hatte, von der kirchlichen Partei. Wie die Erhebung Lothars unter Leitung des streng kirchlichen Adalbert von Mainz stattgefunden hatte, so erfolgte die Erhebung Konrads unter Leitung des streng kirchlichen Adalbero von Trier und unter Anwesenheit des päpstlichen Legaten Dietwin. Dieser päpstliche Legat und der Erzbischof von Trier sind es auch, welche für ihren Kandidaten Propaganda machen und die Übergehung des Schwiegersohnes Lothars damit begründen, „quia ecclesiam sua potentia suffocavit.“ (Schreiben an den Erzbischof von Salzburg, Mai 1138; Jaffé, Bibliotheca V, 529 f.) Der Verfasser scheint eben nicht zu wissen, daſs das, was man staufische Politik nennt, erst mit Friedrich Barbarossa anhebt; sonst hätte er die macht- und kraftlose Regierung Konrads III. aus dem Spiele gelassen.

8. In diesem ersten Teile nur noch eine Expektoration unseres Nikolaus Magister über Friedrich I: „Jedoch die Kirchenfeindschaft lag ihm im Blute, nach Alexanders III. Tode versuchte er neue Übergriffe cäsarischer Staatsallmacht.“ Bei dieser Äuſserung ist vornehmlich an den Streit Friedrich Barbarossas mit Papst Urban III. zu denken. Dieser forderte die Herausgabe der Mathildischen Lande und den Verzicht auf das Regalien- und Spolienrecht, aber auch zugleich die Abschaffung der weltlichen Vogtei über die Kirchen und die Rückgabe aller in Laienhänden befindlichen Kirchenzehnten. Jeder Kenner mittelalterlicher Verhältnisse muſs die beiden letzten Forderungen als undurchführbar erklären, undurchführbar auch für einen der Kirche ergebenen Kaiser. Und so hatte denn auch Friedrich Barbarossa den gesamten deutschen Episkopat mit Ausnahme des ihm wegen anderer Gründe verfeindeten Erzbischofs von Köln auf dem denkwürdigen Gelnhäuser Reichstage vom November 1186 auf seiner Seite. Der Erzbischof von Mainz, Konrad von Wittelsbach, der zur Zeit des Schismas aus Anhänglichkeit für Alexander III. seine Heimat und sein Erzbistum verlassen hatte, war der Wortführer. Auf seinen Antrag wird ein Gesamtschreiben des deutschen Episkopates an den Papst gerichtet, worin die Forderungen der Kurie Artikel für Artikel zurückgewiesen werden. (Vgl. Arnold v. Lübeck, Chronica Slavorum u. das Schreiben des Episkopates Forsch. z. d. Gesch. 19, 59.) — Bedarf ein Institut von der Vergangenheit, wie das Papsttum, solcher Mittel zu seiner Verherrlichung, deren sich unser Nikolaus Magister bedient?

(Fortsetzung folgt.)

München.   Dr. Doeberl.

III. Abteilung.

Literarische Notizen.

F. Roese, Das höhere Schulwesen Schwedens. Beil. 3. Progr.
der Grofsen Stadtschule zu Wismar. 1890. Leipzig, Fock. 80 Pf. In den
skandinavischen Mittelschulen ist der Herzenswunsch vieler unserer Reformer,
freilich nicht zum Heile des höheren Unterrichtswesens, durch eine Art Einheitsschule auf dreiklassigem Unterbau verwirklicht. Übrigens beschäftigt sich diese
Abhandlung Roeses nicht mit solchen Fragen, sondern enthält in objektiver Darstellung eine Geschichte des dermaligen gelehrten Schulwesens in Schweden. Sie
gibt in dankenswerter Weise manche wertvolle Ergänzung zu dem Artikel Skandinavien von Christensen in Schmids Encyklopädie. Freilich vermifst man eine
Angabe über die Schulpläne in den Real- und Lateinschulen, sowie in den gemischten Schulen, so dafs man in diesem wichtigen und brennendsten Punkte
doch wieder auf Schmids Encyklopädie angewiesen ist.

Dr. Otto Jäger, Griechengymnastiker von Tübingen 1848, Pädagogik-
professor etc. etc., Der Schwabenlandsturm zur Berliner Schulreform. 2. Aufl. Ludwigsburg, Eichhorn. 1891. 63 S. 1,20 M. Wer dieses
Buch flüchtig ansieht und Professor Jägers Person nicht näher kennt, mufs
glauben, derselbe erlaube sich mit dem Leser einen grausamen Scherz. Noch
sonderbarer, ja fast unglaublich erscheint die Angabe auf dem Titelblatt, dafs
wir es mit einer zweiten Auflage zu thun haben. Es ist ein Sammelsurium un-
verständlicher Kraftausdrücke, untermischt mit Zeitungsausschnitten des buntesten
Inhaltes, welches mit Genugthuung berichtet, dafs für die nicht immer nach
Verdienst gewürdigten Bestrebungen Jägers für die körperliche Tüchtigmachung
der deutschen studierenden Jugend nunmehr in der Dezemberkonferenz Kaiser
Wilhelm II. mit kräftigem Impuls eingetreten sei. Als Probe sei der Anfang des
letzten Absatzes auf S. 68 wörtlich angeführt, welcher noch einigermafsen verständlich ist: „Wir Neugermanen geneufsen jetzt überall unser Germanenalter-
und Heldentum im Balletopertheaterschall unserer Nibelungen- bis Amelungen-
musik; nämlich je im besten Normalsitzleder „gymnastikgewaffnet" teils mit den
bedenklichsten Lederschuhen, teils mit der noch bedenklicheren Schul- bis
Theaterbrille; und zwar allernächst überzogen wie überzeugt von unserer In-
begriffsgipfelkunst und Unübertrefflichkeit überhaupt in jedem Turnen wie Lernen
zu allem Weltobsieg bis dorthinaus". Sapienti sat!

Schulausgaben deutscher Klassiker. Trier. Verlag von Heinr.
Stephanus. VII. u. IX. Bdchn. 1890. Auf diese Schulausgaben deutscher Klassiker
ist in dieser Zeitschrift bereits früher hingewiesen worden. Charakteristisch für
dieselben ist, dafs sie die Stellen ausscheiden, welche das Sittlichkeitsgefühl irgendwie verletzen könnten, und dafs sie nicht fortlaufende Anmerkungen und Erklärungen unter dem Texte bieten, sondern fast ausschliefslich nur Fragen und
Aufgaben zur Anregung tieferen Eindringens in das Verständnis des Inhalts,
und zwar nach jeder einzelnen Szene, dann nach jedem Akt und zuletzt über das
ganze Drama. Von den uns vorliegenden 2 Bändchen enthält das eine Goethes
Iphigenie, herausgegeben von Dr. Heinr. Engelen, das andere Lessings Emilia
Galotti, herausgegeben von Dr. Jos. Pirig. Es ist lobend anzuerkennen, dafs die
Fragen durchweg geschickt und mit pädagogischem Verständnis gestellt und
demnach sehr wohl geeignet sind, ihren Zweck zu erfüllen. Die Ausstattung der
Bändchen ist eine gute, der Preis ein billiger (brosch. 45 Pf., kart. 60 Pf.)

Walther Böhme, Erläuterungen zu Schillers Wilhelm
Tell (4. Bdchn. der Erläuterungen zu den Meisterwerken der·deutschen Dichtkunst). Berlin, Weidmann. 44 S. 50 Pf. Auch Böhmes Erläuterungen wurden
schon früher in diesen Blättern angezeigt. Sie sollen für die häusliche Vorbereitung
des Schülers dienen und entsprechen diesem Zweck sehr wohl. Unser Bändchen
gibt zuerst einige einleitende Bemerkungen, und zwar erstlich „Merkzahlen aus
dem Leben des Dichters" und dann eine praktische chronologische Übersicht über
das Entstehen des Schauspiels, genommen aus dem Briefwechsel Schillers mit
Körner und Goethe. Während wir diese Übersicht als sehr zweckmäfsig bezeichnen
müssen, erscheinen jene Merkzahlen recht überflüssig. Den Hauptinhalt bilden
die Erläuterungen zu den einzelnen Szenen, die das Verständnis zu erleichtern
sehr wohl geeignet sind. Ihnen schliefsen sich dann Bemerkungen und Fragen
zu den einzelnen Aufzügen und Auftritten an, die ebenfalls meist geschickt und
treffend sind. Mit einigen Bemerkungen zum ganzen Schauspiel und einem Anhang, der Aufgaben zu Aufsätzen und freien Vorträgen enthält, schliefst das
Büchlein ab. Dasselbe ist Schülern zur häuslichen Vorbereitung auf die Lektüre
um so mehr zu empfehlen, als auch der Preis desselben kein hoher ist.

Velhagen und Klasings Sammlung deutscher Schul-
ausgaben. Bielefeld und Leipzig. Ohne Jahreszahl. Wie die vorher genannten
Schulausgaben und Erläuterungsschriften, so ist auch die Velhagen-Klasingsche
Sammlung bereits lobend in unseren Blättern erwähnt worden. Das Lob, das den
Ausgaben im allgemeinen gezollt werden kann, gilt besonders auch von zwei
Bändchen, welche Goethes Dichtung und Wahrheit, im Auszug herausgegeben von Dr. W. Nöldecke, enthalten. Dafs Goethes Selbstbiographie, von der
Herbst in seinem Hilfsbuch für deutsche Literaturgeschichte mit Recht sagt, sie
sei ein Lebensbild ohne Gleichen und zugleich ein treues Spiegelbild von einer
der denkwürdigsten Epochen deutscher Kultur in vollendeter Form, im Unterricht
nicht übergangen werden darf, darin sind wohl die meisten Pädagogen einig (Vgl.
u. a. den Aufsatz F. Heufsners im Gymnasium VIII. 23). Es genügt aber nicht,
blofs einzelne Stellen auszuwählen, es müssen gröfsere Partien im Zusammenhang
gelesen oder deren Lektüre kontrolliert und besprochen werden. Während nun
H. Schiller in seiner Pädagogik die Lektüre der ersten 5½ Bücher (bis zur Abreise Goethes nach Leipzig) empfiehlt, verteilt Nöldcke den ganzen Stoff im Auszug in 2 Bändchen, deren Lektüre sich leicht innerhalb eines Schuljahres, ja in
kürzerer Zeit bewältigen läfst. Da Goethe Vieles episodisch behandelt und
immer wieder zur Hauptsache zurückkehrt, so waren Kürzungen von bedeutendem
Umfang möglich, ohne den inneren Zusammenhang zu unterbrechen. Der leichteren
Übersicht halber hat N. vier Abschnitte gemacht: I. Frankfurt, II. Leipzig,
III. Strafsburg, IV. Wetzlar und Frankfurt; aufserdem hat er kleinere Absätze
durch Randbezeichnungen unterschieden. Ref. freut sich, dem Herausgeber im
allgemeinen, wie im einzelnen zustimmen zu können; im allgemeinen insofern
auch er es für wünschenswert erachtet, dafs den Schülern nicht blofs mit H. Schiller
die Frankfurter Zeit, sondern das Ganze, vor allem auch die wichtige Strafsburger
Zeit geboten wird; im einzelnen insofern als die Auslassungen mit pädagogischem
Takt und Geschick getroffen sind, wenn man vielleicht auch über dieses oder
jenes verschiedener Meinung sein kann. Vielleicht hätte es sich empfohlen, auch
Goethes Vorwort mit abzudrucken, in welchem der Dichter Wesen und Aufgabe
der Selbstbiographie so treffend charakterisiert; auch das Motto sollte nicht fehlen.
Die Bemerkungen am Schlusse eines jeden Bändchens geben genügenden sprach-
lichen und sachlichen Aufschlufs über das, was der Erklärung bedarf; bei Schöpflin
(II, S. 131) hätte vor allem auf seine Bedeutung als Geschichtschreiber des Elsafs
hingewiesen werden sollen. Beide Bändchen sind auch durch die Beigabe je eines
Bildnisses geschmückt; das erste enthält ein Bild von Goethes Mutter, das zweite
ein solches des Dichters selbst. — Im Anschlufs an diese beiden Lieferungen sei
auch empfehlend hingewiesen auf die gut geschriebene Biographie Goethes von
Dr. Karl Heinemann: Goethes Leben und Werke (33. Lieferung der Gesamtausgabe); trefflich ist hier vor allem die Aufgabe gelöst, den engen Zusammenhang
zwischen Goethes Leben und Dichtung darzulegen. — Endlich liegt uns noch zur
Anzeige die 42. Lieferung vor, enthaltend „Das deutsche Volkslied". Eine Aus-

wahl von Dr. A. Mathias. Vorausgeschickt ist eine kurze, das Wesen des Volksliedes charakterisierende Einleitung. Die vom Herausgeber für den Zweck der
Schule getroffene Auswahl wird man im ganzen nur billigen können. Die Anmerkungen sind hier, wie es in der Natur der Sache liegt, verhältnismäßig umfangreicher als in den übrigen Bändchen der Sammlung, und mit großer Sorgfalt
ausgearbeitet.

Schöninghs Ausgaben deutscher Klassiker mit Kommentar. I. Lessings Laokoon von Dr. J. Buschmann, 4. verbesserte
Auflage 1891; XVI. Goethes lyrische Gedichte von Dr. J. Heuwes.
1891. Für die Brauchbarkeit der Buschmann'schen Laokoonausgabe, die Ref.
schon früher in diesen Blättern besprochen hat, spricht gewiß der Umstand,
daß dieselbe bereits in 4. Auflage vorliegt. Dieselbe ist eine verbesserte, insoferne
als an einzelnen Stellen in den Anmerkungen die Ausdrucksweise gebessert ist,
hie und da auch Zusätze gemacht worden sind. Was die Heuwessche Ausgabe
von Goethes lyrischen Gedichten anlangt, so haben wir hier eine sehr fleißige
und sorgfältige Arbeit vor uns. Die Anmerkungen zu den einzelnen Gedichten
enthalten zuerst eine Übersicht über den Gedankengang und geben dann genaue
Erläuterungen des Wortlautes. Der Verf. hat dabei die vorhandenen Hilfsmittel gewissenhaft benützt, aber auch gar manches aus seinem Eigenen
dazugegeben. Dahin rechnen wir vor allem die Fülle von Parallelstellen aus
griechischen, lateinischen und deutschen Klassikern; dieselben verraten eine
große Belesenheit des Herausgebers. Freilich will es uns bedünken, als habe
er hier des Guten etwas zu viel gethan. Auch die künstliche Einteilung der
Gedichte (A Gefühlslyrik I. Rein objektiv gehaltene Gefühlslyrik, I. Objektives
Bild aus der Natur, 2. Objektiv gehaltenes Bild aus Natur- und Menschenleben,
II. Objektiv-subjektive Lyrik, III. Rein subjektive Lyrik u. s. w.) will uns nicht
behagen; wozu diese gekünstelte Rubrizierung? sie ist vor allem nicht für die
Schule geeignet. Im Übrigen aber verdient, wie gesagt der auf die Arbeit ver-
wendete Fleiß alle Anerkennung. — Es möge dem Ref. bei dieser Gelegenheit ge-
stattet sein, auf einen sehr lesenswerten Aufsatz von P. Dörwald im Gymnasium
(X 6) hinzuweisen: „Goethes Lyrik in Prima". Der Verf. stellt hier einen Kanon
von 11 Gedichten auf, deren Behandlung sich ihm im Unterricht der Prima
wiederholt bewährt habe; es sind dies: Prometheus, Ganymed, Mahomeds Gesang,
Gesang der Geister über den Wassern, Grenzen der Menschheit, das Göttliche,
Meine Göttin, Seefahrt, Adler und Taube, Ilmenau, Der Wanderer — eine Auswahl, wie sie auch Ref. seit mehreren Jahren bei seinem Unterricht getroffen hat,
mit dem einzigen Unterschiede, daß er statt des immerhin schwierigen Gedichts
„Ilmenau" die „Zueignung gewählt hat. Dörwald faßt dann in dem erwähnten
Aufsatz in interessanter Weise die Ergebnisse der Lektüre jener Gedichte nach
gewissen im Unterricht in betracht kommenden Gesichtspunkten zusammen.

Bauernfeld, Ein Dichterporträt. Mit persönlichen Erinnerungen
von Bernhard Stern. Leipzig. Litter. Anstalt 1890. Der Verf. will, wie er in
der kurzen Vorrede sagt, in seiner Schrift in einfach schlichter Weise ein Bild
des Dichters nach seinem Lebensgang und seinen Werken, das Bild des Menschen
nach persönlichen Erinnerungen entwerfen. Es ist ihm dies auch in trefflicher
Weise gelungen. In kurzen, wohlabgerundeten Kapiteln schildert uns der Verf.
den Lebensgang und die literarischen Schöpfungen Bauernfelds, um dann in einer
Reihe kleinerer Skizzen das Bild des Menschen zu vervollständigen (z. B. „Besuche bei B.; B. zu Hause, B. in Gesellschaft u. s. w.) Wir gewinnen aus dem
Ganzen ein klares Bild eines braven Menschen und eines nicht unbedeutenden
Dichters, jedenfalls eines der besten unter den neueren Komikern.

Kuno Fischer, Schiller als Komiker. 2. neubearbeitete und
vermehrte Auflage. Heidelberg. C. Winters Universitätsbuchhandlung. 1891. Zum
Lobe der Kuno Fischerschen Schriften etwas sagen zu wollen, wäre ein müßiges
Unternehmen. Dieselben sind in allen Kreisen, welche sich einigermaßen eingehend mit unserer Literatur beschäftigen, bekannt. Was sie alle auszeichnet,
ist das tiefe Eindringen in die Sache, die geistvolle Verarbeitung des Stoffes und
die formvollendete und dabei doch so schlichte Art der Darstellung. Sie sind

Kunstwerke in ihrer Art; sie zu lesen, ist ein wahrer Genuſs. Dies gilt auch von
dem vorliegenden zweiten (und bereits in zweiter Auflage herausgegebenen) Heft
der Schillerschriften, in welchem der Verf. darlegt, wie sich das Wort des
Sokrates, daſs ein und derselbe Mann die Kunst der tragischen und komischen
Dichtung verstehen, und der tragische Dichter auch der komische sein müsse,
auch in unserem gröſsten tragischen Dichter in seiner Weise erfüllt hat. Der
Verf. weist zunächst in Kürze auf die Thatsache hin, von der sein Thema ausgeht, untersucht dann, worin gerade bei Schiller Wurzel und Quell des Komischen
liege, und führt hernach die allbekannten Gestalten aus den Dichtungen Schillers
in hellster, für viele gewiſs neuer Beleuchtung an unserem Auge vorüber.
Möge die treffliche Schrift recht viele Leser finden; sie werden gewiſs alle dem
Verf. für den gebotenen Genuſs dankbar sein.

K. E h w a l d , E m i l B r a u n s B r i e f w e c h s e l mit den B r ü d e r n
G r i m m und J o s. v o n L a ſ s b e r g. Gotha. F. A. Perthes. 1891. Wenn wir
den Namen Emil Brauns nennen hören, so denken wir zunächst an dessen groſse
Verdienste um das deutsche archäologische Institut in Rom; weniger bekannt sind
vielleicht die germanistischen Studien desselben, denen er sich in seiner Jugend
mit dem ganzen Feuer wissenschaftlicher Begeisterung hingegeben hat. Einen
interessanten Einblick in dieselben und damit zugleich in den ersten Entwicklungsgang der germanistischen Studien überhaupt gewährt uns der Briefwechsel Brauns
mit den Brüdern Grimm aus den Jahren 1829–33, dann mit Freiherrn von Laſs-
berg 1830–36. Dem Herausgeber gebührt alle Anerkennung für seine Arbeit,
mit der er seinem Landsmann ein ehrenvolles Denkmal gesetzt hat. Ehwald hat
die betreffenden Briefe nicht nur fleiſsig gesammelt, er hat dieselben auch mit
sehr sorgfältigen und gründlichen Anmerkungen, die über Einzelheiten genauen
Aufschluſs gewähren, begleitet. Es ist die Lektüre des schönen Buches jedem zu
empfehlen, der neben dem rein wissenschaftlichen Interesse sich auch, ohne gerade sensationelle Mitteilungen zu erwarten, an den Persönlichkeiten selbst, von
denen die Briefe berichten und der menschlichen Teilnahme, die dieselbe ein-
flöſsen, erfreuen kann.

K. P. S c h u l z e , R ö m i s c h e E l e g i k e r. Eine Auswahl aus Catull,
Tibull, Properz und Ovid, für den Schulgebrauch bearbeitet. 3. Aufl. Berlin.
Weidmann. 1890. S. 288, M. 2,40. Diese im J. 1878 zuerst erschienene Auswahl
der besten Dichtungen aus den römischen Elegikern hat in der 3. Aufl. durch die
Sorgfalt des Herausgebers in der Benützung der neuesten Literatur im Einzelnen
anerkennenswerte Verbesserungen erfahren, wodurch das Buch, wohl das beste in
seiner Art, an Wert und Brauchbarkeit gewonnen hat.

P. J. M e i e r , A u s g e w ä h l t e E l e g i e n d e s A l b i u s T i b u l l u s mit
erklärenden Anmerkungen für den Gebrauch in der Schule. Braunschweig.
Schwetschke u. Sohn. 1889. S. 54. M. 0,80. Der Herausgeber, welcher mit dieser
Sammlung von 19 Gedichten nur einen Teil einer beabsichtigten Anthologie
römischer Elegiker veröffentlicht, will zunächst die Bendersche Anthologie, welche
hinsichtlich der textlichen Grundlagen und der Erklärungen oft auch bescheidene
Ansprüche nicht erfüllt, verdrängen. Dem Texte liegt im Wesentlichen die Ausgabe von Hiller (Leipzig 1885) mit wenigen Abweichungen zu grunde. Was die
separat gedruckten „Anmerkungen" (S. 33–51) anlangt, so beschränkt er sich in
den Erklärungen auf das Notwendigste, legt aber gröſseren Nachdruck auf die
Analyse der Gedichte, wodurch die Auffassung des Ganzen wesentlich gefördert
wird. Text und Kommentar sind sehr sorgfältig bearbeitet. Wohl mag es dem
Herausgeber gelingen, das Bendersche Buch zu ersetzen, nicht aber die trefflichen
Ausgaben von Schulze und Römer.

A l f r e d R i e s e , R ö m i s c h e E l e g i k e r (Catull, Tibull, Properz, Ovid)
in Auswahl für den Schulgebrauch. Leipzig. Freytag. 1890. S. 65. Geheftet
M. 0,75, geb. M. 1. Die vorliegende Sammlung unterscheidet sich von den übrigen
gleichartigen Werken im Wesentlichen dadurch, daſs von Catull als dem bedeutendsten römischen Elegiker eine verhältnismäſsig gröſsere Anzahl von Gedichten aufgenommen, und der Kommentar nur auf wenige Notizen im Anhang
(S. 54–65) beschränkt ist. Bei der sachlichen und formellen Schwierigkeit, welche

die Elegiker bieten, sind nach einem solchen Kommentar an den mittelmäfsig Begabten zu grofse Anforderungen gestellt, weshalb diese Auswahl wohl schwerlich
eine Konkurrenz mit den trefflichen Ausgaben von Schulze und Römer mit Erfolg
bestehen kann.

   Alfred Riese, Griechische Lyriker in Auswahl für den Schulgebrauch herausgegeben. 1. Teil: Text. Leipz. Freytag. 1891. S. 90. M. 1, geheftet M. 0,75. Mit Rücksicht darauf, dafs die bisherigen Schulausgaben der
griechischen Lyriker entweder zu teuer sind oder teils zu viel, teils zu wenig
bieten, sucht Riese durch die vorliegende Sammlung zwischen beiden Extremen
zu vermitteln und ein klares Gesamtbild zu geben, in dem die Elegie, der
Jambus, das Lied. Volkslieder, Anakreontea und das Epigramm in ziemlich reicher
und passender Auswahl geboten werden. Es liegt nur der textliche Teil vor,
welcher sich an die besten Ausgaben anschliefst. Die Auswahl sucht wirklich
einem Bedürfnisse abzuhelfen, und es ist nur zu wünschen, dafs der bald erscheinende Kommentar zweckentsprechend wird.

   Otto Ribbeck, Geschichte der Römischen Dichtung. III. T.
Dichtung der Kaiserherrschaft. Stuttgart 1892. Verlag der J. G.
Cottaschen Buchhandlung. Nachfolger. 372 SS. Mit diesem Bande hat das interessante und anregende Werk seinen gelungenen Abschlufs gefunden. Den einzelnen Kapiteln geben allgemeine Einleitungen voraus, welche die durch die einzelnen Kaiser oder auch durch den Zeitgeist gegebenen günstigen oder ungünstigen
Bedingungen sowohl für die Poesie im allgemeinen, wie ihrer Arten kurz erörtern.
An die nun folgenden klaren, bündigen und scharfen Charakteristiken der einzelnen Dichterpersönlichkeiten schliefsen sich ästhetisch-kritische Zergliederungen
und Würdigungen ihrer Hauptwerke an, welche unstreitig den Glanzpunkt des
ganzen Buches bilden. Ganz besonders gelungen erscheinen dem Referenten die
eingehenden Behandlungen der Epen des Lucanus, Verrius Flaccus und
Statius. Den schülerhaften Satiren des edlen, aber blutleeren Persius steht
eine so recht aus dem Vollen geschaffene und geschöpfte Analyse des Romanes
des Petronius gegenüber S. 151 ff., in welcher der naive Protz Trimalchio eine
ebenso gelungene, als köstliche Charakteristik gefunden hat. In vortrefflicher
Weise ist natürlich Ribb. auch dem Feuerwerk der epigrammatischen Kleindichtung
des Martial gerecht geworden, ohne jedoch blind zu sein für seine Schwächen.
Würdig reiht sich an diesen Abschnitt eine frisch und lebendig geschriebene
Charakteristik des Juvenal, dessen echte Satiren unter Ribbecks Hand uns
aufquellen zu frischem vollem Leben, während er über die Satiren X, XII—XV
unnachsichtig den Stab bricht. Legt man an dieselben nur den ästhetischen
Mafsstab an, so bezeichnen sie allerdings den anderen gegenüber einen gewaltigen
Abfall. Von den späteren Dichtern haben Apuleius, Ausonius und Clau-
dianus die verdiente und gerechte Würdigung gefunden. Auch die kleineren
Erzeugnisse der römischen Poesie sind zu ihrem Rechte gekommen und haben eine
verständige und manchmal liebevolle Beurteilung erfahren. Ein Hauptverdienst
des Werkes wird es sein, wenn durch dasselbe die Aufmerksamkeit auf manche bisher mit Unrecht vernachlässigte Werke der späteren römischen Dichtkunst gelenkt wird.

   Gymnasialbibliothek, herausgegeben von Dr. E. Pohlmey und
Hugo Wagner. Gütersloh. Druck und Verlag von Bertelsmann. 1891. Drittes
Heft: Die Entwicklung der Tragödie bei den Griechen von Dr.
O. Weifsenfels. Der Kampf zwischen Realismus und Humanismus, verbunden
mit der Schulreform hat unter dem obigen Titel ein Unternehmen ins Leben gerufen, das man vom Standpunkte und im Interesse des humanistischen Gymnasiums
nur mit Freuden begrüfsen kann. Nach dem Prospekte ist der löbliche Zweck
desselben. dem immer allge meiner und lebhafter geäufserten Wunsch „nach einer
stärkeren Betonung der realen Seiten des klassischen Altertums und des Inhalts
der im Gymnasium gelesenen Schriftsteller, sowie nach einer mehr einheitlichen
Auffassung des antiken Lebens und Denkens" gerecht zu werden. Die einzelnen
von tüchtigen und bewährten Schulmännern gelieferten Abhandlungen über ein
geschlossenes Thema der antiken Kultur und des antiken Lebens sind für die
Hände der Schüler bestimmt, deren häusliche Lektüre dadurch in Beziehung

zu dem Gedankenkreis seiner Schullektüre gebracht wird und verfolgen somit die Aufgabe, das im Unterricht nur vereinzelt oder gelegentlich Berührte zusammenzufassen, übersichtlich zu ordnen und ergänzend auszuführen. In diesem Sinne ist auch die obige Abhandlung von O. Weifsenfels aufzufassen und zu beurteilen, die des Gediegenen und Wertvollen eine reiche Fülle enthält. Für manche Schüler mögen die in derselben abgehandelten Probleme stellenweise noch zu hoch sein — aber angeregte und talentvolle Schüler werden sie unter der freundlichen Unterstützung eines den Stoff ganz und voll beherrschenden Lehrers wohl bewältigen und einen hohen und dauernden Gewinn daraus ziehen. Eine feine ästhetische Auffassung, eine warme Begeisterung für den hohen Gegenstand, eine grundgediegene, allen Verstiegenheiten abholde Würdigung des tragischen Dreigestirns sind nicht die geringsten der Vorzüge. So viel Gutem gegenüber verzichtet Referent gern auf Hervorhebung mancher Unebenheiten und Schiefheiten, die man getilgt wünschen möchte. Als besonders interessant sei hingewiesen auf die Würdigung des Euripides S. 62 ff., den man allerdings bekriteln und verurteilen darf, aber, um mit Goethe zu sprechen, „nur auf den Knieen" (S. 85).

Otto Crusius, Untersuchungen zu den Mimiamben des Herondas. Leipzig. Verlag von B. G. Teubner 1892. VI u. 203 S.S. Die neu gefundenen Mimiamben des Herondas — so, nicht Herodas schreibt Cr. S. 1, Anm. * — haben der Philologie schwere, aber auch lohnende Aufgaben gestellt. Gleich beim ersten Erscheinen der Schrift hat Cr. in gehaltvollen Rezensionen und gediegenen Abhandlungen im Centralblatt und in philologischen Zeitschriften sich rüstig und mit Glück an der schweren Arbeit der Kritik und Exegese beteiligt. In den vorliegenden Untersuchungen, die eine gute orientierende Einleitung zu jedem Stücke bieten, ist er dem Gedankengang des Dichters Schritt für Schritt nachgegangen und unterstützt von den gründlichsten Kenntnissen in der paroemiographischen Literatur der Griechen und wohl vertraut mit der literarischen Produktion der Hellenistenzeit war er, wie kaum ein zweiter, berufen und befähigt, in den volkstümlichen und sprichwörtlichen Elementen der Sprache des Dichters die Richt- und Haltepunkte für eine erfolgreiche und sichere Behandlung ganzer bisher dunkler Absätze aufzuspüren und festzulegen. Gegenüber der tumultuarischen Kritik, wie sie von Rutherford besonders in der II. Ausgabe geübt wurde, berühren die glücklichen Lesungen und Rettungen der Überlieferung p. 86 u. a. äufserst wohlthuend. Eine wahre Perle in Kritik und Exegese ist p 101 V 30 B. zu lesen. Schwerlich wird man jedoch Cr. III, 23 in der Schreibung ἦν — βώσαι folgen können: denn absichtliche grammatische Schnitzer müfsten dann in den Gedichten in gröfserer Zahl begegnen, was aber nicht der Fall ist. Mit Glück sind auch die römischen Dichter, wie Ovid p. 9, 19, 22 u. ö. Properz p 21 herangezogen. Ungern vermifst man p 138 die schlagende Parallele aus Hor. sat. II, 5, 83. Die Ergänzung der vielen Lücken ist ja vielfach ein Greifen in den „Lostopf"; dennoch sind auch hier gar manche der Versuche von Cr. geistvoll und ansprechend und werden schliefslich zur Aufspürung der Richtigen führen. Trotz der vielen Zwischenfälle, mit denen das Buch zu kämpfen hatte und von denen die Vorrede p. IV eingehende Mitteilungen macht, ist in demselben der erste Grundstein gelegt zu einem gediegenen und reichen Kommentar, welchen diese köstlichen und ansprechenden „Genrebilder" erfordern und verdienen und zwar in einer Weise, dafs der Name Otto Crusius dauernd mit der wissenschaftlichen Behandlung dieser Gedichte verbunden bleiben wird.

K. Fecht, Griechisches Übungsbuch. 1. Bändchen für Untertertia; 2. Bändchen für Obertertia. Freiburg i. B. Herder. 1891. Anlage wie Verarbeitung des Materials ist originell und zeugt von grofsem didaktischen Geschick. Freilich ist ein solches Übungsbuch nicht nach jedermanns Geschmack; Fecht thut nämlich der deutschen Sprache zu sehr Gewalt an, z. B. p. 12 (Untertertia): „In den Strafsen und auf dem Markte von Athen stehen viele Heiligtümer. Denn die Athener verehren viele Götter und Göttinnen. Sie feiern aber jährlich viele und glänzende Feste und bringen den Göttern und Göttinnen schöne Geschenke. Die Götter und Göttinnen aber lieben die Athener. Sie verleihen den Sieg über das Heer des Dareios u. s. w." Solche Stücke sollte man einem Tertianer nicht bieten. Der Stoff ist reichlich; Variationen wie II, p. 29

(„Gute Menschen mache dir zu Freunden (du machest, machet, ihr machet, laßt
uns machen, möchtest du, möchtet ihr, wir werden machen") gehören nicht in das
Übungsbuch; dies ist Sache des Lehrers, der nach Bedarf die im Übungsbuch enthaltenen Sätze variieren wird. Warum II, p. 69 ein lateinisches Stück geboten
wird, ist nicht ersichtlich. Die im 2. Bändchen von S. 114 ab gegebenen zusammenhängenden Stücke im Anschluß an Xenophons Anabasis lassen zwar inhaltlich, wie auch manche Stücke mythologischen Inhalts, zu wünschen übrig,
sind aber formell zum Übersetzen gut.

    W. Kottbof, Griechische Grammatik. Paderborn. Ferdinand
Schöningh. 1891. 180 S. Die Grammatik schließt sich an das Übungsbuch von
Wetzel (Freiburg i. B., Herder) an, nicht nur äußerlich, sondern auch innerlich,
indem dieselben Sätze, Wörter und deren Bedeutungen verwendet sind; natürlich
ist dies kein Hindernis für den Gebrauch des Buches neben anderen Übungsbüchern. Die leitenden Grundsätze, wie besonders Sichtung des grammatikalischen
Stoffes, Ausscheidung alles Nebensächlichen, sind durchaus zu billigen. Bei der
Deklination sind in nicht unpraktischer Weise Substantiva und Adjektiva zusammengenommen. § 11 ist wohl überflüssig, da ja der Lehrer beim Unterrichte solche
Beispiele durchgehen und entsprechende Formen an die Tafel schreiben muß. Die
vollständige Deklination der unregelmäßigen Substantiva ist zweckmäßig, nur
sollten die unregelmäßigen Formen durchschossen oder fett gedruckt sein. Daß
die Bildung der Adverbia gleich nach der Komparation eingereiht ist, ist zu
loben, da sie in den Übungsbüchern doch an dieser Stelle eingeübt wird. § 28,
B gehört wohl besser ins Übungsbuch als in die Formenlehre der Grammatik,
da er ja doch nur eine Voranahme der zum Übersetzen nötigen syntaktischen
Regeln ist. Übersichtlich ist die Konjugationstabelle p. 32—35, dagegen ist die
Trennung von μισθόω auf 4 Seiten nicht gut. Bei den verba muta dürfte die
Einsetzung der ursprünglichen Formen (χίχρορτ-σαι neben χίχρυρται) für den Schüler
eine Erleichterung sein. § 35, 2 sollte beim syllabischen Augment ein Beispiel
eines mit ρ anlautenden Verbums geboten werden. § 37 sollte der Ausdruck
„Verstärkung" nicht fehlen. Beim Verbum auf μι sind zu viele Paradigmen angeführt. § 49, 1 müssen die wichtigeren Verba angegeben sein. Daß der Dual
der Deklination und der Konjugation ausgeschieden und erst am Schlusse der
Formenlehre geboten ist, ist gewiß nicht zu mißbilligen. — Was die Syntax betrifft, so ist der Stoff entschieden zu sehr reduziert; wichtige Regeln fehlen
ganz. Ferner ist die Trennung des Lehrstoffes in mehrere Teile (1. Regeln,
2. Übungen und Beispiele, 3. Kleine Sätze und Vokabeln zur Syntax) nicht
zu billigen, denn ein solches Verfahren hat nicht nur große Zerrissenheit
des Lernmaterials, sondern auch Unklarheit zur Folge. So z. B. wenn § 52
gesagt ist, daß die Verba des Nützens den Accusativ regieren, so müssen
die betr. griechischen Verba gleich gelernt werden, da λυσιτελεῖν nicht hieher gehört; ebenso muß der Schüler § 53, 2 für „eintreiben, auszichen" sofort die
griechischen Verba lernen. Unklar ist § 61: „Die Ausdrücke des geschäftlichen
Verkehrs" (wahrscheinlich gen. pretii). Der Anhang über die griechischen Schriftsteller ist gut, gehört aber nicht in eine Grammatik.

    F. Joachimsthal, Anwendung der Differential- und In-
tegralrechnung auf die allgemeine Theorie der Flächen und
der Linien doppelter Krümmung. Dritte vermehrte Auflage, bearbeitet
von L. Natani. Leipzig, B. G. Teubner. 1890. 398 S. Der jetzige Bearbeiter
hat Joachimsthals Grundzüge der Theorie der Kurven und Flächen in mehrfacher
Beziehung erweitert und verbessert. Fast in jedem Paragraphen wurde eine
Verbesserung vorgenommen. Die größeren Zusätze beziehen sich namentlich auf
die Krümmung der Flächen, die Evolution, die Krümmungslinien und die geo-
dätischen Linien. Aber auch in der jetzigen Gestalt beschränkt sich das Buch
noch auf die grundlegenden Sätze und dürfte sich deshalb, sowie wegen der
klaren, durch viele Beispiele belebten Darstellung zur Einführung in die allgemeine
Theorie der Flächen und Kurven besonders empfehlen.

    Dr. H. Servus, Die analytische Geometrie der Ebene. Zum
Gebrauch an höheren Lehranstalten und zum Selbststudium. Leipzig, Teubner 1890.

128 S. Die Vorlage behandelt die gerade Linie, den Kreis, die Parabel, Ellipse, Hyperbel, die Darstellung dieser Linien als Schnitte eines Kreiskegels und die Kubierung des Rotationsparaboloides, Ellipsoides und Rotationshyperboloides. Ein Anhang enthält die Polargleichungen der Kegelschnitte und eine Diskussion der allgemeinen Gleichung zweiten Grades. Der Theorie ist eine gröfsere Anzahl von Aufgaben angefügt. Die Behandlung der Kegelschnitte dürfte nicht jedermann gefallen. Doch wird sich das Büchlein wegen der Beschränkung des Lehrstoffes manche Freunde erwerben.

Dr. Karl Spitz, Lehrbuch der Stereometrie nebst einer Sammlung von 350 Übungsaufgaben zum Gebrauche an höheren Lehranstalten und beim Selbststudium. Mit 114 in den Text gedruckten Figuren. Sechste, verbesserte und vermehrte Auflage. Leipzig, C. F. Wintersche Verlagshandlung. 1890. 8. 201 S. Die neue Auflage dieses bekannten Lehrbuches, welches die Stereometrie in üblicher Weise mit gröfster Ausführlichkeit behandelt und auch hinreichendes Übungsmaterial für Konstruktionen und Rechnungen bietet, weicht von der vorhergehenden nur in der Ausstattung ab. Druck und Papier dieser Auflage sind vorzüglich.

Dr. K. Spitz, Anhang zu dem Lehrbuche der Stereometrie. Mit 15 Figuren. 8. 39 Seiten. Derselbe enthält zu im Lehrbuche befindlichen die Resultate und Andeutungen zur Lösung.

Plutarchs Lebensbeschreibungen grofser Helden Griechenlands und Roms. Als eine Geschichte der Griechen und Römer in Lebensbeschreibungen für Schule und Haus von Dr. Paul Uhle. I. Bd. Die Helden Griechenlands, II. Bd. Die Helden Roms. Leipzig, Teubner 1890. Plutarchs unsterbliches Werk, das mehr als irgend ein anderes geeignet ist, die Kenntnis des klassischen Altertums zu vermitteln, ideale Begeisterung zu wecken und zur Nachahmung der Edelsten und Besten anzuspornen, wird hier zunächst der reiferen Jugend gewidmet, und ihr sei es zu eifriger häuslicher Lektüre warm empfohlen! Es soll namentlich den Geschichtsunterricht der 6. Gymnasialklasse begleiten und bruchstückweise auch in der Schule selbst zur Anwendung kommen. Dem Lehrer der Geschichte wird es wegen der unerschöpflichen Fülle und Mannigfaltigkeit des Inhaltes bei seiner Vorbereitung vielfältigen Nutzen und jedem Freunde der Altertumswissenschaft eine wahre geistige Befriedigung gewähren. Dafs der Herausgeber es für gut befunden hat, im Interesse der Jugend wünschenswerte Ausscheidungen, Zusammenstellungen, Umordnungen und Abkürzungen vorzunehmen, und dort zweckmäfsige Erklärungen einzuschalten und Lücken auszufüllen, ist um so weniger zu beanstanden, als er seiner in der Einleitung gegebenen Versicherung gemäfs, sorgsam bestrebt war, Plutarch so treu und unverändert als nur möglich wiederzugeben und insbesondere alles beizubehalten, was dem Autor eigentümlich und dazu angethan ist, ihn der Jugend lieb und teuer zu machen. Es ist damit dem Herausgeber gelungen ein Übersetzungswerk zu liefern, das fliefsend und anziehend geschrieben gleichsam den Eindruck der Originalität hinterläfst und ob seiner Gediegenheit und Lauterkeit jedem wifsbegierigen Jüngling unbedenklich in die Hand gegeben werden darf. Um jedoch auch einen Tropfen Tadel in den vollen Becher des Lobes zu giefsen, wollen wir nicht verschweigen, dafs hie und da ein Wort der Verbesserung fähig erscheint, wie z. B. in Bd. I S. 27 „dafs ein grofser Teil .... sich nicht getraute". Unverständlich ist das Satzgeschiebe S. 28: „Der Archon Megakles hatte die Mitverschwornen Cylons, welche mitten im Frieden die Akropolis besetzt hatten, dann aber durch deren Einschliefsung in die höchste Not gerieten und deshalb an den Altären der Göttin Athene Schutz suchten, — Megakles hatte diese zu bereden gewufst . . .". Übel angebracht ist folgende Einschiebung inmitten eines Verses S. 34: „Da ja bei wichtigem Werk — wie er selbst sagte — allen gefallen so schwer". Endlich vermissen wir in manchen verdeutschten Hexametern den griechischen Rhythmus und Wohllaut z. B. in Bd. I S. 27 „Immer noch lerne ich gern, wenn auch bereits ich ein Greis"; oder S. 31 : Setz' in die Mitte des Schiffs dich, und waltend des Amtes als Steurer. Führ es grad aus! in Athen wirst Helfer du finden in Menge". Doch diese Mängel verschwinden unter den vielen

und grofsen Vorzügen und können bei einer gelegentlichen Neubearbeitung leicht
beseitigt werden.

M. V. Sattler, Abrifs der Kirchengeschichte für die katholische
Jugend und für alle gebildeten Christen. 2. Aufl. München, Lindauer 1890.
Gerade die anziehende und anregende Art, mit welcher hier ein weit ausgedehntes
und schwieriges, dem allgemeinen Wissen aber häufig fremd gebliebenes Gebiet
behandelt ist, läfst es bedauern, dafs aus den im Vorwort angeführten Gründen
die einzelnen Kapitel auf einen so knappen Raum eingeschränkt werden mufsten.
Sehr wertvoll ist die Beigabe einer chronologischen Tafel der Päpste und der
ökumenischen Konzilien, eines Inhaltsverzeichnisses und einer Stammtafel der
Herodianer.

Güth, Leitfaden für die Wiederholung der griechischen,
römischen und deutschen Geschichte in höheren Schulen. Wiesbaden, Limbarth 1891. 80 Pf. Das Bedürfnis einer gedruckten Wiederholung des
geschichtlichen Stoffes können wir nicht anerkennen, da der Schüler dieselbe
Hand in Hand mit dem Unterrichte selbst schriftlich herzustellen pflegt. Wird
eine solche aber dennoch gedruckt vorgelegt, so ist ein tadelloser Stil unerläfsliche Bedingung. Wie ist aber dieser Forderung Rechnung getragen, wenn unzählige Male die unentbehrlichsten Wörter weggelassen, wenn ganz unstatthafte
Beziehungen gewagt werden und wenn das Tempus willkürlich jeden Augenblick
wechselt? Während aufserdem in der griechischen und römischen Geschichte nur
das Wesentliche (abgesehen von den oft sehr fragwürdigen Truppenberechnungen)
mitgeteilt ist, begegnet man in der deutschen Geschichte den überflüssigsten
Dingen und Namen; so dreimal, fast hintereinander dem Geburtstag der Reformation (S. 24); auf S. 28, dafs Joachim I. Nestor von Brandenburg gegen
die Raubritter Röckeritz, Lüderitz, Krachte und Itzenplitz aufgetreten sei u. a.
Auffällig ist auch die dreimalige Schreibung Tarquinus.

Stahl und Grunsky, Leitfaden für den Unterricht in der
Geschichte an den unteren und mittleren Klassen höherer Lehranstalten. Stuttgart, Kohlhammer 1891. Das durch übersichtliche Darstellung und die Einstreuung
sittengeschichtlicher Bemerkungen vor vielen anderen Leitfäden sich vorteilhaft unterscheidende Büchlein mag den protestantischen Anstalten Württembergs gute Dienste
thun, da dasselbe aufser passenden Auszügen aus der griechischen, römischen und
deutschen Geschichte auch einen Abrifs der württembergischen Landesgeschichte
enthält. Erwiesene Geschichtsfabeln, wie die von der Mitschuld Maria Stuarts an
der Verschwörung gegen Elisabeth sollten in einer späteren Auflage gestrichen werden.
Mit dem Satze „Der Tod Gustav Adolfs ... ist für Deutschland und den Protestantismus ein unersetzlicher Verlust gewesen" können wir uns in dieser Ausdehnung nicht einverstanden erklären.

Pütz Wilh., Leitfaden bei dem Unterrichte in der vergleichenden Erdbeschreibung. 22. verb. Aufl. bearbeitet von F. Behr.
Freiburg i. Br. Herder. 1890. M. 1.20. Das gute und weitverbreitete Buch,
welches in den letzten Auflagen von Prof. Behr bearbeitet wird, ist nach Anlage
und Inhalt allgemein bekannt, so dafs eine eingehende Besprechung überflüssig
erscheint. Der 1. Abschnitt (allgemeine Erdkunde) ist etwas erweitert worden,
dagegen wurden bei der politischen Geographie Kürzungen vorgenommen, desgleichen sind verschiedene Unrichtigkeiten im Einzelnen beseitigt worden. Die
getrennte Behandlung der 5 Erdteile rücksichtlich ihrer physikalischen und politischen Seite dürfte kaum auf allgemeine Zustimmung rechnen. Eine Änderung
erheischen die Regeln über die Aussprache französischer geographischer Namen
(Rouang, Verdöng, Lyong etc.)

Dr. A. Garcke, Flora von Deutschland. 16. Aufl. Berlin 1890.
Parey. 570 S. 4 M. Ursprünglich nur für Nord- und Mitteldeutschland angelegt
und dort viel gebraucht hat das Buch seit seiner 13. Auflage auch das süddeutsche
Florengebiet und in seiner 15. noch den bayerischen Alpengürtel herangezogen,
so dafs es nunmehr den Pflanzenbestand des gesamten deutschen Reiches aufzeigt.
Dabei ist es durch Weglassung von Diagnosen und Fundorten bei den Bastarden

eher handlicher geworden. Sonst ist die Anordnung die gleiche geblieben. Die Anwendung verschiedener Schriftarten fördert die Übersichtlichkeit ungemein. Eine an der Spitze stehende Gattungstabelle im Rahmen des Linné'schen Systems und eine Übersicht der Familien des natürlichen Systems zeigen fortlaufende Nummern, deren Wiederkehr im Haupttexte eine rasche Orientierung über Gattungs- und Familiencharaktere ermöglicht.

Dr. B. Plüss, Leitfaden der Naturgeschichte. 5. Aufl. Freib. i. Br. 1890. Herder. VI u. 298 S. 2,50 M. In der neuen Auflage des in diesen Blättern bereits besprochenen Buches sind neben einigen kleineren Änderungen noch einige weitere Einzelbeschreibungen aus dem Diagnosenstil in die Form mit vollständigen Sätzen umgestaltet.

Botanisches Taschenbuch. Von Dr. F. Kruse. XVIII u. 469 S. Berlin Hermann Paetel. 5 M. Diese Exkursionsflora enthält die in Deutschland, Deutsch-Österreich und der Schweiz wildwachsenden und im Freien kultivierten Gefäßpflanzen und unterscheidet sich von ihren Schwestern dadurch, daß sie die Klassen-, Ordnungs-, Familien- und Gattungsbegriffe in strenger Konsequenz insgesamt nur aus dem natürlichen System konstruiert und dabei bestrebt ist, einerseits nicht bloß konstante, sondern in Wahrheit wesentliche Merkmale bei der Bildung der genannten Einheiten zu verwenden anderseits die Anordnung so zu gestalten, daß auch Anfänger beim Bestimmen einer neuen Pflanze sich zurechtfinden können. Allerdings fordert der Verfasser klare Begriffe und sorgfältige Untersuchung, und wer nur einen neuen Namen erfahren will, für den wird es bequemere Hilfsmittel geben; wer aber auf dem Wege zur Auffindung des Namens alle wesentlichen Eigenschaften der betreffenden Pflanze kennen lernen und zu der aus einer eingehenden Untersuchung entspringenden Übersicht und Einsicht gelangen will, der greife zu Dr. Kruses Flora. Die Diagnosen sind bestimmt und korrekt, die Nomenklatur in einigen Fällen auf Grund anderartiger Gruppierung von der allgemein verbreiteten abweichend.

Schul-Botanik. Von Dr. H. Krause. 2. Auflage. VI und 231 S. Hannover. Helwing'sche Verlagsbuchhandlung. 2 M. 20 Pf. Das Buch will allen Seiten des botanischen Unterrichtes gerecht werden und ist in seiner ersten Hälfte ein methodisch gearbeitetes Lehrbuch, das in drei Teile zerfällt. Im ersten Teile werden 21 Pflanzen mit einfacherem, im zweiten 20 weitere mit komplizierterem Blütenbau beschrieben und die wichtigsten morphologischen Begriffe in der Form von Anmerkungen zu den einzelnen Beschreibungen übermittelt. Der dritte Teil bringt vergleichende Pflanzenbeschreibungen im Diagnosenstil, wobei Ähnlichkeiten und Unähnlichkeiten schon durch die Anordnung im Drucke recht hübsch hervortreten. Der vierte Teil führt Repräsentanten der Gymnospermen und Kryptogamen vor mit Anmerkungen, deren Inhalt das Notwendigste aus Anatomie und Physiologie bildet. Die zweite Hälfte des Buches bringt in einem vierten Teile das Linné'sche System nach Klassen, Ordnungen und Gattungen, und in einem fünften die wichtigeren einheimischen Pflanzenfamilien nach dem natürlichen System mit analytischen Artentäfelchen. Im vierten Teil wird bei den einzelnen Gattungen einfach durch Angabe der Seitenzahl auf die im fünften Teile behandelten Arten hingewiesen, und das genügt. Wenn aber im fünften Teile der Schüler zur Beschaffung der Gattungsmerkmale auf den vierten zurückverwiesen wird, so mag das wohl da noch angehen, wo eine Familie zugleich eine zusammengehörige Abteilung des Linné'schen Systems bildet; in den übrigen Fällen aber dürfte ihm die Erkenntnis des betreffenden Gattungsbegriffes schwer, häufig unmöglich werden. Oder dürfen für den Schüler die niederen Einheiten eines Systems den Charakter der Zugehörigkeit zu einem wissenschaftlichen Ganzen verlieren? Will der Verfasser nur das Kennenlernen einer größeren Zahl Pflanzen fördern, so mag er getrost die Familiencharaktere aus dem fünften Teil streichen, wünscht er aber sein Buch auch von Lehrern benützt, die ihren Schülern eine Begründung der angenommenen Reihenfolge geben und sie ins Verständnis eines natürlichen Systems einführen wollen, dann wird er sich entschliessen müssen, dem fünften Teil geeignete Gattungstabellen einzufügen. Letzteres wünschen wir um so mehr, als das Buch seiner sonstigen Vorzüge und seiner zahlreichen, nur dem besseren

Verständnisse dienenden schönen Holzschnitte halber warm zu empfehlen ist. Eine nicht minder erwünschte Beigabe dürften systematische Zusammenstellungen der gewonnenen Begriffe am Ende eines jeden Kurses werden.

Leitfaden für den Unterricht in der Botanik. Von Dr. O. Vogel, Dr. K. Müllerhoff und Dr. F. Kienitz-Gerloff. 1. Heft. 8. Auflage 172 S. Berlin. Winckelmann & S. Das als brauchbar erfundene Heftchen, das Referent in mehrjährigem Unterrichte liebgewonnen, hat zwar die innere Einrichtung der Lehrbücher obengenannter Verfasser. wonach an die Beschreibung der Einzelobjekte die gewonnenen Resultate als „Erläuterungen" sich anschliessen und deren Summe am Ende eines jeden Kurses systematisch zusammengefafst wird, auch in der neuen Auflage beibehalten, aber seine äufsere Erscheinung in der Weise verändert, dafs einerseits Format und Druck vergröfsert, anderseits dem sorgfältig revidierten Texte zahlreiche die morphologischen Begriffe und biologischen Verhältnisse erläuternde Abbildungen beigegeben sind. Durch letzteren Umstand hat das Werkchen nach unserer Ansicht nicht nur als Schulbuch gewonnen, sondern es dürften nunmehr auch alle die, welche sich auf dem Wege des privaten Studiums in die wissenschaftliche Botanik einführen wollen, kaum einen besseren Führer finden.

H. Günther, Botanik. I. Teil. 3. Aufl. 343 S. Hannover. Helwing 1,60 M. Einem morphologischen Abschnitte, der sich enge an die Lehrbücher von Behrens und Leonie anschliefst und durch mehr als 200 Abbildungen illustriert ist, folgen Tabellen zur Bestimmung der wichtigsten Phanerogamen und Gefäfskryptogamen Deutschlands. Die Beschreibung von 30 ausländischen Kulturpflanzen schliefst das Werkchen. das bei übersichtlicher Gruppierung und knapper, präziser Darstellung die Bedürfnisse des botanischen Unterrichtes in der Lateinschule vollkommen befriedigen kann.

Dr. K. Kräpelin, Leitfaden für den botanischen Unterricht. 3. Aufl. VI u. 107 S. Leipzig, Teubner 1889. Das Heftchen ist zunächst für Anstalten bestimmt. an denen, wie das z. B. am Hamburger Realgymnasium der Fall ist, der botanische Unterricht bis zum Abiturientenexamen fortgeführt wird, läfst sich aber auch bei bescheidenen Unterrichtszielen mit Erfolg gebrauchen. Es enthält in klarer Sprache und übersichtlicher Anordnung alles, was ein Schüler zu seinem bleibenden Eigentum machen mufs, wenn ihm die rechte Einsicht in die Gesetzmäfsigkeit werden soll, welche die pflanzliche Lebewelt durchwaltet. Dem Texte kommen zahlreiche, meist schematisch gehaltene Abbildungen zu Hilfe.

Dr. W. J. Behrens, Methodisches Lehrbuch der allgemeinen Botanik. 4. Aufl. VIII u. 350 S. Braunschweig. Bruhn 1889. Als vor neun Jahren die erste Auflage des Buches erschien, fand sie sofort ungeteilten Beifall nicht nur wegen der lichtvollen Darstellung und der musterhaften Original-Abbildungen, sondern auch weil darin zum ersten Male den wichtigen Vorgängen bei der Befruchtung, den Einrichtungen für Wind- und Insektenbestäubung, den Verbreitungsmitteln der Früchte und Samen etc. eine schulmäfsige Behandlung zu teil geworden war. Dieser biologische Abschnitt ist in der neuen Ausgabe zweckmäfsiger hinter der Systematik eingereiht und hat manche Verbesserung erfahren, wie denn das Buch auch sonst überall das Streben des Verfassers nach materieller und formeller Vollkommenheit bekundet.

A. und K. Müller, Tiere der Heimat. 2. Aufl. Kassel, Th. Fischer. Diese zweite Auflage des bestbekannten Werkes, dessen Widmung Fürst Bismarck angenommen hat, erscheint in ca. 25 Lieferungen Halbbogenformat à 80 Pf. Der Text ist stellenweise revidiert und erweitert, die Tonbilder und Holzschnitte der ersten Auflage werden durch 57 chromolithographische Tafeln ersetzt. Die sechs lveikerschen Bilder der nun vorliegenden 3 Lieferungen sind echte zoologische Charakterbilder. Das Werk verdient einen Platz in jeder Familienbibliothek.

A. Lüben's Leitfaden der Naturgeschichte. 4. Kursus. 11. Aufl. Leipzig 1890. H. Schultze. 240 S. 1,50 M. Lübens Leitfaden ist bekanntlich in konzentrisch sich erweiternden Kreisen angelegt. Der uns vorliegende vierte und letzte Kursus ist von verschiedenen Verfassern bearbeitet und enthält Anatomie und Physiologie der Pflanzen, der Tiere und des Menschen, sowie einen Abschnitt über Geologie und Geognosie. Letzterer ist recht instruktiv gearbeitet, während in den übrigen Teilen des Buches das Streben der Verfasser bei möglichster Vollständigkeit nicht unwissenschaftlich, dabei aber doch allgemeinfaßlich sich auszudrücken der wünschenswerten Schärfe und Präzision vielfach Eintrag thut.

Dr. E. Franz, Geologie in kurzem Auszug. Stuttgart 1890. G. J. Göschen. 104 S. 80 Pf. Das Büchlein, welches das 13. Bändchen der Sammlung Göschen bildet, lehrt erst in 3 ganz knapp, teilweise tabellarisch gehaltenen petrographischen Abschnitten das Material der Erdkruste kennen und bespricht dann kurz die Erscheinungen des Vulkanismus sowie die Thätigkeit des Eises und Wassers, um Entstehung und Verwendung jenes Materials zu erweisen; die zweite Hälfte nimmt eine Übersicht der geologischen Zeitalter und Formationen ein. Die Darstellung ist einfach und klar.

Dr. P. Klausch, Kurzes Lehrbuch der allgemeinen Zoologie. Berlin 1891. F. Hirt. 81 S. 1 M. 25 Pf. Die allgemeinen biologischen Gesetze, auf deren Erkenntnis als eigentliches Ziel aller zoologische und botanische Unterricht hinarbeiten muß, sind hier für die Tierwelt zusammengestellt, derart, daß der Verfasser, von dem Fundamentalsatze ausgehend, jedes Tier ist ein Glied des Ganzen, daraus die Gesetze der Selbsterhaltung und der Arterhaltung folgert und diesen dann die übrigen Lebensgesetze unterordnet sowie an entsprechenden Beispielen verdeutlicht. Da das beigebrachte Material sehr reichhaltig und die Darstellung klar und leichtfaßlich ist, so kann das Büchlein jedem, der sich über die einschlägigen Fragen unterrichten will — und das müssen in erster Linie alle, die in Zoologie Unterricht geben — bestens empfohlen werden.

Bechhold's Handlexikon der Naturwissenschaften und Medizin. Frankfurt a. M. H. Bechhold. Ca. 10 Lieferungen à 80 Pf. Erteilt über sämtliche Ausdrücke und Gegenstände, wie sie den verschiedenen Zweigen der Naturwissenschaften und der Medizin angehören, bündige Auskunft in einer Form, daß nicht nur der Gelehrte, der sich außerhalb seiner Fachwissenschaft orientieren will, sondern auch der gebildete Laie sie versteht.

F. Ruhle, Bilder aus der Tierwelt. Münster, Aschendorff 1889. In Lieferungen à 45 Pf. Der Herausgeber will aus der vorhandenen Literatur die besten Schilderungen des Tierlebens zu einer abgerundeten Sammlung vereinigen, die nicht bloß der Schule ein Hilfsmittel, sondern auch dem Familienkreise eine angenehme und nützliche Lektüre werden soll. Die uns vorliegende 5. Lieferung ist mit drei hübschen Holzschnitten ausgestattet und enthält auf 2 Bogen Nr. 22. Der Hund vom St. Bernhard (a. Gedicht von A. v. Droste-Hülshoff; b. Skizze nach Tschudi) und Nr. 23. Der Wolf (nach Brehm), sowie Stücke von 21 und 24. Das Inhaltsverzeichnis des 1. Bandes, der in 13—14 Lieferungen erscheinen soll, weist 60 Nummern Charakterbilder von Säugetieren auf. Ein weiterer Band mit Schilderungen aus der Vogelwelt ist in Aussicht genommen.

Wegweiser für Käfersammler. Von C. H. Augustin. 2. Auflage. VIII und 228 S. Hamburg. O. Meißner. Das Büchlein enthält eine Einleitung und analytische Schlüssel zum Bestimmen der Ordnungen, Familien und Gattungen, die beide mit den zum Verständnisse der angezogenen Merkmale nötigen Zeichnungen versehen sind, ferner eine mit zahlreichen instruktiven Abbildungen geschmückte Beschreibung von 1125 Arten. Die Diagnosen sind knapp, aber bestimmt und ausreichend. Bei der Auswahl der Arten und Angabe der Standorte ist allerdings nur die Westhälfte von Norddeutschland zunächst berücksichtigt, doch werden auch süddeutsche Käfersammler in dem fleißig gearbeiteten Büchlein bei seiner Reichhaltigkeit einen zuverlässigen Begleiter auf ihren Excursionen finden.

Dr. M. Krass und Dr. H. Landois. Der Mensch und die drei Reiche der Natur. 1. Teil. Der Mensch und das Tierreich. 9. Aufl. XVI u. 246 S. 2,10 M. II. Teil. Das Pflanzenreich. 5. Aufl. XII u. 218 S. 2,20 M. III. Teil. Das Mineralreich. 4. Aufl. XII u. 131 S. 1,40 M.
Dr. M. Krass und Dr. H. Landois. Lehrbücher für den Unter-

richt in der Naturbeschreibung. I. Teil. Zoologie. 2. Aufl. XIV u. 344 S. 3,40 M. III. Teil. Mineralogie. IX u. 128 S. 1,60 M. Das bei Herder in Freiburg erschienene Werk „Der Mensch und die drei Reiche der Natur" hat rasch eine gröfsere Anzahl von Auflagen erlebt. Es verdankt diesen Erfolg sowohl der geschickten Auswahl und übersichtlichen Anordnung des Stoffes, als insbesondere der anschaulichen und lebensfrischen Darstellung. In letzterem Punkte funden die Verfasser beim Künstler verständige Unterstützung; denn unter den zahlreichen sorgfältig ausgeführten Abbildungen finden sich im ersten Teile ein Paar Dutzend lebensvoller, charakteristischer Gruppenbilder.

Die Lehrbücher für den Unterricht in der Naturbeschreibung sind eine durch die neuen Lehrpläne für die höheren Lehranstalten veranlafste Umgestaltung und Erweiterung des ersten Werkes, dessen Vorzüge nach Seiten des Textes und der Illustration sie teilen.

IV. Abteilung.

Miscellen.

~~~~~

Personalnachrichten.

1. Ernannt:

a) zu Rektoren: Joh. Gerstenecker, Gymnprof. in M. (Luitpoldg.) zum Rektor in Regensburg (A. G.); Carl Hofmann, Gymnprof. in M. (Maxg.) zum Rektor in Bayreuth; Dr. Georg Orterer, Gymnprof in Freising zum Rektor in Eichstätt;

b) zu Gymnasialprofessoren die Gymnasiallehrer: Dr. Max Seibel in M. (Ludwigsg.) in M. (Wilhelmsg.); Alb. Fehlner in M. (Maxg.) in M. (Wilhelmsg.); Dr. Jak. Haas in M. (Ludwigsg.) in M. (Luitpoldg.); Joh. Eder in M. (Luitpoldg.) in Freising; Dr. Emil Renn, Landshut in Landshut; Dr. Friedr. Eberl in Straubing in Passau; Dr. Alf. Steinberger in Regensburg (A. G.) in Regensburg (A. G.); Karl Loesch in Nürnberg (N. G.) in Nürnberg (A. G.); Franz Ehrlich in Eichstätt in Freising; Dr. Ant. Mayerhoefer in M. (Luitpoldg.) in Würzburg (N. G.); Dr Joh. Bapt. Straub in Aschaffenburg in Aschaffenburg; Joh. Groebl in Dillingen in Dillingen; Dr. Hans Stich in Zweibrücken in Zweibrücken; Erw. Walther (N. Spr.) in Ansbach in Ansbach; Christ. Eidam (N. Spr.) in Nürnberg in Nürnberg (N. G.); Dr. Wilh. Procop (N. Spr.) in Bamberg (N. G.) in Bamberg (N. G.); Dr. Hugo Eder (N. Spr.) in Kempten in Kempten; Ed. Vogt (M.) in M. (Luitpoldg.) in Aschaffenburg; Karl Hartwig (Reall.) in Nürnberg in Kaiserslautern; Dr. Jos. Ritz (Handelsl.) in M. in Landau; Jos. Fink in M. (Ludwigsg.) in Würzburg (N. G. ; Dr. Phil. Stumpf in M. (Maxg.) in M. (Maxg.); Dr. Alois Roschatt in Bamberg (N. G.) in Freising; Dr. Sigm. Preufs in Regensburg (A. G.) in Kempten; Max Toussaint in M. (Wilhelmsg.) in Landau; Dr. Sylvan Reichenberger in Landshut in Landshut; — Georg Gürthofer, Gymnl. in Freising zum Subrektor in Rosenheim;

c) zu Gymnasiallehrern die Studienlehrer: Gust. Vollmann in Weifsenburg in Bamberg (N. G.); Dr. Ludw. Bergmüller in Nördlingen in Regensburg (A. G.); Carl Wurm in Günzburg in Landshut; die Assistenten: Dr. Theod. Preger in M. (Maxg.) in M. (Maxg.); Dr. Otto Schwab in Regensburg in M. (Wilhelmsg.); V. Fischer in Kulmbach in Windsheim; Math. Graf in M. (Luitpoldg.) in M. (Luitpoldg.); Friedr. **Heffner** in M. (Luitpoldg.) in M. (Luitpoldg.); Ludw. **Alzinger** in Freising in M. (Luitpoldg.); Joh. **Maerkel** in M. (Luitpoldg.) in M. (Luitp.-G.); Dr. Ernst **Haefner** in Regensburg (N. G.) in M. (Ludwigsg.); Fr. Xav. **Ponkraz** in Augsburg (St. St.) in M. (Ludwigsg.); Dr. H. J. **Urlichs** in M. (Wilhelmsg.) in M. (Wilhelmsg.); Dr. Ernst **Knoll** in Bamberg (N. G.) in M. (Maxg.); Georg **Hauck** in Würzburg (A. G.) in Burghausen; Karl **Laumer** in Dillingen in Burghausen; Eug. **Berger** in Landshut in Landshut; Ludw. **Wafsner** in Passau in Passau; Rud. **Buttmann** in Speyer in Zweibrücken; Ew. **Mann** in Ansbach in Kaiserslautern; Ludw. **Kaifer** in Regensburg (N. G.) in Eichstätt; Herm. **Pfirsch** in Nürnberg (A. G.) in Speyer; Dr. Matthäus **Doell** in Regensburg (A. G.) in Regensburg (A. G.); Joh. **Meyer** in Regensburg (N. G.) in Regensburg (N. G.); Dr. Herm. **Schott** in Ansbach in Regensburg (N. G.); Heinr. **Lieberich** in M. (Wilhelmsg.) in Speyer; Al. **Lommer** in Bamberg (N. G.) in Bamberg (N. G.); Rich. **Schreyer** in Bamberg (A. G.) in Amberg; Mich. **Wolff** in Augsburg (St. A.) in Nürnberg (N. G.); Herm. **Soergel** in Nürnberg (N. G.) in Nürnberg (N. G.); Max **Offner** in M. (Wilhelmsg.) in Aschaffenburg; Joh. **Haaf** in Regensburg (A. G.) in Kirchheimbolanden; Konrad **Probst** in Bamberg (N. G.) in Dürkheim a. H.; Georg **Hertzog** in Landau in Landau; Christ. **Witzel** in Hafsfurt in Grünstadt; Georg **Faderl** in Augsburg (St. St.) in Blieskastel; Max **Zopf** in Miltenberg in Kirchheimbolanden; Otto **Bock** (M.) in Burghausen in Ludwigshafen (Realsch.); Ludw. **Sondermaier** in M. (Luitpoldg.) in M. (Luitpoldg.); Dr. Otto **Dotterweich** (Reall.) in Landshut in Speyer; Karl **Hofmann** (Reall.) in Landshut in Ansbach; Friedr. von **Fabris** (Reall.) in Regensburg in Passau; Frz. Seraph **Petzi** (M.) in Regensburg (A. G.) in Regensburg (A. G.); Dr. Joh. Friedr. **Eberle** (M.) in M. (Wilhelmsg.) in Nürnberg (A. G.); Al. **Zott** (M.) in Regensburg (N. G.) in Landshut; — Jos. **Barth**, Assist. in Hafsfurt zum Studl. in Landstubl; Meinr. **Sirch**, Assist. zu Hammelburg zum Stdl. in Kirchheimbolanden; Cölestin **Schmid**, Assist. in M. (Wilhelmsg.) zum Gymnl. in Freising;

2. Versetzt:

a) Dr. Carl **Meiser**, Rektor in Regensburg vom alten Gymnasium an das neue Gymnasium daselbst;

b) die **Gymnasialprofessoren**: Dr. K. **Hoffmann** von Zweibrücken nach M. (Luitpoldg.); Clemens **Hellmuth** von Freising nach M. (Ludwigsg.); Franz Paul **Wimmer** von Freising nach Regensburg (A. G.); Joh. **Waldvogel** (M.) von Aschaffenburg nach M. (Wilhelmsg.); Gottlieb **Effert** (M.) von Kaiserslautern nach M. (Luitpoldg.); Dr. Ant. **Mayrhöfer** von Würzburg nach M. (Luitpoldg.);

c) die **Gymnasiallehrer und Studienlehrer**: Dr. Gg. **Ammon** von Speyer nach M. (Wilhelmsg.); Joseph **Zametzer** (M.) von Bayreuth nach M. (Luitpoldg.); Dr. Jos. **Lindauer** von Burghausen nach M. (Luitpoldg.); Dr. Karl **Neff** von Kaiserslautern nach M. (Luitpoldg.); Karl **Dyroff** von Würzburg (A. G.) nach M. (Luitpoldg.); Dr. Ludw. **Götzeler** von Aschaffenburg nach M. (Luitpoldg.); Dr. Jos. **Menrad** von Burghausen nach M. (Ludwigsg.); Joseph **Wenzl** (M.) von Speyer nach M. (Ludwigsg.); Dr. Joh. **Braun** von Bamberg (A. G.) nach M. (Maxg.); Karl Frbr. v. **Stengel** (M.) von Ansbach nach M. (Maxg.); Georg **Griesmaier** von Dillingen nach Regensburg (N. G.); Wilh. **Rosenmerkel** von Landau nach Nürnberg (A. G.); Friedr. **Bürkmayer** von Amberg nach Bamberg (N. G.); Dr. Herm. **Braun** von Kirchheimbolanden nach Nürnberg (A. G.); Dr. Joh. **Schmaus** von Dillingen nach Bamberg (A. G.); Theodor **Hager** von Kulmbach nach Bamberg (A. G); Dr. Nic. **Spiegel** von Speyer nach Würzburg (A. G.); Christ. **Künneth** von Neustadt a. H. nach Augsburg (St. A.); G. Jos. **Dürnhofer** von Grünstadt nach Passau; Dr. Christian **Mehlis** von Dürkheim nach Neustadt a. H.; Ludwig **Renner**, (Reall.) von Ludwigshafen nach Bayreuth; Max **Weber** von Frankenthal nach Aschaffenburg; Theod. **Geyr** von Blieskastel nach Dillingen; Andr. **Ulsamer** von Kirchheimbolanden nach Dillingen; Jos. **Hartl** von Pirmasens nach Straubing; Joh. **Blank** von Windsheim nach Landshut; Aug. **Wollenweber** von Kulm-

bach nach Pirmasens; Ludwig S o f f e l, Gymnl. von Landau nach Frankenthal;
Karl M ü l l e r, Stdl. in Kirchheimbolanden nach Landau; Herm. H o f f m a n n von
Bayreuth nach Ansbach; Moriz G ü r s c h i n g von Ansbach nach Bayreuth.

3. **Auszeichnungen :** Die Rektoren Max L e c h n e r in Nürnberg (N. G.),
Adolph R o e m e r in Kempten erhielten von der philosophischen Fakultät der
Universität Erlangen den Doktortitel honoris causa;

4. **Stipendienverleihung :** Dr. Oscar H e y, Assist. in M. (Wil-
holmsg.) erhielt das Stipendium (2160 M.) zum Besuch des archäologischen Instituts in Rom und dessen Filiale in Athen;

5. **In Ruhestand versetzt :** Jos. R o t t, Rektor in Eichstätt für immer;
Georg G r o s m a n n, Rektor in Bayreuth für immer; Jos. S e i s, Rektor in Regens-
burg (N. G.) für immer; Fr. Xav. S c h i l l i n g, Gymnprof. in Kempten für immer;
Dr. Alb. B i s c h o f f, Gymnprof. in Landau für immer.   Sämtliche Herren unter
Anerkennung ihrer langjährigen, treuen und ersprießlichen Dienste.

6. **Gestorben :** Rudolf H o f f m a n n, Assist. in Nördlingen; Jos. E p p l e,
Stdl. in Landstuhl; Alois B i n g g e r, Subrektor in Rosenheim; Gottl. L a i b l e,
Subrektor a. D. in Nördlingen; Max H o r t, Gymnpr. in Landshut.

Verlag der J. Lindauer'schen Buchhandlung (Schöpping) in München.

Bibliothek, spanische, mit deutschen Anmerkungen für Anfänger von J. Fesenmair, Kgl. Rektor.

1. Hartzenbusch, **Erzählungen** . . . . –.90
2. „ **Los Amantes de Teruel** . . . . –.90
3. Manuel Breton de los Herreros, **La Independencia** 1.—
4. **Biographien berühmter Spanier.** . . . . 1.—
5. Calderón de la Barca, **El Mágico prodigioso** . . 1.20
6. Miguel de Cervantes Saavedra, **Vidriera.** .
7. Juan Diana, **El Destino** und Hartzenbusch, Juan de las Vinas . . . . 1.—
8. Cabellero, **Justa y Rufina** . . . . 1.—
9. Quintana, **vida de las Casas** 1.40

Bibliothek französischer und englischer Classiker. Zum Schul- und Privatgebrauch herausgegeben von J. Bauer und **Dr. Th. Link.** à Bändchen ca. 1 M. 20 Pf.

a) Französisch:
1. Maistre, la jeune Sibérienne
2. Sourestre, l'éclusier de l'Ouest
3. „ au coin du feu
4. Staël, l'Allemagne
5. Töpffer, nouvelles genevoises
6. Galland, Histoire d'Ali Baba

7. Chauteaubriand, Génie de Christianisme.

b) Englisch:
1. Scott, Tales of a Grandfather.
2. Irving, The Life and Voyages of Christopher Columbus.

Die Blätter für Realschulwesen schreiben: **Mit Freuden muß daher das Unternehmen der süddeutschen Verlagshandlung Lindauer begrüßt werden.**

Brenner, Mittelhochdeutsche Grammatik. 2. Aufl. . . . . . –.60

Dickmether, Fr., Leitfaden der darstellenden Geometrie. (Ministeriell genehmigt!) 1.20

Euripides ausgewählte Tragödien. Mit Anmerkungen versehen von Prof. Bauer, neubearbeitet von Rektor Prof. Dr. N. Weclein.
Alkestis. 1888. 2. Aufl. 1 M. Iphigenie. 1884. 2. Aufl. 1 M.
Herakliden. 1885. 2. Aufl. 1 M. Medea. 1883. 2. Aufl. 1 M.
Hippolytos. 1876. 1 M.

Gebhard, Fr., Gedankengang horazischer Oden in dispositioneller Übersicht, nebst einem kritisch-exegetischen Anhang. 1891. X u. 93 S. 1.50

Halm, Dr. K., Elementarbuch der griechischen Syntax. I. 10. Aufl. bearbeitet von J. Fesenmair, Kgl. Rektor . . . . . 1.—
— — Dasselbe. 9. Aufl. (Ministeriell genehmigt!) . . . 1.20

Halm, Dr. K., Elementarbuch der griechischen Etymologie. I. 11. Aufl. bearbeitet von Jos. Pistner, Kgl. Studienlehrer . 1.50
— — Dasselbe. II. 12. Aufl. bearb. v. J. Pistner, K. Studienl. 1.50

Monumenta Germaniae selecta ab anno 768 usque ad annum 1250 ed Dr. M. Döberl.
III. Bändchen: Zeit der Salischen Kaiser 1.30
IV. Bändchen: Zeit Lothar's, Konrads III., Friedrichs I. . . . 5.50

Jahresbericht über das höhere Schulwesen!
„Es bietet sich hier doch dem Lehrer für eine unparteiische, auf die entscheidenden Dokumente gestützte Darstellung dieser wichtigen Epoche ein äußerst **bequemes, vorzügliches Hilfsmittel!**"

C. C. Buchner Verlag in München, Stuttgart und Leipzig.

Wir übergeben mit den nachverzeichneten Werken der deutschen Lehrerschaft Erscheinungen, welche allgemeines Interesse verdienen. Es sind dies größere Tafelwerke für den Anschauungsunterricht, ausgeführt mit einer Meisterschaft und zugleich einem pädagogischen Verständnis und hergestellt zu einem so billigen Preise, daß die Einführung in allen Schulen, auch allen Volksschulen wünschenswert ist.

a) **Geometrische Wandtafeln** von A. Salberg, Oberlehrer in München. **14 Tafeln à 100×74 cm. 1 Tafel 100×100 cm. Preis 7 ℳ 20 ₰.**

Diese Tafeln enthalten die wichtigsten geometrischen geraden und gebogenen Linien, die Winkel, die Parallelogramme mit den daraus entstehenden Dreiecken, die Kreisfläche, von den Körpern den Würfeln, die verschiedenen Säulen, die Pyramiden, Walzen, den Kegel und die Kugel, sämtliche mit Mantelfläche. Jeder Figur ist die Berechnung und die Formel zur Berechnung beigefügt. Die Figuren. Linien, Buchstaben und Ziffern sind so gross und stark, dass man sie auf 12 m Entfernung deutlich erkennen kann.

Die Wandtafeln sind methodisch so angelegt, dass der geometrische Unterricht in Volks-, Fortbildungs-, Latein-, Real-, Präparanden- und ähnlichen Schulen darnach erteilt werden kann.

Das grossartigste und wichtigste Unternehmen sind

b) **Dr. A. Geistbecks Geographische Landschafts- und Städtebilder von Deutschland und Europa. Zunächst 25 in reichem Farbendruck ausgeführte Tafeln im Riesenformat (Grösse einer Wandtafel) 84:110 cm ohne Rand für den Schulunterricht berechnet.**

Eine anschauliche Beschaffenheit der Erdoberfläche muss der moderne Geographieunterricht erreichen und leicht wird diese grosse Aufgabe durch Geistbecks grosses Werk gemacht.

Aus eigener Beobachtung soll der Schüler *selbstthätig* seine geographischen Kenntnisse gewinnen, er soll die Geographie gewissermassen *erleben* (die selbsterlebte Geographie ist die beste, sagt *Diesterweg*, der Altmeister der Methodik), und unter Leitung und Führung des Lehrers allmählich *von der Erfassung des Gegenständlichen zum Verständnisse des Ursächlichen* vordringen. Angesichts der unvergleichlichen Naturschönheiten des deutschen Vaterlandes wird sein Herz von Liebe und Begeisterung erglühen und das tiefe Heimatsgefühl und die innige Heimatsliebe des Deutschen, deren tiefste Wurzeln im deutschen Gemüte liegen, werden dadurch die kräftigste Nahrung empfangen.

Die letzten Jahre haben nun eine Reihe von Lehrmitteln in der angedeuteten Richtung gebracht, allein dieselben sind entweder in einem für Demonstrationszwecke nicht hinreichend grossen Formate gehalten und erstrecken sich nur auf einzelne Teile Deutschlands oder sie sind im Preise so hoch, dass nur bevorzugten Anstalten deren Anschaffung möglich ist. Ihren vollen unterrichtlichen und erziehlichen Zweck aber solche Abbildungen nur dann erreichen, wenn sie *nicht bloss wissenschaftlich korrekt, kunstvollendet in der Form und methodisch in der Anordnung sich erweisen, sondern wenn sie unser ganzes Vaterland, Nord und Süd, in gleichem Masse umspannen, wenn sie ferner in solchen Dimensionen zur Darstellung gelangen, dass sie den Schüler mit fast elementarischer Kraft in die zu behandelnde Landschaft versetzen, ihm die Charaktereigentümlichkeiten derselben mit Eindringlichkeit vorführen und mit der Naturwahrheit eines Panoramas auf ihn einwirken, wenn endlich durch anregende methodische und wissenschaftliche Erläuterungen, deren Verwendung und Zweck vollkommen klar gelegt ist.*

Dr. *Geistbecks* von *Meisterhand* ausgeführten Landschafts- und Städtebilder werden daher in dem riesigen Massstabe von 84:110 cm ohne Rand ausgeführt werden und ihre Betrachtung wird für den Schüler *den unvergleichlichen Reiz eines Ausfluges, einer Reise haben.*

Ein lebhaft geschriebener, ausführlicher **T e x t** wird den gesamten Lehrstoff in methodischer Anordnung darbieten.

C. C. Buchner Verlag in München, Stuttgart und Leipzig.

Vorerst sind die folgenden 25 Bilder in Aussicht genommen:

A. Süddeutschland und Alpengebiet.

1. Das Wettersteingebirge, Typus der nördlichen Kalkalpen, Ketten- oder Faltengebirg.
2. Aus der Berninagruppe, Typus der Centralalpen, das Gletscherphänomen.
3. Der Rosengarten, Typus der südtiroler Dolomiten.
4. Der Königsee, Typus eines Hochgebirgssees.
5. Der Bodensee, Typus eines mit reichem Kulturleben ausgestatteten Randsees.
6. München, Typus einer Residenz- und Kunststadt.
7. Die rauhe Alb, Typus eines Plattengebirges.
8. Stuttgart.
9. Der Schwarzwald, Typus des oberrheinischen Gebirgssystems.
10. Mannheim-Ludwigshafen, Typus einer modernen Handels- und Fabrikdoppelstadt, Panoramabild der Rheinebene mit den Randgebirgen.

B. Mittel- und Norddeutschland.

11. Der Rheindurchbruch bei Bingen und der Rheingau.
12. Der Thüringerwald mit der Wartburg, deutsche Mittelgebirgslandschaft.
13. Der Harz, Typus eines sogen. Massengebirges.
14. Das Elbsandsteingebirge, Typus eines Erosionsplateaus.
15. Norddeutsche Moorlandschaft aus dem Emsgebiete.
16. Rügen, Typus einer Steilküste.
17. Deutsche Nordseeküste, Typus einer Flachküste, Dünenküste.
18. Hamburg, Typus eines Flusshafens und einer Welthandelsstadt.
19. Kiel, deutsche Fördenküste, Kriegshafen.

C. Ausserdeutsche Landschaften.

20. Norwegische Fjordlandschaft.
21. Die Steilküste von Südengland.
22. Der Golf von Neapel mit dem Vesuv.
23. Athen mit der Akropolis, historische Landschaft.
24. Die Gartenlandschaft von Valencia oder Nurcia, Vegetationsbild.
25. Nizza, südfranzösische Landschaft.

Vorzüge: Kunstvollendet in der Form und reichster Vielfarbendruck.
Vorzüge: Methodisch in der Anlage.
Vorzüge: In den grössten Räumen gut sichtbar.
Vorzüge: ☞ Wissenschaftlich korrekt. ☜

Dieser Cyclus von Bildern wird noch, namentlich nach dem Bedürfnisse einzelner Staaten z. B. Österreich-Ungarn, England ꝛc. bedeutend erweitert; bis heute sind schon erschienen:

„Wettersteingebirge", „Berninagruppe", „Königsee", „Harz", „Schwarzwald"; jeden Monat erscheinen zwei Blatt.

Wichtige Beigabe: Ein den gesamten Lehrstoff in methodischer Anordnung behandelnder Text.

Nachricht über weitere bedeutende Erscheinungen unseres Verlages veröffentlichen wir demnächst.

C. C. Buchner Verlag

in München, Stuttgart, Leipzig.

I. Abteilung.

Abhandlungen.

I.

Der erste italienische Kursus des k. d. archäol. Instituts.*)

Man könnte in der Entwicklung, welche die klassische Philologie in diesem Jahrhundert genommen hat, eine humanistische, kritische und archäologische Richtung unterscheiden; sie stellen zwar alle drei nur die verschiedenen Seiten der Altertumswissenschaft dar, treten aber nicht jederzeit in gleichem Maße hervor. Stand die erste, humanistische Richtung in unmittelbarem Zusammenhang mit der Blütezeit der deutschen Literatur und war die mehr auf Kritik gerichtete Behandlung der Klassiker ein notwendiges Erfordernis nach jener ersten Periode der Wiederbelebung des klassischen Altertums, so war es nicht anders als natürlich, daß die großartigen Resultate, welche die Ausgrabungen in den letzten Jahrzehnten allenthalben ergeben haben, gerade diesen Zweig der Altertumswissenschaft, die Archäologie, in den Vordergrund treten ließen. Die Berliner archäologisch-philologischen Forschungen sind jedenfalls nur ein bedeutungsvoller Anfang einer noch viel engeren Vereinigung beider Disziplinen. Es ist begreiflich, daß die in der Philologie als Wissenschaft jeweils herrschende Richtung auch auf die Methode des Gymnasialunterrichts den größten Einfluß ausüben muß, sei es nach der guten oder schlimmen Seite. Die überwiegend kritische Behandlung hat sich besonders im Norden Deutschlands unmittelbar auf die Gymnasien übertragen, aber denselben mehr geschadet als genützt. Seitdem nun die Archäologie sich so mächtig entwickelt hat, sind die Vertreter derselben eifrig bemüht, auch am Gymnasium diesem Fach gebührende Geltung zu verschaffen und in diesem Fall kann der Einfluß der Wissenschaft nur von segensreichen Folgen für den Gymnasialunterricht sein. Den hohen pädagogischen Wert, den viele Gebiete der Archäologie haben, indem sie teils zur Veranschaulichung der Schriftsteller dienen, teils auch an und für sich das Auge im Anschauen und Beurteilen von Kunstgegenständen üben, hat noch niemand bestritten, nur um die Vorbedingung einer gedeihlichen Verwertung der Archäologie und das Maß der Anwendung handelt es sich. Die Grundlage dazu bildet natürlich die archäologische Vorbildung, die es dem Lehrer

---

*) Der Bericht über den italienischen Kursus erscheint deshalb erst jetzt, weil ich die Erfahrungen und Beobachtungen, die ich in dem letzten Schuljahr machte, in dem zweiten Teil des Aufsatzes noch verwerten wollte.

möglich macht, in diesem Fach selbst weiterzuarbeiten und aus dem reichen Material das Beste für den Unterricht auszuwählen. Man kann es der bayerischen Regierung nicht genug danken, daſs sie schon mit dem neuen Lehrplan vom Jahre 1873 auf Prof. v. Urlichs' Anregung in das Spezialexamen die Archäologie als Prüfungsfach aufgenommen hat; in Preuſsen, Württemberg, Sachsen und anderen Staaten ist dies noch nicht der Fall, aber sicher wird man auch dort nicht umhin können, in dieser Beziehung gewisse Anforderungen an den Gymnasiallehrer zu stellen, wenn nicht bloſs oberflächliche Kenntnisse zur Behandlung eines so wichtigen Unterrichtsmittels genügen sollen. Eine gründliche Kenntnis der Kunstgeschichte kann sich der einzelne auch später wohl aneignen, aber die Methode der Erklärung und Auffassung von Kunstobjekten muſs durch Übung an der Hand eines erfahrnen Meisters gewonnen werden und jeder, der nicht dazu Gelegenheit hatte, wird diesen Mangel später sehr empfinden.

Wenn man sich fragt, was die Ursache ist, daſs in·Bayern trotz des Examens die Archäologie verhältnismäſsig wenig in der Schule zur Geltung kommt, so liegt der Grund teils in dem gänzlichen Mangel an entsprechenden Hilfsmitteln, teils wohl in der Art der Prüfung, die einen rein wissenschaftlichen Charakter trägt und das in der Schule Brauchbare zu wenig berücksichtigt. Es wäre sicherlich nutzbringend, das weite Gebiet der Archäologie als Prüfungsgegenstand zu beschränken und mehr das zu fordern, was zur Erklärung der Schriftsteller, zur Ergänzung der Geschichte dient und überhaupt in der Schule verwendbar ist; eine genauere Kenntnis der Entwicklungsgeschichte der Kunst oder ästhetische Fragen wie eine ins Einzelne gehende Unterscheidung der Kunstrichtungen, die Behandlung der Gewänder, auch mythologische Darstellungen, die keine allgemeine Bedeutung haben, sollten nicht in den Bereich der Prüfung gezogen werden. Vielleicht empfiehlt es sich, eine Klassikerstelle dabei zu Grunde zu legen und daran Fragen über die Topographie Athens und Roms zu knüpfen, über die architektonische Gliederung der Tempel, Theater und Privatgebäude, über die bildliche Darstellung der in den Klassikern behandelten Sagenkreise, über die Hauptepochen der griechischen und römischen Kunst, soweit sie beim Geschichtsunterricht berührt werden müssen. Freilich ist klar, daſs ein Studium, das nur die praktische Verwendung zum Ziel hat, den eigentlich bildenden und veredelnden Wert verliert und daſs nur derjenige am besten das Einzelne auswählt, der das Ganze beherrscht; aber die Erfahrung lehrt: wer zu viel verlangt, — und dies ist bisher entschieden der Fall — erreicht weniger als derjenige, der sich auf ein bestimmtes Maſs beschränkt.

Als Ersatz für archäologische Vorbildung werden in Preuſsen seit zwei Jahren sogenannte Ferienkurse abgehalten (bisher in Berlin, Bonn und Trier); diesem Beispiel folgten heuer zum erstenmal Bayern und Sachsen, obwohl in Bayern die Verhältnisse anders liegen, als in den übrigen Staaten. Es soll dadurch den Gymnasiallehrern Gelegenheit gegeben werden, sich über wichtige in der Schule verwendbare Gebiete der Archäologie zu unterrichten und überhaupt Anregung zu weiteren Studien zu gewinnen. So dankenswert diese Bemühungen auch sind, solche Informationskurse, die bei technischen Fächern wie beim Militärwesen ihre volle Berechtigung haben, werden in der Archäologie und verwandten Disziplinen nur dann wirklich fruchtbringend wirken, wenn schon ein Grund in der wissenschaftlichen Vorbildung gelegt ist; denn einerseits ist die Zeit zu kurz, um praktische Übungen damit zu verbinden, andererseits wird der Vortragende bei dem verschiedenen Grad der Vorbildung seiner Zuhörer in Verlegenheit sein, allen gerecht zu werden. Wo aber ein gewisses Maß von Kenntnissen vorausgesetzt werden darf, da mögen die Ferienkurse dazu dienen, den Freund der Archäologie mit dem jeweiligen Stand der wissenschaftlichen Forschung bekannt zu machen und ihm praktische Ratschläge (Literatur etc.) zur Anwendung zu geben. Aber eigene Anschauung des Landes, aus dem die Archäologie schöpft, und seiner Kunstwerke kann doch in keiner Weise durch andere, noch so geeignete Mittel ersetzt werden. Wie es ein Unding wäre, nur nach einem Pflanzenatlas ohne lebendige Kenntnis der Pflanzen selbst den botanischen Unterricht zu erteilen, ebenso schwer ist es, in dem Fache der Archäologie, ohne selbst gesehen zu haben, anderen ein anschauliches Bild eines Kunstwerkes, eines wichtigen Denkmals oder überhaupt von Land und Leuten zu geben. Es ist nun das hohe Verdienst von Professor Conze, gelegentlich der letzten Philologenversammlung darauf hingewiesen zu haben, daß noch eine größere Anzahl von Gymnasiallehrern in Italien selbst Studien machen müßte, wenn der Unterricht durch die Hilfsmittel der Archäologie wirklich gewinnen sollte. Einzelnen war es ja mittelst der Reisestipendien auch früher vergönnt, Italien kennen zu lernen, aber der Gewinn kam mehr der Wissenschaft als der Schule zu Gute und außerdem waren es meist junge Philologen, die mit der Schule noch in keinem engeren Zusammenhang standen und daher auch das, was vor allem für den Unterricht zu verwerten, gar nicht kannten. Es war daher ein glücklicher Gedanke, daß auch praktischen Schulmännern, die schon Jahre lang sich beim Unterricht mit dem klassischen Land und seinen Denkmälern beschäftigt haben, ein Besuch derselben ermöglicht werde. Der Vorschlag fand allgemeinen Beifall, nur über die Ausführung herrschte Meinungsverschiedenheit; die künstlerische Anschauung trat der praktischen gegenüber und in der That haben sich manche Bedenken, die geltend gemacht wurden, als berechtigt erwiesen; aber es sollte einmal der Versuch gemacht und ein dreiwöchentlicher Kursus nach Italien unternommen werden. Mit Genehmigung des Reichskanzlers konnte Professor Conze aus den 32 Gymnasiallehrern, die sich gemeldet hatten, 20 zur Beteiligung einladen, es waren fast alle Bundesstaaten vertreten, Preußen mit 10, Bayern mit 3, Württemberg mit 2, Sachsen, Baden, Elsaß-Lothringen, Schwarzburg-Sondershausen, Reuß, Sachsen-Meiningen mit je 1. Da zwei Teilnehmer Dr. Bärwinkel und M. Leeder in Programmen (fürstl. Schwarzburg. Gymn. Sondershausen und Realgym. Grünberg in Schl. Ostern 1892)

32*

einen genauen Bericht von dem Verlauf des Kursus gegeben haben.
so soll hier nur auf einige allgemeine Punkte hingewiesen werden.
Die Führung, die Prof. Petersen, der Vorstand des archäologischen
Instituts in Rom, übernommen hatte, erstreckte sich auf Verona,
Florenz, für beide Orte war je ein Tag bestimmt, dann Rom
(10 Tage) mit Ausflügen nach Tivoli und Frascati, ferner Pompeji
mit Pästum (4 Tage), Neapel mit Bajä (2 Tage), auf der Rückfahrt
wurde noch Corneto-Tarquinii besucht, so daſs der Kursus mit Hin-
und Rückfahrt etwa 4 Wochen in Anspruch nahm.˙ In Rom war
von Seite des archäologischen Instituts für Freiquartier gesorgt und
ebenso waren die Teilnehmer als Gäste desselben zu den Ausflügen
nach Tivoli und Frascati geladen. Die kurze Zeit des Aufenthaltes in Rom muſste fleiſsig benützt werden, wenn auch nur die
wichtigsten Denkmäler besichtigt werden sollten. Die Vatikanischen.
Capitolinischen Museen, die Sammlungen im Lateran, in den Diokletiansthermen, in der Villa Albani und Ludovisi wurden unter der trefflichen Führung Petersens besucht. Zwei Gesichtspunkte waren bei
der Besprechung maſsgebend, es sollte zunächst an hervorragenden
Werken die historische Entwicklung von den ersten Anfängen bis zum
Niedergang in der Kaiserzeit gezeigt werden, hiebei wurde an entsprechenden Beispielen der archaische Stil, dann der Charakter eines
Phidias, Polyklet, Skopas, Praxiteles und Lysippus, ebenso die archai-
sierende Richtung eines Stephanus und Pasiteles nachgewiesen,
andererseits wurden die typischen Gestalten der griechischen Kunst,
wie die der Götter und Heroen nach ihren Attributen hervorgehoben,
ebenso die Bildnisse gewisser mythologischer Sagenkreise, wie die des
Dionysus in ihrer Beziehung zur griechischen Lebensanschauung; den
Glanzpunkt bildete nach dieser Seite die Villa Boncompagni (Ludovisi),
weil hier auf engem Raum hervorragende Denkmäler aller Epochen
vereinigt sind; alle Teilnehmer werden mit Dankbarkeit an die in jener
Sammlung zugebrachten, wirklich weihevollen Stunden zurückdenken,
der Aphroditekopf, das herrliche, erst von Petersen richtig erkannte
Aphroditerelief, die Pallasstatue, die schlafende Erinys, die berühmte
Juno, der Gallier und sein Weib, die Gruppe des Menelaos eigneten sich
so recht, um an ihnen die ganze Schönheit und Einfachheit der griechischen
Kunst in der Entwicklung zu zeigen. — Für Topographie und Architektur hatte Dr. Hülsen die Führung übernommen. Von Wichtigkeit
waren das Forum und der Palatin, welche eingehend besichtigt wurden,
mittelst kleiner Pläne und Rekonstruktionen wurde zunächst das jetzt
ausgegrabene kaiserliche Forum zur Anschauung gebracht und dann
auch die wahrscheinliche Gestalt des republikanischen Forums besprochen; die Ausflüge nach Tivoli und Frascati, ebenso der Besuch
der via Appia und Latina trugen zur Vervollständigung des Gesamt-
hildes wesentlich bei. Mit vollem Recht waren für den Aufenthalt
in Pompeji 3 Tage bestimmt; denn nirgends wird der Freund des
klassischen Altertums so sehr in antike Lebensweise eingeführt, als
gerade dort. Professor Mau geleitete die Gesellschaft durch die
antike Stadt, indem er in entsprechender Reihenfolge zunächst das

Forum als das Zentrum des antiken Lebens, dann die öffentlichen Gebäude, die Theater, Tempel, Paläste, schliefslich auch die Privatwohnungen betrachtete und so zugleich ein Bild des antiken Lebens gab mit Berücksichtigung der Kunstrichtungen, die sich besonders in der Malerei zeigen; jeder Teilnehmer wird sich wohl gestehen müssen, wie es auch in der Natur der Sache liegt, dafs er für den nächsten Zweck, für die Schule, hier überaus viel gewonnen hat. Ein Tag war noch für das reichhaltige Museum in Neapel, für den Ausflug nach Bajä und Cumä, und ebenso nach Pästum bestimmt. Führten die herrlichen Tempel Pästums in die älteste Kulturperiode zurück, so erinnerte Bajä an die Zeit des sittlichen Verfalls; Natur, Kunst und Geschichte verleihen all diesen Orten einen unvergänglichen Reiz. Auf der Rückreise wurden noch die etruskischen Gräber von Corneto-Tarquinii besucht. In der That konnte die Auswahl aus der reichen Fülle von Sehenswürdigkeiten nicht besser getroffen werden und wohl noch nie haben Deutsche in so kurzer Zeit soviel in Italien gesehen, freilich war dies auch nur zu erreichen unter so sachkundiger Führung und darum sei Herrn Professor Petersen, sowie den Herren Dr. Hülsen und Mau hier der wärmste Dank ausgesprochen. Indes war es ein erster Versuch, der noch mancher Umwandlung bedarf, wenn eine lebensfähige, wirklich segensreiche Einrichtung daraus werden soll. Es wird daher nicht als Undank erscheinen, wenn hier einige Vorschläge gemacht werden.[1]) Die Zeit war entschieden zu kurz bemessen, zwei bis drei Monate gehören dazu, wenn die mannigfachen Eindrücke auch innerlich verarbeitet werden sollen. Goethes Mahnung, die er bezüglich seines in Rom weilenden Freundes ausspricht: „ich hoffe, dafs er sich auch Zeit nehmen wird gründlich zu sein“, dürfte auch hier berücksichtigt werden; denn es genügt nicht, sich alles nur zeigen zu lassen, man mufs selbst beobachten und ein Kunstwerk auf sich wirken lassen, wenn man einen bleibenden Gewinn davon haben will. Auch mufs man Zeit haben, Land und Leute etwas kennen zu lernen. Administrative Rücksichten können dem gegenüber nicht in Betracht kommen; denn wo eine Vertretung von 4 Wochen möglich ist, erscheint auch zweimonatlicher Urlaub nicht unmöglich. Ferner wäre es zweckmäfsig, die Führung nur auf Rom, Neapel und Pompeji zu beschränken und dies läge sowohl im Interesse der Leiter des Kursus als auch der Teilnehmer; gemeinsames Reisen und Wohnen ist immer mit Schwierigkeiten verbunden und ebenso kann ein wahrer Naturgenufs nur im kleinen Kreise von solchen, die sich näher stehen, aufkommen. Endlich ist auch die finanzielle Seite des Unternehmens von Wichtigkeit. Diesmal wurde in mancher Weise den Teilnehmern Erleichterung gewährt. Aber es ist wohl nicht mehr als billig, dafs denjenigen, die doch nicht in ihrem eigenen Interesse eine Vergnügungsreise machen, sondern im letzten Grunde der Schule dienen, der Staat eine

---

[1]) Auf Anregung anderer Teilnehmer wurde der diesjährige Kursus um 2 Wochen verlängert, so dafs die hier ausgesprochenen Wünsche zum teil schon in Erfüllung gegangen sind.

entsprechende Summe zur Verfügung stellt. Die einen erhalten ein
grofses Staatsstipendium, weil sie wissenschaftlichen Interessen dienen,
mit Recht; die andern bringen der Schule oft viel gröfseren Gewinn.
als jene der Wissenschaft, und müssen auf eigene Kosten die Reise
unternehmen; das ist jedenfalls eine nicht gerechtfertigte Erschwerung
löblicher Bestrebungen. Die Volksvertretung, die fortwährend über
das Gymnasium klagt und Reformen wünscht, möge hier einsetzen,
eine gröfsere Anzahl kleiner Stipendien von 500—600 Mark würde
reichliche Zinsen tragen.

II.
Archäologie im Unterricht.

Bei der letzten bayerischen Gymnasiallehrerversammlung hat
Rektor Dr. Lechner[1]) seine durch lange Erfahrung bewährten Grundsätze über Verwendung der Archäologie in der Schule dargethan;
wenn ich nun trotzdem im folgenden dasselbe Thema behandle,
so geschieht es deshalb, weil hier Beobachtungen wiedergegeben
werden sollen, die aus der unmittelbaren Anschauung des klassischen
Landes und seiner Kunstwerke hervorgehen und sich mir bei der
sachkundigen Leitung des Kursus aufgedrängt haben; aufserdem ist
die Behandlung dieses Lehrmittels zu neu, als dafs nicht durch verschiedene Auffassung die Sache selbst gewinnen könnte.

Die Notwendigkeit, die Archäologie in der Schule zur Geltung
zu bringen und die Anschauung vom Altertum dadurch zu beleben.
ist wohl allgemein anerkannt. Schon 1848 hat Stark in seinem
Schriftchen „Kunst und Schule" diesen Standpunkt vertreten, seit
1864 kam bei den Philologenversammlungen wiederholt diese Frage
zur Verhandlung und fand die Zustimmung der Pädagogen, nur über
die Art der Verwendung und die Grenzen, in denen dieses Unterrichtsmittel der allgemeinen Aufgabe dienen soll, sind die Meinungen geteilt.
Die Ausführung richtet sich nach dem Zweck, der erreicht werden soll
und dieser kann an dem Gymnasium nur der sein, das Interesse
für die Schönheit, Wahrheit und Einfachheit des klassischen Altertums zu wecken und so das Bild, das der Schüler durch die Lektüre
gewinnt, zu vervollständigen; v. Brunn erklärt das Gesamtbild des
klassischen Altertums für unvollständig, in dem nicht der künstlerische
Geist desselben zur Geltung kommt. Und jeder, der sich damit beschäftigt, wird gestehen müssen, dafs hier noch viel edles Material
unverwertet liegt, das dem gleichen Zwecke, wie die Lektüre, dienen
kann. Dafs durch dieses Hilfsmittel zum Verständnis des Altertums
die Lektüre selbst gewinnt und andererseits auch die Anschauung,
das Sehen, geübt wird, ergibt sich aus dem Vorhergehenden von selbst.
Die Einteilung des Stoffes wäre eine dreifache: für die unteren
(I—IV) Klassen eignen sich alle Bildwerke, die zur Veranschaulichung
antiken Lebens dienen, ohne dafs der Kunstcharakter dabei in Betracht

[1]) Bericht über die XVII. General-Versammlung des bayer. Gymnasiallehrer-
vereins. München 1892. S. 59—78.

kommt, also die sog. Tektonik. Den Mittelpunkt bildet auf dieser Stufe Pompeji. In den mittleren (VI—VII) Klassen ist abgesehen von allem, was zum Verständnis der betreffenden Klassiker, Xenophon und Cäsar, dient, hauptsächlich die Architektur zu verwenden. An Mykenä, Tiryns und Troja (Homer), an die Akropolis und das römische Forum (Livius) würde sich die Behandlung anschliefsen. In den oberen (VIII u. IX) Klassen kommen die Kunstwerke als solche zur Würdigung und würden besonders der Plastik und Malerei entnommen. — Das gröfste Interesse erregt bei den Schülern natürlich die Stätte, durch die man wie von selbst in antikes Leben eingeführt wird, Pompeji und hierauf wird sich der Unterricht immer wieder beziehen müssen, auch in den oberen Klassen. Der Schüler erhält ein Bild von einer alten Stadt, von dem Forum als dem Mittelpunkt des städtischen Lebens, von den öffentlichen Bauten, Tem-·peln, Theatern, Palästren und Thermen; gerade dadurch, dafs dort alles auf engerem Raum vereinigt ist, wird die Zusammengehörigkeit dieser für das antike Leben charakteristischen Gebäude viel klarer; sie repräsentieren so recht das politische und religiöse Leben, die Pflege der Kunst und der Leibesübung.· Mögen auch die Tempel in Pästum und Sicilien für die Gesamtanschauung von einem Tempel geeigneter sein, erst durch Pompeji erhält man eine Vorstellung von der Zahl derselben in einer mittleren Stadt, von der inneren Anlage und Einrichtung. Auch das Forum Roms kann man sich eigentlich erst vorstellen, wenn man das Forum in Pompeji kennt, hier ist der Abschlufs nach den einzelnen Seiten noch vollständig erhalten und die übrigen Gebäude, die wesentlich zu einem Marktplatz gehören; auch die zahlreichen Sockel von Statuen lassen erst ahnen, wie sehr auch das Forum Roms ausgeschmückt gewesen sein mufs. Dafs in einer verhältnismäfsig kleinen Stadt zwei Theater und ein Amphitheater sich finden, gibt dem Schüler zu erkennen, welche Bedeutung im guten oder schlimmen Sinne das Schauspiel für das antike Leben hatte. Die Erklärung des römischen Hauses nach seinen Hauptteilen und seiner Ausstattung, sowie der Unterschied des antiken vom modernen ist überaus wichtig, ganz abgesehen davon, dafs auch bei der Lektüre der Klassiker diese Kenntnis nötig ist. Auch die Gräberstrafse bietet fast mehr Material, um die Anschauung der Alten von dem Leben nach dem Tode kennen zu lernen, als die via Appia. so das sinnreiche Relief am Grab der Tyche:[1]) ein Schiff, das in den Hafen einläuft, oder neben dem Grab ein Triclinium für die Totenmahle; sehr lehrreich sind die Grabinschriften, die bald die Eitelkeit eines Mannes, der sich auch in der Inschrift noch seines bisellium rühmt, bald die aufrichtige Trauer um den Verlust eines fröhlichen Knaben erkennen lassen. Bieten diese und ähnliche Betrachtungen dem reiferen Schüler Stoff zum Nachdenken, so interessiert den Anfänger vor allem das, was sich aufs

---

[1]) Overbeck, Pompeji Bd. 2, S. 31 erklärt das Schiff als Denkmal des Geschäftes, aber das Einreffen der Segel, sowie der Umstand, dafs die Stifterin selbst auf dem Schiff abgebildet ist, pafst doch sehr gut für eine symbolische Auffassung.

alltägliche Leben bezieht, weil es ihm am nächsten liegt und somit
verständlich ist. Schon die Erzählung von den Ausgrabungen selbst,
von dem Zustand, in dem man die Häuser findet, versetzt den Schüler
mit einem Male in die antike Welt. Gar manche Wörter und Begriffe, die er nun sich aneignen muſs, lassen sich durch Abbildungen
verdeutlichen, so alles was zum Tempel gehört ara, sacrum, sacerdos,
hostia, ebenso die Ausrüstungsgegenstände hasta, sagitta, scutum,
galea, gladius gladiator, signum signifer, dann das Hausgeräte wie
arca, lectum, sacrarium mit den penates.   Bei hora muſs doch auch
die Tageseinteilung besprochen werden, wie bei calendae, nonae, idus
die Monatsrechnung; kann man vielleicht eine Abbildung der Stadt-
uhr in Pompeji[1]) zeigen, die am Apollotempel steht, so wird damit
eine lebendige Vorstellung erweckt. Navis longa, puppis, ancora,
velum, gubernaculum etc. läſst sich auch durch die bekannten pom-
pejianischen Wandgemälde[2]) veranschaulichen.   Natürlich darf der
Sprachunterricht nicht etwa öfters unterbrochen werden, sondern man
wird gewisse Gruppen zusammenfassen.   Auch sprachliche Erscheinungen lassen sich auf diese Weise erklären; so wird der Schüler,
der eine Abbildung des Sonnengottes gesehen hat und nun weiſs, daſs
die Alten die Sonne als männliches Wesen auffaſsten, nie mehr das
Genus verwechseln. Beim Ausdruck litterae, stilum vertere, scribere,
kann wohl auch an die Schreibweise und die Schreibgeräte erinnert
und dies ebenfalls an das pompejanische Wandgemälde, das bei
Baumeister wiedergegeben ist, angeknüpft werden.   Die Inschriften,
die sog. graffiti, verdienen nicht minder Beachtung, wie z. B. der
Vers, den einer mit Kohle angeschrieben hat ‚discite, dum vivo mors
inimica venit‘ ‚Marti omnia bona valent‘ oder die Ankündigung eines
Schauspiels, die Aufforderung zur Wahl eines Beamten u. ä. Die Be-
grüſsungsformeln: salve! cave canem! salve lucrum! lucrum gaudium![3])
geben dem Schüler zu mannigfachen Vermutungen über die Gesinnung
des Hausbesitzers Anlaſs.   Beginnt der griechische Sprachunterricht,
so muſs in ähnlicher Weise damit zugleich die Anschauung vom
griechischen Leben gebildet werden; es ist sicherlich nicht Zeitverschwendung, sondern nur eine andere Art geistiger Thätigkeit,
wenn der Schüler auch hier zuweilen auf bildliche Darstellungen
hingewiesen wird. Εὐφημεῖν, ϑύειν. σπένδειν, ἑλίσσειν, πάσσειν
ἁλός, σφάττειν geben Veranlassung, die Vorgänge beim Opfer zu
erklären, εὔχεσϑαι, ἀνατείνειν τὰς χεῖρας lassen sich an dem betenden
Knaben (Berl. Mus.) erkennen, vgl. auch Horaz carm. 3, 23, 1 caelo
supinas si tuleris manus.   Der Grieche breitet beim Beten die Arme
aus und erhebt die Hände zum Himmel, weil er die Erfüllung seines
Wunsches gleichsam als ein Geschenk von oben erhofft. Kampf und
Sieg (τρόπαιον bei τρέπω, eigentlich das Zeichen, daſs der Feind sich

---

[1]) Overbeck, Pompeji Bd. 2, S. 86.

[2]) s. Baumeister, Denkmäler des klass. Altertums unter dem Artikel
„Seewesen“, wo auch die pompejanischen Wandgemälde abgebildet sind.

[3]) Fresuhn, Pompej. Ausgrabungen, Leipzig, Weigel 1878. V, 5. Ebenda
VII, 6 ist der obige Pentameter mitgeteilt.

gewendet hat), Wettkämpfe und Spiele, Tod und Grab bilden verschiedene Seiten des menschlichen Lebens, die die Griechen in der sinnigsten Weise dargestellt haben. Werden diese auch durch Bilder veranschaulicht, so wird der Schüler gewöhnt, nicht blofs Worte zu lernen, sondern auch eine Vorstellung damit zu verbinden. — Für die Xenophon- und Cäsarlektüre kommen natürlich die Kriegsaltertümer vorwiegend in Betracht; eine unerschöpfliche Quelle für Cäsar sind die Darstellungen der Mark Aurel- und Trajanssäule; eine genaue Wiedergabe dieser Reliefs, aber in gröfserem Mafsstab als bei Baumeister, wäre der beste Bilderatlas zu Cäsar; nachdem jetzt wieder ein genauer Gipsabgufs der Trajanssäule genommen wurde und diese Reliefs im Lateran-Museum zur Aufstellung gelangt sind, liefse sich der Vorschlag leicht ausführen. — Für die mittleren Klassen (V.—VII.) sind die Beispiele hauptsächlich aus der Architektur zu entnehmen, also die grofsartigen Bauwerke der Griechen und Römer zu betrachten und dazu gibt die griechische und römische Geschichte, sowie die Lektüre beste Gelegenheit. In die Homerlektüre[1]) würde gleichfalls eine kurze Erwähnung der Ausgrabungen Schliemanns in Mykenä, Tiryns und Troja einführen; schon der Umstand, dafs die Begeisterung für die homerischen Dichtungen Schliemann veranlafste, sein Vermögen und Leben an die Erforschung der homerischen Stätten zu setzen, mufs das Interesse des Schülers erwecken. So verkehrt es natürlich wäre, bei einem Dichter die Erklärung der Realien zu sehr zu betonen und so den Zauber der Dichtung und die sittliche Wirkung zu vernichten, zuweilen ist eine sachliche Erklärung doch nötig; warum sollte diese nicht soweit als möglich auf die in Troja, Mykenä und Tiryns gemachten Funde verweisen? Wichtiger ist noch, dafs sich der Schüler eine Vorstellung von den Örtlichkeiten mache, wo die Dichtung spielt und zum teil auch jetzt die Sage sich noch erhalten hat. Rudolf Menge, Troja und Troas, Gymnasial-Bibl. 1. Heft ist hierin ein trefflicher Wegweiser. Eine Schilderung der Cyklopensteine, des Scyllafelsens, des Avernersees und ähnlicher Orte kann nur dazu dienen der Phantasie einige Anhaltspunkte zu geben. Die griechische Geschichte hat zum Mittelpunkt Athen und zwar ist die Akropolis die Stätte, auf die der Grieche stolz war, wie der Römer auf sein Forum und das Capitol; darum mufs diese einzigartige Burg vor allem dem Schüler bekannt werden durch Wort und Bild; wie wäre auch eine Schilderung des Perikleischen Zeitalters möglich ohne Beschreibung seiner Bauten? Gerade der harmonische Bau des Tempels ist ein Werk echt griechischen Geistes, die Betrachtung des Parthenon oder der Tempel in Pästum, ihre Gliederung und Ausschmückung wird immer einen mächtigen Eindruck hinterlassen: denn der religiöse Sinn tritt viel mehr in diesen Bauwerken hervor als in gelegentlichen

---

[1]) Über die Verbindung der Archäologie mit der Homerlektüre gibt Dr. Lechner treffende Beispiele (S. 64—69 a. o. O.); nur glaube ich, dafs auch hierin eine gewisse Stufenfolge eingehalten werden sollte. Plastische Werke wird man erst mit Nutzen in den obersten Klassen erklären, während die Homerlektüre doch schon in VI beginnt.

Äufserungen der Schriftsteller. Auch die Tempelruinen von Selinunt, Girgenti und Syrakus könnten beigezogen werden, sie sind interessant wegen ihrer Lage im Süden der Stadt an der durch das Meer geschützten Seite, während die Burg jedesmal im Norden liegt. Auch die hohe Macht der griechischen Kolonien geht aus diesen kolossalen Tempeln hervor und andererseits die Bedeutung, welche die Religion zur Verbreitung griechischer Kultur gehabt haben mufs. Ferner wird der Gegensatz zwischen den beiden Hauptstämmen Griechenlands, dem abgemessenen, strengen Dorervolke und dem freien, heiteren Jonier auf keine Weise besser erläutert als durch ihre verschiedene Bauart. Als Muster für ein Theater kann das Dionysostheater am Fufs der Akropolis dienen, aber erst die sicilischen Theater wie das von Segeste, Syrakus und Taormina geben ein volles Bild von der natürlichen Entstehung und der Zweckmäfsigkeit dieser Anlage. An diesen Orten liegt der Zuschauerraum am Abhang eines Berges, zwischen vorspringende Felsen eingebettet, die wesentlich zur trefflichen Akustik beitragen; über die am Fufs des Berges liegende σκηνή schweift der Blick des Zuschauers weit hinaus in die herrlichste Landschaft. Olympia, der geweihte Festplatz der Griechen, dem die modernen Völker nichts Ähnliches an die Seite zu stellen haben, erregt schon an und für sich das höchste Interesse des Schülers, zudem vereinigt diese Stätte auch alle profanen Gebäude, die sonst in den Klassikern erwähnt werden, das Stadion, Hippodrom, das Gymnasion mit seinen Gemächern und Säulenhallen, Prytaneion, die Schatzhäuser und Privatwohnungen, alles läfst sich hier veranschaulichen, überhaupt gibt eine
. Schilderung der Feste, die durch die Ausgrabungen uns viel näher gerückt sind, ein Gesamtbild von dem geistigen Leben Griechenlands. Eine Rekonstruktion von Pergamon (die vortreffliche von Thiersch) kann nur dazu dienen, der Diadochenzeit greifbare Gestalt zu geben; gerade der besondere Beruf der Diadochen, einerseits griechische Kunst im Osten zu pflegen, wenn dieselbe auch stark durch orientalische, immer aufs Kolossale gerichtete Art beeinflufst wird, und andererseits Griechenland gegen Angriffe der Barbaren von Norden und Osten zu schützen, tritt an ihren Bauwerken deutlich hervor. Akropolis und die Burg von Pergamon eignen sich in mehrfacher Hinsicht zu einem lehrreichen Vergleich. — Für die römische Geschichte ist eine genaue Kenntnis des Forums und der umliegenden Höhen unbedingt nötig, denn bei Livius, Sallust, Tacitus und Horaz wird das Forum so häufig erwähnt, dafs gar oft ohne Anschauung das Verständnis mangelhaft sein mufs. Erst wenn der Schüler durch einen Plan, vergleichende Anwendung auf naheliegende Verhältnisse und Abbildungen eine Vorstellung von der geringen Ausdehnung des Forums erhält, begreift er die Ausdrücke des Horaz: Sat. II, 6, 28 luctandum in turba; Epist. I, 6, 59 differtum transire forum populumque iubebat; die Aufdringlichkeit der andern Dichter erscheint noch gröfser: Sat. I, 4, 74 in medio qui scripta foro recitent, sunt multi. Die Beschreibung des Carcer Mamertinus (Sallust. Catil. 55) wird doch viel deutlicher werden, wenn es möglich wäre, auch eine Ab-

bildung zu zeigen, zumal an diesem Gebäude sich seit der Zeit des
Sallust nichts geändert hat. Die Härte, die immer mit der römischen
Macht verbunden war, kommt hier mehr zum Bewußtsein als sonst.
Die Rednerbühne, das comitium, tabularium sollte der Schüler nicht
nur der Lage nach kennen, sondern auch soweit sie jetzt noch erhalten sind. Der Cäsartempel, von dem man den Unterbau ausgegraben
hat, ist wichtig als der Ort, wohin die Leiche Cäsars geschleppt wurde,
um dort verbrannt zu werden; von da zogen seine Anhänger nach
dem Comitium und wollten auch dieses Gebäude, in dem er ermordet
wurde, in Brand stecken. Die via sacra wird ja bei den Klassikern
oft erwähnt, ebenso das Haus der Vestalinnen, in deren Tempel z. B.
das bei Tacitus (Annal. I, 8) erwähnte Testament des Augustus aufbewahrt wurde. Horaz Od. I, 2, 26 prece qua fatigent Virgines sanctae
minus audientem Carmina Vestam ist dieser Tempel gemeint, in dem
die Vestalinnen beteten, so daß das vorübergehende Publikum es wohl
hörte; denn wie sollte sonst der Dichter gerade ihre Gebete erwähnen?
Die Triumphbögen,[1] vielleicht ursprünglich dem Joch nachgebildet, durch
das die Besiegten ziehen mußten, sind allmählich trotzige Denkmäler
römischer Imperatorenmacht geworden, die Darstellungen besonders
auf dem Titus- und Constantinsbogen, bieten viel Stoff für den
Geschichtunterricht. Das Pantheon, die Siegessäulen, die großen
Caracalla- und Diokletiansthermen, das Kolosseum sind für die Kaiserzeit charakteristisch und geben einen Begriff von den ungeheuren
Mitteln, die den Herrn der Welt zur Verfügung standen. Die Engel-
burg müßte bei Schilderung der Gothenkämpfe in einer Abbildung
gezeigt werden, ebenso das Grabmal des Theodorich in Ravenna und
Ähnliches.

In den obersten Klassen käme nicht nur in Betracht, was der
Künstler dargestellt hat, sondern auch wie der Gedanke ausgeführt
wird, und hiezu werden geeignete Kunstwerke der Plastik und Malerei
entnommen. Derjenige Schüler, der die Meister in der Darstellung
seelischer Vorgänge, wie Plato, Sophokles, Tacitus liest, muß eine
gewisse geistige Reife erlangt haben, die ihn auch befähigt, mit Nutzen
solche Kunstwerke zu betrachten; natürlich kann nicht von einer
kritisch zergliedernden Betrachtung die Rede sein, ebensowenig von einer
Entwicklungsgeschichte der Kunst, der Zweck kann nur der sein, dem
Schüler dazu zu verhelfen, daß er ein Kunstwerk betrachten und erklären lerne und sich für diese wahrlich größte Seite des Altertums
begeistere. Daß bei der Behandlung von Lessings Laokoon ein großes
Bild der herrlichen Gruppe vor Augen stehen müßte, versteht sich
eigentlich von selbst, wird aber noch selten beachtet. Gerade Lessings
Laokoon[2] kann in dieser Beziehung überaus fruchtbar werden, wie
Bender zeigt (klass. Bildermappe zu Lessings Laokoon I u. II), indem

---

[1] Baumeister. Denkm. d. klass. Altert. S. 1871. Sicheres ist über die
Entstehung der Triumphbögen nicht bekannt.
[2] Vgl. Lechners Vortrag a. o. O. S. 73. Ich stimme hier vollständig bei,
daß diese und ähnliche Gruppen am besten beim Unterricht im Deutschen
besprochen werden.

er die wichtigsten Werke, die von Lessing besprochen werden, wie
den Zeus von Otricoli, Apollo von Belvedere, die Opferung der Iphigenie (pomp. Wandgemälde) und andere in dieser Sammlung vereinigt.
Ohne bildliche Darstellungen wird der Schüler sich nie über die von
Lessing behandelten Fragen der Plastik und Malerei klar werden.
Die Niobidengruppe würde auch sehr gut hiebei behandelt werden,
indem gerade das, was Lessing über den „fruchtbaren Augenblick"
sagt, auch auf dieses Kunstwerk pafst. Die Erklärung der Kompo-
sitiou des Dramas ist ebenso schwierig als notwendig. Denn über
dem Einzelnen wird es dem Schüler oft schwer, das Ganze zu überschauen; sollte dieselbe nicht verständlicher werden durch einen Vergleich mit einem plastischen Werke, etwa der schönen Komposition
einer Giebelgruppe, wie der des Ostgiebels vom Zeustempel in Olympia. Die Hauptpersonen bilden die Mitte, sie sind besonders charakterisiert, wobei dem Künstler der Kontrast als Hauptmittel der Darstellung
dient; aber zur Erklärung der Handlung, zur künstlerischen Vollendung
bedarf der Bildhauer der Nebenpersonen, die auch wieder ganz verschieden an Bedeutung sind. Ähnlich verhält es sich beim Drama,
nur dafs hier alles, was dort auf einen Raum vereinigt ist, nach einander sich entwickelt. Die Erscheinung des deus ex machina läfst
sich ebenfalls an der Komposition des Westgiebels erläutern; Apollo
erscheint, um den unlösbaren Streit zu schlichten. Der tragische
Konflikt, der Zwiespalt zwischen Leidenschaft und Pflicht der Menschen,
ist auch ein Problem, das in dieses Gebiet gehört und oft zum Vorwurf von den antiken Künstlern gemacht wurde. Das Bild der Medea
(pompejanisches Wandgemälde in Neapel) veranschaulicht dies am
besten. „Soll sie ihrer Mutterpflicht gehorchen oder sich von der
Rache leiten lassen", dieser Zweifel und der darin liegende Konflikt
kommt jedem zum Bewufstsein und damit eine wesentliche Seite des
Dramas. Ebenso könnte das prächtige pompejanische Gemälde zur
Verwendung kommen: Orestes und Pylades auf der einen, die maje-
stätische Gestalt des Königs Thoas auf der andern Seite, im Hinter-
grund erscheint wie eine Göttin Iphigenie. Der Maler stellt hier den
König Thoas nicht als blutdürstigen Tyrannen dar, sondern wie er
zweifelt, bis Iphigenia erscheint, die die Entscheidung bringt. Diese
Auffassung ist gleichsam ein Mittelglied zwischen der euripideischen
Darstellung und der Umbildung Goethes.[1] Ein ähnlicher Konflikt liegt
vor in dem sogenannten Athenefragment der Pergamen-Skulpturen:
Athene ergreift den Giganten, um ihn zu vernichten, auf der einen
Seite fleht die Mutter Gäa um Hilfe für ihren Sohn, auf der anderen
reicht eine Nike der Göttin den Siegeskranz hin. Auch viele Vasenbilder[2] eignen sich dazu, so die ergreifende Darstellung (Münchner
Vasensammlung Nr. 370) wie Achilles die Amazonenkönigin Penthe-
sileia tötet; die schöne Königin kniet vor ihm und bittet umsonst um

---

[1] Vergleiche auch die andere Darstellung, Presuhn, Pompej. Ausgrab. IX, 6.
[2] Es fehlt leider an schönen Abbildungen; aufserdem wären die Vasenbilder sicherlich für den Unterricht geeigneter, als die meist kleinen Gemmen-
Abdrücke.

Mitleid, Aias tadelt mit strafendem Blick die That, aber Achilles kennt
kein Erbarmen; hier ist schon die Entscheidung dargestellt, aber der
Seelenkampf liegt noch in seinen Gesichtszügen. Die Kunst der Gruppierung und Charakterzeichnung kann an all diesen Meisterwerken
nachgewiesen werden. Auch in anderer Weise läfst sich die Archäologie auf dieser Stufe mit dem Gesamtunterricht verknüpfen, so durch
die Betrachtung der typischen Gestalten der Götter und Heroen mit
ihren Attributen, wodurch gar manches Beiwort des Homer oder der
anderen Dichter seine Erklärung findet, oder gewisser Sagenkreise, in
denen die Griechen ihre Lebensanschauungen und ihre Geschichte
wiedergegeben haben. Die Ausschmückung der Grabräume und
Sarkophage mit der Dionysussage ist jedenfalls sehr bezeichnend für die
Auffassung, die sie von dem Leben nach dem Tode hatten und die
griechischen Grabreliefs selbst verraten eine so innige Liebe der
Familienglieder, dafs sie demjenigen, der einmal darauf hingewiesen
wurde, zu einer Quelle wahrer Erhebung werden. Vergl. das bekannte Orpheusrelief in der Villa Albani.[1] Ferner der Stolz des
echten Griechen gegenüber dem Barbaren wird erst durch den Hinweis auf die bildende Kunst recht klar, z. B. an dem sterbenden
Gallier (kapitol. Museum) und den übrigen Gallierstatuen (Neapel,
Venedig) und andererseits an dem Kopf des sterbenden Alexander
(Florenz) oder des sterbenden Niobiden (München); gerade die Niobidengruppe stellt diesen Gegensatz recht deutlich dar; wer sie einmal
aufmerksam betrachtet hat, kann nicht mehr im Zweifel sein, zu
welcher Klasse des Volkes z. B. die bei Plato öfters erwähnten $\pi\alpha\iota\delta\alpha$-
$\gamma\omega\gamma\iota$ gehörten. Die sog. Thusnelda eignet sich in dieser Beziehung
zu einem Vergleich mit einer griechischen Frauengestalt; sie ist aber
wohl keine Germanin, sondern eine Dacierin, die zu den Dacierkönigen
gehört und ursprünglich auf den Säulen eines Triumphbogens stand;
ein Relief, das ich im Museum zu Palermo gesehen habe, zeigt
dieselben Gestalten. Auch könnte im Anschlufs an Plato in der
Stufenfolge des Lebensalters die menschliche Gestalt, wie sie die griechische Kunst geschaffen hat, besprochen werden. Das Kind wird
nur in Verbindung mit dem Vater oder der Mutter dargestellt, es ist
der Gegenstand der zärtlichen Liebe, wie in der Münchener Gruppe
Eirene mit dem Plutoskinde auf dem Arme, ebenso Hermes oder
Bacchus mit dem Dionysuskinde, dann vor allem in den Grabreliefs,
z. B. in dem sog. Leukothearelief. Der Knabe erscheint hilflos, fremden
Schutzes bedürftig, der betende Knabe (Berlin) oder der Knabe in der
Niobidengruppe, der sich zu dem Pädagogen flüchtet. Die Jünglinge widmen
sich den Waffenübungen und darum werden sie als Krieger, Reiter,
Speerträger, Diskobole oder in andern Stellungen, die der Ringschule
entnommen sind, dargestellt; die körperliche Durchbildung der Glieder
zu einer harmonischen Schönheit ist hier alles, der seelische Ausdruck
fehlt meist noch. Als Idealbild eines Mannes, eines wahren $\varkappa\alpha\lambda\acute{o}\varsigma$

---

[1] Baumeister. Denkmäler des klassischen Altertums, S. 1122. — Wolters,
Mitteil. d. archäol. Instit. athen. Abt. 1891. 4. Heft, urteilt sehr treffend über die
Bedeutung der attischen Grabmäler.

κἀγαϑός, sollte jeder Schüler die Sophoklesstatue (Lateran) kennen lernen, die grofsartigste Porträtstatue, die es überhaupt gibt, und als Gegenstück den Demosthenes (Vatikan), die Verkörperung der Willensenergie und Geisteskraft. Greise haben die Alten nicht in ganzer Figur dargestellt, wohl aus Scheu vor dem Unschönen, das in einem gebrechlichen Körper liegt, sondern nur in der Büste, der Körper bedeutet in diesem Lebensalter nichts mehr, nur der Geist besitzt noch Kraft und dieser kommt in den Gesichtszügen zum Ausdruck; der edelste Typus eines Greises ist der bekannte Homerkopf (Neapel), das ganze Lehen eines Mannes, der viel gelitten, noch mehr gedichtet und gedacht hat, liegt in diesen Zügen. — Es sollte in dem Vorhergehenden nur ein Versuch gemacht werden, den reichen Stoff zu gliedern; jeder Lehrer wird sich nach seinem Geschmack das Beste aussuchen, und vor allem die Art der Mitteilung wählen, die ihm entspricht; denn gar viele Wege führen nach Rom; aber dem kann sich keiner verschliefsen, dafs diesem Gebiet noch manches zum wahren Nutzen des Unterrichts entnommen werden kann. — Lehrmittel, die zur Veranschaulichung des antiken Lebens und der Kunst verwendet werden können, sind bis jetzt an den meisten Gymnasien in sehr geringem Mafse vorhanden; allerdings gibt es auch nur wenig wirklich Brauchbares. Die Bilder-Atlanten von Engelmann, Schreiber, die Bilderhefte von Baumeister kann der einzelne Schüler zur Belehrung und Unterhaltung benützen, · aber in der Klasse sind sie nicht zu verwenden; enthalten sie nun gar so häfsliche Abbildungen wie das jüngst erschienene klassische Bilderbuch von Raimund Öbler, so wirken sie schädlich, gehen nicht nur keine Vorstellung von schönen Statuen, sondern verderben auch den Geschmack. Beim Unterricht mufs e i n Bild dem Schüler vorgelegt werden und dies Bild mufs er lange und in Ruhe betrachten hönnen, wozu sich die Aufstellung in Schaukästen oder auf besonderen Gestellen eignet; denn ein kurzes, flüchtiges Beschauen und Anstaunen bringt keine nachhaltige Wirkung hervor. Grofse und schöne Einzelphotographien, wie sie das Maxgymnasium in München schon besitzt, sind bis jetzt das beste Anschauungsmittel, und können in Italien selbst billig angekauft werden. Zieht man dieselben nicht auf, sondern läfst sie nur kartonnieren, so treten die Formen, wenn die Photographien gegen das Licht gehalten werden, überaus plastisch hervor. Würde freilich der von Prof. v. B r u n n bei der letzten Philologen-Versammlung gemachte Vorschlag zur Ausführung kommen, dafs eine Auswahl aus der prachtvollen unter Brunns Leitung bei Bruckmann erscheinenden Sammlung antiker Denkmäler den Gymnasien aus Reichsmitteln bewilligt würde, so wäre damit der Anschauungsunterricht ungemein gefördert. Aufserdem sollten an keinem Gymnasium folgende Hilfsmittel fehlen: La u n i t z - T r e n d e l e n b u r g . Wandtafeln zur Veranschaulichung antiken Lebens und antiker Kunst, Kassel, Fischer. — F e r d. B e n d e r , klassische Bildermappe, Abbildungen künstlerischer Werke zur Erläuterung wichtiger Schulschriftsteller. Darmstadt, Zedler u. Vogel, Heft 1—7. — L a n g l . Griechische Götter- und Helden-Gestalten nach antiken Bildwerken, Wien, Hölder 1887. —

Alois Hauser, Säulenordnungen, Wandtafeln zum Studium der wichtigsten architektonischen Formen der griechischen und römischen Antike, Alfr. Hölder, Wien; besonders Tafel I—IV enthalten eine treffliche Wiedergabe der Säulenordnungen und können auch im Zeichenunterricht verwendet werden. — Auch Alfr. Genick, kunstgewerbliche Vorbilder, Hain, Berlin, bietet Brauchbares. Zunächst sind es noch wenig Hilfsmittel; doch ist zu hoffen, daß durch Vervollkommnung der Technik gerade auf diesem Gebiete noch Manches geleistet wird und die Abbildungen immer mehr dem Originale nahe kommen.

Erlangen. Carl Wunderer.

II. Abteilung.

Rezensionen.

Sammlung pädagogischer Abhandlungen, Herausgegeben von Dr. O. Frick und H. Meier. I. Fr. Schickhelm, Die Methode des Anschauungsunterrichts auf psychologischer Grundlage durchgeführt an der Botanik. Halle a. S. Buchhandlung des Waisenhauses, 1889. 69 S.

Diese Sammlung soll nach der Ankündigung der Herausgeber das ältere Unternehmen der „Lehrproben und Lehrgänge" zugleich entlasten und erweitern. Im besonderen verfolgt sie den Zweck den didaktischen Wert der einzelnen Lehr- und Lesestoffe zu prüfen und festzustellen. Die erste dieser pädagogischen Abhandlungen hat den methodischen Unterricht in der Botanik zum Gegenstande, und es scheint angemessen jetzt an dieser Stelle auf dieselbe zu verweisen, nachdem zur Befriedigung aller verständigen Freunde unseres Gymnasiums Unterricht in der Botanik auch in den Lehrplan der humanistischen Lehranstalten Bayerns aufgenommen worden ist.

Man wird sagen können, daſs der Erfolg nirgends mehr von einer entsprechenden Methode abhängig ist, als im naturwissenschaftlichen Unterricht, und da die Einrichtung pädagogischer Seminarien in Bayern wohl nicht in nächster Aussicht steht, so dürfte das Studium solcher Schriften, wie die vorliegende ist, den Lehrern der Naturkunde gute Dienste erweisen. Der Verf. versichert, daſs er in derselben das Ergebnis mehrjähriger Praxis, vielfacher Vergleichung und Selbstprüfung gibt; zugleich ist er bestrebt die Anordnung des Lehrstoffes auf psychologische Gesetze zurückzuführen, wobei er sich aber keineswegs auf die Verfolgung irgend eines bestimmten philosophischen Lehrsystems einschränkt. Man wird die psychologische Begründung der hier gegebenen methodischen Regeln nicht immer für notwendig finden, da sich dieselben häufig aus der Betrachtung des Lehrstoffes selbst ergeben und auch schon ohne Zurückführung auf allgemeine Gesetze des Denkens angewandt worden sind; auch müssen wir das Urteil über die Anordnung im einzelnen den Vertretern des Lehrfaches der Naturkunde überlassen; wir wollen nur noch andeuten, in welcher Weise der Verf. den Lehrgang zu gestalten empfiehlt. Für den Unterricht an bayerischen Gymnasien könnte allerdings nur ein Teil desselben in Betracht kommen.

Für den Anfangsunterricht sind blühende Pflanzen zur Durch-

nahme zu wählen und vollständige Pflanzenexemplare; die Beschreibung
der Teile ist sodann durch den Tastsinn zu unterstützen, indem der
Schüler den betreffenden Teil der Pflanze mit dem Finger zu bezeichnen hat. Man gebe dem Schüler von Anfang an Massstab und
Zirkel in die Hand und lehre ihn damit umgehen; durch die fragende
Unterrichtsform werde er angeleitet selbst zu finden und die Pflanzenindividuen mit einander zu vergleichen. Um die Häufung des Lehrstoffes zu vermeiden, ist die Zahl der durchzunehmenden Spezies zu
beschränken. Der Abschluſs der Beschreibung erfolgt durch die Entwicklung von Formel und Diagramm. Die nächste Unterrichtsstufe
hat damit zu beginnen, daſs das Pflanzenmaterial in Familien zusammengestellt wird. Auf einer höheren Stufe wird dann die Familie
als Mittelpunkt einer Lebensgemeinschaft behandelt. Schlieſslich ergibt sich für die Behandlung des botanischen Lehrstoffes folgende
Gliederung:

1. Stufe. Entwicklung und Bearbeitung der Pflanzenform a) Bearbeitung einzelner Pflanzen mit besonders deutlichen Merkmalen.
Terminologie; Blütenformel- und diagramm; das Individuum als Centrum einer Lebensgemeinschaft. b) Entwicklung des Familienbegriffs.
Pflanzenindividuen mit komplizierterem Bau. Die Familie als Centrum
einer Lebensgemeinschaft oder als Centrum gemeinsamer Beziehungen.

2. Stufe. Entwicklung der Lebensbedingungen der Pflanze.
a) Bearbeitung von Lebensgemeinschaften: Wiese, Feld, Teich. Kulturpflanzen: Vegetation der Mittelmeerländer. Entwicklung des Systems
der bedecktsamigen Blütenpflanzen.

b) Lebensgemeinschaften: Laubwald, Nadelwald, Feld, Teich
(Erweiterung); Vegetation der Tropen. System des Pflanzenreiches.

Dr. Herman Schiller, Schularbeit und Hausarbeit.
Ein Vortrag. Berlin, Weidmann. 1891. 51 S.

Je zahlreicher die Lehrgegenstände in unseren höheren Schulen werden
und je mehr sich dadurch der Lernstoff häuft, desto dringender tritt
an die Pädagogik die Aufgabe heran die Schüler von überflüssigen,
durch das Lehrziel nicht gebotenen Arbeiten zu entlasten, und je gröſser
die Gefahr wird, daſs der Lernende in der Masse des einzelnen Wissens
sich verliert, umsomehr muſs man bestrebt sein den Zusammenhang
der Lehrstoffe im Interesse einer möglichst einheitlichen Bildung aufzuweisen, zumal wenn sich so auch eine Erleichterung des Wissens-
erwerbs erreichen lässt. In dieser Richtung bewegen sich die Vorschläge der verdienstvollen Verfassers des Handbuchs der praktischen
Pädagogik in der vorliegenden, zunächst für die Dezemberkonferenz
ausgearbeiteten Schrift; es ist dabei vornehmlich darauf abgesehen,
durch methodische Schulung im mündlichen Unterricht eine Einschränkung besonders der schriftlichen Hausarbeiten für die unteren Klassen
unserer Gymnasien zu erreichen. Die theoretische Erörterung und
praktische Übung pädagogischer Seminarien kann aus diesen am

Giessener Gymnasium auch bereits in die Praxis übergeführten Vorschlägen mannigfache Anregung empfangen.

In Bezug auf den fremdsprachlichen Unterricht empfiehlt Schiller die sogenannte induktive Erlernung der Grammatik durch die Lektüre, Beseitigung der Vokabularien und der häulichen Schreibübungen, Erleichterung der Präparationen. Die schriftlichen Hausarbeiten sind am Giessener Gymnasium bereits abgeschafft und es wird bemerkt, ein Vergleich früherer Arbeiten in der Reifeprüfung von Schülern, welche noch Hausarbeiten gefertigt hatten, mit solchen aus der jüngsten Zeit habe zu dem Ergebnis geführt, dafs „der Ausfall im ganzen derselbe ist." Diese Erfahrung ist jedenfalls für die methodische Gestaltung des Sprachunterrichts in Betracht zu ziehen. Auch kleinere Übungen im deutschen Aufsatz werden in Giessen in die Unterrichtszeit verlegt; es bietet sich hier gewifs die beste Gelegenheit die Sprachgewandtheit der Schüler auf die Probe zu stellen, und es wäre nur zu wünschen, dafs man für derartige schriftliche und mündliche Extemporalien mehr Zeit fände. Als Beispiel des Strebens nach einheitlicher Gestaltung des Klassenunterrichts wird S. 40 ff. die Methode des Unterrichts der Quinta in Giessen in Sprachen und Geographie mit dem Centrum: die Heimat in Geschichte und Geographie näher ausgeführt. Von der Wirksamkeit der pädagogischen Seminarien erwartet Schiller auch die allmähliche Herstellung eines einheitlichen Lehrplans oder eines besseren und engeren Zusammenhangs des Lehrstoffes der einzelnen Klassen.

Der Inhalt dieser kleinen Schrift läfst überall erkennen, welch bedeutende Aufgaben der Gymnasialpädagogik vorliegen; wenn hier vornehmlich die Entlastung der Schüler ins Auge gefafst ist, um auch freigewählte geistige Thätigkeit zu ermöglichen, so möchten wir hier nicht unterlassen auf einen Mifsstand hinzuweisen, welcher derartigen Bemühungen am meisten im Wege zu stehen scheint, nämlich auf die Anforderung gleichmäfsigen Wissens und Könnens in den sprachlich-historischen und in den mathematischen Lehrgegenständen an alle Schüler, wie sie in unseren Studienordnungen festgehalten wird.

Bamberg.   J. K. Fleischmann.

Schiller. Sein Leben und seine Werke dargestellt von J. Minor. Berlin, Weidmannsche Buchhandlung 1890. Erster Band. 591 S. Zweiter Band. 629 S. 8°.

Während in den letzten Jahrzehnten die meisten unserer grofsen Dichter und selbst auch mehrere deutsche Schriftsteller zweiten Ranges eine wissenschaftlich genaue und zugleich oft künstlerisch anziehende Darstellung ihres gesamten Lebens und litterarischen Wirkens gefunden haben, mufsten sich die Leser, die sich über den Lieblingsdichter unseres Volkes, über Friedrich Schiller, näher unterrichten wollten, bis vor kurzem noch mit Einzeluntersuchungen oder mit älteren Biographien behelfen, von denen die einen (wie Hoffmeisters Werk) dereinst sehr verdienstlich waren, aber den Anforderungen der neueren

Literaturgeschichte nicht mehr genügten, die andern (wie das vielgelesene Buch von Palleske) von allem Anfang an eine erstaunliche Oberflächlichkeit bekundet hatten. Wenn irgendwo, so klaffte hier eine empfindliche Lücke in unserer literargeschichtlichen Forschung. Fast gleichzeitig arbeiteten nun in den letzten Jahren drei hervorragend begabte wissenschaftliche Schriftsteller daran, diesem Mißstande in würdiger Weise abzuhelfen. Zuerst ließ 1885 Richard Weltrich in München den Anfang einer groß angelegten Schillerbiographie erscheinen, die überall vom fleißigsten Studium aller Quellen, von dem philosophisch tiefen und scharfen Geiste ihres Verfassers sowie von dessen warmem Interesse an seiner Aufgabe zeugt und nur an dem Fehler leidet, daß dem vielversprechenden Anfange die Fortsetzung ganz verzweifelt langsam folgt, so daß der Abschluß des gesamten Werkes vor mehreren Jahren nicht zu erwarten sein wird. Rascher förderte Otto Brahm in Berlin seine Arbeit: von seiner Biographie, auf zwei mittelstarke Bände berechnet, trat 1888 der erste Band, Ende 1891 die Hälfte des zweiten ans Licht. Die Darstellung reicht darin bis zum Beginn der Freundschaft Schillers und Goethes 1794. Im besten Sinne populär gehalten, verdient sein Buch vornehmlich, Palleskes Werk bei allen, denen es um wirkliche Erkenntnis Schillers zu thun ist, für immer zu verdrängen. Noch schneller nach einander kamen die zwei ersten, sehr umfangreichen Bände einer dritten Schillerbiographie heraus, vielleicht der ausführlichsten unter den dreien, von Jakob Minor in Wien, der eine zu Anfang, der andere zu Ende des Jahres 1890, und nach den mannigfaltigen Vorarbeiten des Verfassers für die noch ausstehenden zwei Bände seines Werkes wie nach der in Fachkreisen bekannten Rüstigkeit, mit der Minor noch stets seines Stoffes Herr wurde, ist zu erwarten, daß er uns die zweite Hälfte des großen Werkes auch in nicht zu langer Frist vorlegen wird.

Es ist eine vortreffliche Arbeit, die auf Schritt und Tritt von den ausgedehntesten Kenntnissen in der gesamten Literaturgeschichte, von der größten Gründlichkeit und von selbständig reifem, besonnen nüchternem Urteile zeugt. Die beiden Bände sind sehr gut in große Gruppen gegliedert — im allgemeinen ähnlich wie bei Brahm —; so erhalten wir die Hauptteile „Im Vaterhaus", „Auf der Fürstenschule", „Im Fürstendienst", „Auf der Flucht", „Theaterdichter und Literat", „In Freundesarmen" (also Schillers Lebensgeschichte bis zu seiner ersten Ankunft in Weimar 1777) und innerhalb derselben meistens wieder je vier oder fünf Unterabteilungen, die freilich selbst oft so umfangreich sind, daß man sie der Übersichtlichkeit halber nochmals in mehrere kleine Kapitel zerspalten zu sehen wünschen möchte. Die Methode der literarhistorischen Forschung ist bei Minor und bei Brahm im Grunde dieselbe. Beide sind Schüler Wilhelm Scherers; beide suchen die historisch-kritische Methode, die ihr Meister besonders an Goethe erprobte, auf das Studium und die Darstellung des Wirkens Schillers zu übertragen. In einem ungleich weiteren Umfange, als Weltrich dies that, forschen sie den etwaigen Quellen der Schiller'schen Werke, ihren Beziehungen zu Einzelheiten der Zeitgeschichte und der

gleichzeitigen Literatur, den dichterischen Motiven, die sie mit andern,
älteren oder neueren Werken gemeinsam haben, gewissen Eigentümlichkeiten der künstlerischen Technik, der Sprache, des Verses
Schillers nach.

Aber Minor geht in allem diesem noch um einen Schritt weiter
als Brahm. Dieser will durchaus nicht immer erschöpfend sein; er
ist oft mit der blofsen charakterisierenden Andeutung zufrieden und
verhehlt defshalb z. B. nicht, dafs er die Einwirkungen Shakespeares
auf die Dichtung der „Räuber“ oder die poetischen Motive, welche
Schiller aus früheren Dramen in „Cabale und Liebe“ aufnahm, keineswegs vollständig aufzählt. Minor hingegen erstrebt hier wie sonst
möglichst erschöpfende Genauigkeit. Er vergifst nicht gern auch die
nebensächlichste Kleinigkeit, wofern es nur denkbar ist, dafs Schiller
irgend eine, wenn schon ganz unbedeutende Anregung durch sie erhielt. Er verfolgt alle Motive und Themen bis auf ihre letzten Ur-
quellen zurück, mit denen Schiller selbst gar nichts mehr zu thun
hatte. So erinnert er z. B. bei dem Erziehungsplan, den Marquis
Posa mit Don Carlos befolgt, nicht nur an Fenelon und seinen deutschen
Bearbeiter Neukirch, an Hallers „Usong“, an Rousseau und Basedow,
an den Grafen Görz, an Wieland, an Goethe und andere gleichzeitige
Autoren, auf die Schiller allenfalls sein Auge gerichtet haben mochte,
sondern auch an Morhof und Wagenseil, ja an die scholastischen Theologen und an die Humanisten des fünfzehnten und sechzehnten Jahrhunderts, die über Prinzenerziehung geschrieben haben. Und wie hier,
so immer. Regelmäfsig holt er ziemlich weit aus, um immer wieder,
bei allen Einzelheiten, Schiller im Zusammenhange, sei es im Einklang
oder im Widerspruch, mit dem zu zeigen, was im ganzen vorigen
Jahrhundert und wohl auch noch früher bei uns in Deutschland und
gelegentlich auch bei den Nachbarvölkern gedacht, gesagt und gethan
worden ist. Hier kam ihm seine ausgedehnte Belesenheit und seine
frühere emsige Arbeit in den verschiedensten Bezirken unsers Geistes-
lebens zu Gute. Als Verfasser einer inhaltsreichen Monographie über
Christian Felix Weifse und einer geistvollen Charakteristik Hamanns,
als Herausgeber vorzüglich eingeleiteter Schriften von Lessings Jugend-
freunden, von den Fabeldichtern und Popularphilosophen des acht-
zehnten Jahrhunderts, als einer der gründlichsten Forscher in den
verschiedenen Perioden der deutschen Romantik ist Minor mit allem,
was von der schön-wissenschaftlichen oder philosophischen Literatur
Deutschlands für die Erkenntnis Schillers in Betracht kommt, vertraut
wie kaum ein zweiter. Neue, ohne Zweifel sehr ausgebreitete Studien
haben zudem diese älteren Kenntnisse, wo sie etwa noch mangelhaft
scheinen mochten, wacker ergänzt. Die Biographie Schillers erweitert
sich so für Minor oft zu einer kultur- und literargeschichtlich wertvollen Darstellung des ganzen Zeitalters — ein Vorzug, den sein Werk
mit allen wirklich grofs angelegten neueren Biographien, mit Danzels
und mit Erich Schmidts „Lessing“ ebenso wie mit Hayms „Herder“
gemein hat. Aber auch an belehrenden Einzelheiten, die nur lose mit
Schillers Leben und Schaffen zusammenhängen, ist Minors Werk über-

reich. Wo der Name eines Verwandten von Schiller genannt wird,
fragt der Verfasser alsbald seinem Leben und Wirken, seinem Stamm-
baum und Verwandtschaftsgrade nach. Jeder Zug in dem kindlichen
Treiben des Knaben Schiller wird geprüft, ob er sich auch bei Genossen des jungen Dichters vorfindet, ob er vielleicht schwäbische
Stammeseigentümlichkeit ist. Ausführlich schildert Minor den Charakter
und die Geschichte der Städte, in die die ersten Jahre des Kindes
fielen, die Einrichtungen der Schulen, die der Knabe und Jüngling besuchte, die Lehrer und Vorbilder, die ihm hier entgegen traten. Bedeutsam heben sich von der Reihe dieser Gestalten zwei mit allem
Nachdruck und Fleiße gezeichnete Persönlichkeiten ab, der Vater des
Dichters und Herzog Karl Eugen von Württemberg. Vortrefflich ist
die Charakteristik der literarischen Verhältnisse in Schwaben um die
Zeit, da Schiller hervortrat; namentlich verdient die Schilderung der
Verdienste, die sich Haug durch sein „Schwäbisches Magazin" erwarb,
alles Lob. Und in ähnlich tüchtiger, durchaus tief eindringender Weise
geht es Seite für Seite und Kapitel für Kapitel durch das ganze Buch
hindurch.

Aber diese immer gleiche Ausführlichkeit hat auch ihre Schatten-
seite. Die Breite, mit der auch Nebensächliches behandelt wird, stört
hie und da (im ganzen allerdings selten) die Übersichtlichkeit der
Darstellung; namentlich aber schwächt sie öfters ihre Eindringlichkeit
ab. Besonders über die persönlichen Gewohnheiten und Erlebnisse
Schillers hat Minor meines Erachtens den Briefen des Dichters und
seiner Freunde zu viel Kleinigkeiten entlehnt. Wozu werden wir über
die Schulden, die Schiller drückten, über seine Versuche, sie zu decken,
über alle Briefe, die er deshalb an seine Eltern, an Frau v. Wolzogen,
an Körner und andere schrieb oder von ihnen empfing, genau bis ins
Einzelne, fast bis in die Differenzen der verschiednen Berechnungen,
unterrichtet? Wozu brauchen wir zu wissen, daß Schiller während
seines Bauerbacher Aufenthaltes von Reinwald mit Schnupftabak versehen wurde, bis Frau v. Wolzogen „den lang vermißten Marocco aus
der echten Stuttgarter Quelle mitbrachte und mit zwei oder vier Pfund
seine zahlreichen Dosen auf kurze Zeit füllte", oder daß der Dichter
sich damals wegen Mangels an weißer Wäsche am Sonntag nicht gern
in Meiningen blicken ließ, oder daß er in den Wäldern bei Bauerbach
einmal ahnungsvoll an einer Stelle stehen geblieben sein soll, wo vor
kurzem die Leiche eines ermordeten Fuhrmannes begraben wurde,
u. dgl.? Nicht sowohl, weil solche Züge bei einigen Lesern das Bild
des Dichters verkleinern könnten, tadle ich ihre Einflechtung, als vielmehr, weil diese Breite niemanden nützt: die Darstellung wird dadurch
weder tiefer noch wärmer; sie gewinnt nicht, sondern sie verliert
dadurch an Leben und Frische. Hier ist Brahm seinem Nebenbuhler
überlegen. Er ist (besonders in seinem ersten Bande) knapper, gelegentlich auch oberflächlicher, in der Verwertung einzelner Äußerungen Schillers und seiner Zeitgenossen, die im Zusammenhange ihres
ganzen Denkens und Thuns nicht allzuviel bedeuten, kecker und weniger
zuverlässig als Minor, der vor der Benützung unnachsichtlich streng

erst jede Quelle auf ihre Reinheit hin prüft; aber er erzielt als Schriftsteller gröfsere Wirkungen. Das Bild, das er entwirft, ist einheitlicher,
schärfer gezeichnet und lebendiger ausgemalt. Auch er bleibt kritisch-
nüchtern seinem Gegenstande gegenüber, und doch entbehrt seine
Darstellung nirgends der Wärme; ihre Lektüre vermag streckenweise
sogar den Fachmann wie den Laien geradezu zu spannen. Und darüber verzeiht man ihm, ehe man sich dessen nur recht bewufst wird,
manche Einseitigkeit im Urteil, die sich etwa aus seiner Vorliebe für
das sogenannte „realistische Princip unserer Tage" und ähnlichen
Gründen erklärt. Von derartigen Einseitigkeiten ist Minor durchweg
frei, er befleifsigt sich stets einer musterhaften Objektivität; aber so
sehr seine Darstellung uns auf jeder Seite belehrt, so wahrheitsgetreu
sie uns auch in allen Kleinigkeiten über Schiller zu unterrichten sucht,
so selten fesselt sie uns doch unmittelbar durch ihren künstlerischen
Reiz und erwärmt uns wirklich für den Helden des Buches. Dabei
ist die Sprache fast durchaus korrekt, die Satzbildung klar und einfach, der Stil, äufserlich betrachtet, überhaupt in den meisten Fällen
tadellos. Ein einziger Austriacismus — dessen sich übrigens auch
Brahm bisweilen schuldig macht — ist mir aufgefallen: „ein sicherer
Gottfried Braun" statt „ein gewisser" (II, 214).

Gelegentliche kleine Wiederholungen dem Verfasser aufzumutzen,
wäre thöricht; sie waren ohne Nachteil für die Klarheit und Vollständigkeit des jeweiligen Zusammenhanges nicht wohl zu vermeiden.
Ebenso wenig verdient er ernsten Tadel, wenn unter den zahllosen
literargeschichtlichen Angaben seines Werkes auch etliche Fehler aus-
findig gemacht werden; jedem andern ohne Ausnahme wären bei einer
ähnlichen Fülle von Einzelbemerkungen ähnliche Fehler, und zwar vielleicht häufiger, begegnet. Sie sind nicht des Suchens wert. Darum
möchte ich hier auch nur einen verzeichnen, der mir, ohne dafs ich
darnach zu suchen brauchte, zufällig aufstiefs. Die kräftige Ode der
Schubart'schen Klopstockausgabe „Die Hoffnungen der Christen" war
nicht, wie Minor I, 76 sagt, angeblich, sondern wirklich von Klopstock
verfafst; es ist dieselbe Ode, die in der authentischen Ausgabe 1771
den Titel „Dem Erlöser" erhielt.

Minors „Schiller" wird voraussichtlich kaum ein Werk für das
grofse Publikum werden; für gelehrte Leser — und zwar rechne ich
dahin nicht nur die eigentlichen Literarhistoriker von Beruf, sondern
vor allem auch alle Philologen und Schulmänner — wird sein Buch
wohl auf lange Zeit hinaus die ergiebigste Quelle bleiben, aus der sie
ein ungemein reiches und zuverlässiges Wissen über Schiller und seine
Zeit schöpfen können. Mögen die beiden noch ausstehenden Bände,
die uns den reifen Denker und Dichter schildern sollen, uns bald be-
schert sein!

München.   Franz Muncker.

Jos. Venns deutsche Aufsätze, verbunden mit einer Anleitung zum Anfertigen von Aufsätzen, für die oberen Klassen der Gymnasien und höheren Lehranstalten. 32. Aufl. (67.—72. Tausend.) Altenburg. Pierer. 1889. 460 S. 4,00 M.

Die Höhe der Auflage pflegt insgemein für die Güte eines Buches zu sprechen, wie überhaupt der Erfolg im Leben für die Leistungsfähigkeit und Tüchtigkeit eines Menschen Zeugnis ablegt. Bei Venns Aufsätzen und Dispositionen scheint mir der Erfolg darauf zurückzuführen zu sein, dafs das Buch quantitativ alles Mögliche leistet; wie kaum ein anderes Werk enthält es vielerlei: 41 Musteraufsätze, 340 Dispositionen und 501 Themata zur Auswahl. Die Zahlen verführen und täuschen, besonders die gedankenarmen Schüler, die meinen, dafs sich hier ja doch gewifs für jedes Thema ein Körnchen Weisheit finde. Das Buch, das so viel verspricht, wird gekauft, trägt aber, da es zum grofsen Teil oberflächlich gearbeitet ist, nicht wenig dazu bei, die Oberflächlichkeit und Seichtigkeit in den Schülern grofs zu ziehen.

Die ‚theoretischen Erörterungen‘ gehen viel zu summarisch zu Werke, als dafs der Schüler einen Nutzen daraus ziehen könnte. Es sind z. B. wohl Winke über die Einleitung eines Aufsatzes gegeben, aber über die Beweisführung, den schwierigsten Teil, schweigt sich das Buch aus. Bei der Aufstellung der verschiedenen Arten des Aufsatzes werden die ‚Beschreibungen‘ den geschichtlichen Aufsätzen zugezählt, als ob die Beschreibung eines Pferdes oder eines Klafszimmers vom historischen Standpunkte aus gegeben werden sollte! Andere zutreffende Winke scheinen dem trefflichen Werke von Cholevius entnommen zu sein.

Die ausgeführten Aufsätze sind mit wenigen Ausnahmen brauchbar, obwohl auch bei den besseren in Bezug auf die Schreibart Überschwänglichkeit und Phrasenreichtum zu tadeln ist. Dies gilt besonders von den Aufsätzen über Griechenlands Einflufs und Bedeutung S. 35 und 39. Während über die Griechen zwei Aufsätze enthalten sind, vermifst man einen ähnlichen über die Bedeutung der Römer. Die Reihenfolge dieser Musteraufsätze ist nicht methodisch; so folgen z. B. auf die schwierigeren, wie die eben angedeuteten, die leichteren Chrienthemen. Gut sind die den ausgearbeiteten Aufsätzen vorausgesetzten Dispositionen dieser Stücke. Eine solche fehlt aber wieder bei mehreren Aufsätzen, wie bei n° 12., 22. und 23. Bei n° 12 (‚Der stolze Demütige‘) sind, da das Stück mehr eine leichte Plauderei ist, greifbare Gedankenabteilungen kaum zu finden: Grund genug, dieses Stück zu streichen. Äufserliche Übergänge, welche die Schüler zu leerer Wortmacherei verleiten und dem Geiste unserer modernen Sprache nicht entsprechen, wie z. B. bei n° 13 über die Unentschlossenheit: „Es lohnt sich der Mühe, ihr Wesen und ihre Folgen einer genaueren Untersuchung zu unterziehen" gehören nicht in ein Musterbuch. Kühne Übertreibung ist es, wenn auf S. 78, wo über Heliand geschrieben ist, dieses Literatur-Denkmal als das einzige wirklich christliche Epos

bezeichnet wird; Dante, Milton, Klopstock haben doch gewifs auch
wirklich christliche Epen gedichtet; überhaupt ist in diesem Aufsatze
über Heliand echt schülermäfsig mit den grellsten Farben aufgetragen,
z. B. wenn es heifst, „Heliand zeige wie nirgends anderswo das Walten
der Volkspoesie, da darin kein verfälschender Zusatz aus fremder
Quelle zu finden sei", und doch „wälzt sich hierin der Jordan durch
deutsche Lande." Überhaupt kann man sich bei der Lektüre der
Stücke, die von Superlativismus nicht selten erfüllt sind, des Gefühles
des Schülerhaften nicht erwehren, so wenn es S. 106 heifst: „Wechselt
nicht der abgehärtete Sohn des kalten Nordens, Rufslands Bewohner.
schnell den glühend heifsen Raum, in welchem ihm fast erstickende
Dämpfe den Schweifs zu allen Poren heraustreiben, mit dem kalten
Lager auf dem Schnee?" Zu solchem Phrasengeklingel bedarf die
Jugend nicht noch der Anleitung durch Musterbeispiele. Ebenso ver-
werflich sind allgemeine Behauptungen, denen man in dem Vennschen
Buch oft begegnet; so findet sich in der Beweisführung des Themas:
„Der Ehrgeiz" (S. 93) die Stelle: „Wie mächtig Cicero in allen seinen
Bestrebungen vom Ehrgeiz getrieben wurde, ist e i n e a l l g e m e i n e
T h a t s a c h e." Hier hätten die einzelnen Züge in Ciceros Leben,
durch welche die obige Behauptung bewiesen wird, angeführt werden
sollen. Ähnlich ist die Phrase: „Es brechen jene schrecklichen Bürgerkriege aus, .d e r e n g r ä u e l v o l l e E i n z e l h e i t e n n ä h e r z u b e-
s c h r e i b e n d i e F e d e r s i c h s t r ä u b t (!)" — Im Aufsatz: „Süfs und
ehrenvoll ist der Tod für das Vaterland" sind die Gründe, weshalb
wir selbst das Leben für das Vaterland zu opfern haben, nicht stichhaltig und nicht bestimmt genug herausgehoben; das auf S. 102 Gebotene
ist schülerhaft vag und nichtssagend; die Thatsache, dafs ein vom
heimischen Boden Getrennter oft aus weiter Ferne herbeieilt, um noch
einmal die Fluren, die Stadt, das Dörfchen zu sehen, welche Zeugen seiner
harmlosen Knabenspiele, seiner Jugendfreuden und Leiden waren, ist
noch weit entfernt von dem Beweise für die Notwendigkeit, sein Leben
für das Vaterland in den Stunden der Gefahr zu lassen. Ebenso
schülerhaft erscheinen Phrasen, wie: „Man denke nur an die Erfindung
des Glases, des Pulvers" als Beweisführung für „Geringes ist die Wiege
des Grofsen." Geradezu komisch wirkt bei diesem Thema die Behauptung: „Dafs des egyptischen Königs Tochter keinen Augenblick früher
oder später im Nilstrome badete, das veranlafste die späteren Schicksale der jüdischen Nation." Der Ausspruch Schillers, dafs das Böse
fortzeugend Böses gebären mufs, knüpft sich im Gegenteil zu dem,
was auf S. 117 bewiesen werden soll, an die böse T h a t, nicht an
verführerische Gedanken. Für den Frieden (Thema: Schön ist der
Friede S. 126) soll sprechen, dafs im Krieg der Arme, wenn er die
Sorge des Begüterten sieht, sein Unglück preist, das ihm durch den
Mangel erhöhten Genusses die Qualen des Verlustes erspart und dafs
kein Auge mehr neidisch auf Reichtum und Besitz blickt: ein arm-
seliger Grund! Bei dem Thema: „Die Namen sind in Erz und Marmor etc.ˮ
(S. 157) wird der logische und geschichtliche Beweis vermifst.
    Diese wenigen Beispiele, die noch um eine beträchtliche Anzahl

vermehrt werden könnten, dienen zum Beweis, daſs das Buch nur mit großer Vorsicht zu benützen ist und daſs es in der Hand der Schüler, bei denen es trotz seines hohen Preises allmählich Inventarstück wird, geradezu schädlich wirken kann, da es den Schwulst und die leere Wortmacherei unterstützt.

K. Aug. Jul. Hoffmann, Rhetorik für höhere Schulen. 2. Abt. 6. Aufl., besorgt von Dr. Chr. Fr. A. Schuster. Halle a. S., Max Grosse. 1888. 1,25 M. 108 S.

Es ist gut, daſs die Zeit vorüber ist, in der man die Rhetorik in der Schule nach Lehrbüchern durchnahm. An Stelle dieser trockenen, den Geist des Schülers einschläfernden Methode ist jetzt das lebendige Wort des Lehrers getreten, der an Beispielen das allgemeine Gesetz zeigt oder vielmehr finden läſst. Die frühere Methode machte es dem Lehrer leicht, er lieſs den entsprechenden Abschnitt lesen und studieren; jetzt muſs der Lehrer den ganzen Stoff beherrschen, Beispiele gegenwärtig haben und aus dem Vollen schöpfen. Das setzt besonders für den deutschen Unterricht ein langes und eingehendes Studium, viele Versuche und vielleicht auch manche Fehlgriffe voraus.

Eine Art von Repertorium der Rhetorik nun, besonders für die inventio, die dispositio und für die wichtigsten Kunstformen der prosaischen Darlegung ist das Hoffmann'sche Buch, aber beileibe nicht für den Gebrauch in der Schule selbst, sondern für den Lehrer oder zum Privatstudium für den Schüler; der letztere wird in dem Werke wohl manche Winke zur Abfassung von Aufsätzen finden, aber sich sehr getäuscht sehen, wenn er durchgängig Bündigkeit und Klarheit erwartet: es ist zu viel Theorie der Logik mit Rhetorik verquickt. Brauchbar für den Schüler ist der Abschnitt über die Disposition (S. 52 ff.), über die Divisio und Partitio, sowie der Teil über die wichtigsten Kunstformen der prosaischen Darlegung (S. 82 ff.).

Auffallend erscheint, daſs die ‚Beschreibung' zum genus historicum gerechnet wird, ferner daſs diese Aufsatzgattung, die sehr viel Beobachtungsgabe voraussetzt, der ‚Erzählung' vorausgehen soll. Weiterhin flieſst der Begriff der ‚Schilderung' zu sehr mit dem der ‚Beschreibung' zusammen; so sind z. B. auf S. 15 bei der Darlegung der Schilderung keine Beispiele gegeben, weil sie bereits in der vorausliegenden zum Teil enthalten sind. Nicht minder befremdlich ist es, daſs die Beweisführung als eine eigene Art von Aufsätzen hingestellt wird, während sie doch nur ein Teil eines Aufsatzes ist; ähnlich ist es mit den „Beziehungen" (S. 24), zu denen die Aufsätze vergleichenden Inhalts gezogen sind, und mit der „Würdigung" (S. 26). Was über die „Ursache" einer Handlung vorgebracht ist, gehört in den Abschnitt über die Aufsätze erzählenden Charakters, was von der Würdigung gesagt ist, gehört in das Gebiet der Beweisführung. Man sieht, daſs das Buch häufig durchsichtige Klarheit und Zusammenfassung des Zusammengehörigen in hohem Grade vermissen läſst.

München.   Johannes Nicklas.

Sili Italici Punica edidit Ludovicus Bauer. Volumen
alterum libros XI—XVII continens. Lipsiae 1892. B. G. Teubner.
8. X, 252 S.

Es wird wohl auf die Rechnung der seditio typothetarum zu
setzen sein, dafs wir die zweite Hälfte dieser Ausgabe (die erste wurde
in diesen Blättern XXVI 543 f. besprochen) so spät erhalten haben.
Sie ist mit Inhaltsangaben zu den 17 Büchern (p. 186—191; am
Rande sind die Jahreszahlen vermerkt), einem index nominum (p.
192—252; für diesen konnte der Herausgeber einen von Schlichteisen
angefertigten und von Franz Bühl ihm zur Verfügung gestellten index
personarum benützen) und einer Vorrede versehen, in welcher die seit
dem Erscheinen des ersten Bandes veröffentlichten Beiträge zur Textkritik verzeichnet sind.[1]) In der Beurteilung der Handschriften hält
Bauer seinen Standpunkt den Ausführungen Thilos gegenüber fest,
stellt aber eine eingehende Auseinandersetzung mit diesem tüchtigen
Siliuskenner in Aussicht. Im Apparat zu XIII 330 vermisse ich Leos
Vermutung ‚festae — caudae‘ (Sen. trag. I p. 37), zu XIV 291 war
auch dieser Gelehrte als Befürworter einer Lücke zu nennen (a. a.
O. p. 64 adn. 12), zu XVII 183 trage ich den Vorschlag Sittls ‚dex-
traque‘ zu lesen (Die Gebärden der Griechen und Römer Leipz. 1890
S. 171 Anm. 4) nach. — Eine Glanzstelle des zweiten Teiles bilden
die schönen Verse, mit denen Silius „gleichsam zur Sühne für die
Rohheit seines Volksgenossen" (J. Bernays, Ges. Abhandl. II 336) den
Archimedes feiert (XIV 341 ff.). Den Mathematikern zu Ehren setze
ich sie her:

> Vir fuit Isthmiacis decus immortale colonis,
> Ingenio facile ante alios telluris alumnos,
> Nudus opum, sed cui caelum terraeque paterent.[2])

München.   Carl Weyman.

Herm. Perthes, Lateinisch-deutsche vergleichende
Wortkunde im Anschlufs an Cäsars Bellum Gallicum. Ein
Hilfsbuch für den lateinischen und deutschen Unterricht. 2. Aufl. be-
sorgt von W. Gillhausen. (Vierter Kursus der lat. Wortkunde; zweite
Abteilung. Zu Cäsars B. Gall. V—VII.) Berlin, Weidmann, 1891.
Preis 4 Mk.

Hermann Perthes hat sich nicht darauf beschränkt, seinen grofsen

---

[1]) Zu VI 275 vgl. Leo Culex p. 58. — Gegen ‚iuventa‘ (X 611) äufsert
O. Hey, Semasiol. Stud. S. 186 (XVIII. Supplementbd. d. Jahrbb. f. Philol.) Be-
denken. — Mehrere kritische Bemerkungen zu Stellen der ersten Hälfte enthält
Hildebrands Ausgabe des Arnobius. — Die allgemeine Literatur über Silius ist
inzwischen durch Ribbeck, Gesch. d. röm. Dichtung III 191 ff. in hervorragender
Weise bereichert worden, welcher den Dichter der lateinischen Ilias von dem der
Punica trennt (vgl. diese Bl. XXVII 385); anders soeben Schanz, Gesch. d. röm.
Lit. II 310 f.
[2]) Eine ausführliche Besprechung des 2. Bandes hat O. Rofsbach DLZ 1892,
720—22 geliefert.

Reformplan bezüglich des lateinischen Unterrichtes theoretisch zu begründen — siehe dessen 5 Artikel „Zur Reform des lat. Unterrichtes" — sondern er ist zugleich mit einer Reihe von Büchern hervorgetreten, welche zeigen, wie er sich die Sache praktisch durchgeführt denkt. Der Unterricht im Lateinischen soll vom ersten Tage an an die Lektüre, an den lateinischen Satz anknüpfen. Von hier aus wird der Knabe auf induktivem Weg in die Regeln der Grammatik eingeführt. In den beiden untern Klassen hat derselbe ein deutsch-lateinisches Übungsbuch überhaupt nicht in der Hand; das Übersetzen ins Lateinische tritt verhältnismäfsig zurück; die betr. Sätze werden vom Lehrer vorgesprochen, können also nur ganz einfach sein. Aber auch weiterhin bildet die Lektüre den Ausgangspunkt. Als Lesebuch für die dritte Klasse dient Nepos plenior; in den beiden nächsten Klassen wird Cäsar gelesen, und zwar das ganze Bellum Gallicum. Dazu sind 5 Wochenstunden nötig. Die genannte Schrift aber soll sich der Schüler durchaus zu eigen machen. Denn es gibt kaum ein zweites klassisches Werk, das in solchem Grad gleichmäfsig nach Inhalt und Form zu einem Hilfsmittel für die Jugendbildung (in den mittleren Klassen) geeignet wäre. An die für die einzelnen Klassen bestimmten lat. Lesebücher bezw. Klassiker schliefsen sich die grammatisch-lexikalischen Hilfsbücher an, welche Perthes unter dem Titel: Lateinische Wortkunde veröffentlicht hat. Sie sind nach dem Grundsatz angelegt, dafs das dem Schüler durch die Lektüre Bekanntgewordene in mannigfach gruppierender Weise im Anschlufs an das aus der Lektüre Neuzuerlernende wieder vorgeführt werden soll. Zugleich ersetzen sie Wörterverzeichnis, Lexikon, Vokabularium, Präparationsheft und Kommentar. Der 4. Kursus, die Cäsarwortkunde, zerfällt in 2 Abteilungen. Die erste, für Anfänger bestimmte, behandelt B. Gall. I—IV, die zweite, welche die Aneignung der ersten voraussetzt, Buch V—VII. Beide Bände sind sowohl als Memorier-, wie als Hand- oder Nachschlagebücher gedacht. Sie sollen deshalb den Schüler auch durchs ganze Gymnasium begleiten, und dieser selbst soll veranlafst werden, die einzelnen Regeln, Wörter und Wörterbildungen immer wieder da nachzusehen, wo sie ihm zuerst, und zwar im Zusammenhang des Satzes, entgegengetreten sind. Durch diese concentrierte Anlehnung der in den verschiedenen Klassen zu gebenden lexikologischen und stilistischen Belehrungen an einen und denselben Stoff werde eine weit sicherere Aneignung desselben erzielt werden als auf dem gewöhnlichen Wege. — Uns liegt hier übrigens nur die 2. Abteilung der Cäsarwortkunde zum Zweck der Anzeige vor. Die nach 11 Jahren erscheinende 2. Aufl. derselben ist von W. Gillhausen besorgt. Dieser bemerkt in der Vorrede, gerade jener Teil des Perthes'schen Gesamtwerkes habe sich als Schulbuch für Tertia weniger bewährt. Dagegen könne er den Schülern der obersten Klassen zum Privatstudium dringend empfohlen werden. Vielleicht kein anderes Buch fordere mehr zu lehrreichen Beobachtungen über die Eigentümlichkeiten der lateinischen und deutschen Sprache auf wie dieses. Referent bezweifelt, ob das Buch, wie es vorliegt, von Schülern, die

weder nach der Perthes'schen Methode unterrichtet wurden, noch
spezielle Anleitungen für Benutzung desselben von ihrem Lehrer empfangen haben, gerne in die Hand genommen werden wird. Es fehlt
ihm leider eine instruierende Einleitung. So mufs denn auch der
Lehrer, der das Buch zu seiner Vorbereitung benützen will — und
hiefür dürfte dasselbe sehr geeignet sein — sich erst aus den anderen
Schriften von Perthes Aufschlufs über dessen Absichten erholen. Die
ebenda gegebenen ganz vortrefflichen Ausführungen des Verfassers über
die Behandlung Cäsars in der Schule, besonders auch über Nutzbar-
machung dieses Schriftstellers für den deutschen Unterricht, wird niemand
ohne Gewinn lesen. Man vergleiche zu diesem Zweck, was in der Einl.
zum 1. Teil der Cäsarwortkunde, ferner in Artikel 1 zur Reform des lat.
Unterrichtes S. 15 ff., endlich in Artikel 4 S. 69—129 ausgeführt ist.
Im Verlagskatalog der Weidmannschen Buchhandlung findet man die
einzelnen Schriften verzeichnet.

Memmingen. Heinrich Schiller.

Prof. Dr. Radtke, Materialien zum Übersetzen aus dem
Deutschen ins Lateinische für Gymnasialprimaner und Studierende
der Philologie. 3. von neuem vermehrte Aufl. Leipzig, Teubner.
1891. VIII und 189 S. Mk. 1,80.

Sachkundige Beurteiler haben Radtkes Materialien längst als ein
treffliches Hilfsmittel zur gründlichen Einübung der wichtigsten grammatischen und stilistischen Eigentümlichkeiten der lateinischen Sprache
anerkannt. Die Anlage des Buches wurde bei der neuen Auflage
nicht geändert: die Übungsstücke sind immer nach Stellen aus Cicero
bearbeitet und mit zahlreichen Anmerkungen versehen, welche durch
Verweisung auf grammatische und stilistische Lehrbücher sowie durch
eigene, oft sehr eingehende Darlegungen über vorkommende Schwierigkeiten Belehrung erteilen; die zweite Hälfte enthält auch Aufgaben
ohne nachhelfende Anmerkungen. Es dürfte seine Richtigkeit haben
mit der Bemerkung der Vorrede, dafs es schwerlich eine grammatische
oder stilistische Regel geben werde, welche in diesen Übersetzungsstücken nicht ein oder mehrere Male anzuwenden wäre; in den erwähnten Erläuterungen bekundet sich die ausgebreitete Belesenheit
und die eindringende Sachkenntnis des Verfassers.

Diese Vorzüge treten auch zu Tage, wenn bei manchen der herkömmlichen Regeln gegen unberechtigte Einschränkung des lateinischen
Sprachgebrauches Einsprache erhoben wird. So ergänzt R. XV 61
die aus Süpfles Anleitung zum Lateinschreiben mitgeteilte Regel, dafs
im Lateinischen in erzählender Darstellung statt der im Deutschen
häufig wiederholten Eigennamen oder statt der für dieselben gesetzten
Gattungsbegriffe und Titel wie „Fürst, Feldherr, Philosoph" u. dgl.
einfach is und ille gebraucht werde, in folgender Weise: „Dennoch
würde man irren, wenn man meinte, der Lateiner habe sich in der
Erzählung gänzlich des Gebrauches der Gattungsnamen für das nom.

proprium enthalten. Cicero wenigstens bedient sich in der Rede gegen
Verres IV c. 27—30, wo er die Ausplünderung des syrischen Prinzen
Antiochus durch Verres erzählt, wiederholt des Gattungsnamens rex
für Antiochus. Ähnlich steht für Dionysius zweimal tyrannus in den
Anekdoten bei Cic. Tusc. 5, 21. Auch homo findet sich so bisweilen
stellvertretend für ein nomen proprium (nicht leicht hic homo, ille
homo)." Wir finden jedoch Cic. Tusc. 5, 20, 57 nach der erstmaligen
Erwähnung des Dionysius auch: Atqui de hoc homine a bonis
auctoribus sic scriptum accepimus; ja Pomp. 47 sagt Cicero sogar
de huius autem hominis felicitate, de quo nunc agimus; übrigens
kann im Lateinischen auch der Eigenname wiederholt werden wie im
Deutschen, z. B. Cic. Tusc. 5, 3, 8—9 Leon.

Da somit R. selbst einseitige Einschränkungen des lateinischen
Sprachgebrauches nicht billigt, so erwähne ich noch einige von den
Fällen, in welchen er nach dem herrschenden Herkommen ebenfalls
an den im Schullatein üblichen, aber in dem thatsächlichen Sprach-
gebrauch der Schriftsteller nicht begründeten Vorschriften festhält.
Zu I 104 wird durch die Bemerkung: „bellum conficere, nicht finire"
vor dem letzten Ausdruck gewarnt, während doch der Schüler bei
Caes. b. c. 3, 51, 3 bellum eo die potuisse finire liest und auch
Schmalz im Antib. I S. 212 unter Verweisung auf diese Stelle erklärt: „Klassisch ist auch bellum finire." — Die in den Schulbüchern
als altes Erbgut bewahrte Aufstellung (Vergl. z. B. Meifsner, lat.
Syn.), Geschichtschreiber, Historiker heifse scriptor, historicus aber
bedeute Geschichtsforscher, hat I 76 Aufnahme gefunden; allein
Cic. de or. 2, 14, 59 quot historicos nominavit bezeichnet dieser Ausdruck nach dem Zusammenhang unzweifelhaft „Geschichtschreiber",
da der bei nominavit gemeinte Antonius kurz vorher sagt: apud
Graecos eloquentissimi homines ad scribendam historiam maxime
se applicaverunt und dann den Herodot, Thucydides, Ephorus,
Xenophon und andere Geschichtschreiber nennt; auch historiam
scribere ist, nebenbei bemerkt, neben dem gewöhnlich allein gebilligten res (gestas) scribere beachtenswert. Wiederum lehrt schon
Schmalz im Antib. I S. 596: „Historicus, als Subst., bedeutet sowohl
den Kenner der Geschichte, den Geschichtskundigen, als den Geschichtschreiber." Warum soll denn für das Schullatein etwas anderes
als der in den Schriftstellern thatsächlich sich vorfindende Sprachgebrauch Geltung haben? — Zu den Worten: „Von L. Torquatus, einem
Manne, der auf jedem Gebiet der Gelehrsamkeit zu Hause war" wird
II 14 ausdrücklich gelehrt: „Homo; in der Regel tritt nur in Verbindung mit solchen Adj., die eine nach römischer Anschauung
spezifisch männliche Eigenschaft, wie Tapferkeit, Berühmtheit, bezeichnen, vir auf." Cicero sagt auch an der betr. Stelle fin. 1, 5,
13 a L. Torquato, homine omni doctrina erudito; allein an anderen
Stellen gebraucht Cicero selbst vir in Verbindung mit erudito, doctus
u. dgl., so parad. 5, 33 dictum est igitur ab eruditissimis viris;
Mur. 75 fuit eodem ex studio vir eruditus apud patres nostros et
honestus homo et nobilis, Qu. Tubero, Br. 8, 31 huius ex uberrimis

sermonibus exstiterunt doctissimi viri. Ohne irgendwie auf Vollständigkeit Anspruch zu machen, kann ich über 20 solche Stellen aus
Cicero nachweisen (vergl. auch die Lex. von Merguet); die besprochene
Einschränkung des Gebrauches von vir ist demnach vollständig unhaltbar. Bekanntlich pflegt die Schulpraxis, wenn die Lehrbücher
Vorschriften mit „in der Regel nur" geben, die gegenteilige Ausdrucksweise schlechtweg als groben Fehler zu betrachten; dadurch bilden
sich falsche Vorstellungen vom lateinischen Sprachgebrauch und deshalb sollen die Schulbücher mit so schief abgefafsten Vorschriften
endlich aufräumen. — Bei: täglich mehr wird XV 165 ausdrücklich beigefügt: „in dies beim Komparativ" uud somit cotidie dem
Schüler als unrichtig bezeichnet; allein schon von Schmalz Antib. II
S. 429 wird cotidie in solchen Verbindungen als richtig nachgewiesen und in der Rezens. desselben in diesen Bl. Bd. XXV (1889)
S. 36 führe ich hiezu noch mehrere Stellen aus Cicero an, z. B.
Br. 90, 308 magis magisque probabatur cotidie Antistius.
Welchen Zweck sollen also derartige Einschränkungen für die Schule
haben? — Ähnlich verhält es sich, wenn VII 156 bei: nie etwas
ohne weiteres nemo unquam, nihil unquam gefordert wird; vgl.
meine Ausführungen 'in diesen Bl. Bd. XXVIII (1892) S. 3 (Zum
grammatisch-stilistischen Unterricht im Lateinischen). — Über IV 1,
wornach cogitatio nicht in der Bedeutung „das Gedachte, der Gedanke" vorkäme, XV 21, wornach etiam immer vor das betr. Wort
zu stellen wäre, III 5, wornach imperator (= Kaiser) und rex nur
vor dem Eigennamen stehen könnten, vgl. meine Darlegungen a. a.
O. S. 5 u. 6. — Dafs die Bemerkung I 45: „nicht responsum dare.
das nur der consultus thut" nicht richtig ist, weist Schmalz Antib. II
S. 465 nach; vergl. hierüber auch in diesen Bl. Bd. XXV S. 37 und
Bd. XXVI S. 19; bezeichnend ist die Stelle bei Caes. b. g 1. 14
Divico respondit . . . . hoc responso dato discessit. — Die Regel zu
III 219, 7: „etiam non, quoque mit non, das steigernde ipse oder vel
mit non dürfen nicht gebraucht werden; wo sich etiam non findet,
da gehört die Negation auf das engste zu dem Begriff vor dem sie
steht. Cic. Tusc. 3, 28, 67 si igitur dolor deponi potest, etiam non
suscipi potest" ist in solcher Fassung nicht zutreffend, vergl. aufser
Schmalz Antib. I S. 478 in diesen Bl. Bd. XXVI S. 19 und Bd. XXVIII
S. 15; man könnte noch manche Stellen hinzufügen, so Cic. fam. 9,
21 quin ipsa indicia non solemus omnia tractare uno modo. Die von
R. beibehaltene Verweisung auf Liv. 25, 38, 1 et nocturnus terror
etiam non suae fortunae consilium perturbaret sowie auf Weifsenborns
Erklärung hiezu ist veraltet, da dort jetzt et iam non suae fortunae
gelesen wird. — Wenn VII 137 unter Verweisung auf mehrere Schulgrammatiken behauptet wird, quisque stehe im Mask. und Fem. nur
im Sing., so dafs der Plural in der Schule als Fehler zu betrachten
wäre, so geht auch diese Einschränkung zu weit, da doch Cic. Lael.
34 in optimis quibusque honoris certamen et gloriae sagt; vergl. ferner
Schmalz Antib. II S. 421. — Nach IV 119 würde sine dubitatione
nur subjektiv = ohne sich ein Bedenken daraus zu machen ge-

braucht, während objektiv = non est dubium quin nur sine dubio
stehen könnte; in Wirklichkeit gebraucht aber, wie Schmalz Antib. I
S. 433 nachweist (vergl. auch in diesen Bl. Bd. XXV S. 39), Cicero
sine dubitatione auch in dem objektivem Sinne = unzweifelhaft, unstreitig, so Tusc. 3, 3. 5 animi sine ulla dubitatione sanentur; Balb.
13, 31 illud vero sine ulla dubitatione maxime nostrum fundavit
imperium, quod . . . . — Für ob nicht wird VI 68 nach den Verben
des Fragens nonne vorgeschrieben; allein nur Cicero verwendet nonne
in indirekten Fragen und zwar nur nach quaerere. Die in der
Schulpraxis hergebrachte und streng eingeübte Unterscheidung für die
einfachen indir. Fragen: ob = num oder ne, ob nicht = nonne wird
von neueren Schulgrammatiken mit Recht als unhaltbar aufgegeben;
so lehrt Stegmann § 222: „Indirekte Satzfragen durch num und ne
ohne Unterschied; für nonne tritt gewöhnlich ne ein. Nonne findet
sich in iudir. Fr. nur in der Verbindung quaero nonne ich frage, ob
nicht.“ Auch Cicero gebraucht ne und nonne nach quaerere ohne
wesentlichen Unterschied, vergl. n. d. 1, 21, 57 quaeras, putemne,
talem esse . . . .; acad. 2, 24, 76 quamquam ex me quaesieras,
nonne putarem . . . — Für den Konj. des Fut. wird I 66 noch
immer auch beim Passivum in ind. Fragen und in konsek. Sätzen die
Umschreibung vorgeschrieben mit Anführung des Beispielsatzes non
dubitabat, quin futurum esset, ut rex caperetur, wiewohl Keppel
schon im XIX. Bd. dieser Bl. vom J. 1883 S. 391 ff. (Wie ersetzt die
lat. Sprache den Konj. Fut.?) nachgewiesen hat, daſs solche Umschreibungen mit quin futurum sit (esset) ut durchaus unlateinisch sind.
Man kann sich in vielen Fällen nicht genug darüber wundern, wie
schwer gegenüber unrichtigen, aber altererbten Regeln für das Schullatein das oft längst nachgewiesene Richtige selbst in gute Schulbücher und so allmählich endlich auch in die Schulpraxis eindringt.
Aus der angeführten Abhandlung Keppels wäre in der vorliegenden
Frage für die Abfassung von Regeln in Schulbüchern noch manches
zu lernen, so z. B. daſs im Lateinischen solche Umschreibungen durch
die Wahl anderer Wendungen, wie aktiver statt passiver oder durch
Einsetzung von possum, puto u. dgl. vermieden wurden, ferner daſs
sogar im Aktiv auch in Sätzen mit quin und in indir. Fragen selbst
Cicero und Cäsar nicht immer die coni. periphr. anwendeten, sondern
häufig den Futurbegriff durch Wörter wie mox, iam, postea, statim
bezeichneten oder auch ohne solche Andeutung den coni. praes. und
imp. gebrauchten und so das Zeitverhältnis nur durch den Zusammenhang der Rede ausdrückten; vergl. Caes. b. g. 1, 31, 14 haec si
enuntiata sint, non dubitare, quin de omnibus obsidibus gravissimum
supplicium sumat; 3, 24 1 quid hostes consilii capercut, exspecta-
bat; Cic. Cluent. 28, 75 summa omnium exspectatio, quidnam sententiae
ferrent indices. Beim coni. fut. wäre es um so mehr am Platze,
keine so engherzig abgefaſste Regel aufzustellen, als R. bei der Besprechung des abhängigen Irrealis IV 68 sogar soweit geht zu lehren:
„Aber auch die Bedingungssätze (richtig: die Nachsätze von irrealen Bedingungssätzen) bleiben im Konjunktiv oft unverändert, regelmäſsig

im pass. Cic. Br. 33, 126 C. Gracchus diutius si vixisset, nescio an eloquentia habuisset parem neminem.“ Auch bezüglich des abhängigen Irrealis kann R. manches zur Verbesserung seiner Darlegung aus einer Abhandlung Keppels in diesen Bl. XIII. Bd. (1877) S. 201 ff. entnehmen. — Die Bemerkung über das deutsche „vielleicht“ I 90: „Haud scio an gehört namentlich dem komparativen Relativsatz an: Socrates, quo haud scio an neminem unquam Graecia sapientiorem tulerit“ ruft beim Schüler die unrichtige Vorstellung hervor, als komme diese Satzbildung bei Cicero überaus häufig vor. Ich kann nur ein einziges, wenigstens ähnliches Beispiel finden Lael. 6, 20 qua quidem haud scio an excepta sapientia nihil melius homini sit a dis immortalibus datum; allein dies ist nur ein relativisch angeknüpfter Hauptsatz, kein eigentlicher Relativsatz. Es sind komparative Relativsätze mit haud scio an im Lateinischen keineswegs so beliebte Satzbildungen, wie man nach der herkömmlichen Schulpraxis meinen möchte; jedenfalls sollte man, um nicht einseitige und schiefe Vorstellungen zu erregen, auch auf die lateinischen Konstruktionen mit dem Superlativ aufmerksam machen, z. B. Cic. har. resp. 5, 10 gaudeo mihi de toto hoc ostento, quod haud scio an gravissimum multis his annis huic ordini nuntiatum sit, datam non modo instam, sed etiam necessariam causam esse dicendi; n. d. 2, 4, 11 vir sapientissimus atque haud sciam an omnium praestantissimus peccatum suum, quod celari posset, confiteri maluit; off. 3, 29, 105 quorum quidem testem non mediocrem, sed haud scio an gravissimum Regulum nolite, quaeso, vituperare. In ähnlicher Weise gibt IV 54 die Regel: „Eine Anzahl von deutschen Adv. werden im Lat. zu verb. finit. erhoben: .... vermutlich opinor, suspicor; hoffentlich spero, confido; gewiß certum est; vielleicht haud scio an; ohne Zweifel non dubito, quin ....“ zu unrichtigen Anschauungen vom lateinischen Sprachgebrauch Anlaß. Man muß doch auch auf die häufige Verwendung von Schaltsätzen sowie von adverbialen Ausdrücken hinweisen; außer dem in diesen Blättern Bd. XXVI S. 28 Angeführten vgl. z. B. Cic. fin. 5, 10, 28 quae sine dubio vitae est eversio; n. d. 3, 10, 25 et Chrysippus tibi acute dicere videbatur, homo sine dubio versutus et callidus; acad. fr. 22 cum M. Varrone, homine omnium facile acutissimo et sine ulla dubitatione doctissimo. — Schwerlich läßt sich die VIII 79 nach dem Herkommen (vergl. z. B. Meißner, lat. Syn.) aufgestellte Regel aufrecht erhalten: „Ähnlich bleibt „zwei“ in der Apposition dann unübersetzt, wenn dieselbe der Regel gemäß nachsteht. Karthago und Numantia, zwei reiche Städte, hat Sc. zerstört — C. et N., urbes opulentissimas, Sc. delevit. Geht hingegen die Apposition voran, so daß auf dem Zahlbegriff ein Nachdruck ruht, so wird duo gesetzt“. Bei zwei von R. selbst angeführten Stellen aus Cicero (Pomp. 3, 8, off. 2, 14, 48 erklärt er die Setzung von duo und trium bei nachgestellter Apposition durch die Übersetzung mit alle beide, beziehungsweise alle drei, also durch Annahme einer nachdrücklichen Betonung des Zahlbegriffes; allein diese ist dem Belieben des Sprechenden anheimgestellt und wäre auch in dem Satz mit Karthago und Numantia sicher zulässig, wie an einer anderen Stelle Ciceros rep. 1, 20, 34 memineram persaepe te cum Panaetio disserere solitum coram Polybio, duobus Graecis vel peritissimis rerum civilium, — Bei dem Satz: „Aber hinsichtlich des Stoffes genügt er mir nicht in gleicher Weise u n d z w a r in mehr als einer Beziehung" wird II 57 zu „und zwar" auf Ellendt-Seyffert § 178 A. 2 und Madvig § 484 c verwiesen; die gleichfalls zitierte Grammatik von Schultz-Oberdick steht mir nicht zur Verfügung. Bei Ellendt-Seyffert wird für u n d z w a r nur et is (id), atque is (id), isque (idque), bei Madvig auch noch et is quidem angegeben; Cicero selbst sagt jedoch an der betreffenden Stelle fin. 1, 5, 15 re mihi non aeque satisfacit e t q u i d e m locis pluribus; dieses einfache et quidem = und zwar, pflegt meines Wissens die Schulpraxis nicht zu billigen, wiewohl es Cicero sogar häufig gebraucht, z. B. Phil. 2, 17; 43 duo milia iugerum campi Leontini Sex. Clodio rhetori adsignasti et quidem immunia; fin. 2, 32, 106 sed vobis voluptatum perceptarum recordatio vitam beatam facit et quidem corpore perceptarum; n. d. 1, 7, 17 tu autem nolo existimes ne adiutorem huic venisse, sed auditorem et quidem aequum; fin. 5, 22, 64 talibus exemplis non fictae solum fabulae, verum etiam historiae refertae sunt et quidem maxime nostrae; die Lexika bieten ähnliche Stellen in großer Zahl. Bezüglich des ohne Einschiebung von i l l e als unlateinisch geltenden n o n q u i d e m verweist R. selbst II 28 auf Cic. Br. 13, 51 hinc Asiatici oratores non contemnendi quidem nec celeritate nec copia, sed parum pressi et nimis redundantes; auch bei Livius finden sich ähnliche Wendungen, so 25, 36, 2 et conlectos in tumulum quendam n o n q u i d e m satis tutum, praesertim agmini perculso, editiorem tamen, quam cetera circa erant, subducit; 9, 19, 14 n o n q u i d e m Alexandro duce nec integris Macedonum rebus, sed experti tamen sunt Romani Macedonem hostem.

In den besprochenen wie in ähnlichen Fällen erfordert es der wirkliche Sachverhalt, nicht allzu eng gefaßte Regeln aufzustellen, und zwar bei R. um so mehr, als er sein Buch mit Recht auch für Studierende der Philologie bestimmt. Anderseits sollte auf dieser oberen Stufe die Einübung von allbekannten grammatischen Regeln nicht zu sehr in den Vordergrund treten; oft ließe sich die Gelegenheit benützen, eine umfassendere Kenntnis vom eigentlichen Sprachgut zu vermitteln. Bei dem Satz: „Daß bei der Verwaltung des Staates selbst der geringste Schein von Habsucht oder Eigennutz ferngehalten werde, ist für dessen Erhaltung von äußerster Wichtigkeit" gibt R. bei der letzten Wendung ausdrücklich i n t e r e s t an; Cicero selbst sagt an der betreff. Stelle off. 2, 21, 75 caput autem e s t in omni procuratione negotii et muneris publici, ut avaritiae pellatur etiam minima suspicio. Würde, statt die allbekannte abgegriffene Wendung noch ausdrücklich zu verlangen, vielmehr auf die Möglichkeit einer anderen weniger farblosen Ausdrucksweise hingewiesen, so würde der Lernende wohl eher eine reichhaltigere Kenntnis von der eigentlichen Sprache, von ihrer Fülle und Mannigfaltigkeit im Ausdruck gewinnen; in unserem Falle könnte man unter anderem noch ver-

weisen auf de or. 2, 82, 337 ad consilium autem de re publica
dandum caput est nosse rem publicam; 1, 33, 150 caput autem est.
quod, ut vere dicam, minime facimus — est enim magni laboris,
quem plerique fugimus — quam plurimum scribere; am. 13, 45 caput
enim esse ad beate vivendum securitatem.

Im Vorwort bezeichnet R. selbst taktloses Hineinzwängen von
Eigentümlichkeiten der fremden Sprache in den zur Übersetzung vorgelegten deutschen Text als einen pädagogischen Fehler; nichts ver-
derbe den Geschmack der Schüler so sehr. In dieser Hinsicht wäre
bei den vorliegenden Übungsstücken noch vielfach eine vervollkommnende
Ausfeilung zu wünschen; z. B. werden oft adverbiale Wendungen,
bei denen im Lateinischen ein regierendes Verbum gebraucht werden
soll, gewaltsam in das Deutsche hineingezwängt. Auch geschmacklose
Übertreibung im Ausdruck, an sich schon ein schwer ausrottbarer
Fehler bei den deutschen Arbeiten der Schüler, fällt nicht selten auf,
so XVI: „In einem wie hohen Grade Cicero gemäfs seiner unermefslichen Vaterlandsliebe auch bei seiner Pflege der philosophischen Studien nicht sowohl seinen persönlichen Genufs als vielmehr den Nutzen und das Heil des Staates im Auge hatte" . . . .;
XXV „Der König Jugurtha, der bei seiner unermefslichen
Schlauheit die römischen Verhältnisse richtig durchschaut hat" . . .;
XXXIII „Und in der That hatte damals Cicero einen unglaublich
schmächtigen und dürftigen Körper" — Cicero selbst sagt Br. 91,
313 erat eo tempore in nobis summa gracilitas et infirmitas corporis;
ebendort sollte auch Ciceros eigener Bericht: ita recepi me biennio
post non modo exercitatior, sed prope mutatus nicht bis zu „völlig
umgewandelt" übertrieben sein.

Regensburg.   J. Gerstenecker.

Χρησμοὶ Σιβυλλιακοί. Oracula Sibyllina, recensuit Aloisius
Rzach. Vindobonae 1891. 12 M.

Ein interessantes Produkt der eigentümlichen Mischung von
jüdischer und christlicher Cultur mit griechisch-alexandrinischer sind
die Sibyllenorakel. Unter heidnischer Maske wird in ihnen für die
Religion der Juden und mehr noch der Christen Propaganda gemacht.
Die zu verschiedenen Zeiten — vom 2. Jahrh. vor bis 3. Jahrh. nach
Christus — entstandenen Teile enthalten teils vaticinia post eventum,
die sich auf die jüdische, griechische und römische Geschichte beziehen, teils chiliastische Weissagungen und Hymnen auf Jehova und
Christus.

Rzach, der vortreffliche Kenner der Epiker, hat uns eine längst
entbehrte kritische Rezension dieses Werkes gegeben. In der Vorrede
spricht er über die früheren Angaben und über die Handschriften.
Wir haben aus dem Altertum zwei Sammlungen überkommen: die
eine (a) Buch I—VIII enthaltend, wird von zwei Klassen. *Φ* und *Ψ*,
überliefert; die bessere ist *Φ*. Die andere Sammlung (b) ist unvollständig erhalten; sie hat jetzt in den verschiedenen Handschriften, die

alle auf einen Archetypus (Ω) zurückgehen, fünf Bücher, bezeichnet mit IX—XIV. Von diesen stimmen Buch IX und X mit IV, VI, VII 1—9, 218—428 der Sammlung a überein. Die wichtigsten Handschriften dieser drei Klassen hat Rzach verglichen und darauf seinen Text gegründet. Sein sorgfältiger kritischer Apparat wird von jetzt an, wenn nicht neue Funde gemacht werden sollten, die Grundlage der künftigen Textgestaltungen sein.

Die Handschriften bieten allerdings nur eine dürftige Grundlage. Denn wenn auch manche, namentlich prosodische, Mängel auf die geringe Bildung einiger Sibyllisten zurückgeführt werden müssen, so bleibt doch eine solche Fülle von Verstöfsen gegen Sinn und Sprache, wie nicht leicht bei einem andern Schriftsteller. Es ist also hier ein umfassendes Feld für Konjecturalkritik. Auch auf diesem Gebiete bedeutet Rzachs Arbeit einen Fortschritt. Der Herausgeber zieht vor allem Homer und Hesiod heran und verbessert nach diesen sowie nach Parallelstellen der Sibyllisten selbst eine Reihe von verderbten Stellen. Freilich ist er hierin zu weit gegangen und hat bei seinen Konjecturen die Sprache der Sibyllisten und den ägyptisch-alexandrinischen Dialekt zu wenig beachtet. Buresch hat diesen Mangel der neuen Ausgabe in einem ausführlichen Artikel der Fleckeisenschen Jahrbücher (1891 S. 529—555) aufs schärfste getadelt. Wenn, um zwei Beispiele von sehr vielen herauszugreifen, II 34 Rzach schreibt: καὶ τότε δὴ μέγα σῆμα θεὸς μερόπεσσι ποιήσει (die Handschriften haben μετέπειτα ποιήσει) blofs weil es XIV 220 heifst ὁπότ' ἂν μέγα σῆμα θεὸς μερόπεσσι ποιήσῃ, oder wenn er V 469 für das überlieferte καὶ ἐδέσματα λαιφάσσονται nach Homer (A 176 καὶ ἔγκατα πάντα λαφύσσει) καὶ ἔγκατα λαιφάσσονται schreibt: so gehören solche Konjecturen doch nicht in den Text, sondern in den Apparat. Hätte Rzach sich entschlossen, seine Versuche dieser Art blofs unter dem Strich zu erwähnen, so wäre seine Ausgabe bequemer geworden und hätte an Wert gewifs nicht verloren.

Am Schlusse (S. 240—316) ist ein Verzeichnis der loci similes aus Homer, Hesiod und andern Dichtern beigefügt. Dafs hier manches erwähnt ist, was ein vorurteilsfreier Leser nicht als Vorbild oder Nachahmung der Sibyllisten ansehen wird, kann nicht auffallen: besser ist bei solchen Zusammenstellungen immer ein Zuviel. Und ebensowenig ist zu tadeln, dafs manches übersehen wurde. So hat Buresch einige interessante Parallelstellen aus der Batrachomyomachie, andere anderes nachgetragen; Referent hat in der dem 3. nachchristlichen Jahrhundert angehörigen Grabschrift des Abercius drei Stellen bemerkt, welche wohl nicht zufällig an Sibyllenverse anklingen und hier am Schlusse stehen mögen: v. 8 χρυσόσανλον χρυσόσταλον: cf. or. Sibyll. V. 434 ebenfalls am Versende χρυσόθρονε χρυσοπέδιλε; v. 11 Εὐφράτην διαβάς: cf. XIII 123; v 14 παρθένος ἁγνή am Versende, ebenso or. Sib. VIII 270 u. 358.

München.　　　　　　　　　　　　　Theodor Preger.

Inscriptiones Graecae metricae ex scriptoribus praeter Anthologiam collectae edidit Theodorus Preger. Lipsiae in aedibus B. G. Teubner MDCCCXCI.

Elf Jahre nach dem Erscheinen von Kaibels Epigrammata Graeca ex lapidibus conlecta liegt das Buch von Preger als eine notwendige Arbeit vor uns. Der Verfasser hat die Aufgabe mit Hingebung an den ihm vertrauten Stoff in sorgfältiger und gediegener Ausführung vollendet. Der Inhalt der Sammlung wird durch den Titel hinreichend bezeichnet, Welckers und Jacobs Nachweise sind bereichert, die kritische und sachliche Erklärung zu den einzelnen Nummern verdient volle Anerkennung. Die Prolegomena enthalten unter Anderem eine wertvolle und klare Darstellung der schwierigen Frage über Ächtheit oder Nachahmung von metrischen Inschriften. Die scharfe Scheidung in dieser Hinsicht macht eine wesentliche Bedeutung der Arbeit aus. Eine Trennung in zwei Teile ist dadurch gegeben: Inscriptiones graecae metricae und Epigrammata quae veteres falso contendunt lapidibus inscripta esse. Unter den sorgfältigen Indices vermifst man ein Verzeichnis der Schriftsteller, aus denen die einzelnen Epigramme genommen wurden, und ein reichlicheres sachliches Verzeichnis. Ergänzungen und Berichtigungen können nicht ausbleiben. Dann wird es geeignet sein, nach Verlauf einer geraumen Zeit ein Ergänzungsheft folgen zu lassen. Zunächst wird der Verfasser seine Aufmerksamkeit auch auf die Spuren von griechischen Epigrammen richten müssen, welche bei lateinischen Autoren sich finden. Denn auch diese Reste gehören in die vom Verfasser veranstaltete Sammlung. So ist in Plinius' nat. hist. 36, 12: Complura enim in finitimis insulis simulacra postea fecere (Bupalus et Athenis), sicut in Delo, quibus subiecerunt carmen non vitibus tantum censeri Chion, sed et operibus Archermi filiorum ein griechische Epigramm enthalten, das sich passend anschliefst an die berühmten metrischen Inschriften vom Maler Parrhasios (Preger no 181 ff.). Auch verrät die Form ἔγραφεν, das Elasippus auf seine Gemälde geschrieben hat, ein Stück eines Epigramms (Plinius 35, 122; vgl. übrigens auch 35, 27 Nicias scripsit se inussisse). Endlich ganz deutlich ist Plinius 35, 154: Plastae laudatissimi fuere Damophilus et Gorgasus, üdem pictores qui Cereris aedem Romae ad circum maximum utroqne genere artis suae excoluerant versibus inscriptis graece quibus significarent ab dextra opera Damophili esse, ab laeva Gorgasi.

Wie bereits berührt, verrät der Verfasser bei den Erörterungen über die einzelnen Stücke grofse Belesenheit und sachkundiges Urteil. Fehlgeschlagen ist die Zeitbestimmung zu no 207: Epidauri in Asclepieo. V. fere saeculo. Das schöne Epigramm verdient es, an dieser Stelle ausgeschrieben zu werden: Am Eingange zum Asklepiostempel stand zu lesen:

Ἁγνὸν χρὴ νηοῖο θυώδεος ἐντὸς ἰόντα
ἔμμεναι· ἁγνείη δ' ἐστὶ φρονεῖν ὅσια.

Bei Porphyrios de abstinentia 2, 19 ist es überliefert, nach Jacob Bernays' Nachweis aus Theophrast's Schrift über Frömmigkeit. Demnach mufs das Epigramm älter als diese Schrift des Theophrast sein, jedenfalls aber jünger oder wenigstens gleichzeitig mit der Vollendung des berühmten Heiligtums. Die Zeitbestimmung des Tempelbaues ist möglich. Preger nimmt mit Furtwängler um 420 an und setzt demgemäfs den schönen Spruch in diese Zeit. Nun ist aber ziemlich gesichert, dafs die Bauinschrift des Tempels frühestens etwa 375— 360 fällt (vgl. zuletzt W. Gurlitt, epigr. arch. Mitteilungen aus Österreich 14 (1891) s. 126 ff.). Also ist der terminus post quem für Abfassung des Epigramms gegeben. — Zu no 188 Anmerkung 2 war neben Diltheys Konjektur zu Plinius 33, 156 (so! nicht 35) Telesarchides für Hedystrachides auch Furtwänglers Vermutung Thracydes zu erwähnen. (Vgl. Oehmichen Plinian. Studien S. 160.) Roberts Beharren auf der Überlieferung (Homerische Becher S. 63 u. Anmerk. 2) ist unmöglich, da die alphabetische Anordnung der Toreuten an dieser Stelle ein „II" als Anfangsbuchstaben ausschliefst.

München.   H e i n r i c h   L u d w i g   U r l i c h s.

S a a l f e l d G. A., D e B i b l i o r u m S a c r o r u m u u l g a t a e e d i - t i o n i s G r a e c i t a t e. Quedlinburgi. Chr. Fr. Vieweg 1891. XVI u. 180. 8. 7 M. 50 Pf.

Das Wort J o h n s o n s ‚to make dictionaries is dull work' wird immer wahr bleiben und so wollen wir in der kurzen Anzeige dieses dem Altmeister Karl Ernst Georges gewidmeten Buches nicht etwa anführen, was wir gern vollbracht gesehen hätten. Es wird ja bei den mannigfaltigsten Gelegenheiten von geistreichisierenden und nach „möglichst viel Neuem" haschenden Criticis gesagt, was der und jener Verfasser aus diesem und jenem seiner Werke eigentlich hätte machen sollen.

Herr S. will uns alle griechischen Wörter, die in der lateinischen Vulgata des alten und neuen Testaments sich finden, in lexikalischer Ordnung vorführen. Er geht aber dabei weitherzig zu Werke und gibt auch solche nomina, die im griechischen Sprachgut nur Lehnwörter sind, wenn sie nur eine griechische Endung haben; ja sogar das hebräische Adverbium 'āmēn ist aufgenommen. Dagegen sind Wörter, die aus indogermanischem Bestand der griechischen und lateinischen Sprache gemeinsam eigen sind, ausgeschlossen; übrigens werden in einem quaestiuncularum etymologicarum specimen von einer Anzahl die Belegstellen angegeben. Was die Aufnahme der Wörter betrifft, so laufen freilich Inkonsequenzen namentlich bei Eigennamen mit unter. Z. B. sind Bartholomäus, Bartimäus, Zachäus und Sophonias aufgeführt, aber Barnabas, der häufig vorkommende Name Zacharias und Barachias sind weggelassen. Im ganzen aber wird man sagen müssen, dafs das Wörterbuch geschickt und mit Fleifs zusammengestellt ist. Nur sollten gröfsere Artikel wie der über propheta in mehrere Absätze gegliedert sein. Gerade bei dem genannten Wort hätten sich meines Erachtens leicht Unterabteilungen ergeben. *Προφήτης* und propheta als von den Septuaginta und von der Vulgata recipierte Übersetzungen von nābi', was ganz allgemein einen Empfänger und Vermittler der Offenbarungen Jahwe(h)s, des Ba'al oder der Aschera(h) bezeichnet, haben nicht den beschränkten Sinn, in dem sie in den Büchern des neuen Testaments für die kanonischen Propheten gebraucht werden, wie es oft heifst: in lege Moysi et prophetis et psalmis oder ähnlich.

Um nicht zu ausführlich zu werden, möchten wir nur einige Kleinsachen anmerken, wie sie sich unter andern beim Durchgehen des Buches ergeben haben. Ananias ist so wenig ein „nomen graecum' wie Saphira. Etheca ist kein griechisches Wort, am allerwenigsten verstümmelt aus *Ἔκθετος*, sondern nichts als das herübergenommene äthīq, bedeutet eine Art bedeckten Ganges und wird gewöhnlich von nthq abgeleitet. S. 136 pafst zu dem Artikel „Priapus" (Gottheit) die Anführung der Stelle Ducanges: P. machina bellica et q. s. doch gar nicht. S. 145 Z. 15 v. u. mufs es überall „Asaph." heifsen. S. 157 unter „siclus" ist schāqĕl (mit Segol unter der ersten Silbe zu schreiben. Auf den Absatz „Salamis nomen clarissimae insulae" (statt urbis celeberrimae Cypri) ist das lobenswerte Staëlsche Wort: tout comprendre c'est tout pardonner kaum mehr anwendbar. Unter „Samus" ist die Stelle Jes. 45, 9 ausgelassen, wo der Übersetzer ĕthcharschē 'ădāmā(h) kurzweg mit de Samiis terrae übersetzte (Samia sc. vasa synekdochisch wegen der Berühmtheit der samischen Thongefäfse). „Symphonia" ist an keiner der angeführten Stellen „Harmoniemusik" (auch die lutherische Übersetzung ist falsch), sondern ist (hebräisch im Lautbestand etwas verändert) ein bestimmtes Instrument, wie die Stelle aus Ducange ganz richtig angibt. Man kann die sampogna noch heutzutage in Kleinasien oder auf den kleinasiatischen Inseln blasen hören. Sie ist im wesentlichen ein Dudelsack.

Amberg. L. Bürchner.

Karl Borinski, Grundzüge des Systems der artikulierten Phonetik. Zur Revision der Prinzipien der Sprachwissenschaft. Stuttgart. Göschen 1891. VII u. 66 S. Ladenpreis M. 1.50.

Phonetik ist die Wissenschaft von der auf den Schall gegründeten Zeichenvermittlung und zerfällt in melische Phonetik (Musik) und artikulierte Phonetik (Sprache). Der artikulierte Laut unterscheidet sich von dem Schall oder Geräusch dadurch, dafs er wie der Ton in der Musik eine feste Stufe einnimmt oder mehrere solche Stufen bindet. In der Lautbetrachtung lassen sich drei Richtungen unterscheiden: 1) die grammatische, die die Laute in den durch die Tradition der Literaturen überkommenen Fixierungen als lautliche Grundtypen hinnimmt, ohne sich um die Berechtigung hiezu sonderlich zu bekümmern, jedoch unter Berücksichtigung der Lautwirkung; 2) die physiologische, die sich ausschliefslich auf die Untersuchung der Hervorbringungsarten der Laute konzentriert, der sich aber als Schwierigkeit das schier unerschöpfliche Feld der Thatsächlichkeit entgegenstellt; 3) die akustischphysikalische. Diese geht von der Natur des vernommenen — unterschiedenen und unterscheidbaren Lautes aus und sucht ihn in seiner Wesenheit als Klang, d. h. als periodisch organisierte Schallart der Analyse des Tones anzuschließen. Aber die Schwierigkeit, die bei der Lautphysiologie im Objektiven liegt, stellt sich hier im Subjektiven ein, nämlich die Unbestimmtheit der individuellen Lautapperzeption, die letzliche Unmöglichkeit einer absoluten Lautfixierung für alle Fälle. Nun ist es gar kein Zweifel, daß die Vokale thatsächlich nach Höhe und Tiefe verschieden sind, daß das i die Grenze nach der Höhe und das u die Grenze nach der Tiefe darstellt. Allein damit ist die Natur des Lautes nicht erschöpft; es tritt das Element der Klangfarbe hinzu, und zwar als Spezifikum, mit dem seine praktische Brauchbarkeit steht und fällt. Durch die Teiltöne, die im Ton und Laut wie in jedem Geräusch die bestimmenden Faktoren unserer Wahrnehmung der Klangfarbe sind, erhalten wir die Handhabe für eine qualitative Wertung des Schalles im allgemeinen, und durch diese dürfte der prinzipiellen Unsicherheit, dem Umhertasten, Schwanken und Raten ein Ende gemacht sein. Das a ist der qualitative Äquator, das neutrale Element der Lautreihe; durch systematische Schematisierung der positiven und negativen Reihe werden die festen vokalischen Zwischenstufen zwischen dem Äquator und den Grenzmomenten aus den kontinuierlichen Übergängen der Lautveränderung herausgehoben. Bei diesem Verfahren wird man erkennen, daß es falsch ist, wie die Linguistik es früher versuchte, von Mischung (Zusammensetzung aus a+i, a+u) zu reden; man wird nicht mehr so ohne weiteres die Lautreihe mit den vokalischen Extremen abschließen, denn der Konsonantismus steht für die systematische Betrachtung nur in graduellem nicht in generellem Gegensatz gegen den Vokalismus oder besser Sonantismus. („Das Wiederaufbringen des alten Schlagbaumes zwischen stimmhaft und stimmlos' ist eine unglückliche Nachwirkung der alten muta, der man sich doch endlich entschlagen sollte; es gibt nur melische (Kehlkopf-) und rein spiratorische (Flüster-)Artikulation, sonst nichts. Stimmlosigkeit in den Lauten ist wie Lichtlosigkeit in den Farben (absolutes Schwarz) ein Nonsens").

Die Herausbildung des Schematismus der qualitativen Momente kommt aber nicht blos im Lautbestand, sondern auch im Lautwandel zur Geltung. Was man bisher fälschlich mit dem Namen Lautgesetze belegt hat, sind gar keine Gesetze, sondern nichts als historische Laut- (Sprach-)änderungen. Gesetzmäßigkeit liegt in den allgemeinen Beziehungen der Lautstufen unter einander, und die im Lautwandel wirksame, seine Richtung, Gestaltung, Intensität bestimmende Aktualität ist der Akzent. Bevorzugung eines der qualitativen Momente oder der Extreme, Längung und Kürzung, Konsonantenbildung, Synkope und Aphärese, Vokalbildung, vokalische Vertretung, Verhärtung und Erweichung bis zum völligen Schwund (Verwitterung), das sind alles Wirkungen des Akzentes, des eigentlichen Lebensprinzips der Sprache, der zugleich ihr destruktives und konstruktives Element ist. Mit dieser Gesetzmäßigkeit im Lautwandel hat das Prinzip der Analogiebildung nichts zu thun.

Endlich der allerwichtigste der die artikulierte Systematik be-
dingenden Faktoren ist die Wortbildung — ein schlüpfriges Gebiet,
auf dem die endlosen und unfruchtbaren Hypothesen der Ursprungs-
theorien, die Interjektions- und onomatopoetischen Spielereien verstärkt durch das Kindergeschütz der Etymologisterei, die Willkür der
eigensinnigen Herleitungs- und Stammbaumsmanie und dergleichen
phantastisches Unkraut wuchert. Es gab schon manche Sprachen vor der
uns durch Erschliefsung erreichbaren „Ursprache". Der Ursprung der
Sprachen zu allen Zeiten liegt vor uns in den Schöpfungen der Poesie.
Das Wort ist freie Schöpfung, ποίησις des Menschen, das uns gerade
aus den Urzeiten der Poesie bekannte „stehende Epitheton" bezw. die
stehende Periphrasis, und alle seine Wandlungen sind zu erklären aus
den zwei absoluten d. h. stetig wirksamen geistigen Faktoren, dem
absoluten Streben nach Verdeutlichung (Differenzierungsbestreben) und
dem ebenso absoluten Streben nach Einheit in der Bezeichnung (Aus-
gleichungsbestreben). Wie die Akzente die treibenden Kräfte im Lautwandel, so sind diese Bezeichnungsbestrebungen die treibenden Grund-
kräfte im Wortwandel.

In Vorstehendem habe ich versucht, und zwar im Anschlufs an
die Ausdrucksweise des Verfassers, die Hauptgedanken obiger Schrift
zu skizzieren, die selbst, wie der V. in der Vorrede sagt, nichts weiter
ist als „ein sehr partieller und abgekürzter (und ich erlaube mir hinzuzusetzen: steiler, rauher und mühsamer) Richtsteig durch die aus-
gedehnten und vielgestaltigen Forschungsgebiete einer fünfjährigen
angestrengten und konzentrierten Thätigkeit". Eines Urteils enthalte
ich mich, weil ich mich dazu für nicht kompetent erachte.

Würzburg. ——————— J. Jent.

Blum, Dr. L., Grundrifs der Physik und Mechanik.
7. Auflage. Leipzig, Winter 1890. XI. 8. mit 102 Figuren behandelt
das gesamte Gebiet der Physik in 44 Abschnitten mit der ausgesprochenen
und auch konsequent durchgeführten Absicht, alle diejenigen Lehren
derselben in Kürze zusammenzufassen, welche für Gewerbe und Industrie von Wichtigkeit sind; es will nicht ein ausführliches Lehrbuch
der Physik sein, sondern dem Lehrer als Grundlage beim Unterrichte
dienen und dem Schüler für das Privatstudium die nötigen Anhaltspunkte bieten. Trotz dieser Beschränkung ist es dem Verfasser gelungen, ein übersichtliches Bild der Hauptgesetze der Physik und ihrer
Anwendungen zu geben. Die Einrichtung der wichtigsten physikalischen
Instrumente ist kurz angegeben, ihr Zweck hinreichend erläutert.
Auf theoretische Beweise ist fast vollständig Verzicht geleistet; die
Gesetze sind vorwiegend lediglich als Erfahrungsthatsachen angeführt.
Die Figuren sind schön und deutlich gezeichnet; zu bedauern ist nur,
dafs sie nicht in den Text mit aufgenommen sind, weil ihr Studium
in der hier gewählten Anordnung beschwerlich oder wenigstens un-
bequem ist. Von der Mathematik ist nur in sehr bescheidenem Umfange Gebrauch gemacht. Tabellen über physikalische Konstanten

dürften vielleicht in etwas reichlicherem Umfange beigegeben werden. Bei den festen Körpern wird die Angabe der verschiedenen Arten des Gleichgewichtes vermifst, bei den Flüssigkeiten die Erläuterung des Begriffes Metazentrum. Die Ausdehnung der Körper ist in zwei getrennten Abschnitten, dem 18. und 28., behandelt. Akustik und Optik sind etwas zu kurz gekommen; von den 171 Seiten des Buches treffen auf erstere nur 7, auf letztere 18. Dagegen sind die neuesten Erfindungen im Gebiete der Elektrizität und des Magnetismus eingehend dargestellt. Sehr wünschenswert ist die Beigabe eines alphabetisch geordneten Inhaltsverzeichnisses. Als Leitfaden der Physik ist das Buch an humanistischen Anstalten wohl nicht zu gebrauchen, dagegen für technische Schulen sehr zu empfehlen.

Föppl, Dr. A., Leitfaden und Aufgabensammlung für den Unterricht in der angewandten Mechanik. 2. Heft. Leipzig. Teubner. 1890. XII. 8 mit 38 Figuren.

Der Inhalt des ersten Heftes dieses Leitfadens ist bereits im XXVI. Bd. S. 581 unserer Zeitschrift angegeben. Das zweite Heft enthält zunächst die Fortsetzung der Mechanik des materiellen Punktes und des starren Körpers und zwar die Gesetze von der Centrifugalkraft, der lebendigen Kraft und dem Stofse; dann folgt in zwei Abschnitten die Mechanik der flüssigen Körper, von denen der erstere Gleichgewicht und Bewegungserscheinungen tropfbarer Flüssigkeiten insbesondere des Wassers behandelt, während der zweite die Wärme, die Mechanik der Gase und Dämpfe und das Wesentlichste der Energetik umfafst. Der vierte Abschnitt mit der Überschrift Elektromechanik enthält die Gesetze der ruhenden, der gleichförmig und ungleichförmig bewegten Elektrizität und die des Magnetismus; am Schlusse befinden sich noch einige Tabellen über spezifische Wärmen, Spannkraft der Wasserdämpfe u. s. w. Der Leitfaden ist zwar allerdings zunächst für solche Schulen geschrieben, an denen Leute herangebildet werden, welche die Lehren der Physik einmal in ihrem Berufe praktisch verwerten wollen; er ist also für Schüler unserer Gymnasien unmittelbar nicht zu gebrauchen; aber nicht mit Unrecht bemerkt der Verfasser im Vorworte, dafs das Werkchen den Lehrern der Physik auch an Gymnasien vielfach willkommen sein wird, weil es ihnen eine Handhabe gibt, wie man den Unterricht durch Heranziehung von Beispielen aus der Technik beleben kann. Die Theorie ist präzise, aber doch eingehend gegeben und dabei von einem höheren Standpunkte aus behandelt als in den meisten anderen Lehrbüchern der elementaren Physik. Die Darstellungsweise ist knapp, aber klar und zu eigenem Denken anregend. Der Verfasser zeigt auch an mehr als einer Stelle, wie sich Entwicklungen, die sich strenge genommen nur mit den Mitteln der sogenannten höheren Mathematik liefern lassen, auch mit Hilfe der elementaren Mathematik wenigstens bis zu einem hohen Grade der Annäherung exakt durchführen lassen oder wie man Schwierigkeiten, welche sich elementarer Behandlung entgegenstellen,

geschickt umgehen kann.   Nicht gering anzuschlagen sind auch die
fortlaufenden Vergleiche ähnlicher Vorgänge in gewissen Gebieten der
Physik; es möge hier nur die allerdings naheliegende, aber doch von
wenigen Schriftstellern mit gleicher Konsequenz durchgeführte Neben-
einanderstellung der Eigenschaften elektrischer Ströme mit denen der
Flüssigkeitsströme erwähnt sein.   Bei der Lösung der Aufgaben, deren
das zweite Heft 147 enthält, verwendet der Verfasser öfters mit grofsem
Vorteile die graphische Methode; die Aufgaben selbst sind nicht gerade leicht zu nennen; sie beziehen sich vorwiegend auf praktische
Verwertung physikalischer Gesetze. — Der Lehrer der Physik wird in
dem Büchlein manch fruchtbaren Gedanken finden.

W ürzburg.   Dr. M. Z w e r g e r.

Reinach Salomon, Chroniques d'Orient. Documents sur
les fouilles et découvertes dans l'orient hellénique de 1883 à 1890.
Paris. Firmin-Didot et Cie. 1891. XV + 786 pp. 1 heliogr. Tafel und
Abbildungen im Text. 8. 15 fr.

Das ist ein hervorragend nützliches Buch, das wegen der Fülle
der Notizen und der Niedrigkeit des Preises die Aufnahme in alle
Gymnasialbibliotheken verdient, die ja leider, im allgemeinen kärglich
bestellt, in den archäologischen Fächern gewöhnlich eine trostlose Öde
und Leere zeigen.   Und doch sollte jeder Philologe sich für die Phasen
des „Kampfs um Troia“ oder für die Entdeckung neuer Handschriften
oder Denkmäler interessieren und halbwegs auf dem laufenden bleiben.

Den Grundstock des Werkes, das den Manen Gabriel C h a r m e s'
gewidmet ist, bilden die unter dem Namen Chroniques d'Orient (daher
der Titel des Sammelbandes) erschienenen Berichte des H. S. R. in
der Revue Archéologique.   Sie verfolgen alle Fortschritte auf dem
Gebiet der Altertumswissenschaft (Geographie, Topographie, Archäologie, Epigraphik) auf dem Boden der Länder um das östliche Mittel-
meerbecken, geben Nachricht von der Auffindung neuer Denkmäler
jeder Art und berichten über die hauptsächlichsten Ergebnisse von
Antiquitätenversteigerungen.

Bemerkenswert und löblich ist der Freimut gegenüber verschiedenen Mifsständen.   Besonders ergötzlich sind die Stellen, an denen
H. S. R. mancherlei Albernheiten von Korrespondenten französischer
und auch anderer Tagesblätter, wenn sie über archäologische Dinge
berichten, rügt.   Bekanntlich haben wir auch in Deutschland zur Zeit
der Reise des Kaisers nach Griechenland und der Türkei gar manches
dieser Art in dem und jenem Blatt gesehen, worunter „Phalerun“
(Analogiebildung nach „Kamerun“) noch das harmloseste war.   Und
aus einer Zeit, die aufserhalb des Rahmens dieser Chroniques d'Orient
fällt, ist noch das famose Telegramm des damaligen Bürgermeisters
Sutzos von Athen an seine Kollegen in London und Paris (andere
Hauptstädte wurden vornehm übergangen) bekannt: „Venons de trou-

ver statue magnifique et complète, chef d'oeuvre de Phidias, Minerve victorieuse. Prévenez archéologues!"

Der Band ist überhaupt nicht etwa eine trockene Aufzählung, sondern enthält viele geistreiche Bemerkungen und belehrende Zusammenfassungen z. B. über die Geschichte der sogenannten kleinasiatischen Terrakotten, einen sehr anerkennenden Nachruf auf unseren Landsmann Dr. Schliemann und anderes. Freudig müssen wir auch der Unparteilichkeit gedenken, mit der er den Angehörigen anderer Nationen und besonders unseren deutschen Gelehrten Gerechtigkeit widerfahren läfst. Gegen die Verballhornung der französischen Stilistik seitens Fremder tritt er mit Recht ein. Wer sich einer fremden Sprache bedienen will, sollte sie ordentlich gelernt haben.

Es wäre recht sehr zu wünschen, dafs etwa in noch kürzerem Zwischenraume, als es 8 Jahre sind, eine Fortsetzung dieser so wichtigen Sammlung durch den kundigen Gelehrten erfolge. Und zuversichtlich dürfen wir hoffen, dafs noch mehr Forscher als bisher durch direkte Mitteilung der Ergebnisse ihrer Forschung zur Erreichung möglichster Vollständigkeit beitragen.

Amberg. L. Bürchner.

———————

Das Bühnenwesen der Griechen und Römer von Dr. G. Oehmichen, Privatdozent an der Universität München. München 1890. (Iw. Müllers Handbuch der klassischen Altertumswissenschaft, V, 3. S. 180—304.)

Lange Zeit war kein Versuch mehr gemacht worden, das an Streitfragen noch so reiche Gebiet des antiken Bühnenwesens in systematischer Darstellung zusammenfassend zu behandeln und nun haben uns die letzten Jahre 3 solche Arbeiten in verhältnismäfsig kurzen Zwischenräumen nacheinander gebracht. 1886 erschien A. Müllers Lehrbuch der griechischen Bühnenaltertümer als III. Bd. 2. Abt. der Neubearbeitung von K. Fr. Hermanns Lehrbuch der griechischen Antiquitäten; ihm ähnlich ist das Buch von A. E. Haigh, The Attic Theatre, Oxford 1889. Dazu kommt nun durch den Kreis der Darstellungen einzelner Disziplinen im Iw. Müllerschen Handbuch hervorgerufen die Bearbeitung des gleichen Gegenstandes durch Oehmichen.

Oehmichen stellt sich in einen gewissen Gegensatz zu seinem Vorgänger A. Müller. Zunächst hat er in ganz vortrefflicher und übersichtlicher Weise eine fühlbare Lücke des Müllerschen Buches ausgefüllt, auf die er selbst in seiner Rezension desselben (Berliner philol. Wochenschrift 1887, Sp. 1003) hingewiesen hat: „In ein Lehrbuch gehört auch eine kurze Mitteilung über die Entwicklung des besonderen Faches, und dies umso mehr, wenn der Lernende, wie es vielfach auf unseren Universitäten der Fall ist, seine Kenntnis ausschliefslich aus einem Lehrbuche schöpfen mufs". Deshalb hat Oe. entsprechend dem Programm des Sammelwerkes, dem sein Buch angehört, „mit besonderer Rücksicht auf Geschichte und Methodik der

einzelnen Disciplinen“, eine sehr gut orientierende, kurze Geschichte
der Bühnenkunde, in der sowohl die Leistungen der Neueren, wie
auch die Quellu der Forschung besprochen werden, vorausgeschickt.
Im Übrigen ist er der Ansicht, dafs wir eine alles Nötige umfassende,
logisch gegliederte Bühnenkunde noch für kein Volk besitzen und will
seine Arbeit als den ersten Versuch einer solchen betrachtet wissen,
indem er eben dadurch auch etwaige Mängel derselben entschuldigt.
Selbstverständlich mufs sich daher seine Gliederung des ganzen Stoffes
wesentlich von der bei Müller unterscheiden. Nach ihm zerfällt jede
Bühnenkunde in 4 Teile: 1. die Lehre von den staatlich-gesellschaftlichen Grundlagen des Bühnenwesens, d. h. von seiner Einrichtung
und Verwaltung, und seiner Stellung im staatlichen und gesellschaftlichen Leben, 2. die Lehre von den äufseren Mitteln der Darstellung,
von den Theatergebäuden und ihrer Ausstattung und von der Ausstattung des Darstellerpersonals, 3. und 4. die Lehre von der Dichtung
und Darstellung der Bühnenspiele. Diese Einteilung hat gegenüber
der Müllerschen (1. das Theatergebäude, 2. die Elemente der Aufführung, 3. die Verwaltung des Bühnenwesens) den grofsen Vorteil,
dafs sie viel eher einen systematischen Aufbau des Ganzen ermöglicht;
auch entspricht es der historischen Entwicklung besser, dafs die staatlichen und socialen Grundlagen des Bühnenspieles vorausgehen (denn
davon sind doch viele Einzelheiten der Ausstattung und Darstellung
abhängig) als dafs, wie bei Müller, dieser Abschnitt am Ende steht.
Dafs Oehmichen als 3. Abschnitt auch die Lehre von der Dichtung
einführen will, ist durchaus zu billigen, doch ist dieser Gedanke nicht
ganz neu; schon Prof. Bursian pflegte uns seiner Zeit in seinem Col-
leg „Dramaturgie und Bühnenwesen der Griechen und Römer“ einen
umfänglichen Abschnitt über die Entwicklungsgeschichte der dramatischen Dichtung von ihren ersten Anfängen bis zum Erlöschen selbst-
ständiger Thätigkeit der Dichter zu geben. Übrigens läfst Oehmichen
bei der Ausführung gerade den 3. Abschnitt, die Lehre von der
Bühnendichtung, weg, „weil die Zeit dafür noch nicht gekommen ist“.
Ein Grund hiefür wird nicht angegeben, obwohl man mit gleichem
Rechte sagen könnte, auch eine zusammenfassende Darstellung des
Bühnengebäudes sei jetzt, wo die Frage nach der Konstruktion desselben durch die Ausgrabungen neuerdings wieder in Flufs gekommen
ist, noch verfrüht.

Im ersten Teile (die staatlich-gesellschaftlichen Grundlagen der
Bühnenspiele) handelt der Verfasser über Festzeit, Festort und Fest-
ordnung, sowie über die persönlichen Verhältnisse (Festleiter, Choreg,
Dichter, Schauspieler und sonstige Darsteller, Preisrichter, Zuschauer etc.)
und die Besorgung der Mittel. Wenn Doerpfeld in seiner Recension,
Berliner phil. Wochenschrift 1890, Sp. 1533 zu diesem 1. Teile bemerkt: „Wesentlich Neues habe ich hier gegenüber dem Müllerschen
Buche nicht finden können“, so thut er damit dem Verfasser entschieden Unrecht; denn gerade hier hat Oehmichen die Ergebnisse
seiner allgemein anerkannten Akademieabhandlung „Über die Anfänge
der dramatischen Wettkämpfe in Athen“ niedergelegt; so § 17 Fest-

ordnung, seine Ausführungen über den προάγων, von welchem er drei
Arten unterscheidet: 1. einen rein gottesdienstlichen, im Heiligtum
stattfindenden, 2. eine Hauptprobe vor den grofsen Dionysien im
Odeion, die nur so genannt wurde, 3. einen Ankündigungsproagon im
Theater vor dem eigentlichen Agon. Die beiden letzteren werden
dadurch mit einander verbunden, dafs, wie Oe. annimmt, ein Festzug aus
dem Dionysosheiligtum (κῶμος) nach dem Theater stattfand, an welchem
die dramatischen Darsteller teilnahmen, und der dann im Theater mit
jener Ankündigung geendigt haben soll. Diese Aufstellungen, sowie die
weiteren Ausführungen, wonach die grofsen Dionysien vom 5.—14.
Elaphebolion gedauert hätten, sind von grofser Wahrscheinlichkeit und
grofsem Interesse, weil dadurch gegenüber der bisherigen Auffassung
mancherlei Schwierigkeiten beseitigt werden. Mit der Ansicht sodann,
(§ 15, 2) die Lenäen seien das Fest, welches zuerst von Staats wegen
mit Bühnenfestspielen gefeiert wurde, setzt sich der Verf. in Widerspruch mit Wilamowitz und Todt, neuerdings entscheidet sich auch
A. Müller (VI. Suppl. d. Philol. S. 81), dafür, dafs zuerst an den grofsen
städtischen Dionysien Dramen aufgeführt worden seien. Am wichtigsten
ist das Ergebnis Oehmichens, wonach er den Anfang der komischen
und tragischen Wettspiele an den grofsen Dionysien auf das Jahr 472,
den Anfang des Schauspielerwettkampfes auf das Jahr 456 festsetzt.[1]
Kurz, der 1. Teil enthält des Neuen genug. In einigen Punkten kommen
jetzt Bestätigungen oder Berichtigungen durch Aristoteles' Ἀθηναίων
πολιτεία hinzu. So erfahren wir in Bezug auf die Beteiligung des
Staates an den kleinen Dionysien im Piräus (§ 15, 1) aus Aristoteles
cap. 54, dafs die Leitung derselben dem von der Bürgerschaft erwählten Demarchen des Piräus oblag. Dafs die Phylen als solche
beim dramatischen Agon, im Gegensatz zum lyrischen, nicht beteiligt
waren (§ 20, 3) wird durch Ἀθ. πολ. c. 56 bestätigt; eben diese
Stelle lehrt jedoch, dafs die Bestellung der Choregen nicht, wie Oehmichen l. l. meinte, durch Rat und Volksversammlung, sondern durch
den Archon vorgenommen wurde, ebenso wie dieser die Choregen
auf die einzelnen Dichter verteilte. Dafs der Archon König die Leitung
der Spiele an den Lenäen hatte (§ 18, 2) wird jetzt gleichfalls durch
Aristoteles c. 57 bestätigt. Entgegen der bisherigen Ansicht, dafs
Perikles das θεωρικόν eingeführt (§ 29, 2) sagt Aristoteles c. 28:
Κλεοφῶν, ὁ λυροποιός, ὃς καὶ τὴν διωβελίαν ἐπόρισε πρῶτος.
Der 2. Teil, die äufseren Mittel der Darstellung, zerfällt in drei
Abschnitte: A. Theatergebäude, B. Ausstattung der Räume, C. Aus-
stattung der Darsteller.

[1] Im Anschlufs an diese Ergebnis hat neuerdings W e c k l e i n „Über eine
Trilogie des Äschylus und über die Trilogie überhaupt (Sitzungsber. d. bayr.
Akad. 1891, S. 327) wahrscheinlich gemacht, dafs die Tetralogie eine Einrichtung
des Jahres 472 ist oder genauer gesagt, aus den organisatorischen Bestimmungen
hervorging, welche in den siebziger Jahren des 5. Jahrh. den tragischen Agon der
grofsen Dionysien ordneten, dafs also die Zusammenfügung dreier Dramen zu
einem Ganzen nicht von Anfang an die herrschende Kunstform bei Äschylos gewesen, sondern es erst (23 Jahre nach Beginn seiner dichterischen Thätigkeit)
unter dem Einflusse äufserer Umstände geworden ist.

In der Beschreibung des Theatergebäudes folgt O. durchaus den bisherigen Anschauungen, nur dafs er bei der Darstellung des Grundmafses und der Grundfigur der Theater eine von ihm selbst wesentlich verbesserte Rekonstruktion des Grundrisses nach Vitruv gibt. Bekanntlich ist aber eine neue, zu den bisherigen Anschauungen in diametralem Gegensatze stehende Ansicht aufgetaucht, d a f s n ä m l i c h im 5. Jahrhundert die Schauspieler in der Orchestra agiert hätten und im Theater ein erhöhtes Logeion überhaupt nicht vorhanden gewesen sei. Zu diesem Resultat kam Dörpfeld auf Grund seiner Untersuchungen der Ruinen des Theaters von Epidaurus. Wenn also dieses Theatergebäude nach Pausan. II, 27, 6 von Polyklet stammt, so ist darunter nach Dörpfeld der jüngere Polyklet (Mitte des 4. Jahrh.) zu verstehen. Noch wichtiger sind die Ergebnisse der 1886 vom deutsch-archäologischen Institut unter Dörpfelds Leitung vorgenommenen Nachgrabungen am Dionysostheater in Athen, welche unter den Fundamenten des Bühnengebäudes Reste einer älteren Anlage zu Tage förderten, während eine Untersuchung des Bühnengebäudes ergab, dafs die ältesten Teile desselben nicht, wie bisher angenommen, dem 5. Jahrhundert, sondern erst dem 4. und zwar der Zeit des Lykurg angehören. Von einem Bühnengerüste ist keine Spur erhalten. Darauf gründet sich also die Behauptung, dafs im griechischen Theater bis in die römische Zeit kein Logeion, keine erhöhte Bühne vorhanden war, mithin auch keine räumliche Trennung von Chor · und Schauspielern, dafs vielmehr erst die römische Zeit Logeien kennt. Schon vor Dörpfeld hatte dies, allerdings nur durch wesentlich aus den Dramen selbst entnommene Gründe gestützt, behauptet: J. H o e p h e n, de theatro Attico saeculi a. Chr. quinti, 1884. Die Ergebnisse der monumentalen Untersuchungen Dörpfelds sind zuerst[1]) bekannt geworden durch den Artikel von G. K a w e r a u, Theatergebäude in Baumeisters Denkmälern des klassischen Altertums S. 1730—1750 (1887). Nachdem einmal die Frage brennend geworden war, hat Dörpfeld weiter untersucht: es folgten die Ausgrabungen des kleinen Theaters im Amphiareion zu Oropos (Bericht darüber in den *Πραχτικὰ τῆς ἀρχαιολογικῆς ἑταιρίας* v. J. 1886, veröffentlicht Athen 1888, auch hier liegt die Schwelle des Proskenions auf gleichem Niveau mit dem Orchestrafufsboden; eine Treppe von der Orchestra auf die Höhe des Proskenions ist nicht vorhanden. Über die Ausgrabungen des amerikanischen archäologischen Instituts am Theater in Eretria berichtet Dörpfeld in einem Brief an Belger, (Berl. philol. Wochenschr. 1891, Sp. 514 ff.): „Vor dem eigentlichen Skenengebäude liegt kein Logeion, sondern ebenso wie in Epidauros, Megalopolis, Athen und in anderen Städten ein mit Halbsäulen geschmücktes Proskenion . . . Das wichtigste Ergebnis der Grabungen ist aber die Auffindung eines sorgfältig gemauerten, unterirdischen Ganges, welcher von dem Raum hinter dem Proskenion zur Mitte der Orchestra führte; der Schauspieler konnte also ungesehen in die Mitte

---

[1]) Wenn man absieht von dem teilweise in den Bühnenaltertümern S. 415 f. abgedruckten Briefe Dörpfelds an A. Müller.

der Orchestra gelangen und dort plötzlich erscheinen. Da man häufig gegen das Spielen in der Orchestra die Unmöglichkeit des Verschwindens eines Schauspielers angeführt hat, so ist die Auffindung dieses unterirdischen Ganges von unschätzbarem Werte für die Bestimmung der Art und Weise, wie im altgriechischen Theater gespielt wurde". Sodann ist zu erwähnen der Streit Dörpfelds mit dem englischen Archäologen über das Theater in Megalopolis, wo die Engländer 1890 Ausgrabungen veranstaltet hatten. (Siehe hierüber Berl. philol. Wochenschr. 1891 Sp. 418. 673. 1026). Die Engländer glaubten dort eine aus griechischer Zeit stammende Bühne ($\lambda o\gamma\epsilon \tilde{\iota} o v$) gefunden zu haben und so die Unhaltbarkeit der Dörpfeldschen Theorie darthun zu können. Dagegen hat Dörpfeld namentlich aus dem Umstande, dafs sich auf der obersten, fünften Stufe des Baues, welchen die Engländer als Bühne nahmen, die Standspuren von Säulen gefunden haben, erwiesen, dafs der Bau nichts ist als die säulengeschmückte Wand des griechischen Proskenions, der scaenae frons des Vitruv. Die Mauer, welche die Engländes als Logeion ergänzten, trug ehemals eine etwa 8 m hohe Säulenstellung und besafs ursprünglich nur 2 Stufen, erst später, als die Orchestra aus irgend einem Grund vertieft wurde, sind an der Vorderfront noch 3 Stufen hinzugefügt worden. Dies die Thatsachen. Natürlich dürfen daneben die schriftlichen Denkmäler nicht vernachläfsigt werden. Deshalb stellte im verflossenen Jahre die philosophische Facultät der Universität München die Preisaufgabe: „die über die Einrichtung der attischen Bühne des 5. Jahrhunderts schwebenden Fragen hängen zumeist mit der Art des Auf- und Abtretens der Schauspieler und des Chores zusammen. Gewünscht wird eine Untersuchung: Welche Anzeichen des Ortes der auf- und abtretenden Personen aus den uns erhaltenen Dramen sind nachweisbar". Diese Aufgabe hat mehrere gelungene Bearbeitungen erfahren, auf deren Veröffentlichung man gespannt sein darf.[1]) Um nun wieder auf die Darstellung Oehmichens zurückzukommen, so hat dieser auf die neue Theorie keine Rücksicht genommen, vielmehr sie S. 225 mit dem einen Satze abgethan: „Beides (nämlich das Agieren der Schauspieler auf erhöhter Bühne und das Vorhandensein einer Wand von Anfang an) erscheint uns naturgomäfs und selbtverständlich, trotzdem wird es bestritten. Dazu vgl. S. 253: „Wenn es überhaupt der Mühe wert wäre, die Ansicht zu widerlegen, dafs die Schauspieler nicht auf der Bühne, sondern in der Orchestra thätig waren" etc. Dafs mit diesen Bemerkungen die oben erwähnten Thatsachen nicht weggeschafft werden können, liegt auf der Hand. So konnte denn auch die Rezension Dörpfelds, Berl. phil. Wochenschr, 1891, Sp. 1532 ff. nicht besonders freundlich lauten, persönlich aber erkannte

---

[1]) Eine von diesen Arbeiten ist inzwischen teilweise im Druck erschienen: „Der Standort der Schauspieler und des Chores im griechischen Theater des 5. Jahrhunderts. Mit dem Accessit anerkannte Preisschrift von John Pickard". München, 1892. Über den Inhalt derselben werde ich demnächst in diesen Blättern berichten.

Dörpfeld, wie ich von befreundeter Seite weifs, die mancherlei Vorzüge des Buches an und äufserte sich, Oehmichen möge doch selbst nach Griechenland kommen, er wolle ihn vor den Monumenten von der Richtigkeit seiner Theorie überzeugen. Wenn etwas, so ist diese Aufforderung berechtigt; denn ohne Kenntnis der Monumente durch Autopsie ist es kaum mehr möglich, über Theatergebäude zu schreiben. Mehrmals begegnet noch bei Oe. in diesem Abschnitt die Ausdrucksweise: das Theater in N. soll das oder jenes aufweisen.

Zu § 33, Bühnenmaschinerie, ein Kapitel, wo ja bekannttermafsen sehr viel noch unklar und dunkel ist, möchte ich nur auf die neueste Untersuchung über die wichtigste Maschine, das sogenannte Ekkyklema, hinweisen: Neckel, das Ekkyklema, Gymnasialprogramm von Friedland, 1890, wodurch die gewöhnliche Auffassung von dieser Maschine wesentlich modificiert wird. — Bei der Besprechung der Ausstattung der Darsteller (Masken, Fufsbekleidung, Tragische Gewänder, Gewänder im Satyrspiel und der Komödie, Kopfbedeckung, Abzeichen etc.) hat sich der Verfasser mit Recht einer weisen Mäfsigung befleifsigt; denn es war dem Zwecke seines Buches vollkommen entsprechend, dafs er sich auf die Angabe des Wichtigsten beschränkte und namentlich darauf verzichtete alle Maskennamen, die bei Pollux überliefert sind, unter Angabe der verschiedenen Merkmale herzusetzen.

Der letzte Abschnitt behandelt die Darstellung selbst und zwar A. Begleitende Umstände, B. Formen der Darstellung und C. die darstellenden Künste. 3 Tafeln sind dem Buche beigegeben: 1. Grundrifs des Theaters zu Epidaurus, Aufrifs und Durchschnitt des Bühnengebäudes in Orange; 2. Grundrifs des Bühnengebäudes in Orange vor und nach der Aufdeckung; 3. Elfenbeinstatuette eines tragischen Schauspielers: man sieht, im Verhältnis zur Fülle des Stoffes und auch der vorhandenen Monumente ist die Zahl der Abbildungen etwas spärlich.

München. Dr. J. Melber.

Buchner, Dr. Wilh., Leitfaden der Kunstgeschichte. Für höhere Lehranstalten und den Selbstunterricht. Mit 87 in den Text gedruckten Abbildungen. 4. vermehrte und verbesserte Auflage. Essen. Druck und Verlag von G. D. Bädeker. 1891. S. VI und 179. Kl. 8. Preis 2 M., gebunden 2 M. 80 Pf.

Kein besonnener Beurteiler wird es dem Verfasser verargen, dafs er sich hinsichtlich der mannigfachen und mitunter sehr weit auscinandergehenden Wünsche, welche gegenüber den drei ersten Auflagen zum Ausdruck gebracht worden sind, auf die eigenen Füfse stellt und sorgfältig prüfend hier nachgab, dort ablehnte. Es wäre ja sonst, wie bei einem Unterrichtsbuche auf einem so viel umstrittenen Gebiet nicht anders zu erwarten, in demselben kein Stein auf dem andern geblieben.

Wir erachten das Buch, wie es liegt, für gut und halten daher mit prinzipiellen Änderungsvorschlägen zurück. So wären auch uns der Zahlen zu viele und zwar sehr erheblich zu viele, allein Buchner hat ja das Buch neben dem Schulunterricht zugleich für den Selbstunterricht bestimmt, allerdings zwei schwer vereinbare Gebiete; überdies wird, wie der Verfasser selbst andeutet, jeder verständige Lehrer mafszuhalten wissen.

Nur ein paar Dinge untergeordneter Art seien hier erwähnt.

Der deutsche Ausdruck ist fast durchweg korrekt. Eine und die andere Absonderlichkeit läfst sich bei der neuen Auflage leicht beseitigen. So z. B. S. 19 die Waltung des Kimon und die Waltung des Perikles. S. 119 Chorgestühle; S. 130: Correggio war in anderer Weise als Michelangelo ein bedenklicher Lehrmeister; mächtige städtische Gemeinwesen krämerten mit dem Künstler (S. 135). Eduard Steinle ist ein jüngerer Nachfahr dieser Richtung (S. 156); Karl Friedrich Lessing war ein Schüler der Berliner, nach Schadows Überzug der Düsseldorfer Kunstschule (S. 161). Auch die allmächtige Geistlichkeit S. 107 möchte besser verschwinden.

Das Buch gibt häufig Winke für die Aussprache von Fremdwörtern, insbesondere von fremdsprachlichen Eigennamen. Da es hiebei in der Regel nicht ohne eine mehr oder minder weitgehende Planlosigkeit abgeht, so dürfte es vorzuziehen sein, dafs die einschlägigen Namen und Wörter in einem Anhang alphabetisch zusammengestellt werden, in dem sie der Schüler nach Bedarf anschlagen kann. So fehlt ein derartiger Wink S. 7 und 75 bei Kairo, S. 14 bei Ekbatana, S. 15 für Persepolis, S. 19 für Mykale und für Cháronea, S. 21 für Dádalos, S. 17 für Pagode; dagegen ist er für Jacŏpo S. 117 und auf der einen Seite 132 noch dreimal gegeben; für den Namen Pesaro steht S. 112 Pesăro, S. 122 Pĕsaro; Udĩne steht 129 und 132; S. 39 bietet Parthĕnön. Derartige Beispiele zu verdoppeln und zu verdreifachen wäre ein Leichtes.

Didaktische Fingerzeige, wie sie z. B. S. 5, 13, 23 und 134 gegeben sind, eignen sich nicht für ein Schulbuch. Dafs der Lehrer hier die Einrichtung der Flügelaltäre zu erläutern, dafs er dort die nicht durch Abbildungen erläuterten und vermittelnden Formen an der Tafel zu entwickeln hat; dafs hier die Entwickelung der ägyptischen Geschichte vorausgehen mufs, dort die Geschichte anderer Länder, Wiederholung und Erweiterung des früher Gelernten, darauf wird der Lehrer hoffentlich nicht erst mit dem Schüler aufmerksam zu machen sein, das ist bei ihm vorauszusetzen, wenn er anders brauchbar sein soll.

Druckfehler sind äufserst selten. Aufgefallen sind uns als solche lediglich S. 23 naos en parastásin und S. 137 Z. 5 v. o. im welchem für in welchen.

Dafs bei so vielen Namen und Zahlen ein und das andere Versehen sich eingeschlichen und bisher noch erhalten hat, kann nicht wundernehmen. Nur für den Nachweis, dafs nach dieser Richtung auch künftig die nachbessernde Hand nicht ermüden darf, seien aus S. 149—171 einige Fälle herausgehoben. So steht S. 149 Jan Davidsze

de Heem statt Davidsz; Antoine Jean Gros' Geburtsort ist Paris nicht
Toulouse (S. 153); François Pascal Gérard starb 1837, nicht 1833
(ibid.); Horace Vernet war Direktor der französischen Akademie in
Rom bis 1835, nicht bis 1840, Steubens Geburtsort ist Bauerbach in
Baden, nicht Mannheim; Jean Hippolyte Flandrin wurde 1809 ge-
boren, nicht 1815; Ernest Meissonier 1813, nicht 1815 (S. 164);
Johann Friedrich Wilhelm (dieses sind die Vornamen) Müller 1782,
nicht 1783, Volpato 1733, nicht 1738 (S. 165); Thorwaldsens Vor-
name war Bartholomäus, nicht wie er in Italien genannt wurde Alberto
(Bertel) (S. 166); Tenerani wurde 1789 geboren, nicht 1798 (S. 167);
Ludwig Wichmann 1784, nicht 1788; Heidel 1810, nicht 1813; Bläser
in Düsseldorf, nicht in Köln; Siemering in Königsberg, nicht in Berlin;
Rietschel den 15. Dezember 1804, nicht den 14. Dezember (S. 169);
Johann Martin Wagner, 1777 nicht 1878 (S. 170); Gibson 1790, nicht
1791 (S. 171). S. 170 und 178 steht Stiglmaier statt Stiegelmayer.
Auch werden Ortsnamen wie Heinsberg (S. 162); Sandvliet (S. 164)
und Dronrijp (S. 165) gar vielen Schülern ein blofses Phantom bleiben,
wird nicht eine nähere Bestimmung beigesetzt.

Die Ausstattung des Buches verdient volle Anerkennung.

München.   Markhauser.

P. Schwarz, Dr. phil., Reste des Wodancultus in der
Gegenwart. (Nach einem Vortrag des Verfassers im „Künstler-
verein" zu Celle). Leipzig 1891. Angust Neumanns Verlag, Fr. Lucas.
50 S. 1 M.

Jeder, der mit der einschlägigen älteren Literatur halbwegs
vertraut ist, wird sofort finden, dafs vorliegendes Schriftchen nur einzelne Stellen aus dieser in ziemlich loser Verbindung beibringt, und
dafs aus dem Satze des Vorwortes „vorliegendes Schriftchen erhebt
keineswegs Anspruch auf durchweg selbständige wissenschaftliche Ergebnisse" das Wörtchen „durchweg" füglich gestrichen werden dürfte.
Eine durchgreifende Kritik der vertretenen Ansichten wäre nichts
weiter als eine meist längst schon vorhandene der Gewährsmänner des
Verfassers. Über den wissenschaftlichen Wert des Gebotenen könnte
ruhig zur Tagesordnung übergegangen werden.

Wenn Ref. dennoch kurze Zeit bei den „Resten" verweilen will,
so geschieht dies mit Rücksicht auf einen Gedanken des Verf., dem
Ref. eine nicht zu unterschätzende Bedeutung beimifst, und bei dem
allein im vorliegenden Fall die Kritik einzusetzen hat.

Der Gedanke ist es, dafs einem weiteren Kreise von Gebildeten
die Resultate der germanischen Forschungen zugänglich gemacht
werden sollen (vgl. das Vorwort), ein Bestreben, dem volle Anerkennung
gebührt. Auch stimmt es wohl überein mit dem hervorragendsten
Zug unserer Zeit, das deutsche Element in den Vordergrund unserer
Gesamtbildung zu stellen. Ref. ist vollkommen der Meinung, dafs in
mäfsigem Umfange bei entsprechender Gelegenheit (sei es in öffentlichen Vorträgen oder in der Schule, in letzterer z. B. beim Geschichts-

unterricht, wie es Ref. in der VIII. Klasse selbst versuchte, oder bei
der Lectüre von Tac. Germ.) auch auf das Gebiet der deutschen
Götter- bezw. Dämonenlehre hingewiesen werde. Ein solches Bestreben erfordert aber selbständige Kritik und die höchste Kunst des
Mafshaltens. Neues zu bringen wird nicht verlangt, wohl aber das
Vorhandene mit Beseitigung aller veralteten und gefährlichen Hypo-
tbesen in eigener Durcharbeitung zu geben. Der Verf. der „Reste"
hat dieses Ziel nicht erreicht, und die Pflicht der Kritik ist es, gerade
bei Arbeiten mit obengenannter Tendenz allen Ernstes auf mangel-
haftes hinzuweisen. Es handelt sich ja hiebei nicht um kleinliche
Streitereien auf irgend einem abgelegenen Gebiete irgend einer Disziplin, es handelt sich hier darum, dafs nicht unüberlegte, unrichtige,
dilettantische Ansichten in weiteren Kreisen oder gar in der Schule
sich verbreiten, und dafs nicht hiedurch der an sich löblichen Sache
geschadet und ein gewisses Mifstrauen entgegen gebracht werde. Aus
d i e s e m Grunde mufs die Kritik sich über das Schwarzische Büchlein
äufsern. Wenn es auch dem Fachgelehrten keinen Schaden bringt,
so könnte es doch sonst hier und dort Veranlassung zur Weiter-
pflanzung von Irrtümern geben.

Der Grundfehler der Sch. Schrift ist, dafs mit Ausnahme von
B o s c h e r s vorsichtig zu gebrauchender Studie „Hermes der Wind-
gott" (Lpz. 1878) die neuere Forschung gar keine Berücksichtigung
findet, dafs eben veraltete, ja lächerliche Behauptungen wiederum ans
Tageslicht gezogen werden.[1] — Um nur ganz wenige Proben hievon
zu geben, so werden von Ansichten, welchen „Gott Ruhe schenk'" in
Gnaden bis über den jüngsten Tag", allen Ernstes noch angeführt,
dafs Wodan mit dem O d e n w a l d in Verbindung zu bringen sei
(p. 2), dafs ein gespenstischer Mann, der obendrein noch Tabak raucht,
wegen seines langen Bartes und grofsen Hutes mit Wodan identificiert
werden müsse (p. 5, vgl. Grimm, deutsche Sagen I² no. 272), dafs
die wilde Jagd, die mit Vorliebe durch Häuser und Scheunen, in
denen zwei oder drei Thüren hintereinanderliegen, zieht, auf die in
solchen Gebäuden herrschende Zugluft hinweise (p. 11), dafs der getreue Eckart den noch in der Ferne rollenden Donner bedeute (p. 12).
Ferner ist der hl. M a r t i n und Kaiser B a r b a r o s s a, der eine
wegen seines wallenden M a n t e l s (p. 34), der andere seines stattlichen
B a r t e s halber (p. 21) an Wodans Stelle getreten! Der Mantel, mit
dessen Hilfe Mephisto bei Goethe den Dr. Faust aus dem Studier-
zimmer befördert, ist von Wodan entlehnt!! (p. 15). Des weiteren
sollte doch nicht mehr vorgebracht werden, dafs R o b i n H o o d mit
Wodan etwas zu schaffen habe. (p. 45). Robin Hood ist weiter niemand als der king of May, der in englischen Volksgebräuchen an der
Seite der (später maid Marian genannten) queen of May auftritt.

---

[1] Bei dieser Gelegenheit erlaube ich mir auf eine recht erfreuliche Arbeit
hinzuweisen, die allen Mythologen sehr zu empfehlen ist, und die einer deutschen
Übersetzung wohl wert wäre, nämlich auf das I. Heft von Vodskov's sjaeldyrkelse
og naturdyrkelse, a. u. d. T. Rig-Veda og Edda eller den komparative mytologi.
Kjobenhavn 1890.

(vgl. Mannhardt, Wald- und Feldkulte I, p. 546, 3). — Ob der Verf.
die p. 15 angedeuteten Stellen aus Tac. an. I, 61 u. XIII, 57 wirklich nachgelesen hat, ist höchst fraglich, indem I. 61 der Name Wodan
(d. h. Mercurius) gar nicht genannt ist; (wir finden nur ‚barbarae
arac, apud quas tribunos ac primorum ordinum centuriones macta-
verant')') an. XIII, 57 steht Mercurius nicht allein, sondern noch in
Verbindung mit Mars, und dann weist der Wortlaut ‚victores diver-
sam aciem Marti ac Mercurio sacravere etc., auf etwas ganz
anderes hin, als auf das Schlachten von Kriegsgefangenen! — Zum
Schlusse sei noch die Bemerkung gestattet, dafs es heutzutage überflüfsig erscheinen sollte, darauf hinweisen zu müssen, dafs der Verfasser der Getica Jordanis (Mommsen Jordanes) und nicht, wie es
Schwarz thut (p. 1), Jornandes zu nennen ist (trotz J. Grimms
Verteidigung der letzteren Namensform; vgl. auch Dietrich, über die
Aussprache des Gothischen, Marburg 1862)!

München.   Dr. E. Knoll.

Lehmann Rich. Dr., Das Kartenzeichnen im geographischen Unterricht. Mit 1 Tafel und 3 Fig. im Text. Halle a. S.
Verlag von Tausch u. Grosse. 1891. 195 S. M. 2.40.

Unter den die Methodik des Geographieunterrichtes betreffenden
Fragen ist keine, über welche so viel geschrieben und gestritten
worden ist, als die Frage des Kartenzeichnens in der Schule.
Und trotzdem nun schon seit Dezennien darüber verhandelt wird,
stehen sich doch die Ansichten über den Wert und die Handhabung des Kartenzeichnens noch heute schroff gegenüber. Während
die einen das Kartenzeichnen als wichtigsten Teil, gleichsam als den
Mittelpunkt des Geographieunterrichtes bezeichnen, sind die andern
geneigt, dasselbe als unnötig, zeitraubend oder gar als schädlich vollständig zu verwerfen und einzig das beschreibende Verfahren im
Unterrichte zu befürworten. Viel zu dieser Mifsachtung trägt zweifelsohne das früher beliebte, aber didaktisch ganz verwerfliche Verfahren
bei, den Schüler ohne vorherige Anleitung ein beliebiges Land, wo
möglich mit Verwendung von Farben, nachzeichnen zu lassen, andererseits aber auch die Übertreibungen einzelner glühender Anhänger der
zeichnenden Methode, welche u. a. verlangten, der Lehrer müsse seine
Zeichnung im Unterrichte stets frei aus dem Kopfe entwerfen, die
Schüler müfsten soweit gefördert werden, dafs sie alles auswendig
zeichnen könnten u. dgl., endlich die von einigen Hauptvertretern der
zeichnenden Methode entworfenen sogenannten Faustzeichnungen, welche
die Vereinfachung der Zeichnung allerdings soweit trieben, dafs sie
statt eines deutlichen Kartenbildes ein rohes, geschmackloses Zerrbild
erhielten. Diese Mifsgriffe haben dann viele kopfscheu gemacht und
dazu verleitet, das Kartenzeichnen in der Schule überhaupt zu ver-

----

') Höchstens ist der Verf. von Germ. 9 ausgegangen, nach welcher Stelle
Tacitus ganz mit Unrecht dem Mercurius allein Menschenopfer fallen läfst.

werfen. Und doch steckt in der Sache an und für sich ein ganz guter Kern. Wie das Zeichnen im allgemeinen dazu beiträgt, einen Gegenstand genauer und schärfer zu erfassen, weil es das Auge zwingt, denselben viel öfter und länger anzuschauen, so zwingt auch das Kartenzeichnen den Schüler, sich eingehender mit den einzelnen geographischen Objekten, ihrer Gestalt, ihrer Größe, ihrer gegenseitigen Lage u. dgl. zu befassen, und außerdem wird dieses Bild länger in seinem Gedächtnisse haften, als es beim bloßen Anschauen oder der bloßen mündlichen Durchnahme desselben der Fall wäre. Doch ist allerdings in Rücksicht auf die wenige Zeit, welche im Geographieunterrichte dafür zur Verfügung steht, Grundbedingung, daß nicht erst längere Vorübungen dazu nötig sind, daß keine zu schwierigen und. zeitraubenden Zeichnungen gemacht werden, daß ferner, da es sich hiebei nicht um Schönheit und technische Ausführung, sondern nur um ungefähre Richtigkeit handelt, nur mit einfachen Mitteln (hauptsächlich mit dem Bleistift) gearbeitet wird, und daß vor allem auch die richtigen Objekte zum Nachzeichnen genommen werden.

In obiger Schrift ist nun Lehmann bestrebt, die Einwürfe gegen das Kartenzeichnen in ruhiger maßvoller Weise zurückzuweisen und eine eingehende Untersuchung darüber anzustellen, wie das Kartenzeichnen zweckmäßig einzurichten und zu der mündlichen Durchnahme in die richtige Beziehung zu setzen ist.

Vor allem spricht sich der Verfasser gegen das Verfahren aus, bei welchem dem Schüler zur Erleichterung einer richtigen Zeichnung ein Teil des Inhaltes der Karte (ohne Namen) fertig oder angedeutet gegeben wird, so daß derselbe bloß die fehlenden Elemente zu ergänzen hat (Einzeichnung in gegebene Grundlagen), da der unterrichtliche Wert eines solchen Zeichnens sehr gering sei. Lehmann spricht sich für völlig freihändiges Kartenzeichnen aus, weil hiebei die Aufmerksamkeit des Schülers am schärfsten auf alles zu Beobachtende gelenkt werde. Dann werden die verschiedenen Verfahren des freihändigen Kartenzeichnens, welche sich hinsichtlich der Menge und Beschaffenheit der dazu benützten Hilfslinien von einander unterscheiden, untersucht, je nachdem dabei als Stütze benützt wird: 1. ein vollständiges Gradnetz, 2. ein Quadratnetz, 3. bloß einzelne ausgewählte Meridiane und Parallelkreise (hauptsächlich nach Umlauft), 4. eine Anzahl von einem gemeinsamen Ausgangspunkt aus entworfener Distanzkreise zusammen mit Richtungsbestimmungen (Matzat's Verfahren), 5. die sogenannten Normallinien (Stössner), 6. ein für jede einzelne Kartenzeichnung besonders erdachtes Gerüst geometrischer Hilfskonstruktionen. Jedes dieser Verfahren wird eingehend geprüft, und das Resultat der Untersuchung ist, daß der Verfasser die drei letzteren Verfahren ablehnt, das in Nr. 3 beschriebene nur für Skizzen allereinfachster Art, das Verfahren Nr. 2 nur im Anfang, im heimatkundlichen Unterricht, zuläßt, für alle übrigen Fälle aber das Verfahren Nr. 1, nämlich Anlegung eines einfachen geradlinigen Gradnetzes als Grundlage der Zeichnung empfiehlt. Dieses zuerst von Kirchhoff in seinen Grundzügen entwickelte Verfahren (dargestellt in E. Debes, Zeichenatlas, herausgegeben in Verbindung mit A. Kirchhoff und R. Lehmann, in zwei Teilen à 25 und 45 Pf.) wird bezüglich seiner Ausführung hier eingehender entwickelt. Zuerst werden nämlich die erforderlichen Parallelkreise gezogen, dann durch dieselben senkrecht der mittlere Meridian der Zeichnung angelegt und von diesem aus auch die Abstände der übrigen erforderlichen Meridiane aufgetragen und letztere ausgezogen (nötig ist ein Lineal mit Centimeter- und Millimetereinteilung). Hiebei ist zweifellos das schwierigste die Berechnung des gegenseitigen Abstandes der Meridiane in den verschiedenen Breiten, und könnte daran die ganze Anlegung des Gradnetzes scheitern. Doch wird die Berechnung mit Hilfe einer Tabelle sehr vereinfacht, welche die Größe der Längengrade in den verschiedenen geographischen Breiten in der Weise angibt, daß darin die Größe eines Längengrades auf dem Äquator = 1 gesetzt wird (nach Gretschel „Lehrbuch der Kartenprojektion" S. 164). Für den 40. Breitengrad ist dann die Entfernung der Meridiane 0,77, für den 50. Breitengrad 0,64 etc. Wird also z. B. der für die Zeichnung gewählte Längengrad auf dem Äquator mit 2 cm = 20 mm angenommen, so beträgt der zu nehmende Abstand auf 40° Breite 20×0,77 = 15,4, rund 15 mm. Diese Zahl wird den Schülern vom Lehrer angegeben, und darnach werden dann die Meridiane ausgezogen. Gewiß werden, wie der Verfasser sagt, die Schüler darin in kurzer Zeit eine Übung bekommen und das Gradnetz verhältnismäßig rasch anfertigen lernen; ob aber das alles so einfach und ohne Schwierigkeit auch auf den Unterstufen höherer Lehranstalten ausführbar ist, scheint doch fraglich. Sicher ist aber, daß, wenn einmal das Gradnetz gezeichnet ist, dann das Übrige, da eine sichere Grundlage für die Karte gegeben ist, nach dieser Manier am leichtesten und richtigsten ausgeführt werden kann. Nach Anlegung des Gradnetzes werden dann die Küstenlinien, die Flüsse und Seen und mit denselben gleich die daran gelegenen namhafteren Städte eingezeichnet, von den Namen bloß die Anfangsbuchstaben. Die Gebirge sind erst nach den Flüssen einzuzeichnen. Sind die Schüler schon mehr gewandt, so können auch einige Farbstifte verwendet werden (für Flüsse und Seen blau, für Ortschaften und etwaige politische Grenzen (von diesen möglichst wenig!) rote, für Gebirge braune, für Küstenlinien schwarze (wenn nicht bloß Bleistift oder Tinte). Alles andere, wie der Gebrauch von Tuschen und Farben, wird widerraten. Für die Darstellung des Terrains wird ebenfalls die Kirchhoff'sche Methode empfohlen, die Ränder der Bodenerhebungen durch auswärts geschwungene Bogen darzustellen (s. die Debesschen Zeichenatlanten), durch welche außer der Längsrichtung des Gebirges auch seine Breitenausdehnung, sowie dessen steilere oder sanftere Abdachung am besten bezeichnet werden kann. Im letzten Teile des Buches spricht der Verfasser noch von den Zeichenmaterialien, von der Verteilung des Kartenzeichnens auf die einzelnen Stufen, von dem Kartenextemporale etc. Über alle diese und die schon früher genannten Punkte wird hier eingehend gehandelt: aber über einen sehr wichtigen Punkt schweigt der Verfasser, nämlich: Welche Länder sollen vom Schüler nachgezeichnet werden? Aus dem Debesschen Zeichenatlas, dessen Mitverfasser Lehmann ist, läfst sich jedoch entnehmen, dafs er alle Länder hiezu für geeignet hält; denn dort finden sich alle europäischen Länder und alle Kontinente als Muster für Schülerzeichnungen aufgeführt. Diese Forderung scheint mir nun nicht berechtigt zu sein. Länder, wie Skandinavien, Grofsbritannien, die Balkanhalbinsel, Österreich (das cisleithanische) und von den Kontinenten Europa, Asien und Nordamerika sind wegen ihrer sehr detaillierten Küstenentwicklung und mannigfachen Bodengestaltung zur Nachzeichnung wenig geeignet. Viel einfacher dagegen ist die horizontale und vertikale Gliederung bei Spanien, Frankreich, Rufsland, Ungarn und von den Kontinenten bei Australien, Afrika und Südamerika, weshalb diese Gebiete ohne zu viel Aufwand von Mühe, Zeit und Geschicklichkeit von dem Gros der Klasse nachgezeichnet werden können. Für die unterste Stufe, also bei uns für die 1. Klasse, eignen sich dagegen nur einzelne geographische Objekte, z. B. der Lauf der Isar (mit dem 48. Parallel und dem 12. Meridian), der Lauf des Maines (mit dem 50. Parallel und dem 10. und 11. Meridian), das Fichtelgebirg mit seinen 4 Flüssen und 4 Gebirgsabzweigungen. Ähnlich einfache Dinge wird man auch noch in der 2. Klasse nehmen müssen, z. B. den Rhein mit seinen Nebenflüssen und begleitenden Gebirgen (in 2 Abteilungen), die Weser, die Elbe, die obere Donau, das böhmische und ungarische Kesselland. Die Zeichnung von ganz Deutschland (in 2 Abteilungen, Nord- und Süddeutschland) dürfte sich erst in der 5. Klasse empfehlen. Der für die 3. und 4. Klasse geeignete Stoff ergibt sich aus dem Gesagten. Ich glaube, dafs man auch auf diesem Gebiete mit mäfsigen Ansprüchen weiter kommt als mit zu grofsen.

—

Rich. Andree, Allgemeiner Schulatlas. 37. Auflage. Ausgabe A. Herausgegeben von R. Schillmann, Schuldirektor in Berlin. Bielefeld und Leipzig. Velhagen und Klasing. 1891. Preis 1 Mk., kartoniert Mk. 1,30, in Leinen gebunden 1,50.

In der Ausgabe A sind besonders die physikalischen, in der Ausgabe B besonders die politischen Verhältnisse berücksichtigt. Welche Veränderungen der kleine Atlas durchgemacht und wie sehr er sich gegen früher verbessert hat, das lehrt ein flüchtiger Blick in die jetzige und in eine der früheren Auflagen (ich habe hier die Ausgabe von 1879 vor mir). Man vergleiche namentlich diejenigen Karten miteinander, auf denen die physikalischen Verhältnisse zur Darstellung kommen, wie die Flufs- und Gebirgskarten von Europa, die Flufs- und Gebirgskarte von Deutschland, die Karte von der Schweiz, von Skandinavien etc. Dort findet sich ein häfsliches Grün zur Bezeichnung der Ebenen, eine schmutzige unruhige Gebirgsschummerung, ein verwirrendes Durcheinander von Flüfschen und Bächen, eine Unmasse topographischen Details — das reinste Augenpulver: hier geschmackvolle Zusammenstellung der Farben für Höhenschichten und politische Grenzen, eine feine, ruhige und doch markige Hervorhebung der Gebirgszüge, vernünftiges Mafshalten in der Darstellung der hydrographischen und topographischen Verhältnisse — überall eine den Augen wohlthuende Ruhe und Deutlichkeit der Darstellung.

Ähnlich ist es bei den übrigen Karten, welche alle in neuem Gewande erscheinen (ähnlich den Debesschen), so dafs man sagen kann, ein völlig neuer Atlas liegt vor uns. Diejenigen Karten der früheren Ausgaben, welche einzelne Teile von Deutschland (Bayern, Württemberg, Baden etc.) darstellten, sind jetzt weggelassen, dafür ist aber jeder Atlas mit einer Heimatskarte des betreffenden Landes oder der betreffenden Provinz versehen worden, auf deren Ausführung besondere Sorgfalt verwendet wurde. Einige Karten, wie Einführung in das Kartenverständnis, Stromgebiete Deutschlands, Asien und Afrika (politische Übersicht), sind neu eingelegt worden. Als besondere Beigabe enthält der Atlas eine Geschichtskarte der deutschen Einheitskriege (1864, 1866, 1870) und eine neue Ortskarte zur Geschichte Deutschlands, die sich wohl als brauchbar beim Unterrichte in der vaterländischen Geschichte erweisen mögen, aber streng genommen nicht in einen geographischen Atlas gehören. Endlich enthält der Atlas auch eine Textbeigabe (Erläuterungen zur Einführung in das Kartenverständnis, Zusammenstellungen der höchsten Berge und wichtigsten Ströme etc., Aussprache der fremden Namen u. dgl.). — Alles für 1 Mark!

Cassian, Prof. Dr., Lehrbuch der allgemeinen Geographie. 7. umgearbeitete Auflage von Prof. Dr. O. Richter. Frankfurt a. M. Jaeger 1891. 507 S. M. 3.50.

Dieses für höhere Stufen bestimmte und namentlich in Lehrerseminarien eingeführte Buch ist von dem durch mehrere methodische Arbeiten und als Verfasser eines Atlas bekannten O. Richter in 7. Auflage umgearbeitet worden. Auf die einleitenden Betrachtungen, in welchen namentlich die fünf Hauptmeere nebst ihren Teilen und die dazu gehörigen Inseln aufgezählt werden, folgt die eigentliche Länderkunde mit der eingehenden Beschreibung von Europa, woran sich dann Asien, Amerika, Afrika und Australien anreihen. Den 3. Hauptteil bildet die von Seminarlehrer J. Geisel bearbeitete mathematisch-physikalische Geographie.

Die Länderkunde wird in der Weise durchgeführt, dafs von jedem Kontinent zuerst die gesamten Erhebungs-, dann die gesamten Bewässerungsverhältnisse weitläufig durchgegangen werden, und dafs dann bei der Durchnahme der einzelnen Länder nur immer auf die betreffenden daraus zu entnehmenden Partien kurz verwiesen wird.

Hieraus ergibt sich aber der Mifsstand, dafs, da bei der speziellen Beschreibung der Länder gerade die charakteristischen Merkmale, nämlich Gebirge und Flüsse, fehlen oder wenigstens nicht in ihrem ursächlichen Zusammenhang mit den anderen geographischen Objekten behandelt werden, der Schüler kein vollständiges abgerundetes Bild von dem betreffenden Gebiet erhalten kann, ganz abgesehen davon, dafs die monatelange Durchnahme von blofsen Bergen oder von blofsen Flüssen sehr ermüdend wirken mufs.

Ferner werden bei den aufsereuropäischen Kontinenten die Länder nicht nach ihrer geographischen Lage oder physikalischen Beschaffenheit aneinander gereiht, sondern nach dem rein äufserlichen Gesichtspunkt zusammengestellt, ob sie noch unabhängig sind oder schon in europäischem Kolonialbesitz sich befinden, so dafs z. B. Hinterindien, Arabien, der malaische Archipel nicht als einheitliche geographische Begriffe zusammengefafst, sondern in 2—3 Teile zerrissen werden, je nachdem sie englisch, französisch, holländisch, spanisch, türkisch oder noch unabhängig sind.

Sehr eingehend wird die m a t e r i e l l e K u l t u r der einzelnen Länder (Bodenverwertung, Getreidebau, Viehstand, Bergbau, Industrie, Ein- und Ausfuhr) behandelt, Dinge, welche bei dem gesteigerten Verkehr eine immer gröfsere Bedeutung annehmen, und welche wohl geeignet sind, eine richtige Vorstellung von der Bedeutung der betreffenden Gebiete zu geben. Auch über die Temperatur- und die Bevölkerungsverhältnisse finden sich zahlreiche und verlässige statistische Angaben, wie denn überhaupt das Buch inhaltlich aufserordentlich reich ist bei oft knappem Ausdruck.

Diese Fülle des Inhaltes artet aber stellenweise aus in die blofse Aufzählung von N a m e n u n d Z a h l e n, namentlich in denjenigen Kapiteln, welche von der Bewässerung von Europa handeln. Hier sind z. B. als Nebenflüsse der Weichsel aufgezählt links: die Pilica, die Brahe, das Schwarzwasser, die Ferse, die Radaune; rechts: der Dunajec, der San, die Narew, die Drewenz, die Ossa, die Liebe. Ähnlich ist es bei der Oder und Elbe. Weiter sind aber auch bei den Flüssen aufser der Quelle, der Gesamtrichtung, der Mündung und den rechten und linken Nebenflüssen derselben noch die begleitenden Gebirge auf der rechten und linken Seite, aufserdem die Länder, die vom Strome durchflossen werden, und die Städte des Stromgebietes in langen Reihen aufgezählt. Soll das etwa auch auswendig gelernt werden? und wenn nicht, wozu ist dann die Karte und der Lehrer da? Statt dieser abstofsenden Reihe von blofsen Namen sollte lieber eine kurze, aber charakteristische Beschreibung des betreffenden Flusses geboten werden.

Die zahlreichen angewandten V e r g l e i c h u n g e n fremder Länder mit deutschen oder europäischen Ländern, wenn es sich um Gröfsenangaben handelt, gereichen dem Buche zur Empfehlung; nur mufs, was hier nicht überall der Fall ist, der Vergleichungsgegenstand einheitlich und möglichst abgerundet sein; Vergleiche wie: die Niederlande so grofs wie das Königreich Sachsen, Baden und Mecklenburg-

Strelitz zusammen (S. 198), oder: Grofsbritannien um den Umfang der Niederlande und Luxemburg kleiner als Preufsen (S. 202) etc. haben gar keinen Wert.

Die aus den früheren Auflagen herübergenommenen S k i z z e n sind, soweit sie ein kleineres Gebiet betreffen, (namentlich die Stadt-pläne) im ganzen gut und deutlich ausgeführt (aufser die Skizze von Rom!), weniger Wert hat in einem solchen Buch die Darstellung eines ganzen Landes oder gar eines Kontinentes in Form einer rohen Faustzeichnung. Geradezu abstofsend wirkt hier die Zeichnung der Gebirge (s. z. B. die Skizze der Schweiz, von Österreich-Ungarn, des Rheines etc.). Für solche Dinge ist eben der Atlas da!

Freising.   B i e d e r m a n n.

I. Abteilung.

Abhandlungen.

~~~~~

Die Zukunft der klassischen Philologie.

Der Kampf gegen die klassischen Sprachen ist gegenwärtig in folge der verschiedenen Schulreformen und der gröfseren oder geringeren Zugeständnisse an die sog. öffentliche Meinung etwas zum Stillstande gekommen. Aber man wäre in einer verhängnisvollen Täuschung befangen, wenn man diese Ruhe für mehr als einen Waffenstillstand hielte. Denn die heftige Bekämpfung des Klassizismus ist nicht etwa das Resultat vorübergehender Agitation und geschickter Mache, sondern im letzten und tiefsten Grunde Ausflufs des die kultivierte Welt gewaltig aufregenden Kampfes um die Weltanschauung. Eine neue unter dem Einflufs angeblicher naturwissenschaftlicher Ergebnisse herausgebildete Weltansicht fordert in der Religion neue Formen, im Staat eine neue soziale Ordnung, in der Moral Umwertung der alten Werte, in Kunst und Literatur eine neue Ästhetik als normgebend. Wie könnte sie ihre Ziele besser erreichen als durch die Schule? Daher fordern die Männer der neuen Richtung eine neue, den modernen Bedürfnissen angepafste Schule. Schon vor 70 Jahren schrieb August Comte, der Begründer des heute weit und breit die Gemüter verheerenden Positivismus: „Déjà les bons esprits reconaissent unaniment la nécessité de remplacer notre éducation européenne, encore essentiellement théologique et litteraire, par une éducation positive conforme à l'esprit de notre époque et adaptée aux besoins de la civilisation moderne".[1]) Und seitdem ist der Ruf: Laisierung der Schule! Mehr Realien, weniger Vokabeln, besonders keine griechischen! von Philosophen positivistischer Richtung und ihnen nahe stehenden Naturforschern immer wieder erhoben worden und hat bald mehr bald weniger lauten Widerhall in der energisch bearbeiteten öffentlichen Meinung gefunden. Der Kampf gegen den Klassizismus hängt also aufs innigste mit dem Vordringen der neuen Weltanschauung zusammen und wird daher wohl dann und wann weniger hervortreten, aber dauern, solange die Weltanschauungen mit einander ringen. An dem Ausgange dieses Kampfes ist unter andern Wissenschaften vorzüglich die klassische Philologie interessiert, und ein Vertreter dieser Disziplin mag sich wohl Gedanken machen über das zukünftige Schicksal seines Faches. Diese Frage nun an die Zukunft über Sein oder Nicht-Sein

---

[1]) Cours de philosophie positive. 2. Ausgabe von Littré 1864 I p. 35.

der klassischen Philologie hat jüngst in einer Rektoratsrede eine Erörterung gefunden durch U. v. Wilamowitz-Moellendorff.[1])
Die Bedeutung der Frage wie des Fragestellers mag es rechtfertigen,
wenn wir den Lesern im folgenden den Hauptinhalt der ideenreichen
Rede vorführen und daran einige kritische Bemerkungen knüpfen.

Die Schulreform ist unter dem Drucke der sog. öffentlichen
Meinung durch Ministerialverfügung vollzogen, das Lateinische aus be-
herrschender Stellung verdrängt, das Griechische noch mehr beschränkt.
Vertreter klassischer Philologie an den Hochschulen sind gar nicht um
ihre Meinung gefragt worden.[2]) Darum will W. lediglich vom Standpunkte seines Faches aus über die Reform und die Zukunft der klassischen
Philologie sprechen. Auf eine 17jährige Erfahrung fußend, die sich auf
Schüler der verschiedensten Schulen erstreckt, konstatiert er zunächst,
daß die Fähigkeit des Verständnisses beider Sprachen seit Jahren
stetig heruntergegangen sei. Im Proseminar gehe er von der Voraussetzung aus, daß Schüler auch leichteste Schriftsteller nicht verstehen,
keinem Ankömmling werde Unwissenheit verübelt, sondern die Endungen des Plusquamperfekts, die Bedingungssätze, die Cäsuren des
Hexameters werden erklärt. Das ist nicht Schuld der Schüler, nicht
der Lehrer, sondern der Verhältnisse. Die Forderungen stehen auf
dem Papier, sind aber unerfüllbar. Man behilft sich mit einer Fiktion.
Der neue Lehrplan hat die Forderungen nicht wesentlich verkürzt,
wohl aber die Arbeitszeit. Es wird in Zukunft noch weniger geleistet
werden. Neue Methoden können nur fürs Elementare etwas leisten.
Für das Verständnis Goethes, Montesquieus, Platos gibt es keinen
Nürnberger Trichter. Auch die Vereinfachung des Lehrstoffs thuts
nicht. Das geht nicht wie mit Einführung eines neuen Exercier-
reglements. Da mögen die Rekruten, auch mit andern Griffen ein-
gedrillt, gute Soldaten werden. Nicht so in der Grammatik; man
kann wohl so und soviel grammatische Thatsachen aus dem Unterrichte verbannen, aber man kann sie nicht abschaffen. Solange man
Homer liest, muß die Jugend auch die zahlreichen gleichberechtigten
Wortformen lernen. Das Unterrichtsziel in den alten Sprachen kann
bei den gegenwärtigen Verhältnissen nicht erreicht werden. Schon
jetzt klagen viele Gegner der klassischen Sprachen, die Schule habe
ihnen keinen entsprechenden Gewinn für die den Sprachen zugewandte
Mühe gebracht. Diese Klage wird später noch lauter ertönen und
der losbrechende Sturm das Griechische wegfegen und das Lateinische
auf Elementarunterricht beschränken. W. will nicht den Wunsch
aussprechen, daß dieser Tag bald kommen möge, wo unser Volk den
Bruch mit der Geschichte und Kultur endgiltig vollzieht. Er glaubt
an sein Ideal. Mögen andere Fächer und Berufsarten sagen, sie
können nicht bestehen, wenn nicht das und jenes schon in der Schule

---

[1]) Philologie und Schulreform. Festrede im Namen der Georg-Augusts-
Universität zur akademischen Preisverteilung am 1. Juni 1892 gehalten von U.
von Wilamowitz-Moellendorff, d. z. Prorektor. Zweiter Abdruck.
Göttingen, Dieterichsche Universitätsbuchhandlung. 37 SS.
[2]) Da sind wir Wilden in Bayern doch bessere Menschen!

gelernt werde. Die klassische Philologie wird bestehen, auch wenn Griechisch und Lateinisch aus dem obligatorischen Jugendunterricht verschwinden. Schwierige organisatorische Umgestaltungen werden nötig sein und sich finden. Die Existenz der Philologie hängt nicht an der Ausbildung der Lehrer, nicht an der Schule. Die Vertreter der klassischen Philologie werden dann dieselbe Stellung haben wie heutzutage die Vertreter der semitischen Sprachen. Die klassische Philologie besteht für sich. W. bestimmt in zutreffender Weise den Begriff derselben als einer die Gesamtkultur des Altertums umspannenden Wissenschaft und gibt ein hochideales Bild der Anforderungen, welche ihr Betrieb an Lehrer und Schüler stellt. Drei Dinge verlangt W. von jedem Philologen: 1. die lebendige Herrschaft über die Sprache, die nur durch unausgesetzte Übung erreichbar ist, 2. das geschichtliche Verständnis, das an jeder einzelnen in sich geschlossenen Erscheinung, ob Schriftwerk oder Gemälde etc., vermittelt werden kann, 3. Übersicht über die Gesamtentwicklung der Kultur jener anderthalbtausend Jahre, nebst Orientierung über die Quellen und die Mittel, durch welche wir zu ihnen gelangen. Sehr richtig bemerkt W.: Für den Studenten ist diese allgemeine Einführung wichtiger als die Anleitung zu eigener Arbeit, die, freilich das Reizvollste für den Lehrer, erst in letzter Linie in betracht zu ziehen ist. Wahrhaft goldene Worte, die auch bei uns da und dort beherzigt zu werden verdienen, hält uns W. entgegen in dem Satze: „Es würde den schärfsten Tadel verdienen, wenn irgendwo der Anreiz zur Produktion auf Kosten der individuellen Durchbildung gepflegt, wohl gar der Student zum wissenschaftlichen Handlanger verwandt werden sollte, da doch seine Seele genau dasselbe Recht auf individuelles Leben und auf Freiheit hat, wie die des Lehrers". W. preist den Hochgenufs demütigen Anschauens der Majestät der Wissenschaft, die hingebende Arbeit, die jeder Philologe erleben soll. Das Bewufstsein der Einheit der Philologie ist trotz aller Kleinarbeit stärker als in andern Wissenschaften, die sich immer mehr spezialisieren. Das liegt in der Einheit der Philologie selbst, das gilt von der orientalischen, das gilt von der neulich durch einen energischen deutschen Gelehrten begründeten byzantinischen Philologie, das gilt von der deutschen Philologie, wie Müllenhoff in seiner deutschen Altertumskunde sie anstrebte, das von dem Vollbilde der griechischen, wie es Boeckh in einem nie erschienenen Hellen verwirklichen wollte.

W. hätte gern noch ein paar andere Punkte behandelt, so z. B. die Thatsache, dafs die modernen Philologien zu ihrem eigenen Schaden häufig das Hellenentum ignorieren, gern die Fragen und Einwürfe naturwissenschaftlicher Kollegen, wofür er besonders empfänglich sei. Er kann nicht zugeben, dafs ein Volk, das den Wandel der Erde um die Sonne entdeckt habe, in dem Archimedes keine vereinzelte Erscheinung sei, der Naturwissenschaft abhold genannt werde. Man müsse Zeiten, Personen und Werke, die sich mit naturwissenschaftlichen Forschungen befafsten, genauer erforschen unter Mithülfe sach-

kundiger Naturforscher. Naturwissenschaft hat freilich Hellenentum
nicht vor Barbarei bewahrt. W. gibt die richtige Antwort auf den
Einwand. Untergang aller Kultur bei den Hellenen war Folge des
politischen, gesellschaftlichen und sittlichen Verfalls. W. kehrt zum
Ausgangspunkte zurück. Selbst ernste Männer in Deutschland wissen
vom Altertum wenig und wollen nichts mehr davon wissen. Sie
identifizieren dasselbe mit dem, was die Schule ihnen davon gelehrt hat.
In dieser Hinsicht trägt die Schule etwas Schuld. Anmaßlicher und
greller Unsinn ist es, zu sagen, die Schule führe in den Geist des
Altertums ein, als ob das Altertum nur einen einzigen Geist gehabt
hätte, nur die Schulschriftsteller alle denselben hätten, und erst gar
die nicht für Knaben ausgewählten auch denselben. Die Schule ist
schuld daran, daß man Klassiker für Schülerlektüre hält. Dieses
Vorurteil wird beseitigt, wenn die alten Bücher aus der Schule verschwunden sind. Die Männer werden sie dann lieber aufsuchen, wenn
sie den Knaben entzogen sind. Das Vermittleramt der Philologen
wird notwendiger und lohnender. Philologen sollen ihre Wissenschaft
lebendig machen, dann wird man sie nicht mehr als totes Zeug weg-
werfen. Dem Kleinmut, der Verzagtheit der Philologen will er ent-
gegentreten. Der Philologie als Wissenschaft will niemand etwas zu
leide thun; sie wird auch nicht geschädigt, wenn sie sich veränderter
Knabenbildung anpassen muß. Der Glaube an den Wert der Antike
ist bedroht, in diesem Kampfe gegen das Ideale, der die ganze Welt
durchzieht, sehen wir eine schwere Gefahr für die geistige und sittliche
Gesundheit unseres Volkes, vielmehr der gesamten menschlichen
Kultur. Geht diese Kultur unter, so ist es unsere Schuld. Wohl
scheint es in Deutschland trüb auszusehen; aber die Philologie ist
stärker und gesünder als vor einem Menschenalter, und in Frankreich.
England, Italien, Griechenland, Dänemark, Schweden. Finland, Rußland.
ja in Amerika der Stern des Hellenentums im Steigen. Dem kommenden zwanzigsten Jahrhundert können wir festen Auges entgegen-
blicken, wenn wir treu zu unserem Ideal halten. Was es auch den
Völkern bringen mag: die Sonne Homers wird leuchten über der
Welt, Licht und Leben spendend den Menschenseelen, herrlich wie am
ersten Tag.

Soweit W. Ein Zug edler Begeisterung geht durch die Rede.
Begeisterung für das Ideal der Wissenschaft, Begeisterung für den
ideal gefaßten und geübten Beruf des Lehrers, Begeisterung für das
hohe Gut antiker Kultur. Nur ungern stören wir den weihevollen
Eindruck. Doch die nüchterne Wirklichkeit verbietet uns, dem hohen
Gedankenflug des H. Verf. zu folgen.

Vor allem werde ich wohl nicht auf Widerspruch stoßen, wenn
ich die These von W.: „Die klassische Philologie kann fortbestehen,
auch wenn Latein und Griechisch aus dem obligatorischen Jugendunterricht verschwunden sind" für eine Utopie erkläre. Nehmen wir
mit W. an: Eines Tages werden durch Ministerialverfügungen die
klassischen Sprachen als Unterrichtsgegenstände aus dem Lehrplan
entfernt. Ein solcher Beschluß setzt doch voraus, daß die Über-

zeugung vom Unwerte der antiken Kultur allgemein geworden ist bei Regierung und Regierten, bei Jung und Alt. Ist es da nicht im höchsten Grade unwahrscheinlich, dafs junge Leute auf der Universität sich mit Klassikern beschäftigen oder gar Philologie studieren werden? Die Hörsäle für Philologie werden einfach leer stehen. Nicht einmal soviel oder richtiger sowenig Zuhörer wird der klassische Philolog um sich sehen, wie der Vertreter der semitischen oder indischen Sprachen, auf welche sich W. in unzutreffender Weise bezieht. Denn abgesehen davon, ob eine in jenem Zukunftsgeiste vorwiegend realistisch erzogene Jugend nicht auch semitische und indische Sprachen ignorieren würde, ist doch daran zu erinnern, dafs auch heutzutage semitische und indische Sprachen von solchen studiert werden, die sie brauchen, sei es als Theologen oder künftige Universitätslehrer. Wer würde aber in jener Zukunft noch Latein und Griechisch brauchen? Wie sollte aber eine Wissenschaft ohne Schüler, ohne Jünger sich forterhalten? Wer soll die Fackel weiter tragen? Niemand. Sie wird mit ihrem Träger erlöschen. Auch hätte jener erste Beschlufs bald den weiteren zur Folge: Aufhebung der Lehrstühle für klassische Philologie. Oder glaubt W., dafs jene Zukunfts-Volksvertretung und Regierung Geld bewilligen werde, damit einige wenige Liebhaber antiker Kultur privatisieren können? Nehmen wir die Dinge, wie sie sind. Das Bedürfnis hat die verschiedenen Lehrstühle an unseren Universitäten geschaffen. Ist kein Bedürfnis mehr vorhanden, ja wird, was vorher Bedürfnis war, jetzt als Verirrung, als Anachronismus erkannt, so mufs die Einrichtung fortfallen, und das hätte zu bedeuten: finis philologiae. — Aber vielleicht malen wir, wenn W. die Zukunft zu rosig gesehen hat, zu schwarz? Ich halte mich an die Erscheinungen der Gegenwart, und sie ist die Mutter der Zukunft. Der Glaube an den Wert der antiken Kultur ist heutzutage bedroht. Selbst ein besonnener Naturforscher, wie der philosophisch veranlagte K. E. v. Baer[1]) spricht davon, er wolle den Untergang der klassischen Sprachen nicht beschleunigen. Aber doch Untergang! Um wie viel schroffer sind die Urteile eines Dubois Reymond, Preyer, Fick, Haeckel, Virchow u. a.? Würden diese Anschauungen Gemeingut, dann wäre es auch um die klassische Philologie geschehen.

Die Nennung der eben erwähnten Namen bringt uns auf die Bemerkung von W., er sei besonders empfänglich für Einwürfe naturwissenschaftlicher Kollegen. Wir müssen gestehen, dafs das bei uns nicht der Fall ist. Natürlich sprechen wir niemand das Recht ab, in grofsen Fragen der Erziehung des zukünftigen Geschlechtes mitzureden und zu prüfen, ob die antike Kultur noch ferner ein geeignetes Bildungsmittel sein könne — wenn ihm das Verständnis für diese Probleme nicht durch einseitige Geistesbildung und -bethätigung abhanden gekommen ist. Aber müssen wir nicht gestehen, dafs das Organ

---

[1]) Nachrichten über Leben und Schriften etc. des Dr. K. E. v. Baer, mitgeteilt von ihm selbst. Petersburg 1865 p. 144: „Vielleicht werden diese Studien im Laufe der Jahrhunderte den Naturwissenschaften ganz weichen müssen, aber beschleunigen wollen wir ihren Fall nicht".

zur Beurteilung der Bedeutung geistiger Faktoren völlig verkümmert ist,
wenn z. B. ein hervorragender Chemiker im Hörsaale erklärt, der
Mangel an Dünger habe mehr zum Untergange des römischen Reiches
beigetragen als der Einfluſs der epikureischen Philosophie? oder wenn
Dubois Reymond in der Schrift: „Kulturgeschichte und Naturwissenschaft", die Ansicht vertritt, die klassische Kultur sei nicht untergegangen,
weil sie sich innérlich überlebt habe, sondern der vornehmlichste
Grund sei das Zurückbleiben der Alten in der Naturwissenschaft?
Durch solche Äuſserungen scheint uns das Recht verwirkt, noch über
Wert oder · Unwert der alten Kultur zu urteilen, um von andern
Albernheiten z. B. eines Preyer nichts zu sagen. Es will uns bedünken, daſs, was Schopenhauer[1), auf den wir freilich sonst nicht schwören,
zwar derb, aber wahr über das Philosophieren der Herrn Naturforscher
bemerkt, mutatis mutandis auch von den pädagogischen Ergüssen derselben gilt. sutor ne ultra crepidam!

Noch weniger können wir mit W. gehen, wenn er die Thatsache, daſs ernste Männer in Deutschland nichts vom Altertum wissen,
und daſs viele nichts wissen wollen, der Schule ins Schuldbuch
schreibt, da diese Männer das Altertum mit dem identificieren, was
ihnen die Schule geboten habe. Wir bestreiten nicht die Thatsache,
aber die Richtigkeit ihrer Erklärung. Nicht die Schule trägt die
Schuld an beiden Erscheinungen, sondern das Leben und die Zeitströmung. Wenn das, was die Schule vom Altertum vermittelt hat,
in Vergessenheit gerät, so ist das wahrlich kein Wunder. Wer findet
denn bei den gesteigerten Ansprüchen von Beruf und Leben, noch
Zeit, seine Reminiscenzen ans Altertum aufzufrischen und lebendig zu
erhalten oder gar zu vertiefen? Daſs aber soviele nichts vom Altertum wissen wollen, kommt auf Rechnung der Zeitströmung, der
Nachwirkung des in den fünfziger Jahren wieder aufgewärmten
Materialismus, des Einflusses der englischen utilitaristisch gerichteten
Philosophie eines Spencer, A. Bain, die auch direkt in eigenen
Schriften und Abhandlungen den Klassizismus bekämpfen, auf Rech-
nung der immer weitere Kreise der sog. Gebildeten erobernden
rein physikalischen Weltansicht.

Die scharfe Polemik von W. gegen den Ausdruck, die Schule
führe in den Geist des klassischen Altertums ein, ist Kraftverschwendung.
So gut man von einem Geiste der Neuzeit, des Mittelalters, einem
Geiste der englischen oder französischen Nation spricht, kann man
auch von einem Geiste des Altertums und der Einführung in denselben
sprechen.

Auch die Geringschätzung, mit der W. von Methode und pädagogischen Hexereien spricht, können wir nicht teilen. Merkwürdig!
Während in Philosophie und Naturforschung das Aufkommen neuer

---

[1]) Sämtliche Werke ed. Grisebach II, 371: „Die Quelle des Übels ist, daſs
durch die viele Handarbeit des Experimentierens die Kopfarbeit des Denkens aus
der Übung gekommen ist Die Tiegel und Volta'schen Säulen sollen dessen Funktionen übernehmen: daher auch der profunde Abscheu gegen alle Philosophie".
Ähnlich II, 207; II, 149; III, 182 u. öfter.

Methoden immer von den weittragendsten Folgen begleitet war und neue Erkenntnisse erschlofs, denkt man in philologischen Kreisen äufserst gering von der Bedeutung der Methode, als ob dabei nichts herauskäme. Gewifs ist es wahr: „Es trägt Verstand und rechter Sinn" „Mit wenig Kunst sich selber vor", und Schablone und Dressur wäre hier vom Übel. Aber warum soll dem Schüler durch methodisch abgefafste Lehrbücher, durch methodisch geordneten Lehrgang das Lernen nicht erleichtert werden? Derartige Bestrebungen verdienten solche Geringschätzung nur, wenn auf dem Gebiete des Mittelschulunterrichts hier schon alles geschehen, und rein gar nichts mehr zu thun wäre. Wie es in Wirklichkeit mit Personen und Lehrbüchern[1]) in methodischer Hinsicht da und dort aussieht, will ich nicht mit Beispielen belegen. Ja, man hat Fälle, dafs Mangel an Methode auch an der Universität die profundeste Gelehrsamkeit ungeniefsbar und wirkungslos macht.

W. sieht von der augenblicklich trüben Lage der Dinge in Deutschland ab und tröstet sich, dafs der Stern des Hellenentums in den aufserdeutschen Ländern im Steigen sei. Für Italien, das er auch anführt, müssen wir das auf grund eigener Beobachtungen bestreiten. Es müfste das Steigen des Hellenentums doch wohl nicht etwa in der Person einiger hervorragender italienischer Hellenisten und in ihren Leistungen sich zeigen, sondern in der Stellung, die dem Griechischen an den Lehranstalten eingeräumt wird, in den Erfolgen dieser Anstalten. Wie kläglich es damit bestellt ist, habe ich in diesen Blättern XXIII. Bd. p. 289—310 und p. 353—368 gezeigt und füge hinzu, dafs durch die neue Schulordnung vom Jahre 1889 die gesamte Stundenzahl fürs Griechische von 20 auf 15 heruntergesetzt ist. Auch mag erwähnt werden, dafs selbst hervorragende pädagogische Schriftsteller, wie N. Fornelli in seinem geistvollen Werke: la pedagogia e l'insegnamento classico 1889 trotz aller Freundschaft für den Klassizismus das Griechische fallen lassen. Hoffentlich sind die übrigen von W. angeführten Länder seiner Behauptung günstiger als Italien.

Trotzdem wir im Vorstehenden W. mehrfach entgegenzutreten uns veranlafst sahen, sind wir doch in der Hauptsache eins mit ihm in der Überzeugung, dafs auch wir den Untergang antiker Kultur für ein Unglück halten müfsten, für einen Rückfall in unwissenschaftlichste Denkweise. Denn solange man die Gegenwart und Vergangenheit wissenschaftlich zu begreifen versuchen wird, mufs man auf das klassische Altertum, als die Basis der gesamten mittelalterlichen wie

---

[1]) Ich erinnere zur Bestätigung des Gesagten daran, dafs die in Bd. XX d. Bl. p. 22 - 35: „Die deutschen Dichter im Lesebuche des H. Prof. Zettel" von mir gerügten Übelstände erst durch Herrn Prof. Nicklas beseitigt wurden, der das Zettelsche Lesebuch endlich zu einem brauchbaren Lehrmittel zu gestalten beginnt. Dagegen bleibt ein Übungsbuch für lat. Stil in den letzten 4 Gymnasialklassen, das stilistische Regeln, Übungsstoff und in einem Anhange die zu jedem Stücke gehörige Phraseologie stufenmäfsig geordnet enthält, noch immer ein längst gefühltes Bedürfnis. Die Prüfung des methodischen Aufbaues der neuen für die ersten 5 Gymnasialklassen berechneten lateinischen Übungsbücher behalten wir einer späteren Abhandlung vor.

modernen Kultur zurückgreifen. Und wenn das wichtigste Studium
des Menschen immer der Mensch bleibt, dann werden wir uns auch
immer wieder mit rein menschlicher Teilnahme den Menschen des
Altertums und ihrem Denken und Dichten, Thun und Trachten zuwenden. „Geht diese Kultur verloren, so ist es unsere Schuld, niemand wird diesen Vorwurf von uns abwälzen" ruft W. aus. Und
wir fügen hinzu: an der Thatsache, dafs diese antike Kultur und die
Schätzung derselben als Bildungsmittel so vielfach in Mifskredit gekommen ist, tragen zum Teil auch Schuld die Vertreter der Philologie und der Schule überhaupt, die sich gegenüber den Angriffen
seitens der Philosophen und Naturforscher nur zu lange in vornehmes
Schweigen hüllten. Diese Indolenz haben sich die Gegner in un-
gemeiner Rührigkeit zu nutze gemacht und Unkraut gesät. Die
Parole für die Zukunft mufs sein: Jeder Angriff auf alles, was mit
klassischem Altertum in Beziehung steht, mufs, wenn er ungerechtfertigt ist, sofort zurückgewiesen werden. Schweigen wird mit Recht
als Ohnmacht betrachtet und ist Verrat an der Sache, der man dient.
Noch mehr freilich wird für die Sache der antiken Kultur und damit
für die Bildung der Menschheit durch positive Arbeit geleistet, wenn
die Vertreter der Philologie ihre Jünger mit Liebe und Begeisterung
fürs Altertum erfüllen durch eine lebendige, unter höhere Gesichtspunkte
gestellte Darstellung des antiken Kulturkreises, wenn die Lehrer der
Jugend diesen durch geistvolle Interpretation der Klassiker verständlich
zu machen wissen. Wer durch eifriges Studium seinen Schülern
Äschylus oder Sophokles, Plato oder Homer, Horaz, Virgil oder Tacitus
nahe zu bringen versteht, hat für den Klassizismus und damit für
echt menschliche Bildung mehr gethan, als wenn er seine Zeit mit
Zählung der Auflösungen der Länge im Aristophanischen Trimeter
oder mit der Zusammenstellung von a, .ab und abs bei Cäsar oder
wem vergeudet hat.[1]) Wird in diesem Sinne gearbeitet, dann wird sich
die frohe Hoffnung verwirklichen, mit der W. seine Rede schliefst.

        Würzburg.   Dr. R. Stölzle.

---

[1]) Wir wissen es wohl, dafs in der Wissenschaft nichts unbedeutend ist.
Und so gut die Untersuchung der Eingeweide der Eingeweidewürmer seitens der
Naturforscher ihren Wert hat, ebenso kann auch die jetzt übliche Anatomie der
Sprache die Erkenntnis fördern. Aber wir bleiben dabei: Der Lehrer der Jugend
braucht, um wirksam anzuregen, einen weiten Gesichtskreis, der nicht durch der-
artige philologische Filigranarbeit, sondern nur durch umfassende, ins breite
gehende Studien in Geschichte und Geographie, Literatur und Ästhetik, Kunst-
geschichte und Altertümern, Methodik und Didaktik und nicht zuletzt auch in
Philosophie gewonnen wird. Vgl. zu dem Gedanken unsere 1887 in demselben
Sinne ausgesprochene Überzeugung Bd. XXIII p. 363 Anm. 1.

Eine Peloponnesreise.

Unter den verschiedenen Bestrebungen, die in den letzten Jahren auf dem Gebiete des Gymnasialwesens zu erkennen waren, sind für die Philologen die Versuche, ihnen Gelegenheit zur Anschauung der alten Kunstdenkmäler zu geben, am erfreulichsten gewesen. Von ihrer Regierung unterstützt konnten badische Gymnasiallehrer vor drei Jahren einen achtwöchentlichen Aufenthalt in Italien nehmen und in diesem Jahre Griechenland und Kleinasien besuchen. Ferner wurde im Herbste vorigen Jahres unter der Leitung des deutschen archäologischen Instituts ein Ferienkurs in Italien für deutsche Gymnasiallehrer veranstaltet und die früher nur in Preußen abgehaltenen archäologischen Kurse fanden vor kurzem in München und Dresden Nachahmung. In Österreich ging man noch weiter. Am 3. November vorigen Jahres beanspruchte der Kultusminister im Abgeordnetenhause einen Kredit zur Schaffung von zehn Stipendien für Gymnasiallehrer, welche sich sechs Monate lang Studien in Italien und Griechenland widmen sollen. — Alle diese Veranstaltungen gehören erst den letzten Jahren an; nur in Bayern ist man schon vor zwei Dezennien mit Erfolg daran gegangen, der Archäologie Beachtung in Gymnasiallehrerkreisen zu verschaffen. Die Art und Weise, in der dies geschah, entspricht genau den auf der Münchener Philologenversammlung ausgesprochenen Wünschen. In der Prüfungsordnung vom 31. Mai 1873 wurde nämlich bestimmt, daß der Kandidat der Philologie in dem Spezialexamen auch Beweise seines Studiums in der Archäologie zu geben hat; außerdem wurde ein Stipendium zum Besuche des archäologischen Instituts in Rom und dessen Filiale in Athen gegründet. Dieser Stiftung ist es zu verdanken, daß im Laufe der Jahre eine stattliche Zahl von Lehrern bayerischer Gymnasien in Italien und Griechenland eine lebendige Anschauung von den Ruinen und Kunstdenkmälern des Altertums gewinnen konnte. Berichte von Kollegen über ihre Studien und ihren Aufenthalt im Süden sind wiederholt erschienen. Auch im Folgenden soll von einer solchen durch das bayerische Stipendium ermöglichten Studienreise etwas mitgeteilt werden. Der Verfasser, der im Frühjahre 1891 die von Dr. Dörpfeld geleitete Peloponnesreise mitgemacht hat, wurde nach seiner Rückkehr aus Griechenland von Freunden wiederholt über ihren Verlauf befragt. Er entschloß sich zuletzt, denselben zu skizzieren; Kollegen, welche in den nächsten Jahren an jener Reise teilzunehmen beabsichtigen, werden aus diesen Mitteilungen wenigstens in der Hauptsache erkennen können, was sie zu erwarten haben. Der Verfasser, der Philologe und nicht Archäologe ist, erklärt ausdrücklich, daß er bei der Veröffentlichung keinen andern Zweck als diesen, am wenigsten aber einen wissenschaftlichen, im Auge hat und daß er Kennern der archäologischen Literatur nichts Neues bietet. Außer der betreffenden Literatur hat er seine an Ort und Stelle bei den Erklärungen Dr. Dörpfelds gemachten Notizen und seine unmittelbar nach der Rückkehr niedergeschriebenen Reiseerinnerungen benützt.

Von Athen nach Nauplia.

Auch in Griechenland kommt der Reisende jetzt rasch vorwärts, ohne dafs er die „nassen Pfade" einzuschlagen braucht. Donnerstag den 9. April löften wir morgens 7 Uhr auf dem Peloponnesischen Bahnhofe in Athen 'die Fahrkarten und abends 6 Uhr waren wir mit dem gewöhnlichen Zuge in Nauplia, nachdem wir in Alt-Korinth eingehend die Tempelruine betrachtet und in Neu-Korinth mehrere Stunden verweilt hatten. Wer Lust hatte, konnte in Nauplia noch vor der Dämmerung den Palamidhi ersteigen und sich an der Aussicht auf den Golf und die argivische Ebene erfreuen.

Die Fahrt nach Korinth geht von Athen aus durch die attische und thriasische Ebene — die Akropolis und der Lykabettos sind längst verschwunden — um die schöne Bucht von Eleusis herum an Megara vorbei. Schon bevor diese Stadt mit ihren weifsen Dächern sichtbar wird, kündigen die Κέρατα das megarische Land an. Der Schienenstrang zieht sich weiter an dem Nordrande des Saronischen Meerbusens hin. Der Blick schweift über die spiegelglatte Fläche des tiefblauen Meeres hin, bis er an dem reichgegliederten Salamis und dem massigen Ägina haftet. Langsam überwindet der Zug die κακὴ σκάλα; von dem Eisenbahnwagen aus erkennen wir die an der engsten Stelle angebrachte eiserne Brücke — ein Werk moderner Technik an dem von der alten attischen Sage gezeichneten Küstenpasse; hier nämlich sind die Skironischen Felsen, an denen vorbei sich Theseus den Weg gebahnt haben soll. — Schon ist Kalamaki erreicht. Auf der Weiterfahrt geht es auf der hochragenden Brücke über den neuen Kanal, auf dessen Böschungen und Sohle jetzt noch Menschen und Dampfmaschinen arbeiten; erst nach seiner Vollendung wird der Peloponnes die Insel des Pelops sein. In Korinth verliefsen wir den Zug und fuhren zu Wagen nach dem etwa 6 km entfernten Alt-Korinth. Einige Herren, welche Athen schon Tags vorher verlassen hatten, um Akrokorinth zu besteigen, stiefsen hier wieder zu uns. Unser erster Weg ging zur Tempelruine; gegenwärtig stehen noch drei Säulen auf der Südseite und die vier nächsten auf der Westseite; fünf davon haben noch ihre Architrave. Den südlichen Hintergrund des Tempels bildet der Burgberg von Akrokorinth; vom nördlichen Gestade des Meerbusens schaut der Helikon herüber. Nachdem zwei photographische Aufnahmen der Ruine und der um sie gruppierten Reisegesellschaft gemacht waren, begann Herr Dörpfeld die Erklärung.

Der Grundrifs des Tempels wurde erst im Jahre 1886 durch Herrn Dörpfelds Ausgrabungen festgestellt. (Vgl. Mitteilungen des deutschen archäologischen Instituts. Athenische Abteilung, XI, 297 ff.) Es war ein dorischer Peripteros von 6 Säulen auf den Schmal- und 15 auf den Langseiten, mit Pronaos, Cella und Opisthodom. Die Cella hatte zwei innere Säulenreihen und war durch eine Querwand in einen westlichen und östlichen Raum geteilt; im westlichen fand sich ein Fundament, das man für die Basis eines Götterbildes hält; in dem östlichen dagegen wurde nichts derartiges aufgedeckt. Das

Material ist Poros. Die Säulen sind sehr gedrungen; ihre schwer
ausladenden Kapitelle erinnern an das Heräon in Olympia. Über
ihren ursprünglichen Stucküberzug wurde später bei einer Restauration
noch eine Schicht Putz gelegt. — Trotz der guten Beschreibung, die
Pausanias von Korinth gibt, läfst sich die Gottheit, welcher der Tempel
geweiht war, nicht bestimmen. Auch ist es nicht möglich, ein genaues
Datum für seine Erbauung anzugeben; doch gehört er wohl in die
Zeit vor Pisistratus, also zu den ältesten Tempeln in Griechenland,
von denen noch Überreste erhalten sind.

Um 3 Uhr 15 Minuten safsen wir wieder im Eisenbahnzuge.
Aufser unserer Gesellschaft waren noch andere „Abendländer" in ihm,
deren Reiseziel ebenfalls Tiryns Mykenä und Epidauros war. Griechenland kommt eben auch aufserhalb des archäologisch angeregten Kreises
der Altertumsforscher in Mode; unsere Maler freilich, die so gerne
nach Italien ziehen, finden sich in Griechenland nur ganz vereinzelt
ein; sie wissen noch nicht. was ihnen dieses Land zu bieten vermag
— trotz der griechischen Landschaften in der neuen Pinakothek, an
deren Naturwahrheit man nicht glaubt, bis man Griechenland selbst
gesehen hat. — Die Bahn führt an der Ostseite von Akrokorinth vorüber. Das Meer ist verschwunden; dafür entzückt auf der ganzen
Fahrt bis nach Nauplia eine Reihe grofsartiger edelgeformter Gebirgs-
landschaften das Auge. Grünende Saatfelder und Hügel erinnern an
die deutsche Heimat. Rechts von der Bahnlinie liegt der Burgberg
von Kleonä; Cypressen, „ernst und still", stehen an seinem Fufse.
Von Nemea, wo die Eisenbahn ihren höchsten Punkt erreicht, geht es
in die argolische Ebene hinab, vorüber an Phichtia, der Haltstelle von
Mykenä, das wir nach unserem Programme erst am übernächsten
Tage sehen sollten. Fern im Süden erscheint eine kühn ins Meer
vorspringende, von einer Feste gekrönte Halbinsel; es ist Itsch-Kalé,
die Akropolis von Nauplia; der Berg links darüber ist der Palamidhi.
Wir fahren über das Bett des wasserarmen Inachos und gelangen
nach dem am Fufse der Larisa gelegenen Argos. Nachdem wir in
Station Tiryns der westlichen Burgmauer vom Zuge aus einen ersten
flüchtigen Blick zugeworfen, laufen wir endlich im Bahnhofe von Nauplia
ein. Es wimmelt hier von geputzten Menschen; die Ankunft des
athenischen Zuges scheint für die haute volée der Stadt ein Ereignis
zu sein. Wir verlassen den Wagen, schreiten den Palamidhi zur
Linken an dem von Bäumen umgebenen Brunnenhause vorbei durch
das Thor der Festungsmauer und sind bald im Hôtel Mykenä an
der schönen Esplanade, deren Bäume bereits im Grün des Frühlings
stehen.

Nauplia blieb für drei Tage unser Standquartier. Von da aus
besuchten wir Tiryns, Mykenä und das Hieron von Epidauros; der
Abend fand uns jedesmal wieder vollzählig an der langen Tafel des
Hotels Mykenä versammelt. Im Gegensatze zu anderen griechischen
Städten wie z. B. Tripolitza, Pyrgos, die mehr grofse Dörfer sind, hat
Nauplia städtischen Charakter. Welcker, der in seinem Tagebuche
einer griechischen Reise dieselbe Bemerkung machte, stellte Nauplia

in dieser Beziehung sogar über Athen; für seine Zeit mochte dies vielleicht zutreffend sein; doch inzwischen hat sich Athen bestrebt, den Hauptstädten des Westens möglichst nahe zu kommen. Es hat schnurgerade Boulevards, stilvolle Prachtbauten, grüne Plätze mit Marmorstatuen, Kunstläden, deren Schaufenster Fremde und Einheimische wie bei uns fesseln, Cafés mit hohen Spiegelscheiben, Hôtels garnis mit allem Comfort der Neuzeit, Pferde- und Dampftrambahnen. An dem Material seiner Prachtbauten ist es unübertroffen: an allen erkennt man die Nähe des Pentelikon und des Hymettos.

Tiryns.

Der folgende Vormittag wurde der Besichtigung von Tiryns gewidmet, das wir nach kurzer Eisenbahnfahrt erreichten. Einige Herren legten den nur 4 km betragenden Weg zu Fuſs zurück. Der vereinzelt aus der Ebene aufsteigende bis 18 Meter hohe Burghügel ist nicht weit von der Haltestelle. Wir durchschritten die Pforte in dem runden Vorsprunge der Westmauer und gelangten auf der antiken Steintreppe innerhalb derselben zur Höhe des Hügels, der eine herrliche Aussicht auf Nauplia, den Palamidhi, den Golf mit der kleinen Insel Burzi und die Berge ringsum bietet. Der vielgereiste Schliemann erklärte diesen Anblick für das Prachtvollste, was er auf beiden Hemisphären von Naturschönheiten je gesehen. Rottmanns Gemälde in der neuen Pinakothek gibt keine sehr gute Vorstellung von dem schönen Bilde. Bevor Herr Dörpfeld die Führung und Erklärung begann, hatten wir Zeit, uns die Überreste des Palastes und die Burgmauer zu betrachten, auch die gewaltigsten der oft gemessenen, in der bekannten Pausaniasstelle nach ihrer Gröſse gewürdigten Steine neuerdings zu messen.

Schon im August 1876 hatte Schliemann die Ober- und Unterburg vorläufig untersucht; seitdem war ihm die gründliche Erforschung von Tiryns ein Lieblingswunsch, den er sich aber erst nach einer Reihe von Jahren erfüllen konnte. Endlich im Jahre 1884 lieſs er auf der Oberburg die Schuttschichte wegräumen. Der Erfolg war groſsartig; er deckte die Reste der Obermauern des Palastes auf. Die Grabungen auf der Mittel- und Unterburg dagegen ergaben nicht viel: dort wurden zwar Mauern gefunden, doch lieſsen sie keinen bestimmten Grundriſs erkennen; hier, auf der Unterburg, wo ein Längs- und ein Quergraben gezogen wurden, stieſs man sehr bald auf den Fels. Im folgenden Jahre wurden unter der Leitung Herrn Dörpfelds die Galerien an der Süd- und Ostseite ausgeräumt, dabei die mit ihnen in Verbindung stehenden Gemächer entdeckt und die Ringmauer im Süden, Westen und auch teilweise im Osten frei gelegt.

Die Besichtigung begann von dem in der östlichen Burgmauer gelegenen Haupteingange aus. Wir betrachteten eingehend das Thor der Oberburg, stiegen in die Galerie in dem südlichen Teile der Ostmauer hinab, besuchten auch eines der anschlieſsenden Gemächer und betraten durch die groſsen Propyläen den Vorhof. Nachdem wir auch der Galerie in dem südlichen Teile der Burgmauer einen Besuch abgestattet hatten, gingen wir durch die kleinen Propyläen in den Hof der Männerwohnung. Vorhalle, Vorsaal und Megaron wurden bis in die Einzelheiten genau durchgegangen. Daran schloſs sich die Betrachtung des Badezimmers, der Frauenwohnung und des nordwestlichen Teils des Palastes.

Bei weitem das gröſste Interesse erregen die Überreste des Königspalastes. Wer von den früheren Homerforschern, die nach zerstreuten Stellen der Odyssee den Plan eines solchen Palastes entworfen haben, hätte geglaubt, daſs noch einmal ein ähnlicher Grundriſs ausgegraben werden würde! Den Eingang zu ihm bilden die groſsen Propyläen, die dieselbe Anlage zeigen wie der glänzende Thorbau auf der Akropolis in Athen: eine mit einer Vor- und Hinterhalle ausgestattete Thorwand. In den beiden Hallen sieht man noch die Säulenbasen und Anten, in der Thürschwelle der Thorwand die beiden Zapfenlöcher, in denen sich die Pfosten der Doppelthüre drehten. Der Fuſsboden bestand aus einem Estrich von Kieselsteinchen, die durch Mörtel verbunden waren. Hat man diesen Haupteingang durchschritten, so steht man in dem groſsen Vorhofe, an dessen Nordwestseite das kleine Propylaion in den Hof der Männerwohnung führt. Dieser war auf allen vier Seiten mit Säulenhallen ausgestattet; die Säulenbasen sind noch erhalten; auf der Südseite ist ein viereckiger Bau mit einer runden Öffnung in der Mitte gefunden worden. Er wird für eine Opfergrube gehalten und mit dem Altare des Zeus verglichen, der im Hofe des homerischen Hauses zweimal erwähnt wird. An der Nordseite des Hofes lag das Hauptgebäude, die Männerwohnung. Ihr Grundriſs — Megaron mit Vorsaal und Vorhalle — ist deutlich zu erkennen; nur wird die Übersicht jetzt durch eine Mauer etwas erschwert, die wohl einem späteren Tempel angehörte. Die zwei steinernen Stufen der Vorhalle, ihre Parastaden und Säulenbasen sind noch erhalten. In ihr ist jener wichtige Fund gemacht worden, durch den die Frage über den ϑριγκὸς κυάνοιο (Odyssee VII, 87) im Palaste des Alkinoos endgiltig gelöst und die scharfsinnige Erklärung zweier Forscher glänzend bestätigt worden ist; hier nämlich wurden die Reste des eigentümlichen Schmuckes eines homerischen Palastes aufgefunden, mehrere Platten eines ornamentierten Alabasterfrieses mit eingelegten blauen Glaspasten. — Drei Thüren führten aus der Vorhalle in den Vorsaal; noch jetzt erkennt man drei groſse Steinplatten mit Thürzapfenlöchern. Die vier Steine zwischen diesen Platten hatten die die Thören trennenden Holzpfeiler zu tragen. In der nördlichen abschlieſsenden Querwand des Vorsaals bemerkt man eine groſse Schwelle; da sich auf ihr keine Zapfenlöcher finden, so wird die Thüre über ihr, die ins Megaron führte, olme Verschluſs gewesen sein. Das Megaron stellt einen stattlichen Saal dar; wie in Troja und Mykenä hat sich in seiner Mitte auf dem Boden ein Kreis erhalten, auf dem der Herd stand; um ihn herum sind vier Säulenbasen. Der Fuſsboden des Megaron ist jetzt mit Erde überdeckt; er soll Linienmuster zeigen.

Eine Thüre in der westlichen Mauer des Vorsaales führt zum Badezimmer. In demselben liegt eine gewaltige Steinplatte, deren

Gewicht auf mehr als 20000 kg berechnet worden ist. In den Erhöbungen, die sie auf den Seiten zeigt, sind Löcherpaare angebracht, die zur Befestigung der Holzverkleidung gedient haben. An der Stelle, wo die Thüre war, fehlen diese Löcher. Auf die Steinplatte wurde die Badewanne gestellt; ein Stück einer solchen hat sich denn auch gefunden. An der Ostseite der Platte ist ein Ausguß angearbeitet.

Östlich von der Männerwohnung liegt die Frauenwohnung mit dem auf zwei Seiten von Säulenhallen umgebenen Hofe, mit Vorhalle und Hauptsaal. Der Vorsaal fehlt hier. — Die Bestimmung der Gemächer in dem nordöstlichen Teile des Palastes ist nicht völlig sicher, doch wahrscheinlich Herrn Dörpfelds Annahme, daß hier das eheliche Schlafgemach, die Schatz- und Waffenkammer gewesen seien, da nach der Schilderung Homers auch im Palaste des Odysseus diese Räume ἐν μυχῷ δόμου lagen.

Die Ähnlichkeit zwischen der Palastanlage in Tiryns und dem aus literarischen Quellen entworfenen Grundrisse des homerischen Herrscherhauses erstreckt sich über die Hauptzüge hinaus auf Einzelheiten. Herr Dörpfeld wies in seinem Vortrage wiederholt darauf hin z. B. bei der Besprechung der Thürkonstruktion oder des viereckigen Baues im Hofe der Männerwohnung. Als das schlagendste Beispiel aber führte er die von vier Säulenbasen umgebene Stelle des Herdes im Megaron der Männerwohnung an; dem Sänger der Odyssee müsse eine derartige Anlage vorgeschwebt haben; denn er erzähle, daß Arete am Herde im Scheine des Feuers saß an eine Säule gelehnt.

Wenn von dem Palaste in der Hauptsache nur mehr Mauern von 0,50—1 m Höhe erhalten sind, die nur den Grundriß erkennen lassen, während alles andere im Geiste wiederhergestellt werden muß, so gewährt dagegen die Galerie in der Ostmauer ein schönes architektonisches Bild (Vgl. den Blick in dieselbe in Schliemanns Tiryns pag. 385). Sie ist wie die beiden andern Galerieen in der Südmauer aus Steinen gebaut, die immer weiter auskragen und dadurch das Aussehen von Spitzbogen bekommen. In der Außenwand sind sechs Thüren, welche in rechteckige Kammern führten. Bei der Auffindung waren sie mit herunter gefallenen Steinen angefüllt; ihre Decke war ursprünglich ebenfalls im Spitzbogen gewölbt. Über die Bestimmung dieser Galerieen ist man jetzt einig; es waren Magazine zur Aufbewahrung von Lebensmitteln. (Siehe Dörpfeld in Schliemanns Tiryns pag. 374.) Für die Geschichte von Tiryns ist der Umstand sehr wichtig, daß ähnliche Räume auch in Karthago und anderen phönikischen Kolonieen an der Nordküste Afrikas gefunden worden sind.

Nachmittags nahmen wir nach einem Rundgange um die Ringmauer und nach der Besichtigung der Mittel- und Unterburg von den kyklopischen Mauern, an deren Fuße der Akanthus wuchert, Abschied. Ein Teil unserer Gesellschaft fuhr im Wagen nach Argos zum Besuche des Museums, der Burg und des Theaters. — Die mir bekannten griechischen Provinzialmuseen z. B. in Eleusis, Charwati, Epidauros etc. zeigen — das in Olympia ausgenommen — die denkbar einfachste

Einrichtung; manche sind geradezu Schuppen. In Argos ist es im
Erdgeschofs eines öffentlichen im Osten der Platia gelegenen Gebäudes
untergebracht. Die Skulpturen hätten zu einer genaueren Betrachtung
eingeladen; doch hatten wir dazu keine Zeit, da wir noch die Burg
Larisa ersteigen wollten. Schon Tags vorher während der Fahrt
durch das πολυδίψιον Ἄργος hatte ich mir bei ihrem Anblick vorgenommen, von ihren Zinnen aus die Umgegend zu betrachten.
Der Aufstieg ist leicht; Welcker zog die Aussicht von ihr der
korinthischen vor. Ich war nicht befriedigt, mochte das nun an
der nicht sehr günstigen Beleuchtung gelegen sein oder hatte ich
meine Erwartungen nach dem schönen Blicke, den man von Tiryns
hat, zu hoch gespannt. Doch lohnen schon die ansehnlichen Reste
einer schön gefügten Polygonalmauer und antike Zisternen die geringe
Mühe des Emporklimmens. Beim Abstieg ging es über Stock und
Stein gerade auf das Theater am Fufse der Larisa zu. Es sind noch
an 70 aus dem Felsen herausgearbeitete Sitzreihen vorhanden; in der
Mitte führt eine Treppe naah oben. Die Ruine hat in diesem Jahrhundert einmal eine politische Verwendung erfahren; in ihr wurde
nämlich am 23. Juli 1829 der vierte griechische Nationalkongrefs eröffnet. (Vgl. Hertzberg, Neueste Geschichte Griechenlands pag. 504).

Mykenä.

> Οἳ ἱκάνομεν,
> φάσκειν Μυκήνας τὰς πολυχρύσους ὁρᾶν
> πολύφθορόν τε δῶμα Πελοπιδῶν τόδε.

Dieser Verse erinnerte ich mich, als ich in der Frühe des 11. April
vom Xenodochion nach der Station ging, um nach der sagenberühmten
Stätte von Mykenä zu fahren. Was sollte ich heute nicht alles unter
kundiger Führung sehen! Vor allem das Schatzhaus des Atreus, die
Burg von Mykenä, das Löwenthor, vor kurzem ausgegrabenen
Königspalast und die Stelle, wo Schliemann seinem Kopfe folgend
jene kostbaren Schätze aus dem Schofse der Erde hervorgeholt hat,
die eine bis dahin unbekannte Kultur, eine neue Welt erschlossen
haben. In Argos stiegen wir aus dem Eisenbahnzuge und fuhren im
Wagen nach dem Dorfe Charwatl; es ging durch das Bett des Inachos;
links mündet die von Phichtia, der Eisenbahnhaltstelle für Mykenä,
kommende Strafse ein. In Charwati wurden die Wagen zurückgelassen.
Auch nachdem man das Dorf verlassen hat, erblickt man noch nichts
von Mykenä. Der Weg führt längs einer Wasserleitung aufwärts.
Rechts unten im Thale liegt die Ruine einer kyklopischen Brücke.
(Vgl. die Abbildung in Schliemanns Mykenä, Leipzig 1878, pag. 26.)
Endlich ist der Höhenzug der Unterstadt erreicht und man erkennt
mit dem Fernglase die verschiedenartigen Bestandteile der Burgmauer:
kyklopische Mauern wie in Tiryns, Quadermauern und Polygonal-
mauern, aber auch die von den Ausgrabungen Schliemanns herrührenden
Schuttmassen. Wir versammelten uns bei dem sogenannten Schatzhause des Atreus. Es ist das gröfste der ausgegrabenen Kuppelgräber; sein Durchmesser beträgt 14 Meter. Das Grab war längst

bekannt.   Die vollständige Ausgrabung erfolgte durch die griechische
archäologische Gesellschaft.   Von aufsen erkennt man einen Zugang,
eine Thüre und einen Kuppelbau.   Da der letztere unter der Erde
lag, so mufste für den Zugang im Hügel ein Einschnitt hergestellt
werden.   Er ist an beiden Seiten mit gewaltigen Brecciasteinen · verkleidet, welchen teilweise eine Rundung für den Transport angearbeitet
ist. — Die grofse Thüre an der Fronte des Kuppelbaus hat eine dreifache Umrahmung.   An den Klammerlöchern erkennt man, dafs an
ihren beiden Seiten Halbsäulen gestanden haben.   Das Dreieck über
der Thüre, das vorne mit einer ornamentierten Platte, hinten mit
einer dünnen Mauer geschlossen war, diente zur Entlastung des Thür-
sturzes. — In dem zum Innenraume führenden Eingange sind eine
Thürschwelle und die Zapfenlöcher für die Thüre erhalten.   Der Stein
über der Thüre ist weitaus der gröfste; ein solcher Riesenblock mufste
deshalb genommen werden, „weil der Stein über der Thüre den
Schub aller Steinringe auszuhalten hat." Beim Eintritt in das Innere
war ich von der Grofsartigkeit der Anlage überrascht.   Ich hatte über
dieses Grab Vorlesungen gehört und so manches gelesen; aber nichts
hatte mir einen richtigen Begriff gegeben.   Die Vorstellung, die ich
mitbrachte, war viel zu klein; durch 32 wagrecht über einander ge-
lagerte, nach oben allmählich sich verengende Steinringe ist hier eine
Wirkung erreicht, die am besten mit der eines hohen Domes verglichen werden kann.   An den Steinringen befinden sich Bohrlöcher
und zwar einfache in den oberen Ringen, doppelte in den unteren.
Da sich solche Löcher auch an den Steinen des Schatzhauses in
Orchomenos finden, dessen Wände geschliffen sind und also nicht
verkleidet waren, so haben sie offenbar nicht, wie man vermutete,
zur Befestigung von Bronceplatten, sondern nach der Ansicht Herrn
Dörpfelds teilweise zur Anbringung von Rosetten gedient, die dem
Innern vielleicht das Aussehen des Sternengewölbes gaben.   Aus dem
Kuppelraume führt eine Thüre in einen Nebenraum, in dem zur Beleuchtung während unserer Anwesenheit ein Strohfeuer unterhalten
wurde.   Er ist aus dem Felsen gehauen.   Einst war er mit Alabaster-
platten bekleidet.   Diese kostbare Ausstattung läfst erkennen, dafs in
ihm der Sarkophag aufgestellt war; es war also der Haupt-
raum, die eigentliche Totenkammer, vor die noch der Rundbau gelegt
ist.   Zur Erklärung der Grabform wies Herr Dörpfeld auf die Schachtgräber auf der Burg von Mykenä hin, von denen sich die Totenkammer
durch den vorgelegten Rundbau zwar wesentlich unterscheide; aber
sie sei doch auch wie die Schachtgräber in den Fels eingehauen:
man dürfe deshalb beim Atreusgrabe wohl an eine Verbindung zweier
Grabarten, nämlich der eigentlichen Grabkammern und des Kuppel-
grabes denken.

Im Atreusgrabe wurde u. a. auch die Pausaniasstelle (II, 16, 6),
in der das Grab Agamemnons, seines Wagenlenkers Eurymedon etc.
erwähnt wird, besprochen.   Bekanntlich hat Schliemann die Stelle in
dem Sinne verstanden, dafs diese Gräber auf der Akropolis seien;
auch nach den epochemachenden Funden auf der Burg wurde von

gelehrter Seite daran festgehalten, dafs Pausanias die Kuppelgräber, nicht die Schachtgräber gemeint habe. Neuerdings hat Christian Belger (Vgl. Berliner philol. Wochenschrift, 1892 Nro 4 u. 5) Schliemanns Interpretation verteidigt, gewifs mit viel Glück, aber doch nicht so, dafs jetzt alle Schwierigkeiten beseitigt wären.

Nördlich vom Atreusgrabe ist ein zweites Grab, dessen Kuppel eingestürzt ist. Es wurde von Frau Schliemann ausgegraben. Vom Atreusgrabe unterscheidet es sich wesentlich durch das Fehlen der Totenkammer. Am Eingange standen zwei Halbsäulen; sie hatten 13 Kannelierungen, eine runde Basis und verjüngten sich nach unten. Das Dreieck über der Thüre war auch hier durch eine Platte geschlossen. Die Höhe des Steines über der Thüre ist in dem ganzen sich anschliefsenden Ringe beibehalten. Es sind meist kleinere Steine, die im Innern verwendet wurden; einer jedoch hat die beträchtliche Länge von 6 m.

Nur wenige Schritte sind vom Schatzhause der Frau Schliemann bis zur Burg. Wir biegen rechts um den turmartigen Vorbau und haben nun das berühmte Thor vor uns. Λέοντες ἐφεστήκασιν αὐτῇ, sagt Pausanias. In der Hauptsache stehen sie noch da, wie sie zu seiner Zeit, ja weit mehr als tausend Jahre vor ihm da standen. Wie mächtig erscheinen sie! Wie klein erweisen sich wieder die Vorstellungen, die man mitbringt, selbst wenn sie an getreuen Nachbildungen gewonnen wurden!

Das Thor ist ebenso angelegt wie das tirynthische, das wir Tags vorher betrachtet hatten. Man erkennt die für die Zapfen und den Riegel bestimmten Stellen und die Löcher für die Griffe der Thürflügel. Über den Pfosten liegt der ungeheure Deckbalken, über ihm das Entlastungsdreieck, das durch die Platte mit den Löwen geschlossen ist. Die Köpfe der Löwen waren, wie die Löcher erkennen lassen, angesetzt.

Hat man das Burgthor passiert, so steigt der Weg an. Über Häuserfundamente, die über dem ursprünglichen Boden liegen, kommt man rechter Hand an die Stelle, wo Schliemann 1876 die Schachtgräber mit ihrem kostbaren Inhalte gefunden hat. Es ist ein von je zwei aufrecht stehenden Platten gebildeter Kreis. (Siehe die Abbildung auf Taf. VI in Schliemanns Mykenä.); über den vertikalen Platten lag immer eine horizontale; der Zwischenraum war mit Steinchen ausgefüllt. Schliemann hielt diesen Steinring für eine Rundbank und für die Einfassung der Agora von Mykenä; dagegen wird jetzt angenommen, dafs es eine Grenzmauer gewesen; innerhalb derselben lagen die in den Fels geschnittenen Gräber.

Nach der Besichtigung der Ausgrabungen an der südwestlichen Burgmauer stiegen wir zum Königspalaste hinauf. Derselbe ist im Jahre 1886 von Herrn Tsuntas ausgegraben worden. Nach Plan und Bauweise zeigt er grofse Übereinstimmung mit dem Palaste in Tiryns. Auf einer breiten mit grofser Sorgfalt hergestellten Treppe, vor welcher zwei Anten stehen, gelangt man in den grofsen Hof, an dessen öst-

licher Seite das mit Vorhalle und Vorraum ausgestattete Megaron liegt.
Auf der Thürschwelle vor dem Saale erkennt man noch die Stellen
für die Thürpfosten. Das Megaron hatte vier Säulen, die den Herd
umgaben. Die Säulenbasen sind erhalten. Der Herd war, wie aus
Spuren zu erkennen ist, ornamentiert.

Der Vorhof des Palastes war durch eine Quadermauer abgeschlossen; zwischen den Quadern lagen Holzbalken. Herr Dörpfeld
machte darauf aufmerksam, dafs diese Bauweise an den Orient erinnere; sie werde in der Bibel beim Bau des Salomonischen Tempels
erwähnt. An der Westseite des Hofes liegen verschiedene Gemächer;
in einem derselben bemerkt man Reste einer Treppe.

Über einen Teil des vor dem Palaste gelegenen Hofes wurden
in späterer Zeit armselige Häuser und über diese wurde wieder ein
Peripteraltempel gelegt. Dieser, und nicht der Palast, lag auf der
obersten Spitze des Burgfelsens. Die vom Tempel aufgefundenen
Architekturstücke sollen aus dem Anfange des fünften Jahrhunderts
v. Chr. stammen.

Wir verliefsen die Burg auf der Nordseite und kehrten längs
derselben auf einem schmalen Pfade an dem Nebenthore vorbei zum
Löwenthore zurück. Als wir in Charwati ankamen, ging es schon
gegen Abend und es blieb nur wenig Zeit zum Besuche des dortigen
Museums.

Epidauros.

Auf Sonntag den 12. April war der Besuch des heiligen Bezirks
des Asklepios in der Nähe von Epidauros angesetzt. Da ein Wagen
von Nauplia nach dem Hieron vier Stunden braucht, wurde schon um
6 Uhr abgefahren. Bei der knapp bemessenen Zeit war es mir nicht
vergönnt, das in der Nähe von Pronoia von König Ludwig I. gesetzte
Monument, einen in den Fels gehauenen Löwen, zu besichtigen. Es
ist zur Erinnerung an die in den Jahren 1833 und 34 in Griechenland gefallenen Bayern errichtet. Welcker sagt darüber (Tagebuch etc.
p. 323): „Der Löwe liegt mit düsterem Gesicht, das vortretende Hinter-
bein in schlaffer Haltung, als wenn die Kraft ihm durch Verdrufs
genommen wäre. . . . Ein edles Denkmal" [1]). Die lange Fahrt bot
nichts Bemerkenswertes. Links erschien das Arachnäongebirge. Wir
fuhren am Hieron vorüber gerade auf das Theater zu. Es ist unter
allen griechischen Theatern am besten erhalten, Pausanias, der Polyklet
als Baumeister anführt (vgl. Berliner Philol. Wochenschrift 1888 p. 1468),
nannte es der Betrachtung besonders wert; denn, fragt er, welcher
Baumeister könnte im Punkte der Harmonie und Schönheit mit Polyklet
wetteifern? Die am westlichen Abhange des Kynortion aufsteigenden,
aus weifsem Kalkstein hergestellten, weithin schimmernden Sitzreihen
gewähren ein erhabenes Architekturbild, das mir ebenso unvergefslich
bleiben wird, wie der Anblick der Tempelruine von Bassä. Wie mag
es erst wirken, wenn der Vollmond darüber steht! Welcker drückte

---

[1]) Weniger günstig urteilt Welcker a. a. O. p. 326.

sein Entzücken in folgenden Worten aus: „Das Gewölbe des Pantheon, des Mykenischen Grabes könnte nicht schöner wirken als dies umgekehrte Gewölbe. Man bewundert die schöngelegte Treppe in einem Hause in Bologna: aber was ist die einzelne Linie in ihrem Aufstieg gegen das Wohlthuende dieses weiten Kreises, der in allen Linien so gefällig und doch so bedeutend wirkt. Den Grund dieser Wirkung zu erklären, möchte schwer sein etc."

Vor der Erklärung wurde die Akustik erprobt. Ein schnell zusammengebrachter Chor zog das Gaudeamus igitur singend mit feierlichem Schritte in die Orchestra ein; nach Beendigung des lateinischen Gesangs wurden von zwei Herren griechische Verse vorgetragen. Ich hatte im Zuschauerraume unterhalb des Diazoma Platz genommen und hörte alles vortrefflich; auch waren die vom Chor beschriebenen Tanzfiguren recht deutlich zu erkennen. Vor der Ausräumung im Jahre 1881 war das Theater so mit Gebüsch bedeckt, dafs nur die Form des Zuschauerraums mit Not erkennbar war. Schon Bursian hatte (in seiner Geographie von Griechenland, II, 76) geklagt, dafs wegen des dichten Buschwerks das Umhergehen auf den Sitzstufen unmöglich sei. In der nachstehenden Skizzierung bin ich der Beschreibung des Theaters gefolgt, welche Herr Kavvadias in dem Anhange zu den Πρακτικά τῆς ἀρχαιολογικῆς ἑταιρίας 1881 (Athen 1882) gegeben hat. (Vgl. auch Πρακτικά 1883 p. 46 ff.)

Der Zuschauerraum, der etwas gröfser als ein Halbkreis ist, zerfällt durch ein Diazoma in zwei Zonen, eine untere mit 32 und eine obere mit 20 Sitzreihen; mit den drei Reihen Ehrensesseln sind es also im ganzen 55 Sitzreihen. Durch Treppen wird jede Zone wieder in keilförmige Abschnitte (κερκίδες) zerlegt, die untere in 12, die obere in 22. Auf jede Sitzreihe kommen zwei Treppenstufen, bei den unteren vier Sitzreihen dagegen immer nur eine; dafür sind hier die Stufen schief gelegt. Die Orchestra ist als ganzer Kreis dargestellt. Sie zerfällt in zwei Abschnitte: an dem einen ist ein Rundstab und ein Wasserkanal; der andere Abschnitt ist nicht bearbeitet. Genau in ihrer Mitte steht ein runder Stein mit einer Öffnung. Ob er das Fundament eines Altars war (vgl. Πρακτικά 1881 p. 20) oder ob er zu einem anderen Zwecke diente, ist unbekannt.

Das Bühnengebäude ist in seinem rechteckigen Unterbau noch wohl erhalten. Die Mauern erheben sich noch einen halben Meter über den Boden; sie stammen von einem späteren Umbau, also gröfstenteils aus römischer Zeit; die Grundmauern dagegen sind griechisch. So ruht z. B. die vordere der Orchestra zugekehrte Wand, die der späteren Zeit angehört, auf einer älteren Schwelle. Diese Vorderwand zeigt drei Thören, welche das Proskenion in Verbindung mit dem Innern des Bühnengebäudes brachten; die mittlere dieser Thüren entspricht genau dem Mittelpunkte des Orchestrakreises. Im Innern des Hauptsaales stehen die Reste von fünf Pfeilern, die den Fufsboden des oberen Stockes trugen. Zwischen der Orchestra und dem Bühnengebäude, 2,41 m von diesem entfernt, stand eine Wand, deren Basis noch erhalten ist; sie war ca. 3,55 m hoch, mit jonischen Halbsäulen

geschmückt und hatte nur in der Mitte eine Thüre. Zu beiden Seiten
hatte sie Vorsprünge, Paraskenien, in denen ebenfalls Thören waren.
Weitere Thören auf beiden Seiten waren in den auf die Paraskenien
stofsenden schrägen Mauern. Diese säulengeschmückte Wand ist für
die Erkenntnis des griechischen Theaters von der gröfsten Wichtigkeit.
Sie wurde bisher als Hyposkenion betrachtet; nach Herrn Dörpfelds
Theorie ist sie das Proskenion d. h. die vor dem Scenengebäude errichtete Dekorationswand, vor welcher gespielt wurde. Vgl. über die
ganze Frage A. Müller, die neueren Arbeiten auf dem Gebiete des
griechischen Bühnenwesens im Philologus, 6. Supplementband.

Mit der Betrachtung des Theaters war der Vormittag vergangen.
Nach einer Ruhepause wurden das neuaufgedeckte römische Theater
besichtigt und die Ruinen im heiligen Bezirke des Asklepios erklärt,
die von der griechischen archäologischen Gesellschaft seit dem Jahre 1882
ausgegraben wurden. Vgl. Πραχτιχὰ τῆς ἀρχαιολογικῆς ἑταιρίας; 1883
—1887. Wir betraten das ἱερὸν ἄλσος durch ein grofses Propylaion,
von dem der Fufsboden und die zum mittleren Intercolumnium hinauf-
führende Rampe noch erhalten sind. Nördlich davon lag ein Tempel,
dessen Krepidoma mit einigen Fufsbodenplatten noch in gutem Zustande
ist. Man erkennt noch Pronaos, Cella, die innere und äufsere Mauer.
Es sind die Reste des von Pausanias erwähnten Artemistempels. Die
Bestimmung wurde durch die Auffindung der Inschrift Ἀράμιτι ermöglicht. (Vgl. Πραχτιχά 1885 p. 62). Zum Pronaos führt eine
Rampe hinauf; vor derselben liegt ein Fufsboden aus Porosplatten;
es ist die Stelle eines Altars. Vom Tempel der Artemis wandten wir
uns an den als Archiv bezeichneten Inschriftsteinen vorüber zu den Resten
der Tholos. Dieses berühmte Werk des Polyklet war nach Pausanias
ein Rundbau aus weifsem Stein, im Innern mit Gemälden des Pansias
geschmückt. Von seinem Glanze geben die auf dem Boden umherliegenden Architekturglieder beredtes Zeugnis. Das Gebäude ist sehr
stark zerstört. Gegenwärtig stehen noch 6 Ringmauern (vgl. Πραχτιχά
1883 pag. 49), drei schmale innere, drei breite äufsere. Auf der äufsersten Mauer standen dorische Säulen aus Poros, auf der zweiten eine
geschlossene Wand, auf der dritten korinthische Marmorsäulen mit
sehr feinem Kapitell. Der Fufsboden des Innern hat sich gefunden;
er bestand aus den umherliegenden blauen und weifsen Steinen. Der
Eingang zum Tempel ist durch die auf der Ostseite befindliche Rampe
gegeben. Nach Herrn Dörpfeld waren die Zwischenräume der äufseren
Kreise ausgefüllt, während die inneren begehbar und durch Thören
verbunden waren. Durch eine in ihnen angebrachte Quermauer und
durch die Anlage der Thüren an verschiedenen Stellen hatte das
Innere die Form des Labyrinths bekommen.

In geringer Entfernung von der Tholos wurde der Tempel des
Asklepios aufgedeckt. Es war ein dorischer Peripteros mit 6 Säulen
auf den schmalen und 11 auf den langen Seiten. Erhalten ist nur
das Krepidoma; doch ermöglichen die gefundenen Bauglieder die Wiederherstellung. In den Giebelfeldern war ein Amazonen- und Kentauren-
kampf dargestellt. Die Bildsäule des Asklepios, ein Werk des Thrasy-

medes, aus Elfenbein und Gold verfertigt, wird von Pausanias ausführlich beschrieben.   Der ganze Platz vor dem Tempel war mit
Weihgeschenken angefüllt, wie man jetzt noch an den vielen Basen
erkennt. (Nach den *Πρακτικά* über das Jahr 1884 p. 54 ff.)

Südlich vom Asklepiostempel ist in der Achse der Tholos an
einem aus Platten hergestellten Vierecke noch die Stelle eines Altars
kenntlich, nördlich von der Mitte des Tempels erstreckte sich eine
Säulenhalle nach Westen.   In der Mitte war sie durch 7 jonische
Säulen der Länge nach geteilt, an der Vorderseite hatte sie 16 Säulen.
An ihrer östlichen Seite finden sich noch die Basen der von Pausanias
erwähnten Heilinschriften.   Daneben ist ein tiefer Brunnen.

Am Westende dieser Halle führt eine Treppe zu einer andern
zweistöckigen Halle hinunter.   Der untere Stock hatte in der Mitte
6 Pfeiler, welche die Säulen des Oberstockes trugen. (*Πρακτικά* über
das Jahr 1884 p. 58 ff.)

Von Nauplia über Mantinea, Megalopolis, Lykosura, Phigalia nach Olympia.

Montag den 13. April verliefsen wir Nauplia endgiltig.   Vor der
Abreise bestieg ich in früher Morgenstunde den Palamidhi, um mich
zum Abschiede noch einmal an der wunderbaren Lage der Stadt zu
erfreuen.   Nicht weniger als 857 Stufen hat man zu steigen.   Die
ehemalige Festung galt als uneinnehmbar; doch gelangten die Griechen
in einer Winternacht des Jahres 1822, ohne Widerstand zu finden, in
ihren Besitz.   (Vgl. Hertzberg, Neueste · Geschichte Griechenlands,
Gotha 1879, pag. 231). Jetzt ist oben eine Strafanstalt.   Von einer
Treppe aus übersah ich einen der Höfe, in dem Gefangene auf- und
abgingen.   Meine Anwesenheit war von ihnen bemerkt worden; denn
als ich von dem Aussichtspunkte zurückkehrte, wurden mir über die
Hofmauer Peitschen und andere von ihnen verfertigte Gegenstände
zum Kaufe zugeworfen.

Wir hatten an diesem Tage die Gebirge, welche die Argolis
von der östlichen Ebene Arkadiens trennen, zu überschreiten und
sollten Tripolitza erreichen.   Die Eisenbahn führte damals nur bis
Myli, in dessen Nähe die aus der Heraklessage bekannte Lerna ist.
Inzwischen — am 6. Juli 1891 — hat nach Zeitungsnachrichten die
Eröffnung der Teilstrecke Myli—Tripolitza der Peloponnesischen Eisenbahn Myii—Kalamata stattgefunden.   Von Myli aus legten wir den
Weg im offenen Wagen auf der vorzüglichen Landstrafse, eine kleine
Strecke auch zu Fufs auf einem Gebirgspfade zurück.   So konnten
wir uns an der landschaftlichen Schönheit der Gegend weit besser er-
freuen als wenn wir nur ab und zu einen Blick aus dem Fenster des
Eisenbahnwagens hätten werfen können.   In der Nähe von Achladhokampos ruhten wir um die Mittagsstunde bei einem Chan unter
schattigen Bäumen im Angesichte des Partheniongebirges.   Unsere
Reisegesellschaft, die in den ersten Tagen aus 30 Personen bestanden
hatte, war schon kleiner geworden; denn mehrere Herren waren von
Nauplia mit der Eisenbahn oder zu Schiff nach Athen zurückgekehrt:

doch trafen einige von ihnen auf dem bequemeren Wege über Patras
und Pyrgos in Olympia wieder ein. Auf der weiteren Fahrt im Gebirge kamen wir in die Gegend, wo das von Pausanias (VIII, 54,6)
erwähnte Heiligtum des Pan gestanden hat. Zwei Stunden vor
Tripolitza gelangten wir in eine weite Fruchtebene; der schneebedeckte
Mänalos erschien; Hirten in weifsen Mänteln, mit Gewehren und Stäben
ausgerüstet, zeigten sich; die Landstrafse war von Bauern belebt, die
auf ihren Eseln ritten. Tripolitza, das in der Geschichte des griechischen Freiheitskampfes eine so wichtige Rolle gespielt hat[1]), ist nach
Patras die bevölkertste Stadt des Peloponnes. Der Tag ging schon
zur Neige, als wir ankamen.

Am folgenden Tage fuhren wir an die Stelle des alten Mantinea,
um die Ausgrabungen der französischen Schule zu besichtigen. (Vgl.
den Bericht von Fougères in dem Bulletin de Correspondance Hellénique
14. Jahrg. 1890 p. 65 ff. u. p. 245 ff.) In der ältesten Zeit lag die
Stadt auf dem etwa eine Viertelstunde von den Ruinen entfernten
Hügel von Gurzuli, auf dem jetzt ein einsames Kirchlein steht, noch
vor dem vierten Jahrhundert aber war sie in die Ebene zu beiden
Seiten des Flusses Ophis verlegt worden. Die 10 Thore sind noch
zu erkennen. (Vgl. ihre Anlagen im Bulletin.) Die Stadtmauer war
aus Lehmziegeln. Bei der Belagerung durch den spartanischen König
Agesipolis wurde sie durch Stauung des Ophis derart beschädigt, dafs
die Bürger kapitulieren mufsten. Die Stadt wurde jetzt zerstört, ihre
Einwohner siedelten sich in offenen Flecken an. Nach der Schlacht
bei Leuktra erfolgte der Wiederaufbau; durch die Erfahrung klüger
geworden hat man damals den unteren Teil der Mauern aus poly-
gonen Steinen hergestellt, auf die die Lehmziegel zu liegen kamen.
Die Mauer ist an der Stelle, wo sie von uns gemessen wurde, 4,30 m
breit. In bestimmten Abständen springen aus ihr viereckige Türme
vor. — Das Theater liegt ungefähr in der Mitte der Stadt. Von der
Orchestra, in der bei unserer Anwesenheit gerade geackert wurde,
führen einige Stufen zur ersten Sitzreihe hinauf. Vom Bühnengebäude
sind einige Mauerfundamente freigelegt worden. An das Theater schliefst
sich ein Antentempel an. Unter anderen Gebäuden sieht man noch
die Reste einer Exedra, zweier Rundbauten, einer grofsen Säulenhalle
und eines grofsen Flügelbaues, vor dem Weihgeschenke standen.

Der für den Nachmittag in Aussicht genommene Besuch des
Stadtgebietes von Tegea wurde durch anhaltendes schlechtes Wetter
vereitelt. Ich fuhr nach Paläo-Episkopi, einer byzantinischen Kirchen-
ruine; das in der Nähe gelegene Museum enthält die Platte eines
Aichungstisches, welche an den bekannten aus Pompeji stammenden
Mefstisch des museo nazionale in Neapel erinnert. Der strömende
Regen veranlafste mich aber bald zur Rückkehr nach Tripolitza.

Der nächste Morgen brachte besseres Wetter. Auf der Fahrt
nach Megalopolis erblickten wir kurz, bevor wir die kleine Ebene von

---

[1]) Vgl. die Schilderung der Belagerung und Erstürmung bei Hertzberg,
Neueste Geschichte Griechenlands, Gotha 1879, p. 141 ff.

Frankobrysis erreichten, zum erstenmale die schneebedeckte halbkreis-
förmige Kette des Taygetos. In der Aseischen Ebene machten wir
Halt und bestiegen den Hügel, auf dem ein Teil der Stadt gelegen
war; doch sind die Mauerreste nicht bedeutend. Bald nachdem wir
die Paßhöhe am Tzimbaru-Gebirge überwunden hatten, wurde die
Ebene von Megalopolis sichtbar, die einen noch erfreulicheren Eindruck
macht als die von Tripolitza oder das Thal von Achladhokampos.
Vor uns lag das Lykāon-Gebirge, links der Taygetos; in der Ebene
sahen wir zwei gröfsere Ortschaften; die zur Rechten war unser Ziel.
Die Ruinen liegen eine starke Viertelstunde von dem Dorfe Sinano,
dem heutigen Megalopolis, entfernt und zwar zu beiden Seiten des
Helisson, der die alte Stadt teilte, auf dem linken Ufer das Theater,
an Gröfse das erste in dem alten Griechenland. Die Ausgrabungen
der Engländer in ihm waren zur Zeit unserer Reise gerade im Gange
und mit ihrer Besichtigung ging der gröfste Teil des Nachmittags hin.
Die Leiter derselben glaubten eine griechische Bühne gefunden zu
haben, ein Proskenium, das nicht als Dekorationswand erklärt werden
könne. Wie den Lesern der Berliner Philologischen Wochenschrift
bekannt ist, teilt Herr Dörpfeld diese Ansicht keineswegs. Dem Zwecke
dieser Zeilen entspricht es jedoch nicht, auf die im Theater stattge-
habten Erörterungen in dieser Frage näher einzugehen.

Bis Megalopolis hatten wir unseren Weg recht bequem im Wagen
auf guter Landstrafse zurückgelegt. Das wurde jetzt anders. Als ich
am nächsten Morgen aus dem Hause des Dimarchen, bei dem ich
über Nacht gastliche Aufnahme gefunden hatte, nach dem Hauptplatze
ging, fand ich daselbst eine stattliche Schar Reit- und Packtiere mit
den Agogiaten. Bis das Gepäck aufgeladen und alles reisefertig war,
wurde es fast sieben Uhr. Zuerst trabten wir munter in der Ebene
dahin. Bald kamen wir an den Alpheos; da keine Brücke vorhanden
war, ritten wir ins Wasser hinein, der Agogiat hockte hinter dem
Reiter aufs Pferd hinauf, wir zogen die Knice gegen die Brust hinan
und gelangten so ohne Berührung mit dem nassen Elemente über den
Flufs. Jenseits desselben ging es unter dem Gesange der Agogiaten
bergaufwärts. Die Gegend prangte im schönsten Frühlingsschmucke;
wiederholt hörte man Nachtigallen schlagen. Nach mehrstündigem
Ritte erreichten wir den Tempel der Despoina, dessen Überreste unterhalb der Ringmauern der Pelasgerstadt Lykosura liegen. Nach der
Beschreibung des Pausanias war rechts von dem Tempel eine Halle,
deren Wand mit Marmorreliefs geschmückt war; das vierte davon
war ein Bild des Polybius mit einer Ehreninschrift. Im Tempel waren
Bildsäulen der Despoina und Demeter, Werke des Damophon; neben
dem Throne dieser Göttinnen standen Artemis und Anytos, zu den
Füfsen der Statuen die Kureten; an das Bathron waren die Kory-
banten angearbeitet. Neben dem Tempel lag etwas aufwärts ein
„Megaron", in dem die Arkader der Despoina opferten.

Die Ausgrabung dieses Heiligtums der Despoina, bei der bedeutende Skulpturwerke aufgefunden wurden, fand unter der Leitung des
Herrn Kavvadias in der zweiten Hälfte des Jahres 1889 statt. Der

Tempel hatte sechs dorische Säulen an der Fronte und zwar stand
auf jeder dritten Platte eine solche; zwei sind noch zu sehen·. sie sind
aus Marmor. Vor den Säulen sind drei Stufen aus Kalkstein. Vom
Pronaos, in dem Basen für Weihgeschenke stehen, sind der Fußboden
und eine Antenwand erhalten. Die Cellawand besteht aus senkrechten
Platten. Die Basis an der Hinterwand der Cella hat die Form eines **T**.
Vor ihr war eine Schranke, die an den Enden Thüren hatte.

Ein beschwerlicher Ritt brachte uns nach Ampelona, dem arm-
seligsten Dorfe, in dem wir auf der ganzen Tour übernachteten. Ich
erloste noch dazu das schlechteste Quartier. Auf einem unebenen
aus dem Felsen gehauenen Wege stolperte ich mit meinen Quartier-
genossen im Dunkeln der armseligen Hütte zu, in deren Zimmer uns
unausstehlicher Moderduft empfing. Durch den schlecht schließenden
Fensterladen, in dessen Nähe ich zu liegen kam (Glasfenster gibt es
nur in den Häusern wohlhabender Leute) zog der kalte Nachtwind
herein. Trotzdem daß ich von meinem Naphthalin verschwenderischen
Gebrauch gemacht hatte, konnte ich nicht schlafen. Die guten Leute,
bei denen wir eingekehrt waren, hatten uns ihren besten Raum abgetreten; als ich beim ersten Morgengrauen das Innere verließ, fand
ich sie auf dem Vorplatze um ein Feuer gelagert. So armselig aber
das Dorf war, Schulbücher gab es doch zu kaufen; auch ich habe
mir zum Andenken eine Ὀδυσσεία πρὸς χρῆσιν τῶν δημοτικῶν σχολείων
ἰδίᾳ τε ιῶν παρθεναγωγείων ἔκδοσις νεωτάτη . τιμᾶται δραχ . 1 . mitgenommen.

Bald waren in der frischen Morgenluft die kleinen Leiden der
letzten Nacht vergessen. Auf einer Paßhöhe erblickten wir plötzlich
den Tafelberg Ithome, die messenische Ebene, den messenischen Meerbusen, nach rechts das jonische Meer, weiterhin bei einer Biegung des
Weges die Säulenpracht des Tempels von Bassä. Ein unvergeßlicher
Anblick! Es ist eine der erhabensten Stellen Griechenlands, an der
die Phigaleer dem Apollo Epikurios durch den Erbauer des Parthenon
einen Tempel aufführen ließen. Auch die Akropolis in Athen ist eine
heilige Stätte: doch hier auf dem Kotilion mehr als 1000 m über dem
Meere fernab von jeder Ansiedelung ist der Wanderer in viel höherem
Grade über das Getriebe des Lebens hinaus- und emporgehoben und,
ich möchte sagen, in eine andächtige Stimmung versetzt. Das Meer
und die unvergleichliche Landschaft sind in größere Ferne gerückt
als dort und wirken zauberhaft. Wer Griechenland bereist hat und
nicht an diesem Tempel gewesen ist, der hat Griechenland nicht gesehen;
sein Besuch allein ist schon die Reise wert. Der Lage in einsamer
Gebirgsgegend hat er auch seine verhältnismäßig gute Erhaltung zu
danken. Erst im Jahre 1765 wurde er einem Abendländer bekannt.
Im Jahre 1811 wurde der Innenraum von einer Anzahl deutscher und
englischer Künstler und Gelehrter ausgegraben und dabei der Cella-
fries gefunden, der jetzt im britischen Museum in dem an den Elgin-
Saal stoßenden Raum aufbewahrt wird. Baron Stackelberg hat die
Ausgrabung, an der er teilgenommen, und den Tempel selbst beschrieben. Es ist ein Peripteros mit 6 dorischen Säulen an den schmalen

und 15 an den langen Seiten. Die äußere Säulenhalle steht fast
vollständig aufrecht; vom Architrav sind noch die beiden Platten vorhanden, die äußere hat Regulae. Die Cella, die in auffallender Weise
gegen Norden orientiert ist, besteht aus zwei Teilen; der gegen Süden
gelegene kleinere Raum, die eigentliche Cella, hat eine Thüre nach
Osten, der gegenüber das Bild des Gottes gestanden hat. Zur Erklärung dieser eigentümlichen Anlage wird angenommen, daß an Stelle
dieses kleineren Baumes ursprünglich ein älterer nach Osten gerichteter
Tempel gestanden hat, der von Iktinos in den neuen Tempel hinein-
gezogen wurde. In dem anderen Baume springen von den beiden
Langseiten im rechten Winkel je vier Quermauern mit Halbpfeilern
vor, die Nischen bilden. Ein fünftes Paar jedoch läuft spitzwinkelig
nach einer in die Mitte gestellten korinthischen Säule vor. Dieser
größere Raum war ein hypäthraler Hof; in ihm war über dem
Architrav der berühmte Fries angebracht.

Der Ritt am letzten Tage vor dem Eintreffen in Olympia führte
uns durch Triphylien. Seit der Eröffnung der Eisenbahn gelangt die
Mehrzahl der Reisenden im Fluge nach der geweihten Stätte; wir
näherten uns ihr auf den vom Süden her führenden Wegen,
auf denen vor zweitausend Jahren so viele Besucher des Festes gezogen sein mochten. Der lange Weg — wir waren von früh morgens
bis abends 7 Uhr mit wenigen kurzen Unterbrechungen im Sattel —
wirkte vorbereitend, stimmungerweckend. Triphylien erschien uns,
die wir aus dem rauhen Berglande Arkadiens kamen, lieblich; es ist
reich an Vegetation, mit Ölbäumen und Weinstöcken gut bepflanzt;
überall sproßte und blühte es. Lange Zeit hatten wir die Aussicht
auf das im tiefen Blau schimmernde jonische Meer. Von Lepreon aus
übersahen wir einen großen Teil des Golfs von Kyparissia, auf dem
weiteren Wege tauchte Zante, die Blume der Levante, auf; ja in
weiter Ferne war auch Kephallenia zu sehen. Im Stadtgebiete von
Lepreon wurden die Ruinen eines alten Tempels gemessen, dessen
Grundriß dem Metroon in Olympia entspricht; sein Stylobat ist zerstört, seine Säulen haben einen Stucküberzug. In der Nähe von
Kallidhona bestiegen wir die Burgruine, deren Mauer den Eindruck
des höchsten Altertums macht. Je mehr man sich Olympia nähert,
desto anmutiger wird die Gegend; man glaubt in eine Hügellandschaft
Frankens oder Thüringens zu kommen. Wie sehr steht der grüne
Schmuck der Hügel und Thäler im Gegensatze zur Broncefarbe des
Hymettus, der der Landschaft Athens das Gepräge gibt! Endlich um
sieben Uhr abends standen wir am Ufer des Alpheos; gegen 8 Uhr
war das dem Kronoshügel gegenüber liegende Xenodochion erreicht

Κοιμήσαντ᾽ ἄρ᾽ ἔπειτα καὶ ὕπνου δῶρον ἕλοντο.

Olympia.

So mancher, der voll Erwartung klopfenden Herzens die Kladeos-
brücke überschritten hat, wird beim Eintritte in den Ausgrabungs-
bezirk arg enttäuscht worden sein. Der Anblick, den die Stätte bietet,
ist auch jetzt nach Beendigung der Arbeiten nichts weniger als schön.

Nirgends ein anziehendes architektonisches Bild. Von der einstmaligen
Gröfse zeugen ja die Reste des Zeustempels, sein Stylobat, die ungeheuren vom Erdbeben zu Boden geschleuderten, „der Länge nach aus-
gestreckten Säulen" (zwanzig Leute können sich um eine Säulentrommel herumstellen); doch an die untergegangene Pracht erinnert
nichts mehr.

Vollzählig landen wir uns am Morgen nach unserer Ankunft
in der Altis vor dem Zeustempel ein. Herr Dörpfeld schickte der
Erklärung der Ruinen die Geschichte des Untergangs Olympias und
der deutschen Ausgrabungen sowie eine Bestimmung der Altisgrenzen
voraus. Der Giro dauerte vier Tage. Mit der Betrachtung des Zeustempels und des Heräons verging der erste Tag; am folgenden wurden
der Reihe nach die Ruinen von der Exedra des Herodes Attikus bis
zum Südostbau und römischen Triumphbogen und dazu das Pelopion
und Philippeion durchgegangen; der Süden und die Gebäude im Westen
(Buleuterion, Südhalle, Altismauer, die sogenannte Werkstätte des
Phidias, das Heroon, die Palästra und das Prytaneion) wurden am
dritten Tage behandelt. Am letzten wurde in den Nachmittagsstunden
der Rundgang des Pausanias besprochen. Im Museum, zu dessen
Besichtigung in der Mittagspause Zeit gegeben war, wurde ein längerer
Vortrag über die architektonischen Terracotten gehalten; auch wurden
die verschiedenen Vorschläge zur Anordnung der Giebelfiguren des
Zeustempels mit Hilfe der Grüttnerschen Rekonstruktionen anschaulich gemacht.

Die Bedeutung Olympias für das griechische Leben, der vorhandene Reichtum an Denkmälern aus den verschiedensten Jahrhunderten, die Führung durch Dr. Dörpfeld, der an den Ausgrabungen
in hervorragender Weise beteiligt gewesen war und durch mehrjährigen
Aufenthalt in Olympia einheimisch geworden ist, die Sorgfalt und das
Verständnis, mit der die Ausgrabungen durchgeführt worden sind,
nicht zum wenigsten auch die einzigen Schätze des Museums, der
Hermes des Praxiteles, die Nike des Päonios, die Statuen von den
Giebeln des Zeustempels: alles dieses machte den Aufenthalt in Olympia
zum Höhepunkt der Peloponnesfahrt. Eine selbst skizzenhafte Beschrei-
bung der besprochenen Monumente würde über den mir gewährten
Raum weit hinausgehen.

Unter den Bauwerken ist das Heräon für die Geschichte der
Architektur am wichtigsten; freilich hat es auch mehr Rätsel aufgegeben
als irgend ein anderes; in ihrer Lösung hat sich Herr Dörpfeld als
glänzenden Forscher bewährt. Sein Vortrag über dieses Heiligtum war
äufserst spannend und wirkungsvoll. Überzeugend erklärte er die verschiedenen Unregelmäfsigkeiten des Tempels daraus, dafs der Bau
ursprünglich Holzsäulen hatte, die nach und nach zu verschiedenen
Zeiten durch Steinsäulen ersetzt wurden. Die Auswechslung war in
der Zeit des Pausanias noch nicht vollendet; denn er sah im Opisthodom noch eine Säule aus Eichenholz. Das Gebälk des Tempels mufs
zu allen Zeiten von Holz gewesen sein; denn kein einziges Stück hat
sich davon erhalten; auch findet sich auf den Säulen keine Spur von

Stemmlöchern; bei einem Steingebälke hätten die Säulen auch nur schwer ausgewechselt werden können. Unter den vielen Bildsäulen in der Cella nennt Pausanias auch einen steinernen Hermes — Ἑρμῆν λίθου, Διόνυσον δὲ φέρει νήπιον, τέχνῃ δέ ἐστι Πραξιτέλους. Die roh gearbeitete Basis der Bildsäule steht noch auf ihrem alten Platze; vor ihr auf dem Boden wurde bei den Ausgrabungen das jetzt weltbekannte Werk aufgefunden.

Vierzehn Tage waren seit dem Aufbruche von Athen verflossen, als für die Teilnehmer an der Studienreise die Stunde der Trennung gekommen war. Eine kleine Zahl blieb noch für einige Tage in Olympia zurück; andere schifften sich in Katakolon, der Hafenstadt von Pyrgos, nach Kalamata ein, um Messenien und Sparta zu besuchen; der größere Teil aber kehrte nach Athen zurück. Ich selbst begab mich über Pyrgos, wo ich einen lieben Freund, den Direktor des dortigen Gymnasiums aufsuchte und die griechische Gastfreundschaft von der schönsten Seite kennen lernte, nach Patras, um mich von da nach Italien zurückzuwenden. Wie behaglich fühlte ich mich nach den mannigfachen Entbehrungen der zwei letzten Wochen in Pyrgos und Patras, wo ich endlich wieder ein gutes reinliches Bett, ein Diner ohne ἀρνάκι, unrezinierten Wein und Zeitungen bekam. Ein fesselndes Bild geschäftigen südlichen Treibens gewahrte ich in einem Kaffeehause im Hafen von Patras, als ich auf den Lloyddampfer wartete, der mich in 16 Stunden nach Corfu brachte. Hier benützte ich einen mehrstündigen Aufenthalt zu einem genußreichen Spaziergange in dem von Orangenblütenduft erfüllten Garten der königlichen Villa Monrepos. „Unter dem subtropischen Klima der geschützten Lage gedeihen hier nicht nur Oliven, Cypressen, Orangen. Limonen, Feigen in ausgezeichneten Prachtexemplaren, sondern auch Palmen, Magnolien, Paulownien, Eucalyptus, Bananen, Papyrus, Aloe u. s. w." Gegen Abend, als ich wieder an Bord des Dampfers war, erhob sich starker Wind. „Er wird die Wolken wegfressen, die während des Nachmittags heraufgezogen sind", meinte ein Reisegefährte. Aber es kam anders. Als ich nachts 1 Uhr auf das Deck ging, um nach dem Leuchtturme von Brindisi auszuschauen, fiel unendlicher Regen.

Der Eindruck, den gewiß jeder Teilnehmer von der Studienreise mitgenommen hat, war überaus günstig. Dies kam besonders in den letzten Abenden in Olympia in den Tischreden zum Ausdrucke, als Herrn Dörpfeld für seine geschickte aufopferungsvolle Führung gedankt wurde. Was es für den Archäologen und Philologen ist, unter der Anleitung eines Forschers wie Dörpfeld die hochbedeutsamen Denkmäler des Peloponnes auf dem Boden, mit dem sie verwachsen sind, zu betrachten, wird jeder ermessen können, der auch nur einigermaßen die Arbeiten und Entdeckungen dieses Gelehrten kennen gelernt hat. Aber die Bedeutung einer solchen Reise geht über den Nutzen, den sie dem Archäologen für sein Spezialfach gewährt, weit hinaus. Man lernt auf ihr nicht blos Kunstdenkmäler und Topographie kennen,

sondern auch ein bedeutsames Stück griechischer Erde, die Schau-
plätze wichtiger Begebenheiten der alten Geschichte, so viele Stätten
der griechischen Sage in Feld und Wald, Berg und Thal, an Flüssen
und Quellen, man durchzieht Dörfer und Städte, verkehrt mit ihren
Bewohnern, wird mit ihren Lebensgewohnheiten bekannt und
erinnert sich bei dem Einblicke in die heutigen Zustände und
Gebräuche an so manche Stelle der alten Literatur.   Zu dieser
Belebung der klassischen Studien kommt noch ein hoher touristischer
Reiz, auf den ich doch auch mit einigen Worten aufmerksam machen
möchte. Man bricht früh morgens auf dem Reittiere auf und setzt
über einen Fluſs; es ertönt der Gesang der Agogiaten; an einer Stadt-
ruine steigt man aus dem Sattel und erklimmt die Akropolis; die
Reste der alten Mauer werden photographiert.   Auf dem weiteren
Wege erreicht man eine Tempelruine; wenn auch der Vortrag stunden-
lang dauert, man fühlt keine Ermüdung; unter Griechenlands freiem
Himmel kommt die Museumsmigräne nicht auf. Ist alles erklärt und
besichtigt, so holt man auf einer umgestürzten Säulentrommel oder
unter einer Platane sitzend die mitgebrachten Konserven hervor; die
Reittiere grasen rings umher.   Am Nachmittage „reitet man über
hohe Jöcher von einem Thal zum andern hinab", am einsamen Chan
hält die Karawane und läſst sich Rezinat reichen.   Endlich winkt in
der Ferne das Ziel auf einem Bergesrücken; das Maultier wird zur
letzten Anstrengung angetrieben. Vor der Kirche des Städtchens sitzt
der Pappas — die Agogiaten grüſsen ihn wie einen Gleichstehenden
— man hält vor einem Hause mit hölzernem Vorbau, steigt die lebens-
gefährliche Treppe hinauf und wartet geduldig, bis der Wirt (da und
dort bedient er im Nationalkostüm) das am Spieſse gebratene Lamm
und das schwärzliche Salz auf den Tisch setzt.

    Trotz hoher Befriedigung aber kann ich die Bemerkung nicht
unterdrücken, daſs die Zahl der Teilnehmer zu groſs war. Es war
mir nicht immer möglich, während des Vortrages selbst an das behandelte Monument heranzutreten. Die Zahl wird in Zukunft wohl
beschränkt werden müssen. Deshalb aber möchte ich allen Kollegen,
die ein günstiges Geschick nach Griechenland führt, raten, sich frühzeitig bei dem Sekretariate in Athen anzumelden.*) Die Ausrüstung erfordert nicht viel; einige Winke finden sich in dem Programme, das
in Athen vor der Reise ausgegeben wird. Unter den Sachen, die
im Bädeker nicht stehen, aber recht empfehlenswert sind, nenne ich
eine Ausgabe des Pausanias und einen photographischen Apparat.
Nicht allen, die sich zur Fahrt nach Griechenland rüsten, ist bekannt,
daſs der Verwaltungsrat des österreichisch-ungarischen Lloyd Gelehrten
auf Ansuchen den Überfahrtspreis ermäſsigt; ich fuhr zweiter Klasse
und hatte nur für die dritte zu bezahlen.

    München.   Karl Rück.

*) Der Termin der Meldung ist in der in diesem Hefte enthaltenen Mit-
teilung des K. Archäolog. Instituts bekannt gegeben.

                                            Die Redakt

Die attische Epoche der griechischen Literatur und Kunst.

Solon sah, wie es schien, die Früchte seiner Gesetzgebung vereitelt, als sich ein Tyrann an die Spitze des Volkes stellte und nach
eigener Willkür zu herrschen begann. Aber es scheint mir, als habe
die Regierung dieses Tyrannen den Staat seinem höchsten Wohlstande
schneller zugeführt, als es auf dem ungewissen und langsamen Wege
einer bald furchtsamen, bald unbesonnenen Volksregierung geschehen
wäre. Ohne eine Veränderung in den Gesetzen zu machen, und ohne
allen Mifsbrauch seines Ansehens eignete sich Pisistratus die aus-
übende Macht zu und gab der jugendlichen Verfassung einen festeren
Zusammenhang und eine gröfsere Energie. Auch er schlug den Weg
ein, den alle Demagogen Athens, vor allen der bewunderte Perikles,
in der Folge betreten haben. Er beschäftigte die Eitelkeit seines
Volkes, und indem er die Stadt mit öffentlichen Gebäuden verschöuerte,
flöfste er ihm ein Gefühl seiner Würde ein. Eine Anmafsung, wie
die des Pisistratus, wird einigermafsen durch den Gebrauch entschuldigt, den er davon zu machen bemüht war: und sie ward eine
Wohlthat für das unruhige, leicht bewegliche Volk, das nicht so bald
der Gewalt seiner Führer entrann, als es sich allen Ausschweifungen
der Factionen ergab. Der Tod des Hipparchus und die Vertreibung
des Hippias würden, verbunden mit den demokratischen Einrichtungen
des Klisthenes, den Staat nur allzubald in die Anarchie zurück-
geworfen und vielleicht auf ewig die Entwickelung seiner schönsten
Kräfte gehindert haben, wäre nicht kurz nach diesen Vorfällen eine
Begebenheit erfolgt, welche dem ganzen Volke den Untergang drohte,
aber unerwarteter Weise eine der wirksamsten Ursachen seiner politischen und geistigen Gröfse wurde. Ein Versuch, welcher in Jonien
gemacht wird, das Joch der persischen Herrschaft abzuwerfen, verwickelt Athen in einen gefährlichen Krieg. Aus demokratischem Über-
mute hatten sie den bedrängten Joniern Hilfe gesandt und die Rache
des grofsen Königs gereizt. Unermefsliche Heere überschwemmten
das erschrockene Griechenland; aber ein kleiner Haufe atheniensischer
Bürger tritt ihnen mutig in den Weg und schlägt, von Verzweiflung,
Liebe zum Vaterlande und Hafs der Sklaverei beseelt, den Feind der
Freiheit in die Flucht. Verhafster als der Tod schien ihnen der Zwang
unter persischer Gewalt; und wo das furchtbare Heer sich zeigt,
erntet es Schande ein. So kehrte Athen aus diesem schrecklichen
Kriege mit einem ganz neuen wunderbaren Gefühle seiner Kräfte
zurück. Wie ein Jüngling, dem seine erste kühne That gelungen ist,
hielt es nun nichts mehr für so grofs und schwer, das nicht durch
griechische Klugheit und Kraft errungen oder zu Boden gestürzt
werden könnte. Mit der Schlacht bei Marathon und den auf sie
folgenden ruhmvollen Thaten, an denen ganz Griechenland, am meisten
aber Attika, theilnahm, in dessen Grenzen und an dessen Küsten die
gröfsten Schlachten gewonnen worden waren, erwachte der Stolz der
Nation, der sich nun in allen ihren Unternehmungen, in den Werken

ihrer Künstler, Schriftsteller und Dichter zeigt. Und es ist fürwahr
diesem Volke nicht zu verargen, daſs es sich selbst in einem wunderbar erhabenen Lichte sah, wenn es seine unbedeutende Anzahl mit
den unzählbaren Heeren des Feindes verglich, die es bald vernichtet,
bald zerstreut, bald beschimpft hatte. Attikas Küsten lagen der Schiff-
fahrt allzu günstig, als daſs in diesem Zeitraume neu belebter Kraft
nicht die Idee hätte entstehen sollen, hier die Herrschaft des Meeres
zu gründen. Themistokles faſste sie; aber indem er Athen zu einer
kurzdauernden Herrschaft erhob, streute er den Samen des Unglücks
aus, welches in dem peloponnesischen Kriege zur Reife kam und mit
der Unterwürfigkeit unter das Scepter makedonischer Könige noch
nicht geendigt war. Durch diesen kühnen Geist gelangte Athen zu
einem plötzlichen Glanze, und die Geschichte dieses Staates ist von
nun an eine zusammenhängende Kette glücklicher Eroberungen. Auf
dem engen Grunde ihres Vaterlandes errichteten die Athenienser ein
ausgebreitetes Reich, welches den gröſsten Teil der asiatischen Küste,
die Küsten von Thracien und den Pontus Euxinus bis an die taurische
Chersones, den Hellespont und Thracien, und eine grofse Menge von
Inseln des ägäischen Meeres umfaſste. Der Staat gelangte zu einem
plötzlichen Wohlstande, indem der Tribut der Bundesgenossen und
der besiegten Völker in Athen zusammenfloſs, und das Land selbst
neue Quellen des Reichtumes eröffnete. Es ist aber eine allgemeine
und wohlbegründete Bemerkung, daſs, wenn einem Staate, wo noch
Einfalt der Sitten und eine gewisse Derbheit des Geschmackes herrscht,
die Reichtümer schnell und anhaltend zufließen, mit ihnen der Hang
zu feinerem Vergnügen erwacht, und daſs in einer solchen Epoche
gemeiniglich die Epoche des blühenden Geschmackes beginnt. Aber
da das Gefühl des Wohlstandes nicht sowohl einzelnen Personen, als
vielmehr dem ganzen Staate zu teil ward, so waren auch alle Äufserungen und Folgen desselben öffentlich und nur für den Gennſs des
Volkes bestimmt. Während die Privathäuser zu Athen nur ein sehr
dürftiges Ansehen hatten, war man unablässig bemüht, die Wohnungen
der Götter, die öffentlichen Plätze, die Theater und Gymnasien aus-
zuschmücken, und jeder Bürger Athens fühlte sich glücklich und grofs
in der Betrachtung dieser Werke der Kunst. So verband sich in
diesem Zeitalter Luxus und Liebe zum Vaterlande. Die Verwaltung
des Themistokles, Aristides und Cimon bereitete das Zeitalter des
Perikles vor, in welchem Athen die höchste Epoche seines Glanzes
erlebte, und während dessen, wie ein geistreicher Schriftsteller sagt,
diese Stadt das Schauspiel zusammenhängender Triumphe und Feste
gab. Das Volk vergnügte sich auf Kosten des Staates und der Staat
vergnügte das Volk auf Kosten seiner Provinzen und Bundesgenossen.
Aber diesem übermütigen Genusse folgte in kurzem die Nemesis nach.
Ein wütender Krieg entbrannte in allen Teilen von Griechenland.
Benachbarte Provinzen griffen sich mit rachsüchtiger Feindschaft an,
und Athen war ein Raub seiner Nebenbuhler. Aber auch in dieser
betrübten Zeit selbst lebten grofse Dichter, Redner, Geschichtschreiber
und Künstler. Denn einmal durch günstige Umstände erweckt erhebt

sich der Geist, selbst unter dem Drucke des Unglückes, mit erneuter Kraft. Viele der vortrefflichsten Werke des attischen Witzes sind mitten unter der Wut des peloponnesischen Krieges verfertigt worden. In diesem Zeitraume nun, in welchem sich zur Entwicklung des Geistes so vieles vereinigte, der eigentümliche Charakter des Volkes, ein freier, edler und unverdorbener Sinn, ein wohl gegründeter National-stolz, ein schneller, doch nicht ganz ohne Mühe erworbener Wohl-stand, und das Beispiel von Männern, welche das Volk als seine Feldherren und Redner ehrte — in diesem Zeitraume ging die Dicht-ung mit der Weltweisheit und den Künsten Hand in Hand. Ein Talent weckte das andere und bei dem öffentlichen Verkehr ward gegenseitige Ausbildung leicht. Der Philosoph bildete den Redner, von beiden lernte der Dichter; dem Dichter arbeitete der Künstler nach. Vielleicht ist nie zwischen Einbildungskraft und Verstand ein schönerer Bund geschlossen worden, als in dieser Zeit. Denn ihre ganze Lage entfernte sie eben so weit von dem kindisch-kleinen, als von dem unförmlich grofsen: von jenem, weil der Geschmack eine Sache des Publikums war; von diesem, weil ein kleines und ein-geschränktes Volk gar nicht an Werke denken konnte, wie etwa der Despotismus in dem menschenreichen Ägypten erzeugt hat. Wenn wir die Umstände richtig angegeben haben, welche die Entwicklung der Kultur in Attika begünstigten, so wird es eine leicht zu erklärende Erscheinung sein, wenn wir in diesem Zeitraum attischer Geistes-bildung einen Zweig der Dichtkunst so vorzüglich blühen sehen. Denn was dieses Jahrhundert vor allen Epochen der Geschichte der Dichtkunst auszeichnet, ist die Vollendung der dramatischen Poesie, einer in Attika recht einheimischen Pflanze, welche an keinem anderen Orte der alten Welt und unter keinem anderen Himmel gedeihen und zur Blüte gelangen konnte. Indem sich die Athenienser der Aus-bildung des Dramas widmeten, so schenkten sie ihre Sorgfalt einer Gattung, deren Keime sie bei sich in ihrem Vaterlande fanden, welche mit ihrer vaterländischen Religion innig vereint war, welche dem gemeinschaftlichen republikanischen Genofs gewährte, in welcher end-lich der Staat seine Wohlhabenheit den Augen der Bürger öffentlich darlegen konnte: Gründe genug, dieser Gattung vor mehreren andern in Athen Ansehen und Freunde zu geben, wozu noch dieser gesellt werden mag, dafs in der Darstellung der Thaten, des Mutes und der edlen Gesinnungen attischer Heroen dem Stolze des Volkes häufig geschmeichelt ward. Aber allerdings bedurfte es so günstiger Um-stände, als eben gezeigt worden ist, um den ersten Keim dieser Kunst zu entfalten, der schon vorlängst, aber roh und langsam aus Attika's Boden getrieben hatte. Auch bei wilden Völkern hat sich ein solcher Keim der dramatischen Poesie gezeigt, dem aber nie ein milder Strahl der Sonne zu Hilfe kam; und es war den Griechen vorbehalten, die rohen Versuche eines trunkenen und schwärmenden Volkes bis zur höchsten und edelsten Kunst zu vollenden. Ein wildes Fest, dem Weingotte gefeiert, wurde die Wiege des Trauerspiels und der Ko-mödie, und aus der mimischen Darstellung einer Begebenheit, zwischen

die Hymnen der Chöre eingeschoben, entspann sich, nach mannigfachen
Versuchen, Handlung und Dialog. Es ist wahrscheinlich, dafs die zahlreichen Thaten des Dionysus die ersten Gegenstände dieser einfachen
Darstellung waren, und dafs der Charakter der ihm beigesellten Silenen
und Satyrn die erste Idee des Lustspiels, oder wenigstens des saty-
rischen Dramas gegeben habe.

Quibus maxime rebus ingeniorum cultura apud Athenienses alta et aucta sit?

Etsi ea, quae Solon de legibus suis scripserat, ad irritum re-
dacta videbantur, cum tyrannus Athenis rerum potiretur et omnem
reipublicae administrationem ad libidinem suam revocaret, tamen ea
re factum videtur, ut res Atheniensium celerius et certins laetissime
efflorescerent, (tamen ea re res Atheniensium celerius et certius ad
summam rerum prosperitatem adductae videntur), quam si penes populi tum timiditatem, tum temeritatem imperium fuisset. Quod ita
susceperat Pisistratus, ut neque in legibus quidquam mutaret, nec
auctoritate sua male uteretur, sed ut nondum adultis rebus majorem
constantiam ac vim adderet (plus adjungeret roboris et firmitatis).
Hac in re eam viam iniit, quam omnes viri populares Athenis im-
primisque Pericles ille ingressus est, ut populi gloriae serviret et cum
urbem aedificiis ornaret, id effecit, ut populus, quantum in se esset,
sentiret. Ita quod Pisistratus arrogantius vindicaverat (arrogantius
sibi sumpserat), quodammodo usurpatione ejus defenditur, quae quidem
saluti fuit populo inquieto et levi (tantumque abest, ut damno id
fuerit, ut etiam salutare factum sit populo praesertim levi ac mobili),
qui vix jugum impositum exuerat, cum in omnem factionum intempe-
rantiam ac licentiam se dedit (abiit). Nam Hipparcho interfecto et
Hippia expulso respublica cum per Clisthenem populari ratione con-
stituta esset, libidinis fluctibus jactata esset (rejecta esset in turbarum
seditionumque fluctus) et certe in aeternum impedita esset, quominus
emergeret viriumque incrementa caperet, nisi paulo post aliquid ac- .
cidisset, quod ut populum universum in perniciem adducere videbatur,
(ut universam civitatem in summum periculum atque extremum paene
discrimen adducturum videbatur, ita —), ita praeter omnium opinionem magnum adjumentum attulit ad civium et res amplificandas et
ingenia excolenda. Nam cum Jones Persarum dominationi se sub-
trahere conarentur, Athenienses, qui, quae solet esse popularis imperii confidentia, afflictis Jonum rebus subvenerant et ea re magni
regis iram excitaverant, gravissimo bello implicantur. Ingentibus
(effusis) Persarum copiis, qui ad opprimendam Graeciam missi crant,
parva sed eadem fortis manns Atheniensium obviam venit et cum
periculo paene ad desperationem adducti, tum patriae amore et servitutis odio stimulati hostes libertatis suae fundunt fugantque (in fugam
convertunt). Et ubicunque Persarum exercitus cum viris illis, qui
aliorum vim ac dominationem magis, quam mortem odissent, con-
greditur, cum ignominia discedit. (et ubicunque Persarum exercitus sui
copiam facit, viri illi, qui aliorum dominationem capitali servitutis

odio oderant, clade et ignominia afficiunt). Quo bello finito mirum est quantum animi Atheniensium excitati et ad quantam virium suarum fiduciam erecti sint, ut tanquam adolescens, qui primum facinus forte edidit (qui facinus perpetravit), nihil jam tam magnum aut tam diffi- cile arbitrarentur, quod non sua prudentia et suis viribus aut perpe- trare aut superare possent. Marathonia et ceteris victoriis ab omni Graecia et maxime ab Atheniensibus reportatis, in quorum finibus et ad quorum oram maritimam mox illa proelia commissa erant, animi Atheniensium erecti sunt, id quod in omnibus eorum rebus gestis nec minus in artificum, scriptorum, poetarum operibus apparebat (elucebat). Nec vero illi populo vitio dandum est, (neque vero reprehendendus est populus, quod —), quod, si cum ingentibus hostium copiis, quas aut deleverat, aut dissipaverat, aut ignominia affecerat, suam pauci- tatem comparabat, mira quadam et praeclara laude sibi excellere videbatur. (mire quam excellere sibi videbatur). His ita recreatis et reviviscentibus rebus, praesertim cum tanta esset orae maritimae op- portunitas, ut locus ipse ad comparandum maris imperium adhortari videretur, hoc secutus Themistocles effecit, ut per breve tempus penes Athenas principatus maris esset. Sed eodem auctore semina malorum jacta sunt, quae bello Peloponnesiaco ad maturitatem perducta nec exstincta sunt Athenis a Macedonum rege subactis. Illius igitur viri industria ac virtute Athenae repente ad claritatem et amplitudinem evectae et perpetuo secundis proeliis usae augustos fines ad tantam imperii magnitudinem promoverunt, ut plerasque insulas maris Aegaei et terras, quae ab hoc mari alluuntur, complecteretur. Ita factum est, ut Athenae repente divitiis affluerent (opulentae fierent), cum et tributum sociis imperatum Athenas conferretur et Attica ipsa nova subsidia praeberet. Atque constat inter homines sapientissimos, in omni populo, qui morum simplicitatem et quosdam quasi agrestiores sensus habet, divitiis repente et diu affluentibus magnum studium excitari earum rerum, quae delicatiorem voluptatem afferant, eaque re vitam civium ad elegantiorem cultum conformari et perpoliri solere. Sed apud Athenienses cum felicitatis sensus non singulis, sed universis contigisset, etiam quae inde manabant, ad omnem civitatem pertine- bant (ad rempublicam et populi fructum redundabant). Itaque cum Athenienses in privatis aedificiis antiquam tenuitatem servarent, (pr. aed. tenuia essent ad adspectum) enixe id agebant, ut templa deorum, fora, theatra, gymnasia exornarentur, animique omnium civium aedi- ficiis illis contemplandis lactabantur et efferebantur. Ita illis temporibus luxum cultumque delicatiorem consecutus est patriae amor. Deinde respublica a Themistocle, Aristide, Cimone administrata et quodam- modo provisum est, ut Periclis aetate res Atheniensium ad summam amplitudinem eveherentur (ut Athenienses ad summum rerum snarum fastigium attollerentur), et, ut doctus quidam vir dixit, Athenae con- tinuos fere triumphos et ludos celebrarent, ut populus de publica pecunia se oblectaret, quam socii et provinciae in aerarium conferebant. Sed hanc libidinum et voluptatum insolentiam brevi tempore poena est consecuta, cum saevum bellum in omnibus Graeciae partibus exoriretur. Finitimi populi gravissima ira infestissimisque animis inter se pugnabant, et Athenae hostibus succubuere (aemulorum armis oppressae atque expugnatae sunt). At iisdem temporibus magni poetae, oratores, rerum scriptores, artifices Athenis floruerunt, (at etiam in hac iniquitate temporum, etiam his temporibus — floruerunt, at etiam hoc saeculum tot eminentium poetarum etc. ingeniis gloriaque floruit), quoniam animi secundis rebus accensi (temporum opportunitate commoti) ne adversis quidem exstinguuntur, sed laetius se efferre (se erigere) solent. Itaque multa et praeclara opera ingenii Attici in ipso belli peloponnesiaci ardore perfecta sunt. Illo igitur tempore, cum plurima simul valebant ad ingenia acuenda et excolenda, et indoles populi cum ad libertatis studium animique generositatem (magnitudinem) probitatemque facta. tum sui admiratione non temere imbuta, et quod magnae divitiae brevi tempore nec tamen sine aliquo labore partae erant. (et copiarum abundantia, celeriter illa quidem nec tamen sine aliquo labore comparata), et exempla virorum, quos Athenae belli domique insignes habuere —, illo, inquam, tempore poesis cum philosophia arctissimo vinculo coniuncta et consociata erat. Nam cum in communi omnium commercio ingenia alia ab aliis incenderentur et facile excolerentur, haud scio an nunquam ea, quae ab ingenii ubertate proficiscuntur, aptius juncta fuerint cum iis, quae cogitatione et mente investigantur. Erant enim omnibus rebus sic comparati, ut ab ineptis et minutis non minus abhorrerent, quam a vastis et inconditis. ab illis, quia penes populum et multitudinem erat judicium, ab his, quia terra angustis finibus circumscripta ne capax quidem erat carum molium, quales in Aegypto et tyrannorum superbia et hominum frequentia sunt exstructae. Quodsi recte exposuimus, quibus maxime rebus ingeniorum cultura apud Athenienses alta et aucta sit, facile erit intellectu, cur unum poeseos genus praeter cetera illo tempore floruerit. Nulla enim re magis illa florentis poeseos aetas ceteris excellens fuit, quam quod scenicam poesin, proprium illud ac domesticum Atticis genus, ad summum artis fastigium adduxit, id quod tunc nullo alio in oppido nec alia in terra fieri potuit. (Nam scenicae artis perfectione haec tempora praeter omnes poeticorum studiorum aetates excellebant idque ita proprium Atheniensium ac domesticum genus erat, ut tunc nullo alio in oppido nec alia in terra adolescere ac maturescere posset). Nam cum Athenienses dramatis excolendis operam navabant, illi poesi curam adhibebant, quae in ipsorum patria nata et cum patria religione arcte cohaerebat et a rebus publicis, in quarum imitatione versabatur, universis civibus magnam voluptatem afferebat et opulentiam communem civibus demonstrabat. Quod quidem satis erat causae, cur hoc poeseos genus praeter cetera maxime coleretur et diligeretur; huc accedit, quod repraesentandis iis rebus, quae ab Atticis heroibus forti et magno animo gestae erant, populari gloriae ambitiosius serviebatur. Et vero opus erat illarum, quas diximus, rerum opportunitate, ut semina illius artis, quae rudia atque inchoata antea jacuerant tardeque provenerunt, paulatim adolescerent. (ut semina, quae ut pridem nata in Attica, ita diu inculta tarde pro-

venissent, paulatim pubescerent). Quod etiam in barbaris saepe
agrestibusque populis evenisse videmus, ut initia scenicae poeseos ap-
parerent (pellerentur), quae tamen nullam a diis commoditatem pro-
speritatemque habebant. (quibus tamen quominus progressionibus suis
usa augerentur, fortuna defuit). Graecis solis concessum erat (Graeci
quidem eo fato nati eraut), ut quae populi quaedam insania (populus
commissabundus incohaverat, ad summam artis perfectionem ad-
ducerent. Ex dierum festorum (ludorum), qui vini auctori deo
agebantur, lascivia nata erat (originem duxerat) et tragoedia et comoedia,
cum ex historiae alicujus descriptione (ex rei alicujus gestae imitatione),
quae chori cantibus interposita gestibus vultuque exprimebatur, actio
et diverbium natum est. Verisimile est, multas illas res a Dionyso
gestas isto modo tractatas esse, et mores deum illum comitantium
Silenorum et Satyrorum primum comoediae aut saltem dramatis satyrici
componendi consilium suppeditasse.

(Weitere Fortsetzungen der Proben folgen.)

Schweinfurt.   F. Scholl.

Zu Pseudo-Augustin's Categoriae.

Bei Teuffel-Schwabe[5] wird an zwei Stellen (§ 430, 1 und 440, 7)
wie schon in früheren Auflagen die Vermutung geäußert, die Schrift
‚Categoriae decem ex Aristotele decerptae‘, welche in der Appendix
zum 1. Bd. der edit. Bened. des Augustinus p 21—36 zu lesen ist
(= Migne, patr. lat 32, 1419 ff.; Anfang: *Cum omnis scientia dis-*
ciplinaque artium), habe vermutlich den Vettius Praetextatus zum
Verfasser. Ich halte diese Annahme angesichts folgender Stelle für
falsch; p. 31 C der Benediktinerausgabe heißt es: ‚(categoria) quae
apud Graecos κεῖσθαι, apud nos carere, sive, ut A u g o r i u s , q u e m
e g o i n t e r d o c t i s s i m o s h a b e o , voluit, situs dicitur‘. Hinter
Augorius sehe ich nichts anderes als Agorius, was identisch ist mit
Vettius Praetextatus, denn der volle Name dieses Autors war Vettius
Agorius Praetextatus. Ein verwandtes Beispiel der Vertauschung von
A und Au bietet der Name Augustinus, der in vielen Handschriften
(s. ed. Zycha u. a.) Agustinus geschrieben wird.

Speier.   G. Schepfs.

Rezensionen.

Vorschule der Logik. Ein Handbuch für die Prima der Gymnasien und für den Anfang des akad. Studiums. Von Dr. Peter Grofs, Oberlehrer am K. Gymnasium zu Kempen a. Rhein. Berlin. Weidmann. 1890; VII u. 127 Seiten.

Der Verf. sagt weder in der Vorrede noch an irgend einer Stelle der Schrift selbst, woher er den Stoff zu derselben genommen hat, sondern dankt nur den Freunden und Kollegen, welche ihn bei seiner Arbeit mit Rat unterstützt haben. Auch erwähnt er nichts von den vielen bereits vorhandenen Lehrbüchern der philosophischen Propädeutik, sondern erklärt nur, weil die Lehrpläne für die höheren Schulen des preufsischen Staats vom 31. März 1882 auf den Wert der philosophischen Propädeutik hinwiesen, so habe er es unternommen, um die Behandlung dieses Unterrichtszweiges in der Schule zu erleichtern, ein Lehrbuch desselben zu bearbeiten. Wahrscheinlich hält er die Erwähnung der benützten Bücher für überflüssig, weil die Schrift doch zunächst für die Hand des Schülers berechnet ist, und alle früheren Arbeiten dieser Art für ungenügend. Übrigens sieht man doch irgendwelche Andeutungen über diese beiden Punkte in der Vorrede gerne, und hätte G. sie nicht ganz mit Stillschweigen übergehen sollen.

Den Lehrstoff hat G. in der Weise gesondert, dafs er von den 77 Paragraphen seiner Schrift 59 für den ersten Unterricht bestimmt und 18 mit einem Sternchen bezeichnete einem zweiten Kursus zuweist. Diese 18 scheinen mir für einen besonderen 2. Kurs zu wenig zu sein. In einem Anhang bietet G. Andeutungen über die Geschichte der Philosophie, welche die gesamte Philosophie der letzten 2000 Jahre in 2 Druckseiten abmachen und obendrein den meisten Raum mit Angabe des Geburts- und Todesjahres und Geburtsortes der wenigen genannten Philosophen ausfüllen. Sie schliefsen mit J. H. Fichte ab und erwähnen von Schelling, Hegel, Herbart, Schopenhauer und Hartmann kein Wort. Solche überaus dürftige Notizen dürften kaum einen Zweck haben, sondern im Gegenteil geeignet sein, von der ungeheueren Denkarbeit der neueren Philosophie ein falsches Bild zu geben. Was haben sie auch mit der Logik zu thun, an welche sie angehängt sind? Ich würde sie ohne weiteres streichen. Dergleichen findet ja der Schüler schon in seinem Lehrbuch der Weltgeschichte.

vielleicht sogar noch vollständiger. Daß Lehrbücher sich kurz fassen, ist gewiß nur zu loben; aber es gibt auch in dieser Beziehung eine Grenze, über die man in keinem Falle hinausgehen darf.

Die Behandlung des logischen Lehrstoffes im einzelnen ist fast durchweg eine recht geschickte. Die Lehre von der Kopula wird (S. 30) richtig gegeben, wie ich sie im XII. Band dieser Blätter (S. 103—109) vorgeschlagen habe. Die Beispiele sind passend und geschmackvoll gewählt. Bei den Schlußfiguren ist weise Maß gehalten, indem nur die erste Schlußfigur für den ersten Unterricht bestimmt, die 2. und 3. dem späteren Kursus vorbehalten und die 4. nur kurz erwähnt wird. Der Ausdruck erscheint überall klar und angemessen. Demnach dürfte das Buch beim Unterricht recht gut zu brauchen sein.

Auszusetzen hätte ich nur noch folgendes. S. 8 wird die Logik als mit der Ethik verwandt bezeichnet, weil erstere Gesetze für das Denken, letztere für das Handeln aufstellt. Will man hierin eine besondere Verwandtschaft zwischen Logik und Ethik finden, so müßte man auch eine solche zwischen Logik und Ästhetik erwähnen, da diese die Gesetze für das künstlerische Schaffen aufstellt. — S. 20 werden Wurzel, Stamm und Zweige als Merkmale des Begriffs Baum bezeichnet, während sie doch Teile des Baums sind. — S. 29 sagt G., das Subjekt sei der zu bildende, erst als Vorstellung gegebene Begriff, während der Prädikatsbegriff bereits fertig sei. Das ist wohl kaum ganz richtig, weil auch der Prädikatsbegriff beim Urteil weitergebildet wird. Sage ich z. B.: „Der Löwe ist ein Tier", so fällt nicht nur auf den Begriff „Löwe" Licht, sondern auch auf den Begriff „Tier", insofern man erfährt, daß die Löwen in seinen Umfang gehören. Es müßte also heißen: Subjekt ist der Begriff, dessen Inhalt, Prädikat der Begriff, dessen Umfang durch das Urteil ins Licht gesetzt wird. — S. 71 steht als Obersatz zu Cesare: „Kein wildes Volk kennt den Gebrauch der Metalle". Dies ist eine unrichtige Behauptung, da die Zulukaffern und Hottentotten doch sicherlich als wilde Völker bezeichnet werden müssen, obwohl sie den Gebrauch der Metalle kennen. Ferner ist Leverrier kaum durch die Schlußfigur Camestres zur Überzeugung vom Dasein des Neptun gekommen, sondern durch die Beobachtung, daß von einem gewissen Punkt jenseits der Bahn des Uranus fortwährend Störungen der Uranusbahn ausgehen, also durch Induktion. — S. 121 ist eine sehr bedenkliche Stelle aus der Kulturgeschichte der Griechen und Römer von K. F. Hermann zitiert. nämlich: „Nur solche Völker, die nicht bloß dem Zuge der Weltgeschichte gefolgt, sondern bahnbrechend vorausgegangen sind, . . ." genießen eine Unsterblichkeit, die sie ebensowohl von allen übrigen Völkern, wie den Menschen die seinige von allen Tieren unterscheidet". Wäre das richtig, so müßten sich die nicht bahnbrechenden Völker zu den bahnbrechenden verhalten, wie sterbliche Tiere zu unsterblichen Menschen, d. h. nur die bahnbrechenden Menschen wären als solche, die übrigen als Tiere zu betrachten. Das geht doch entschieden zu weit.

Bayreuth.   Ch. Wirth.

Otto Apelt, Beiträge zur Geschichte der griechischen Philosophie. Leipzig, Teubner 1891, 402 S.

Das Buch bietet uns 8 Aufsätze, die von ebenso grofser Sachkenntnis als Gewissenhaftigkeit der Forschung, von Schärfe und Klarheit des Urteils ein glänzendes Zeugnis ablegen. Diese Aufsätze leisten der Einzelforschung wertvolle Dienste und fördern zugleich die Geschichte der Philosophie an nicht wenigen Stellen. Besonders gewinnt die Beurteilung der platonischen Philosophie eine Förderung, indem der Verfasser sich bemüht, ihr die richtige Stellung in der geschichtlichen Entwicklung des philosophischen Denkens anzuweisen, den Fortschritt zur früheren Zeit und die Mängel gegenüber späteren, im einzelnen weiter entwickelten Stufen aufzudecken, als auch die Widersprüche des Systems auf ihre wahre Grundlage zurückzuführen. So behauptet der Verfasser und beweist, dafs Platos Weltansicht keine dualistische, sondern eine einheitliche ist, dafs der Fehler seines Systems in der Unzulänglichkeit seiner Dialektik zu suchen ist, welche dem hohen Fluge seines Geistes noch nicht sicheren Schrittes zu folgen vermag.

Die Sammlung behandelt zuerst den vielumstrittenen und oft angezweifelten Dialog Parmenides. Die Untersuchung befafst sich mit der logischen Zergliederung des zweiten Teils. Höchst verdienstvoll ist der scharfsinnige Nachweis, wie die einander widersprechenden Schlüsse der Antinomien dialektisch möglich sind oder vom platonischen Standpunkt aus möglich gedacht sind. Diese eingehende Zergliederung war notwendig gegenüber den entgegengesetzten Behauptungen der Gelehrten, dafs dieser zweite Teil des Parmenides einerseits ein inneres Wirrsal von Schlüssen, andererseits eine Reihe der strengsten Schlufsfolgerungen sei. Plato wollte, so urteilt der Verf. über den Zweck des Ganzen, seinen Gegnern die Unmöglichkeit nachweisen, ohne den Einheitsbegriff die Welt für denkbar zu halten, und damit die Notwendigkeit seiner Ideenlehre als eine Forderung der Vernunft hinstellen. Zugleich polemisiert er gegen den allzustarren und unbeweglichen Einheitsbegriff der Eleaten und Megariker. Dabei gibt uns der Verf. einen Einblick in die logischen Irrtümer Platos, die eben auf der noch nicht hinreichend entwickelten und wenig gefestigten voraristotelischen Logik beruhen und deshalb naiv und unbewufst begangen wurden. Der Verf. nimmt ferner eine ziemlich frühzeitige Abfassung des Dialoges an, jedenfalls vor Theätet und Sophistes, was er mit guten Gründen wahrscheinlich macht. Einen Grund für die Unechtheit des Dialoges kann er nicht finden.

Der zweite Aufsatz bespricht die Ideenlehre des platonischen Sophistes. Der Verf. sucht die Ansicht zu widerlegen, als ob im Sophistes (240 C ff.) die Ideen als Kräfte dargestellt seien, wie Bonitz meint. Plato hat, so glaubt Apelt, seine Definition des Seienden an dieser Stelle so zurecht gelegt, um seine Gegner zu Zugeständnissen zu zwingen, sie zu seiner Ansicht zu bekehren; die Definition ist also ein dialektischer Kunstgriff. Plato verleiht hier seinen Ideen keine andere Thätigkeit als die Denkthätigkeit und kein anderes Leiden als die Erkennbarkeit, sie sind nicht wie Kräfte wirkende nach einem Ziele treibende Ursachen, sondern sind Zweckursachen, bei denen Ausgangspunkt und Ende zusammentreffen. Plato verläfst mit den Ausdrücken κίνησις und δύναμις nicht den gewohnten Boden seiner Ideenlehre; seine hypostasierten Ideen werden eben hier im Sophistes nicht als tote, sondern als g e i s t i g b e l e b t e Welt den Materialisten gegenüber dargestellt; zu diesem Zwecke schreibt er ihnen die δύναμις τοῦ γιγνώσκειν καὶ γιγνώσκεσθαι zu, die in der κοινωνία τῶν γενῶν sich bethätigt. Der eigentliche Zweck des Dialoges ist der Nachweis, dafs das μὴ ὄν auch wirklich existiert und einen Platz in unserer Erkenntnis findet. Ferner zeigt der Verf. kurz und treffend (S. 97), dafs der Sophistes später sein mufs als die Politeia. ·Der Aufsatz ist überhaupt eine scharfsinnige und gelungene Erklärung und Rettung des Sophistes.

Die dritte Abhandlung, weitaus die umfangreichste und philosophisch bedeutendste, führt uns ein in die Kategorienlehre des Aristoteles. Sowohl die Auffassung Kants, als seien die aristotelischon Kategorien nur eine unvollständige Sammlung von Vernunftbegriffen zur Ermöglichung der Erfahrung, als auch die Hypothese Trendelenburgs, als ob den Kategorien des Aristoteles sprachlich grammatische Rücksichten zu Grunde lägen, sowie die Erklärung von Bonitz, als ob sie eine Einteilung des Wirklichen, der konkreten Welt seien, werden in präziser, durchsichtiger und überzeugender Weise widerlegt. Über die wahre Absicht des Aristoteles bei der Aufstellung seiner Kategorien sei besonders aus dessen Metaphysik Aufschlufs zu erholen. Die feinen Erörterungen über die Bedeutung des ὄν in den Kategorien, nämlich als Kopula des Urteils = ἐστι, ferner der Nachweis, dafs die zehn Kategorien selbst die Prädikate dieses Urteils sind, sowie die Widerlegung der entgegenstehenden Ansichten von Bonitz und Trendelenburg, ferner die logische Bedeutung der Kategorien für die Erkenntnis der Sprache, sowie endlich die Entwicklungsgeschichte der Kategorienlehre fesseln das Interesse des Lesers in hohem Grade und sind geeignet, eine neue Auffassung der schwierigen Kategorienlehre anzubahnen.

Der vierte Aufsatz liefert Beiträge zur Erklärung der Metaphysik. Es sind kritisch-exegetische Erörterungen über 25 Stellen dieses aristotelischen Werkes.

Der fünfte Aufsatz „Die Widersacher der Mathematik im Altertum" zeigt uns die Schwierigkeiten und Vorurteile, mit denen diese Wissenschaft zu kämpfen hatte, um sich allgemeine Anerkennung zu verschaffen.

Der sechste Aufsatz behandelt „die stoischen Definitionen der Affekte und Posidonius". Hier verläfst der Verf. die Richtung der streng philosophischen Erörterung und wendet sich zur philologischen Betrachtung, zur literarhistorischen Würdigung der Schrift περὶ παθῶν. Dies ist die vollständigste Sammlung dieser Definitionen und wird mit Unrecht dem Peripatetiker Andronikus zugeschrieben. Eine Betrachtung über den Wert und die Entstehung des Schriftchens und die Frage nach dem Verfasser bilden die philologische Arbeit des Auf-

satzes. Sehr interessant ist der Nachweis, wie der Name des berühmten Peripatetikers Andronikus in die Überschrift des Werkchens
geraten ist. Das Verhältnis des Posidonius zu diesen Definitionen
bildet eine mehr philosophische Betrachtung.

Der siebente Aufsatz war ein Vortrag und behandelt „die Idee
der allgemeinen Menschenwürde und des Kosmopolitismus im Altertum". Alexander der Große ist der wahre Schöpfer der kosmo-
politischen Idee, er hat das alte Vorurteil der Griechen, den Unterschied
zwischen Hellenen und Barbaren, beseitigt. Die philosophischen
Doktrinen von der Gleichheit der Menschen folgen diesem praktischen
Versuche Alexanders nach. Eine zweite praktische Gleichstellung der
Nationen geschah durch die Weltherrschaft der Römer, welche weiter
gefördert wurde durch die stoische Philosophie und im eminenten
Sinne durch das Christentum.

Der achte und letzte Aufsatz schildert uns ebenfalls in Form
eines Vortrages den Sophisten Hippias von Elis. Nachdem der Verf.
die Bedeutung der Sophisten im allgemeinen gekennzeichnet hat, hebt
er das hervor, wodurch Hippias von Elis vor anderen seiner Gattung
sich hervorthat. Eine gewisse Universalität des Wissens zeichnet ihn
aus. Archäologische Studien für die Menge berechnet, Naturwissenschaft und Astronomie, Geometrie und Arithmetik, ethische und ästhetische Fragen, Epen, Tragödien und Dithyramben beschäftigen ihn,
auch in der Grammatik ist er Meister und besitzt sogar gewerbliche
Fertigkeiten. Diese Zeichnung gewinnen wir aus Platos Dialogen
Protagoras und den beiden Hippias. Seine Vortragskunst brachte es
ferner mit sich, daß er die Mnemonik ausbildete, ein Gebiet, wo er
ein eigenes Verdienst in Anspruch nehmen darf. Der Verf. bringt
schließlich den Hippias in Beziehung zum Sophisten Hippodamos, der
wohl als Vorbild des Hippias angesehen werden kann.

Die vorgeführten Aufsätze zeigen wie oben schon angedeutet bei
einem bewundernswerten Umfang des Wissens eine Gründlichkeit der
wissenschaftlichen Forschung und eine Schärfe des philosophischen
Denkens, daß sie unwillkürlich das lebhafteste Interesse erwecken,
aber nicht bloß unterhalten und belehren, sondern auch bleibende
wissenschaftliche Ergebnisse liefern, wodurch sie sich als schätzenswerte Beiträge zur Geschichte der Philosophie empfehlen.

Würzburg. ————————— Nusser.

Egon Zöller, Landes-Bauinspektor, Die Universitäten
und Technischen Hochschulen. Ihre geschichtliche Entwicklung und ihre Bedeutung in der Kultur, ihre gegenseitige Stellung und
weitere Ausbildung. Berlin, Ernst u. Sohn. 1891. VI u. 212 S.

In dem ersten Abschnitt dieser Schrift wird an der Hand eingehenderer Werke und mit sorgfältiger Benutzung bedeutender
kleinerer Schriften ein Abriß der historischen Entwicklung der Universitäten und der technischen Hochschulen gegeben. In Bezug auf
letztere ist besonders interessant zu verfolgen, wie durch den Einfluß

und die Pflege der Mathematik und der Naturwissenschaften der handwerksmäfsige Schulbetrieb der technischen Lehranstalten sich immer mehr in wissenschaftliche Thätigkeit umbildete und schliefslich in den technischen Hochschulen Bildungsstätten von höchster Bedeutung für Wissenschaft und Leben sich den Universitäten an die Seite stellten. Der kulturelle Wert der Wissenschaften überhaupt bildet dann den Gegenstand der ziemlich gedehnten Erörterung des zweiten Kapitels.

Zur Beantwortung der Frage des dritten Abschnittes: „Sind die Universitäten und technischen Hochschulen einander ebenbürtig?" wird von folgender Betrachtung ausgegangen: „So gliedert sich in unserer Kultur allmählich die menschliche Arbeit wie das Leben in zwei grofse Gebiete, von denen das eine die Natur und die auf die Anwendung der Natur sich beziehende Thätigkeit, die technisch-wirtschaftliche Arbeit, das andere dagegen den Menschen selbst und die dessen Entwicklung bezweckende Thätigkeit, die engere humane Arbeit, umfafst" S. 114. Das erste Arbeitsgebiet wird dann den technischen Hochschulen, das zweite den Universitäten zugewiesen. Schon ein Blick auf die Eigenart der Medizin läfst aber diese Trennung oder Gliederung wenig zutreffend erscheinen, und der Verf. erkennt die hier erwachsenden Schwierigkeiten später selbst an, wenn er sagt: „zwischen beiden Wissenschaften bestehen auch eine Anzahl Verbindungsglieder, welche auf der einen Seite den engen Zusammenhang und die Einheit alles Wissens bekunden, andererseits aber die richtige Gliederung der Wissensgruppen erschweren. Eine thatsächliche Grenzlinie zwischen den technischen und humanen Wissenschaften erkennt das Leben ebensowenig als richtig an wie einen trennenden Unterschied von Geistes- und Naturwissenschaften oder von lebloser und lebendiger Natur" S. 149.

Das vierte Kapitel ist überschrieben: „Der Ausbau der Hochschulen?" Hier wird die Einordnung der wissenschaftlichen Fachschulen in das Lehrsystem der beiden Arten von Hochschulen empfohlen und werden auch bestimmtere Vorschläge in dieser Richtung gemacht. Was die sonstigen als wünschenswert bezeichneten Änderungen betrifft, so heben wir nur die Anforderung an die philosophische Fakultät hervor, sie solle „die Aufgabe der Ausbildung von Lehrern in der Mathematik und den Naturwissenschaften und auch die zur Weiterentwicklung dieser Wissenschaften notwendige eingehende Pflege derselben den ihr ebenbürtigen Wissensstätten, den technischen Hochschulen, überlassen"; dieser Vorschlag dürfte auf berechtigten Widerspruch stossen. Dagegen können wir nur beistimmen, wenn der Verf. mit besonderem Nachdruck für eine vollkommenere Pflege der allgemeinen Wissenschaften, hauptsächlich der Geschichte und Erdkunde, der Kunstgeschichte, der Sprachen und Literaturgeschichte, der Philosophie, an den technischen Hochschulen eintritt; denn das Mafs der allgemeinen Bildung, zu welchem die Schüler an den Mittelschulen gefördert werden, bedarf einer fortwährenden Ergänzung auch an der Hochschule.

Bamberg.   J. K. Fleischmann.

Arnold Schröer, Über Erziehung, Bildung und Volksinteresse in Deutschland und England. Dresden, Damm 1891. 1,80 M. 99 S.

Professor Schröer zu Freiburg i. B. hat in dem zur Besprechung vorliegenden Buche 6 Aufsätze, von denen die 5 ersten im Feuilleton der Frankf. Zeitung, der letzte im deutschen Wochenblatt erschienen, vereinigt herausgegeben. Veranlassung zur Abfassung derselben waren die zahllosen Rufe nach Umform unseres Studien- und Erziehungswesens. Er möchte, daſs über dem Einseitigen, das manche unserer bisherigen Einrichtungen mit sich brachten, die grofsen Errungenschaften unserer deutschen Wissenschaftlichkeit nicht verkannt werden. Besonders weist er auf die Gefahr hin, welche entstehen würde, wenn Wissenschaft und Nation aufhörten einander zu verstehen.

Im 1. und 6. Aufsatze ist anknüpfend an den im Jahre 1889 erschienenen englischen Roman Cyril von Geoffroy Drage auf die Vorzüge englischer Erziehung hingewiesen. Schröer verkennt die Schattenseiten derselben nicht und hält den englischen Unterricht in vielen Beziehungen für verbesserungsfähig, aber doch scheinen ihm die Engländer in Beziehung auf Harmonie der geistigen und körperlichen Entwicklung, auf ihr Gleichgewicht als Nation zum Vorbild dienen zu können. Ihre Erziehungsweise führe, weil sie im einzelnen nicht so peinlich geregelt und beaufsichtigt sei, zu gröfserer Selbständigkeit. Die Selbstverleugnung im Dienste einer Idee, wobei die Persönlichkeit des einzelnen zurücktrete, werde durch die Bedeutung, welche z. B. ein Cricketmatch, eine Bootwettfahrt in Oxford für alle Kreise des englischen Volkes habe, in der Jugend grofsgezogen. Darum sei das englische Volk als solches gesund, von seiner hohen Bestimmung und seiner Zukunft überzeugt, während den Deutschen der starke Glaube an ihre weltgeschichtliche Bedeutung noch abgehe.

Von den übrigen Aufsätzen mit der gemeinsamen Überschrift „Über Studium und Bildung" befaſst sich Nr. 2 mit der Lehr- und Lernfreiheit an unseren Universitäten. Selbstverständlich fällt es dem Verf. nicht ein, die Lehr- und Lernfreiheit an der Universität einschränken zu wollen, wenn er auch die „Faulfreiheit" mancher Studenten mifsbilligt. Dagegen forscht er der Ursache für die Thatsache nach, daſs in der juristischen, medizinischen und theologischen Fakultät die strebsamen Studenten weit seltener verbummeln als in der philosophischen. Der Grund hievon liegt nach seiner Ansicht darin, daſs in den erstgenannten Fakultäten so zu sagen feststehende Lehrpläne vorhanden sind, so daſs die Vorlesungen über die einzelnen Disziplinen von fast sämtlichen Studierenden in einer herkömmlichen Reihenfolge besucht werden, während in der philosophischen Fakultät ein unsicheres Tasten und Suchen an der Tagesordnung ist. Ebendieselben Vorlesungen werden von angehenden und reiferen Studenten besucht, es findet kein Hinaufsteigen vom Einfachen und Elementaren zum Komplizierten statt. So ist es leicht möglich, daſs ein Student im I. Semester einen schwierigen Gegenstand, später einen viel leichteren zu hören bekommt.

Ein geregelterer Studiengang ist für die ersten Jahre notwendig. Zuerst muſs gelernt, nicht geforscht werden. Zu diesem Lernen wo möglich in seminaristischer Weise sind Privatdozenten oder Repetenten heranzuziehen. Encyklopädische und spezielle Didaktik ist alljährlich zu lesen, damit jedem angehenden Studenten eine Orientierung für die später zu hörenden Kollegien möglich ist. Eine Abhilfe gegen die jetzt bestehende spezialistische Einseitigkeit läſst sich gewinnen, wenn Geschichte, Zoologie, Physik, Literaturgeschichte u. s. w. in einem nicht bloſs für Spezialisten berechneten Kolleg zugänglich sind. Erst wenn der Studierende in der universitas litterarum sich orientiert hat, kann er mit Erfolg an die selbständige Forschung herantreten.

Nr. 3 behandelt das Verhältnis von Wissenschaft und Publikum. Auch hier knüpft Schröer an englische Verhältnisse an. In den englischen wissenschaftlichen Wochenschriften, wie Academy, Athenaeum, finde sich neben gediegenen Abhandlungen wirklicher Gelehrter viel dilettantisches und nichtiges Zeug, aber es sei das kein Nachteil: dadurch nähern sich Wissenschaft und Bildung, während bei uns die Kluft zwischen beiden immer gröſser werde. In England interessire man sich allgemein für literarische Fragen, wie über Shakespeare, Goethe, in Deutschland überlasse man dies den Gelehrten. Auch bei uns sollte der Laie über alle Erscheinungen unserer Kultur ein selbständiges Urteil haben. Wäre dieses der Fall, so würden viele Gebildete nicht so verkehrt über Fragen des Unterrichtes und der Erziehung urteilen.

In Nr. 4 mit der Überschrift „Literarische Produktion und Überproduktion" hebt Schröer den Unterschied zwischen „wissenschaftlichen, populär-wissenschaftlichen und populären Erzeugnissen" hervor. Bezüglich der erstgenannten kann von einer Überproduktion nicht die Rede sein, wenn sie nach Methode, Gewissenhaftigkeit und Ergebnissen wirklich wissenschaftlich zu nennen sind. Sie liegen im Interesse der Fortbildung der Wissenschaft. Jeder ernste Versuch bedarf der Nachsicht, da all' unser Forschen nur ein Annäherungsversuch an die Wahrheit ist; erst durch vieles Irren und Versuchen gelangt man zur Erkenntnis. Ein ungründliches, unwissenschaftliches Machwerk schadet nicht, weil es von der fachkundigen Kritik schnell abgethan wird. Diese Toleranz ist nicht am Platze bei populären Schriften, da sie es mit feststehenden Resultaten zu thun haben und Nachlässigkeit oder Ungründlichkeit das Publikum, welches die Sache nicht kontrollieren kann, schädigen. Hier findet bei uns thatsächlich Überproduktion statt: es wäre besser, wenn weniger, aber gute populäre Bücher weit verbreitet wären. Tüchtige populär-wissenschaftliche Werke sind, wenn sie ihrer Aufgabe entsprechen, ein gutes Bindemittel zwischen Wissenschaft und Publikum. Durch sie befruchtet die Wissenschaft das Leben der Nation und diese hinwiederum die Wissenschaft.

Nr. 5 handelt von unseren Bibliotheken. Wie Medizin und Naturwissenschaften, meint der Verf., ohne klinische Institute, physi-

kalische Kabinette, chemische Laboratorien heutzutage nicht mehr gedacht werden können, so sind für die anderen Wissenschaften gut
ausgestattete Bibliotheken nicht zu entbehren. Aber dafür geschieht
bei uns viel zu wenig. Sie sind unzulänglich hinsichtlich der Ausstattung und die Vorschriften betreffs der Benützung viel zu engherzig, so daſs die Lehrer wie die Studenten nicht den rechten Gewinn
aus ihnen ziehen können. Er weist als auf ein Muster auf den Lese-
saal und die Bücherschätze des Brittischen Museums in London hin,
wo die Kataloge, Zeitschriften und Bücher jedermann und zu jeder
Zeit in liberalster Weise zur Benützung offenstehen. Die Vorteile,
welche sich hiedurch dem akademisch Gebildeten zur Gewinnung eines
selbständigen Urteils über wissenschaftliche Dinge bieten, werden in
beredter Weise geschildert.

Man wird zugeben, daſs die freilich nur kurz skizzierten Punkte
wichtige Fragen der Wissenschaft und der Bildung betreffen. Wir
wollen Schröer auch gerne glauben, daſs die Vorzüge der Engländer
selten bei uns unbefangen gewürdigt werden, weil wir, ohne dieses
Volk aus der Nähe zu kennen, herkömmliche Urteile über dasselbe
nachsprechen. Jedenfalls aber verdient der Verfasser Anerkennung,
wenn er uns die wirklich guten Eigenschaften und Einrichtungen des
Inselvolkes, die Würdigung und nach Umständen Nachahmung verdienen, in helles Licht stellt.

Burghausen. A. Deuerling.

**Walther von der Vogelweide und des Minnegesangs
Frühling** ausgewählt, übersetzt und erläutert von Dr. Karl Kinzel.
Zweite verbesserte Auflage. Halle, Buchhandlung d. Waisenhauses 1891.

Vorliegendes Bändchen ist das erste der II. Abteilung der **Denkmäler der älteren deutschen Literatur**, für den literaturgeschichtlichen Unterricht an höheren Lehranstalten im Sinne der
amtlichen Bestimmungen vom 31. März 1882 herausgegeben von
Böttich er und Kinzel. Über ihr Programm im allgemeinen haben
die Herausgeber in den Vorbemerkungen sich ausgesprochen, die an
der Spitze der ganzen Sammlung stehen und über den Betrieb der
Literaturgeschichte auf höheren Schulen sehr beherzigenswerte Winke
geben, weshalb wir nicht unterlassen hier noch besonders darauf
aufmerksam zu machen.

Die genannte II. Abteilung „die höfische Dichtung des Mittel-
alters" soll zunächst mit der Lyrik desselben bekannt machen und
von dem höfischen Epos dasjenige bieten, was ohne die Kräfte des
Schülers zu sehr in Anspruch zu nehmen in kürzerer Zeit bewältigt
werden kann. Es ist daher von einer Aufnahme des Parzival in die
Sammlung um so mehr abgesehen, als von Bötticher bereits eine
Sonderausgabe desselben erschienen ist. In der Sammlung lyrischer
Dichter muſste selbstverständlich Walther von der Vogelweide den
Mittelpunkt bilden. Da aber auch der Entwicklungsgang der Lyrik
klar zu legen war, so verbreitet sich schon die Einleitung auch über

die Vorgänger Walthers, und den Liedern dieses Meisters sind dann
„die schönsten Blumen aus des Minnegesangs Frühling zu einem
Straufse gebunden" vorangestellt. Um die allmähliche Entstehung der
Lyrik zur Anschauung zu bringen, sind in No. 1—5 auch einige
kleinere volkstümliche Liedchen mitgeteilt, von denen die Namen der
Verfasser nicht bekannt sind. Nachdem dann auf den Einflufs der
Kreuzzüge aufmerksam gemacht ist, sind mit kurzen, aber treffenden
Bemerkungen die Leistungen der einzelnen Lyriker charakterisiert.
Tadeln möchten wir bei Erwähnung des Herrn v. Kürenberg die
Fassung, dafs man in ihm einst den Dichter der Nibelungen zu erkennen glaubte; der Schüler könnte dieses „einst" leicht auf längst
vergangene Zeiten deuten, während es doch einem Forscher unsers
Jahrhunderts vorbehalten war diese Ansicht auszusprechen, die
dann von vielen geteilt wurde. Eine kleine Anmerkung unter
dem Text wäre darüber am Platze. Bei Heinrich v. Veldeke
sollte die Lage der alten Grafschaft Looz noch näher bestimmt sein;
auch böte sich hier eine Gelegenheit die Beziehung dieses Geschlechts
zu den Wittelsbachern hervorzuheben, da die Gattin Ottos von Wittelsbach eine Gräfin Agnes von Looz war. Ottos Sohn Ludwig I. mufs
dann unter den Gönnern Walthers besonders genannt worden. Bei
Erwähnung Hermanns von Thüringen vermissen wir die Angabe der
Regierungszeit und Andeutung seiner Hofhaltung auf der Wartburg.

In der biographischen Skizze Walthers wird es als störend empfunden, dafs die chronologische Ordnung nicht eingehalten ist. Bei
Erwähnung der Frage, wo des Dichters Wiege gestanden, sähen wir
gerne unsres Uhlands Forschung erwähnt, dessen Abhandlung, wenn
auch ihr Resultat mit positiven Gründen widerlegt und aufgegeben ist,
doch als klassische Schrift so wertvoll erscheint, dafs es nur bedauert
werden kann, dafs die Herausgeber von deutschen Lesebüchern sie
übergangen haben. Bei Erwähnung der Verse auf dem Grabsteine
Walthers ist wohl absichtlich der Volkssage, die sich daran knüpfte,
nicht gedacht, da sie von sehr zweifelhaftem Werte ist. Doch hätte
vielleicht in der Anmerkung zu dem „Vermächtnis" betitelten Gedicht
darauf Rücksicht genommen werden können. Vgl. hierüber den Anhang zu „Walther von der Vogelweide und seine Bedeutung für die
Gegenwart" von J. Schrott. München 1875.

Ob die zur Weckung des historischen Sinnes mitgeteilten Stellen
aus zeitgenössischen lateinischen Chroniken ihren Zweck erfüllen, ein
besseres Verständnis der politischen Sprüche Walthers anzubahnen,
erscheint fraglich; zu wünschen wäre es freilich, dafs den Schülern,
um sich über Interessantes zu unterrichten, die Mühe auch einmal
mittelalterliches Latein zu lesen nicht zu viel wäre.

Zu den Liedern selbst übergehend freut es uns berichten zu
können, dafs die dem mhd. Text zu bequemer Vergleichung gegenüber-
gestellte Übersetzung ihrem Zwecke vorzüglich entspricht. Die Übersetzung ist gewandt und bei aller Vorsicht sich von dem Original nicht
zu weit zu entfernen, doch verständlich und den Gedanken in unserer
jetzigen Ausdrucksweise möglichst genau wiedergebend. Damit ist der

grofse Vorteil gewonnen, dafs für die Schüler die Originale das Fremdartige bald verlieren, das sie für den Anfänger immer haben werden,
und dafs ihr Inhalt vielmehr alsbald in ein Vertrauliches, heimisch
Anmutendes verwandelt wird. Wurde bei der Lektüre des mhd.
Textes alle Aufmerksamkeit auf die Einzelheiten gelenkt, so treten die
Vorzüge des poetischen Ganzen noch einmal in klarer schöner Form
beim Vorlesen der Nachdichtung entgegen, so dafs die Beschäftigung
mit dem Dichter um so anziehender wird. Ref. hat diese Beobachtung
selbst im Unterrichte gemacht, da er denjenigen Schülern, die statt
des mhd. Lesebuchs von Engelmann lieber den Text des ganzen
Nibelungenlieds und Walthers selbst besitzen wollen, diese Ausgabe
empfahl, die recht gut neben jenem Lesebuch gebraucht werden kann,
wenn der Lehrer in seinem Exemplare die verschiedenen Nummern
anmerkt, um dann in der Klasse ein rasches Aufschlagen bei der
Lektüre zu ermöglichen. Eines mufs man hinsichtlich der Übersetzung
dem Verf. bei seinem pädagogischen Zweck freilich zu gut halten, dafs
er nämlich in der Absicht auch den ursprünglichen Rhythmus beizubehalten und dem Wortlaut sich eng anzuschliefsen, hie und da
zu Elisionen seine Zuflucht nimmt, die wir uns in der modernen
Sprache nicht gestatten z. B. ein' edle Frau, eu'r Ruhm, ihr' Ehre,
mein'r Wonne Spiegel. Die altertümliche Färbung, die dadurch entsteht, thut jedoch dem Ausdruck keinen Eintrag, läfst vielmehr auch
die Nachdichtung mehr noch wie ein Werk des Mittelalters erscheinen.
Bei der Wiedergabe einzelner Worte möchte man wohl öfter mit dem
Übersetzer rechten, wenn man sich hier nicht sozusagen der Un-
übersetzbarkeit mbd. Texte bewufst bleiben müfste. So findet sich
z. B. in dem schon angeführten Gedichte „Vermächtnis" manches
von Schrott sachentsprechender übertragen. Die Ausdrücke „mein'
Unseligkeit", „mein' schweren Lasten", „mein sinnlos Werben", „die
Frauen sollen erben nach echter Lieb' sehnsüchtig Leid" machen alle
noch eine nähere Erklärung nötig.

Letzterer sollen freilich bei allen Liedern speziell noch die am
Schlufs angehängten Anmerkungen dienen, die sich aber mit Recht
meist auf Darlegung der historischen Beziehungen beschränken. Diesem
Zwecke tragen sie auch vorzüglich Rechnung und dienen daher sehr
gut dazu das Verständnis zu vertiefen, so dafs mancher, dem das
Büchlein wert geworden ist, auch später noch die alten lieben Bilder
mit ihrer Hilfe wieder auffrischen wird.

Zum Verständnis des mhd. und lat. Textes ist auch ein kurzes,
nur 9 Seiten füllendes Wörterverzeichnis beigegeben, mittelst dessen
diejenigen Ausdrücke, die nicht schon durch die Übersetzung hinlänglich klar werden, noch besonders nachgeschlagen werden können. Ein
Verzeichnis der Anfänge der Gedichte nach alphabetischer Folge bildet
den Schlufs des Ganzen. Was die Anordnung der Lieder betrifft, so
hat der Herausgeber 3 Abteilungen gebildet, überschrieben: Minne-
lieder, für Kaiser und Reich, für Gottes Ehr' und deutsches Wesen.
Diese Einteilung folgt einesteils dem Lebensgang des Dichters, andern-
teils ermöglicht sie einen Stufengang von dem leichter Verständlichen

zu dem tiefer in dem ganzen Wesen des Dichters und seines Volkes Begründeten. Es verdient demnach auch dieses Bändchen, dafs alle Fachgenossen ihm die Teilnahme zuwenden, um welche die Herausgeber für ihr Unternehmen am Schlusse ihrer Vorbemerkungen gebeten haben.

Speier. A. Nusch.

Franz Linnig, Vorschule der Poetik und Literaturgeschichte. 2. umgearb. u. erweiterte Aufl. Paderborn u. Münster. Ferd. Schöningh. 1888. 417 S. 8°. 3,60 M.

So sehr man heutzutage, und zwar mit Recht, eine rein theoretische Behandlung der Poetik und auch der Literaturgeschichte in der Schule abweist, so notwendig ist für den Lehrenden die Kenntnis der Kunsttheorie. „Es ist weit mehr Positives, d. h. Lehrbares und Überlieferbares in der Kunst, als man gewöhnlich glaubt", lautet ein Wort Goethes. Zu den in dieser Beziehung grundlegenden Werken von Baumgart und Beyer tritt in mehr kompendiarischer Anordnung das Linnigsche Buch.

Das ganze reiche Gebiet der Poesie ist nach dem Gesichtspunkt der Entstehungsart in Volks-, didaktische und Kunstpoesie geteilt: und hiedurch schon hat der Verfasser das gewöhnliche Geleise der Einteilung nach dem Inhalt in Epik, Lyrik und Dramatik verlassen; er will auf diese Weise erreichen, dafs die Gattungen der epischen, lyrischen und dramatischen Dichtungen in möglichster Reinheit, frei von allen Mischarten, angeführt werden könnten. Allein abgesehen davon, dafs ein solch rein äufserlicher Grund keine drängende Veranlassung sein kann, um bisher festgehaltene Einteilungen, die sich aus der organischen Entwicklung der Literaturgattungen von selbst ergaben, schnurstracks zu beseitigen, so verfällt die von Linnig gewählte Abgrenzung in denselben Fehler, den er in der alten Einteilung unangenehm empfindet, insofern die didaktische Dichtungsgattung ja auch eine Mischart ist und zum grofsen Teil der Kunstpoesie zugehört. Dazu kommt, dafs der Verfasser eben doch bei der Kunstpoesie wieder zu den alten drei Teilen der Epik, Lyrik und Dramatik greifen und dabei das Volkslied einmal bei dem Abschnitt der Volkspoesie und dann wiederum bei der Lyrik behandeln mufs. Die Gesänge der deutschen Freiheitssänger (S. 327 ff.) können nicht als Volkslieder bezeichnet werden.

Eine eigentliche Behandlung der Metrik, sowie der Lehre von den Tropen und Figuren fehlt; nur das Unentbehrlichste ist in den einleitenden Vorbegriffen, allerdings hier manchmal etwas zu summarisch, aber klar und bestimmt, und sonst an passenden Stellen gelegentlich eingestreut. Vortrefflich ist, wenn man von der oben als verkehrt gekennzeichneten Einteilung des Stoffes absieht, die Verbindung der Literaturgeschichte mit der Poetik. Die Literatur ist nämlich mit grofsem Geschick an die Betrachtung der einzelnen Dichtungsarten geknüpft. Durch einen solchen Betrieb würde eine wirkliche Kenntnis

unserer Dichtung vermittelt, es würden nicht blofs Urteile über die
Dichterwerke überliefert, vorausgesetzt allerdings, dafs die einzelnen
Werke selbst den Schülern zugänglich wären.   Da dies aber kaum
möglich ist, so hören die Schüler auch hier nur z. B. über das
Hildebrands-, Waltharilied etc. fertige Urteile, ohne die Dichtungen
selbst recht kennen zu lernen.   Es darf hier nicht unerwähnt bleiben.
dafs das Buch speziell dem preufsischen Lehrplan angepafst ist, in
welchem das Mhd. bekanntlich gestrichen ist.   In Bayern, wo Mhd.
mit Recht getrieben wird, kann die Geschichte der ahd. und mhd.
Literatur sich passend an die Lektüre des Nibelungen- und Gudrunliedes anreihen.

Recht instruktiv für den Lehrer sind die mehreren Abteilungen
beigefügten Winke über die pädagogische Verwertung der entsprechenden
Dichtungsgattung.   Auch der Hinweis auf die Quellen und die sonstigen
über den jeweiligen Gegenstand erschienenen Arbeiten ist anerkennenswert.   Nur die Citate sind nicht immer quellenmäfsig angegeben:
ein Beispiel dafür liefert auf S. 76 die ohne Quelle angeführte Stelle:
        Nicht der ist auf der Welt verwaist,
        Dem Vater und Mutter gestorben,
        Sondern der, welcher für Herz und Geist
        Weder Tugend noch Wissen erworben.
In der Ausgabe der Gesammelten Gedichte R ü c k e r t s (Erlangen
1836, Bd. II, S. 397) heifst es unter den Vierzeilen, 1. Hundert, n. 88:
        „Nicht der ist auf der Welt verwaist,
        Dessen Vater und Mutter gestorben,
        Sondern der für Herz und Geist
        Keine Lieb' und kein Wissen erworben."
Sprichwörter, die sich auf den „Esel" in eigentlicher und in
übertragener Bedeutung beziehen, dürften sich mit dem Ernst der
Schule kaum vereinen lassen; auf einen Lehrer, der das Sprichwort
„Wer von Natur ein Esel worden, der bleibe bei dem Eselorden" zum
Gegenstand einer Besprechung oder gar eines Aufsatzes machte, könnte
eben dieses Wort nicht mit Unrecht angewendet werden.   Warum
„der arme Heinrich" Hartmanns von Aue zur Legende gerechnet wird,
ist unerklärlich; es behandelt diese reizende Dichtung weder das
Leben noch die Wunderthat eines Heiligen.   Überhaupt scheint uns
die Definition der Legende bei Linnig viel zu weit gefafst.

Die dramatische Poesie ist, während die anderen Dichtungs-
gattungen sich einer eingehenderen und liebevolleren Betrachtung erfreuen und 385 Seiten umfassen, mit 18 Seiten abgethan: eine recht
stiefmütterliche Behandlung.   Man merkt eben, dafs der Verf. gegen
das Ende des Buches hin erlahmte.   Die Entschuldigung, dafs er sich
der „unansehnlichen und verkümmerten Schöfslinge", denen gegenüber
die Dichtungen höheren Stils die gebührende Pflege gefunden haben.
angenommen hat, legt zwar von dem zartfühlenden Gemüte des Verf.
ein glänzendes Zeugnis ab, ist aber hier nicht zulässig, da ein Buch,
das sich den Titel „Vorschule der Poetik und Literaturgeschichte" gibt.
allen Teilen der Poesie in gleicher Weise gerecht werden mufs.

München.   ——————   J o h a n n e s N i c k l a s.

Max Miller, Zur Methodik des deutschen Unterrichtes auf der Unter- und Mittelstufe des Gymnasiums. München, Pohl. 1891. Preis 1,20 Mk.

Zwar gesteht der Verf. im Vorwort ein, über die Methode des deutschen Unterrichtes an Gymnasien sei schon derart viel geschrieben worden, dafs kaum mehr etwas Neues sich werde vorbringen lassen, doch kann er nicht umhin darauf aufmerksam zu machen, dafs trotz aller theoretischen Erkenntnis noch so manche die Praxis schädigenden Schwierigkeiten vorhanden seien, die es wohl erlauben, den Gegenstand von neuem zu behandeln.

Auf drei wunde Punkte weist der V. hin, die seiner Ansicht nach eine Heilung erheischen. Vor allem dürfe der deutsche Lehrer nicht, wie es in anderen Disziplinen der Fall sei, ein Verfahren nach objektiven Rücksichten befolgen, sondern müsse vornehmlich in der untersten Klasse mehr die Individualität der Schüler berücksichtigen; „er mufs wohl bemessen, wieviel er der Klasse zutrauen darf; er mufs individualisieren, sich in das jugendliche Denken hineinzuleben verstehen, ermuntern, anregen und das Selbstvertrauen wecken und fördern". Freilich hat diese Art des Unterrichtens, wie V. selbst zugesteht, für den Lehrer ihre besonderen Schwierigkeiten; Verständnis und Neigung für die Aufgabe spielen hier eine hervorragende Rolle; mit dem starren Dozententon ex cathedra ist wenig geholfen; das Gemüt, nicht die Logik mufs dabei den Prinzipat haben. Ferner wird darüber Klage erhoben, dafs noch so häufig die Lektüre und der mündliche Vortrag hinter den schriftlichen Arbeiten zurückstehen müfsten. Richtig zu sprechen, mit Verständnis zu lesen und seine Gedanken einfach, klar und geordnet mündlich wiederzugeben — dazu sei auch auf der Unterstufe der Schüler anzuleiten. Den dritten und letzten Punkt der Vorrede bildet die einheitliche Fortführung des deutschen Unterrichtes in den 9 Klassen — ein überaus heikles Thema; selbstverständlich müssen alle Lehrer des Deutschen in den einzelnen Klassen dabei zusammenwirken; ob sich dieses hochgestellte Ziel so schnell werde erreichen lassen, möchten wir im Hinblick auf die Spezialisierung, welche nicht blofs die Philologie überhaupt, sondern auch alle ihre Teile gewonnen haben, in bescheidener Weise bezweifeln; eine äufserliche Einheit ist ja leicht herzustellen und auch durch die Schulordnung gewährleistet, ob aber auch eine innere?

Eine allgemeine Einleitung ergeht sich sodann über die Anschaulichkeit des Unterrichtes. An der Spitze steht ein Axiom Hegels über die Anschauung als Vorläuferin des Erkennens. An dasselbe anknüpfend spricht der V. zuerst von dem Wesen und dem Werte der Anschauung — sowohl der äufseren als der inneren — für den Unterricht, insonderheit den deutschen in all seinen Teilen; sodann von der Notwendigkeit und den Mitteln, um die durch dieselbe gewonnene Kenntnis festzuhalten und zum bleibenden Eigentum des Zöglings zu machen. Da naturgemäfs die Anschauung in sprachlichen Gegenständen im ganzen nur eine innere (mittels Erregung der Phan-

tasie, Wachrufung vorhandener Vorstellungen) sein kann, so ist um so
gröfseres Gewicht auf die letzte der Formalstufen, die Anwendung, zu
legen. Im einzelnen ergeht sich nun die Darstellung über die Mittel,
den deutschen Unterricht in seinen Unterteilen anschaulich und fruchtbar zu gestalten; Wort- und Sacherklärungen werden dabei mit Recht
an die Spitze gestellt. Daran schliefst sich eine Stoffauswahl und
Besprechung der Methode.

Als Aufgabe und Ziel des Grammatik-Unterrichtes wird
bezeichnet: Förderung des Sprachbewufstseins und der Sprachfertig-
keit; empfohlen wird im Anschlufs an Grimm, Wackernagel, Schrader
und Nägelsbach für die unteren Klassen die in der Volksschule
praktisch bewährte und heute immer weiteren Boden gewinnende
induktiv-heuristische Methode, also Ausschlufs eines streng systematischen Lehrganges, wie er zu früherer Zeit, namentlich seit die
Philosophie den Sprachunterricht mehr als nötig beeinflufste, in
Deutschlands Schulen gang und gäbe war. Andre Zeiten — andre
Ansichten! Gänzlich verworfen wird indes ein grammatischer Unterricht nicht, nur die Methode desselben soll eine Änderung nach der
induktiven Seite hin erfahren. Was von der Grammatik gelernt
werden soll oder nicht, darüber formuliert der Verf. drei Fragen. Als
Antwort darauf wird zuerst eine Fülle von Erfahrungen aus einem
reichen Lehrerleben geboten, sodann in ausführlicher und anregender
Weise ein Lehrgang in der deutschen Grammatik erstellt, wie man
ihn etwa sich zu denken hat in Kl. 1–5. Im grofsen und ganzen
ist dabei das System der konzentrischen Kreise befolgt; die Präpositionen z. B. werden in Kl. 1 nicht alle durchgenommen, sondern
je nach ihrer Schwierigkeit auf Kl. 1—3 verteilt.

Den Abschnitt über die Lektüre eröffnet wiederum ein Zitat
aus Hegel über die Bedeutung des Lesens, das richtig angewandt ein
Hauptbildungsmittel sein könnte. Daran reihen sich die Anschauungen
des V. über Methode und Stoffauswahl. Bezüglich der letzteren wird
nach dem Vorgange Hildebrands die Aufnahme von Proben aus den
Volksmundarten gutgeheifsen. Befürwortet wird ferner der vor einiger
Zeit aufgetauchte Vorschlag, sogar in den untersten Klassen an Stelle
der buntscheckigen Chrestomathien die Lektüre ganzer Schriftsteller treten
zu lassen. Zu diesem Behufe werden von Schmelzer für Sexta empfohlen:
Gellert, Lichtwer, Hagedorn, Grimm, Musäus, Hebel u. a. Jedenfalls
mufs dabei von Musäus eine gänzlich geänderte Ausgabe gemeint sein.
denn die vorhandene mit ihrem ironischen und manierierten Stile
eignet sich schwerlich dazu, Sextanern in die Hände gegeben zu
werden. Ob ferner, wie Schmelzer erwartet, der Schüler an Hebels
Schatzkästlein sein Sprachgefühl bilden könne, erscheint fraglich, denn
man darf nicht übersehen, dafs jenes Buch eine Art von Kalender fürs
Volk ist und deshalb eine sehr populäre Ausdrucksweise bedingt.
Bei der weiteren Besprechung der Lektüre gibt der V. nicht blofs
Winke für die Schüler, wie sie lesen sollen, sondern auch zahlreiche Bemerkungen über Auswahl und methodische Behandlung der Privatlektüre.

Es kann keine Frage sein, dafs der Abschnitt: Mündlicher

Gebrauch der Sprache am meisten Interesse erregen mufs, ist es ja doch eine allgemein anerkannte Thatsache, dafs sehr viele Schüler im katechetischen Teile des Unterrichtes sich nur unbeholfen und unklar auszudrücken vermögen. Woher dies? Weil die Fertigkeit zu sprechen allzuwenig geübt und ausgebildet wird. Gefordert sind also neben schriftlichen auch zahlreiche in den Unterricht methodisch eingreifende Übungen im Mündlichen behufs Aneignung einer facilitas eloquendi. Hier gilt das Wort Quintilians: facilitatem quoque extemporalem a parvis initiis paulatim perducemus ad summam, quae neque perfici neque contineri nisi usu potest. Diese Übungen denkt sich der V. in folgender Reihenfolge:

1. Sprechübungen beim Anschauungs- und Leseunterricht einschliefslich der Antworten.

2. Freie Wiedergabe eines gröfseren Ganzen.

3. Vortragsübungen.

Wie diese Übungen zu betreiben seien, wird auf S. 38 f. in belehrender Weise auseinandergesetzt. Besondere Pflege soll den Memorier- und Deklamierübungen zuteil werden. Ein Kanon zu erlernender Gedichte (für Kl. 1—7) folgt den sehr gehaltvollen Bemerkungen über Stärkung des Gedächtnisses.

Im Abschnitt über die Orthographie werden die hier mafsgehenden Faktoren Gehör und Gesicht einer Betrachtung unterzogen und bezüglich des letzteren möglichst häufige Vorführung des Wortbildes empfohlen mittels Übungen im Anschlufs an das Lesebuch. Ferner soll aus dem Lehrstoff all das ausgeschieden werden, was dem Verständnisse und Bedürfnisse des Schülers noch ferne liegt. Im ersten Jahrgange dürfe nur das zunächst Notwendige und leicht Verständliche behandelt werden. Dafs zu diesem Behufe eine Einigung seitens der beteiligten Lehrer erforderlich ist, liegt auf der Hand; leider zeigen nicht alle Ordinarien der nächstfolgenden Klasse zu dieser Ausgestaltung des orthographischen — wie auch des übrigen — Unterrichtes die vorausgesetzte Neigung.

Vom Aufsatze werden die stilistischen Übungen abgegliedert — Vorübungen zu jenem —, deren Pflege vorzugsweise den unteren Klassen zufällt. Nach einem Exkurs über die Fehler des sog. Schülerstiles teilt der V. jene Vorübungen ein in mündliche und schriftliche; zu letzteren rechnet er Nacherzählungen prosaischer Stücke, Umwandlungen von Gedichten in Prosa, Auszüge, Dispositionen u. a. — lauter Arbeiten, bei denen es sich nicht sowohl um Auffindung neuer Gedanken als vielmehr um die Form der Darstellung handelt.

Bevor der V. dazu übergeht, seine Ansichten über die Aufgabe und bestmögliche Gestaltung des Aufsatzunterrichtes zu entwickeln, zählt er verschiedene Umstände auf, die so häufig einer gedeihlichen Entwicklung desselben Eintrag thun. Solche sieht er in dem verfehlten Verfahren derjenigen, welche die Theorie des Aufsatzes oberer Klassen schlankweg auf untere übertragen; sodann in der Verfrühung solcher Arbeiten überhaupt, die ja bereits einen gewissen Grad von Denkfähigkeit und Sprachgewandtheit erfordern; nicht zum

39*

letzten aber in der häufigen Überschätzung der Leistungskraft der Schüler. Es folgt sodann die Definition von Aufgabe und Zweck des Aufsatzunterrichtes, eine Erklärung, welche Veranlassung bietet, die richtige Wahl und Stellung der Themen eingehend zu erörtern. Besprochen wird u. a. die reproduktive und produktive Kraft des Zöglings, die in einem Aufsatze der Mittelstufe gleichmäfsig zur Entfaltung kommen sollen. Abgeraten wird von der Bearbeitung von Chrien, die auf dieser Stufe gewöhnlich an Armseligkeit der Gedanken bei eitlem Flunkern leiden. Als die richtigsten Themen werden dagegen diejenigen hingestellt, welche aus dem Unterrichte selbst herauswachsen und dem Schüler gestatten, das Facit seiner dabei gewonnenen Anschauungen zu ziehen; eine langatmige Besprechung ad hoc ist bei ihnen dem Lehrer erspart. Auch an dieser Stelle unterbleibt nicht ein Hinweis auf die Wichtigkeit mündlicher Übungen, auf den Wert des lebendigen Wortes. Die Aufsatzübungen zerfallen 1. in Beschreibungen und Vergleichungen angeschauter Gegenstände und Erscheinungen aus dem Gebiete der Natur; Schilderungen beobachteter Naturvorgänge; Mitteilungen von Selbsterlebtem; 2. in Erörterungen über einen durch fremde Mitteilung, namentlich die Lektüre, gebotenen Gedankenstoff. Wie man sieht, sind dies lauter praktische Themata, die dem bei vielen Schülern beliebten Moralisieren und Gefühlsheucheln von vornherein den Weg verlegen. Für Kl. 4—7 wird diese allgemein gehaltene Aufstellung auf S. 64, 65 eingehender ausgeführt.

Ein in grofsen Zügen gehaltenes Schlufswort ergeht sich noch rückblickend über den bildenden Wert des deutschen Unterrichtes im ganzen und im einzelnen. Die Frage nach Vermehrung der Lehrstunden wird in ablehnendem Sinne beantwortet.

Sehr angenehm berührt die ruhige und anspruchslose Sprache, in welcher der V. seine zum gröfsten Teile überzeugend wirkenden Ansichten entwickelt; in ihrem bescheidenen Ton hebt sie sich merklich ab von jener apodiktischen Art, mit welcher in anderen Gauen unsres deutschen Vaterlandes so oft die von der Gasse geholte Weisheit urbi et orbi verkündet wird. Der Inhalt der Schrift aber zeigt, dafs bezüglich der Handhabung der Methode auch in Bayern bewährte Kräfte vorhanden sind und es demnach überflüssig erscheint, etwaigen Bedarf an „Unterweisern" aus dem wortreichen Norden zu beziehen.

Hof.   Rud. Schwenk.

Culex carmen Vergilio ascriptum rec. et enarr. Fr. Leo. Accedit Copa elegia. Berolini 1891. Weidmann. 122 S. M. 3.—

Von den Gedichten der sog. Appendix Vergiliana erscheinen hier zum ersten Mal zwei, Culex und Copa, in gesonderter Ausgabe. Ersterem ist aufser der Adnotatio critica, welche unter dem Text fortlaufend leider nur die variae lectiones des ältesten Codex B = Bembinus saec. IX, nicht auch die des stammverwandten C = Cantabrigiensis saec. X—XI und der jüngeren Klasse: V = Vossianus nebst H = Helmstadiensis, beide saec. XV, aufführt und gelegent-

lich auch auf die excerpta Parisina sace. XIII Bezug nimmt, anhangsweise ein ausführlicher, lateinischer Kommentar beigegeben. Ein index
nominum und ein index commentarii erleichtert die Orientierung. —
Buecheler hat im Rh. Mus. 1890, p. 324 die Überzeugung ausgesprochen, dafs die Überlieferung des Culex, wie sie in den Handschriften vorliegt, viel unverfälschter sei als ältere und neuere Herausgeber annehmen wollten. Übereinstimmend damit hat es Leo unternommen den Text wieder in konservativere Bahnen zu lenken und
zahlreiche Emendationen, namentlich von Haupt, wieder aus
dem Texte entfernt. Es war ihm hierin neben anderen selbst
Bährens, so grundstürzend dieser Gelehrte im übrigen mit dem Text
des Culex verfuhr, teilweise vorangegangen: man vergleiche z. B. die
Verse 50. 173. 210. 212. 288. Jedoch konnte es derselbe an
anderen Stellen nicht unterlassen dem alt Uberlieferten selbst
wieder eigene Zuthaten hinzuzufügen. Der Kürze halber verweise ich
auf v. 35.6, 37'8, 57 und 131'3. Leo bietet hier die unveränderte
Lesart der Handschriften, die Ausgaben von Ladewig, Haupt, Forbiger,
Ribbek und Thilo verdunkeln das handschriftliche Bild durch Konjekturen, während Bährens in der Mitte steht. Aufserdem hat Leo
folgende einzelne, handschriftlich (übereinstimmend) beglaubigte Lesarten wieder als echt erkannt und als solche durch Interpretation
nachgewiesen: v. 5 ducum st. ducam, v. 9 securos (s. dazu Sonntag,
Vergilstudien 1891 p. 212) st. maturos, v. 22 cultus st. saltus oder
tractus, v. 27 ponitque s. u. st. Rhoetique, v. 40 memoretur st. nu-
meretur, v. 47 lurida st. florida od. rorida, v. 60 omnia (cf. auch
v. 198) st. somnia, v. 66 manet st. movet od. manum, ib. gratum st.
Graium u. a., v. 67 referent st. referunt, v. 95 fontis st. frondis, v. 103
qua st. dum od. qui, v. 139 appetit st. ac petit, v. 141 manent st.
monent, v. 151 querulae st. querulas, v. 153 ardore st. arbusta,
v. 166 aëre lingua st. ore trilingui, v. 177 saepius st. saevius
od. spiris. v. 182 spiritibus rumpit fauces: cui cuncta paranti st.
spiritus erumpit fauces, quo cuneta parante, v. 217 infestis st. infernis,
v. 220 flagrant latratibus st. latrantia rictibus, v. 227 vidi st. vici,
v. 260 Elysiam st. Eridanus, v. 268 recessit st. recesti, v. 269 Orpheus st. Orpheos, v. 272 furens st. furentem, v. 275 Ditis sine st.
Dictaeo, v. 296 vos st. has od. nos, v. 307 praeter st. propter, v. 311
vagis st. iugis, v. 314 lacrimante st. flagrante, v. 315 contra st. conto,
v. 364 gurges in unda st. gurgitis unda, v. 366 legitime st. limitibus,
v. 407 pinus st. tinus. Auch die von seinen Vorgängern beliebten
Versumstellungen sind beseitigt; so stehen 50/51, 145'9 cf.
Buecheler l. l. p. 328, 369|71 und 381'3 wieder in der überlieferten
Ordnung. Die vv. 26b und 27b lauten in den Codd. einander gleich,
weshalb das eine Mal eine Lücke angenommen werden mufs. L. hält
die sich wiederholenden Worte canit non pagina bellum v. 26 für
echt; es schliefst sich alsdann das von ihm, wie oben erwähnt, wieder
eingesetzte ponitque passend an, mag man die nun v. 27 folgende
Lücke mit Bücheler durch *acies quibus horruit olim* oder anders ergänzen.
    Schwieriger gestaltet sich der kritische Standpunkt an den Stellen,

wo die Lesarten der älteren (BC) und jüngeren Handschriftenklasse (VH) auseinandergehen. Die Frage, ob jene oder diese interpoliert ist, scheint auf den ersten Blick müfsig, da das weit höhere Alter von BC für diese selbst zu sprechen scheint. Aber Bährens hat in seiner Einleitung zu poet. lat. min. II p. 8 gerade das Entgegengesetzte behauptet. Es ist deshalb das Verhältnis zwischen BC und V (H) jüngst in einer besonderen Dissertation: M. Roehrich, de Culicis potissimis codicibus recte aestimandis, Berolini 1891, auf das eingehendste untersucht werden. Die Ergebnisse dieser Untersuchung hat Ref. in der N. Phl. Rundschau 1892 p. 86 ff. bereits kurz mitgeteilt; dieselben können hier umsomehr übergangen werden, als sie im ganzen eine prinzipielle Übereinstimmung zwischen Leo und Roehrich über die Güte von BC gegenüber V ergeben haben. Zu den dort bereits erwähnten Stellen, wo L. Lesarten von BC eingesetzt hat, füge ich hier noch bei: v. 3 docta st. dicta V, wie in den übrigen Ausgaben gelesen wird, v. 5 notitiaeque st. notitiae, v. 28 quae st. quo, v. 51 scrupea desertas haerebant ad cava rupes cf. ecl. 2, 2 u. 9, 9 st. scrupea desertas perrepunt (errabant V) ad cava rupis, v. 67 Boethique C st. Rhoecique (Konj.), v. 256 aversatus st. adversatus, v. 259 numina st. nomina, v. 311 feritatis et s. unten st. frondentibus (Konj.), v. 357 naufragia st. iam naufraga. Die von Leo p. 98 gestreifte Frage, wie es kommt, dafs gerade im letzten Viertel des Gedichts der Vossianus noch einige vermutlich echte, die beiden andern unzweifelhaft verderbte Lesarten haben, dürfte sich vielleicht auch auf folgendem Wege lösen lassen. Aus dem Archetypus x, der schon mannigfache Verschreibungen enthalten haben mufs, gingen offenbar zwei Abschriften a und b hervor; a bildete die Quelle für BC, b die Quelle für V, und zwar vermutlich nach verschiedenen Zwischenstufen. Die bei BC in den letzten 100 Versen sich findenden Entstellungen des Textes haben nichts Auffälliges — abgesehen etwa von metuenda v. 332, das neben dem unverständlichen ranolea V wie eine Interpolation aussieht — sie gehören vielmehr zu denen, welche der Schreiber entweder schon aus dem Original überkommen hat oder welche aus Mangel an Verständnis sich eingeschlichen haben. Was dagegen die Erhaltung von wertvollen Lesarten in dem sonst mit Interpolationen stark versetzten Codex V innerhalb der nämlichen 100 Verse betrifft, so denkt Leo an Marginalnoten aus einer alten Handschrift, welche der Abschreiber in seiner Vorlage vorgefunden habe. Es wäre aber auch denkbar, dafs die Thätigkeit des Interpolators, welche in den ersten 300 Versen grofsen Schaden angerichtet hat, durch irgend welchen zufälligen, jetzt nicht mehr nachweisbaren Umstand nicht über v. 300 vorgedrungen und somit von hier an die erste Arbeit des Verfassers von Apographon b unverdorben erhalten geblieben wäre. — Dafs Leo übrigens die Überlieferung nicht um jeden Preis zu halten sucht, beweisen die an 10 Stellen sich findenden sog. Desperationskreuze.[1]

Die Richtigkeit des von L. eingeschlagenen Weges kann

---

[1] Beseitigt sind dieselben v. 185/6, wo sie bei Ladewig, Haupt und Thilo stehen.

nicht zweifelhaft sein; dazu kommt, dafs sich Verf. im Kommentar der dornenvollen Aufgabe, die zahlreichen von ihm wieder in den Text aufgenommenen Lesarten der Handschriften als echt nachzuweisen, mit Unbefangenheit, Eleifs und Scharfsinn unterzogen hat; insbesondere hat er durch ein sorgfältig zusammengetragenes Stellenmaterial, namentlich aus Vergil, der Erklärung die nötige Stütze geboten. Wenn man manchmal geneigt sein mag die von ihm versuchte Deutung schwerfällig oder gesucht zu finden, so wird man den eigenartigen sprachlichen Charakter des Gedichts (vgl. Hertzberg in der Note zu S. 15) im Auge behalten müssen, um nicht zu einem vorschnellen Urteil zu gelangen. Mit Recht meint Röhrich a. a. O. p. 2: carminis auctori elocutionem quandam condonabimus, quam si apud alium inveniremus, haud dubie abiudicaremus. Wenig glücklich war der Herausgeber, wie mir scheint, mit der Einsetzung fremder oder eigener Emendationen. Die letzteren seien zum Schlufs noch aufgeführt. Am ansprechendsten erscheint ecce am Schlufs von v. 170, das dem et se der codd. jedenfalls näher steht als effert in den übrigen Ausgaben (cf. übrigens Ribbeck in der ed. minor). Auch v. 312 bietet sich cupidas st. des hdschr. cupidus, wenn man, wie Leo, feritatis et richtig hält, wohl als einziges Auskunftsmittel zur Gewinnung eines passenden Gedankens dar (vgl. auch das Schwanken der Handschriften zwischen acerbus und acerbas v. 244). V. 245 wird das nicht zu erklärende siblite BC durch sinite, ite zu heilen versucht; danach würde der ruhelos durch die Unterwelt schweifende Culex den Danaiden zurufen: „lafst mich (otia quaerentem frustra), entfernt euch, ihr Mädchen" — eine scharfsinnige Deutung, ohne dafs indes die Korruptel als endgiltig erledigt gelten könnte. Wenn v. 198 st. tardus virtus, v. 326 st. arma firma und v. 364 st. bellis pallens vorgeschlagen wird, so sind diese Änderungen wenig mehr als Notbehelfe, wie Verf. selbst erkennt. Überflüssig war es v. 133 Scaligers Konjektur deflende (codd. defende) in dicende, v. 168 aurae (codd.) in irae und v. 284 currentes (codd.) in cupientes zu verwandeln. An der ersten dieser Stellen läfst sich perfide ganz ungezwungen ebensogut mit deflende verbinden = Demophoon, dessen Treulosigkeit (eig. den als Treulosen) viele Mädchen beklagen müssen; zu der zweiten vgl. in diesen Blättern 1891, p. 169 f.; an der dritten ist currentes nichts weiter als ein Ephiteton ornans zu equos = die Renner, cf. Verg. Aen. VI 520 confectum curis u. ä. St. Nicht überzeugt bin ich ferner von der Richtigkeit der Konjektur obvia st. omnia v. 217, wenn ich auch zugebe, dafs omnia, welches die Editoren meist beibehalten haben, keinen rechten Sinn geben will. Dem omnia stünde sehr nahe Somula (s. o. z. v. 60): Da in der Schilderung der Unterwelt bei Vergil am Eingang adverso in limine, VI 280, die „eisernen Kammern der Eumeniden" genannt werden und unmittelbar daneben die Somnia, v. 283, ihren Sitz aufgeschlagen haben, so wäre es nicht undenkbar, dafs auch hier neben der Tisiphone die Träume ihren Platz finden sollen; zu dem Satz infestis Somnia templis müfste dann aus dem Folgenden obvia mihi sunt als Prädikat ergänzt werden. V. 5 wird von dem Hsg. propter nicht mit dem vorangehenden haec, sondern mit dem folgenden culices (codd. u. Editt. culicis) verbunden und der Vers so erklärt: Die (unscheinbaren) Schnaken-sollen die Veranlassung zu diesem gelehrten Gedichte sein. Warum nicht einfacher ohne Änderung des Textes: ‚Deshalb (propter haec d. h. weil es sich um ein blofses Getändel handelt) soll es ein (wie er launig hinzufügt) gelehrtes Gedicht auf eine — Schnake sein?' Dabei mufs übrigens unentschieden bleiben, ob man nicht lieber dicta mit HV lesen soll, wie alle Ausgaben thun.

Die 38 Verse der Copa sind in ähnlicher Weise enger an die Überlieferung angepafst, wobei neben dem Bembinus die Monacenses (s. Bährens p. 14) zu Rate gezogen wurden. Die Verse 18—23 sind nicht, wie in den andern Ausgaben, umgestellt.

Das sorgfältig gedruckte, sehr hübsch ausgestattete und handliche Büchlein rechtfertigt den etwas hohen Preis.

Nürnberg.   Hans Kern.

————————

M. Tullii Ciceronis opera rhetorica recogn. Gulielmus Friedrich. Vol. II continens de oratore libros, Brutum, oratorem, de optimo genere oratorum, partitiones oratorias, topica. Lips. Teubn. 1891. 8°. LXXVIII u. 449 S.

Die opera rhetorica Ciceros, die ersten zwei Bände in der von C. F. W. Müller besorgten Gesamtausgabe in der bibliotheca Teubner., haben in Wilhelm Friedrich (Mühlhausen in Thüringen) einen Be-arbeiter gefunden, der auf diesem Felde seit geraumer Zeit und mit Erfolg thätig gewesen. Auf Grund zahlreicher neuer Kollationen und wohlvertraut mit der einschlägigen Literatur, bietet Fr. im vor-liegenden zweiten Bande die drei rhetorischen Meisterwerke Ciceros de oratore, Brutus und orator, sowie die drei kleineren Schriften de opt. gen. or., partit. orat. und topica in einem von der Vulgata viel-fach abweichenden, im ganzen aber konservativ gehaltenen Text. Nicht gerade spröde in der Aufnahme fremder und eigener Emen-dationen, hält er sich eng an die Handschriften, die ihm als die besten gelten, auch in orthographischen Dingen. Die adnotatio critica auf LXXVIII Seiten gibt in knapper Fassung, aber zu wenig über-sichtlich Aufschlufs über die Textesgestaltung. Die Bedeutung dieser Werke Ciceros und die Summe von Arbeit, die in der Ausgabe nieder-gelegt ist, fordern ein Eingehen auf die einzelnen Schriften.

De oratore. Für die drei Bücher de oratore haben wir be-kanntlich lückenhafte und vollständige Handschriften, ‚mutili' und ‚integri'; beide sind nicht frei von Fehlern und Unebenheiten, bieten aber da, wo sie neben einander hergehen, gegenseitig ein willkommenes Korrektiv. Als die ‚fontes antiquissimi et verissimae lectionis' be-zeichnet Fr. die älteren (s. IX X) mutili, H(arleianus), A(brincensis), E(rlangensis) und den Auszug aus dem I. und II. Buch Vatic. Reg. (R). Auch von den jüngeren, minderwertigen mutili, die Fr. mit Heerdegen zum gröfsten Teil auf A zurückführt, werden Lesarten

notiert; den leidensis 127 B (l) und ottobonianus 1259 (o) hat Fr.
selbst verglichen. Hinsichtlich der zweiten Handschriftenklasse, der
integri, hat der Herausg. wohl Recht, wenn er den 1422 aufgefundenen
und bald darauf spurlos verschwundenen Laudensis nicht als den
‚parens legitimus‘ aller integri gelten läfst. Von diesen hat er neu
verglichen den Palatinus 1469 (P) und den Ottobonianus 2057 (O).
Gegen seinen prinzipiellen Standpunkt in der Handschriftenfrage wird
man nicht viel einzuwenden haben. Bei der Durchführung im
einzelnen kommen aber bessere Lesarten der integri (L)
gar häufig nicht zu ihrem Rechte. III § 138 quod ille
contra populares homines doceret, L richtig diceret; II 338 orator
sine multitudine audiente, L or. nisi mult. aud.; II 63 in rebus magnis
memoria digna consilia, L in rebus magnis memoriaque dignis consilia;
II 121 primum in nostros mores induxit, L primus cf. II 53, Brut.
33, ähnl. Var. or. 174 primus oder primum adiunxerit; II 134 universa
dubitatione, L universa disputatione; III 160 ingeni specimen est quiddam transilire ante pedes positum, L quoddam und posita. In M (mut.)
sind häufig Worte oder Wortteile ausgelassen, für deren Ergänzung L die
erwünschte Hilfe bietet, z. B. II 68 die Worte ulla serie disputationum
et sine; II 209 cum se relictos sentiunt, illos autem dolent evolasse,
sed etiam superioribus, III 155 inopia coacta (M inopia acta). Man sollte
diese Hilfe aber auch da nicht verschmähen, wo die Auslassungen in M
weniger zu tage treten; so scheidet Fr. nach M meines Erachtens mit
Unrecht aus III 8 [non] ardentem, wo non durch die Figur der
Anaphora und durch die Kolometrie gefordert ist; im gleichen § auch
[gloria] praestitisset, gloria sachlich passend und für den periodischen
Abschlufs notwendig; III 144 quam tibi erat tributum a nobis [ac
denuntiatum], beliebte Stellung und schliefsender Dichoreus; III 180
quam antennæ, [quam vela], quam mali, von den aufgezählten Teilen
sind es doch in erster Linie die vela, die gefälliges Aussehen und
Brauchbarkeit vereinigen. I 1 cursu hon. L dec. hon. I 18 moderatione
laborent, L mod. elaborent (richtig). So wird mit M mehrmals in gestrichen, wo es an seinem Platze ist, z. B. I 47 [in] oratoribus irridendis;
III 137 [in] hoc quidem sermonis genere (auch II 78, 129, 149, 213 hat
M das erforderte in nicht). An vielen Stellen bleibt die Entscheidung
zwischen M und L schwer; die abweichenden Lesarten sind ziemlich
gleichwertig und stammen vielleicht aus einer Zeit, welche der klassischen
Latinität noch nahe stand; z. B. II 162 quasi domicilia (Friedr. mit M),
L tanquam domicilia; II 234 ut Antoni reliqua videamus, L ut ad
Antoni reliqua redeamus. So hat Fr. nach M manches id, est, esse,
et getilgt, das zwar nicht unbedingt nötig ist, das aber ein anderer mit
L zu halten vorziehen würde; ähnlich ist es mit manchen abweichenden
Modi, Tempora und Stellungen. — Wenden wir uns zu den Emendationen.
Die Mehrzahl der aufgenommenen fremden Verbesserungsversuche
dürfte Beifall finden: I 139 Schl. hätte vielleicht Volkmanns Vorschlag
actum für factum (nicht erwähnt), I 225 Döderleins nisi nostro, II 38
Muthers co multum aliqui, III 107 Sorofs etiam nos auch Aufnahme
verdient; dagegen würde ich der handschriftlichen Lesart den Vorzug

geben II 310 ad mentes... movendas permanare possint, cf. III 91
in sensus... influat, während Fr. mit Sorof pertinere possint liest;
II 357 animis effingi nostris, Fr. folgt der Vulgata animis affigi nostris.
Von den eigenen Verbesserungsversuchen hat der Herausg. etwa ein
halb Hundert in den Text gesetzt. Ansprechend ist I 11 ab aliquo
deo dati (M elccti, L ficti), II 144 sibi iam certum esse, II 235
oratoris [velle] risum movere, III 226 [ea in civitate ratio vivendi].
Ich führe noch an I 71 illud quasi iure, I 90 exercitatioque intelle-
gendi, I 194 vera virtus, I 256 antiquitatis [iter et] exemplorum copiam, II 25 homo et doctus et, II 45 ex iis enim fontibus, unde [ad
omnia ornamenta] dicendi præcepta sumuntur, L hat omnia ornate,
daher wohl ad omnia ornate dicenda præcepta sumuntur; II 48 in eo
[testimonium] dicendo, II 152 quod quidem mihi [magis] veri simile
videtur.   Eine Änderung der handschriftlichen Lesart scheint mir unnötig II 146 sententiam et opinionem (Fr. vel); II 190 vim oratoris
(Fr. orationis); II 265 conlationem habet aut tanquam imaginem;
conlationem, ut ille, Friedrich: conl. h. aut t. imaginem. Conlationis
est ut ille: II 299 de volgari et communi prudentia (L, M lingua),
Fr. vi nunc für prudentia, aber gerade dieser Begriff ist hier erforderlich.   Auch II 325 ut audientium fieri sibi velle non videantur und
II 326 Videatur illa dürfte kaum das Richtige treffen.   Ohne genügenden Grund streicht er II 134 [nihil Decii]; II 182 [pudoris
significatio] und unmittelbar darauf [comitas]; III 141 quod [ipse]
suas; III 143 [et ceteris silentium fuit].   Mit einer Ausscheidung wie
II 357 res cæcas et [ab] aspectu[s iudicio] remotas ist der handschriftlichen Überlieferung zu wenig Rechnung getragen.   In der adnotatio critica werden noch einige Dutzend Vorschläge zur Verbesserung
gemacht, von denen manche einen hohen Grad von Wahrscheinlichkeit haben: I 34 privatorum [plurimorum]; III 121 Schluſs gravitate
statt suavitate; andere verdienen weniger Beachtung, wie II 226 sed
ne intuendis quidem für sed ne conlocandis quidem; II 308 quae et
probandi et docendi causa (M hat deprobandi), aber et — et ist bei
den synonymen Ausdrücken sehr unpassend: so läſst sich der Herausg.
durch das Streben, die Überlieferung von M in irgend einer Form zu
retten, einigemal zu haltlosen Konjekturen verleiten.   An wenigen
Stellen mahnt die vorgesetzte crux philologica, daſs noch Heilung zu
beschaffen sei, I 93 † quibus dicere Charmadas (Vulg. in quibus
d. Ch.), I 202 tamen † esse deus putatur, II 193 viderentur † spon-
dalli illa dicentis: doch steht es auch da nicht so schlimm.

        Brutus (mit F, ohne Nebentitel).   Die handschriftliche Über-
lieferung des Brutus hat als einzige Quelle den verschollenen Laudensis.
Eine unmittelbare Abschrift von diesem ist vielleicht der Florentinus
Magliabecchianus I 1,14 (F); ihm folgt als dem besten auch Friedrich
in erster Linie (Kollation von Stangl). Zwei weitere Abkömmlinge
des L, die beiden Ottoboniani 1592 (B) und 2057 (O) hat Friedrich
selbst verglichen; er betont ausdrücklich, daſs sie nicht unmittelbar
ans L geflossen sind. Das interessante Widerspiel der mutili und
integri fehlt hier; die Varianten sind minder erheblich, so § 127

Mamilia mit F, C Manilia; 292 Tite, BN Attice. Nicht zahlreich sind die Stellen, wo Lesarten anderer Handschriften Aufnahme finden, so § 14 nempe eum dicis mit D (Parisinus 7704); § 18 ausim D (st. ansus sim); 171 oratorum retinnit quiddam et resonat urbanius lag. 35, 53, 58. § 160 ist doch wohl mit O zu lesen nobis narravisset statt nobis bis narravisset; der Verstofs gegen die Regeln der Komposition ist durch Dittographie entstanden. — Gilt es in den Büchern de oratore oft, zwischen zwei Lesarten richtig zu wählen, so ist im Brutus der Konjekturalkritik freierer Spielraum offen. Indes läfst der Herausg. seine Verbesserungen im Text hier seltener zu, sondern begnügt sich, sie in der adnot. niederzulegen. § 33 liest er tum casuque, nunquam aut ratione aliqua aut ulla observ., das magis erheischt ein quam, im übrigen klingt mit nunquam die Behauptung doch gar zu apodiktisch. § 177 lenitas eius ⟨non⟩ sine nervis ist die Einsetzung von non ansprechend, doch durch das vorausgehende minime ille quidem vehemens fraglich. 220 orator autem vivis eius ætatis æqualibus 276 Schlufs sive quod non consuesset sive quod non nosset (für posset), der Zusatz, der die bekannte Dreiteilung zum Ausdruck bringen will, stört die Symmetrie und ist dem Ciceronianischen Schlufsrhythmus entgegen, also zu streichen. 321 voluntate ⟨consul⟩ sum factus, die Einsetzung von consul mindestens fraglich. 326 ist[, in quibus, ut in illo Gracco, sic in hoc erant quædam magis venustae dulcesque sententiae quam aut necessariæ aut interdum utiles] ohne genügenden Grund gestrichen, dagegen dürfte im gleichen § mirantur und movetur statt des Imperf. richtig gesetzt sein. Von den in der adnot. crit. gemachten Verbesserungsvorschlägen hebe ich als empfehlenswert einige heraus, § 7 dididicerat ille und assuefecerat, 174 coniunctus fuit L. Gellius, 199 amittaturve ⟨in⟩ dicendo, 225 est sccutus, 254 ereptum per te, 287 suavitatem nec ⟨novitas⟩ est iam sane tolerabilis. § 6 will hunc aut vel, das autem der Handss. kann aber nicht gut entbehrt werden; § 16 exortusque für exustusque unwahrscheinlich, ib. wird pæne solis mit Unrecht angezweifelt; 23 ist die Ergänzung te præsertim tam studiosum et ⟨exercitatum audienti⟩ unsicher und 25 natura ⟨ipsa⟩ der Zusatz unnötig; 49 oratorum portus (für partus) atque fontis wird man ebensowenig gutheifsen als 117 nullus (für nullo) in oratorum numero cf. 213 in aliquo numero; 283 beanstandet er devorabatur, an dessen Stelle er refutabatur, reformidabatur, respuebatur u. ä. für passender hält; mit Unrecht, denn die „avidæ aures" des Publikums verlangen etwas Volles (plenum), das tenue sättigt sie nicht: daraus erklärt sich devorabatur. — Fremde Emendationen sind in mäfsiger Anzahl und im ganzen mit vorsichtiger Auswahl aufgenommen. Nicht einverstanden bin ich, wenn er § 117 mit Simon und Kayser die Worte Sunt enim — disputando tilgt; damit ist den Worten des Brutus eine passende Anknüpfung vollständig entzogen; 213 insitam [atque inluminatam] ist eher durch Emendation als durch Ausscheidung zu helfen. An einigen Stellen ist die Beibehaltung der handschriftlichen Lesart kaum zu billigen, § 22 cum alia ceciderunt, Stangl mit Bake cum alia conciderunt, was nicht einmal erwähnt ist

(ebenso Stangls ansprechende Vermutung § 48 iam Lysiam primo pro-
fiteri für nam L.); 222 ex acie, [id est a iudiciis] ist das Glossem
mit Manut. zu streichen; 307 dürfte hrec etsi videntur a proposito
ratione diversa schwerlich die richtige Lesart sein; 327 studiumque
dimiserat, besser mit Bake remiserat. Dafs Fr. am Schlufs des Brutus
nur die handschriftliche Lesart in multis .... si operosa est con-
cursatio magis oportunorum .... geboten hat, mag man gutheifsen.
Auch sonst hat er einige Stellen als der ars emendandi immer noch
bedürftig gekennzeichnet, 46 controversia † natura, 207 † Cotta
Sulpicius expetebantur. § 17 ist etsi fortasse kaum zu beanstanden.

   Orator. Für den orator haben wir die doppelte Überlieferung
wie für de oratore, die mutili m.d integri. An der Spitze der mutili
steht der Abrincensis (A) als der älteste, der beste und, wie Friedrich
mit Heerdegen anzunehmen geneigt ist, als die Quelle aller übrigen
mutili; er enthält § 91—191 und 231—238. Von den integri sind
fünf herangezogen, Florentinus I 1, 14 nach der Ausgabe von Heerdegen; den Palatinus 1469 (P), den Ottobonianus 2057 (O) und den
Vitebergensis (f) hat Friedrich selbst verglichen; der Einsiedlensis (E)
nach der Ausgabe von Orelli. — Gute Lesarten der integri (L) werden
hier seltener als in den Büchern de or. minderwertigen der mutili (M)
nachgestellt, so § 142 aut quod posse (L nosse) pulcherrimum est, id
non gloriosum est docere? 191 qua de causa ratione potissimum (L qua
de causa fieri ut is potissimum) propter similitudinem veritatis adhibeatur.
§ 92 immutata in quibus pro verbo [proprio] (om A) subicitur aliud.
ist proprio nach de or. III 167 wahrscheinlich zu halten. § 80 ist mit
E zu lesen quot aut optime sonant aut rem maxime explanant, sc.
verba, nicht ornatus. — Von den aufgenommenen fremden Konjekturen
scheinen mir nur wenige zweifelhaft, so § 107 Ab hac etiam indole
iam mit Steph., wo die Lesart A Ab hac iam indole keineswegs
unerklärlich. Wenn er 37 schreibt laudationum [scriptionum et
historiarum] et talium suasionum etc., so ist hernach wohl auch
reliquarumque [rerum] formam zu lesen; 222 schliefst er mit
Stangl ein [E quattuor igitur quasi hexametrorum instar versuum
quod sit constat fere plena comprehensio]; dann war aber auch Z. 19
senariis versibus mit Stangl zu lesen. Andrerseits würde man manche
Emendationen lieber im Text als in den krit. Apparat sehen; § 38 ist
arguliis eine ansprechende Konjektur von Heerdegen, jedenfalls ist
arguti certique et circumscripti verborum ambitus sprachlich und
sachlich kaum zu rechtfertigen. § 46 empfiehlt es sich mit Eussner
[in utramque partem] auszuscheiden; 81 (mit Rivius) pareus [et] in:
134 ex iis ipsis mit Lambin, 135 leviter commutata mit Gesner st.
brevitor c. zu lesen. Von den wenigen eigenen Emendationen, die Fr.
in den Text gesetzt, dürfte z. B. § 20 die Ausscheidung von varii und
§ 42 die Lesung et ipsa se postea colorat das Richtige treffen. § 123
nec ⟨cum⟩ omnibus ist durch Brut. 209 nicht genügend gestützt.
105 Nam ille magnus et succ. . . . aequales; nos minus. Magnum
fecissemus etc. ist schwerlich richtig interpungiert; auch sonst nicht
einwandfrei. Dagegen haben einige in der adnotatio vorgeschlagene

Änderungen sehr viel für sich, so 101 Non enim loquentem für elo-
quentem, 118 notatos (für notos) ac tractatos locos, und entschädigen
für einige unnötige oder mifsglückte Konjekturen, z. B. 111 Nam (für Jam)
illud medium quotiens vult arripit et a gravissimo discedens ad lenis-
simum (für eo potissimum) delabitur.

Es erübrigt noch einige Worte zu sagen über die drei kleineren
Schriften, deren Bearbeitung um so willkommener ist, als sich ihnen
Interpret und Kritiker seltener zuwendet. — Die Vorrede Ciceros zu
seiner Übersetzung des Demosthenes und Äschines trägt die Aufschrift d e
o p t i m o g e n e r e o r a t o r u m, davor in Klammern [M. T. Ciceronis],
was in dem Sangallensis (d) fehlt. Aufser diesem hat Fr. noch Vatic.
Reg. (r), drei Ottoboniani und einen Vitebergensis (f) kollationiert.
Nennenswert sind folgende Athetesen § 1 [a Latinis], 17 [ut ait
Lucilius], ˙18 nach Jahn nec minus [Terentium et Caecilium quam
Menandrum legunt, nec] Andromacham aut Antiopam aut Epigonos
[Latinos recipiunt; sed tamen Ennium et Pacuvium et Aecium potins
quam Euripidem et Sophoclem legunt]. § 15 verdient assequetur (O)
den Vorzug vor assequitur.

P a r t i t i o n e s o r a t. Codices: Parisinus (P) 7231 (der beste)
verglichen von Dierks, Paris. 7696 vergl. von Ströbel, von diesem auch
drei Erlangenses; Redigeranus und Viteberg. von Friedrich selbst kollationiert. An fünf Stellen wird das in P fehlende est getilgt § 13
narrandum [est], 60 utendum [est], 61 Sed [est] propositum, 87 ante
[est] dictum, 118 disputatio [est], kaum mit Recht; auch § 65 ut
pertinacia [et] perseverantia und 105 dolor iustus [vim tum illam ex-
citavit] würde ich die eingeklammerten Worte trotz des Fehlens in
P nicht gerne preisgeben. § 7 quae [iura] infixa sunt ist iura eher
zu emendieren als auszuscheiden, wahrscheinlich natura; 74 ad au-
gendam eius quem laudes gloriam tacto (P tacito, Vulg. tracto) wird
auch durch de or. II 43 nicht als richtig erwiesen; 30 clamor [audi-
tus], wofür er (p. LXXII) crepitus lesen möchte, ist wohl beizubehalten,
ebenso 57 die Worte [Proprius locus . . . amittendi periculo]. In der adnot.
werden noch einige Vorschläge gemacht, 25 habitu voltus (schwerlich),
73 prodigiis extis (für et) oraclis; 39 tremor c o r p o r i s, Handss.
eorum, daher eher membrorum, indes steht auch § 114 tremor ohne
Zusatz.

T o p i c a. Zu den Topika hat Friedrich den Ottobonianus 1406
(O), den einen Arm der Überlieferung, aufgefunden und verglichen;
v o n dem anderen sich vielfach verzweigenden Ast sind 11 (10)
Handschriften herangezogen, 9 davon von Fr. selbst kollationiert.
Um auch hier einige Stellen zu berühren, bemerke ich, dafs § 27
cerni tangive mit A (Voss. 84) dem cerni tangique vorzuziehen ist;
58 Causarum [enim, andere igitur] genera duo sunt, eines von beiden
zu halten. Richtig scheint er mir mit Hammer § 17 [Ea sunt inter
se contraria] zu tilgen und 86 in propositi quaestionibus zu schreiben.
Seine eigenen Vorschläge hat Fr. fast alle im Text zur Geltung
kommen lassen, und sie haben meist einen hohen Grad von Wahrscheinlichkeit, so 40 argumentatio [quae ex genere sumitur] cum,

73 [fortuna] ars usus, 75 [huic simile quiddam de Lacedaemonio Pausania accepimus], 91 expositae, [rerum expetendarum], 82 Sitne sic: ecquidnam sit honestum.

Zum Schlusse — last not least in einer kritischen Ausgabe — sind noch einige grammatische und orthographische Kleinigkeiten zu berühren, wobei ich die sechs Schriften zusammenfasse. Ob der Buntscheckigkeit der Schreibweise, wie sie Friedrich hauptsächlich im Anschlufs an die mutili gibt, (quom = qum = cum als Konjunktion und ebenso die Präp. qum = quom = cum, quiquam = cuiquam, quoiquomque, quamcumque, quaequmque) wird mancher Leser, der wenigstens seine eigene Orthographie konsequent schreibt, den Kopf schütteln. Doch darf nicht gerade alles wundernehmen. Die Laut- und Formenlehre war in der 1. Hälfte des 1. Jahrh. v. Chr. mehr als gewöhnlich in flüssigem Zustande — Cäsar und Varro reden daher der Analogie das Wort, weniger Cicero —, und als Aufgabe des Prosaschriftstellers galt es, diesen flüssigen Zustand für die Abwechslung in Melodie und Rhythmus auszunützen, so dafs z. B. Antoni und ingeni neben Antonii und ingenü oder saeclis neben saeculis nach Umständen wohlberechtigt und wohlberechnet ist. Ich glaube daher, dafs der Herausgeber auf seine Art dem alten Text in vielen Fällen näher kommt, als wenn er die Überlieferung nach unserer schulmäfsigen Orthographie durchkorrigiert hätte. Ohne die Absicht, mich mit der Frage eingehender zu befassen, meine ich doch einen Einblick geben zu sollen, indem ich die wichtigeren Beispiele anführe (vereinzelten und seltenen Stellen sind Nachweise beigesetzt): Genet. auch ingeni studi flli flagiti; aviteis armis de or. I § 38, plurimeis in rebus III 224; navim I 174 und top. 61, amni III 186; Acc. Plur. partis = partes, omnis, -es etc. (M auch fälschlich quaestionis II 140 u. a.): Superl. -imus und -umus in buntester Abwechslung; eis iis, quoins cuius, quoi und qui = cui (Br. 135, 304), quis = quibus part. 49, quidam Dat. II 256, quicque, quor (II 47). Gerund -endi und -undi; selten Pass. re st. ris; carast visumst enitendumst etc. und getrennt: assentire I 110 und assentior, ae e oe: scaena, obscaenius or. 154, obscenitas II 242, C. Coelins (I 117), L. Caelius Brut. 102; e i o: delinitor Br. 246, degredi (degressio) und digr., deminuta, demensa, derigere, discribere (I 34), destrictus (III 131), pigneribus und pignoribus III 4, facinerosus II 237, versus und vorsus, vert. und vort. s. adn. Brut. 176; i u: lub. und lib., dissupare, finitumus, lacruma. sonupedes III 183, luntre Br. 216; poeniendi I 220, defrudasse or. 221; (i) integimentis und integmentis; (u) periclis, oraclis, saecla, vinclis, berele, guarus und narus; hiemps part. 37, Carthag. n u. m: tanquam tamq., quanquam quamq., nunquam (seltener numq.), quemdam or. 30, quamdam or. 53, quorumdam or. 67, eumdemque or. 38 u. 192, quenquam; die Assimilation der Präp. höchst schwankend: adf. aff., adl. all., ads. ass., adt. att., conl. coll., inl. ill., inr. irr., ecf. eff., conp. comp., inp. imp., obt. opt., supsellia, subt. supt., obm. omm., subm. summ., accommod. accomod., traf. tral. tram. (trans), tragressio II 307; circumitus; arcess. accers. Getrennt quo ad, simul atque, vel ut. Oportunus (oportunitas) immer, wenn ich nicht irre cotidie und cottidie (Brut. 305 sqq.), neclecta II 334, repuerescere II 22, promisce III 72 (promiscue or. 85), fabrum tignuarium Brut. 257, was durch Inschriften bestätigt wird.

Der Druck ist mit Sorgfalt überwacht. Von den wenigen Fehlern, die sich eingeschlichen haben, seien notiert: p. 309, 12 dedicisset für didicisset, p. 319, 4 totos für toros, p. 322, 27 ist nach a einzusetzen te.

Die Ausgabe, die Frucht mehrjähriger Thätigkeit, darf in der Kritik der rhetorischen Schriften Ciceros einen ehrenvollen Platz beanspruchen als Grundlage und Anregung für weitere Studien, weit weniger freilich wegen Vorzüge des gegebenen Textes. Sie repräsentiert ein gut Stück deutscher Forscherarbeit.

München.   _____   Dr. Ammon.

Titi Livii ab urbe condita liber XXII. Für den Schulgebr. erklärt von Dr. Karl Tücking. 3. verb. Aufl. Paderborn, F. Schöningh 1889.

Die Ausgabe besteht aus dem Texte nebst der periocha (S. 3 bis 58) und aus sachlichen und sprachlichen Erklärungen (S. 59—121). Ersterer schliefst sich ziemlich getreu der Überlieferung des Puteanus an, welche der Herausgeber gegenüber der jüngeren Tradition mit Recht bevorzugt; so liest er cap. 13, 1 nach P mit Beibehaltung des Asyndetons tot indignitatibus cladibus (cladibusque codd. deteriores). Allerdings wäre wohl auch cap. 6, 6 das handschriftliche capitibus umeris zu belassen gewesen, während T. nach einer Konjektur Weifsenborns capitibus umerisve schreibt. Derartige zweigliedrige Asyndeta von Substantiven (über die von Verben vgl. Bd. XXVI S. 416) finden sich noch folgende bei Livius: 10, 16, 8 armis stipendio; 21, 28, 2 nautarum militum; cap. 46, 4 hominum equorum; cap. 38, 9 Seduni Veragri; 22, 29, 11 arma dexterae; 22, 61, 3 fletibus questibus; 32, 2, 5 labore opere; 4, 3, 12 ingenio virtute; 45, 22, 1 poenas igninonias; 34, 35, 7 liberos coniuges; 38, 43, 5 und 45, 1, 10 coninges liberos; 38, 48, 4 libertatem immunitatem; 33, 38, 12 tecta muros; 25, 6, 20 peditum equitum; 25, 7, 5 muris turribus; 36, 18, 1 arma tela; 35, 35, 7 terras maria armis viris completurum; 40, 38, 4 arma obsides; 22, 10, 2 populus Romanus Quirites. — cap. 4, 2 hat der Puteanus: inde colles adinsurgunt, der Herausgeber schreibt mit Madvig insurgunt, obwohl er S. 109 die ähnlich gebildeten Decomposita 1, 21, 4 adinvolutus, 38, 7, 13 adimpleo ausdrücklich anerkennt.

Im zweiten Teil geht den Bemerkungen zu jedem Kapitel eine kurze, den Überblick erleichternde Inhaltsangabe voran. Die Erklärung bietet besonders für die richtige Übersetzung schwieriger Stellen schätzenswerte Anhaltspunkte.

Titi Livii ab urbe condita liber X. Für den Schulgebrauch erklärt von Fr. Luterbacher. Leipzig, Teubner, 1892.

Hinsichtlich der Trefflichkeit des Kommentars steht dieses
Bändchen den früher erschienenen nicht nach; was hingegen die
Textesgestaltung betrifft, so kann sich Refer. mit derselben nicht
durchwegs einverstanden erklären, weil der Herausgeber jüngeren
Handschriften (und Ausgg.) mehrfach in solchen Fällen gefolgt ist,
wo die Lesart der älteren durch Parallelstellen hinreichend gestützt
zu werden vermag. So hat die letztere Klasse cap. 10, 12 übereinstimmend: pecuniam ingentem sine labore ac periculo paratam,
wofür L. mit jüngeren Hss. partam schreibt; jedoch sprechen Stellen
wie Sall. or. Lep. 17 aliena bene parata prodigere; Tac. ann. 4, 44,
3 opes innocenter paratae et modeste babilae; ib. 11, 10, 13 tributa
illis de gentibus parata; Fronto pag. 137 Naber magnis divitiis paratis
für die Richtigkeit der älteren Überlieferung. Ähnlich findet sich in den
Handschriften des öfteren pax parata, wenn es auch meistens in parta geändert wird, Liv. 5, 1, 1 pace alibi parata (vgl. Weifsenb. 1. Aufl.), ibid.
21, 60, 4 nec pax modo apud eos sed societas etiam armorum
parata est (so hat der Puteanus), Tac. hist. 5, 10, 9 pace per Italiam
parata (vgl. Bach z. St.), Eutrop. 9, 17 pace parata; vgl. ferner
Liv. 25, 39, 13 praedam ingentem paratam (so der Put.), Vell. 2, 54,
3 qui vir cum summum ei a militibus deferretur imperium, honoratiori
parare (parere ist Konj.) maluit, Stat. silv. 3, 1, 25 astra virtute
parata tenere, Sen. Agam. 287 pretio parata vincitur pretio fides. —
cap. 14, 9 steht in den Hss. quoque aperta pugna, L. stellt nach der
edit. Frobeniana posterior: aperta quoque pugna; indes tritt quoque
nicht selten vor das betonte Wort, vgl. Liv. 22, 14, 15 haec velut
contionanti Minucio circumfundebatur tribunorum . . multitudo, et ad
aures quoque militum dicta ferocia evolvebantur; ib. 4, 41, 3 quae
pensitanda quoque magnis animis . . essent; Curt. 6, 6, 5 cum illis
(spoliis Persarum) quoque mores induerat (vgl. Vogel Einl. 161); Tac.
a. 11, 13 comperto quoque Graecam literaturam non simul coeptam
absolutamque (Graecam quoque die edit. Frobeniana!); Plin. pan. 78
optimum quemque niti et contendere decet, ut post se quoque rei
publicae prosit. — cap. 31, 5 ist die Lesart der editio Campana:
Samnitium legiones consident, welcher L. folgt, (die Hss. Samnitium
omnes) allerdings bestechend, aber Liv. 31, 45, 7 steht Macedonum
fere omnibus, Tac. ann. 11, 22, 8 cunctis civium, Ovid. metam. 4,
631 hominum cunctos, Plin. n. h. 3, 1, 7 cunctas provinciarum. —
Das bei früheren Prosaikern seltene Substantiv paratus (= adparatus)
hat vereinzelt schon Cicero (fin. 5, 53 nullum vitae cultum aut
paratum requirentes) und Sallust (hist. frgm. 1, 62 Kr. paratu militum
et armorum); es besteht also kein Grund, cap. 41, 3 statt paratus
sacri nach jüngeren Hss. apparatus zu schreiben. — Schliefslich möge
es gestattet sein, eine meines Wissens noch nicht vorgebrachte Vermutung anzufügen; ca. 22, 4 heifst es in den meisten Hss.: subscripsit
orationi eius consul . . quae ex concordia consulum bona . . evenirent,

memorando . . admonendo Decium Fabiumque, ut uno animo, una
mente viverent; der Mediceus hat für admonendo: et monendo, wie
von den meisten Herausgebern geschrieben wird; vielleicht ist jedoch
admonendo in atque monendo zu verbessern.

Corn. Taciti de vita et moribus Cn. Julii Agricolae
liber. Erklärt von Dr. Karl Tücking. 3. verb. Aufl. Paderborn,
F. Schöningh 1890.

Bei Feststellung des Textes dieser Ausgabe (S. 7—29) ging der
Herausgeber von dem Grundsatze aus, an der überlieferten Lesart
nichts zu ändern, wenn sie sich irgendwie angemessen erklären
liefs. Er ist demselben auch thatsächlich gefolgt, abgesehen freilich
von einer Stelle im letzten Kapitel, welche lautet: placide quiescas
nosque, domum tuam, ab infirmo desiderio et muliebribus lamentis
ad contemplationem virtutum tuarum voces. T. schreibt nach einem
Vorschlage von Urlichs nosque et domum in der Annahme, dafs mit
nos Tacitus allein gemeint sei; nun zählt dieser aber gewifs auch
sich selbst zur domus des Agricola, und ist die Vermutung, dafs er
von sich im Plural spreche, um so weniger gerechtfertigt, als im
vorigen Kapitel mihi filiaeque und ganz am Schlufs praeceperim steht.

Der Kommentar (S. 30—74), nach Form und Inhalt vorzüglich,
fufst ersichtlich auf langjährigen Erfahrungen bei der Schullektüre.
Ein 6 Seiten umfassendes Sach- und Wortregister erhöht die Brauchbarkeit des Büchleins.

München.   F. Walter.

Sexti Pompei Festi de verborum significatu quae
supersunt cum Pauli epitome. Edidit Aemilius Thewrewk
de Ponor. Pars prima textum continens. Budapestini et Berolini.
Apud S. Calvary eiusque socium. MDCCCXC. VIII et 632 pag.
Mk. 7,50.

Das wichtige Werk des Festus nebst dem Auszuge des Paulus
wurde im Jahre 1838 von Otfried Müller bei Weidmann in Leipzig
herausgegeben, ein Buch, das, weil vergriffen, im Jahre 1880 neu
aufgelegt wurde. Es war das zu seiner Zeit eine vortreffliche Leistung.
Die Einleitung der Müllerischen Ausgabe enthält eine sorgfältige und
umfassende Erörterung aller in Betracht kommenden Punkte, besonders
betreffs der Handschriften. Die Überlieferung des Festus beruht auf
einer einzigen Handschrift, dem in sehr verstümmelter Gestalt
erhaltenen codex Farnesianus in Neapel. Müller benützte eine Vergleichung dieser Hdschr. von Ludwig Arndts, bezüglich der Handschriften des Paulus verliefs er sich im wesentlichen auf den kritischen
Apparat Lindemanns in dessen Ausgabe der Grammatici Latini II tom.

Die Angaben Müllers lauten deshalb auch nicht immer bestimmt,
z. B. boni codices, ceteri codices, omisit Lindemannus errore typo-
graphico puto etc.

Es kann deshalb als ein sehr verdienstliches Unternehmen betrachtet werden, dafs Prof. Thewrewk in Pest eine neue kritische
Ausgabe des Doppelwerkes veranstaltete. Er hatte bereits in seinen
„Festusstudien", einem Separatabdruck aus der Ungarischen Revue
1882, und in den Mélanges Graux, Paris 1884, über die Resultate
der Vergleichungen der Festus-Paulus-Handschriften, welche teilweise von
einigen seiner früheren Schüler besorgt worden waren, und über die
Frage, welche Klasse der Handschriften als Grundlage für die Textesgestaltung anzusehen sei, gehandelt. Vorläufig liegt der 1. Band vor,
welcher aufser einer kurzen Praefatio nur den Text des Festus und
des Paulus enthält. Der 2. noch nicht erschienene Teil soll den
kritischen Apparat enthalten.

Die Vergleichung des codex Farnesianus und der Abschriften
der verlorenen Blätter der nämlichen Handschrift, welche sich ehedem
im Besitze des Pomponius Laetus befanden, hat für ihn Eugen Abel
vorgenommen. Die Paulushandschriften der Leydener Bibliothek 37,
116, 135, den codex Trecensis 2291, den Monacensis 14734, die
Wolfenbüttler Hdschr. 10, 3 konnte er selbst in Buda-Pest vergleichen.
Von diesen Handschriften waren nur die zwei letztgenannten Lindemann vorgelegen. Unter den vom Sultan Abdul Hamid II. der Universität Pest geschenkten Büchern aus der ehemaligen Bibliothek des
Matthias Corvinus war auch eine Handschrift des Paulus, durch deren
Vergleichung Thewrewk die Überzeugung gewann, der kritische
Apparat Lindemanns, auf welchen hauptsächlich sich Müller gestützt
hatte, verdiene wenig Glauben. Deshalb seien die bekannten Handschriften des Festus-Paulus nochmals genau zu vergleichen, die anderen
bisher noch nicht herangezogenen auszunützen.

Schon auf Grund des nunmehr vorliegenden Textes kann behauptet werden: Der Text des Festus und Paulus ruht jetzt
auf einer sicheren kritischen Grundlage. Auch handsamer
ist die neue Ausgabe von Thewrewk als die von Müller. Dieser hatte
nämlich das Format mehr breit als hoch genommen, weil er vom
Buchstaben M. s. v. Manubiae an, wo die freilich sehr lückenhaften
und verstümmelten Blätter des Festuscodex einsetzen, in genauen Anschlufs an diesen die beiden Kolumnen auf je einer Seite seiner Ausgabe
abdruckte. Dagegen hat die neue Ausgabe je eine Kolumne der
Festushandschrift auf der einen Seite und die entsprechenden Artikel
der Paulus-Epitome, gleichwie die Müllerische, auf der gegenüber-
befindlichen Seite.

Obwohl sich über die Textesgestaltung erst nach dem Erscheinen
des 2. Teiles endgültig urteilen lassen wird, so kann doch jetzt schon
behauptet werden, dafs dieselbe durch Thewrewk eine sehr umfassende
Förderung erhalten hat. Müller war der damaligen lateinischen Orthographie gefolgt und schrieb z. B. collectus, quum, affines, attestata,
deiiciebantur, während bei Thewrewk im Anschlufs an die Hand-

schriften, soviel ich sehen kann, conlectus, cum, adfines, adtestata, deiciebantur geschrieben ist. Soweit die kritischen Anmerkungen in der Müllerischen Ausgabe feste Anhaltspunkte geben, folgte er häufiger mit Lindemann dem Codex Guelferbitanus, welcher dem 10. Jahrhundert angehört oder gar noch älter ist, als dem Monacensis aus dem 11. Jahrhundert, welchen Müller bevorzugte. Inwieweit er die übrigen Paulushandschriften heranzog, ist mir nicht bekannt, da ich d e eingangs erwähnten Abhandlungen Thewrewks nicht zu Gesicht bekam.

Unzweifelhafte Verbesserungen des Textes durch frühere Gelehrte sind nunmehr in den Text aufgenommen, z. B. 28, 23. Comptum statt Conitum, 32, 29. Caudeae statt Caudecae, 38, 36. Curas statt Clunas, 74, 32. Irceus statt Ircens, und viele andere, die Müller zum Teile schon in seinen Anmerkungen mitgeteilt hat. Neue Verbesserungen finden sich zahlreich. So ist 6, 15. s. v. Angor das handschriftliche anchedellen (M.) anchedellin (Gu.), wofür Müller die wenig wahrscheinliche Vermutung Scaligers ἀγχόνην einsetzte, sehr schön in ἄγχειν τὴν δειρήν verbessert; 7, 34. s. v. Agonium ist gewifs richtig für agones . . . montes in der Ausgabe Müllers jetzt agonos . . . montes geschrieben, vermutlich auf Grund der Handschriften; 10, 32. Avillus statt Avillas, 10, 30. s. v. Avere: argumento esse avidum et aviditatem statt argumento est etc.; 15, 23. wird die Glosse Arillator erst in der neuen Ausgabe recht verständlich; 19, 31. Afvolant statt Afvolunt; 33, 26. s. v. Caput liest man jetzt statt des verderbten handschriftlichen Karatenphi sehr hübsch κάρα τὴν κεφαλήν; 46, 8. steht Comauditum statt des Müllerischen Conauditum, vgl. auch Placid. 27, 1. Comegit: 60, 6 s. v. Fomites wohl richtig adustas iam fomites statt adustas iam vites. Trefflich ist die Verbesserung Gnitor et gnixus (= Nitor et nixus), wo man bei Müller das unverständliche Gnitus et gnixus findet. 100, 6. schreibt Thewrewk: Hariuga dicebatur hostia, cuius adhaerentia inspiciebantur exta, Müller unverständlich Harviga etc. 87, 25 Meliosem (= meliorem), Müller Meltom (!). Diese Anführungen mögen genügen und es sei nur bemerkt, dafs sie sich unendlich vermehren lassen würden.

Erst aus dem kritischen Apparat wird sich ersehen lassen, warum bei Thewrewk 31, 4 Carissam durch vafrum, nicht durch vafram, wie bei Müller, erklärt ist, während Placidus 27, 17. und die übrigen Glossarien meines Wissens Carisa nur als Femininum kennen. Es scheint mir sicher zu sein, dafs 68, 5. Gnarigavit == narravit, und Gnarivisse == narrasse in Gnarificavit und Gnarificasse zu ändern sind; vgl. magnificare und Plac. 50, 1 Gnarificationum sermonum, wo die Schreibweise durch die besten Hdschr. gesichert ist. In meiner Ausgabe des Placidus schrieb ich 67, 9. statt des handschriftlichen Massucum (Masucum) im Anschlufs an Paulus 113, 1. Masucium. Ich bin jetzt im Zweifel, ob nicht doch die Schreibung des Placidus den Vorzug verdient. 71, 23. schreibt Thewrewk scharfsinnig: Hemina ex Grace ξέστον ἡμίσεια; quod est dimidia pars sextarii, Müller sehr unwahrscheinlich statt des handschriftlichen exes. iosimi

(M.) exestosimi (Gu.): *ἱμίεκιος, ἱμίνα*. Wann nicht Thewrewk auf Grund anderer Überlieferung *ἡμίσεια* setzte, so dürfte die handschriftliche Lesart eher: est *ἔστον ἥμιον* vermuten lassen, mindestens ist est erforderlich.

Die Überlieferung des eigentlichen Festus beginnt bekanntlich beim Buchstaben Mdd mit dem Lemma Manubiae. Während Müller sich nach den Vermutungen des Scaliger, Ursinus und eigenen Konjekturen mit Zuhilfenahme des Paulus die Lücken der Festushandschrift ergänzte und die Ergänzungen durch kursive Schrift kenntlich machte, giebt Thewrewk nur den einen handschriftlichen Thatbestand. Der jetzige Text des Festus zeigt fast auf jeder Seite, daß trotz der früheren öfteren Vergleichungen des Farnesischen Codex durch die tüchtigsten Gelehrten doch noch eine bedeutende Nachlese blieb. Ein Beispiel mag dieses darthun:

Bei Müller lauten S. 157 die vier untersten Zeilen:
ubi sacras habituri *sint mensas, in quibus* parentatio, non sacrific — *ium, fieri possit* magno cr.
. . teuchat aram;
bei Thewrewk S. 150:

.   ubi sacras habituri s
         parentatio, non sacrifi
         magno ornatu vel
         ame . . . a teuehat aram.

Wenn nun auch diese Vorführung der reinen Überlieferung ihr Gutes hat, so ist damit doch andererseits der Nachteil verbunden, daß auf diese Weise die Lesung des Festustextes für die meisten ein Ding der Unmöglichkeit ist.

Es ist deshalb anzunehmen, daß der Herausgeber in einem späteren Teile den nunmehr noch besser gereinigten Text mit den wahrscheinlichen Ergänzungen geben wird.

Im Vergleiche zu der sehr korrekt gedruckten Ausgabe Müllers finden sich in der neuen Ausgabe mehr Druckfehler. Dieser Umstand hat bei einem Werke von so eigenartiger Beschaffenheit den Nachteil, daß der weniger Kundige oft nicht weiß, ob die dermalige Gestalt eines Wortes von dem Schriftsteller beabsichtigt oder auf ein Versehen des Setzers zurückzuführen ist. Ich merkte mir bis zu dem Buchstaben M folgende Druckfehler an:

S. 11, 13. ist t und ein Punkt verschoben; 21, 10 liest man fierit statt fieri, 25, 16. bitendem statt bidentem, 26, 7. simliter statt similiter, 40, 9. datus et statt datus est, 52, 31. Dialia statt Dialis, 56, 8 exhiberunt statt exbiberunt, 59, 15. foede statt foedere, 65, 4. unde at statt unde et, 67, 35. esi statt est, 71, 11. aedem statt eadem, 81, 31 proptee statt propter, 93, 1. dictur statt dicitur, 101, 5. mensuetum statt mansuetum, 137, 1. decreta statt decreto.

Burghausen.   A. Deuerling.

A. Haussner, Wiederholungsaufgaben zum Übersetzen ins Lateinische. I. Bändchen: Der Lehrstoff der 1. Klasse des Gymnasiums. S. 46. II. Bändchen: Der Lehrstoff der 2. Klasse des Gymnasiums. S. 85. Erlangen. Verlag von Fr. Junge. 1891.

Die beiden Büchlein sind nicht zum unmittelbaren Gebrauche im Schulunterrichte bestimmt, sondern sollen in der Ferienzeit zur Repetition des bereits durchgearbeiteten Lehrstoffes besonders solchen Schülern dienen, welche wegen mangelhafter Leistungen eine gründliche Wiederholung vornehmen müssen, wenn sie im nächsten Jahre den Anforderungen der Schule genügen wollen. Die Übungsstoffe sind aus der Praxis des Schulunterrichtes hervorgegangen und in beiden Bändchen in zusammenhängenden Stücken geboten.

Die Stoffe im ersten Bändchen sind aus den verschiedensten Gebieten genommen, der Fassungskraft des Schülers angemessen und durchaus interessant, wodurch das Büchlein von andern gleichartigen Werken sich in vorteilhafter Weise unterscheidet.

Das zweite Bändchen besteht aus zwei inhaltlich verschiedenen Teilen; der erste Teil ist aus Justins philippischer Geschichte entnommen und bietet den Wiederholungsstoff in drei besonderen kurzen Jahreskursen, während der zweite aus Aufgaben gemischten Inhalts besteht und gleichsam Prüfungsaufgaben über die einzelnen Abschnitte des Jahrespensums enthält. Demnach wiederholen sich die Übungen über die gleichen grammatischen Abschnitte in vier Partien, worüber ein der Vorrede beigefügtes Inhaltsverzeichnis genauen Aufschluss gibt. Wenn man auch eine derartige Einrichtung des Büchleins, falls es für den Schulgebrauch bestimmt wäre, nicht billigen könnte, so hat sie doch für den Privatgebrauch gewiss manche Vorteile, indem man den Lehrstoff bald in gedrängter Weise auf kleinerem Raume, bald ausführlich in umfangreicherem Material behandeln kann.

Die Stücke sind nicht nur mit gründlicher Sachkenntnis, sondern auch mit grossem Fleiss abgefasst; ein ganz besonderer Vorzug ist, dass sie durchgehends in gutem Deutsch gehalten sind. Freilich hat der Verfasser die Anforderungen ziemlich hoch geschraubt und in manchen Partien von dem Schüler zu viel verlangt, indem abgesehen von stilistischen Eigentümlichkeiten Dinge von der dritten und vierten Klasse in zu ausgedehntem Maße vorausgesetzt werden; selbst die oratio obliqua findet sich öfter angewendet, was in einem solchen Buch nicht zweckmäßig erscheint. Hievon abgesehen können beide Büchlein zum Gebrauche im Privatunterricht aufs beste empfohlen werden.

München.   Dr. J. Haas.

Vorschule für den ersten Unterricht im Lateinischen. Nach der kleinen lateinischen Sprachlehre und dem Übungsbuche von Dr. Ferd. Schultz unter Mitwirkung desselben bearbeitet von Dr. A. Führer. II. Übungsstoff und Wörterverzeichnis. 2. Aufl. Paderborn (Schöningh) 1891.

Dieses Übungsbuch bildet den zweiten Teil zu des Verfassers „Vorschule", deren erster Teil den grammatischen Lernstoff gibt. Eine Durchsicht des Buches läſst erkennen, daſs dem Verf. daran gelegen war, zunächst inhaltlich alles zu vermeiden, was das Fassungsvermögen der Schüler auf dieser Unterrichtsstufe übersteigt, und die Einzelsätze wie die zusammenhängenden Stücke zugleich bildend für den Geist zu gestalten; ferner das einmal Gelernte, besonders von solchen Dingen, welche gerne verfehlt werden, immer wieder vorzuführen und stufenweise zu erweitern. Vor allem aber ist ersichtlich, daſs Beschränkung auf das Notwendige, auf das, was unbedingt festes und sicheres Eigentum des Schülers werden soll, den leitenden Grundgedanken bildete. Letzteres gilt auch hinsichtlich der vorkommenden Vokabeln. Keine Fuſsnoten, kein alphabetisch angelegtes Wörterverzeichnis, sondern im Übungsstoffe ausschlieſsliche Verwendung nur derjenigen Wörter, die eben ein Schüler wissen soll, und die deshalb ordentlich gelernt und fleiſsig wiederholt werden müssen. Zu diesem Behufe sind die betr. Vokabeln am Schlusse des Buches nach der Reihenfolge der einzelnen Abschnitte des Übungsstoffes zusammengestellt.

Trotz seiner Brauchbarkeit läſst sich das Buch wegen abweichender Verteilung des Lehrstoffes nicht gut an unseren Anstalten verwenden.

———————

Lateinisches Übungsbuch für die zwei untersten Klassen des Gymnasiums und verwandter Lehranstalten. Von Dr. Joh. Hauler. Abteilung für das zweite Schuljahr. 11. veränderte Aufl. Wien 1890. Verl. v. Bermann und Altmann. Geb. 1 fl. 4 kr. ö. W.

Vorliegende Umarbeitung des seit 25 Jahren an österreichischen Gymnasien viel benützten Hauler'schen Übungsbuches durch den Sohn des verewigten Verfassers schlieſst sich an die in Österreich gangbarsten lat. Grammatiken von K. Schmidt (7. Aufl.), F. Schultz (20. Aufl.), A. Scheindler aufs engste an und entspricht in der ganzen Anlage den Forderungen des Ministerial-Erlasses vom Juli 1887. Demzufolge ist bei jedem Abschnitte den Einzelsätzen ein zusammenhängendes Stück angereiht. Diese Stücke sind gröſstenteils den Schulklassikern entnommen, jedoch unter gebührender Rücksichtsnahme auf das Wissen und Können der Schüler, indem schwierige Konstruktionen erleichtert wurden. Auf solche Weise ist Mustergiltigkeit hinsichtlich des lateinischen Ausdruckes mit Verständlichkeit gepaart und treten Form und Inhalt in die richtige Verbindung. Im deutsch-lateinischen Teil dürfte es sich empfehlen, das etwas kindisch gehaltene Stück „Die Teile des menschlichen Körpers" (§ 3) durch ein besseres zu ersetzen.

Auch bei der Auswahl der zusammenhanglosen Einzelsätze ist möglichst auf wissenswerten und anregenden Inhalt Bedacht genommen, wiewohl hauptsächlich im deutsch-lateinischen Teile immer noch manche Sätze wegen ihres teils schalen, teils mehr oder minder unrichtigen Gehaltes auffallen. Doch das ist ein Übelstand, welcher den meisten Elementarbüchern anhaftet, indem eben zu wenig darauf geachtet wird, daß das, was der Schüler übersetzen soll, auch an sich wert sein muß, übersetzt zu werden.

Was die Anordnung des Übungsstoffes betrifft, so bieten die §§ 1—8 Beispiele zur Repetition; daran schließt sich der eigentliche Lehrstoff für die 2. Klasse, indem zuerst die Nomina in ununterbrochener Folge, hierauf die Verba behandelt sind; das zur Einübung der vorgeschriebenen Partien aus der Syntax gebotene Material findet sich zum Teil an passenden Stellen eingeschoben, zum Teil gegen Ende des Buches.

Von den beiden Wörterverzeichnissen bekundet das deutsch-lateinische große Sorgfalt in der Ausarbeitung, indem nicht bloß auf die Semasiologie, sondern auch auf Etymologie und Hereinziehung der betr. deutschen Lehn- und Fremdwörter Rücksicht genommen wurde.

Einen weiteren Vorzug des Buches erblickt Ref. in der möglichsten Beschränkung von Fußnoten, so daß das Auge des Schülers nicht beständig zwischen Text und Anmerkung hin und her zu schweifen braucht, wodurch der Geist von der eigentlichen Arbeit zu sehr abgelenkt wird. Erreicht wurde jener Zweck vornehmlich dadurch, daß seltene Vokabeln thunlichst vermieden sind, daß der deutsch-lateinische Stoff sich enger an den lateinischen anschließt, ferner durch Loslösung syntaktischer Notizen vom Übungsmaterial und Zusammenstellung derselben in einem Anhange.

Mit den S. 181 f. gegebenen Reimregeln über die 3. Deklination können wir uns nicht befreunden. Man sollte denken, daß derlei abgeschmacktes Zeug ein überwundener Standpunkt wäre — doch de gustibus non est disputandum.

Ebensowenig vermögen wir uns von dem Nutzen zu überzeugen, den die auf den ersten fünf Seiten durchgängig eingehaltene Quantitätsbezeichnung für lange Vokale, sogar in positionslangen Silben, bieten soll. Es heißt denn doch der Bequemlichkeit Vorschub leisten, wenn man einem Schüler der 2. Klasse noch die Quantität in Wörtern wie masculīna, feminīna, custōdes, honōre, nocēre, estōte etc. oder in Endungen wie —ārum, —ōrum, —ābant, —ērunt u. s. w. vor Augen führt und zwar, so oft derlei Fälle wiederkehren. Halten wir einstweilen daran fest, daß der Schüler auch in der Klasse seine Ohren zum Hören benützen soll, bis Überbürdungsschnüffelei auch in diesem Punkte uns eines bessern belehren wird.

Im Ganzen hat Ref. beim Durchlesen des Buches die Überzeugung gewonnen, daß es mit anerkennenswerter Sorgfalt und Um-

sicht ausgearbeitet und seine Brauchbarkeit durch diese neue veränderte Auflage nur gefördert worden ist. Freilich kann von einer
Verwendung desselben an bayerischen Anstalten keine Rede sein, da
hier der Lehrstoff in den untersten Klassen anders verteilt ist.

W. Fick, Lateinisches Vocabularium für Sexta.
Stuttgart 1891. (W. Kohlhammer). VI. u. 78 S.

Das Büchlein enthält in 28 Abschnitten so ziemlich den ganzen
Wortvorrat, welchen ein Schüler der untersten Klassen inne haben
muß, und da es die Grammatik entbehrlich machen soll, so sind auch
alle jene Formen und Wörter aufgeführt, die man sonst aus der
Grammatik erlernt. Ein Anhang gibt Konjugationsparadigmen, beginnend mit deleo, „meist in völlig neuer Aufeinanderfolge und Darstellung". Für die nächste Zeit ist ein Übungsbuch in Aussicht
gestellt, bearbeitet von dem Bruder des Verfassers. Dieses soll dann
zum Vocabular gebunden werden, „und die Vorteile dieser Einrichtung sind so bedeutend (auch für den Geldbeutel der Eltern),
daß jedes Bedenken dagegen schwinden muß". (S. V.)

Verfasser nennt sein Büchlein „eine methodische Studie", hofft
jedoch, daß es auch ein Schulbuch werden könne. Die Methode ist
S. IV und V des näheren erörtert und im Vocabular selbst aus da
und dort gestellten Aufgaben ersichtlich. Wenn es S. V heißt:
„Man mache nur eine Probe mit dieser allerdings dem seitherigen
noch vielfach mechanischen Betrieb ganz entgegengesetzten Behandlungsweise", so geht gerade aus dieser neuen (eigentlich veralteten) Behandlungsweise deutlich hervor, daß sie dem Mechanismus zu sehr
das Wort redet, indem sie das vom Sprachorganismus losgelöste
Wort, das bloße Paradigma statt des lebendigen Satzes zum Ausgangspunkt des sprachlichen Unterrichts macht, also im ganzen auf
ein die Gedankenlosigkeit förderndes Formenwesen hinausläuft. Einige
Beispiele: (S. 39) Dekliniere (compariere) epistula male sripta, pellis
pulchre punctata u. dergi. Gewiß eine geistig höchst anregende
Arbeit für den Schüler, wenn er u. a. ein epistula peius scripta (o du
schlechter geschriebener Brief!), der schöner punktierten Felle etc.
herunterzuleiern hat, wobei er jedenfalls mehr profitiert, als wenn
er nach dem „seitherigen noch vielfach mechanischen Betrieb" etwa
den Satz epistula male scripta est aufgestellt hätte. — (S. 41) Setze
hic, ille, is etc. zu folgenden Beispielen und dekliniere dann solche
Verbindungen. Unter den „folgenden Beispielen" paradiert u. a. auch
cornu gracile. Welch ein Gewinn für den Schüler, der da illud cornu
gracile richtig zu deklinieren versteht! — S. IV und V wird als
Stoff für schriftliche und häusliche Aufgaben vorgeschlagen: „Schreibet
von Voc. 1, Spalte 2, 20—36 je 2 Beispiele im acc. sing., 2 im
gen. sing., 2 im dat. sing. etc. — Der Lehrer gibt (an die Tafel
geschrieben) Aufgaben wie: „Setze Voc. 20 in den abl. sing., 21 in
gen. plur., 22 in den dat. eing., 23 in acc. plur. etc. — Schreibe

auf die linke Seite des Heftes die deutschen Beispiele je in den folgenden Casus und auswendig das Lateinische rechts etc."

Man sieht, eine derartige Methode ist sicherlich dazu angethan,
alles Schablonenhafte zu vermeiden, das Sprachgefühl zu wecken und
rege zu halten, gedankenloses Arbeiten zu verhüten, da ja der Schüler
geistig stets beim Zeug sein muſs, widrigenfalls es ihm vielleicht
passieren könnte, daſs er die Casus oder gar die linke und rechte
Seite des Heftes verwechselt. Trotzdem möchten wir vorläufig an
dem „seitherigen noch vielfach mechanischen Betrieb" festhalten, der
den Ausgangs- und Kernpunkt des sprachlichen Unterrichts im Satze
erblickt, der Form, in welcher der Mensch spricht, und darum lieber
den Schüler auf die linke Seite des Heftes den deutschen Satz und
auf die rechte den lateinischen schreiben lassen, oder vielmehr, ob
er linksseitig, rechtsseitig oder gar nicht schreibt, darauf sehen, daſs
er die Funktion und den Wert des Casus im Satze richtig versteht;
das andere ist leerer Ballast, pure Zeitverschwendung.

Soviel zur neuen Methode.   Nun zum Inhalt.   Vocabularien
können bekanntlich in etymologischer, sachlicher oder grammatischer
Anordnung angelegt sein.   Letztere Einrichtung muſste der Verfasser
wählen, da sein Buch die Grammatik überflüssig machen soll, und
auch schon deshalb, weil es für Sexta bestimmt ist. Es ist demnach
der grammatische Stoff eng mit dem Vocabularium verbunden, und
vieles kann in dieser Hinsicht als recht praktisch bezeichnet werden.
So ist z. B. dem Substantiv, soweit möglich, in rechts stehender
Kolumne immer ein passendes Adjektiv beigefügt und umgekehrt den
Adjektiven der 3. Deklination je ein entsprechendes Substantiv, so
daſs zugleich die verschiedenen Abweichungen im Genus ersichtlich
sind, Übungen über Kongruenz, über den attributiven wie prädikativen
Gebrauch des Adjektivs u. dergl. sich anstellen lassen. In der 3. Deklination ist zwischen konsonantischer und vokalischer Deklination
unterschieden, das Genus nicht nach der Endung, sondern nach dem
Stammcharakter bestimmt, wobei es indes fraglich sein dürfte, ob
eine solche Anordnung für den Anfänger leichter ist als die bisherige.
Präpositionen und Konjunktionen werden nicht einfach aufgezählt,
sondern an knappen Sätzen und Phrasen, die ihren Gebrauch meist
prägnant zeigen, vorgeführt.

Zu mündlichen und Repetitions-Übungen lieſse sich das Büchlein
am Ende auch an unsern Anstalten in den beiden unteren Klassen
verwenden, aber nur im Sinne eines grammatisch geordneten
Vokabulariums.

Freising.   S c h ü h l e i n.

Zoeller (Dr. Max), Professor am Gymnasium zu Mannheim: Grundrifs der Geschichte der römischen Literatur. Münster i. W. 1891. II. Schöningh. 8° XII, 343 S. (Sammlung von Kompendien für das Studium und die Praxis I. 3.).

Die Sammlung von Lehrbüchern, welcher die neue römische Literaturgeschichte angehört, hat bereits eine französische (von Junker) und eine englische (von Körting) Literaturgeschichte aufzuweisen, die, wie ich höre, sich beide einer günstigen Aufnahme in kompetenten Kreisen zu erfreuen hatten. Bei dem vorliegenden Buche wird dies nicht der Fall sein — und mit Recht. Man darf vom Verfasser eines Kompendiums nicht selbständige Forschung verlangen, aber man ist berechtigt, eine in den Hauptzügen getreue Darstellung des jeweiligen Standes der betreffenden Wissenschaft zu erwarten. Was Zöller geliefert hat, ist eine unverlässige und unkritische Kompilation, mit der weder dem „Studium" d. h. den jungen Philologen, noch der „Praxis" d. h. den Schulmännern gedient ist. Einige signifikante Proben werden zeigen, dafs ich nicht zuviel gesagt habe. Der Verf. hält noch für „die verbreitetste Hypothese die der engeren Zusammengehörigkeit der Griechen und Italiker" (S. 2), läfst durch Nävius' Clastidium den Metellus (!) gefeiert werden (S. 34), behandelt das Werk des Sisenna unter den Selbstbiographieen und Memoiren (S. 80), läfst Zingerle im J. 1877 gegen Birts Buchwesen (erschienen 1882) polemisieren (S. 224), schweifst die beiden Liviusbearbeitungen von Luchs in eine zusammen (S. 232), läfst den Velleius Paterculus um 19 nach Chr. (!) geboren werden (S. 243), findet den Stil des taciteischen Agricola „schon ganz in der Manier der Zeit gehalten" (S. 251), charakterisiert das Lexicon Taciteum von Gerber und Greef als „sehr eingehend" (S. 258), spricht von den Aratea des Germanicus als einem nicht erhaltenen Werke (S. 279), weifs nichts von den neuesten Ausgaben des Lucilius (S. 73), Nigidius Figulus (S. 142), Granius Licinianus (S. 302), Ammianus Marcellinus (S. 305), Juvencus (S. 326) und Corippus (S. 328), wogegen er z. B. eine Tibullausgabe von Bährens „mit lat. Erkl." kennt (S. 214), geht mit den Eigennamen geradezu barbarisch um (S. 2 „Schmid" für Johannes Schmidt in Berlin!; S. 19 „Thureysen"; S. 129 „Mayer" für „Mayor"; S. 236 „Roberts"; S. 253 „Schweiger-Sidler"; S. 254 „Gantrelles" für „Gantrelle"; S. 328 „Dahn" für „Duhn"; „Pertsch" für „Partsch"), bringt Literaturcitate an den denkbar unpassendsten Stellen an (S. 10 werden Reisigs Vorlesungen, neu bearbeitet von Schmalz und Landgraf — Zöller scheint nicht zu wissen, dafs diese beiden Gelehrten nur die Syntax bearbeitet haben — für das Altlatein, S. 87 Keils grammatici gelegentlich des Servius Clodius citiert), läfst ein Werk, wie das des Manilius überhaupt unerwähnt u. s. w. Ich mufs somit vor der Benützung des Buches ernstlich warnen und beklage es lebhaft, dafs der rührige und verdiente Verleger diesmal nicht besser beraten war! —

München.   Carl Weyman.

Pünjer, J., Lehr- und Lernbuch der französischen Sprache. Zweite, umgearbeitete Auflage. Zweiter Teil. Hannover. Carl Meyer (G. Prior). 1891. gr. 8°. M. 1.60.

Dieser zweite Teil ist nach denselben methodischen Grundsätzen gearbeitet wie der auf S. 442 dieses Jahrgangs besprochene erste. Auf S. 1—115 sind in 4 Kapiteln (63 Lektionen) die unregelmäfsigen Verba, die Fragekonstruktion, die verschiedenen Redeteile in Übungen derart behandelt, dafs zuerst, meist zusammenhängende, französische Sätze die zu behandelnde Regel in der Anwendung zeigen, worauf dann deutsche Sätze folgen, die eine Variierung der französischen sind. Das 5. Kapitel enthält auf circa 30 Seiten eine Anzahl zusammenhängender Lesestücke und einige deutsche, ebenfalls zusammenhängende Übungsstücke. Von S. 116—178 sind dann in elf Kapiteln die Regeln vorgetragen, welche zu den vorausgehenden Übungsstücken gehören. Vokabelverzeichnisse beschliefsen diesen zweiten Teil des Lehr- und Lernbuches, welchem dasselbe Lob wie dem ersten gezollt werden kann.

———— ————

Französische und englische Schullektüre. Herausgegeben von F. K. Schwalbach, Direktor des Realgymnasiums zu Harburg a. E. Meifsner 1890. No. 3. Athalie par Racine. Herausg. v. Dr. Herm. Holfeld, Oberl. a. Gymn. u. Realg. in Guben. 8°. Ungeb. M. 0,80; geb. M. 1.—

Die Ausgabe enthält den schön gedruckten Text, dann auf zwei Seiten ein Leben des Dichters, auf einer Seite eine geschichtliche Einleitung zur Athalie, und auf 6 Seiten sachliche und sprachliche Anmerkungen zu dem Stücke. In demselben Verlage ist schon eine Ausgabe dieses Stückes von Schaumann à M. 0,60 erschienen.

No. 4. Histoire de la Révolution française par Mignet. Teil I. Herausg. v. G. Tiede, Oberl. a. Realg. zu Sprottau.

Der stark gekürzte Text umfafst 100 Seiten und geht bis zum Jahre 1791 einschliefslich, während Mignet's Werk bis 1814 geht. Auf Seite 101 findet sich eine biographische Notiz über den Verfasser. Die Seiten 102—109 enthalten die absichtlich spärlich gegebenen Anmerkungen und auf Seite 110 steht eine Zeittafel für die Jahre 1789 mit 1791. No. 1 dieser Sammlung enthält „Reden von Mirabeau, Desèze und Chateaubriand" (M. 0,80) und No. 2. Hume: William the Conqueror und Queen Élisabeth. M. 1.—.

———— ————

K. Kaiser, Schuldirektor in Barmen, Französische Gedichte zum Auswendiglernen, stufenm. geordn. für 6 Schuljahre und mit erläut. Anm. versehen. 3. Auflage. Leipzig, B. G. Teubner, 1892. 8°. VIII u. 148 SS. M. 1,45.

Das tadellos gedruckte und schön gebundene Buch enthält 70 Gedichte und 4 Scenen aus dem Avare. Da diese Stücke nach der

Schwierigkeit des Inhalts geordnet sind, so können und sollen sie der Reihe nach sämtlich auswendig gelernt werden; es wäre dann ungefähr jeden Monat ein Gedicht zu lernen, was leicht geschehen kann. Wir glauben indessen, daſs einige Gedichte oder einige Strophen der Gedichte dieser hübschen Sammlung sich nicht zum Auswendiglernen eignen, entweder weil sie dem Gesichtskreise des Schülers (wie III. 2, IV. 5 und 9, VI. 6) oder dem des Deutschen (wie IV. 8 und V. 9) zu fern liegen, oder weil sie zu persönlich für den Dichter und nicht allgemein gültig sind (wie VI. 3, 9 und 10) oder weil ihr Inhalt Anstofs erregen kann (wie die 5. und 6. Strophe in III. 12; die 3. in VI. 1; auch IV. 6 und V. 1). Aus letzterem Grunde ist auch die 3. Scene des 5. Aktes des Avare nicht zum Auswendiglernen geeignet, weil man dabei naturgemäfs lange bei Dingen verweilt, über die man bei der blofsen Lektüre leichter hinwegkommt. Was auswendig gelernt wird, muſs der Mühe wert sein; nicht jeder Schüler hat ein Schauspielergedächtnis, manchem macht die Erlernung eines Gedichtes ernstliche Arbeit, daraus ergibt sich die Forderung, daſs man ihm nur solche Gedichte zu lernen aufgibt, die wert sind, behalten zu werden. — Die von Seite 108—144 gegebenen erläuternden Anmerkungen erfüllen sachlich ihren Zweck. Die metrischen Bemerkungen hingegen sind nicht unbedenklich. Vor allem begeht der Herausgeber den Fehler, ein den Vers schliefsendes stummes e als Silbe mitzuzählen, so daſs er z. B. 13silbige Alexandriner findet. Dann behauptet er auch, daſs jedes französische Gedicht entweder jambischen oder trochäischen Rhythmus habe; dabei zeigt sich, daſs der Herausgeber allen Versen mit gerader Silbenzahl jambischen, allen Versen mit ungerader Silbenzahl trochäischen Rhythmus zuerkennt; es ist dies gewiſs ein aus deutscher Auffassung hervorgehendes Vorurteil, denn wenn ein Deutscher 1. tara- tara tara ta, 2. tara tara tara entweder jambisch oder trochäisch lesen soll, so wird er sich bei 1. für trochäischen, bei 2. für jambischen Rhythmus entscheiden. Diese deutsche Auffassung auf das Französische übertragen zu wollen, ist sicherlich ein Irrtum; wie könnte man auch z. B. die ersten 4 Zeilen der 7. Strophe in IV. 9 trochäisch lesen, wie es der Herausgeber verlangt: Il dort, innocence! | Les anges screins | qui savent d'avance | Le sort des humains, | Le voyant sans armes, | Sans peur, sans alarmes, | Baisent avec larmes | Les petites maies. Wenn ein Rhythmus in den ersten 4 Zeilen gefunden werden soll, so ist es dieser: ᴗ — | ᴗᴗ —. Nur in der 6. Zeile könnte man zur Not trochäischen Rhythmus finden. Es ist dies aber nur Zufall; denn wenn z. B. der Alexandriner jambisch zu lesen wäre, so könnte nie ein Nasal in der ersten, nie ein e muet in der 2. Silbe des Versfufses stehen, wie sich das in je 14 Versen der ersten fünfzig von Boileau's Art poétique und Racine's Athalie findet. Vgl. namentlich die Verse der Athalie:

27   Dès longtemps elle hait cette fermeté rare
31   Du mérite éclatant cette reine jalouse
45   Il affecte pour vous une fausse douceur ...

Auch ist es nicht richtig, daſs aufser vor Vokalen „das tonlose e im

Verse vernehmbar, wenn auch schwach ausgesprochen werden muſs"
(S. 107). Man spricht es nur da schwach aus, wo der Wohlklang
oder die Deutlichkeit unter dem Verstummen leiden würde, also
namentlich zur Vermeidung von Konsonantenhäufungen und zwischen
Konsonanten gleicher Art. Die Beobachtung des vermeintlichen jambischen Rhythmus des Alexandriners in Verbindung mit dem dadurch
nötig gemachten Aussprechen der stummen e, macht dann den Vortrag solcher Verse zu jenem öden Geleier, welches dem Gedichte alle
Poesie benimmt.

———————

Muret, Prof. Dr. Ed., Encyclopädisches Wörterbuch
der engl. und deutschen Sprache. Mit Angabe d. Aussprache
nach d. phonet. System der Methode Toussaint-Langenscheidt. Berlin
1891. Langenscheidt'sche Verlagshandlung. Teil I. Engl.-Deutsch.
Lief. 4. Brahminy—champaigne. Bogen 3g—52. M. 1,50.

Über die Anordnung dieses höchst empfehlenswerten Werkes
siehe S. 426 ff. des XXVII. Bandes dieser Zeitschrift. Die durch den
Buchdruckerstreik von 1891/92 etwas verzögerte Drucklegung dieser Lieferung ist ebenso tadellos erfolgt, wie die der früheren. Auch auf diesem
Bogen findet man Aufklärung über alles zum Englischen Gehörige, so
z. B. über die Aussprache des Namens Brigham Young, welche in
Thieme nicht angegeben ist: über den Namen Cassibelan in Shakespeare's Cymbeline, wobei auf Cassivelaunus verwiesen ist, an welcher
Stelle sich findet, was man in manchem Geschichtsbuch vergebens
suchen würde: „britischer Anführer gegen Caesar, um 55 v. Chr."
Auch über amerikanische Verhältnisse erhalten wir Aufschluſs, wie
bei dem Worte carpet-bagger, welches in den Weststaaten einen
Schwindelbankier ohne festen Wohnsitz, in den Südstaaten einen
politischen Abenteurer bezeichnet, „der nach dem Bürgerkriege (1861
bis 65) aus dem Norden nach dem Süden übersiedelte, um dort mit
Hilfe der Neger zu Amt und Reichtum zu gelangen". Wie man sieht,
rechtfertigt jede Lieferung den Titel „Encyclopädisches Wörterbuch".

———————

Tendering, Dr. Fritz, Oberl. a. Gymn. zu Elberfeld, Kurz-
gefaſstes Lehrbuch der engl. Sprache. 2. verm. Aufl. Berlin.
R. Gärtner. (H. Heyfelder). 1892. gr. 8. 137 Seiten. geb. M. 2.—

Dieses Buch dürfte sich für den englischen Unterricht an unseren
Gymnasien sehr empfehlen, wie aus der Schilderung seines Inhalts
hervorgehen wird. In 33 §§ enthält es zunächst eine kurz gefaſste
Lautlehre. Dann folgen 2 vorbereitende Kurse, von denen der erste
14 Anekdoten, der zweite aus Dickens, A child's history of England
das Kapitel über Alfred the Great enthält. Beiden Kursen ist die
Präparation am Schlusse beigefügt, so daſs dieselben die erste all-

gemeine Einführung in das Englische bilden können. Hierauf folgen Lesestücke, welche ebenfalls Dickens' Geschichte entnommen sind und zwar die Kapitel über König Harold und die normannische Eroberung, Heinrich V., VI., die Jungfrau von Orléans, Eduard V., Richard III., und über den Tod Karls I. Dann kommen auf 11 Seiten 9 Gedichte und auf 5 Seiten ein Anhang, der Gegenstände des gewöhnlichen Lebens behandelt. Nun folgt auf 15 Seiten das Wichtigste der Formenlehre und auf 8 Seiten die Hauptregeln der Syntax. Ein 2 Seiten umfassender Anhang belehrt über Silbentrennung, Interpunktion und gibt einige metrische und grammatische Bemerkungen zu Shakespeare. Hierauf folgen deutsche Übungsstücke (15 Seiten), welche eine Paraphrase der obenbezeichneten englischen Lesestücke aus Dickens darstellen und als Übungsmaterial zu den 90 §§ der Grammatik dienen sollen. Hierauf folgt ein Wörterverzeichnis hiezu und zuletzt ein alphabetisches Verzeichnis aller in den englischen Lesestücken vorkommenden Wörter. Den Schluß bildet eine Aussprachelistc der im Buche vorkommenden Eigennamen. Dieses Buch erscheint deshalb für unsere Gymnasien passend, weil man mit demselben sofort in die Lektüre eintritt und Förderung in der Lektüre scheint das einzige zu sein, was wir unter unseren Verhältnissen im Englischen anstreben und erreichen können. Im Übersetzen aus dem Deutschen ins Englische werden unsere Schüler ohne ganz besonderen Fleiß nicht viel erzielen können; auch wird ja im Übersetzen in die fremden Sprachen schon im Lateinischen, Griechischen und Französischen genug gearbeitet, wozu auch noch deutsch-englisch und deutsch-italienisch! Etwas anders verhielte sich die Sache vielleicht, wenn wir 4 Jahreskurse hätten; da wir aber deren nur zwei haben und ein Schüler höchstens 3 Jahre sich am englischen Unterrichte beteiligt, entweder, weil er erst in der 7. Klasse beginnt, oder in der 9. durch wichtigere Arbeiten von der Beteiligung abgehalten ist, so ist das Beste, was wir unseren Schülern mitgeben können, die durch reichliche Lektüre erworbene Leichtigkeit, einen englischen Schriftsteller ohne all zuviel Aufschlagen im Wörterbuch zu verstehen.

München.   Dr. Wohlfahrt.

Sophus Lie, Vorlesungen über Differentialgleichungen mit bekannten infinitesimalen Transformationen. Bearbeitet und herausgegeben von Dr. Georg Scheffers. Leipzig, B. G. Teubner. 1891. 568 S.

Nach einem Entwurf und auf Veranlassung von Professor Sophus Lie wurden dessen Vorlesungen über Differentialgleichungen mit bekannten infinitesimalen Transformationen von seinem Schüler Dr. Georg Scheffers im vorliegenden Buche für ein größeres Publikum bearbeitet.

Zweck des Buches ist in erster Linie: Demjenigen, der sich in die Gruppentheorie einarbeiten und die Bedeutung dieser insbesondere in ihrer Anwendung auf die Differentialgleichungen so fruchtbaren Theorie kennen lernen will, ein Elementarbuch an die Hand zu geben. Gleichzeitig soll das Buch auch zu den von Sophus Lie unter Mitwirkung von F. Engel in Leipzig 1888 und 1890 erschienenen und nur für Fachmänner geschriebenen Abhandlungen „Theorie der Transformationen", Abschnitt I und II, als vorbereitendes und einleitendes Werk dienen. (Die in einzelnen Artikeln in wissenschaftlichen Zeitschriften zerstreuten und vielleicht Manchem nur schwer zugänglichen Abhandlungen über den Hauptinhalt der vorliegenden Schrift würden, da sie naturgemäfs in knappster Form geschrieben sind, den geschilderten Zweck nur unvollständig erreichen.)

Im einzelnen ist der Inhalt der Schrift, die sich in fünf Abteilungen gliedert, folgender: Einleitung in die Theorie der eingliedrigen Gruppe und der infinitesimalen Transformation bei zwei Veränderlichen. Verwertung dieser infinitesimalen Transformation für gewöhnliche Differentialgleichungen zwischen zwei Veränderlichen. Eingliedrige Gruppe und infinitesimale Transformation in 3 und n Veränderlichen. Verwertung dieser Begriffe für die partiellen Differentialgleichungen und die gewöhnlichen Differentialgleichungen II. Ordnung. Zweigliedrige und dreigliedrige Gruppen von infinitesimalen Transformationen. Anwendung derselben auf gewöhnliche Differentialgleichungen II. und III. Ordnung, sowie auf lineare partielle Differentialgleichungen mit vier Veränderlichen.

Entsprechend dem oben gekennzeichneten Zweck, ein einleitendes Werk und zugleich ein Elementarbuch zu schaffen, war die Absicht des Bearbeiters stets darauf gerichtet, dem Anfänger das Studium der Schrift in jeder Hinsicht zu erleichtern. Es werden, um nur einiges zu erwähnen, allgemeine Theoreme zunächst durch eine Reihe spezieller Fälle und Beispiele vorbereitet und erläutert, und so wird der Leser auf diese Weise zum Verständnis der schwierigen Partien hingeleitet. Die für den Anfänger so nötige Übersicht wird thunlichst gefördert, indem die wichtigsten Resultate einerseits, sowie die unbedeutenden Einzelheiten und Nebensächlichkeiten, und die für die Fortsetzung des Studiums nicht nötigen Partien andererseits durch passenden Druck deutlich kenntlich gemacht werden. Der Anfänger ist somit ohne Schwierigkeit imstande, das Wesentliche und Unwesentliche in den Abhandlungen schon beim ersten Anschauen zu unterscheiden. Zur Festigung und Vertiefung der bereits gewonnenen Sätze ist bei Beginn neuer Kapitel ein Resumée der bisher erhaltenen Resultate und eine kurze Angabe des in diesem Kapitel zu Besprechenden beigegeben, wodurch der Zusammenhang zwischen dem Bisherigen und Folgenden leicht ersichtlich ist.

Dafs derartige Wiederholungen für den Anfänger kein Nachteil, sondern im Gegenteil zu empfehlen sind, bedarf wohl keiner weiteren Erörterung. Ja auch manche Wiederholungen gelegentlich einer Erweiterung früherer Begriffe dürften, wenn solche Wiederholungen wie hier sparsam angewendet werden, dem Anfänger nicht unwillkommen sein.

Wenn vielleicht auch in diesem Elementarbuch trotz seines

didaktischen Zweckes manches hätte kürzer behandelt werden und einiges auch ganz hätte wegbleiben können, so werden diese Geringfügigkeiten die Brauchbarkeit des Buches für seinen Leserkreis doch wohl in keiner Weise beeinträchtigen.

Nach dem bisher Bemerkten darf nicht unterlassen werden hervorzuheben, dafs das Buch auch für den mit dem behandelten Stoff schon einigermafsen Vertrauten Neues und Interessantes bringt und dafs das Studium der Schrift auch jemanden, der in dieser Theorie schon etwas bewandert ist, nicht langweilt, wenn er bei der Lektüre, wie leicht möglich, die für den Anfänger bestimmten Spezialitäten und vielleicht trivialen Beispiele übergeht. —

Das Buch kann jedem, der sich mit Differentialgleichungen beschäftigt oder zu beschäftigen gedenkt, bestens empfohlen werden. zumal die hier vorausgesetzten Kenntnisse die ersten Anfänge der Differential- und Integralrechnung und die Elemente der Lehre von den Differentialgleichungen nicht überschreiten. Die dem Studium dieser Schrift gewidmete Zeit wird sich reichlich lohnen durch die vielen möglichen Anwendungen der infinitesimalen Transformationen auf die Behandlung der Differentialgleichungen. So möge, um nur einen Punkt hervorzuheben, zum Schlufs noch erwähnt werden, dafs schon in der zweiten Abteilung dieser Gruppentheorie gezeigt werden kann. wie die bekannten und in den gebräuchlichen Lehrbüchern dargestellten verschiedenen Integrationsmethoden bei gewissen einfachen (homogenen und linearen) Differentialgleichungen zwischen zwei Veränderlichen mit den neuen Hilfsmitteln alle aus einem allgemeinen Prinzip abgeleitet werden können.

Nürnberg.   Hecht.

———————

H. C. Martus, Prof. Direktor des Sophienrealgymnasiums in Berlin, Raumlehre für höhere Schulen. 2. Teil. Dreiecksrechnung und Körperlehre. Bielefeld und Leipzig. Verlag von Velhagen und Klasing. 1892. 260 S. 3,50 M.

Der erste, im Jahre 1890 erschienene Teil des vorliegenden Werkes, welcher die Geometrie der Ebene enthält, wurde vom Referenten im XXVII. Jahrgang dieser Zeitschrift (S. 285 u. 86) besprochen.

Die erste Unterabteilung des hier zu besprechenden zweiten Teiles enthält auf 92 Seiten die Dreiecksrechnung (ebene Trigonometrie) und zwar in den 6 ersten Gliedern den Lehrstoff, welcher auch sonst in den Lehrbüchern für Trigonometrie behandelt wird. während das siebente Glied als Anhang eine elementare Entwickelung der Newton'schen Reihen für Sinus und Cosinus, des Moivreschen Satzes, nebst der Lösung der reinen Gleichung n^{ten} Grades und der Gleichungen dritten Grades enthält.

Dafs die Darstellung des Verfassers in allen Fällen korrekt ist. braucht wohl nicht eigens hervorgehoben zu werden; was aber dieselbe besonders auszeichnet, ist das allenthalben zu tage tretende Bestreben desselben, das Interesse seiner Schüler für den vorliegenden Gegenstand zu wecken und rege zu erhalten. Diesen Zweck verfolgt derselbe, wenn er an der Stelle, wo die Berechnung der Stücke des rechtwinkligen Dreiecks auf die Bestimmung der Höhe von Bauwerken angewendet wird, durch Zeichnung und Beschreibung des Theodoliten darauf hinweist, wie die zur Rechnung erforderlichen Winkel wirklich gemessen werden und wenn er an derselben Stelle auch die Verwendung des Vernier ausführlich erklärt. Diesen Zweck erreicht er bei seinen Schülern offenbar in hohem Maße durch die Aufgaben, welche die Bestimmung der Höhe, Entfernung etc. von Bauwerken in Berlin zum Zwecke haben und denen die Messungen zu Grunde gelegt sind, welche der Verfasser selbst an Ort und Stelle ausgeführt hat. Daß diese Aufgaben von seinen Schülern, wie der Verfasser bemerkt, besonders gerne behandelt werden, ist wohl nicht anders zu erwarten, daß dieselben aber auch für diejenigen Interesse haben werden, welche jene Bauwerke nicht aus eigener Anschauung kennen, darin stimmt Referent dem Verfasser vollständig bei; weil doch die Erkenntnis, wie solche Höhenbestimmungen genau auszuführen sind, und wie die Grundlagen für eine zuverlässige Karte gewonnen werden, auf das lebhafteste anregend wirkt, und weil bei den vorgelegten Aufgaben die zur Lösung erforderliche Formelentwickelung sich meistens einfach gestaltet.

Den Zweck, das Interesse der Schüler für den zu behandelnden Gegenstand zu wecken, verfolgt der Verfasser auch mit der der Erklärung der Winkelfunktionen vorausgeschickten Einleitung, welche sich zunächst mit dem Winkel von 41° befaßt. Obwohl es nun Referent für absolut unerläßlich hält, daß vor Erklärung der Winkelfunktionen nachdrücklich daran erinnert werde, daß gewisse Linienverhältnisse nur von der Größe des gegebenen Winkels abhängen und daß umgekehrt letzterer durch die ersteren bestimmt ist, so dürfte es, da hier der Schüler bereits Kenntnis von der allgemeinen Giltigkeit des einschlägigen Verhältnissatzes hat, doch überflüssig sein, diesen Satz nochmals durch besondere Zahlenbeispiele zu erläutern; jedenfalls aber dürfte, wenn doch diese Betrachtung angestellt werden will, dieselbe an die Winkel von 30° oder 36° oder 45° etc. angeknüpft werden, da für diese die Länge der in betracht kommenden Linien nicht erst gemessen werden muß, das Messen im gegebenen Fall aber doch etwas unwissenschaftlich aussieht. Um noch einen Fall hervorzuheben, wo vielleicht eine kleine Besserung eintreten könnte, so dürfte es sich bei Ableitung der Formeln für $\sin (\alpha + \beta)$ und $\cos (\alpha + \beta)$ empfehlen, die Giltigkeit derselben für $\alpha < R$, $\beta < R$ und $\alpha + \beta \lessgtr R$ an der Figur darzuthun (der zweite Fall ist überhaupt übergangen), die übrigen Fälle aber mittelst der Formeln $\sin (180° - \varphi) = \sin \varphi$ etc. zu erledigen, während allerdings der Schüler zu seiner Übung sich auch für diese Fälle die Beweise an der Figur zurecht legen mag.

Die zweite Unterabteilung des vorliegenden Buches, welche die Stereometrie und sphärische Trigonometrie enthält, schließt sich so

enge an die erste an, dafs sie mit „Glied 8" beginnt, was sich nach
Ansicht des Referenten ebenso ausnimmt, als wenn man auf Lehrsatz 1 etwa Zusatz 56 unmittelbar folgen liefse. Doch ist dies ja nur
sehr nebensächlich, während sonst eine grofse Reihe von Umständen
das Buch vor anderen auszeichnet. Der Verfasser hebt mit Recht
hervor, dafs in der Körperlehre das Haupterfordernis gute Figuren
seien und hat deshalb auch der Herstellung der Figuren besondere
Sorgfalt angedeihen lassen. Er will aber auch die Schüler zum
Zeichnen richtiger Figuren veranlassen. Deshalb werden sogleich in
dem Abschnitt über der Stellung der Geraden gegen die Ebenen die
drei Hauptsätze über die Perspektive angeführt und bewiesen und
später noch weiteres über die Herstellung der Schaubilder mitgeteilt.
Wie in diesem Punkte, so bietet auch in vielen anderen Beziehungen
das Werk mehr, als was sonst in den Lehrbüchern für Stereometrie
behandelt wird. Der Abschnitt von der Walze (Cylinder) handelt von
dem allgemeinen Kreiscylinder, derselbe enthält auch die Gleichung
der Ellipse, welche sich gelegentlich des Nachweises ergibt, dafs der
schiefe Kreiscylinder durch eine Ebene senkrecht zum senkrechten
Axenschnitt, welche weder der Axe, noch dem Grundkreis, noch dem
Wechselschnitte gleichlaufend ist, den Cylinder in einer Ellipse schneidet.
In demselben Abschnitt wird dann auch aus der Vergleichung des
Inhaltes des elliptischen mit dem des Kreiscylinders die Formel für
den Flächeninhalt der Ellipse abgeleitet. In einem späteren Abschnitte werden in äufserst interessanter Weise die Mittelpunkts-
gleichungen der Ellipse und Hyperbel und dann die Scheitelgleichungen
der Kegelschnitte direkt an der Kegelfläche sozusagen abgelesen und
dann die Grundeigenschaften jener Schnitte entwickelt. Um noch
anderer Punkte zu gedenken, in denen das Buch mehr bietet, als was
sonst in den gebräuchlichen stereometrischen Lehrbüchern behandelt
wird, so sind in demselben die Guldinsche Regel, der Carallierische
Satz und die Simpsonsche Regel abgeleitet und deren praktische Ver-
wertbarkeit dargethan; in einem Anhange werden Sätze und Übungen
über die Bestimmung der gröfsten und kleinsten, von gewissen Bedingungen abhängigen Figuren gegeben und in einem weiteren Anhange sogar zur Flächen zweiter Ordnung behandelt.
   Wie man sieht, bietet das Buch viel mehr, als nach dem Lehrprogramm an unseren Gymnasien gefordert wird, und wird es daher,
obwohl dieser Umstand kein absolutes Hindernis bilden würde, doch
nicht direkt zur Einführung an unseren Schulen zu empfehlen sein.
Dagegen wird dasselbe wegen der angedeuteten Vorzüge und namentlich wegen der Fülle des den einzelnen Abschnitten beigegebenen
Übungsmaterials den Fachkollegen allenthalben dieselben, wenn nicht
noch bessere Dienste leisten, als die in vielen Händen befindliche
Sammlung von Aufgaben für die obersten Klassen höherer Lehranstalten von demselben Verfasser.

Eichstätt.   Andr. Müller.

Lehrbuch der Physik zur ersten Einführung in das Studium derselben. Von Dr. G. Recknagel, Professor und Rektor des k. Realgymnasiums zu Augsburg, korresp. Mitgliede der k. b. Akademie der Wissenschaften zu München. München-Bamberg-Leipzig. C. C. Buchners Verlag. 1892. Erstes Bändchen. VI. 146 S.

Leitfaden zum Unterrichte in der elementaren Physik. Von Dr. Max Zwerger, k. Gymnasiallehrer. München 1892. J. Lindauer'sche Buchhandlung (Schöpping). Erster Teil: Von den Kräften, der Wellenbewegung, dem Schalle und der Wärme. IV. 95 S.

Die nahezu allseitig mit Freude begrüfste Aufnahme des physikalischen Unterrichtes in das Lehrpensum der humanistischen Anstalten Bayerns hat auch ganz naturgemäfs die Entstehung einer Reihe von Lehrbüchern nach sich gezogen, welche den Anforderungen des neuen Schulplanes sich anzupassen bestimmt sind. Zwei solche Schriften liegen uns gegenwärtig zur Berichterstattung vor; die Einteilung des Stoffes hat bei beiden insofern viel gemeinsames, als die Lehre von der Bewegung bei beiden zunächst noch weggelassen und einer später erscheinenden Schlufsabteilung vorbehalten wird. Auch die Wärme weist Recknagel, im Gegensatze zu Zwerger, dem zweiten Bändchen zu, was wir, sobald man die Scheidung zwischen Statik und Dynamik strenge aufrechterhalten will, als eine richtige Konsequenz anerkennen müssen.

So behandelt Recknagel, nachdem er eine Einleitung über chemische Vorbegriffe vorausgesendet, die Lehre vom Gleichgewichte der festen, flüssigen und gasförmigen Körper und läfst darauf die Akustik folgen. Es ist somit auf anderthalbhundert Seiten ein nicht gerade sehr grofses Pensum verteilt, aber abgesehen davon, dafs der Druck ein äufserst angenehmer ist (40 Zeilen auf die Grofsoktavseite) und dafs die zahlreich beigegebenen Figuren (80 an der Zahl) in ihrer vorzüglichen Ausführung ziemlich viel Platz in anspruch nehmen, hat der Verf. auch sehr wohl daran gethan, die Erörterung der Grundbegriffe ausführlich zu gestalten. Wir haben es mit Schülern zu thun, die für exakte Naturwissenschaft keine Vorbildung mitbringen können, die man also nur recht allmählich in eine neue und ganz anders geartete Disziplin einführen darf. Jede allzu konzise Darstellung würde ihren Zweck verfehlen, während die Klasse, welche diese Vorschule richtig durchgemacht hat, sicherlich auch später, wenn es das Verstehen schwierigerer Fragen gilt, ihren Lehrer nicht imstiche lassen wird. Gerade unter diesem Gesichtspunkte sollte, meinen wir, das chemische Kapitel willkommen geheifsen werden. Denn da programmmäfsig in unseren Gymnasien nur Naturgeschichte und Physik gelehrt werden sollen, so würde der Abiturient, wenn nicht dieses letztere Fach in gedachtem Sinne etwas erweitert wird, die Schule ohne jede Kenntnis in einer Naturwissenschaft verlassen, welche — vielleicht nicht an eigentlichem Bildungswerte, wohl aber an praktischer Wichtigkeit — gewifs keiner anderen nachgestellt werden darf. Zudem

hat es der Verf. trefflich verstanden, auf wenigen Seiten die Grundlehren der Chemie klarzulegen und zu zeigen, wie Ziel und Methode
derselben, bei aller prinzipiellen Übereinstimmung, so ganz anders als
diejenigen der Naturlehre im engeren Sinne sich gestaltet haben.

Die Statik starrer Systeme mußte naturgemäß im wesentlichen
die Bahnen einhalten, welche diesem Wissenszweige von der Natur
selbst vorgezeichnet sind, aber wenn man dieses Kapitel etwa mit
dem analogen Abschnitte des früher in unseren Gymnasien vielfach
eingeführten Kompendiums von Walberer vergleicht, wird man gleichwohl manchem einen Fortschritt bedeutenden Unterschiede begegnen.
Die Figuren sind durchweg übersichtlicher, die mathematischen Ableitungen einfacher, das Experiment ist, soweit nur immer möglich,
in seine Rechte getreten (s. S. 32, 35, 54, 75). Als wahrhaft mustergiltig möchten wir den der Schraube, diesem Stiefkinde vieler Unter-
richtswerke, gewidmeten Paragraphen bezeichnen. Weit mehr leistet
der Versuch natürlich bei Hydro- und Aerostatik, wie denn auch gleich
die Fundamentalsätze von der gleichmäßigen Fortpflanzung des Druckes
und von der geringen Kompressibilität tropfbarer Flüßigkeiten durch
schöne Schulversuche begründet werden. Die bekannte Thatsache,
daß der Autor nicht etwa ein Schulmathematiker ist, der sich auch
Interesse für die Physik bewahrt hat, sondern ein Physiker von Beruf, der seit mehr denn dreißig Jahren forschend und lehrend auf
diesem Gebiete thätig ist, erhellt von Schritt zu Schritt mehr, wenn
man die Darlegung des barometrischen Grundversuches, des Mariotteschen
Gesetzes und der Luftpumpe verfolgt und die bezüglichen Partien
anderer, auch ihrerseits als gut anerkannter Bücher dagegen hält.
Ganz dasselbe gilt von der Akustik, die gerade das richtige Maß ein-
hält, in keiner Weise zu viel oder zu wenig gibt und völlig ausreichend erscheint, um auch von den physikalischen Grundlagen der
Musik als Kunst eine ausreichende Vorstellung zu erhalten.

Daß wir nach alledem Recknagels Physik auf das wärmste empfehlen, brauchen wir wohl nicht besonders zu betonen. Man möge
sie selbst zur Hand nehmen und ein paar Seiten darin lesen; wer
mit der üblichen Literatur vertraut ist und nun sieht, wie es der
Verf. verstanden hat, dem sonst meist saft- und kraftlosen Anfangs-
kapitel „Allgemeine Eigenschaften der Körper" neues Leben einzu-
hauchen, der wird allein schon dadurch gewonnen sein und mit gespannter Aufmerksamkeit sich weiter in ein Buch hineinlesen, das aus
einem Gusse gefertigt ist und allenthalben die Individualität seines Verfassers zum kräftigen Ausdrucke bringt. Die Beigabe geschichtlicher
Hinweise, die zudem (z. B. S. 113) darthun, daß nicht nur bekanntes
reproduziert, sondern selbständig nachgeforscht ward, möge noch besonders anerkennend hervorgehoben sein.

Mehr in dem gewöhnlichen Geleise des Physikunterrichtes verbleibt das Werkchen von Zwerger, das, wie wir gleich anfangs feststellen wollen, seinem Zweck aber auch vollkommen gerecht wird und
mit Nutzen in der Schule wird gebraucht werden können. Es bringt
mehr Stoff bei als das Recknagelsche, muß sich aber deshalb vielfach

auch mit einer ziemlich gedrängten Darstellung bescheiden, wie z. B. bei der Wellenlehre, die der Verf. vermutlich mit Rücksicht auf die später kommende Optik in verhältnismäfsig weiten Grenzen abgehandelt hat. Die Verdeutlichung auch verwickelterer kalorischer Vorgänge läfst nichts zu wünschen übrig, und sehr zu billigen ist auch die Beigabe eines kurzen meteorologischen Anhanges, wobei uns nm dem angeblichen „Winddrehungsgesetz" von Dove eine Bedeutung beigelegt scheint, die wir wenigstens ihm nicht mehr zuerkennen möchten.

Für eine zweite Auflage möchte der Verlagshandlung der dringende Rat erteilt werden, den Druck minder kompress zu wählen, zumal was die mathematischen Abteilungen betrifft; Formeln gehören nicht in den fortlaufenden Text, sondern müssen je eine besondere Zeile einnehmen. Dem Sprachausdrucke sollte da und dort (so z. B. S. 15, Z. 4 u. 8 v. u.; S. 24, Z, 12 v. o; S. 25, Z. 13 v. u.; S. 62, Z. 7 v. u.) mehr Aufmerksamkeit zu teil werden, namentlich damit nicht allzu grofse Kürze zu Unklarheit führe. Das Wort „Schwerkraft" ist mehreremale nicht völlig im gleichen Sinne gebraucht (S. 4, 17, 19); ferner sind einige störende Druckfehler zu verbessern (S. 14, Z. 11 v. o.; S. 27, Z. 19 v. u.; S. 41, Z. 15 v. o.; S. 44, Diffussion; S. 55, Z. 9 v. o.; S. 57, Z. 3 v. o.), und endlich sind manchmal die vorschriftsmäfsigen Mafs- und Gewichtsbezeichnungen ohne eigentlichen Grund durch andere ersetzt (kg durch kgr u. dgl.). Doch alles das sind Kleinigkeiten, denen bei einer Neubearbeitung ohne Schwierigkeit abgeholfen werden kann. —

Zum Schlusse können wir mit einer generellen Bemerkung nicht zurückhalten. Man hört, es bestehe manchenorts der Wunsch, den Gymnasiallehrgang in der Physik nicht allzu mathematisch gehalten zu sehen; derselbe solle sich in erster Linie auf das Experiment stützen. Das liefse sich hören, wenn unsere Gymnasien mit Apparaten zu Demonstrationsversuchen (insbesondere auch messender Natur) reichlich ausgestattet wären oder doch Aussicht hätten, in Bälde ausgestattet zu sein, allein bei allem guten Willen der beteiligten Faktoren wird man nur bescheidene Hoffnungen in dieser Hinsicht hegen dürfen. Doch selbst dann, wenn wir — zu unserer gröfsten Befriedigung — uns hierin irren sollten, möchten wir unsere These, dafs eine unmathematische Behandlung vom Übel sei, nicht zurücknehmen: Mathematik, Experiment und diskursive Erläuterung der vorgetragenen Lehren (hauptsächlich im Hinblick auf Vorkommnisse des täglichen Lebens) sind eben die drei Hebel des Unterrichtes in dieser Disziplin, und auf keinen von ihnen kann, ohne Nachteil für das Ganze, Verzicht geleistet werden. Der ältere Gymnasiallehrplan mit seiner Bevorzugung der entsetzlich trockenen „Mechanik älterer Ordnung" hat viel an den jugendlichen Geistern gesündigt, und wie eine Erlösung haben weite Kreise die Neuerung des Jahres 1891 begrüfst; hüten wir uns, dafs wir nicht in das entgegengesetzte Extrem verfallen!

S. Günther.

J. Goldziher, Muhammedanische Studien. Zweiter
Teil. Halle, Niemeyer. 1890.

Die vorliegenden Studien des gelehrten Verfassers haben zum
Gegenstand die ganze Entwicklung des Hadith und bilden ohne Frage
einen hervorragenden Beitrag zur muhammedanischen Religions-
geschichte. Im Anschlusse an die Entwicklung des Hadith wird die
Heiligenverehrung im Islam behandelt, wobei der Verfasser einen
früher von ihm veröffentlichten Aufsatz in ganz umgearbeiteter Gestalt
darbietet. Da mir beide Forschungsgebiete fremd sind, vermag ich
nicht in eine Kritik des Werkes einzugehen. Zu den Ausführungen
des Verfassers über die Verehrung heiliger Bäume, die gewifs aus
dem Altertum herzuleiten ist, möchte ich bemerken, dafs die Verehrung, welche schon die alten Perser den Bäumen widmeten, am
schönsten in einer Erzählung bei Herodot VII, 31 hervortritt, nach
welcher König Xerxes auf seinem Zuge nach Griechenland in der
Gegend von Sardes eine Platane wegen ihrer Schönheit mit einem
Goldschmucke beschenkte und ihre Bewachung durch einen Wärter
für alle Zeiten anbefahl. In seinen Erörterungen stützt sich der Verfasser allenthalben auf arabische Quellenschriften und auf eine reiche
neuere Literatur. In den arabischen Zitaten hätte auch arabische
Schrift angewendet werden sollen, denn in lateinischer Schrift sind
arabische Sätze kaum lesbar. Die lateinische Umschreibung führt zu
vielen Inkonsequenzen. Schon der Name Muhammed liefert ein
Beispiel. Der Verfasser sollte nach der von ihm befolgten Schreibweise Muhammad schreiben. Es ist freilich ganz gleich, ob man
Muhammed oder Muhammad oder Mohammed schreibt. Gleichwohl
wirkt die verschiedene Schreibweise bei anderen Wörtern störend.
Der Verfasser sollte ferner im Worte Muhammed das h punktieren,
wie er in dem Worte Hadith den Anfangsbuchstaben punktiert; denn
der arabische Buchstabe ist der gleiche.

Freiburg i. Br.   Heinrich Welzhofer.

M. Wohlrab, Die altklassischen Realien im Gymnasium. Zweite verbesserte Auflage. Leipzig, 1890. Teubner. XII
und 86 S. 8°. Mk. 1,20.

Die in kurzer Zeit notwendig gewordene zweite Auflage des
Bd. XXVII S. 268 angezeigten Werkchens zeigt erstens insofern eine
praktische Veränderung, als der behandelte Stoff nicht mehr für die
einzelnen Klassen getrennt, sondern im Zusammenhang dargestellt ist.
Sodann sind 2 Abschnitte neu hinzugekommen, nämlich einer über
das Verkehrswesen bei Homer und ein anderer über die höheren
Magistrate bei den Römern. Dem athenischen Theaterwesen, von
dem in der 1. Auflage im Anschlufs an die griechische Tragödie gesprochen wurde, ist nunmehr ein von der Literatur getrenntes Kapitel
gewidmet, welches auch einige neue Notizen enthält. Die Zahl der
Seiten hat sich um drei vermehrt. Im einzelnen sind manche Ver-

besserungen, auch in bezug auf den Druck, angebracht worden; aber
S. 18 ist das W. Chersones wie in der 1. Auflage S. 41 zweimal
falsch geschrieben und S. 81 Z. 9 steht ähnlich wie in der 1. Auflage 1,000,000 HS : 5 = 200,000 M. statt 1,000,000 HS = 200,000 M.
und im letzten Abschnitt wiederum 17540 und 21750 statt 175400
und 217500. Im übrigen dürfte das Büchlein in seiner jetzigen Gestalt lernbegierigen und strebsamen Schülern, welche sich das Verständnis der Klassiker durch Nachschlagen erleichtern wollen, gute
Dienste leisten; dagegen aber, daß man Schüler der Gymnasien alt-
klassische Realien systematisch lernen lasse, kann nicht entschieden
genug Stellung genommen werden. .

E. von Stern, Das hannibalische Truppenverzeichnis bei Livius (XXI, C. 22). Berlin 1891. Calvary. 37 S. 8°.
Mk. 1,50.

Im Gegensatz zu der Annahme, daß Livius von der 3. Dekade
an den römischen Annalisten gefolgt sei, pflichtet der Verf. der Ansicht
Wölfflins bei, daß sich Livius in der Erzählung des zweiten punischen
Krieges direkt an Polybius gehalten habe. Er glaubt deshalb auch,
daß das bekannte hannibalische Truppenverzeichnis bei Polybius III,
33 ohne irgend einen Umweg in die livianische Darstellung herüber-
gekommen sei. Thatsächlich sind die Abweichungen in den beiden
Katalogen unbedeutend; von 32 Angaben stimmen nur 4 nicht vollständig überein. Von den letzteren sind drei durch passende Text-
änderungen bereits so rektificiert worden, daß alle Diskrepanz beseitigt ist; eine Schwierigkeit besteht aber noch, da Polybius· unter
den Truppen, welche Hasdrubal zur Behauptung Spaniens erhält,
Λεργητῶν τριακοσίους nennt, während Livius dafür sagt: parva Ilergetum manus ex Hispania, ducenti equites. Für ducenti schlug schon
Wölfflin trecenti vor, da die karthagischen Reiterabteilungen stets
durch 150 teilbar seien. Damit ist aber eine weitere Übereinstimmung
des Livius und Polybius hergestellt. Der Verf. will nun auch noch,
daß statt Ilergetum nach Polybius Lergetum geschrieben werde; die
Worte ex Hispania seien zu streichen. Allerdings ist es möglich, daß
es eine uns nicht weiter bekannte afrikanische Völkerschaft, welche
Lergeten hieß, gegeben habe; auch das ist möglich, daß Livius ursprünglich Lergetum schrieb, eine spätere Hand daraus Ilergetum
machte und ex Hispania hinzusetzte; auch das kann dem Verf. zugegeben werden, daß es dem von Hannibal beliebten System der
Truppendislokation nicht entsprach, wenn er zur Behauptung Spaniens
spanische Truppen verwendete, und zwar aus einem Volksstamm, der
ihm feindlich gesinnt war und den er nach Überschreitung des Ebro
nur mit großen Opfern unterwerfen konnte. [1] Allein zu berücksichtigen bleibt doch, daß Hannibal Spanien hauptsächlich, nicht
ausschließlich, mit afrikanischen Truppen deckte (Liv. XXI, 22:

[1] Wölfflin zu Liv. XXI. 23.

firmat Africis maxime praesidiis), und dafs nach keltisch-iberischer
Sitte ganz leicht ein Teil der Ilergeten (daher parva manns) auf der
Seite der Punier stehen konnte zu einer Zeit, da sich die Hauptmasse
derselben dem Hannibal feindlich erwies. Nichtsdestoweniger ist der
Vorschlag des Verf. schon deshalb sehr beachtenswert, weil uns die
Wahl zwischen den Angaben des zuverlässigen Polybius und des
weniger kritischen Livius nicht schwer fallen kann.

R. Tieffenbach, Über die Örtlichkeit der Varus-
Schlacht. Berlin 1891. R. Gärtner's Verlagsbuchhandlung. 31 S. 8°.

Indem der Verf. die Berichte des Vellejus, Florus und Dio Cassius
über die Niederlage des Varus mit einander vergleicht, kommt er zu
einer rückhaltslosen Anerkennung jener Hypothesen, welche Knoke
in seinen „Kriegszügen des Germanikus in Deutschland" [1]) aufgestellt
hat, dafs nämlich der Untergang der varianischen Legionen bei Iburg,
die Schlacht zwischen Arminius und Germanikus 15 n. Chr. bei
Barenau vorgefallen und die pontes longi, über welche Cäcina nach
dieser Schlacht seinen Rückzug zu bewerkstelligen hatte, zwischen
Mehrholz und Brägel zu suchen, bez. gefunden seien. Die Möglichkeit,
dafs die Gegend von Iburg der Schauplatz der Varusschlacht war,
kann bei der Übereinstimmung der Örtlichkeit mit der von den Schriftstellern gegebenen Beschreibung immerhin zugegeben werden; [2]) aber
gegen die zweite Hypothese ist neuerdings einzuwenden, dafs der bei
Barenau geschlagene Germanikus doch wohl sicherer über Osnabrück
und Ibbenbüren, als über Lemförde und Diepholz zurückkehrte. Und
ist die erstere Rückzugslinie nicht auch deshalb wahrscheinlicher, weil,
wie Knoke (S. 215) annimmt, Germanikus zu Beginn des Feldzugs
bei Rheine an der Ems gröfsere Depots zurückgelassen hatte? Was
schliefslich die i. J. 1885 von Knoke zwischen Mehrholz und Brägel
entdeckten Bohlwege betrifft, welche derselbe und mit ihm der Verf.
mit den pontes longi bei Tacitus (Ann. I., 63) identificiert, so ist dagegen zu bemerken, dafs die betreffenden Worte des Tacitus auf
einen geschlossenen Rückzug des römischen Heeres bis zur Ems
schliefsen lassen, weshalb die pontes longi wohl weiter westlich zu
suchen sind.

Landshut.   M. Rottmanner.

Die Stadt Athen im Altertum von Curt Wachsmut.
Zweiter Band, erste Abteilung. Leipzig, Teubner, 1890, XVI u. 527 S.
gr. 8. 12 M.

In der Vorrede zu dem 1874, also vor 16 Jahren erschienenen
1. Bd. seiner ‚Stadt Athen im Altertum' hat Curt Wachsmut S. 90
nachdrücklich darauf hingewiesen, dafs neben dem rein Topo-

---

[1]) Bd. XXIV, 326 ff. und Bd. XXV, 427.
[2]) S. dagegen Wolf, Die That des Arminius. Berlin 1891. Luckhardt.

graphischen und neben der Stadtgeschichte, d. h. der Betrachtung des allmählichen Wachstums der Stadt, eine Richtung, die
hauptsächlich Ernst Curtius eingeschlagen hat und der wir sein jüngstes
zusammenfassendes Werk über diesen Gegenstand verdanken[1]), für die
athenische Topographie der antiquarische Gesichtspunkt in vollem
Umfange zur Geltung gebracht werden könne und müsse, d. h. es
müsse das Studium der städtischen Altertümer verwertet, das
städtische Leben der Hellenen, wie es in Burg und Markt, in Heiligtümern und Festräumen, in allen öffentlichen und gemeinnützigen
Anlagen, in Wohnungen und Gräbern in die reale Erscheinung trat,
in allem irgend erreichbaren Detail betrachtet werden. Der Topographie und der Stadtgeschichte ist besonders der 1. Bd. gewidmet,
während sich die 1. Abteilung des 2. Bd. die antiquarische
Schilderung zur Aufgabe macht.

Nun hat im Laufe der 16 Jahre, die seit dem Erscheinen des
1. Bd. verflossen sind, die Forschung auf dem Gebiete der athenischen
Topographie durch Ausgrabungen und Untersuchungen so ungeahnte
Fortschritte gemacht. dafs Manches, was der 1. Bd. bietet, berichtigt,
ergänzt oder neu gegeben werden mufste. Dadurch entsteht eine, der
Lage der Sache nach nicht zu vermeidende Verschiedenheit der beiden
Bände, auch insofern, als auch in dem antiquarischen Teil fortwährend
Fragen der Topographie und Stadtgeschichte mit Bezug auf die Auf-
stellungen des 1. Bd. berührt werden mufsten.

Der vorliegende Halbband enthält den 5. Abschnitt des ganzen
Werkes: ‚Die Stadt und das städtische Leben‘ und zerfällt in
folgende Teile: I. Die Hafenstadt, S. 4—176, II. die Hafenstrafse,
S. 177—196, III. die Stadtmauern und Stadtthore, S. 197—230,
IV. städtische Demen und Quartiere, S. 231—278, V. Die Strafsen
der Stadt, S. 279—303, VI. die Agora, S. 305—527. Dem Ganzen
ist S. I—XVI ein Anhang vorausgeschickt, in welchem die wichtigsten
Bauurkunden mit kritischem Apparat wieder abgedruckt werden, nämlich p. I—XIII Mauerbauurkunden, XIII—XVI das berühmte Bauprogramm der Skeuothek des Philon.

I. Der 1. Teil, Die Hafenstadt, bildet, zumal von der eigentlichen
Stadtbeschreibung wichtige Abschnitte noch ausstehen, ein abgerundetes
Ganze für sich, welches in trefflicher Weise zeigt, wie Wachsmut die
antiquarische Schilderung verstanden wissen wollte. — Ursprünglich,
wie der Name besagt, eine Insel, gehörte die Hafenstadt eng zur Polis
Athen; daher sind auch (wie neuerdings durch Aristoteles Ἀθηναίων
πολιτεία bestätigt wird) die aus dem gesamten Volke erlosten Beamten
zwischen Athen und Piräus zu gleichen Teilen verteilt; ebenso traten
Rat und Volksversammlung auch im Piräus zusammen; daneben
fungierten als spezielle Beamte οἱ τῶν νεωρίων ἐπιμεληταί, ὁ ταμίας
εἰς τὰ νεώρια, 10 ἐπιμεληταὶ τοῦ ἐμπορίου; die Strategen führten ein
gewisses Oberaufsichtsrecht. Nach 146 trat natürlich eine Vereinfachung in diesem Beamtenapparat ein. Die nun folgende Einzel-

---

[1]) Die Stadtgeschichte von Athen von Ernst Curtius. Berlin, Weidmann. 1891.

schilderung erstreckt sich auf die Blütezeit des Piräus bis zur sul-
lanischen Katastrophe und umfafst 1. Die Befestigungen der
Hafenstadt (S. 13—50). W. beschreibt die Befestigungsmauern,
die Thore, die Häfen, welche nicht blofs an ihren Eingängen durch
Molen verengt waren, sondern auch durch eigene Sperrvorrichtungen
unzugänglich gemacht werden konnten. 2. Schiffshäuser, Zeug-
häuser und sonstige Anlagen für die Marine (S. 51—96).
Von den 3 Kriegshäfen Athens ist Zea der bedeutendste, dort befinden
sich auch die Hauptwerftanlagen; gegen das bewohnte Stadtquartier,
Munychia, war er abgeschieden, offenbar in der Absicht, die Werften
vor Feuersgefahr zu bewahren. Eingehend wird gehandelt über die
Schiffshäuser der athenischen Marine, die einzigen, von welchen wir
uns bis jetzt eine deutliche Vorstellung bilden können. Ihre Zahl betrug zu Lykurgs Zeit 372 (Zahl der Kriegsschiffe 400), so dafs also,
wenn alle Schiffe zuhause waren, einige im Freien liegen mufsten;
ferner beschreibt W. genau die Skeuothek des Philon, welche wiederholt als ein bewunderungswürdiges Meisterwerk der Architektur bezeichnet wird und deren Grundrifs und Einrichtung wir durch das
1882 aufgefundene Bauprogramm des Philon selbst so gut kennen,
wie bei keinem anderen nicht erhaltenen Bauwerk. 3. Einrichtung
des Emporions und der sonstigen auf Handel und Schiff-
fahrtsverkehr bezüglichen Anlagen des Piräus. (S. 96 bis
126). Abgesehen davon, dafs der für den Handel bestimmte Teil des
Piräus für Kauffahrteischiffe die beste Unterkunft bot, gab es auch
am Ufer einen durchaus für den Grofshandel hergerichteten Seemarkt:
5 Hallen liefen um das Innere des Hafens, zu welchen ohne Zweifel
die von Pericles erbaute Getreidehalle gehörte und wie W. annimmt,
auch das sogenannte δεῖγμα. Hinter diesen Hallen erstreckte sich der
eigentliche, mit dem Freihafen in Verbindung stehende Kaufmarkt;
erst wenn die Waren die Grenze des Emporiums verliefsen, mufsten
sie verzollt werden. Dem Verkaufe dienen besonders 1. das δεῖγμα
und 2. eigentliche Verkaufsstände. Ersteres war ein Hallengebäude,
in welchem sich der eigentliche Weltmarkt konzentrierte, indem hier von
fremden Rhedern oder Kaufherren Proben ihrer eingeführten Waren
vorgelegt wurden (daher der Name) und auf Grund dieser Proben
Kaufgeschäfte abgeschlossen wurden, auch Zahlungen wurden hier geleistet, daher die hier etablierten Banken. Unter den vielfachen,
innerhalb des Emporions gelegenen Anlagen hebt W. die von Staats-
wegen errichtete und verpachtete Herberge für Aufnahme auswärtiger
Seeleute hervor. Aufserdem mufs im Emporion das Amtsgebäude der
ἐπιμελήται τοῦ ἐμπορίου, sowie auch die Erhebungsstätten der Zoll-
pächter sich befunden haben. Dazu kommt das von Konon zum Andenken seines Sieges bei Knidus errichtete Heiligtum der Aphrodite,
ferner ein solches der Leukothea. Endlich sind auf dem westlichsten
Punkte der Acte noch in Trümmern zwei Säulen erhalten, welche nur
zur Aufnahme von Leuchtfeuern bestimmt gewesen sein können.
4. Die innere Stadt des Piräus (S. 126—176). Die prächtige
Hafenstadt, welche unter der Leitung des berühmten Städtebaumeisters

Hippodamos entstand, zeichnete sich nicht nur durch Symmetrie, sondern auch durch grofsartige Schönheit der Anlage aus, indem sie sich gleich der in Rhodos auf den Höhen um den Hafen erhob. Hier befanden sich 2 Theater, ein älteres zur Zeit Xenophons das einzige, und ein jüngeres aus der Mitte des 2. Jahrh., dazu kam noch eine Reihe von Kultstätten, wie sie dem Charakter einer Seestadt besonders angemessen sind, so das Heiligtum des Dionysos, der munichischen Artemis, besonders aber das Disoterion (Zeus Sother und Athena Soteira geweiht). Nicht minder entspricht dem Charakter der Seestadt die buntgemischte Bevölkerung von Einheimischen und Fremden.

II. Die Hafenstrafse (S. 177—196). Die langen Schenkelmauern schlossen einen Raum ein, der am Anfang und Ende bedeutend ausgedehnt, in der Mitte und überhaupt seinem gröfsten Teile genau ein antikes Stadium (184 m) breit war. Seit Anfang des peloponnesischen Krieges liefs man sich hier nieder und allmählich wurde dieser Zwischenraum ganz mit Wohnungen besetzt. Selbstverständlich führte zwischen den Mauern ein fahrbarer Weg, um während einer Belagerung die Verbindung mit der Hafenstadt ungestört zu erhalten, aber der Zugang dazu am Ende der Stadt Athen war so steil, steinig und schluchtartig, dafs man in Friedenszeiten die jedenfalls schon vor dem Mauerbau bestehende grofse Fahrstrafse vom Piräusthor aus benützte, in diese mündet nach ein paar Stadien auch eine solche vom Dipylonthor aus ein. Diese grofse Landstrafse mufs man sich mit anmutigen Rastörtern ausgestattet denken, es herrschte nach den Schriftstellern dort der regste Verkehr, zu Fufs, Esel, Maultier oder Pferd, auch in Sänften; Brunnen waren an der Strafse angelegt, endlich begleiteten sie ihrer ganzen Länge nach Grabdenkmäler, darunter das des Menander, das Kenotaphion des Euripides, sowie das Grab des Sokrates. Das Merkwürdigste aber auf diesem Wege war die lange Mauer selbst, welche auf einem Steinfundament aus Luftziegeln aufgemauert war, und mit einer offenen Plattform endigte, die eine Brustwehr hatte. Freilich sind wir nur über die Mauer der Kononischen Zeit unterrichtet, die Perikleische kennen wir nicht, nur dürfen wir annehmen, dafs es ein reiner Steinbau war. An verschiedenen Punkten waren niedrige Durchgänge angebracht, die natürlich besondere Fortifikationen erheischten.

III. Stadtmauern und Stadtthore (S. 197—230). Die Stadtmauern, wie sie nach[1]) den Perserkriegen errichtet wurden, waren nicht so massiv wie die des Piräus: ein Ziegelbau auf steinernem Fundamente. Die Hast, mit der nach dem Zeugnisse des Thukydides auf den Rat des Themistocles der Bau betrieben wurde, hatte später vielfache Ausbesserungen, Verstärkungen, Umgestaltungen zur Folge, mit Ausnahme der Nord- und Ostseite. Was diese Reparaturen für Änderungen gebracht haben, entgeht uns, nur soviel ist sicher, dafs 306—303 ein bedeckter Wallgang ($\pi\acute{\alpha}\varrho o\delta o\varsigma$) hergestellt

---

[1]) W. läfst die vorpersische Stadt unberücksichtigt, da er hier zunächst nur das Athen der klassischen Zeit schildern will.

wurde, eine Neuerung in der griechischen Fortifikation, wahrscheinlich
eingeführt infolge der zur Zeit Philipps und Alexanders in so hohem
Grade vervollkommneten Belagerungsmaschinen, die ermöglichten, von
oben auf die Belagerten hinter den Zinnen zu schiefsen. Die Mauern
waren, wie es scheint, mit einer leichten Tünche überzogen, Treppen
führten zum Wallgang und den Türmen empor. Letztere waren in
grofser Zahl vorhanden, so dafs sich zu Beginn des pelop. Krieges
viele obdachlos gewordene Athener da einrichteten. Mit den Thoren, die
W. schon Bd. I, S. 342 zusammengestellt hatte und deren topographische
Fixierung noch immer nicht gesichert ist, beschäftigt er sich blofs in
fortifikatorischer Beziehung. Hiefür benützt er die jetzt vollständig
blofsgelegte Anlage des Dipylon. Aufser den Thoren hatte Athen auch
Pförtchen, die sich gewöhnlich in der Nähe eines der Hauptthore befanden. Irgend ein Heroon war am Thore angelegt, um sich des
Schutzes unterirdischer Gewalten an der Schwelle der Stadt zu ver-
sichern; dem praktischen Bedürfnis der Reisenden kam die Anlage
von Quellen und Badehäusern entgegen. Für die polizeiliche Aufsicht
sorgten die Thorwärter, denen bei den Thoren Behausungen eingeräumt waren. Auch an der Anlage einer Zollstätte, wo das *δια-
πύλιον* erhoben wurde, kann es nicht gefehlt haben.

   IV. Die städtischen Demen und Quartiere (S. 231—278).
In der Frage, ob die Burg von der Aufteilung des städtischen Gebietes
in Demen ausgeschlossen war und diese nur die Unterstadt umfafste,
entscheidet W. sich jetzt dahin, dafs erst nach den Perserkriegen, als
die gesamte Burg zu einem *ἱερὸν τέμενος* umgeschaffen war, diese
Ausnahmstellung zutrifft, während sie früher, als Kleisthenes seine
Ordnungen ins Leben rief, wohl dem Demos Kydathenaion zugeschrieben wurde, jedenfalls ist dieser städtisch, aufser ihm Kerameikos, Melite und Kollytos, wozu jetzt mit grofser Bestimmtheit noch ein 5. gerechnet wird, Kolonos Agoraios (dagegen hat
W. noch starke Bedenken), dagegen darf Skambonidai nicht aus
Athen gewiesen werden. Vorstädtische Demen sind Koile, Dio-
meia, Keiriadai, Lakiadai, Agryle, Ankyle. Nun hatte H.
Sauppe, de demis urbis Athenarum, Weimar 1846 S. 19 die Vermutung ausgesprochen, dafs jede der 10 Phylen des Kleisthenes durch
einen Demos auch lokal in der Stadt vertreten gewesen sei, und da
die 6 oben als sicher städtisch bezeichneten Demon alle verschiedenen
Phylen angehören, so ist Sauppes Ansicht doch für höchst wahrscheinlich zu halten. Jedenfalls ist es W. nicht gelungen, durch die dagegen erhobenen Zweifel sie zu erschüttern. — Im Folgenden stellt
W. kurz zusammen, welche Heiligtümer, öffentlichen Anlagen und
Privathäuser in den einzelnen städtischen und vorstädtischen Demen
lagen und welche Teile der Bevölkerung in den einzelnen Bezirken
namentlich wohnten, soweit sich hierüber Genaueres ermiteln läfst.
Trotzdem nun aber die Hauptstadt ebenso wie das übrige Attika aus
einzelnen Gemeindebezirken bestand, und es also für das politische
Leben keinen Unterschied zwischen Stadt und Land gab, erforderte
die Hauptstadt doch eine spezielle und zusammenfassende Über-

wachung. Diese bildeten je 5 Astynomen und Agoranomen, sowie 5 Sitophylakes und Metronomen, die aber aus dem ganzen Volke durch das Los bestimmt wurden. Die Strafsen- und Baupolizei, welche den Astynomen übertragen war, erstreckte sich gleichmäfsig auch auf die Vorstädte. Ihr Hauptgeschäft war die Sorge für Reinhaltung der Strafsen, die Oberaufsicht über die Instandhaltung der Strafsen und öffentlichen Gebäude, auch über den baulichen Zustand der Privat- häuser hatten sie zu wachen, z. B. dem Einsturz drohende Häuser niederreifsen zu lassen, zu weit vorspringende Balkone zu beseitigen etc. Ferner sorgten sie für die Aufrechthaltung des öffentlichen Anstandes und hatten daher ein wachsames Auge auf die leichtfertigen Flöten- und Zitherspielerinnen, die sich auf den Strafsen herumtrieben. Zur wirksamen Handhabung der Polizei war ganz Athen in κῶμαι = Quartiere (den Regionen im Rom entsprechend) eingeteilt, deren Zahl und Verhältnis zu den Demen wir aber nicht kennen.

V. Die Strafsen der Stadt (S. 279—363). Die echt attische Bezeichnung ist στενωπός, in späterer Zeit, so offiziell am Ausgang des 4. Jahrhunderts, werden die breiten Prozessionsstrafsen αἱ ὁδοί αἱ πλατεῖαι genannt, breite und gerade gestreckte Fahrstrafsen, gleich- viel oh innerhalb oder aufserhalb der Stadt, heifsen δρόμοι, was man aber, wie W. mit Recht hervorhebt, nicht mit ‚Corso‘ übersetzen und als Prachtstrafsen auffassen darf. Gepflasterte Strafsen gab es in Athen nicht, sie waren einfach chaussiert, nur der Marktplatz war gepflastert. Ebensowenig gab es Trottoirs; die meisten Strafsen waren eng und krumm, nur die Prozessionsstrafsen und die grofsen δρόμοι, besonders die von und nach dem Dipylon zeichnen sich durch Breite und Geradheit aus. Die Strafsen standen unter speziellem Schutze des Apollon Agyieus; daher fand man vor jeder Hausthüre in Athen als Symbole des Gottes spitz zulaufende Säulen mit Myrten bekränzt und selbst mit dem Namen des Gottes bezeichnet, auf welchen man wohlriechendes Öl verdampfen liefs. In schmalen Gassen malte man diese Symbole wenigstens an die Wand. Zwischen Haus- thüre und Strafse findet sich bei besseren Häusern ein Vorplatz (πρόϑυρον), wo wir uns einen weiteren charakteristischen Schmuck der athenischen Strafsen, die Hermen, aufgestellt zu denken haben, viereckige Pfeiler mit dem Kopfe des Hermes und dem Phallos ge- bildet und regelmäfsig wohl mit einer Inschrift ausgestattet. Ebenso war es Sitte, vor den Häusern kleine Kapellen und Bilder der Hekate zu errichten. An den besonders ausgezeichneten Kreuzwegen standen 3- oder 4köpfige Hermen, die zugleich als Wegweiser benützt wurden. Die an der Strafse liegenden Räume der Häuser waren auch in Athen häufig als Läden eingerichtet, sonst aber wandte das Haus der Strafse im Parterre blofs die glatte, ununterbrochene Mauerfläche zu. In den oberen Partien dagegen herrschte der reichste Wechsel; hier sprangen wie in Pompei Fenster vor, aus denen die Frauen auf die Strafse zu schauen pflegten, und Erkerbauten aller Art gaben dem Ganzen ein höchst mannigfaltiges Aussehen. Ihren Namen erhielten die athenischen Strafsen vielfach von Handwerkern, die dort ihr Gewerbe trieben,

andere wurden nach Gottheiten und deren Heiligtümern oder nach
dort aufgestellten Denkmälern benannt, z. B. οἱ τρίποδες; wieder andere
erhielten eigentlich Spitznamen, wie z. B. eine Strafse in Athen, wo
die reiche und vornehme Welt geschwelgt zu haben scheint, ὁ χρυσοῦς
στενωπός biefs. Die Wohnungen dagegen bezeichnete man nicht nach
den Strafsen, sondern nach einem in der Nähe befindlichen Heiligtum oder öffentlichen Gebäude, Brunnen oder sonstigen bekannten
Punkte.

  VI. Die Agora (S. 305—527). W. will nur den athenischen
Markt der klassischen Zeit, die Agora im Kerameikos schildern, ja er
weist überhaupt die Ansicht, dafs es einen älteren Markt am Fufse
der Burg gegeben habe, direkt ab mit den Worten „Die Agora im
Kerameikos, die einzige Agora, welche die athenische Geschichte
kennt“ etc. So ganz sicher ist das doch nicht; zwar Lolling im
Handbuch S. 903 läfst die Frage offen, andere aber, namentlich Ernst
Curtius früher schon und jüngst in seiner Stadtgeschichte Athens
S. 60 f. sprechen sich mit Entschiedenheit für die Existenz eines Alt-
marktes am Südabhange der Burg aus. — Da in topographischer
Hinsicht bezüglich der Agora im Kerameikos noch vieles zweifelhaft
ist, so zieht W. bei der Betrachtung derselben eine rein antiquarische
Einteilung vor: 1. Die Agora als Mittelpunkt des politischen
Lebens (S. 312—410). Zunächst wird darauf hingewiesen, dafs ein
Teil des Marktes in bestimmten Fällen als Volksversammlungsplatz
benützt werden konnte (so sicher für das Scherbengericht), alsdann
wird von den am Markte gelegenen Amtslokalen gehandelt, zunächst
von denen des Rates, nämlich dem von Kleisthenes gegründeten Rundbau der Tholos (heiliger Herd, Amtslokal der Prytanen), dem Buleuterion und dem Metroon (Staatsarchiv), die beisammen an der Südseite des Marktes lagen. Daran reihen sich die Amtslokale einzelner
Beamten (ἀρχεῖα). Bestimmt bezeugt ist die Lage am Markte von
der στοὰ βασίλειος, der Halle des Archon Basileus. Aufser der
Königshalle sucht W. am Markte auch das θεσμοθετεῖον, zu Solons
Zeit, wie wir jetzt aus Aristoteles Ἀθ. πολ. c. 3 bestimmt wissen,
der Amtssitz der 9 Archonten (ἐπὶ δὲ Σόλωνος ἅπαντες εἰς τὸ θ. συν-
ῆλθον), während vor Solon das sogenannte Βουκόλιον, nahe dem
Prytaneion, Amtslokal des Archon König, das πρυτανεῖον das des
Archon Eponymus, und das πολεμαρχεῖον, später Ἐπιλύκειον genannt
Amtssitz des Polemarchos gewesen waren. Diese alle sind jedoch
wohl in der alten Theseusstadt zu suchen. Als nahe dem Markte
werden ferner das στρατήγιον und das πωλητήριον zu erweisen gesucht, ebenso der gröfste und ursprünglichste aller Volksgerichtshöfe,
die Heliaia, wenn schon man sie nicht topographisch fixieren kann;
von sonstigen Gerichtshöfen kann mit Wahrscheinlichkeit nur noch
einer am Markte angesetzt werden, das Parabyston, das Lokal, in
welchem das Collegium der Elfmänner präsidierte. Im Anschlufs
daran bespricht W. S. 368—382 ausführlich die Einrichtung der
Dikasterien, Abstimmungsmodus etc., verweist auch das Kleroterion,
den Platz, wo alltäglich, d. h. an jedem Gerichtstage die Heliasten-

sectionen verlost wurden, an den Markt und vermutet dort auch das unter Aufsicht der ἔνδεκα stehende Staatsgefängnis (οἴκημα euphemistisch genannt). Naturgemäfs wurde der Markt auch als Ort für öffentliche Bekanntmachungen benützt, ebenso wie zur Aufstellung von Ehrenstatuen, die S. 393—411 aufgezählt werden. — 2. die Agora als eine Hauptstätte gottesdienstlicher Handlungen (S. 310—442). Abgesehen davon, dafs die Agora der eigentliche und berufenste Festplatz der Athener war, befanden sich dort auch hervorragende Heiligtümer: einmal das Leokorion; die Angaben der Alten über seine Lage ἐν μέσῳ τῷ Κεραμεικῷ glaubt W. wörtlich deuten zu müssen, so dafs es mitten auf dem Markte gelegen gewesen wäre, andere fassen das so, dafs damit nur gesagt sein sollte „mitten im Gau Kerameikos". Den bisher noch nicht befriedigend erklärten Namen deutet W. auf eine volkpflegende Gottheit ᾿Λεωκύρος, über deren Wesen sich nichts weiter feststellen läfst. Aufserdem wird noch genannt das Heiligtum des Apollon Patroos, des Ares, der Persephone, (Pherephattion), das Heroon des Aiakos, die Halle des Zeus Elentherios mit den berühmten Wandgemälden des Korinthiers Euphranor. Aufserdem befanden sich aber auch noch mehrere Stiftungen am Markte, die nur aus Kultbild und Altar bestanden, so des Handelsgottes Hermes Agoraios, die Statuen der Eponymen, Eirene mit dem Plutoskinde; dazu kommen noch Altäre ohne Kultbild, besonders der der Zwölfgötter, der geheiligte Mittelpunkt von ganz Attika, der auch als Generalmeilenstein diente, der mit Asylrecht ausgestattete Altar des Eleos, sowie der räthselhafte Altar der Eudanemen oder Heudanemen, die wohl mit eleusinischen Kulten zusammenhängen. — 3. Die Agora als Stätte des Handels und Verkehrs. Wie der Grofshandel sich im Emporion des Piräus concentrierte, so der Kleinhandel, der hauptsächlich in den Händen von Metöken war, auf der athenischen Agora. W. handelt zunächst von der Überwachung des Marktverkehrs durch die Agoranomen, Sitophylakes, Metronomen und die diesen Behörden zur Verfügung stehende Polizeimannschaft. Da der Markt aber auch als Spaziergang, zur Erholung der Bürger diente, so gab es da eine Reihe von luftigen Säulenhallen, die so nach den Perserkriegen erbaute, alsbald von Polygnot mit Gemälden geschmückte στοὰ ποικίλη, die bereits erwähnte Halle des Zeus Agoraios, die unter Cimon erbaute Hermenhalle, die Mehlhalle aus Perikles' Zeit, endlich die in der hellenistischen Epoche von Attalos erbaute Kaufhalle. Es folgt nun S. 449 bis zum Schlusse unter dem Titel „Handel und Verkehr" einer der anziehendsten Abschnitte des Halbbandes; mit einer erstaunlichen Fülle von Details schildert W. das Leben und Treiben, die Verkaufsgegenstände des athenischen Marktes etc. Hier mufs ich mir eine Inhaltsangabe versagen, derartiges will selbst nachgelesen sein.

Von dem reichen Inhalt des Buches kann vielleicht vorstehende Übersicht einen Begriff geben: für eine antiquarische Schilderung des alten Athen haben wir hier eine Materialsammlung, wie sie vollständiger kaum gedacht werden kann. Gleich anerkennswert ist die Art und Weise, wie das Gesammelte, selbst die unscheinbarsten Notizen, verwertet wird, um uns ein lebendiges Bild vor Augen zu führen. Nur ist die Benützung des Buches vorläufig recht erschwert, da sich ebenso wenig wie beim ersten Bande ein Inhaltsverzeichnis findet; insofern ist es zu bedauern, daſs der 2. Bd. nicht als ein Ganzes erschien; denn am Schlusse desselben wird wohl ein Index nicht fehlen können. Endlich würden die Schilderungen des Verfassers sehr an Deutlichkeit gewinnen, wenn einzelne Partien des Buches mit Plänen oder Abbildungen ausgestattet wären, bei der Beschreibung der Befestigungen des Piräus z. B. lassen sich Pläne kaum entbehren; denn die im 1. Bande gegebene Skizze genügt nicht mehr.

München.   Dr. J. Melber.

Biedermann, Dr. Karl, Professor, Deutsche Volks- und Kulturgeschichte für Schule und Haus. Zweite, verbesserte und vermehrte Auflage. 3 Teile. Wiesbaden. Verlag von J. F. Bergmann. 1891. S. IV und 108, IV und 174, XI und 239. 8°.

„Eine förmliche Literatur- und Kunstgeschichte zu geben, liegt nicht im Plane dieses Werkes und ist wegen der notwendigen Raumbeschränkung desselben unmöglich". [II, 89.[1])]

Eine gleich weitgehende Erklärung gibt der Verfasser hinsichtlich der politischen Geschichte zwar nicht, ebensowenig in der Vorrede; indes hat auch sie vielfach eine verhältnismäſsig sehr beträchtliche Schmälerung erfahren. Hingegen bietet er für die kulturelle Entwicklung der Nation viel mehr Stoff, als es in Bearbeitungen von ähnlichem Umfange üblich ist. Es verdient das um so mehr Anerkennung, als nach dieser Seite an Geschichtsbüchern „für Schule und Haus" ein unleugbarer Mangel besteht, was sich bezüglich der politischen, der Literatur- und auch wohl der Kunstgeschichte wahrlich nicht behaupten läſst.

Im allgemeinen war somit das Buch bei seinem ersten Erscheinen als eine willkommene Spende des kundigen Autors zu begrüſsen, eine Annahme, für die auch der ungeachtet „einer ungewöhnlich starken Auflage" schon nach fünf Jahren sich ergebende Bedarf einer zweiten vernehmlich genug spricht.

An Lesern wird es trotzdem bisher nicht gefehlt haben und auch künftig nicht mangeln, denen der politische Teil des Buches mitunter denn doch gar zu knapp behandelt erscheinen mag. Ein im ganzen auf 521 Seiten ausgedehntes Buch deutscher Geschichte sollte für den politischen Teil der vollen Zeit von 911—1272 doch wohl etwas mehr als 29, für die ganze Zeit von 1273—1519 etwas mehr als 27 Seiten zur Verfügung stellen. Zudem sind die beiden übergroſsen Zeiträume in je ein Kapitel zusammengedrängt (II, 7—35 und 98—124), ein viel zu groſser Umfang für ein Buch „für Schule

---

[1]) Die römische Zahl verweist auf den Teil des Buches, die arabische auf die Seite. Ist erstere nicht beigefügt, so findet sich das Zitat in dem vorher zuletzt genannten Teile.

und Haus" und sehr im Gegensatz zu der sonst vom Verfasser in anerkennenswertem Grade angestrebten Übersichtlichkeit und Handlichkeit. Schon das Haus, noch mehr aber die Schule befreunden sich schwer mit so dicken Knäueln.

Indes genug vom Umfang!

Wer Biedermanns reiche politische Vergangenheit, seine Kämpfe für das Kaiserreich und seine stets bewährte Überzeugungstreue kennt, für den ist eine Darlegung seines im Buche vertretenen politischen Standpunktes ohnehin entbehrlich; wer sie erst aus unserem Werke kennen lernen soll, dem mag folgende Stelle (III, 71) ausreichenden Aufschluſs erteilen:

„Der bis ins innerste Mark erstorbene Stamm des Reichs vermochte keine frische Triebkraft mehr aus sich zu erzeugen; das konnte nur ein neuer Stamm, der, selbst aus einer neuen, triebkräftigen Wurzel heraus geboren, allmählich, was noch an gesunden Säften im Reichskörper vorhanden sein möchte, an sich heran- und in sich hineinzöge.

Zum Heile Deutschlands fand sich ein solcher neuer Stamm in dem bald nach dem 30jährigen Kriege mächtig emporstrebenden brandenburg-preuſsischen Staate."

Dem entsprechend schlieſst das Buch auch mit dem Frankfurter Frieden vom 10. Mai 1871.

In konfessioneller Hinsicht ist allenthalben dem Protestantismus das Wort gesprochen, wobei es gegenüber dem Katholizismus nicht ohne mancherlei Härten in der Beurteilung abgeht. Jedoch ist gerne anzuerkennen, daſs, im Vergleiche mit zahlreichen anderen Autoren der gleichen Richtung, wenigstens in der Regel ein verständiges Maſshalten beobachtet ist.

Immerhin machen es die treffliche Ausstattung des Werkes, die fast ausnahmslose Sauberkeit von Druckfehlern, die klare und meist korrekte Schreibart, die mit seltenen Ausnahmen gut gegliederte und anmutende Darstellung, die tüchtige Sachkenntnis, die ungewöhnlich starke Betonung des kulturhistorischen Elementes in hohem Grade bedauerlich, daſs da und dort eingestreute und keineswegs immer begründete Ausfälle das sonst für Schülerlesebibliotheken der oberen Klassen gut geeignete Werk an katholischen, ja selbst an paritätischen Anstalten nur unter schweren Bedenken als zulässig erscheinen lassen. Ziemlich starke Beweihräucherung auf der einen Seite, gelegentlich recht gallige Winke nach der andern eignen sich nicht für diese Schulen. Und wer für die wirklichen und für die vermeintlichen Gebrechen der römischen Kurie durch den Lauf der Jahrhunderte einen so scharfen Blick bethätigt, sollte an den Mängeln der Gegner schon der historischen Gerechtigkeit wegen nicht so oft oculis inunctis vorübergehen.

Im Interesse des Buches ist dringend zu wünschen, daſs bei einer neuen Auflage mehrfach Milderungen, dann und wann noch richtiger Streichungen eintreten, durch welche der Glanz und Ruhm des Protestantismus in den Augen seiner Gläubigen eine Einbuſse nicht zu erleiden braucht.

Dieser zu erhoffenden neuen Auflage zuliebe sei an vorstehenden allgemeinen Teil der Beurteilung noch ein spezieller angereiht, in dem vom Standpunkte der Schule oder des Hauses aus, denen das Buch zugedacht ist, einzelne sachliche oder formelle Unzukömmlichkeiten, Versehen oder Verstöfse Erwähnung finden mögen; dabei ist es jedoch mehr auf Typen als auf Vollständigkeit abgesehen.

Anlangend die Form gibt zunächst das grammatikalische Gebiet zu Beanstandungen mancherlei Anlafs. Dabei fällt wenig ins Gewicht, dafs nicht mehr Emmeran, Bonifacius und Hufs geschrieben werden sollte, sondern Emmeram, Bonifatius und Hus. Etwas schlimmer ist es, wenn III, 97 Fink zu lesen ist für Finck, 136 und 239 Winkelmann für Winckelmann, 85, 88, 103, 136 und 239 Wolf (Chr.) für Wolff. II, 35 ist Alphons geschrieben, 98 und III, 231 Alfons; II, 32 Tancred von Lecco für Lecce; 109 Geiseler für Geifseler. III, 27 ist dekliniert des Kurfürsten Joachims, 136 eines Herders; II, 49 bietet Ungarsiege. Regelmäfsig ist zu lesen das für der Coelibat; eben so regelmäfsig und Seite um Seite wiederkehrend wird das Partizipium, ist es durch ein oder ein paar Wörter vom zugehörigen Nomen geschieden, durch ein oder zwei Kommata von demselben abgetrennt, z. B.: sein, vierzig Jahre vorher unvollendet gebliebenes Bekehrungswerk (I, 100); die, den Habsburgern seit lange feindlich gesinnte Schweizer Eidgenossenschaft (II, 114); Bruder des, 1793 guillotinierten Ludwigs (sic) XVI. (III, 157). Gleich regelmäfsig kehrt immer wieder die undeutsche Konstruktion: Karl V., nachdem er (12); Brandenburg und Pommern, obschon sie (45); Napoleon, um nicht (154). Auch Silbentrennungen wie Unterstüt—zung (46) werden wenige billigen. III, 54 Z. 1 steht das Druckversehen einen statt einem, 207 Z. 14 welchen statt welcher. II, 169 wird auf 54 verwiesen statt auf 51; III, 114 auf II, 179 statt auf 169.

Vereinzelt findet sich hinsichtlich der Ausdrucksweise teils Veraltetes, teils Eigenartiges. So II. 112 Verspruch; 160: 24 Herren vom Adel vertilgten auf einen (sic) Niedersitz 175 Mafs Wein; III, 9 inmittelst; 16: Melanchthon sänftigte die gar zu heftigen Ausbrüche des lutherischen Geistes; der Kaiser versagte sich den Bestrebungen der Reichsritterschaft (26); den Protestanten ward die Priesterehe nachgelassen (34); beziehentlich (38). Das nach v. Wöllner benannte Wöllnersche Religionsedikt (113); Östreich und Preufsen standen so sehr unter dem Druck der Ereignisse in Frankreich und der Besorgnis vor weitergreifenden Folgen dieser (182); die Füglichkeit (207); nur in Schwaben gelang es Konrad I., zwei Grofsen obzusiegen (II, 8); während 32 richtig konstruiert ist: über die Gegenpartei obzusiegen, II, 14 heifst es: ihm (dem Erzbischof Aribo oder dem älteren Konrad?) fielen alle Bischöfe bei; II, 104 Leopold ward von den Schweizern gründlich geschlagen. Wenn II, 105 gesagt wird: Ludwig der Bayer liefs sich durch ein paar Bischöfe zum Kaiser salben, so war eine sachlich richtigere und formell anständigere Ausdrucksweise zu wünschen. Auch wären der Kathederwitz I, 55: Das Latein der Franken als Schriftsprache war derart, dafs es einem Cicero Krämpfe verursacht haben würde, und das auch inhaltlich wenig geeignete Zitat III, 139 richtiger unterdrückt worden.

Die Frage, was in einem solchen verhältnismäßig doch recht eng begrenzten Raume aus dem übergrofsen zur Verfügung stehenden Materiale Aufnahme finden soll, was nicht, wird stets eine viel bestrittene. somit eine offene bleiben. Die Richtung der Leser, der Bedarf dieser und jener Schule, dieses und jenes Hauses werden immer und überall weit auseinander gehen. Es wäre daher unbillig, nach dieser Richtung dem Verfasser über Einzelheiten Ausstellungen zu machen. Um nur ein paar Fälle zu erwähnen, werden doch viele ein Wort über die Einführung des gregorianischen Kalenders in den verschiedenen deutschen Ländergruppen umsomehr vermissen, als im Buche für die Zeit des Wechsels bald Data nach dem julianischen, bald nach gregorianischem angesetzt sind; so hätte III, 221 die Kapitulation von Strafsburg nicht mit Stillschweigen übergangen werden sollen. Allein es sei über dieses schwierige Gebiet mit dem Verfasser nicht weiter gerechtet. Das aber mufs verlangt werden, dafs die der Aufnahme gewürdigten Ereignisse und Data richtig und genau sind; indes in dieser Beziehung läfst das Buch mehrfach zu wünschen übrig. Im Nachstehenden einige Belege hierfür.

Marius siegte nicht blofs bei Vercellä, wie I, 6 behauptet wird, sondern auch bei Aix; Narses machte dem Ostgothenreiche nicht 536 ein Ende, sondern 555 (47); Konrad I. starb 918. nicht 919 (II, 8); nicht Papst Urban II. starb 1187, sondern Urban III. (30); Friedrich II. trat seinen Kreuzzug endgültig nicht 1227 an, sondern 1228 (33); Pallium ist doch nicht gleichbedeutend mit „die geistlichen Weihen", wie (44) gelehrt wird; warum Ludwig der Strenge (99) lediglich als „Fürst von der Pfalz" aufgeführt wird und nicht zugleich als Herzog von Bayern, ist nicht abzusehen; auch ist dort unerwähnt geblieben, dafs eine vierte Tochter Rudolfs von Habsburg mit Herzog Otto von Niederbayern vermählt war; Göllheim liegt nicht im heutigen Rheinhessen, sondern in Rheinbayern (102); die Nürnberger Fehde des Albrecht Achilles dauerte nicht 1440—1450, sondern 1449—1450, beziehungsweise 1453 (118); Ludwig von Bayern ist (119) unverständlich; gemeint ist Ludwig VII., der Bärtige von Ingolstadt. S. 127 wird behauptet, die Wahlfürsten hätten erst seit 1356 Kurfürsten geheifsen; sie führten diesen Titel schon seit 1263. 152 steht Gustav V. von Schweden statt Gustav I.; nach III, 27 trat Joachim II. von Brandenburg schon 1535 zum Protestantismus über; allein in diesem Jahre erfolgte der Übertritt seines Bruders Johann, Joachim folgte erst 1539; Luther starb am 15. Februar 1546, nicht im Januar (34); der Jesuitenorden fand in Bayern schon 1542 Aufnahme, nicht erst 1556 (39): die Schlacht bei Nördlingen gehört dem 6. September 1634 an, nicht dem 7. (49); das Reichskammergericht wurde 1495 errichtet, nicht 1524: in Speier befand es sich nicht erst seit 1530, sondern schon seit 1526; 1530 kommt hierfür nur insofern in Betracht, dafs es nach dem Reichstagsabschied von Augsburg dieses Jahres auch künftig dauernd in Speier verbleiben sollte (53). Wie sonst in den Schulbüchern gewöhnlich lehrt auch Biedermann S. 54: „Frankreich erhielt im westfälischen Frieden die Landvogtei über 10 im Elsaſs gelegene freie Städte". Da es ihrer nicht mehr gab, so muſs es heiſsen: „über die 10 freien Städte des Elsaſs". Ernst der Fromme regierte in Gotha 1640—75, nicht 1633—78. Karl Ludwig in Heidelberg starb 1680, nicht 1686 (57). Da dessen Sohn Karl 1685 starb, wie 73 richtig zu lesen ist, so ist hier 1686 ohne allen Belang. Wilhelm III. besteig den englischen Thron 1689, nicht 1688 (73). „Die Schlachten bei Höchstädt, auch Blindheim oder Blendheim genannt"; Höchstädt und Blindheim sind doch nicht eins! Ludwig XIV. machte nicht erst nach der Niederlage bei Malplaquet Friedensbedingungen, sondern schon 1708 nach dem Siege der Verbündeten bei Oudenarde, welcher im Buche nicht berücksichtigt ist (74). Der Pfalzgraf nahm von Jülich und Berg Besitz; gemeint ist Philipp Wilhelm von Neuburg, was sich nicht von selbst versteht (83). „Die Hohenzollern hatten Anrechte auf mehrere schlesische Fürstentümer" (ibid.); es waren ihrer vier, die (89) richtig angegeben sind. „Karl VI. hinterlieſs nur eine Tochter, Maria Theresia" (89). Eine zweite Tochter, Maria Anna, vermählte sich 1744 mit dem Bruder Franz' I., starb aber bereits im gleichen Jahre. Die Schlacht bei Kesselsdorf erfolgte am 15. Dezember 1745, nicht am 5. Dezember (93); die Schlacht bei Zorndorf am 25. August 1758, nicht am 26. (96). Die Kurwürde wurde an Hannover 1692 übertragen, nicht 1694 (105). Östreich erhob 1778 nicht allein auf Teile Niederbayerns Ansprüche, wie 110 angegeben wird, sondern auch auf Teile der Oberpfalz, wie erst 111 nachgeholt wird. Hontheims (Febronius') Schrift erschien 1763, nicht 1765 (114). Die Tage von Kulm 1813 waren der 29. und 30. August, nicht der 28. und 29. (154). Hier steht auch Wartenberg für Wartenburg. 158 durfte der Kieler Friede vom 14. Januar 1814 nichts ungenannt bleiben, weil ohne ihn die vorgeführte einschlägige Regelung unverständlich ist. 195 wird das Patent Friedrich Wilhelms IV. vom 18. März 1848 als Verfassung bezeichnet. Der preuſsische Unionsverfassungsentwurf von 1849 war nicht vom 30. Mai datiert, sondern vom 26. (198 f.). Die Überfahrt preuſsischer Truppen nach der Insel Alsen erfolgte 1864 am 29. Juni, nicht Juli (207); der Gasteiner Vertrag nicht 1864, sondern 1865 (208). 208 fehlt auch zum Datum 9. April die Jahreszahl 1866. Der Prager Friede von 1866 gehört dem 23. August an, nicht dem 28. (210). 215 hätte der Bemerkung, daſs im „konstituierenden" Reichstag des Norddeutschen Bundes im Frühjahr 1867 ein Sozialdemokrat saſs, August Bebel, im ersten gesetzgebenden im Herbst des gleichen Jahres deren schon sieben, beigefügt werden sollen, daſs schon 1870 3,3 % sozialdemokratischer Stimmen abgegeben wurden. Die Hohenzollerschen Fürstentümer wurden von Karl Anton 1849 an Preuſsen abgetreten, nicht 1848 (218).

Ein Miſsstand des Buches anderer Art ist der, daſs für das des öftern so notwendige Verständnis der Münzverhältnisse früherer Zeiten nirgends eine einigermaſsen orientierende Zusammenstellung sich findet. Von mittelalterlichen Münzen und Münzwerten werden I, 60, 63, 64 und 65 Schillinge genannt, I, 65 und 73 Solidi, 1, 65, II, 58 Silberdenare, II, 74, 108 und 125 ist von Marken die Rede, II, 76, 149 von Pfennigen, II, 125 von Schock Groschen, von kleinen Goldgulden und von Kronen, II, 143 und 166 von Gulden: allein über den jeweiligen Wert nach dem jetzigen Gelde bleibt der Leser entweder völlig unaufgeklärt, oder er erhält die erforderliche Belehrung erst, nachdem er sie vorher wiederholt vermißt hat. Der Schüler und der häusliche Leser werden sich nach der gepflogenen Lektüre über diese Dinge ebenso wenig klar sein, als über „gewisse Aussprüche des Apostels Paulus", von denen II, 45, oder über „gewisse Beschlüsse der französischen Nationalversammlung", von denen III, 117 rätselhafte Andeutungen gegeben werden.*)

Hingegen lassen sich die I, 107 f., II, 171—174 und III, 225 bis 230 angefügten Literaturangaben als eine willkommene Zugabe bezeichnen. Das Sach- und Namensregister ist zu dürftig ausgefallen.

Kohlrausch Friedrich, Kurze Darstellung der Deutschen Geschichte. 14. Auflage. (Bis zum Tode Kaiser Wilhelms I. fortgeführt). Gütersloh. Druck und Verlag von C. Bertelsmann. 1891. S. 303.

Die neue Auflage unterscheidet sich von der vorletzten durch die Fortsetzung bis zum Jahre 1888, wogegen, um den äußern Umfang des Buches nicht zu erweitern, der die Ereignisse von 1861—1866 umfassende Abschnitt eine bedeutende Kürzung erfuhr.

Kohlrausch dachte sich den Kreis, für den er die erste, 1818 erschienene Auflage des Buches bestimmte, weiter gezogen. Er hatte zunächst Bürgerschulen der damaligen Art im Auge, dann „diejenigen Elementarschulen, die sich auf den Standpunkt erhoben haben, um auch für die Geschichte ein paar Stunden in der Woche zu erübrigen". Es sollte ferner „in den Händen des Lehrers als Leitfaden, in denen der Schüler zum eignen Nachlesen, vielleicht auch in manchen jener Schulen, und das besonders, zum Lesebuch in den obern Abteilungen dienen". Überdies sollte es zugleich „als Handbuch für diejenigen Schüler der untern und der mittleren Klassen der Gymnasien dienen, welche die 1816 in erster Auflage erschienene „deutsche Geschichte" desselben Verfassers etwa nicht anzuschaffen vermöchten". Endlich wies er das Buch „solchen Familien in der Stadt und auf dem Lande zu, in welchen der Sinn für die vaterländische Geschichte geweckt ist, denen es aber bisher an einem passenden Hilfsmittel fehlte, indem sie nicht in der Lage sind, größere Werke benutzen zu können. (Aus der Vorrede zur ersten Auflage.)

Sind auch die Bedürfnisse und damit zugleich der Leserkreis in diesen langen Jahren vielfach andere geworden, so gibt doch für die Tüchtigkeit des Buches ein vollgültiges Zeugnis der Umstand, daß es sich trotz alles Wandels zu behaupten vermochte und noch immer seine Abnehmer findet, obwohl die äußere Ausstattung eine verhältnis-

---

*) In betreff der vielen Ungenauigkeiten des Werkes vergleiche man auch die gehaltvolle Rezension von G r u b e r Bd. XXIII S. 341 ff.

mäfsig stiefmütterliche geblieben ist; denn Papier und Druck lassen
für ein Schulbuch auch in der neuesten Auflage noch viel zu wünschen
übrig. Was dem Buche diese ungewöhnliche Gunst des Publikums
erhalten hat, das wird wohl vorzugsweise in dem deutschpatriotischen
Hauche zu suchen sein, der es durchweht, in der Vorliebe für den
Protestantismus, ohne die anderen Konfessionen Angehörigen gerade
zu verletzen, ferner in der anmutenden Popularität der Darstellung,
die dem Verfasser in hervorragendem Grade eigen war, endlich in
der mit schulmännischem Takte hergestellten Übersichtlichkeit, mit
welcher der reiche Stoff entsprechend zergliedert erscheint. Auch die
seit Kohlrauschs 1865 erfolgtem Ableben hinzugetretenen Fortsetzungen
haben Ton und Färbung treu und glücklich zu bewahren gewufst.

Indes nicht die änfsere Form des Buches allein erregt noch in
der neuesten Auflage einen recht antiquarischen Eindruck, auch der
Inhalt steht sachlich und formell vielfach auf einem Standpunkt, der
das Alter von nahezu dreiviertel Jahrhunderten stark fühlbar macht.
Wenn Kohlrausch 1818 Bonifacius schrieb und mit „Wohl-
thäter" erläuterte, so ist dagegen nichts zu erinnern; 1891 sollte es
geändert sein (S. 38). Wenn auf der gleichen Seite erzählt wird,
Bonifatius sei Erzbischof von Mainz geworden und als solcher Haupt
der ganzen deutschen Kirche; daher sei nachher der Erzbischof von
Mainz immer Primas von Deutschland d. h. erster Bischof und Fürst
des deutschen Reiches gewesen, so ist davon richtig, dafs Mainz durch
Bonifatius prima sedes wurde, hingegen erhielt es die Primitial-
befugnisse erst 1032. Nach S. 33 stiefs Odoaker den letzten römischen
Kaiser Romulus Augustulus um (!) das Jahr 476 vom Throne. Nach
S. 35 liegen Böhmen und Östreich ostwärts von der Elbe. Die Aussprache eines fremden Eigennamens wird im ganzen Buche einmal
(S. 52) und hier falsch angegeben: Magyaren (Madscharen). S. 106
wird gelehrt, Karl IV. habe die Mark Brandenburg, nach dem Aus-
sterben des bayrischen Hauses in diesem Lande, durch Erbvertrag
an sein Haus gebracht; das Richtige steht S. 151. Leopold von
Östreich, der Besiegte von Sempach, war nicht ein Nachkomme des
am Morgarten besiegten Namensvetters, sondern ein Neffe (ibid.). Auf
der gleichen Seite wird die Winkelriedsage noch in der Weise von
1818 erzählt; ebenso die Tilly zugeschriebene Zerstörung Magdeburgs
S. 142. Erfreulich ist in der Geschichte Deutschlands gar manches
nicht, allein dies darf nicht der Grund sein, die letzten 12 Jahre des
30jährigen Krieges mit Stillschweigen zu übergehen, wie es S. 147
geschieht. Die Nürnberger Fehde wurde 1453 beendet, nicht 1456
(S. 111). S. 117 ist von einem gewissen Dr. Johann Eck die Rede,
der denn doch in der Reformationsgeschichte eine so ganz nebelhafte
Persönlichkeit nicht war. Karl V. wurde nicht 1520 zum Kaiser gewählt, sondern im Juni 1519 (S. 118). Albrecht Alcibiades starb 1557,
nicht 1556 (S. 133). Dafs Kaiser Ferdinand II. „unter den Augen
des sehr eifrig katholischen Herzogs Wilhelm von Bayern erzogen
wurde", ist in dieser Allgemeinheit unrichtig (S. 137). Hohenzollern
wurde 1849 von Karl Anton an Preufsen abgetreten, nicht 1850

(S.   . u.   Durch die Übergehung der Verträge von Labiau und
Wehlau (S.   kommt die schiefe Auffassung zur Geltung, als ob
die Souveränität Brandenburgs lediglich das Ergebnis des Friedens von
Oliva gewesen wäre. S.   gelangt der gregorianische Kalender zu
spät zum erstenmal zur Geltung. Der 1700, nicht 1701 gestorbene
Karl II. von Spanien war bei seinem Tode   Jahre alt; er kann
somit nicht als „der alte König von Spanien" bezeichnet werden
(S.   Die Schlacht bei Malplaquet gehört dem Jahre 1709 an,
nicht 1708 (S.   .   S.   wird, nach der hier und S.   gegebenen Darstellung zu schliefsen, der 1806 gestorbene Herzog
Ferdinand von Braunschweig mit seinem 1792 gestorbenen Onkel,
dem Helden des siebenjährigen Krieges, identifiziert. S.   wird der
Regensburger Reichsdeputationshauptschlufs nach Rastatt verlegt. Nach
Bayonne lockte Napoleon 1808 nicht allein Ferdinand VII., sondern
auch Karl IV, die Königin und Godoy (S.   . S.   steht Wartenberg statt Wartenburg. Das Heer Schwarzenbergs war schon im
Dezember 1813 bei Basel über den Rhein gegangen; es folgte also
nicht erst dem Heere Blüchers im Januar 1814 (S.   .   Die Schlacht
bei Brienne gehört dem   Januar 1814 an, nicht dem . Februar
(ibid.). König Ludwig   von Bayern trat am   . März 1848 von der
Regierung zurück, nicht am   . Mai (S.   ,
    Aus der grofsen Anzahl orthographischer, grammatikalischer
oder sprachlicher Eigenarten und Verstöfse, auch Druckfehler, seien
nachstehende erwähnt. Männer, eines Kopfes gröfser als die Römer
(S.   erschlaff statt erschlafft (S.   Ausforderung für Herausforderung (S.   . Sie behielten übrigens aber ihre Sprache (S.
Heinrich . wollte die deutschen Stämme unter einen Hut bringen
(S.   . Wilhelm von Holland wollte über das Eis bei Medenblick
setzen (S.   , · Traufsnitz (S.   ; und ·   Elisabeth hatte sich
im wörtlichen Verstande blind geweint (S.   , Grofssohn (S.   u.
    Den Italienern fielen die Spanier und die Franzosen bei; Hufs
(S.   ,   Barthold Schwarz (S.   ,   Faust statt Fust (S.
„In Trident war noch immer (1547) 'das Konzilium versammelt"; es
war erst 1545 eröffnet worden (S.   . Keppler (S.   „Die
bestberechtigten teilten sich die Länder so" (ibid.). Kammin (S.
u.   Schwiebusser Kreis (S.   , Eugen und Marlborough
trafen Tallard zu einer sehr blutigen Schlacht (S.   . Contades
kam in seine rechte Flanke (S.   , Das Schlimmste war, dafs die
Furcht vor der Religion verschwand (S.   , Die sogenannte erste
Teilung Polens (S.   , Eine faulichte Wassersucht zehrte Friedrich II.
langsam auf (S.   , Suwarow bereitete sich, über das Alpengebirge
nach Deutschland zu gehen (S.   , Beide Schlachten gingen unglücklich (S.   , Efslingen (S.   , Von (statt vor) allen Staaten
war Preufsen berufen (S.   , Die Siegesbotschaft wegen der Katz-
bacher Schlacht ·   Nach weggeworfenen Waffen (ibid.). Alle die
durch die unerhörten Umwälzungen ganz verworrenen Verhältnisse
(S.   , Napoleon ist am   . Mai 1821 gestorben und vor den höheren
Richterstuhl gefordert (S. 212), Bau statt Ban von Kroatien (S.   .

König Wilhelm fand auf einem alten Sopha die nötige Nachtruhe
(S. 248). Am die 23. die böhmische Grenze statt am 23. die böhmische
Grenze (S. 245). Prais statt Paris (S. 273). Stellung statt Stellungen
(S. 276). Die Kriegsschreier in Paris hatten 1887 gehofft, der deutsche
Michel würde sich wieder einmal von ihnen übertölpeln lassen. (S. 293).
Daſs der neue Herausgeber, Dr. Fr. Krebs, mit schonungsvoller
Pietät den Charakter des Buches zu wahren bestrebt war, ist gewiſs
nur löblich; allein so gar schlimme Dinge, wie sie unter den vor-
geführten sich finden, sollten in einer 14. Auflage nicht wiedergekehrt,
nicht durch neue vermehrt worden sein.   Namentlich Schulbücher sind
thunlichst sauber zu halten.

Heichen Paul, Die Kulturgeschichte in Hauptdaten
vom Altertum bis auf die Gegenwart. Berlin. Verlag von
Hans Lüstenöder. S. IV u. 272. kl. 8.

Der Verfasser hat mit seiner in der Vorbemerkung ausgesprochenen
Annahme gewiſs recht, daſs nicht hinsichtlich der Welt-, wohl aber
bezüglich der Kulturgeschichte für eine derartige Zusammenstellung ein
Bedarf vorliegt.   Gerade darum aber wäre unseres Erachtens die erstere hier besser völlig unberücksichtigt geblieben.   Der nach dieser
Richtung im Buche aufgenommene Stoff wird den meisten nicht genügen, den andern als ein geringwertiger Ballast erscheinen.

Unbedingt zweckentsprechend ist hingegen für die hier in Betracht kommenden Zwecke die Neuzeit vorzugsweise berücksichtigt
worden, so daſs dem Altertum von den 236 Seiten des Textes nur
40, aber auch dem Mittelalter nur 32 eingeräumt wurden.

Anderseits muſs Bedenken erregen, daſs das Werkchen, im Juli
1889 begonnen, schon im April 1891 vollendet vorlag.   Wenn nach
dieser Seite auf Goethes Wort Bezug genommen wird: „so eine Arbeit wird eigentlich nie fertig. Man muſs sie für fertig erklären, wenn
man nach Zeit und Umständen das möglichste gethan hat", so wird
gewiſs niemand an der Stichhaltigkeit dieses Ausspruches deuteln
wollen; allein darum wird es sich gar sehr handeln, was ein Autor
unter „dem nach Zeit und Umständen Möglichsten" versteht.   Wir
denken uns darunter hier und dort etwas anderes, als Herr Heichen
anzunehmen scheint.

Die Auswahl des Aufzunehmenden und Auszuscheidenden wird
bei derlei Zusammenstellungen immer schwierig bleiben; doch darf
die Willkür hiebei nicht soweit gehen, daſs, um uns hier auf zwei
Fälle nur zu beschränken, S. 202 Gustav Freytags Journalisten, ein hinsichtlich seines Wertes mit guten Gründen recht verschieden beurteiltes
Lustspiel, Berücksichtigung fand, während der Wirksamkeit von Männern
wie Schmeller, Waitz, Sybel mit keinem Worte gedacht wurde;
daſs in einem Buche, welches den kulturellen Fortschritten der Neuzeit eine besondere Aufmerksamkeit zuwendet, S. 12 wohl die künstlichen Erzarbeiten der Etrusker gerühmt werden, während die eines

Weltrufes sich erfreuende Münchener Erzgiesserei (Stiegelmayer-Miller) mit Stillschweigen übergangen wird.

Vollen Wert erhält eine solche Zusammenstellung erst durch die absolute Verlässigkeit der Angaben. Unterzieht sich der Verfasser einer gründlichen Nachprüfung, so wird er so ziemlich von Seite zu Seite auf Versehen mancherlei Art stofscn, die sich eingeschlichen haben. Wenn z. B., um aus vielen nur ein paar herauszugreifen, S. 144 als Geburtstag Goethes der 2. August angegeben wird, S. 232 als der des Königs Ludwigs II. von Bayern der 25. Mai, S. 199 als Todestag Robert Blums der 13. März; wenn S. 200 u. 250 für den Namen des kurhessischen Ministers die Form Hassenpflugk geboten wird; S. 250 für den Namen des Dichters des Schatzkästleins die Form Joh. Peter Hebbel; wenn uns S. 218 eine Schlacht bei Beaume (sic) la Rolande vorführt, S. 224 einen Ring des (sic) Nibelungen; wenn S. 205 die Annahme des Königstitels für Rumänien in das Jahr 1882, hingegen das gleiche Ereignis für Serbien in das Jahr 1881 verlegt wird; wenn S. 234 dem Leser von „einer zu erfolgreichem Wirken gebrachten Agitation Dr. Engels für die Einfuhr des Zonentarifs in Deutschland" erzählt, S. 235 von „einer grossartigen Wallfahrt von Kranken und Ärzten zu Dr. Koch" in Sachen des Tuberkel-Bacillus: so wird das zu dem Nachweise genügen, dafs die Richtigkeit der Data nicht immer als verlässig hingenommen werden darf.

Das jedoch ist gern zuzugeben, dafs das sehr ansprechend ausgestattete Büchlein, wird es für eine zweite Auflage einer eingehenden Revision unterzogen, eine vielen in hohem Grade erwünschte Spende werden wird.

Das S. 237—72 beigegebene Register läfst sich als dem bequemen Gebrauch des Buches förderlich bezeichnen.

Dr. H. Stich, Kgl. Gymnasialprofessor: **Lehrbuch der Geschichte für die oberen Klassen der Mittelschulen. III. Teil: Die neuere Zeit.** München, Bamberg, Leipzig. C. C. Buchner Verlag. 1892. S. X u. 263.

„Das vorliegende Buch ist aus dem Unterrichte hervorgegangen und soll dem Unterricht und zwar zunächst in den oberen Klassen des Gymnasiums dienen, in weiterer Linie aber auch den Schulen anderer Lehranstalten sowie Privatstudierenden einen brauchbaren Leitfaden bieten, sich in dem grofsen Gebiet der Weltgeschichte zurechtzufinden."

„Die besonderen Gesichtspunkte, nach welchen das vorliegende Buch entworfen wurde, sind folgende:

1. Übersichtliche Gruppierung und Einteilung des Stoffes; Scheidung der Hauptsachen von den näheren Ausführungen durch den Druck.
2. Andeutung der leitenden Ideen und Hervorhebung der grofsen Ereignisse, sowie des inneren Zusammenhanges der Geschichte.

3. Beschränkung der Kriegsgeschichte zu Gunsten der Kulturgeschichte im weiteren Sinne des Wortes: Verfassung und wirtschaftliches Leben mit einbegriffen.

4. Mitteilung einzelner Quellen sowie einiger weniger Sätze aus mustergültigen neueren Darstellungen.

Wenn der Verf. zu diesen im Vorworte vorgetragenen Normen später bemerkt, sie seien keineswegs allgemeiner Billigung gewifs; nicht einmal die Anordnung des Stoffes im ganzen sei heute eine unbestrittene Sache, so hat er damit unzweifelhaft recht. Ist es ja doch bekannt genug, dafs in dieser Beziehung die Anschauungen in einer völlig unvereinbaren Weise auseinandergehen. Wir hegen nur den Wunsch, dafs sich Stich in seinem in der vorliegenden Auflage nach dieser Seite eingehaltenen Verfahren auch künftig durch etwaige Einwendungen nicht irre machen läfst. Nicht alles, was sich neue Methode nennt, ist wirklich neu, und noch weniger ist alles, was thatsächlich neu ist, wirklich gut. Wir wenigstens halten das Buch, wie es vorliegt, hinsichtlich der Anordnung des Stoffes für geradezu musterhaft. Wir kennen kaum ein und das andere für die Schule bestimmte Lehrbuch der Geschichte, welches bezüglich der Gruppierung und Einteilung des verwerteten Materials so zweckdienlich und lichtvoll gehalten, so sorgfältig gearbeitet ist, wie das unseres Verfassers. Die Art, wie er einerseits zusammenstellt, anderseits sondert, hier abteilt, dort ineinander verwebt, verrät allenthalben den tüchtigen und praktischen Schulmann, der sein Gebiet für Schulzwecke beherrscht und dieses den Schülern mundgerecht zu machen versteht. Was sich gegen diese weitgehende Gliederungen unseres Erachtens begründet allein einwenden liefse, ist das, dafs man dieselben für untere Klassen mehr angezeigt erachten möchte als für die oberen. Indes erspart diese Gliederung Lehrern und Schülern viel Arbeit und fördert die Übersichtlichkeit in hohem Grade. Warum ein diesem Ziele zuführendes Mittel nicht auch für obere Klassen willkommen erscheinen soll, ist schwer abzusehen.

Am meisten besorgt der Verf. in dem zweiten Punkte Widerspruch. Wir dächten ohne Grund. Ein anderes wäre es, wenn diese Andeutungen der leitenden Ideen und die Hervorhebung des inneren Zusammenhanges der Geschichte entweder in ungebührlich tiefgehenden Raisonnements sich gefielen oder wenn sie in einer über die Fassungskraft der Schüler oberster Klassen hinausgehenden Diktion vorgetragen würden. Weder das eine noch das andere ist der Fall. Vielmehr bewegen sich die nach dieser Hinsicht vorgetragenen Gedanken samt und sonders innerhalb eines Niveaus, unter dem kein Geschichtslehrer dieser Klassen bleiben darf, will er sich nicht zum blofsen Driller herabwürdigen. Wir zählen gerade diese Erörterungen des Buches auf dieser Stufe unter die belangreichsten Vorzüge desselben. Berechtigt könnte wohl nur darnach gefragt werden, ob nicht derlei vorausgeschickte Übersichten besser als Rückblicke eingesetzt worden wären. Indes bemerkt Stich selbst ganz richtig, dafs es dem einzelnen Lehrer unbenommen bleibt, mit dem im Lehrbuch gebotenen

Stoff frei zu schalten, ihn zu erweitern oder zu kürzen, insbesondere auch jene Übersichten nach eigenem Ermessen vor oder nach der Durchnahme der betreffenden Zeitabschnitte zu benützen. Der Verf. nimmt richtig an, dafs derartige Ausführungen in Schulbüchern vorzugsweise aus konfessionellen Rücksichten vermieden werden. Er wollte gerade diesen heiklen Fragen nicht aus dem Wege gehen. Sein Standpunkt ist hiebei der protestantische. Allein er wird nach der anderen Seite nirgends verletzend, und erscheint an katholischen oder paritätischen Schulen einmal ein Korrektiv erforderlich, so wird es der verständige Lehrer unschwer bieten, ohne dafs er das Buch oder seinen Verf. irgendwie zu diskreditieren braucht. Anlangend ferner die Diktion des Buches sei hier schon bemerkt, dafs sie nicht allein nach dieser Richtung, sondern überhaupt eine fast durchweg tadellose ist, ein um so gröfserer Vorzug, als in dieser Beziehung bei Schulbüchern mehrfach unverzeihlich viel gesündigt zu werden pflegt.

Auch hinsichtlich der „Beschränkung der Kriegsgeschichte zu Gunsten der Kulturgeschichte im weiteren Sinne des Wortes: Verfassung und wirtschaftliches Leben," scheint uns der Verf. im allgemeinen die richtige Mitte getroffen zu haben. Auf ein kleines Mehr oder Weniger kommt es hier nicht an. Dürfen wir in diesem Punkte eine Meinung äufsern, so geht sie dahin, dafs uns in kulturhistorischer Beziehung doch eher des Guten zu viel geboten scheint. Wir sind dabei, ohne die Wichtigkeit des kulturhistorischen Elements im geringsten zu verkennen, lediglich von dem Grundsatz geleitet, dafs, wer zu viel erreichen will, schliefslich nichts recht erreicht. Die Hauptsache werden im gymnasialen Geschichtsunterricht doch immer die Staatenbildung, die in ihnen im Laufe der Jahrhunderte sich ergebenden Veränderungen, die grofsen bewegenden Ideen der Zeit und die hiebei tonangebenden Persönlichkeiten verbleiben. Der Verf. vernachlässigt diese Gesichtspunkte keineswegs, er strebt nur zugleich nach der anderen Seite recht viel an, mitunter doch wohl etwas mehr, als sich bei Kursen, wie sie in der Regel sind, zumal bei überfüllten, erzielen läfst. Indes hiernach wird sich der Lehrer nach des Verfassers eigener Willensmeinung beim Ausscheiden zu richten haben.

Vermögen wir somit bereits in dieser Hinsicht nicht alle Bedenken zu unterdrücken, so sind wir mit dem vierten Punkte, der „Mitteilung einzelner Quellen sowie einiger weniger Sätze aus mustergültigen neueren Darstellungen" noch weniger einverstanden. Hat das Buch in der Gesamtanlage einen Felder, so ist es der, dafs es zu umfangreich ausgefallen ist, wobei allerdings als Milderungsgrund die reichen, viel Raum in Anspruch nehmenden Einteilungen und der stattliche Grofsdruck in Betracht kommen. Quellenstellen sind für die neuere Geschichte im Schulbetriebe ohnehin meist recht belangloser Art, ja der auf S. 62 mitgeteilte Brief Max' I. an den Kaiser Ferdinand II. oder der S. 61 abgedruckte Brief des Kaisers an Wallenstein sind nicht einmal unverfänglich; denn derlei Aktenstücke zu beurteilen, dazu gehört ein tieferer Einblick in die jeweiligen Verhältnisse, als er den Gymnasialschülern eigen zu sein pflegt.

Auch der bloſse Hinweis auf solche Aktenstücke, wie z. B. S. 214 auf den Brief des Königs Wilhelm an seine Gemahlin Augusta vom 3. Sept. 1871, der sicher nicht in aller Schüler Händen sein wird, empfiehlt sich in einem Schulbuche nicht. Die Auswahl mustergültiger neuerer Darstellungen bleibe dem Lehrer überlassen, vorausgesetzt, daſs er überhaupt für derartiges Nebenwerk die erforderliche Zeit findet. Vor allem wird es beim Unterricht auf eine tüchtige, anregende, auf ein jederzeit verfügbares Wissen abzielende Schulung ankommen; diese aber läſst sich bei weiser Beschränkung sicherer erreichen als bei zu weit gesteckten Zielen. Eine gut eingerichtete Schülerlesebibliothek und eine entsprechende Anleitung zur Benützung derselben haben hier einzutreten.

Weil denn doch einmal vom Umfange des Buches die Rede ist, sei hier gleich auf eine andere Seite aufmerksam gemacht. Wir haben Dinge von so gar untergeordneter Bedeutung hiebei im Auge wie beispielsweise folgende. S. 55 wird gelehrt, der Böhmenkönig Friedrich mit Elisabeth sei nach der Schlacht am Weiſsen Berge über Breslau und Berlin nach Holland geflohen. Welches hochpolitische Interesse mag die Reiseroute des unglücklichen Königspaares haben, an die sich keinerlei weitere Folgen knüpften? Nicht anders steht es mit Mitteilungen folgender Art: Ferdinand II. zerschnitt den Majestätsbrief eigenhändig (ibid.) „Welch schöner Garten!" rief Ludwig XIV aus, als er von der Zaberner Steige aus 1681 das reiche Elsaſs erblickte (S. 79); Friedrich II. entfernte sich auf den Rat Schwerins vor der Entscheidung der Schlacht bei Mollwitz, da er zu erregt war (S. 111); Ludwig XVI. wurde bei seinem Fluchtversuch aus dem Wagen blickend erkannt (S. 143); er wurde am 20. Juni 1792 gezwungen, eine Jakobinermütze aufzusetzen (S. 144); unter den Opfern der Guillotine ragen hervor — endlich die Mädchen von Verdun, welche den König von Preuſsen mit Blumen empfangen hatten (S. 147); Napoleons Heere folgten beim Zuge nach Ruſsland selbst Gärtner mit Sämereien (S. 173).

Nicht minder waren zur Charakteristik einzelner Persönlichkeiten dienende Fakta wie z. B. Voltaires Auftreten im Falle Calas (S. 127) von einem Lernbuch der Weltgeschichte auszuschlieſsen. Die einzelnen hervorragenden Persönlichkeiten wie z. B. Max I. S. 14 beigegebene Charakteristik wäre ganz gut, wenn sich das Verfahren konsequent durchführen lieſse. Da dies aus mehrfachen Gründen nicht angeht, so bleibt auch sie in dem Lernbuch ein für allemal besser auſser Anwendung.

Es soll uns wundern, wenn der Verf. dem Vorwurf ganz entginge, derlei Neuerungen seien nur gemacht, um die da und dort inhaltlich und formell etwas stark auffällige Anlehnung an das einschlägige Pützsche Buch verdecken zu helfen. Damit geschähe dem Verf. sehr Unrecht. Einerseits ist nicht zu bezweifeln, daſs ein groſser Teil derselben in unbewuſsten Reminiscenzen besteht, anderseits geht der Verf. im groſsen und ganzen allenthalben seine eigenen Wege, denen man immer und immer wieder ansieht, daſs ihr Ausgangspunkt das praktische Schulleben eines einsichtigen, lediglich der Schule und ihren Interessen dienenden Lehrers ist.

Dafs im Buche von Literaturangaben prinzipiell abgesehen wurde, ist nur zu billigen. Für die Schüler sind sie ohnehin wertlos; der Lehrer findet sie anderswo besser, als sie ein Schulbuch bieten kann. Aber auch von den wiederholten Hinweisen auf Fr. Schiller in seiner Eigenschaft als Historiker wäre besser Umgang genommen worden.

Hingegen vermissen wir ungern, dafs dem Buche, in der Voraussetzung, jeder Schüler habe einen historischen Atlas zur Hand, nicht ein paar Kärtchen angefügt wurden. Zunächst hätten wir lieber den Hinweis auf gute Schulwandkarten gesehen. Allein wir haben ihrer nicht eben viele. Spruner und Böttcher-Freytag werden so ziemlich alles sein, was sich mit gutem Gewissen empfehlen läfst, und selbst diese lassen sich für Schulzwecke nicht durchweg mustergültig nennen. Ein paar saubere, so ziemlich ausschliefslich auf das im Buche verwertete geographische Material beschränkte Kärtchen hätten Lehrer und Schüler als eine Wohlthat begrüfst. Auch der genealogischen Zusammenstellungen sollten es mehrere sein; sie sind sehr dazu geeignet, den Schüler mancherlei Verhältnisse mit einem Blick überschauen zu lassen.

Als zweckmäfsig zu loben sind die mehrfachen sei es im Text, sei es in Fufsnoten gegebenen Worterklärungen wie z. B. Skudo S. 22, Junta und Kortes S. 37, Niederlande S. 38, Generalstaaten S. 39, Armada S. 48 u. a.

Besonders instruktiv sind für Schulzwecke die wiederholten hübschen Zusammenstellungen, wie z. B. S. 53 das ungefähre Zahlenverhältnis der in Europa den verschiedenen christlichen Konfessionen Angehörigen, oder S. 164 der in eine Zeile zusammengefafste Rückblick auf die Geschichte des römischen Reiches deutscher Nation u. sonst oft. Gleiches gilt von den zahlreichen, an passender Stelle eingereihten Hinweisen auf ähnliche historische Ereignisse oder Verhältnisse früherer Zeit; ebenso von der wiederholten Angabe der Bevölkerungsverhältnisse von einst und jetzt verschiedener Staaten. Indes wäre, wo auf früher Gesagtes verwiesen wird, richtiger die Verweisung auf die Seitenzahl konsequent durchgeführt worden; in den zuweilen etwas lang geratenen Paragraphen nachzusuchen, läfst sich dem Schüler nicht immer zumuten.

In der Sparsamkeit, die Aussprache und die Betonung von Fremdnamen anzugeben, geht das Buch gewifs zu weit; es beschränkt sich einzig auf die Wörter Gensen (S. 40); Quixote (S. 69); Ryswik (S. 77); Ruyter (S. 78); Roeskilde (S. 98 ; Sieyès (S. 140) und Victory (S. 238). Der einschlägige Bedarf der Schüler ist ein gröfserer.

Die Abkürzung sp. für später auf S. 160 und 175 wäre besser unterblieben.

Sachliche Versehen finden sich im Buche sehr wenige und die wenigen sind meistens geringfügiger Natur. Es seien folgende erwähnt: Tizian starb 1476, nicht 1475 (S. 10); auf der gleichen Seite waren die Pfalzgrafen als Friedrich I. der Siegreiche und Philipp der Aufrichtige näher zu bezeichnen; Erasmus von Rotterdam lebte 1467—1536, wie S. 10 richtig gibt, nicht 1476—1537, wie S. 11 bietet; ebenso steht

S. 37 das Versehen 1519, während S. 40 und 257 richtig 1579 geben;
S. 39 war der Kurfürst Friedrich III. von der Pfalz zu nennen; S. 57
muſs es heiſsen zum römischen statt zum deutschen König; S. 65
war statt „10 elsässische Städte" zu geben „die 10 elsässischen Städte";
S. 68 wird für den Tod Grimmelshausens „um 1680" gegeben, statt
1676; Lukas Kranach starb 1553, nicht 1551 (ibid); Polen stand
1587—1668 unter Wahlkönigen aus dem Hause Wasa, also nicht „fast
80 Jahre", sondern 81 (S. 72); S. 86 wird irrtümlich gesagt, Ferdinand
Maria von Bayern sei für die Erhebung Ludwigs XIV. auf den Kaiser-
thron gewonnen worden; nicht er ließ sich gewinnen, sondern Karl
Ludwig von der Pfalz; S. 92 gibt an, Joseph und Karl seien Söhne
Leopolds I. aus späteren Ehen gewesen; sie stammten beide aus Leopolds dritter Ehe mit Eleonore, der Tochter Philipp Wilhelms, des
Pfälzer Kurfürsten; der Sieg Berwicks bei Almanza 1707 war wichtiger
als Vendòmes zweifelhafter Sieg bei Villaviciosa 1710 (S. 95); Peters
des Grofsen älterer Halbbruder Iwan starb 1796, nicht 1797 (S. 97);
die Insel Oesel kam nicht erst im Frieden von Oliva an Schweden,
sondern schon 1645 im Frieden von Brömsebro, wie S. 73 richtig
gesagt ist (S. 98); auf derselben Seite ist Z. 1 v. o. nach „Türken-
krieg" einzusetzen „Podolien und"; S. 102 ist „seines Gebietes" für
Schüler zweideutig, ebenso S. 107 „die Mitbelehnung"; die Belehnung
des ersten Hohenzollern mit dem Burggrafenamt in Nürnberg erfolgte
durch Kaiser Heinrich VI., nicht schon „um 1160" (S. 106); Albrecht
Achill wurde erst 1470 (71) Kurfürst, wurde also nicht 1462 als
solcher bei Giengen besiegt (S. 107); auf der gleichen Seite war für
den Erbvertrag Joachims II. mit dem Herzog Friedrich II. von Lieg-
nitz, Brieg und Wohlau die Jahreszahl 1537 einzusetzen, ebenso für
den Vertrag von Grimnitz die Zahl 1529; Czaslau liegt nicht im
süd-, sondern im nordöstlichen Böhmen (S. 111); S. 128 ist die Regierungszeit Karls III. von Spanien auf 1769—86 angesetzt, statt
1759—88, indes bietet S. 129 richtig 1759; auf der gleichen Seite ist
1720 zu streichen, da hier Spanien auf die im Utrecht-Rastatter
Frieden abgetretenen Nebenländer verzichtete; Pius' VI. Regierungs-
beginn erfolgte 1775, nicht 1774 (S. 129); der Vers eripuit caelo fulmen
sceptrumque tyrannis ist nicht vergilisch; vergl. übrigens hiezu
Büchmanns geflügelte Worte, 14. Auflage S. 271 f. (S. 135); daſs
Macpherson „die vom Publikum für echt und uralt gehaltenen Gedichte
Ossians verfaſst", ist leichter gesagt als zu beweisen; gewichtige
Stimmen neuerer Zeit erklärten sie für echt (S. 136). Wenn S. 138
angegeben wird, Marie Antoinette habe für leichtfertig gegolten,
so liegt für den Schüler die Annahme nahe, sie sei es gewesen; schon
der Hinweis auf die Halsbandgeschichte, an der sie völlig schuldlos
war, hätte eine andere Fassung veranlassen sollen; Ludwig XVI. war
geboren im August 1754, somit bei seiner Hinrichtung nicht 39 Jahre
alt, sondern 38 (S. 146); S. 159 waren den Erwerbungen Bayerns
im Jahre 1803 wenigstens noch das Bistum Freising und die Fürst-
abtei Kempten beizugeben; die von Palm verbreitete Schrift führte
den Titel „Deutschland in seiner tiefen (nicht tiefsten) Erniedrigung"

(S. 164); Bayreuth kam 1810 an Bayern, nicht 1809 (S. 167); dafs
Fr. Rückert 1813 die Begeisterung des Volkes durch seine Dichtungen
hob, läfsl sich nicht wohl behaupten, da dieselben mit Ausnahme des
Liedes des fränkischen Jägers erst 1814 und 1817 veröffentlicht wurden
(S. 175), Metternich übernahm nach dem Rücktritt Stadions die
Leitung des Ministeriums provisorisch im Juli, definitiv im Oktober
1809, nicht 1810 (S. 191); S. 194 waren auch die Todesjahre der
beiden Brüder Grimm zu nennen.

So ganz unnötige Wiederholungen, wie z. B. das Datum der
Schlacht am Kahlenberge 12. Septbr. 1683 auf S. 85 und 86, oder
des Todes Miltons 1674 auf S. 89 und 91 waren zu verhüten.

Dafs das Buch in sprachlicher Beziehung ganz ungewöhnlich
sorgfältig gehalten ist, wurde bereits oben erwähnt. Hier ein paar
Unebenheiten. Die Korrektur von Schülerarbeiten hat uns das Beiwort „ungeheuer" derart verleidet, dafs wir dieses und ähnlich
geartete, man nenne das unsertwegen eine Marotte, aus Schulbüchern
lieber ganz verpönt sähen. In unserem Buche ist es verwendet
S. 8, 60, 66, 82, 83, 99, 207 und 254. Auch wünschten wir in
einem Lernbuch Redewendungen folgender Art vermieden: Nach
700jährigem Winterschlaf erwachten die klassischen Studien aufs neue
(S. 9); die österreichischen Majestäten (S. 173); den Feinden an den
Fersen zu bleiben (S. 177); der 14jährige Prinz Lulu (S. 242). Auch
Ausdrucksweisen wie die folgenden sagen uns, obwohl sich über sie
rechten läfst, in einem Schulbuche wenig zu: Auf den Universitäten
fanden die Humanisten allmählich Aufnahme (S. 10); der König von
Böhmen hielt sich nicht zu den Reichsfürsten (S. 13); das Zusammenwirken der beiden Herrscher gegen die Abgewichenen (S. 25); das
Recht, Kirchen und Schulen aufzurichten (S. 52); die Beiseiteschiebung
der Reichsstände (S. 69); die Kurfürsten von Bayern und Köln wurden
wieder hergestellt (S. 95) Wenig taugen auch im Text Verweisungen,
wie z. B. S. 14: „Max I. Vorliebe für Kunst, Literatur und Technik
ist erwähnt"; oder „der oben genannte Milton" (S. 91). Derartiges
gehört, wenn überhaupt ins Buch, in eine Fufsnote. Die Lostrennung
der einsilbigen Präposition von ihrem Redewort durch einen Nebensatz ist schon des Mifsklanges wegen hintanzuhalten, wie z. B.:
Katharina II. rief die russischen Truppen, welche sich mit dem
preufsischen Heere vereinigt hatten, ab; noch schlimmer freilich, wenn
die Präposition, wie bei andern mehrfach geschieht, gleich gar durch
mehrere Zeilen vom Verbum getrennt wird. Der Verf. dekliniert
S. 38 richtig der Sieg Don Juans d'Austria, ebenso S. 41 die Ermordung
Wilhelms von Oranien; dagegen gibt er S. 42 Karl von Bourbons
Abfall. Auch gegen die Deklination des dänischen Norwegens
(S. 101) erklärten sich wohl mit Recht namhafte Grammatiker.

Hinsichtlich der Orthographie ist gleichfalls wenig zu erinnern.
Von Eigennamen waren folgende teils notwendig, teils richtiger
folgendermafsen zu schreiben: Adam Krafft (S. 11); Tetzel (S. 16);
Kamin (S. 58, 65 und 107); Zusmarshausen (S. 64); Ruprecht (S. 72
und 132); Luxembourg (S. 77 und 81); Steenkerken (S. 81); Emma-

nuel (S. 85 und 87); Finland (S. 101, 166, 172, 241, 244 und 248);
Francke (S. 108); Fontenoy (S. 112); Kolin (S. 114 f und 116);
Finck (S. 117); parthenopeisch (S. 157); Windischgrätz (S. 198 f.).
Inkonsequenzen in der Schreibweise finden sich nur äufserst
selten. Hicher gehört der ausnahmsweise falsch gesetzte Apostroph
die Simmern'sche Linie (S. 80); der Stuart'sche Hof (S. 92); Wolfe's
Sieg (S. 133); oder wenn, ohne dafs „eine allgemeine Bedeutung" angenommen werden kann, napoleonisch geschrieben wird, während
doch z. B. S. 174 die Macdonaldsche, S. 178 die Blüchersche Armee
richtig geboten wird. S. 198 bietet Generale, sonst Generäle; S. 211
steht der pfälzer Kurfürst; S. 81 Ryswik und S. 258 Ryswick.
    Auch Druckfehler finden sich im Buch so gut wie keine. Auf
S. 5 ist die Zahl 1499 auf S. 256 bereits richtig gestellt; S. 70 steht
befördert (S. 47 Z. 1 v. o. fehlt nach durch der Artikel den;
die Anmerkung 2 auf S. 73 wäre richtiger auf S. 74 untergebracht,
ebenso gehört die Anmerkung auf S. 109 nach S. 108, wo sie im
Texte schon angedeutet ist. S. 110 ist auf S. 106 verwiesen statt auf
S. 107; S. 89 steht Schiffahrtsakte, nach welchen statt welcher; S.
74 Z. 5 v. o. sollte es heifsen auf den Thron, während die beiden
letzten Wörter in Wegfall gekommen sind; S. 186 Z. 18 v. o. fehlt
nach Deutschland ein Komma; S. 214 Z. 7 v. u. steht zweimal als.
    Haben wir in Vorstehendem einzelne Beanstandungen erhoben,
so geschah es einzig und allein nur, um die Korrektheit des bereits
in seiner ersten Auflage in hohem Grade empfehlenswerten Buches
fördern zu helfen. Ein so gewissenhafter Verf. wie Stich darf nicht
gedrängt werden. Trotzdem vermögen wir den Wunsch nicht zu
unterdrücken, dafs er auf den I. u. II. Band nicht allzulang warten
lassen möge. Die Ausstattung verdient volle Anerkennung.

Adolf Braeutigam, Geschichtstafeln mit mafsgebender
Hervorhebung der Bildungs- und Sittengeschichte. Neu bearbeitet v.
W. J. O. Schmidt. Nauen u. Leipzig. Verlag von H. u. B. Har-
schan, Hofbuchhändler. 1890. 279 Seiten.

    Das Buch, gegenüber der vor 31 Jahren erschienenen ersten
Auflage mehrfach erweitert und abgeändert, setzt die lebendige Erzählung des Lehrers voraus: „Der Inhalt der Geschichtstafeln ist da-
heim von dem Schüler durch wiederholte Durchlesung dem Gedächtnis
einzuprägen." Wird diese von zahlreichen und darunter namhaften
Didaktikern empfohlene Behandlung des Geschichtsunterrichtes beliebt,
so verdienen die Braeutigam-Schmidtschen Geschichtstafeln trotz der
grofsen Anzahl gleichartiger Unterrichtsbücher volle Beachtung.

    Besonders zeichnen sie sich aus durch eine mit Geschick und
Sorgfalt erzielte Übersichtlichkeit, durch eine weitgehende Berücksichtigung nicht allein des politischen, sondern auch des literatur- und
des kulturhistorischen Stoffes sowie durch eine ansprechende äufsere

Ausstattung. Hinsichtlich des verarbeiteten Materiales ist des Guten eher zu viel als zu wenig geschehen. Doch sind in dieser Beziehung Ausscheidungen leichter vorzunehmen als etwa erforderliche Ergänzungen. Jedermann kennt die Schwierigkeiten, welche sich bei der Auswahl des Aufzunehmenden so oft ergeben; man wird zufrieden sein, wenn grössere Inkonsequenzen vermieden sind. Eine solche müssen wir freilich erkennen, wenn z. B. Döllinger weder S. 211 f. noch S. 231 erwähnt ist und nur S. 219 gelegentlich des vatikanischen Konzils genannt wird; oder wenn unter den Vertretern der klassischen Altertumswissenschaft Männer wie Fr. Thiersch und L. Spengel weder an der einen noch an der andern Stelle berücksichtigt werden, während Namen von weit geringerer Bedeutung vorgeführt sind.

Als offenbare Versehen seien folgende namhaft gemacht: S. 142 steht Keltis statt Celtis; S. 182 gibt zu dem Mifsverständnis Anlafs, als wäre 1737 Toskana Österreich einverleibt worden, 1735 Neapel u. Sicilien und 1748 Parma, Piacenza und Guastalla dem Königreich Spanien, während sie doch nur ihre Regenten aus den genannten Ländern erhielten. S. 177 steht Fontenay statt Fontenoy; S. 180 wird Kurfürst Karl Theodor als „tyrannischer Fürst" bezeichnet, was er gewifs nicht war. S. 196 wird Palms bekannte Schrift wie auch sonst so oft unter dem falschen Titel vorgeführt: „Deutschland in seiner tiefsten (statt tiefen) Erniedrigung." S. 197 ist Karl XIII. zu lesen statt K. XII., wie S. 268 richtig steht: auf der gleichen S. Ferdinand VII. statt Johann VII. S. 194 war die Schlacht bei Marengo vor der Schlacht bei Hohenlinden zu nennen; die S. 208 erwähnte Schlacht bei Custozza gehört 1848 an, nicht 1849.

Beigegeben sind noch zweckmässig S. 235—49 Zeittafeln über Altertum, Mittelalter und Neuzeit; S. 250—73 dreifsig Regententafeln und S. 274—78 ein Inhaltsverzeichnis. Genealogische Tafeln werden um so unliebsamer vermifst, als sie für manche Partien der Geschichte dem Schüler zur leichteren Orientierung geradezu unentbehrlich sind.

München.   Markhauser.

III. Abteilung.

Literarische Notizen.

Dickens A. Christmas Carol. Erklärt von F. Fischer. 3. Auflage. Berlin. Weidmann. Diese Ausgabe des viel gelesenen, herrlichen Weihnachtsmärchens von Dickens ist neben derjenigen von Riechelmann und J. Schmidt in Schul- und Privatlektüre sehr gut zu gebrauchen.

Ciala, Otto, Französische Schulgrammatik mit Übungs- und Lesestücken. Untere Stufe. Vierte Aufl., von Bihler. Leipzig. Teubner. 1889. — Dasselbe. Obere Stufe. 8. Aufl. von Bihler. ebenda 1890. Dieses besonders für den französischen Unterricht an den badischen Anstalten eingerichtete Lehrbuch eignet sich für alle Schulen, in welchen man bei nicht zu geringer Stundenzahl die Lektüre in den Mittelpunkt des Unterrichtes stellt. Ein besonderer Vorzug sind im ersten Teil eine größere Anzahl kurzer Lesestücke, und im letzten die vielen und gut gewählten Übungssätze.

Strien, Dr. G., Lehrbuch der französischen Sprache. Teil I. Halle. Strien. 1891. Das sich an das Elementarbuch desselben Verfassers anschließende Schulbuch stellt die Lektüre in den Mittelpunkt des Unterrichts unter induktiver Behandlung des grammatischen Lehrstoffes. Das Buch ist für Bürger- und Realschulen, sowie Mädchenschulen zu empfehlen.

Theod. Bracht, Ernstes und Heiteres aus dem Kriegsjahr 1870/71. Halle a. S. Verlag der Buchhandlung des Waisenhauses 1892. 239 S. Verf., welcher als Student und Einjähriger im Königl. Sächs. 8. Infanterieregiment Nr. 107 den zweiten Teil des großen Krieges mitgemacht hat, weiß recht lebendig und fesselnd zu erzählen, sowohl von den kleinen Abenteuern und Erlebnissen auf der Reise und auf dem Marsche, wie von den gewaltigen Kämpfen und Schlachten während der Belagerung von Paris. Das hübsch ausgestattete Büchlein kann unsern Secundanern und Primanern, die Verf. sich hauptsächlich als seine Leser denkt, auf das beste empfohlen werden, um die große Zeit von 1870/71 sich zu vergegenwärtigen und lebendig zu erhalten.

Repetitorium der Alten Geschichte von J. B. Lehmann II. Auflage. Danzig 1890. Lehmann'sche Buchhandlung. 16 S. 8. M. 0,25. Der Verf. will durch eine kurze Zusammenstellung und pragmatische Gruppierung der Hauptsachen der alten orientalischen, griechischen und römischen Geschichte dem Gedächtnis der Schüler mittlerer Klassen zu Hilfe kommen und ihnen die Einprägung der wichtigsten Ereignisse des Altertums erleichtern. In der That enthält das Schriftchen auch nur das Allernotwendigste; doch ist selbst von diesem manches, wie es eben der Drang nach Kürze mit sich bringt, nur bei vorausgehendem Gebrauch eines Lehrbuchs oder bei genauerer Erklärung seitens des Lehrers richtig zu verstehen, so z. B. wenn S. 8 Philipp von Macedonien „Oberanführer gegen die Perser" oder S. 14 S. Pompejus „Seeräuber" genannt wird. Da das Repetitorium in 2. Auflage erscheint, so ist es auffallend, wenn auf S. 16 behauptet wird, das Christentum sei durch das Edikt von Mailand 311 zur Staatsreligion erhoben worden. S. 6 ist Aristomenes, S. 15 Britanniens, S. 16 Arianer zu lesen; S. 4 hätte die Gründung Alexandrias, S. 14 der alexandrinische Krieg Erwähnung finden können

Römische Geschichte von H. Bender. Sammlung Göschen. Bdch. 19. Stuttgart 1891, Göschen'sche Verlagshandlung. IV und 112 S. Format 16,11 cm. 80 Pf. geb. Die Sammlung Göschen, welche für die weitesten Kreise, insbesondere aber für die verschiedenen Arten mittlerer Schulen bestimmt ist, hat sich in kurzer Zeit vorteilhaft bekannt gemacht und vollständig eingebürgert. Es sind meist Namen von bereits anerkannter Bedeutung, von denen die in dieser Sammlung erschienenen Schulausgaben aus allen möglichen Lehrfächern ausgehen. Das 19. Bändchen, betitelt „Römische Geschichte", stammt aus der Feder eines berufenen württembergischen Schulmannes und Gelehrten, der in knapper und gedrängter Form, aber doch in verständlicher und klarer Sprache die Entwicklung des römischen Reiches von der Zeit der Könige bis auf Romulus Augustulus darlegt und daran einen Abriß der römischen Literaturgeschichte, eine Beschreibung des alten Rom und das Wichtigste aus den römischen Staatsaltertümern knüpft, während der 4. Anhang die Provinzen des römischen Reiches chronologisch aufzählt. Für Realschulen. Lehrerseminarien und Mädchenerziehungsanstalten ist übrigens das Büchlein nicht geschrieben; denn es setzt die Kenntnis der lateinischen Sprache und einen gewissen Begriff von römischen Anschauungen und Verhältnissen voraus. Druck und Ausstattung sind zu loben, der Preis ist billig gestellt.

Dr. P. Wofsidlo, Leitfaden der Zoologie für höhere Lehranstalten. 4. Aufl. Berlin 1891. Weidmannsche Buchhandlung. 3 M. Die neue Auflage des nach Seiten des Textes wie der Ausstattung gleich trefflichen Buches hat neben einigen kleineren Änderungen durch einen kurzgefaßten Abriß der Chorologie des Tierreiches und im anthropologischen Abschnitte durch recht zweckmäßige Unterweisungen über Gesundheitspflege eine Erweiterung erfahren.

Dr. P. Wofsidlo, Leitfaden der Botanik für höhere Lehranstalten. 3. Aufl. Berlin 1892. Weidmannsche Buchhandlung. In dieser neuen Auflage ist der Abschnitt über die Biologie der Phanerogamen auf das Dreifache erweitert und mit 7 neuen Figurnummern versehen worden. Auch sonst finden wir dem Verständnis der Lebenseinrichtungen der Blütenpflanzen eine erhöhte Bedeutung beigelegt und im systematischen Teile fortwährend auf den allgemein botanischen verwiesen. Bei den Kryptogamen hat die Behandlung der Moose, sowie der Flechten- und Pilzformen eine größere Ausführlichkeit erfahren.

Dr. O. Wünsche, Schulflora von Deutschland. II. Teil: Die höheren Pflanzen. 6. Aufl. Leipzig 1892. B. G. Teubner. Weist im Vergleich zur 5. Auflage nur Umstellungen, Verbesserungen, Abstriche und Zusätze von geringerer Bedeutung auf.

Dr. O. Wünsche, Der naturkundliche Unterricht in Darbietungen und Übungen. 2. Heft. Die Laubmoose. Zwickau 1892. Gebr. Thost. Vorliegendes Heft ist das 2. (Das erste behandelt die Farne) aus einer Reihe von Veröffentlichungen, welche dem Lehrer die Vorbereitung für die naturkundlichen Unterrichtsstunden erleichtern sollen und ihm nicht nur Winke geben, was er den Schülern mitteilen und wie er die Darbietung gestalten soll, sondern auch so ziemlich alles enthalten, was er selbst über den betreffenden Gegenstand zu wissen nötig hat. Die Hefte können bestens empfohlen werden.

Dr. K. Kraepelin, Leitfaden für den zoologischen Unterricht. 2. Aufl. Leipzig 1891. Teubner. Das Büchlein verdient eingehende Kenntnisnahme seitens aller Lehrer der Zoologie. Nach einem systematischen Teile, innerhalb dessen der Schwerpunkt in die Betonung des Allgemeinen, Gesetzmäßigen und darum in die Charakterisierung der höheren Einheiten gelegt wird, zeigt ein 2. Abschnitt durch Vergleichung der wichtigsten Organsysteme bei den verschiedenen Tierkreisen die Entwickelung derselben von einfachen Anfängen bis zum complizierten Mechanismus der höchsten Lebewesen. Der neuen Auflage sind auch eine größere Menge meist schematisch gehaltener Zeichnungen beigegeben.

Rochet, Das Urbild des Menschen. Übersetzt von H. Fuis. Wien. Spielhagen u. Schurich. 2 M. Das Werkchen will den praktisch thätigen Künstler in einfachster Weise über die Verhältnisse des menschlichen Körpers belehren.

43*

Der Verfasser behält als Grundlage für die Proportion das Maß des Kopfes bei, bezieht aber den gestreckten Vorfuß bis zur Zehenspitze in die Totalhöhe mit ein und erhält dadurch vom Scheitel bis zur Fußspitze 8 Kopflängen.

Dr. P. Buchholz, Pflanzen-Geographie. 2. Aufl. Leipzig 1892 J. C. Hinrichs. 1 M. 20 Pf. Das Büchlein bildet das 1. Bändchen der Sammlung billiger Hilfsbücher zur Belebung des geographischen Unterrichtes. Es ist für häusliche Beschäftigung des Schülers bestimmt und bringt neben allgemeinen Belehrungen, über die Verbreitung der Pflanzen kurze Übersichten und instruktive Einzelbilder von den Charakterpflanzen der einzelnen Erdteile.

W. v. Reichenau, Bilder aus dem Naturleben. Leipzig 1892. E. Günther. Der Verfasser hat die Eindrücke, die er bei seinen Wanderungen durch die heimische Natur als Jäger und Naturforscher in sich aufgenommen, zu lebensfrischen Bildern abgerundet, um in dem Leser ein Nachempfinden selbstgemachter Beobachtungen und neues Interesse für das wunderbare Regen und Treiben in der Natur zu erwecken. In einer eingehenden Beschäftigung mit dem Buche werden alle Lehrer der Naturgeschichte reiche Anregung sowohl hinsichtlich der eigenen als der Schulexcursionen finden.

Dr. Bail, Grundriß der Naturgeschichte aller drei Reiche. 2. Aufl. Leipzig 1891. O. R. Reisland. Geb. 2 M. Der „Grundriß" ist im allgemeinen nach denselben Gesichtspunkten gearbeitet wie der viel benützte „Methodische Leitfaden" desselben Verfassers, bietet aber nicht eine bloß materielle Kürzung, sondern auch noch einfachere Gestaltung des Stoffes mit gegenseitiger fester Verknüpfung der einzelnen Teile.

P. F. Cūriĕ's Anleitung die im mittleren und nördlichen Deutschland wildwachsenden und angebauten Pflanzen zu bestimmen. 13. Aufl. von Prof. Dr. Buchenau. Leipzig 1891. J. C. Hinrichs. Eine durchweg in Schlüsselform gehaltene, mit einer ausführlichen Vorbereitung und erläuternden Abbildungen versehene Flora von Mittel- und Norddeutschland, deren neue Auflage um eine Tabelle zum Bestimmen der dort vertretenen Familien vermehrt ist.

Müller und Pilling, Deutsche Schulflora. I. Teil. Gera. Hofmann. 4 M. 20 Pf. Das Werk soll 4 Teile umfassen und verspricht ein vortreffliches Anschauungsmittel zu werden. Der 1. Teil enthält die Abbildungen von 48 allgemein verbreiteten und für den Unterricht gut verwertbaren Dikotylen nebst Darstellung einzelner Blütenteile, Längs- und Querschnitte von Samen etc. etc. in deutlicher, korrekter und wohlgefälliger Ausführung. Erscheint auch in Lieferungen von ca. 8 Tafeln.

Dr. F. O. Pilling, Lehrgang des botanischen Unterrichtes auf der untersten Stufe. Gera 1892. Hofmann. Enthält die Beschreibungen der im 1. Teile der „Deutschen Schulflora von Müller und Pilling" abgebildeten Pflanzen nach einem bestimmten Schema mit eingestreuten und angeschlossenen Fragen morphologischen, systematischen und biologischen Inhaltes, die dem angehenden Lehrer die Verteilung und Behandlung des Stoffes erleichtern sollen, und einem zusammenfassenden Anhang in Form von Wiederholungsfragen.

F. Ruhle, Bilder aus der Tierwelt. 2. Band: Vögel. Münster i. W. 1891. Aschendorff. Das Buch enthält über 100 lebensfrische Bilder aus dem Vogelleben, meist Artzeichnungen, nach den besten und zuverlässigsten Kennern der gefiederten Welt, und ist mit zahlreichen guten Holzschnitten ausgestattet.

Dr. M. Kraß und Dr. H. Landois, Der Mensch und das Tierreich in Wort und Bild. 10. Aufl. Freiburg i. B. 1892. Herder. 2 M. 10 Pf. In dieser neuen Auflage haben die Mollusken ihren Platz vor den Arthropoden erhalten; außerdem sind mehrere neue Illustrationen (besonders in dem Abschnitte über die Vögel) und übersichtliche Zusammenstellungen eingefügt.

Dr. R. **Leuckart** und Dr. H. **Nitsche, Zoologische Wandtafeln.** Unter den Tafeln der 8. und 9. Dekade sind mehrere, welche sich auch
für den Unterricht auf Gymnasien recht wohl verwerten lassen, so besonders
die Tafeln 79–81 zur Klarlegung der Entwickelung und Anatomie der Stachelhäuter,
77 der Muscheltiere, 82 des Flußkrebses, 84 des Maikäfers. Die Ausführung ist,
wie bei allen Tafeln der Leuckart-Nitscheschen Sammlung, musterhaft.

Dr. P. **Wofsidlo, Anfangsgründe der Mineralogie.** Berl. 1892.
Weidmannsche Buchhandlung. An der Hand von etwa 20 mit Umsicht ausgewählten
Mineralien wird der Schüler mit den wichtigsten mineralogischen Grundbegriffen,
insbesondere mit den Elementen der Krystallographie bekannt gemacht und auf
rein induktivem Wege zur Erkenntnis der anorganischen Natur hingeleitet. Der
Vollständigkeit halber ist ein kurzer Abriß der Geologie beigegeben. Das Büchlein kann als Grundlage des mineralogischen Unterrichtes auf Gymnasien bestens
empfohlen werden.

Dr. P. **Ebenhoech, Der Mensch.** Mit zerlegbaren Abbildungen. Eßlingen
bei Stuttgart. J. J. Schreiber. Nach einer einleitenden kurzen Übersicht über
Bau und Funktionen des menschlichen Körpers macht die „erklärende Beschreibung"
des beigegebenen zerlegbaren Papierphantoms eingehender mit der topographischen
Anatomie des Menschen bekannt. Das Büchlein will zunächst den Bedürfnissen
des unterärztlichen Personals dienen, ist aber auch für Schulzwecke recht gut
verwendbar.

Vergils Äneis. Für den Schulgebrauch in verkürzter Form herausgegeben von Dr. Jos. **Werra.** Münster 1892, Aschendorff, XVI, 192 S. 8°.
M. 0,95. geb. Wie die österreichischen Instruktionen, so legen auch die neuen
preußischen Lehrpläne darauf Gewicht, daß dem Schüler durch die Lektüre der
Äneis ein Überblick über das gesamte Epos vermittelt werde. Dieser Forderung
verdankt auch die vorliegende Ausgabe ihre Entstehung. Um den Secundaner
in den Stand zu setzen, in 2 Jahreskursen mit 2 wöchentlichen Stunden einen
Gang durch die ganze Äneis zu machen, hat Verf. die 9896 Verse auf 5457 beschränkt (Edm. Hofmann in s. Ausg., Wien 1889, nur auf 6730). Die Auswahl ist,
vorausgesetzt, daß man mit dem zugrunde gelegten Prinzip einverstanden ist, im
ganzen zu billigen. W. gruppiert den ganzen Stoff nach der offiziellen Vorschrift
in einer Reihe von „in sich abgeschlossenen Bildern" und füllt die entstehenden
Lücken da und dort durch einen kurzen verbindenden Text aus. — Wenn von
Gesang XI und XII (gegenüber Hoffmann) noch weitere 600 Verse preisgegeben wurden, so verliert der Schüler damit sicherlich nichts; dagegen kann
sich Ref. nicht damit einverstanden erklären, daß der Schüler vom IV. Gesang kaum
mehr als ⅓ kennen lernen soll, während ihm der III. Gesang fast unverkürzt
dargeboten wird. Nach ihrem wirklichen poetischen Gehalt, nicht aber nach der
Summe der an einander gereihten Ereignisse bemessen dürfen die beiden Gesänge
geradezu in umgekehrtem Verhältnis Interesse für den Unterricht beanspruchen. —
Die deutsch geschriebene Einleitung bespricht in verständiger Auswahl und in
verständlicher Form Vergils Leben und Dichtungen. In dem speziellen Teile „Die
Äneis im besonderen" hätte die nationale Bedeutung des Gedichts einigermaßen
gewürdigt werden sollen. Sehr praktische Winke enthält der am Schluß angehängte Index, vgl. z. B. die griechischen, lateinischen und deutschen Memorial-
verse für die Namen der neun Musen s. v. Erato. Die Ausstattung des Büchleins
ist tadellos.

Ferdinand Hirts Kartenskizzen, entnommen der Geographie von
E. v. Seydlitz. Herausgegeben von Ernst **Oehlmann.** Ferd. Hirt. Breslau.
Die bekannten Kartenskizzen mit den schwarzen Strichen zur Bezeichnung der
Streichungslinien der Gebirgszüge aus den großen Ausgaben der Seydlitz'schen
Geographie sind in diesem Heftchen in praktischer Weise vereinigt. Dasselbe
bietet eine brauchbare Ergänzung zu jedem Schulatlas und erweist sich beim
Kartenzeichnen als durchaus förderlich.

Einführung in das Kartenverständnis. Eine methodische Anleitung für den geographischen Anfangsunterricht an dem Beispiel einer Berliner

Schule durch Lehrproben dargestellt von Dr. **Max Ebeling**. Mit 15 Abbildungen. Berlin. Weidmannsche Buchh. 1892. Das aus dem Unterricht in VI (Sexta) der höheren Bürgerschule in Berlin hervorgegangene und für Lehrer, die den geographischen Anfangsunterricht zu erteilen haben, berechnete Büchlein sucht darzulegen, wie durch einfache Unterweisung im Entwerfen elementarer Zeichnungen der Schüler das nötige Verständnis der ihm vorgelegten Kartenbilder gewinnen könne. Ist es zunächst auch nur für Berliner Verhältnisse geschrieben, so läßt sich doch ebensogut auf andere Orte übertragen, was es an praktischen Winken enthält.

Europäische Ansiedler in Niederländisch-Ost-Indien. Von Ingenieur **Emil Metzger**. Hamburg. Verlagsanstalt und Druckerei. A.-G. (vorm. Richter) 1892. Das nur 24 Seiten starke Heftchen behandelt die Frage der Kolonisation seit den Zeiten der Ostindischen Kompagnie bis heute, läßt manche interessanten Streiflichter auf das Leben und die Gesellschaft auf Java und speziell in Batavia fallen und bespricht zuletzt die gegenwärtig über Ansiedlung bestehenden gesetzlichen Bestimmungen, die als sehr milde erklärt werden.

Erdkunde für Schulen nach den für Preußen gültigen Lehrzielen von **Alfred Kirchhoff**, Professor der Erdkunde an der Universität zu Halle. I. Teil: Unterstufe. Halle a. S. Verlag der Buchhandlung des Waisenhauses, 1892. Der Name des Verfassers allein verbürgt uns schon eine Leistung, die berechtigt ist, unsere Aufmerksamkeit in Anspruch zu nehmen. Für eine Unterstufe berechnet, verliert das Buch nie das durch das Bedürfnis gedeckte Ziel aus den Augen und bringt in weiser Beschränkung nur das Nötige in einer leicht faßlichen und erlernbaren Form in großem und deutlichem Drucke. Beigegeben sind einige graphische Darstellungen zur Veranschaulichung. Dem Büchlein soll dem Vorworte zufolge eine Mittel- und Oberstufe, die den durch die neuen Bestimmungen gegebenen Unterrichtsweisungen Rechnung tragen sollen, in Bälde nachfolgen.

Erdkunde für Volksschulen und kleinere Mittelschulen. Von **Adolf Tromnau**. Mit 9 Holzschnitten und 22 Typenbildern. Halle a. S. Pädagogischer Verlag von H. Schroedel. 1892.

Allgemeine Heimatskunde mit Berücksichtigung der Kulturgeschichte als Vorschule der Geographie. Bearbeitet in 2 Gängen (für Mittel- und Oberstufe) von E. **Steckel**. Mit 17 Holzschnitten. Halle a. S. Pädagogischer Verlag von H. Schröder. Während das erste der beiden Bücher in einfachem, doch nicht gerade trockenem Stile den geographischen Lehrstoff vorzugsweise für Volksschulen Norddeutschlands behandelt, von der Heimatskunde zur Beschreibung Deutschlands und dann zur Weltkunde fortschreitet und als Zugabe einen Anhang von Bildern bringt, die jedoch zum größern Teile als nicht gelungen bezeichnet werden müssen, will das zweite zeigen, wie man die Kinder zu einer gründlichen Heimatskunde bringen könne. Es lehrt zunächst die Schulstube, dann das Schulhaus und seine nächste Umgebung betrachten, und schließt mit der Durchwanderung des Wohnortes und seiner näheren Umgebung, überall von der Anschauung ausgehend und in dialogischer Form die Belehrung anschließend. Dabei läßt der Verfasser auch dem heimatlichen Leben in Familien, Gemeinden und im Staate eine ziemlich weitgehende Berücksichtigung zu teil werden. Sein Standpunkt ist ein streng protestantischer.

Generalkarte vom Königreich Bayern. Entworfen und gezeichnet von J. **Handtke**. Maßstab 1 : 600000. Glogau. Verlag von Carl Flemming. Diese neu erschienene Generalkarte bringt eine fast erdrückende Fülle von Material zur Anschauung. Wäre der Druck nicht trotzdem so deutlich und scharf, daß selbst die feinste Schrift noch leserlich ist, so möchte man sich ihrer nur mit der Besorgnis bedienen, in dem unendlichen Gewirre von Namen sich nicht zurecht finden zu können. Die Terrainzeichnung ist deutlich, namentlich im Alpengebiet, die politischen Grenzen des Landes, der Kreise und Bezirksämter, alle Verkehrswege sind mit großer Sorgfalt und in reinlichem Farbenauftrag angegeben. Die überaus billige Karte (1 M.) findet mit Recht auf Bureaux und Comptoirs ihren Platz.

Charakterbilder aus Deutschland von Dr. Paul Buchholz. Zweite, vielfach verbesserte Auflage. Leipzig 1891. Hinrichs'sche Buchhandlung. Bereits im Jahrgang 1886 Heft 6 dieser Blätter haben wir uns über die Buchholz'sche Sammlung durchaus günstig ausgesprochen. Es liegt nun von den Charakterbildern aus Deutschland eine zweite Auflage vor, die sich von der ersten im wesentlichen nicht unterscheidet, aber durch den bei den einzelnen Stücken gegebenen Hinweis auf passende Gedichte einen erwünschten 'Zuwachs erhalten hat. Die frühere Empfehlung der Sammlung kann nur erneuert werden. Hiebei sei es gestattet, nachträglich einen sinnstörenden Druckfehler in derselben zu berichtigen. Es muß daselbst heißen: geschmackvoll a b g e r u n d e t e Bilder statt des unverständlichen „angewendete".

IV. Abteilung.

Miscellen.

~~~~~~

Programme der K. Bayer. Humanistischen Gymnasien. 1891/92.

(Format stets in 8°; die in Klammern gesetzten Ziffern hinter dem Titel
bedeuten Seitenzahlen).

Amberg: Bürchner Dr. Ludwig. Das ionische Samos I. (Mit einem
Kärtchen der Insel) (48). — Ansbach: Schleussinger Aug., Deutsch-Griechische
Übersetzungsproben für Sekunda (55). — Aschaffenburg: Weifsenhorn Johann,
Cornolius Nepos in seiner Bedeutung für den Unterricht gewürdigt (38). — Augsburg, a) K. Hum. Gymnas. bei St. Anna: Geyer Dr. Paulus, Kritische und
sprachliche Erläuterungen zu Antonini Placentini Itinerarium (XIV + 17—76);
b) K. Hum. Gymnas. St. Stephan: Eichinger P. Ferd., Die Chariten von Orchomenos (69)*) -- Bamberg: a) K. Altes Gymnas.: Herlet Dr. Bruno, Beiträge
zur Geschichte der äsopischen Fabel im Mittelalter (113); b) K. Neues Gymnas.:
Jäcklein Ant., M. Andreas Presson, Nachahmer der Trutznachtigall (68). —
Bayreuth: Rötter Eduard, De Heautontimorumeno Terentiana (29). — Burghausen: Faltermayer Heinr., Geschichte des Studienwesens in Burghausen
mit Rücksicht auf die Gesamtentwickelung des Mittelschulwesens in Bayern von
der Mitte des 16. Jahrhunderts bis zur Gegenwart. (VI + 68). — Dillingen:
Englert Dr. Sebast., Heinrichs Buch oder Der Junker und der treue Heinrich.
Ein Rittermärchen. Nach einer Dillinger Handschrift mit Einleitung herausgegeben. (XVII + 67). — Eichstätt: Ehrlich Franz, Mittelitalien. Land und
Leute, in der Äneide Vergils (83). — Erlangen: Martin Dr. Johannes, Die Pro-
verbes au Conte de Bretaigne nebst Belegen aus germanischen und romanischen
Sprachen (37). — Freising: Gürthofer G., Sammlung praktischer Beispiele zu
den wichtigsten Regeln der griechischen Grammatik. I. Teil: Kasuslehre (25). —
Hof: Griefsbach Johannes, Die geschichtliche Entwicklung des altklassischen
und deutschen Unterrichts an den Gymnasien im Königreich Bayern. (II + 72 + 1
Übersichtstabelle). — Kaiserslautern: Prestel Franz, Das Aoristsystem der
lateinisch-keltischen Sprachen (51). — Kempten: Roemer Adolph, Beiträge zur
Kritik und Exegese griechischer Schriftsteller (28). — Landau: Vollner David,
Die auf das Kriegswesen bezüglichen Stellen bei Plautus und Terentius. Ein Bei-
trag zur Beurteilung des Plautus als Dichter. I. Teil. (59). — Landshut: Joachim
Carl, Landshuter Geschlechtsnamen. I. Teil. (38). — Metten: Linderbauer
P. Benno. De verborum mutuatorum et peregrinorum apud Ciceronem usu et
compensatione. Pars prior. (67). — München: a) Ludwigsgymnas.: Pichlmayr
Dr. Franc. Sexti Aurelii Victoris de Caesaribus liber. Ad fidem codicum
Bruxellensis et Oxoniensis recensuit. (VIII + 59); b) Luitpoldsgymnasium: Burger
Dr. Frdr., Stichometrische Untersuchungen zu Demosthenes und Herodot. Ein
Beitrag zur Kenntnis des antiken Buchwesens (42); c) Maximiliansgymnasium:
Hergt Dr. Max, Die Irrfahrten des Menelaos mit Bemerkungen über die Kom-
position der Telemachie (41); d) Wilhelmsgymnasium: Haggenmüller Dr. Hans,
Über den Fünfkampf der Hellenen (62 + 1 Tafel Abbildungen). — Münnerstadt:
Gautner Max, Französische Konversation im Anschluss an die Grammatik. Ein
Konversations-, Lese- und Übungsbuch für Gymnasien (X + 155). — Neuburg a. d. D.:
Patin A., Heraklitische Beispiele (1. Hälfte) (108). — Neustadt a. d. Hardt:
Georgii Adolf, Sinn- und Sittengespräche aus Dichtern des griechischen Alter-

tums. Zweiter Teil. (52 bis 106). — **Nürnberg:** a) Altes Gymnasium: **Matzinger**
Dr. Sebastian, Des hl. Thascius Caecilius Cyprianus Tractat: „De bono pudicitiae"
(47); b) Neues Gymnasium: **Lösch** Karl, Sprachliche und erläuternde Bemerkungen
zu Appian (41). — **Passau: Miedel** Dr. Julius, De anachronismo, qui est in
P. Papinii Statii Thebaide et Achilleide (63). — **Regensburg:** a) Altes Gymnasium:
Eberl Georg, Die Fischkonserven der Alten (34); b) Neues Gymnasium:
Streifinger Dr. Jos., Der Stil des Satirikers Juvenalis (48). — **Schweinfurt:**
Ungemach Dr. Heinrich, La Guerra di Parma. Ein italienisches Gedicht auf
die Schlacht von Fornuovo 1495, nach einem alten Drucke herausgegeben (52). —
Speier: Spiegel Dr. Nic., „Die Vaganten und ihr Orden". (II + 73). —
Straubing: Liepert J., Shakespeares „Hamlet" (34). — **Würzburg:** a) Altes
Gymnasium: **Schmidt** Frdr., Zur Kritik und Erklärung der Briefe Ciceros an
Atticus (33); b) Neues Gymnasium: **Lell** Dr. Franz, Der absolute Accusativ im
Griechischen bis zu Aristoteles. Ein Beitrag zur historischen Grammatik der grie-
chischen Sprache (63). — **Zweibrücken: Keiper** Dr. Philipp, Neue urkundliche
Beiträge zur Geschichte des gelehrten Schulwesens im früheren Fürstentum Zwei-
brücken, insbesondere des Zweibrücker Gymnasiums. I. Teil (67).

Isolierte Lateinschule Frankenthal: Hildenbrand Friedr. Joh., Matthias
Quad und dessen Europae Universalis et Particularis Descriptio II. Teil. Ein Beitrag zur Geschichte der deutschen Kartographie (58).

*) Realgymnasium: **Vogt** Dr. W., Die Bodenseebauern und ihr Hauptmann
Junker Dietrich Hurlewagen im großen Bauernkrieg. Ein Beitrag zur Geschichte
des Bauernkrieges (36).

Danksagung.

Eine große Anzahl meiner ehemaligen Zuhörer hat den Tag, an dem ich
mich vor 25 Jahren habilitierte, zum Anlaß genommen, mir in einer äußerst
kunstvoll ausgestatteten Adresse die herzlichsten Glückwünsche darzubringen.
Dieser Beweis treuer Anhänglichkeit hat mich aufs tiefste gerührt. Ich sage allen
Herren, welche die Adresse unterzeichnet haben, meinen innigsten Dank. Die
Ehrung, die sie mir erwiesen haben, wird eine der schönsten Erinnerungen meines
Lebens bleiben.

Würzburg den 8. Nov. 1892.

Prof. Dr. **Martin Schanz.**

Mitteilung des Kaiserlich Archäologischen Instituts.

In Rom werden die öffentlichen Sitzungen des Instituts am 9. Dezember
eröffnet werden. Der erste Secretär Herr **Petersen** wird um dieselbe Zeit seine
Führung durch die Museen beginnen, in der vaticanischen Sammlung verbunden
mit Übungen in wissenschaftlicher Aufnahme und Beschreibung der Sculpturen.
Der Zweite Secretär Herr **Hülsen** wird vom 15. November bis 15. Dezember
über Topographie der Stadt Rom im Altertum, besonders vor den Monumenten,
etwa dreimal wöchentlich vortragen und diesen Cursus in kürzerer Fassung (unter
besonderer Berücksichtigung der Campagna) im Mai 1893 wiederholen, falls sich
Teilnehmer dazu finden. In den Monaten Januar-April wird derselbe einmal
wöchentlich über lateinische Epigraphik, vornehmlich in den kapitolinischen und
vaticanischen Sammlungen, vortragen. Für das Frühjahr werden Ausflüge in die
Umgegend (Nemi, Ostia, Palestrina, Corneto u. s. w.) unter Führung der beiden
Herren Secretäre in Aussicht genommen. Anfangs Juli wird Herr **Mau** wie bisher
einen achttägigen Cursus in Pompeji abhalten. In Athen beginnen die öffentlichen Sitzungen am 7. Dezember. Der Erste
Secretär Herr **Dörpfeld** wird seine Erklärungen der Bauwerke und seine Vor-
träge über die Topographie von Athen, Piräus und Eleusis wöchentlich einmal bis
Ende Dezember und im März fortsetzen. Der Zweite Secretär Herr **Wolters**
wird Übungen zur Einführung in die Museen Athens vom Dezember bis April
halten. Anfangs April wird voraussichtlich die gewöhnliche Reise durch den
Peloponnes unternommen werden. Da die Zahl der Teilnehmer an dieser Reise

zwanzig nicht übersteigen soll, werden die Fachgenossen, die sich zu beteiligen wünschen, gebeten, sich möglichst früh beim Secretariat in Athen zu melden.

Personalnachrichten.

Ernannt: Dr. A. B ö h n e r zum Subrektor in Öttingen; Andr. H a u f e n e r zum zweiten Studienlehrer in Öttingen; Joh. Z i n n e r, Assistent in Landau zum Stdl. in Feuchtwangen; Ferd. H a u b e n s t r i c k e r, Subrektor in Kulmbach zum Gymnl. in Regensburg (A. G.); Friedr. B ö h m. Stdl. in Ludwigshafen a. Rh. zum Subrektor in Miltenberg; Aug. D i t t e l b e r g e r, Assist. in Würzburg (A. G.) zum Gymnl. in M. (Ludwigsg.); Ernst L a n d g r a f, Assist. in M. (Wilhelmsg.) zum Stdl. in Ludwigshafen a. Rh.; Edm. S e i s e r, Assist. in Würzburg (N. G.) zum Gymnl. in M. (Ludwigsg.); Coel. K n i f s e l, Assist. in Aschaffenburg zum Stdl. in Günzburg; Heinr. R e f f e l, Stdl. in Frankenthal zum Gymnl. in Kempten; Friedr. B e y e r, Assist. in Kitzingen zum Stdl. in Pirmasens; Eug. R e c h, Assist. in Ansbach zum Stdl. in Nördlingen.

Versetzt: Heinr. S p o n s e l, Stdl. von Feuchtwangen nach Öttingen; Karl G ü n t h e r, Gymnl. vom neuen ans alte Gymn. in Regensburg; Jos. F ü g e r, Subrektor von Miltenberg nach Ludwigshafen a. Rh.; Aug. W o l l e n w e b e r, Stdl. von Pirmasens nach Frankenthal.

In Ruhestand versetzt: Friedr. B u h l e r, Subrektor in Öttingen für immer; Joh. Georg A d a m, Gymnl. in Regensburg (A. G.) auf ein Jahr; Franz J a c o b i, Gymnl. in Kempten auf ein Jahr.

Bitte der Redaktion.

Die geehrten Herrn Mitarbeiter werden dringend ersucht, die Korrekturen der ihnen von der J. Lindauer'schen Buchhandlung in München zugehenden Abzüge so schnell als möglich zu erledigen. Eine langsame und verspätete Erledigung auch nur einer einzigen Korrektur führt nicht selten einen Stillstand in der ganzen Arbeit herbei und macht es der Druckerei unmöglich, die ihr von der Redaktion gesetzten Termine einzuhalten und Fertigstellung und Hinausgabe der einzelnen Hefte in gewünschter Weise zu bewerkstelligen.

Die Redaktion.

Bei **Kranzfelder** in Augsburg ist soeben erschienen: **Passe, E.,** Oberlehrer in Siegen, **Memorierverse zur lateinischen Casuslehre** (neben jeder Grammatik verwendbar). 1892. 0,20 **Pfennige.**

„Reimregeln! Ein Knabe, der die kräftige Kost der lateinischen Grammatik nicht verdauen kann, sondern mit Zuckerbrödchen gefüttert werden soll, ein solcher wird doch wohl viel besser gleich a limine des Musentempels sanft zurückgewiesen, statt daß er zu ein paar Jährchen stümperhaften und frettermäßigen Studiums herangelockt oder vielmehr verurteilt wird. Denn was dabei herauskommen?"

Ganz einverstanden. Allein ebenso wahr ist, daß eine hie und da eingestreute Reimregel auch bei besseren Schülern eine freudige Aufnahme zu finden pflegt und manchmal eine nicht unbedeutende Erleichterung verschafft.

Wie leicht prägt sich z. B. die Deklination von domus ein an der Hand des Memorialverses: Tolle, me, mu, mi, mis, Si declinare „domus" vis!

Wer fühlte sich nicht seltsam angemutet, wenn ihm in späteren Jahren der Vers aufstößt: Bei a und e in Prima hat Das Femininum allzeit statt; Die Wörter auf ein us und es Bedeuten etwas Männliches.

Kurz, man mag aus guten Gründen vielleicht ein Gegner von Reimregeln sein (finden sich doch oft solche, die ungenießbar und läppisch genug sind), es läßt sich nicht leugnen, daß gute Reimregeln gar manche Vorteile gewähren. Von diesem Gesichtspunkte aus wollen die angekündeten Versregeln beurteilt sein, und wir möchten ihnen das Prognostikon stellen, daß sie da und dort freundliche Aufnahme finden werden.

BERICHT

ÜBER DIE

XVII. GENERAL-VERSAMMLUNG

DES

BAYER. GYMNASIALLEHRERVEREINES

ABGEHALTEN ZU

AUGSBURG

AM

20. APRIL 1892.

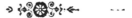

MÜNCHEN 1892.

J. LINDAUER'SCHE BUCHHANDLUNG.

(SCHOEPPING.)

Von den Kollegen der Augsburger Gymnasien wurde für die Generalversammlung alles in der freundlichsten Weise vorbereitet. Zu der geselligen Zusammenkunft in dem herrlichen Saal des Gasthofes zu den „Drei Mohren" am Vorabend (Dienstag den 19. April) erschienen gegen 80 Teilnehmer; Rektor F r i e s begrüfste im Namen der Augsburger Kollegen die anwesenden Gäste, worauf der Vereinsvorstand Professor G e r s t e n e c k e r den freudigen Gefühlen Ausdruck gab, mit denen die letzteren hieher gekommen seien, und den Augsburger Kollegen für ihre entgegenkommenden Bemühungen dankte. Direktor Dr. S c h r e i b e r widmete der Versammlung folgende poetische Begrüfsung:

Nun seid ihr Philologen alle,
Die ihr aus Bayerlandes Gaun
Gekommen seid — aus welchem Grunde?
Nun, um euch selber zu erbau'n —
Seid mir gegrüfst aufs allerbeste!
Denn besser keine Stadt ja pafst
Für philolog'sche Konferenzen
Als Augsburg, wenn ihr's recht erfafst.

Schon gleich zuerst das Stadtwahrzeichen,
Das vielumstritt'ne Fichtenpyr*),
Das auf Rathauses stolzem Giebel
Hell glänzet in metall'ner Zier —
Was anders sagt das Römerzeichen
In allen Formen grofs und klein,
Als dies: „Von allen Gästen sollen
Mir Römerfreund' am liebsten sein!"

Und gleich dabei Caesar Augustus**) —
Wem winkt er zu ganz offenbar?
Ist's nicht den Freunden seines Freundes,
Horazens treuer Jüngerschar?
Und kann er euch auch nicht verleihen
Ein Tibur wie Horaz er's schenkt;
So hofft er doch, dafs ihr des Weilens
In seiner Hauptstadt gern gedenkt.

----

*) Die Zirbelnufs, das Augsburger Stadtwappen.
**) Der Augustusbrunnen, wie in den folgenden Strophen der Merkur- und Herkulesbrunnen.

Dann weiter! Wo Merkur, der schlanke,
Dahineilt, flügelschubbeschwingt,
(Von dessen Dienst in diesem Lande
Manch Steindenkmal uns Kunde bringt),
Ist's nicht, als wollt' der Rede Meister
Schnell seinen Gruß euch bringen dar,
Die ihr die Jugend lehret reden
Und weise macht der „Tumben" Schar?

Ja selbst, wo Lernas Ungeheuer
Herkul'schen Schlägen unterliegt,
Und trotz dreiköpf'gem Flammenspein
Der Heros steht und kämpft und siegt —
Was andres soll in hehrem Bilde
Symbolisch fürgestellet sein,
Als daß den Kampf gen Jugendleichtsinn,
Der ewig wächst, ihr nie stellt ein?

Und daß ihr, wenn auch nicht herkulisch
Ist euer Glieder zarter Bau,
Doch eine Kraft im Niederkämpfen
Der Fehler all da bringt zur Schau,
Die richtig nur der kann ermessen,
Der weiß, wie viel der Tinte rot
Ihr braucht alljährlich — und noch immer
Das Ungeheuer schnaubend droht.

Und nun erst gar, wo still und heimlich
Das Antiquarium ist erbaut,
Welch eine Welt, längst hingeschwunden,
Begrüßt euch da bekannt, vertraut?
Was andern eine Steinersammlung,
Kaum eines flücht'gen Blickes wert,
Wie wird dasselbe von den Forschern
Mit stiller Andacht fast verehrt?

Da rufen all die Stein' und Scherben
Euch zu ein fröhlich „Tretet ein!"
„Wir wollen euch, soviel wir können,
Des Altertums Erklärer sein.
Die Römerwelt, die stolz und mächtig
Vordem in diesem Land geblüht,
Sie soll, wenn auch in Schutt und Trümmern,
Euch noch erheben das Gemüt!"

Die Schüsseln selbst, daraus sie speisten,
Der Fischkonserven schwarzes Mus,
Es ist vertreten durch die Vase
Des Aulus Maximinius.
Kurz — wie sie lebten, wie sie dachten,
Wie sie dann gingen aus der Welt —
Das alles ist in tausend Resten
Schön euren Augen vorgestellt.

Doch! daſs ihr nicht zu tief eintauchet
In längst vergangner Zeiten Traum,
Und ob dem Alten nicht beachtet,
Daſs grün des Lebens gold'ner Baum —
So hört: „Euch heiſst die Stadt willkommen,
Die freudig zu sich kommen sieht
Die Männerschar, die hochgelehrte,
Die Jugend bildet und erzieht!

Euch grüſsen freudig die Genossen,
Verschied'nen Heil'gen zugethan,
Die einen ihr, der sancta Anna,
Die andern ihm, dem Sankt Stephan,
Die ob geteilt, doch eins in dem sind,
Zu dienen allzeit schlecht und recht
Der Jugend und aus ihr zu schaffen
Ein froh erblühendes Geschlecht.

Laſst denn euch's wohl bei uns gefallen,
Arbeitet, ratet unversäumt,
Und jubelt mit, wenn nach der Arbeit
Der Becher munter kreisend schäumt.
Ein schöner Werk, ein edler Streben
Gibt's nun einmal auf Erden nicht
Als Jugend bilden und sie führen
Aus Nacht zu Gottes hellem Licht."

Der Beginn der Verhandlungen, für welche infolge der ungünstigen Witterung statt der nicht heizbaren Aula ein Studiersaal des K. Kollegiums bei St. Anna benützt werden muſste, war auf Mittwoch den 20. April vormittags 9 Uhr festgesetzt.

Nach der Anmeldungsliste beteiligten sich an der Versammlung Mitglieder aus Ansbach, Augsburg (Gymn. St. Anna, St. Stephan und Realgymn.), Bamberg (Alt. u. N. Gymn.), Burghausen, Dillingen, Dinkelsbühl, Eichstädt, Erlangen, Fürth, Hof, Kempten, Landau, Landshut, München (Ludwigsg., Luitpoldg., Maxg., Realg., Wilhelmsg.),

Münnerstadt, Neuburg, Nördlingen, Nürnberg (Alt. u. N. G.), Regensburg (N. Gymn.), Rosenheim, Schweinfurt, Speier, Straubing. Würzburg (N. Gymn.), Zweibrücken; im ganzen zeichneten sich 106 Teilnehmer ein.

Die Stadt Augsburg spendete zu den Kosten der Versammlung in höchst dankenswerter Weise einen Beitrag von 300 M.; hievon wurde unter anderem ein Monumentalplan der Stadt Augsburg (Verlag von Lampart u. Komp. in Augsburg) sowie ein illustrierter Führer (Augsburg von Buff bei Lampart u. K.) für die Teilnehmer beschafft.

Das Lehrerkollegium des Gymnasiums bei St. Anna widmete als Festgrufs in einer ausreichenden Anzahl von Exemplaren eine von dem K. G.-L. P. Geyer verfafste Schrift: Kritische und sprachliche Erläuterungen zu Antonini Placentini Itinerarium; auch stand eine interessante Monographie über die 1890 bis 1892 restaurierte Goldschmiedskapelle in Augsburg zur Verfügung.

Hoher Auszeichnung erfreute sich die Versammlung dadurch, dafs Seine Exzellenz der K. Staatsminister Dr. von Müller, welcher durch Sitzungen im Landtag an dem in Aussicht genommenen persönlichen Erscheinen verhindert war, den K. Ministerialrat und Generalsekretär Dr. von Giehrl abordnete; ferner beehrten S. Exz. der K. Regierungspräsident von Kopp, S. Hochw. der Prälat Dr. Gebele und andere wertgeschätzte Ehrengäste die Verhandlungen mit ihrer Gegenwart.

Der Vorsitzende Prof. Gerstenecker eröffnete zur festgesetzten Stunde die Versammlung und berief mit Billigung derselben als Schriftführer die G.-L. Geyer und Hatz sowie den G.-Ass. Dahl.*) Hierauf erteilte er Rektor Fries das Wort, der in einer Begrüfsungsansprache auch an das erinnerte, was seit der letzten Versammlung vor zwei Jahren auf unserem Gebiete Wichtiges sich vollzog; damals sei man noch mitten im Kampfe um das Gymnasium gestanden; ohne an den Grundlagen zu rütteln, habe man inzwischen manches Änderungsbedürftige umgestaltet; für das Ganze der eingeführten Neuerungen sei man jedenfalls zu grofsem Dank verpflichtet; er wünsche, dafs auch die heutigen Verhandlungen der Sache des Gymnasiums zur Förderung dienen möchten.

Hierauf begrüfste der Vorsitzende die hohen Gäste sowie die zur Versammlung erschienenen Vereinsmitglieder und erstattete sodann der Tagesordnung gemäfs den Rechenschaftsbericht, der folgendermafsen lautete:

Nach den Statuten obliegt dem Vorstand in jeder Generalversammlung eine Berichterstattung über den Stand des Vereines und über wichtigere Vorkommnisse während der abgelaufenen Verwaltungsperiode. In der verhältnismäfsig kurzen Zeit von zwei Jahren, welche zwischen der heutigen und der nächstvorhergehenden Würzburger Versammlung verflossen ist, erlebten wir auf unserem Berufsgebiete manche Vorgänge von weittragender Bedeutung.

---

*) Den Herren Schriftführern wird für die opferwillige Übernahme und für die treffliche Ausführung der mühevollen Aufgabe der wärmste Dank ausgesprochen.

Ein Rückblick auf diesen Zeitraum mahnt uns, vor allem des Mannes, der als der oberste Leiter der höchsten Unterrichtsbehörde zwei Jahrzehnte lang auf das Gymnasialschulwesen einen mächtig und nachhaltig fördernden Einfluſs ausübte, in dankerfüllter Erinnerung zu gedenken, da wir heute zum erstenmal nach seinem Hinscheiden als Vertreter der Gesamtheit unseres Vereines versammelt sind. Einige Wochen nach der Würzburger Versammlung hatten die beiden Vereinsvorstände am 21. Mai 1890 die Ehre, Sr. Exz. Dr. Frhn. von Lutz den gedruckten Bericht zu überreichen und dabei zugleich für die während der Landtagssession so vielfach bethätigte Fürsorge den wärmsten Dank auszusprechen. Wie sonst so äuſserte sich der Herr Minister auch damals, wiewohl körperlich sichtlich angegriffen, über mehrere Angelegenheiten in eingehender Weise. „Ich danke Ihnen für das, was Sie mir gesagt haben," erwiderte er zunächst und gab dann lebhafte Befriedigung kund über die endlich durchgesetzte Verleihung einer angemessenen Rangstellung an die Rektoren der Gymnasien; nachdrücklich hob er die Wichtigkeit dieses Amtes, die Bedeutung des Rektors für das Gedeihen einer ganzen Anstalt hervor. Bei der Berührung der Reformfrage erklärte er sich unter entschiedener Verwerfung der sogenannten Einheitsschule mit voller Überzeugung für die Erhaltung des humanistischen Gymnasiums, dessen gedeihliche Fortentwicklung man fördern müsse; die in letzterer Hinsicht vielfach anregende Wirksamkeit des bayer. Gymnasiallehrervereines fand bei ihm wohlwollende Anerkennung; er entlieſs uns mit dem freundlichen Bescheide: „So wollen wir denn mit einander weiter arbeiten!" Dem Herrn Minister war keine lange Wirksamkeit mehr beschieden; wenige Tage nach dieser Audienz zwang ihn ein neuer Krankheitsanfall sein Amt niederzulegen. Am 3. Sept. brachte ihm der Tod Erlösung von schweren Leiden. Wir verliehen den Gefühlen der Dankbarkeit Ausdruck durch eine Kranzspende mit der Widmung: „Sr. Exz. dem K. b. Staatsminister Dr. Frhn. von Lutz, dem hochverdienten Förderer des Gymnasialschulwesens, in Dankbarkeit gewidmet vom bayer. Gymnasiallehrervereine." Dem Gymnasialschulwesen hatte der Herr Minister von Anfang an ein tiefer gehendes und bleibendes Interesse zugewendet; nach verschiedenen Richtungen hin gaben die von ihm geschaffenen Einrichtungen demselben die fruchtbarsten Antriebe zu günstiger Ausgestaltung. Der bayer. Gymnasiallehrerstand hat aber auch als solcher Grund, dem Herrn Minister ein dankbares Andenken zu bewahren; mit richtigem Blicke erkannte dieser als unerläſsliche Voraussetzung für die Hebung der Gymnasien die Hebung und Sicherung der äuſseren Stellung des Gymnasiallehrerstandes. In den ersten Jahren seiner Verwaltung brachte das Gehaltsregulativ vom 23. Mai 1872 den bayer. Gymnasiallehrern die so lange erfolglos angestrebte Verleibung einer entsprechenden Stellung innerhalb der Beamtenschaft des Staates. So verdankt der Gymnasiallehrerstand Bayerns dem verstorbenen Herrn Minister eine Stellung, deren Erreichung in anderen deutschen Ländern erst in neuester Zeit angestrebt wird und zwar bis jetzt leider nicht mit dem günstigsten Erfolge. Über den Wert

unserer Errungenschaft können uns Äufserungen von Kollegen aufserhalb Bayerns aufs klarste belehren, wie solche z. B. aus jüngster Zeit
die in Karlsruhe erscheinenden Südwestdeutschen Schulblätter in Nr. 3
des Jahrg. 1892 enthalten; hier heifst es: „In der Einreihung der
akademisch gebildeten Lehrer spricht sich in Bayern eine höhere Wertschätzung des Standes aus als anderswo. Sie sind in der Beamten-
skala an Plätzen eingefügt und in Klassen geschieden, wie sie es nach
ihrer Vorbildung und der Bedeutung ihrer Thätigkeit erwarten dürfen.
In Preufsen hat der dem Abgeordnetenhause zugegangene Entwurf zu
einem Normaletat für die akademisch gebildeten Lehrer nur teilweise
die Erfüllung ihrer bei früheren Verhandlungen des Abgeordnetenhauses
als berechtigt bezeichneten Wünsche gebracht." Solche gewifs unparteiische Urteile werden uns vor einsichtsloser Unterschätzung unseres
Besitzes bewahren. Es gebührt in der Geschichte der Entwicklung
des bayer. Gymnasialschulwesens Frhn. von Lutz ein hervorragender
Platz; innerhalb unseres Vereines werden seine unbestreitbaren Verdienste niemals vergessen werden.

Eine schöne Sitte gebietet uns, auch den Vereinsgenossen, die
der Tod aus unserer Mitte hinwegnahm, ein Wort freundlicher Erinnerung zu weihen. Die beiden Gymnasien unseres Versammlungsortes
mufsten die Männer, welche als Lehrer und Vorstände eine lange
Reihe von Jahren mit Auszeichnung an denselben gewirkt hatten, zur
letzten Ruhestätte geleiten, den Rektor des Gymnasiums St. Stephan
P. Kramer und den Rektor a. D. des Gymnasiums St. Anna, Oberstudienrat Cron. Wurden diese verdienstvollen Männer in hohem
Greisenalter abberufen, so hatte das Gymnasium St. Anna auch noch
durch den im rüstigen Mannesalter erfolgten Tod des Prof. Baumann
den Verlust eines gediegenen Lehrers zu betrauern. Zwei Männer, die
ein langes Leben einer hingehenden Lehrthätigkeit gewidmet hatten,
verlor das Gymnasium in Metten an Rektor P. Lipp und an Prof.
P. Sachs; wenn auch nicht in gleich hohem Alter, so doch hoch an
vieljähriger, treubewährter Wirksamkeit starben Prof. Schmid vom
Wilhelmsgymnasium in München, Prof. Schalkhäuser in Bayreuth,
Gymnasiall. Jakob in Münnerstadt, Subrektor Schmid in Pirmasens;
schon im Ruhestand befanden sich bei ihrem Tode Prof. Schweig-
hofer in Würzburg, Reall. Hiendl in Straubing, Prof. Späth in
München, Studienl. Holland in Ingolstadt. Gefühle innigster Teilnahme mufs der frühe Hingang ziemlich vieler von unseren Berufsgenossen erwecken, welche in der eigentlichen Blüte des Lebens, in
den Jahren der besten Kraft dahingerafft wurden; es sind dies die
Gymnasiall. Gölkel in Passau, Greitther in Aschaffenburg und
Triendl in Straubing, Studienl. Kasberger in Dürkheim, die Prof.
Kühlewein in Nürnberg und Seidl in Regensburg. Wahrhaft
erschütternd traf die Kunde von dem plötzlichen Tode unseres edel-
gesinnten, trefflichen Kurz, des Rektors am Ludwigsgymnasium in
München, wohl alle, die ihn näher kannten. Stand er auch schon in
einem etwas höheren Alter, so hatte er doch gerade in der letzten
Zeit eine ausnehmende Frische und Rüstigkeit gezeigt. Wer hätte da

am Ende des vorigen Schuljahres daran gedacht, dafs der noch mit
so lebhafter Schaffenslust thätige, noch so lebensfrohe Mann nunmehr
schon in jene Ferien gehe, welche den Abschlufs aller irdischen Wirksamkeit bilden? Rektor Kurz gehörte einst zu den thatkräftigsten
Begründern unseres Vereins, den er wiederholt als Vorstand mit Umsicht leitete; derselbe bleibt dem teuren und allverehrten Verstorbenen
zu dauerndem Danke verpflichtet.

Zwanzig Mitglieder, eine beträchtliche Zahl, hat während der
verflossenen zwei Jahre der Tod unserem Vereine entrissen, einzelne
traten aus; trotzdem weist der gegenwärtige Stand desselben eine
nicht unbedeutend erhöhte Mitgliederzahl auf. Sie ist von 763 auf
809 gestiegen, gewifs ein erfreulicher Beweis von dem innerhalb
unseres Standes sich immer kraftvoller bethätigenden Geiste gemeinsamen Zusammenwirkens zur Förderung einer guten Sache. Viele
Mitglieder, welche in den Ruhestand treten oder vom Lehramt am
Gymnasium in einen andern Wirkungskreis übergehen, bleiben dem
Verein treu; wir dürfen darin eine in der gegenwärtigen Zeit doppelt
wertvolle Teilnahme für das Gymnasialschulwesen, eine höchst dankenswerte und ermutigende Unterstützung erblicken.

Unsere Finanzen, ein wichtiger Lebensnerv der gesamten
Vereinsthätigkeit, befinden sich in einem sehr günstigen und wohl-
geordneten Zustande; hierüber wird Herr Kollege Dr. Gebhard
näheren Bericht vorlegen. Die Gewissenhaftigkeit und Unverdrossenheit, mit der unser Kassier seines mühsamen und zeitraubenden Amtes
waltet, verdient rückhaltlose Anerkennung; diese schulden wir ihm
übrigens ebenso für die eifrige Rührigkeit, mit der er auch sonst stets
für unsere gemeinsamen Angelegenheiten thätig war. Die vor zwei
Jahren bezüglich des Redaktionsgehaltes getroffene Mafsregel erwies
sich als zweckentsprechend; wir haben dadurch die erforderliche Be-
wegungsfähigkeit gegenüber manchen nach der Natur der Sache nicht
immer gleichbleibenden Anforderungen an die finanzielle Leistungsfähigkeit sicher gestellt.

Unter den Mitteln, mit denen unser Verein die Lösung seiner
Aufgaben verfolgt, nimmt die von ihm begründete und unterhaltene
Fachzeitschrift eine hervorragende Stelle ein; sie diente stets der
Förderung unseres Gymnasialschulwesens in seinem ganzen Umfange
nach der fachwissenschaftlichen, pädagogischen und didaktischen Seite.
Die vorgeschlagene Abänderung des Titels, über welche ich das Votum
der Versammlung einholen werde, hat den Zweck, die Zeitschrift als
Schöpfung und Eigentum des bayer. Gymnasiallehrervereines auch in
der Öffentlichkeit kenntlich zu machen, ferner einer engherzigen Auffassung thunlichst vorzubeugen, welche nach den buchhändlerischen
Erfahrungen die Verbreitung aufserhalb Bayerns etwas beeinträchtigt.
Oft wurde früher in unseren Kreisen der Wunsch nach Verbesserung
des Druckes und der Ausstattung ausgesprochen; die Benützung verschiedener günstiger Umstände ermöglichte es uns, seit dem vorletzten
Jahrgang unserer Zeitschrift eine Ausstattung zu geben, die wohl allen
billigen Anforderungen entspricht und den Vergleich mit anderen der-

artigen Unternehmungen nicht mehr zu scheuen hat. „Wir dürfen stolz sein auf diese Schöpfung des bayerischen Gymnasiallehrerstandes," pflegte der hochverdiente sel. Rektor Wolfgang Bauer zu sagen; gewissermafsen sein teuerstes Vermächtnis haben wir mit dieser Schöpfung übernommen. Den inneren Wert dieses gemeinsamen Besitztums fortwährend zu erhöhen, das eröffnet allen unseren Berufsfreunden ein weites Feld wissenschaftlicher Arbeit, stellt an sie eine herrliche Aufgabe, an welcher nach Kräften zu schaffen keiner sich versagen sollte. Dem Kollegen, welcher zum eigentlichen Hüter und Mehrer des kostbaren Schatzes bestellt ist, unserem Redakteur Herrn Rektor Römer, schulden wir für seine eifrige Thätigkeit, die mit so reichlicher und so mühevoller Arbeit verbunden ist, Anerkennung und Dank.*)

Bei der Verfolgung wichtiger Ziele hat sich unser Verein stets an den geraden Weg gehalten; wir pflegten unsere Bitten und Anregungen vertrauensvoll und in pflichtschuldiger Ehrerbietung der höchsten Unterrichtsbehörde vorzulegen. Bald nach dem Amtsantritt Sr. Exz. des K. Staatsministers Dr. von Müller sprachen die beiden Vereinsvorstände am 6. Juni 1890 mit der Bitte vor, die höchste Unterrichtsbehörde möge auch in Zukunft den Bestrebungen des b. Gymnasiallehrervereines ihr Wohlwollen angedeihen lassen. Dessen wurden wir in überaus freundlicher und dankenswerter Weise versichert; mit Wärme und Nachdruck gab der Herr Minister ferner hohe Wertschätzung des humanistischen Gymnasialunterrichtes kund; die Notwendigkeit stetigen Fortschrittes auch auf diesem Gebiete hob er gleichfalls hervor. Einer Auszeichnung hatte sich unser Verein dadurch zu erfreuen, dafs die höchste Stelle Ende Januar 1891 den Vorstand zur Anteilnahme an der Besichtigung der in Preufsen, Sachsen, Baden und Hessen behufs pädagogischer Ausbildung der Lehramtskandidaten bestehenden Einrichtungen beizog; wir dürfen hierin eine höchst ehrende und ermutigende Anerkennung der Wirksamkeit des Vereines erblicken, da der Beauftragte ausdrücklich in seiner Eigenschaft als Vorstand des bayer. Gymnasiallehrervereines berufen wurde.

Das verflossene Jahr brachte auch bei uns auf dem Gebiete des Gymnasialschulwesens rege Thätigkeit und wichtige Neuordnungen. Eine eingehende Beurteilung derselben kann meine Aufgabe hier nicht sein; aber vielleicht ist es doch gestattet, einige Punkte in aller Kürze zu berühren. Änderungen in den Richtungen, in welchen solche jetzt erfolgten, wurden in unseren eigenen Kreisen seit langer Zeit angeregt. Beispielsweise befürwortete schon im 1. Band unserer Blätter im J. 1865 Dr. Schreiber, der heute als ein Nestor an Jahren, aber als ἀγήρως ἤματα πάντα an Geistesfrische und Rüstigkeit zu unser aller Freude dieser Versammlung beiwohnt, die Einführung eines Unterrichtes in der Botanik in den Kreis der Lehrgegenstände der lat. Schule;

---

*) Der Vorsitzende gab hier ein Telegramm des Herrn Rekt. Römer bekannt, nach welchem dieser zu seinem lebhaften Bedauern durch Unwohlsein verhindert ist, der Versammlung beizuwohnen.

im 7. Bande vom J. 1871 erkennt (S. 44) ein so hervorragender
humanistischer Schulmann wie Rektor Elsperger das Bedürfnis
eines naturgeschichtlichen Unterrichtes an unseren Studienanstalten an.
Wenn er jedoch beifügt, er freue sich trotzdem in der glücklichen
Lage zu sein, nicht selbst mit die Hand ans Werk legen zu müssen,
und wenn er somit die notwendigen Konsequenzen nicht gern ziehen
will, so wird man sich bei diesem Standpunkt gewifs nicht auf die
Dauer beruhigen können. Völlig widerspruchsfreie Übereinstimmung
aller Beteiligten wird sich in solchen Dingen freilich niemals erzielen
lassen; in der That kann man in der vorhin nur beispielsweise berührten Frage und in den anderen manche keineswegs geringfügigen
Bedenken geltend machen. Jede Sache hat auf dieser Welt ihre zwei
Seiten; man wird daher schliefslich zum Heile des Ganzen stets einen
Mittelweg suchen müssen. Die richtige Mitte dürfte die neue Schulordnung den verschiedenen Anforderungen gegenüber doch wohl einhalten, mag auch mancher von uns dieses oder jenes sich anders
gedacht haben. Glücklich abgewendet scheint vor allem die mit Recht
vorzugsweise betonte Gefahr der einer tiefer dringenden Ausbildung
so schädlichen Zersplitterung und Verflachung, welche der heranwachsenden Jugend von allem etwas bietet, aber beim Unterricht
keinem Gegenstand soviel Raum gönnt, dafs etwas Gründliches gearbeitet werden kann. Das humanistische Gymnasium in Bayern hat
gegenwärtig — die 18 Turnstunden sind dabei abgerechnet —
228 Wochenstunden; an dem im ganzen mit 102 Wochenstunden
ausgestatteten altsprachlichen Unterricht besitzt dasselbe noch immer
ein zentrales, an fruchtbaren Bildungsstoffen mannigfacher Art un-
erschöpflich reiches Gebiet, in welchem der Jugend eindringendes und
ernstes Arbeiten in einer ihrer Altersstufe angemessenen Weise zur
Entwicklung und Stählung der eigenen Kraft recht wohl ermöglicht ist.
Durch die enge Beziehung dieses an sich einen beträchtlichen Raum
einnehmenden Lehrgebietes zu dem mit 27 Wochenstunden bedachten
deutschen Unterricht wird die für die Eigenart des humanistischen
Gymnasiums so wesentliche Konzentration des Unterrichtes noch bedeutend erleichtert. Hiezu kommt eine Thatsache von entscheidender
Wichtigkeit: unsere Schulordnung bewahrt das humanistische Gymnasium vor der verderblichen Zerreifsung, welche aus äufserlichen Gründen
innerhalb des Bildungsganges mit Gewalt einen sogenannten „Abschlufs
der Bildung" herbeizuführen sucht. Überhaupt hält sie jenes blendende
Schlagwort von der „abgeschlossenen Bildung", ein wahrhaft unheil-
volles Trugwort wegen der mifsverständlichen Auffassung in den
weiteren Kreisen, sehr zum Vorteil der Sache ganz und gar ferne;
sie verfolgt mit ihren Neuerungen wohl nur das bescheidenere Ziel,
durch weitergehende Berücksichtigung der früher zu wenig beachteten
Gebiete an den humanistischen Gymnasien gediegene Grundlagen zu einer umfassenderen Ausbildung der Fähigkeiten und
Anlagen zu vermitteln als bisher. Die mannigfachen Schwierigkeiten,
mit denen die erspriefsliche Durchführung auch der in mäfsigen
Grenzen sich haltenden Neuerungen verbunden ist, wollen wir uns

nicht verhehlen; man braucht nur an die Lehrkräfte und die Lehrmittel zu denken. Auf unserem Gebiete kann ja überhaupt nur durch stetige Entwicklung des Angepflanzten eine kernhafte Frucht heranreifen. Übrigens werden durch die Fürsorge der K. Staatsregierung und durch die Bewilligung des Landtages Geldmittel bereitgestellt, um das Notwendige, wenn auch nicht auf einmal, so doch allmählich zu beschaffen.

Sorgsame Rücksicht auf die Gesundheitspflege, wie sie in den neuen Verordnungen sich kundgibt, wird nach dem alten Worte: mens sana in corpore sano jeder gutheißen. Neigungen nachzugeben, welche mühsames, angestrengtes und ausdauerndes Arbeiten der Jugend überhaupt ersparen möchten, dürfte kaum in den Absichten unserer erleuchteten Unterrichtsverwaltung liegen, die den erziehenden Wert ernster, wirkliche Aufbietung der Kraft und sittliche Selbstüberwindung erfordernder Arbeit wohl zu würdigen weiß. Weil in den humanistischen Gymnasien die jungen Leute im wahren Sinn des Wortes für das Leben lernen sollen und weil das Leben nicht ein Spiel ist, werden unsere Anstalten auch in Zukunft den Unterricht nicht als Spiel auffassen und so mit dem Geist der neuen Schulordnung gewiß nicht in Widerspruch geraten. In den weiteren Kreisen riefen freilich — dafür drängen sich leider nicht selten unverkennbare Anzeichen auf — manche Vorgänge der letzten Jahre auf dem Gebiete des deutschen Schulwesens nachteilige Anschauungen in dieser Hinsicht hervor; demgegenüber könnte es vielleicht Segen bringen, wenn einmal von autoritativer Seite den weiteren Kreisen Wahrheiten in Erinnerung gebracht würden, wie sie auf der Berliner Konferenz Fürstbischof Dr. Kopp in folgenden Worten niederlegte: „Die Arbeit ist ein Schutzgeist der Jugend . . . . Ein fleißiger Schüler gerät sehr selten auf Abwege . . . . Eine Schule, welche es versteht, in angemessener Weise ihre Zöglinge zu beschäftigen, leistet nach meiner Meinung auch in erziehlicher Hinsicht das Beste . . . . Ich möchte auch nicht durch eine zu große Erleichterung der Arbeit und der Arbeitsthätigkeit der Schuljugend den Körper zu sehr gepflegt wissen, damit die in dem Menschen liegenden und schlummernden bösen Anlagen nicht angeregt und erweckt werden, sondern ich möchte den Geist in der Schule so gestählt wissen, daß der ins Leben tretende Mann diese Anlagen bekämpfen und beherrschen kann" (Verhandl. S. 484 u. 485). Den Segen der von Fürstbischof Kopp so eindringlich in Schutz genommenen veredelnden Arbeit, einer hygienischen Macht ersten Ranges, will unsere höchste Unterrichtsbehörde der Jugend sicher auch durch die neue Schulordnung erhalten wissen.

Hinsichtlich der durch die Unterrichtsstunden veranlaßten Arbeitslast verdient eine Thatsache Beachtung, welche eine Vergleichung der neuen Stundenpläne für die Gymnasien in Preußen, Bayern, Sachsen, Württemberg, Baden und Hessen ersehen läßt. Durch die Güte des Herrn Dir. Dr. Uhlig, den wir diesmal infolge seiner angegriffenen Gesundheit leider nicht wie vor zwei Jahren als hochwillkommenen Gast unter uns begrüßen können, bin ich in der Lage, in einer

gröfseren Anzahl von Exemplaren einen Sonderabdruck der betr.
Zusammenstellung zu verteilen, welche im 1. Heft vom Jahrgang
1892 des „Humanistischen Gymnasiums" veröffentlicht wird. Die
humanistischen Gymnasien in Bayern haben unter Abrechnung der
Turnstunden 228 Wochenstunden; da unter der gleichen Voraussetzung in Preufsen 252, in Sachsen 258—262, in Württemberg 263,
in Baden 261, in Hessen 265 angesetzt sind, so ergibt sich gegenüber den bayer. Gymnasien in diesen Ländern ein Mehr von 24,
beziehungsweise 30—34, 35, 33, 37 Wochenstunden. Demgemäfs bestehen bei uns in Bayern in diesem Punkt der Schulhygiene gewifs
keine ungünstigen Verhältnisse; gewifs kann bei uns ohne Schaden
für die Gesundheit der Schüler auch noch eine in angemessenen
Grenzen sich haltende häusliche Thätigkeit gefordert werden, welche
für die Heranbildung zu selbständigem Arbeiten und überhaupt in
erzieherischer Beziehung von der höchsten Wichtigkeit ist. Vor den
in neuester Zeit erlassenen Verordnungen hatten die humanistischen
Gymnasien in Bayern 227 Wochenstunden, in Preufsen 268, also
letztere ein Mehr von 41 Wochenstunden. Es war demnach, wie ich
auch früher bei anderen Gelegenheiten geltend machte, vollkommen
unberechtigt, wenn während der verflossenen Jahre des allgemeinen
Reformsturmes die in anderen Ländern erhobenen Klagen ohne weiteres
auf unsere Verhältnisse übertragen wurden.

Von Wichtigkeit für die Fortentwicklung unseres Gymnasialunterrichtes werden die noch zu erwartenden Anordnungen über die
pädagogisch-didaktische Vorbildung zum Gymnasiallehramt
sein. Seit Jahren bildete diese Frage in unseren Kreisen den Gegenstand eingehender Erörterungen; Übereinstimmung der Ansichten besteht noch nicht allenthalben, was wir keineswegs verhüllen wollen.
Nicht ganz belanglos scheint in dieser Beziehung das da und dort
noch herrschende Vorurteil zu sein, als liege in der Schaffung solcher
Einrichtungen an sich eine mifsgünstige Bemängelung der Berufs-
tüchtigkeit des gegenwärtigen Gymnasiallehrerstandes. Man kann aber
doch bei aller Anerkennung der letzteren Anordnungen treffen, welche
die Gewinnung dessen, was bisher auf schwierigerem Wege errungen
werden mufste, wesentlich erleichtern; bei jenem Standpunkt wäre
übrigens die Anbahnung von Verbesserungen überhaupt ausgeschlossen,
hier wie auf allen Gebieten. Nach einer andern Richtung hegen
manche gleichfalls ein gewisses Mifstrauen; ja man kann, um ganz
offen zu sprechen, Äufserungen vernehmen wie: „Da werden die
hochmögenden Oberpädagogen kommen und ihre allein patentierte
Weisheit und Manier den angehenden Lehrern aufnötigen wollen."
Im Bereich des Möglichen liegt natürlich hier wie bei anderen Dingen
die Gefahr einer geistlosen Schablonisierung; allein nimmermehr wird
unsere Unterrichtsverwaltung, welche mit weitblickender Einsicht beim
Lehrberufe einen so hohen Wert auf die Macht der Persönlichkeit
legt, einen das frischquellende Lebensblut des Unterrichts unter-
bindenden Zwang begünstigen, nimmermehr wird sie über den echten,
aus dem Herzen kommenden und zum Herzen dringenden Unterricht

eine alles gleichmachende Schablone legen lassen. Hingegen kann das
Bestreben, die Entfaltung und Ausgestaltung der für die Berufsthätigkeit besonders wichtigen Eigenschaften durch eine zweckmäfsige Einführung in dieselbe zu erleichtern und zu fördern, wohl Gutes stiften;
ein wissenschaftliches, Grund und Folge der einzelnen Erscheinungen
erfassendes Verfahren wird hier wie sonst geistloses Treiben fernhalten.
Warum sollte eine sachkundige, von engherziger Kleinlichkeit freie,
aus wissenschaftlicher Kenntnis und reicher Erfahrung schöpfende
Anregung und Anweisung gerade auf diesem Gebiete einem jungen
Manne keine wesentliche Förderung gewähren, wenn derselbe in die
erfahrungsgemäfs mancherlei Mifsgriffen leicht ausgesetzte Berufsthätigkeit erst eintritt? Die Wichtigkeit der hier an und für sich in Betracht kommenden Sache, ganz abgesehen von den Mitteln und Wegen
zu deren Förderung, wurde natürlich bei uns niemals unterschätzt;
beispielsweise erinnere ich nur an Rektor Wolfgang Bauer, der
bei der 9. Versammlung im Jahre 1875 auf die steigende Schwierigkeit der an unseren Beruf herantretenden Aufgaben zu sprechen kam
und dabei bemerkte: „Um so ernster mufs unser Bestreben sein, uns
nicht blofs wissenschaftlich, sondern auch pädagogisch zu vervollkommnen, unsere Schüler nicht blofs gründlich zu unterrichten, sondern auch zu erziehen und zu bilden."

Mit der Vorbildungsfrage in engem Zusammenhange steht die
Neugestaltung der Prüfungsordnung für das Gymnasiallehramt.
Da auch unter uns einzelne, wie nach den aus den ersten Monaten
dieses Jahres vorliegenden Anzeichen zu schliefsen ist, wenigstens an-
fäuglich einige Besorgnis zu hegen schienen, als drohe eine allseitig
wohlbewährte Einrichtung zu fallen, als werde etwa gar die wissenschaftliche Tüchtigkeit unseres Standes gefährdet, so möchte ich Ihnen
eine Thatsache nicht vorenthalten, welche hierüber vollkommen beruhigen dürfte. Nicht erst heute oder gestern, nicht etwa nur von
Unkundigen oder von parteiisch Voreingenommenen wurden gegen die
bestehende Einrichtung schwerwiegende Bedenken erhoben; kein Geringerer als S. Exz. Dr. Frhr. von Lutz selbst äufserte sich einer
Abordnung des b. Gymn.-Ver. gegenüber — mitbeteiligt war an derselben Herr Rektor Einhauser, den wir heute unter uns zu sehen
die Freude haben — schon im Nov. 1886 entschieden mifsbilligend
über die Art und Weise, wie sich das Spezialexamen ausgebildet:
man dränge durch die Wahl der Themen, welche gewöhnlich von
Universitätsprofessoren empfohlen würden, die angehenden Gymnasiallehrer oft auf ganz abgelegene Gebiete; man veranlasse sie dadurch,
ihre Kraft gerade in den ersten Jahren der Lehrthätigkeit vorzugsweise Aufgaben zu widmen, welche den Zielen des Gymnasialunterrichtes völlig fremd seien; auch die einseitig sprachlich-grammatische
oder gar die lexikalisch-sprachliche Richtung in dem gegenwärtig an
den Universitäten vielfach herrschenden Betrieb der Philologie mache
sich sehr nachteilig geltend; die Fertigung solcher Aufgaben sei trotz
des grofsen Zeitaufwandes häufig eine Thätigkeit von recht fraglichem
wissenschaftlichen Werte; man müsse hier eine Änderung anstreben,

aber es werde nicht so leicht gehen, weil die Sache mit der Entwicklung der philologischen Wissenschaft an der Universität zusammen-
hänge; ein zweckentsprechendes wissenschaftliches Studium derjenigen
Klassiker, welche für den Gymnasialunterricht Wichtigkeit hätten,
komme leider mehr und mehr aufser Übung. Einem so mafsgebenden
Urteile gegenüber ist es überflüssig, auf die gleichfalls sehr lehrreichen
Ausführungen sachkundiger Männer im Bericht über unsere 14. Vers.
zu Nürnberg vom J. 1886 S. 28 u. 29 noch näher einzugehen; wir
werden eine Neuordnung, welche die vorerst noch grundlegende wissenschaftliche Thätigkeit der angehenden Gymnasiallehrer zunächst mehr
auf das eigentliche Gebiet des Gymnasialunterrichtes zu konzentrieren
geeignet ist, als etwas Heilsames begrüfsen dürfen.

Bei der Betrachtung der Neuordnungen liegt mir wie uns allen
die Anschauung völlig fern, als könnten neue Verordnungen wie ein
Zauberstab mit einem Schlage auf dem Gebiete unserer Thätigkeit
überall lachende Fluren und üppige Gärten mit lauter in gleichmäfsiger
Herrlichkeit prangenden Früchten schaffen; auch in Zukunft werden
sich trotz des mühsamsten Ackerns und Umgrabens die Früchte auf
unserem Arbeitsfelde infolge gewisser unabänderlicher Verhältnisse oft
recht ungleich entwickeln. Dessenungeachtet steht eines fest: Zweckentsprechende Verordnungen erleichtern eine möglichst günstige Entwicklung in hohem Grade. Die Erfolge werden sich um so erfreulicher gestalten, je mehr, wie es ja gegenwärtig der Fall ist, auch auf
die Beseitigung äufserer Hemmnisse, wie der da und dort bestehenden
Überfüllung und anderer ähnlicher Übelstände unausgesetzt Bedacht
genommen wird. In dieser Richtung hat die Vereinsleitung gleichfalls
bei allen mafsgebenden Stellen zu wirken gesucht; damit komme ich
zum letzten Punkt meines Berichtes.

Eine wichtige Aufgabe unseres Vereines ist die Wahrung und
Förderung der äufseren und materiellen Standesinteressen; wir sind uns, wie ich auch vor zwei Jahren in Würzburg
darlegte, der nach den menschlichen Lebensverhältnissen naturnot-
wendigen Rückwirkung dieser Dinge auf das Gedeihen der Schule
selbst wohl bewufst. Dabei haben wir dies nie als letzten Endzweck
unserer Bestrebungen betrachtet, sondern als Mittel zum Zweck. Wir
vergafsen niemals die Hauptsache: unserem Beruf verleiht ein idealer
Zug, eine höhere Auffassung erst den wahren Adel; die Flamme der
Begeisterung gibt unserer Thätigkeit die lebenerweckende Wärme.
Allein auch die wärmespendende Flamme bedarf selbst ausreichender
Nahrung, wenn sie nicht blofs trüb und kümmerlich aufflackern oder
ganz erlöschen soll. Nach solchen Gesichtspunkten hat unser Verein
stets diesen Teil seiner Aufgabe behandelt. Auch während der abgelaufenen zwei Jahre hat die gegenwärtige Vereinsleitung in allen
derartigen Angelegenheiten keinen zweckdienlichen Schritt unterlassen,
keine Mühe gescheut; vorzugsweise gehören hiezu die schon vor zwei
Jahren angeregte Frage bezüglich der Stellung der älteren Gymnasialprofessoren, die Teilung überfüllter Klassen, die Beseitigung der Verweserstellen durch Besetzung aller dauernd notwendigen Lehrstellen

mit Gymnasiallehrern, beziehungsweise Gymnasialprofessoren, die Vermehrung der Gymnasialprofessuren, die mit der Gehaltsaufbesserungs-
vorlage zusammenhängenden Dinge.*) Können auch niemals alle
Wünsche und Erwartungen auf einmal befriedigt werden, so ist doch
im allgemeinen recht viel zur Verbesserung der Verhältnisse erreicht
worden. Um hinsichtlich der Teilung überfüllter Klassen und der
Verweserstellen in wirksamerer Weise Abhilfe zu schaffen, wurden
58 neue Lehrstellen beantragt und von der Abgeordnetenkammer bewilligt, eine bedeutend höhere Zahl als in früheren Jahren, wobei die
Lehrer für Mathematik und für neuere Sprachen entsprechende Berücksichtigung fanden. Die für unseren Stand so wichtige Frage der
Vermehrung der Gymnasialprofessuren kam zwar nicht zur endgültigen
Entscheidung, sie wurde aber doch glücklich gefördert und ihre
günstige Erledigung angebahnt.**) Liegt somit zweifellos ein bedeutender Fortschritt vor, so verdanken wir dies vor allem dem K.
S t a a t s m i n i s t e r i u m. Gewiſs handle ich im Sinne der Versammlung, wenn ich auch von dieser Stelle aus S e i n e r E x z e l l e n z d e m
K. S t a a t s m i n i s t e r Dr. v o n M ü l l e r t i e f g e f ü h l t e n D a n k
a u s s p r e c h e f ü r d i e t h a t k r ä f t i g e F ö r d e r u n g a l l e r I n -
t e r e s s e n d e s G y m n a s i a l s c h u l w e s e n s, f ü r d i e w a r m e u n d
n a c h d r ü c k l i c h e V e r t r e t u n g d e s G y m n a s i a l l e h r e r s t a n d e s
i m L a n d t a g, f ü r d a s n a c h h a l t i g e W o h l w o l l e n u n d f ü r
d i e e h r e n d e A n e r k e n n u n g, d e r e n d i e B e s t r e b u n g e n d e s
b. G y m n a s i a l l e h r e r v e r e i n e s s i c h z u e r f r e u e n h a t t e n.
Ferner haben wir auch diesmal der Abgeordnetenkammer aufs wärmste
zu danken, deren Mitglieder ohne Unterschied der politischen Parteien
der Förderung des Gymnasialschulwesens entgegenkommendst ihre
Unterstützung angedeihen lieſsen; besonders verpflichtet sind wir in
dieser Hinsicht den hochverehrten beiden Herren Referenten für das
Kultusbudget, Dr. D a l l e r und Dr. v o n S c h a u ſ s, die uns auch Gelegenheit zu eingehenden Besprechungen gewährten; nicht vergessen
dürfen wir endlich unserer Kollegen und Landtagsabgeordneten Dr.
O r t e r e r und S e i t z, welche sich stets die Förderung der Interessen
unserer Schulen und unseres Standes angelegen sein lieſsen.

Bei dem groſsen Gewicht, 'das die Vereinsmitglieder auf die
Förderung der zuletzt berührten Standesinteressen legen, scheinen
manche Kollegen leicht zu Zweifeln geneigt zu sein, ob das Nötige
von unserer Seite immer geschieht, weil von den einzelnen Schritten
oft nichts an die Öffentlichkeit kommt, besonders während die Dinge
sich im Flusse befinden. Allein das letztere läſst sich nicht ändern;
die Vorstandschaft bedarf in dieser Hinsicht des vollen Vertrauens der

---

*) Selbstverständlich wird keine der unser Gebiet betreffenden Fragen auſser
acht gelassen, wie z. B. die Ausgestaltung der isolierten Lateinschulen, welche
schon auf der 10. Generalversammlung 1877 in Anregung gebracht wurde und
gegenwärtig erfreulicher Weise der Verwirklichung näher gerückt erscheint.

**) Inzwischen erhielten wir an höchster Stelle bei Audienzen am 25. April
und am 3. Mai neuerdings in dankenswertester Weise die beruhigende Zusicherung,
daſs beim nächsten Landtag eine Vermehrung der Gymnasialprofessoren durch
Besetzung der 5. Klasse mit Professoren erfolgen solle.

Mitglieder. So dankbar wir für zweckdienliche Anregungen aus den Kreisen der Berufsgenossen stets waren, so bedurften wir in solchen Fragen doch nie erst eines äußeren Antriebes, wir mußten nie etwa erst geschoben werden, um die Dinge in die Hand zu nehmen. Vollzieht sich diese Thätigkeit der Vorstandschaft weniger geräuschvoll und weniger aufsehenerregend, als manche erwarten, so ist sie deshalb nicht minder mühevoll und nachhaltig, wohl auch nicht minder nützlich für die Sache selbst. In unseren Bemühungen wurden wir durch eifrige Mitwirkung anderer Kollegen in höchst anerkennenswerter Weise unterstützt; wie vor zwei Jahren in Würzburg so kann ich dies auch heute mit Befriedigung und Dank hervorheben.

Indem ich meinen Bericht schließe, gebe ich in Ihre Hände, verehrte Vereinsgenossen, das mir anvertraute Amt zurück, welches mir nach den Statuten nur noch die Leitung der gegenwärtigen Versammlung auferlegt. Der bayer. Gymnasiallehrerverein, den vor fast drei Jahrzehnten thatkräftige Männer in edler Begeisterung für eine gute Sache ins Leben gerufen, hat sich bisher seiner schönen Aufgabe nach allen Richtungen hin vollkommen gewachsen gezeigt; möge — diesen Wunsch hegen wir gewiß alle — der Geist hochherzigen Zusammenwirkens auch fürderhin unter uns in segensreicher Weise walten!

Ich eröffne die Diskussion über den Rechenschaftsbericht.

Da niemand sich zum Worte meldete, so legte nunmehr der Vereinskassier G.-L. Dr. Gebhard folgenden Bericht vor:

I. Die Rechnungsabschlüsse der beiden Jahre 1890 und 1891 sind folgende:

Das Jahr 1890 schloß ab in den Einnahmen mit 4784 ℳ 15 ₰

„ „ Ausgaben „ 4723 ℳ 67 ₰

Es ergab sich somit pro 1890 ein Aktivrest von 60 ℳ 48 ₰

Das Jahr 1891 schloß ab in den Einnahmen mit 5128 ℳ 16 ₰

„ „ Ausgaben „ 4723 ℳ 05 ₰

Es ergab sich somit pro 1891 ein Aktivrest von 405 ℳ 11 ₰

II. Die Erübrigungen aus den Jahren 1890 u. 1891 betrugen also . . . . 465 ℳ 59 ₰

Hiezu kam noch ein Überschuß aus den Jahren 1888 und 1889 von . . . . 461 ℳ 72 ₰

Summa der Überschüsse aus den Jahren 1888—1891: 927 ℳ 31 ₰

Diese Summe wurde angelegt in 1100 ℳ nominal 3 deutscher Reichsanleihe; zum Tageskurse von 86 repräsentieren diese Papiere heute einen Wert von 946 ℳ.

III. Das verzinslich angelegte Vereinsvermögen hatte zur Zeit der vorigen Generalversammlung bestanden in 11,700 ℳ nominal 3½ % Pfandbriefen der bayer. Hypothek- und Wechselbank. Ihr effektiver Wert ist heute bei 97⅜ 11,349 ℳ.

Zusammen mit den sub II erwähnten neuangekauften Papieren beträgt also das rentierlich angelegte Vereinsvermögen heute 12,295 ℳ.

IV. Der gegenwärtige Kassastand ist 2712 ℳ 70 ₰.

V. Der heutige Stand des Gesamtvermögens des Vereines ist demnach 15,007 ℳ 70 ₰.

Bei diesem Anlaſs kann ich nicht umhin, den sehr verehrten Herren Obmännern für ihre so erspriesliche Mitarbeit den herzlichsten Dank auszusprechen.

Ohne Widerspruch wurde hierauf der vom Ausschuſs gestellte Antrag angenommen, der Titel der Vereinszeitschrift solle in Zukunft lauten: Blätter für das Gymnasialschulwesen, herausgegeben vom Bayer. Gymnasiallehrer-Vereine, redigiert von ....

Vor der Beschluſsfassung über den Sitz des Ausschusses machte der Vorsitzende ausdrücklich darauf aufmerksam, daſs man aus verschiedenen Gründen recht wohl daran denken könne, einen anderen Ort zu bestimmen als München. Auf einen Vorschlag aus der Mitte der Versammlung entschied man sich einhellig für München.

Die Versammlung war mit dem Vorschlag des Vorsitzenden einverstanden, zuerst den Vortrag des Rekt. Lechner, dann den des Prof. Dr. Labhardt zu nehmen, ferner in der um 3 Uhr beginnenden Nachmittagssitzung nach Erledigung der geschäftlichen Angelegenheiten auf den Vortrag des Prof. Ducrue den des G.-L. Dr. Ammon folgen zu lassen.

Zustimmung fand auch der Antrag, eine mathematische Sektion zu bilden, für deren Beratungen eine geeignete Nachmittagsstunde in Aussicht genommen wurde.

Nach einer kleinen Pause erhielt Rektor Lechner das Wort zu einem Vortrag über die Frage:

Inwieweit kann die bildende Kunst der Alten im Gymnasialunterricht berücksichtigt werden?

> (Der Vortrag des Herrn Rekt. Lechner, der völlig frei sprach, wird, nach den stenographischen Aufzeichnungen für den Druck bearbeitet, am Ende dieses Berichtes mitgeteilt werden.)

Lebhafter Beifall bekundete das große Interesse, mit welchem die Versammlung dem gegen zwei Stunden dauernden Vortrag gefolgt war.

Der Vorsitzende: Die Versammlung hat selbst zu erkennen gegeben, wie sehr wir uns Herrn Rekt. Lechner für die reiche Anregung, die uns sein Vortrag geboten, zu Dank verpflichtet fühlen. Infolge der vorgerückten Stunde muß aber die anfänglich festgesetzte Tagesordnung eine Abänderung erleiden, da für den in Aussicht genommenen zweiten Vortrag am Vormittag keine ausreichende Zeit mehr zur Verfügung steht. Die Versammlung wird wohl auch der Ansicht sein, daß ich den Herrn Redner, dem aus dem Schatze seines Wissens und seiner Erfahrungen die Gedanken in fast unerschöpflicher Fülle zuströmten, in seinen fesselnden Ausführungen nicht unterbrechen konnte. (Zustimmung.) Von den für den Nachmittag bestimmten Vorträgen können wir den des H. Koll. Ammon, der aus weiter Ferne, aus der sonnigen Pfalz, hieher gekommen ist, unmöglich von der Tagesordnung absetzen, ebenso wenig denjenigen, der den physikalischen Unterricht, eine wichtige Neuerung unserer Schulordnung, behandeln wird.

Prof. Geist: Man kann die Nachmittagssitzung um 2 Uhr statt um 3 Uhr beginnen.

Der Vorsitzende: Dies würde doch gar zu anstrengend und ermüdend werden. Ich möchte einen vermittelnden Ausweg vorschlagen. Herr Koll. Dr. Labhardt hat einen Vortrag über Augsburger Malerei angekündigt; er könnte vielleicht, da morgen während des Vormittags für den Besuch der Kgl. Gemäldegalerie Vorsorge getroffen ist, für die noch anwesenden Herren die Führung übernehmen und dann seine Darlegungen unmittelbar vor den betreffenden Bildern geben; sie werden dadurch auch an Anschaulichkeit gewinnen.

Prof. Dr. Labhardt: Ich bin mit dem Vorschlag vollkommen einverstanden.

Der Vorsitzende: Ich möchte mir noch ein Wort über die nachmittags vorzunehmenden Wahlen erlauben. Bezüglich der Kassaverwaltung scheint es mir im Interesse des Vereines gelegen, daß die bewährte Kraft unseres bisherigen Kassiers der Sache möglichst lange erhalten bleibe; ich habe den H. Koll. Dr. Gebhard dringend ersucht, das Amt wieder zu übernehmen. Anders liegt die Sache hinsichtlich der Vorstandschaft; hier empfiehlt sich aus vielen Gründen, auf die ich nicht näher eingehen will, ein Wechsel. An und für sich kann es schon von Vorteil sein, wenn durch eine solche Änderung Gelegenheit geboten wird, neue Gedanken und Ideen innerhalb des Vereines zur Geltung zu bringen. Ich bitte Sie also, bis zur Nachmittagssitzung sich über die Person des neu zu wählenden Vorstandes zu einigen, und ersuche ferner, um 3 Uhr sich pünktlich einzufinden.

Schluſs der Sitzung gegen ½1 Uhr.

Nachmittagssitzung.

Bei Beginn der Sitzung erstattete der Obmann des Gymnasiums St. Anna, G.-L. Dr. Bauer, folgenden Bericht über die Kassarevision: Die Kassabücher wurden vor 8 Tagen hieher geschickt; H. Kollege Fischer vom Gymnasium St. Stephan und ich haben dieselben geprüft und alles mit der Abrechnung übereinstimmend befunden; auch der Kassabestand entspricht dem Ergebnis der Bücher. Ich beantrage daher, dem Kassier Decharge zu erteilen und volle Anerkennung für seine Mühewaltung auszusprechen.

Den Vorschlag des Vorsitzenden, den bisherigen Kassier Dr. Gebhard wieder zu wählen, nahm die Versammlung unter lebhaftem Beifall an.

Hierauf war die Wahl der Vorstandschaft des Vereines vorzunehmen; das Wort erbat sich Rektor Fries: Schon heute früh, nachdem wir das vorzügliche Referat unseres ersten Vorstandes gehört hatten, drängte es mich, den Gefühlen Ausdruck zu verleihen, von denen ich und von denen auch sämtliche Anwesende erfüllt waren, den Gefühlen der Dankbarkeit für die ausgezeichnete Leitung, deren unser Verein sich zu erfreuen hatte. Es ist gewiß keine Kleinigkeit, die Leitung eines so zahlreichen Vereines zu führen und den vielen Ansprüchen gerecht zu werden, welche an den ersten Vorstand desselben herantreten. Ich mache den verehrten Anwesenden den Vorschlag, daß wir zum Ausdruck unserer Dankbarkeit uns von den Sitzen erheben.

Die Versammlung kommt dieser Aufforderung nach. Rektor Fries: Heute früh, als unser Vorstand uns nahe legte, daß ein neuer Vorstand gewählt werden müsse, da waren wir schon alle fertig mit der Erwägung, wer dies werden müsse. Ich glaube, in bessere Hände können wir die Leitung der Geschäfte nicht legen als in diejenigen, in welchen sie bisher ruhte. Ich möchte die Herren ersuchen, meine Bitte, daß der verehrte bisherige Vorstand die Wiederwahl annehme, dadurch zu unterstützen, daß Sie sich von den Sitzen erheben.

Unter lautem Beifall wird dieser Aufforderung Folge geleistet.

Der Vorsitzende dankte für diesen Ausdruck des Vertrauens und sprach den Wunsch aus, er möchte auch in Zukunft im stande sein, die Pflichten dieser Vertrauensstellung zu erfüllen und dadurch den Erwartungen zu entsprechen, die sich an die Persönlichkeit des Vorstandes knüpfen. Vor allem wünsche er, daß es wie bisher gelinge, in einträchtigem Geist die Aufgaben des Vereins zu lösen, und wenn sich etwa Meinungsverschiedenheiten ergeben sollten, durch offene, ehrliche Aussprache der Ansichten einen Ausgleich derselben zum allgemeinen Besten herbeizuführen.

Der bisherige Stellvertreter des Vorstandes Prof. Grofs, den Rekt. Fries gleichfalls bat, sein Amt zu behalten, lehnte dies entschieden ab und schlug Prof. Hammer vor, der jedoch gegen seine

Wahl nachdrücklich Einsprache erhob. Schließlich fügte sich nach einer vermittelnden Äußerung des Rekt. Dr. M a r k h a u s e r Prof. G r o f s mit der Bemerkung: „ista quidem vis est" der Wiederwahl.

Bei der Beratung ü b e r Z e i t u n d O r t der n ä c h s t e n G e n e r a l v e r s a m m l u n g war alles mit dem Antrag des Ausschusses einverstanden, dieselbe wie bisher nach 2 Jahren, also 1894, abzuhalten. Bezüglich des O r t e s legte der V o r s i t z e n d e dar, es sei seit etwa 10 Jahren üblich geworden, mit demselben zu wechseln, und zwar habe man seit 1883 die Versammlung nicht mehr in München gehalten. Man wolle den Kollegen, welche in anderen Landesteilen wohnten, den Besuch der Versammlung erleichtern, ferner auch den Schein vermeiden, als betrachte man den Verein als Münchener Lokalverein. Da die gegenwärtige Versammlung an einem Ort im südlichen Bayern stattfinde, so schlage der Ausschufs vor, für die nächste eine Stadt mit zwei Gymnasien im nördlichen Bayern zu wählen, in welcher noch keine Versammlung von uns abgehalten worden sei, nämlich B a m b e r g. Die Herren Rekt. K l ü b e r und S c h m i t t hätten im Namen der Bamberger Kollegen erklärt, man werde sich freuen, die Versammlung in Bamberg begrüßen zu können; man sei aber auch bereit, zurück zutreten, falls die gegenwärtige Versammlung sich für München entscheide. Inzwischen sei dem Vorsitzenden gegenüber von mehreren Seiten die Wahl Münchens empfohlen worden; auch Rekt. R ö m e r habe sich in einem Briefe nachdrücklich hiefür ausgesprochen. Man könne, falls die Mehrzahl diesmal für München sei, für das übernächste Mal Bamberg in Aussicht nehmen; es sei aber wünschenswert, daß eine Meinungsäußerung aus der Mitte der Versammlung selbst erfolge.

Prof. Dr. F l e i s c h m a n n: Er versichere, daß die Bamberger Kollegen erfreut sein würden, wenn die Versammlung das nächste Mal in Bamberg tage, daß sie ferner alles aufbieten würden, den Teilnehmern den Aufenthalt daselbst so angenehm als möglich zu machen. Man werde aber auch gerne zustimmen, wenn die Mehrzahl diesmal München den Vorzug gebe.

Rekt. F r i e s: Er empfehle die Wahl Bambergs; es sei zweckmäßig, die nächste Versammlung an einem Ort im nördlichen Bayern abzuhalten.

Rekt. L e c h n e r: In München seien im vorigen Jahre bei der allgemeinen deutschen Philologenversammlung zahlreiche Mitglieder unseres Vereines zusammengekommen; auch deshalb sei zur Abwechslung die Wahl eines anderen Ortes wie Bamberg empfehlenswert.

Bei der Abstimmung entschied sich die Mehrheit für B a m b e r g.

Prof. Dr. F l e i s c h m a n n sprach seine Freude über diesen Beschlufs aus und gab zugleich dem Wunsche Ausdruck, es möchten in zwei Jahren recht zahlreiche Kollegen auch aus dem südlichen Bayern nach Bamberg kommen.

Hierauf hielt Prof. Duerne einen Vortrag über
**Behandlung und Umfang des physikalischen Lehrprogrammes
an den bayer. humanistischen Gymnasien.**

Wenn ich mich bei meiner ersten Anteilnahme an einer Versammlung des bayerischen Gymnasiallehrer-Vereines von dieser Stelle
aus mit einem Vortrage einführe, so muſs ich zuerst einer inneren
Stimme das Wort überlassen zu der Bitte an die hochansehnliche Versammlung, mich daroh nicht für unbescheiden und aufdringlich halten
zu wollen. Ich kann die Versicherung geben, daſs ohne freundliches
Andringen des geehrten Herrn Vereinsvorstandes mir wohl nicht der
Gedanke gekommen wäre, hier mich vernehmen zu lassen, da ich mir
recht wohl bewuſst bin, daſs manch anderer unter den Reihen der
Zuhörer viel berufener wäre, das vorliegende Thema zu behandeln.
Zudem verkenne ich die Schwierigkeit nicht, die aufgegriffenen Fragen
vor einem zum Teil aus Fachleuten, zum gröſseren Teile aus Nicht-
Fachleuten bestehenden Hörerkreise zu besprechen, da dem erstge-
nannten Teile kaum etwas Neues, was ihm nicht aus der einschlägigen
Fachliteratur geläufig wäre, geboten und dem letztgenannten vielleicht
doch nicht volles Interesse abgewonnen werden kann.

Zu den bedeutungsvollsten Änderungen, welche die Allerhöchste
Verordnung über die Schulordnung der humanistischen Gymnasien im
Königreich Bayern vom 23. Juli 1891 im Lehrprogramm und Unter-
richtsbetrieb unserer Gymnasien durchführt, gehört die Aufnahme der
Experimental-Physik unter die obligatorischen Lehrgegenstände. Zwar
findet sich der Name Physik auch in der alten Schulordnung vom
20. August 1874. Allein nach dem Lehrprogramm dieser bisher zu
Recht bestehenden Schulordnung konnten nur die „Elemente der
Mechanik fester Körper" zur Behandlung gelangen und diese meist nur
in abstrakter, die Mathematik zum Ausgangspunkte nehmender Ge-
staltung. Es mag wohl der gröſste Teil unserer Schüler bisher das
Gymnasium verlassen haben, ohne eine einigermaſsen klare Vorstellung
von dem Inhalte und Umfange der Physik des Altertums und der
Neuzeit gewonnen zu haben. Ja, in der Vorstellung manches Gym-
nasialabiturienten mag die Physik nur als ein besonders abgegrenztes
Übungsfeld der Geometrie und Algebra existiert haben.
Daſs diesem Miſsstande mit einer entscheidenden Änderung des
Lehrprogrammes begegnet wurde, ist ein hochzuschätzender Licht-
punkt der neuen Schulordnung, und ich glaube nicht allein von dem
im Verdachte der Einseitigkeit stehenden Gesichtspunkte eines Fach-
lehrers aus, sondern in voller Würdigung dessen, was zur harmonischen
Entwickelung des jugendlichen Geistes förderlich ist, verdient dieses
Vorgehen unserer obersten Schulaufsichtsstelle die dankbarste Anerkennung und freudigste Zustimmung aller Schulfreunde.
Darum möchte ich es als den Hauptzweck dieses Vortrages bezeichnen, daſs unsere Versammlung der hohen Bedeutsamkeit dieser
Umgestaltung des Lehrprogrammes durch Aufnahme einer Besprechung
desselben in den Rahmen ihrer Tagesordnung Rechnung trägt. Ich

werde hiebei wohl beachten, daſs es sich nicht um Ausführungen in einer Sektionssitzung von Fachleuten handelt und deshalb alle Detailbetrachtungen vermeide.

Wir wollen zunächst nach den Gründen der Aufnahme der Physik in unser Lehrprogramm fragen und nach dem Zwecke, welchen dieser Unterrichtsgegenstand im Rahmen des Gymnasialstudiums erfüllen soll. Die Beantwortung dieser Fragen wird uns zugleich Gesichtspunkte geben, welche für die Methode, nach welcher diese Disziplin gelehrt werden soll, maſsgebend und entscheidend sind.

Bei Aufnahme einer Disziplin in den Rahmen der Lehrgegenstände handelt es sich entweder um die Darbietung eines mehr oder weniger abgerundeten Maſses von Kenntnissen aus dem betreffenden Wissensgebiete, das für die jeweils erreichte Altersstufe oder für das spätere Leben direkt als notwendig erachtet wird, oder es soll durch die Überwindung der mit Aneignung dieser Kenntnisse verbundenen Schwierigkeiten eine Gymnastik geistiger Kräfte und hiemit eine Stärkung derselben erreicht werden.

Es ist nicht immer eine conditio, sine qua non für die Aufnahme einer Disziplin in den Lehrkanon unserer Gymnasien, daſs sie beiden Anforderungen gerecht zu werden vermag; es wird vielfach die Erfüllung der zweiten Forderung, Schulung geistiger Kräfte, als ausschlaggebend erachtet.

Hinsichtlich der Naturwissenschaften gelingt der Nachweis leicht, daſs sie reichlich Partien enthalten, die von beiden Gesichtspunkten betrachtet als vorzüglich geeignet zum Jugendunterrichte bezeichnet werden müssen.

Wir würden einen Staatsbürger, der sich um Verfassung und Verwaltung seines Vaterlandes zeitlebens nicht kümmern wollte und bei allen darauf bezüglichen Erörterungen eine absolute Teilnahmslosigkeit und Unwissenheit an den Tag legen würde, sicher nicht unter die gebildeten Klassen der Menschen rechnen.

Unser ganzes menschliches Dasein ist den Gesetzen der Natur unterworfen. Sollte es da nicht billig und dieser Situation entsprechend sein, nach einem tieferen Verständnis zu ringen und durch Einblick in die Naturgesetze die Hoheit und Groſsartigkeit der Natur bewundern zu lernen?

Die Dämmerung, die den Tagesanbruch einleitet, die wechselnde Lufttemperatur, welche die Quecksilbersäule im Thermometer kürzt und dehnt, der Wellenschlag des Luftmeeres, der uns den Klang der Stimme zuleitet, die vergröſserten Bilder, welche das Mikroskop von unseren Erbfeiden entwirft, welche, durch ihre Zwerghaftigkeit gedeckt, unablässig unsere Lebenssicherheit bedrohen, der geheimnisvolle Funken, der jeder Entfernung spottend unser Wort blitzesschnell durch meilenlange Drahtleitungen trägt oder als künstliche Sonne die Nacht taghell erleuchtet, — sollte es unser würdig sein, diese Wunder als etwas Selbstverständliches fraglos von ihrer Aufsenseite zu betrachten, ohne des Zusammenhanges der Erscheinungen zu gedenken?

Allein nicht blofs vom idealen Standpunkte sondern auch vom nüchternen Standpunkte der Bedürfnisfrage aus ist in unseren Tagen, in denen die Anwendungen der Naturwissenschaften auf unser ganzes Leben so mannigfachen Einflufs gewonnen haben, Bekanntschaft mit denselben unerläfslich und diese Bekanntschaft ist meist nur erreichbar, wenn sie vor dem Bezuge der Hochschule erworben werden kann.

Dafs der angehende Mediziner dieser Disziplin bedarf, ist selbstverständlich; er wird indessen von Anfang an seine Studien praktischer gestalten können, wenn er die Methode der Naturwissenschaften schon kennt und ist vielleicht früher als sonst in der Lage, an einem praktischen Kurse sich beteiligen zu können.

Der Theologe wird in seinen metaphysischen Studien eine Menge Fragen treffen, die von vorneherein ein ganz anderes Interesse gewinnen, wenn er die Physik der Thatsachen als bekannt in das erste philosophische Jahr mitbringt. Und vielleicht ist es auch dem späteren Schulinspektor bei Beurteilung von Schulleistungen förderlich, wenn er den Betrieb naturwissenschaftlicher Fächer nicht blofs aus Büchern oder aus dem Lehrsaale der Hochschule kennt.

Der Jurist, der ja in seiner Berufslaufbahn in allen möglichen Lagen menschlicher Dinge und menschlichen Thuns schiedlich oder autoritativ zu wirken hat, kommt in hundert Fällen in die Lage einem Gutachten von Sachverständigen aus dem Kreise naturwissenschaftlicher Fragen unsicher gegenüberzustehen, wenn ihm die elementarsten Kenntnisse fehlen, da es mitunter Sachverständigen bei der besten Absicht schwer fällt, in Dingen, welche ihnen natürlich selbstverständlich erscheinen, soweit herabzusteigen, dafs auch der Uneingeweihte ganz klar sieht. Der Betrieb der Naturwissenschaften bildet ferner in einer Weise wie nichts Anderes den Beobachtungssinn aus; welche Wichtigkeit für den Juristen eine scharfe Orientierungs- und Beobachtungsgabe hat, springt sofort in die Augen, wenn man bedenkt, welche Tragweite oft unbedeutende Kleinigkeiten bei einer Augenschein-Aufnahme gewinnen können, oder wie oft eine solche Augenschein-Aufnahme bei späterer Auswertung versagt, weil eine wichtig gewordene Einzelheit derselben nicht zu entnehmen ist.

Ähnliche Ausführungen könnten mit Rücksicht auf den Beruf des Forstbeamten, des Offiziers, des Schulmannes gemacht werden.

Wenn ich so in weiterer Ausführung die Bedürfnisfrage wiederholt bejahen müfste, so soll hiemit der Betrieb der Naturwissenschaften an unseren Schulen noch nicht voll gerechtfertigt erscheinen. Wir müssen noch die Frage untersuchen: Was leistet dieser Betrieb für die Gymnastik geistiger Kräfte unserer Jugend? oder: Welchen Wert hat der Weg, auf dem wir zur Erkenntnis der Naturgesetze gelangen, für die Ausbildung des Menschen?

Die Vorgänge in der Natur, die Veränderungen, denen die Naturkörper unterworfen sind, gelangen durch Übermittelung der Sinne zum Bewufstsein. Auge und Ohr sind es zumeist, welche über die Erscheinungsform der Aufsenwelt uns informieren. Durch hlofses Schauen erhält der Mensch noch keinen Einblick in Naturgesetze. Nur ein

planvolles Schauen, ein Schauen, das einen Vorgang in all seinen
Unterabteilungen auf das genaueste verfolgt und auch die unbedeu-
tendste Einzelheit nicht unbeachtet läfst, führt zu einer gründlichen
Anschauung, und nur solche liefert den jeweils nötigen Thatsachen-
kanon. Durch solches Schauen wird aber sicher das Auge dazu gebildet, auch sonst, wo es aufserhalb des Rahmens naturwissenschaftlicher Fragen zu beobachten hat, mit umfassender Gründlichkeit ans
Werk zu gehen. Auch andere Sinne werden beim Betriebe der Naturwissenschaften in Anspruch genommen, so dafs hier ein weites Übungsfeld für die wichtigsten Sinne zu klarer und sicherer Auffassungsfähig-
keit gegeben ist.

Scharfe und gründliche Beobachtung allein würde indessen noch
nicht volle Erkenntnis gewähren. Die Beobachtung liefert uns ein
totes Thatsachen-Material, an das der menschliche Geist mit belebender
Kritik herantreten mufs, um daraus Gesetze der Erscheinungen durch
Schlüsse und Folgerungen zu gewinnen. Es mufs ferner bei der Diskussion eines Verlaufes von Erscheinungen das Zufällige vom Wesentlichen gesondert werden, was Veranlassung gibt auf zweckentsprechende
Abänderung des Verlaufes oder auf Ausschlufs einzelner Bedingungen
des Zustandekommens desselben bedacht zu sein. Es werden ferner
nicht alle beobachteten Thatsachen gleiches Gewicht hinsichtlich ihrer
Beweiskraft für das zu Grunde liegende Gesetz haben; die einzelnen
Thatsachen werden hierauf sowie auf die zweckmäfsigste Art ihrer
Ausnützung zu prüfen sein. Wo diese Kritik des Beobachtungsmateriales
fehlt oder mangelhaft ausgeübt wird, da gelangt man auch nicht zur
Wahrheit.

Hiemit ist aber auch die Methode vorgezeichnet, durch welche
in der Schule dem Schüler der Einblick in die Naturgesetze vermittelt
werden mufs. Der Schüler mufs beobachten und die einzelnen Thatsachen und Ergebnisse kombinieren lernen. Gerade bei dem Betriebe
der Naturlehre ist Rousseau's Forderung in den Vordergrund zu stellen:
„Der Schüler darf die Wissenschaft nicht lernen, sondern er mufs sie
von neuem auffinden." Diesen Forderungen wird aber nur die induktive Methode ausgehend vom inducierenden Experiment
gerecht. Aber auch an solchen Stellen, wo durch Schlüsse aus vorher
gefundenen Thatsachen oder aus einem allgemeinen Gesetze eine neue
Erscheinung auf deduktivem Wege gewonnen werden will, darf das
zur Prüfung nachfolgende Experiment nicht unterlassen werden.

Der Lehrer unserer Tage findet für diese seine Wirksamkeit
keine absolut abgeschlossene Methodik des Physikunterrichtes vor. Die
Ausbildung der induktiven Schulphysik gehört der Neuzeit an und die
Gegenwart ist noch vollauf mit deren Ausbildung beschäftigt. Jeder
Lehrer wird eigene Gedanken und eigene Erfahrungen zur Gewinnung
einer bewährten Lehrweise mit zum Ausbau des Lehrgebäudes verwenden müssen.

Ich würde es im Hinblick auf die Rolle, welche die Physik an
unseren Schulen zu spielen hat, für zweckwidrig halten, fünf bis sechs
Axiome an die Spitze des Unterrichtes zu stellen und hieraus in de-

dukliver Behandlung die Gesetze zu gewinnen. Alles in gröfster Allgemeinheit an den Anfang zu stellen ist akademischer Stil; mit unseren Schülern müssen wir vom Besonderen zum Allgemeinen aufsteigen.

Der Schüler mufs ferner den Eindruck gewinnen, dafs es sich in der Naturlehre um eine andere Art der Erwerbung von Kenntnissen handelt als in der deduktiv angelegten Mathematik. Es mufs ihm klar werden, dafs „physikalisch erwiesen" etwas ganz Anderes ist als „geometrisch erwiesen". Auch wird hiedurch mancher Schüler, der aus irgend einem Grunde in der Mathematik zurückgeblieben ist, nicht an der Schwelle der Physik schon abgestofsen, wie es der Fall sein mufs, wenn die neue Disziplin in mathematischer Gewandung auftritt. Ist ein solcher Schüler für Physik empfänglich geworden, so holt er wohl auch manches aus der vernachlässigten Mathematik nach, wenn er sieht, wie sie in der Physik als Hilfswissenschaft greifbaren Zwecken dient und nicht blofs um ihrer selbst willen geübt sein will. Man kann bei Beantwortung der Frage, was alles durch ein Experiment vor Augen geführt werden soll, meiner Ansicht nach nicht weitherzig genug sein. Es dürfen die einfachsten Vorgänge, die zur Diskussion gelangen, der Veranschaulichung nicht entbehren. Wenn wir es z. B. als selbstverständlich hinstellen, dafs Luft aus einem Raume, in welchen ein anderer Körper eindringt, entweichen mufs, so tritt diese Thatsache viel greifbarer dem Schüler vor Augen, wenn er sieht wie beim Eindringen eines Stabes in die unter Wasser gehaltene Öffnung einer Flasche Luftblasen aus der Flasche austreten und im Wasser aufsteigen. Gerade ganz einfache Versuche dieser Art führen gar oft zu sehr lehrreichen Nebenfragen, wie im angedeuteten Falle: warum steigen die Luftblasen im Wasser auf? warum werden die Luftblasen im Wasser sichtbar? Es empfiehlt sich manchmal um solcher Nebenfragen willen einen an sich unbedeutenden Versuch nicht zu unterlassen.

Wie sehr bei unseren Schülern der Sinn des verständig beobachtenden Sehens der Ausbildung bedarf, wie wenig bei vielen Schülern die Fähigkeit sich über Gesehenes klare Rechenschaft zu geben durchgebildet ist, davon will jeder Lehrer sich nur zu oft überzeugt haben. Ich will nur erwähnen, dafs mir bei einführenden Fragen zur Gewinnung eines Charakteristikums der Nord-Süd-Richtung auf das an die Schüler gestellte Verlangen, jene Stelle mit der Hand zu weisen, wo in der Mitte des Tages die Sonne gesehen wird, wiederholt vertikal aufwärts gewiesen wurde mit der Bestätigung „im Zenith". Solche Sachen lassen sich nicht wohl mit dem Mangel an Begabung für Mathematik, auch nicht mit der Unfähigkeit des Lehrers erklären; sie stammen aus der Unlust des Schülers, sich zuerst eine klare Vorstellung von dem zu machen, worüber er Rechenschaft geben soll.

Man wird in der ersten Zeit bei einem Teile der Schüler einem blasierten Lächeln begegnen, wenn man sie auffordert, etwas zu beobachten und dem Verlaufe eines Experimentes mit dem Auge zu folgen; doch darf das nicht abschrecken. Gerade dadurch, daſs die an unseren Gymnasien heranwachsende Jugend M e t h o d e und R e - sul ta te der Naturwissenschaften kennen lernt, wird die Miſsachtung, welche den Naturwissenschaften heutzutage noch in vielen Kreisen entgegengebracht wird, schwinden.

Hiebei soll nicht unerwähnt bleiben, daſs eine nicht zu unter- schätzende Förderung der Gewandtheit im Gebrauche der Muttersprache gewonnen werden· kann, wenn man an den Schüler zur mündlichen und schriftlichen Erledigung die Forderung stellt, den Verlauf einer Versuchsreihe oder einen zu bestimmtem Zwecke gebrauchten Apparat zu beschreiben. Man begegnet in solchen Fällen häufig einer groſsen Unbeholfenheit und Schwerfälligkeit im Reden. Dieses Übungsgebiet für sprachliche Bildung ist vom stilistischen Standpunkt aus als be- sonders günstig situiert zu bezeichnen, da die vorliegenden Anschau- ungsgegenstände den Gedankengang vorschreiben und eng gesteckte Grenzen der Gefahr sich in Phrasen zu verlieren begegnen. Hier wäre auch mancher geeignete Stoff für deutsche Aufsätze und kleinere Vorträge vorhanden.

Eine gute Vorübung für das im Physikunterrichte zu Leistende wird künftig der den unteren Klassen zugewiesene Unterricht in den beschreibenden Naturwissenschaften sein. Dieser setzt in jenen Jahren ein, wo das Interesse an der Naturbeobachtung, das dem Kinde an- geboren ist und in hundert Fragen sich manifestiert, noch nicht er- stickt ist und daher so geleitet und entwickelt werden kann, daſs es auch später in einer der jeweils erreichten Altersstufe entsprechenden Art mit den Erscheinungen der physischen Welt in Kontakt zu bleiben verlangt.

Der Altersstufe unserer Schüler halte ich es endlich für ange- messen, daſs bei den Hauptabschnitten der Physik, beziehungsweise bei den wichtigeren Materien unseres Programms geschichtliche Notizen über hervorragende Forscher sowie über die allmähliche Heraus- arbeitung und Entwickelung einzelner Gesetze mitgeteilt werden. Es wird hiebei das Interesse der Schüler leicht gewonnen werden können, wenn mitunter, soweit es thunlich und verständlich ist, charakteristische Sätze aus den Originalschriften zur Vorlesung gelangen; die Ostwald- sche Klassiker-Sammlung gibt hiezu manche bequeme Gelegenheit, z. B. hinsichtlich des Galilei. Auch die Vorzeigung von Abbildungen erster Apparate wird von groſsem Vorteil sein. Ich halte dafür, daſs die Schule jede Gelegenheit benützen soll, neben der Geschichte der Kriegshelden kulturgeschichtliche Bilder friedlichen Schaffens zu ent- rollen. Namen wie Hipparch, Ptolemäus, Archimedes, Kopernikus, Kepler, Galilei, Newton sollten dem jugendlichen Geiste lebensvolle Gestalten bedeuten.

Hiemit soll keineswegs der sogenannten historischen Methode des Physikunterrichtes das Wort geredet werden, welche unserem Zwecke der naturwissenschaftlichen Unterweisung nicht entsprechen würde.

Zur Anstellung unserer Schulversuche sind nicht immer kompli- zierte Apparate erforderlich und geeignet. Ganz einfache Hilfsmittel machen in der Hand des Lehrers oft eine Menge lehrreicher Versuche möglich. Durch improvisierte Zusammenstellungen können insbesondere bei Repetitionen Versuche an verschiedenen Apparaten wiederholt werden, wodurch das auf verschiedenen Wegen erreichte Resultat um so mehr an Interesse gewinnt. Besonders ist darauf zu achten, dafs die für den Unterricht bereit gestellten Apparate in entsprechender Gröfse und solider Ausführung hergestellt sind. Nicht jeder Apparat, der zur wissenschaftlichen Forschung geeignet ist, pafst auch für das Schulexperiment. Man wird unter Umständen lieber auf höchste Präzision zu gunsten deutlichen Hervortretens der zur Ableitung des in Frage stehenden Gesetzes erforderlichen Erscheinungen verzichten können.

Als feste Regel mufs sich jeder Lehrer der Physik aufstellen, kein Experiment im Unterrichte ohne sorgfältige Vorbereitung und wiederholtes Probieren vorzunehmen; die Aufserachtlassung dieser Regel bereitet auch dem gewandtesten Experimentator mitunter Verlegenheiten. Das Mifslingen eines Experimentes mufs gleichfalls im Interesse des Unterrichtes verwertet werden, indem die Schüler zur Auffindung der Ursachen des Mifslingens mitwirken müssen.

Das Eintreten einer Naturerscheinung, die irgend mit dem behandelten Lehrstoff zusammenhängt, sollte von dem Schüler stets beobachtet werden.

Ich glaube ferner, dafs mit dem Schulunterrichte die Behandlung der Physik nicht absolut abgeschlossen zu sein braucht. Man könnte wohl nach Gelegenheit und Umständen Schülern, die sich dazu melden, die Möglichkeit eröffnen, einzelne Versuche selbst auszuführen. Hiezu ist natürlich nicht die Lehrstunde geeignet. Ich glaube aber, es dürfte mit § 21 der Disziplinarsatzungen, welcher von der Verwendung der vom öffentlichen Unterrichte nicht in Anspruch genommenen Zeit handelt, nicht in Widerspruch stehen, wenn der Lehrer dann und wann Gelegenheit gibt, unter seiner Leitung und Aufsicht Schülerversuche durchführen zu lassen. Ein Urteil über den Grad von Genauigkeit, der durch Beobachtungen erreichbar ist, sowie über die Umsicht und Mühewaltung, welche die Durchführung einer genauen Messung irgend einer Versuchsgröfse erfordert, bildet sich nur derjenige richtig, der einige solche Gröfsen aus selbst angestellten Versuchen ermittelt hat.

Zu solchen Schülerversuchen dürften sich eignen: Messungen mit Nonius-Anwendung, Inhaltsbestimmungen, Volumenbestimmungen von Flüssigkeiten, Gewichtsbestimmungen, Bestimmung des spezifischen Gewichtes, Versuche über das Kräfteparallelogramm und Hebelgesetz, Barometer- und Thermometer-Ablesungen mit Beachtung der nötigen Korrektionen und Reduktionen, Ablesungen am Maximum- und Minimum-Thermometer, Luftpumpen-Versuche, Versuche zum Archimedischen und Mariotteschen Gesetze, magnetische und elektrische Grundversuche, Gebrauch des Fernrohrs und des Mikroskops, insbesondere scharfe Einstellung für verschiedene Sehweiten, Winkelmessungen mit Theodolith oder Sextant, Beobachtungen mit dem Spektralapparat, Beobachtung einer gleichförmigen und beschleunigten Bewegung an einem rotierenden Rade, Versuche mit der Fallmaschine, Pendelvergleichungen durch Beobachtung von Coïncidenzen.

Nachdem die Notwendigkeit der Anstellung von Experimenten und in Folge dessen die der Anschaffung von Experimentalapparaten aufser allem Zweifel stehen dürfte, mufs erörtert werden, welche R ä u m e zum experimentellen Unterrichte und zur Aufbewahrung der Apparate wünschenswert, beziehungsweise im Falle der äufsersten Beschränkung unbedingt erforderlich sind.

Für die Aufbewahrung der Apparate ist ein eigenes Lokal erforderlich, das aufserdem keinem anderen Zwecke dienen soll. In diesem Raume nehmen gut staubdicht schliefsende Schränke mit Glasthüren die Apparate auf. Die an den Wänden stehenden Schränke sollen nicht allzu tief sein, damit alle Teile des Innenraumes leicht zugänglich sind. Bei allzu grofser Tiefe der Schränke stehen zu viele Sachen hinter einander, so dafs die Gefahr, beim Herausnehmen einzelner Apparate anzustofsen, vergröfsert wird. Schränke, welche in der Mitte des Lokales Aufstellung finden, können tiefer sein, da sie am zweckmäfsigsten an beiden Langseiten Thüren erhalten. Das Sammlungslokal wird zweckmäfsig nicht heizbar angelegt, aufser wenn die Heizung durch Zentral-Wasser- oder Dampfheizung geleistet wird, da jede andere Heizmethode Staub in die Räume bringt, welcher den Apparaten immer nachteilig ist. Mit Rücksicht auf diese durch Staub drohende Gefahr kann auch nicht empfohlen werden, die Kästen mit den Apparaten in die Gänge, welche von den Schülern regelmäfsig durchschritten werden, oder im Lese- und Musikzimmer aufzubewahren. Die nach und nach zu vervollständigende und auf einem dem Fortschritte der Wissenschaft entsprechenden Stande zu erhaltende Apparatensammlung repräsentiert einen beträchtlichen Inventarwert, so dafs ihre vor allen Schädlichkeiten gesicherte Konservierung Pflicht der Schule ist und nicht ohne weiteres dem Physiklehrer nebenher in verantwortlicher Weise aufgebürdet werden kann. Als Regel soll auch gelten, keine Schäden an den Apparaten aufkommen zu lassen; beschädigte Apparate müssen sofort in Reparatur gegeben oder, wenn dieses nicht möglich ist, bei Seite gestellt werden. Wo thunlich, mag es gut sein, von einem Fachmechaniker zeitweilig Durchsicht halten und insbesondere erforderliche Reinigungen, die man nicht selbst vornehmen kann oder will, durchführen zu lassen.

Ebenso notwendig wie ein Lokal für die Aufbewahrung der Apparate ist ein eigenes Lokal für den physikalischen Unterricht und zwar aus didaktischen wie aus finanziellen Gründen.

Zur Ausführung vieler Versuche ist ein besonderer, feststehender Tisch notwendig, der sich in seinen Dimensionen wie in der Anlage der Tischplatte von den meist üblichen Kathedern unterscheidet. Dieses Unterrichtslokal mufs dem Physiklehrer auch aufserhalb der Lehrstunden zur Verfügung stehen, um die Apparate ungestört aufstellen. zerlegen, reinigen und wieder abräumen zu können. In vielen Fällen ist eine besondere Aufstellung der Apparate nötig, die durch zeit-

raubende Vorversuche ausprobiert werden mufs und die bis zur Erledigung des fraglichen Experimentes in der Unterrichtsstunde nicht
verändert werden darf, wenn nicht das Gelingen des Versuches gefährdet werden soll. Manche Apparate können überhaupt nicht leicht
und rasch vom Cabinet in ein Lehrzimmer ohne Gefährdung trans-
portiert werden. Dazu kommt der Umstand, dafs im Winter die
Apparate, wenn sie aus dem ungeheizten Raume in die warme, an
Wasserdämpfen reiche Luft des Lehrzimmers gebracht werden, sich
mit Feuchtigkeit beschlagen müssen, wodurch zum Teil Versuche, insbesondere im Gebiete der Optik und Elektrizität überhaupt unaus-
führbar werden, und anderseits unter allen Umständen die Apparate
verdorben werden müssen. Auch sind Störungen im Unterrichte unvermeidlich, wenn der Lehrer während der für den Unterricht bestimmten Zeit mit ein paar Schülern das Lehrzimmer verlassen und
mit Hilfe derselben die notwendigen Sachen hin- und hertragen mufs.
Ein während der Stunde auftretendes Bedürfnis, einen anderweitigen
Apparat zu einer Demonstration zu verwenden, wird in den meisten
Fällen ignoriert werden müssen, wenn die Sachen nicht nahe zur
Hand sind. Verschüttungen von Wasser oder Quecksilber, die bei
einer Reihe von Versuchen unvermeidlich sind, werden auch unangenehm, wenn derselbe Platz nachher von einem anderen Lehrer benützt
werden mufs. Ein Teil der Versuche aus dem Gebiete der Optik,
Akustik und Elektrizitätslehre erfordert ein dunkles Zimmer. Vor-
richtungen zum Abschlufs des Tageslichtes sowie zur Einführung eines
Bündels Sonnenstrahlen in das dunkle Zimmer können nicht in 4 bis
5 Lehrzimmern angebracht werden. Sehr zweckmäfsig ist auch eine
terassenförmig angeordnete Bankstellung, damit jeder Schüler freien
Ausblick auf den Experimentiertisch hat.

Aufser dem Verwahrungslokal für die Apparate und dem sepa-
raten Lehrzimmer für Physik bedarf der Lehrer dieses Faches eines
Raumes zur Arbeit, Zusammenstellung von Nebenapparaten, Ausführung eigener Gedanken, geringfügiger Ausbesserung kleiner Schäden
u. s. w., ausgerüstet mit Arbeitstisch, Schraubstock und sonst nötigem
Handwerkszeug. Ich kann aus meiner bisherigen Lehrerlaufbahn nur
bestätigen, dafs ich das Meiste und Interessanteste an solchen Arbeits-
tischen von Kollegen gelernt habe. Die fertigen Apparate in den
Kästen kennt man meist aus den einschlägigen Zeitschriften, Pro-
spekten und Büchern. Aber was der einzelne selbst versucht und
im Zwange didaktischer Not ausdenkt, das spricht anregend zu uns
und gerade das Beste solcher schulpraktischer Erfahrung kommt oft
gar nicht an die grofse Glocke. Anderseits gibt auch gerade die Ausstattung dieses Arbeitsraumes mit all den kleinen Bedürfnissen der
Manipulation vom Modellierwachs und Mafsstab angefangen ein Bild
vom ganzen Physikbetrieb. Wo blofs die schönen Apparate säuberlich in den Kästen stehen und sonst nichts zu sehen ist, da wird auch
nicht viel demonstriert.

Die zweckmäfsigste Anordnung dieser drei Räume, welche die
physikalische Abteilung umfassen, ist die, dafs das Arbeitszimmer in

der Mitte liegt und auf beiden Seiten durch Thüren mit dem Lehrzimmer und der Apparatensammlung verbunden ist. Das Lehrzimmer
soll nicht gegen Norden liegen, damit während der Vormittags- oder
Nachmittagsstunden Sonnenstrahlen mittels des Heliostaten in das
Zimmer geleitet werden können.

Wo nun Raummangel die Installation dieser drei Gelasse absolut unmöglich macht, da müssen zwei Lokale, Apparatensammlung
und Physiklehrzimmer als unentbehrlich bezeichnet werden. Wird
kein eigenes Lehrzimmer für den Physikunterricht zur Verfügung gestellt, so wird bei dem besten Willen des Lehrers ein Teil der Experimente in Wegfall kommen müssen und jedenfalls die wünschenswerte lebendige Anschaulichkeit des Unterrichtes nicht erreichbar sein.
Der in dieser Lage befindliche Lehrer wird gut daran thun, in bestimmter Form eine Erklärung abzugeben, dafs er die Verantwortlichkeit für den Unterrichtserfolg wie inbesondere für die Konservierung
der Apparate nicht übernehmen kann. Wenn 2 Gelasse zur Verfügung stehen, kann das als Lehrzimmer dienende im Falle der Not
zugleich als Arbeitsraum dienen. In diesem Falle wird in einer Ecke
der Arbeitstisch aufgestellt, der zweckmäfsig während der Anwesenheit der Schüler durch Gardinen abgeschlossen wird um die Aufmerksamkeit nicht abzulenken.

Es sei wiederholt betont: zwei Räume müssen als unentbehrlich bezeichnet werden, wenn der Physik-Unterricht als wissenschaftlicher Experimental-Unterricht betrieben werden soll und wenn man
die kostspieligen Apparate vor frühzeitigem Verderben schützen will.
Ich glaube, was in dieser Hinsicht an kleinen Realschulen möglich ist
— ich gedenke hiebei der Verhältnisse an der Realschule in Bad
Kissingen, welche während der Zeit meines dortigen Wirkens aus
finanziellen Gründen mehrmals von Auflösungsanträgen bedroht war
und deshalb in dieser Zeit mit der äufsersten Sparsamkeit und Einschränkung verwaltet werden mufste — das wird auch an unseren
Gymnasien als erreichbar betrachtet werden dürfen.

Was nun den Umfang des Lehrstoffes betrifft, so können darüber
heute noch die Meinungen hinsichtlich mehrerer Punkte sehr weit auseinander gehen, je nachdem der Ziff. 3 oder der Ziff. 11 und 12 des
§ 13 der Schulordnung das entscheidende Wort für die Stoffwahl
überlassen erscheint.

§ 13. Ziff. 3. „Die Physik wird unter Anwendung einfacher
Apparate zur praktischen Demonstration physikalischer Thatsachen in
zwei Jahreskursen und je zwei Wochenstunden gelehrt. Der Unterricht soll sich, von den allgemeinen Eigenschaften der Körper aus-
gebend, auf die wichtigsten Abschnitte der Elementar-Physik erstrecken.

§ 13. Ziff. 11. 7 Klasse. d) Physik: allgemeine Eigenschaften
der Körper; Unterschied zwischen Physik und Chemie, veranschaulicht
durch einfache Experimente; die festen Körper: Kräfteparallelogramm,
Schwerpunkt, Hebel, schiefe Ebene, Keil, Rolle, Schraube; die flüssigen
Körper: das archimedische Prinzip; Bestimmung des spezifischen Ge-

wichtes fester Körper; die gasförmigen Körper: das Mariottesche Gesetz, Barometer, Luftpumpe,. Schall; Wirkungen der Wärme: Thermometer, Dampfmaschine.

8. Klasse. c) Physik: Die verschiedenen Arten von Bewegungen; Fallgesetze; das einfache Pendel; die Lehre vom Lichte: Zurückwerfung, Brechung, Zerstreuung, optische Instrumente; Elektrizität und Magnetismus: Grunderscheinungen und Grundgesetze, Telegraph, Telephon."

Ziff. 3 schreibt die Behandlung „der wichtigsten Abschnitte der Elementarphysik" vor, wogegen Ziff. 11 und 12 einzelne Erscheinungsgruppen und Gesetze direkt namhaft machen. Ich halte mich hier zunächst wörtlich an die Detailübersicht des § 13 in Ziff. 11 und 12 und gebe in gedrängter Form einen Überblick des nach meiner Ansicht absolut Notwendigen. Nachdem dieses Lehrprogramm nicht kurzweg lautet: „Physik; 1) von den Körpern im allgemeinen, 2) Mechanik, 3) Schall, 4) Licht, 5) Wärme, 6) Magnetismus und Elektrizität", sondern einzelne Erscheinungsgruppen aus jedem dieser sechs Abschnitte hervorhebt, so glaube ich, daß auch künftig nicht ein vollständiger Kursus der Physik wie an den Realschulen oder Realgymnasien durchgenommen werden soll, wofür auch die verfügbare Zeit absolut nicht ausreichen würde, sondern daß an einzelnen ausgewählten Kapiteln Methode und Entwickelung der Physik zur Darstellung kommen soll. Wenn ich glaube, daß die verfügbare Zeit — 2 Wochenstunden in Klasse 7 und 8 — für Behandlung eines vollständigen Kursus der Physik nicht ausreicht, so stütze ich mich auf die Erwägung, daß für einen solchen Kursus an unseren Realschulen 3 Jahreskurse mit je 2 Wochenstunden zur Verfügung stehen und daß ich bisher die Erfahrung gemacht habe, daß man am Gymnasium mit allen in unser Gebiet einschlägigen Lehrstoffen viel langsamer vorwärts kommt und viel größeren Schwierigkeiten begegnet als es an den Realschulen der Fall ist. Ich gebe gleichzeitig bereitwillig zu, daß ein anderer Fachmann hinsichtlich der Stoffbegrenzung zu einer abweichenden Auswahl gelangen kann.

Ein Lehrbuch ist natürlich beim Physik-Unterrichte unentbehrlich; dies ergibt sich schon aus § 24, Ziff. 5: „Das Lehrbuch in irgend einem Fache durch Diktate zu ersetzen, ist nicht gestattet. Auch das Diktieren umfangreicher Ergänzungen ist unzulässig".

Ein Lehrbuch der Physik, das speziell mit Rücksicht auf das Lehrprogramm unserer bayerischen Gymnasien geschrieben wurde, ist mir nicht bekannt. Unter der Presse befindet sich ein „Lehrbuch der Physik für Gymnasien von Dr. Recknagel, Rektor des Realgymnasiums in Augsburg". Durch die Verlagsbuchhandlung Buchner in Bamberg erhielt ich die ersten 5 Druckbogen zur Kenntnisnahme. Ich habe Jahre lang die Schulbücher des in den weitesten Kreisen hochgeschätzten Autors für Planimetrie und Mechanik im Unterrichte benützt und glaube hier in dieser Versammlung die bewährte Anlage dieser Schulbücher als bekannt voraussetzen zu dürfen. Dabei muß

3

ich allerdings gestehen, dafs es mir in meiner Lehrthätigkeit am Gymnasium bisher nicht gelungen ist, die Mechanik vollständig nach dem Umfang des genannten Buches in der Schule durchzuarbeiten. Indessen sind ja in solchen Sachen einzelne Klassen oft sehr weit hinsichtlich der Behandlungsmöglichkeit eines und desselben Stoffes verschieden. Jedenfalls möchte ich mir erlauben, der Aufmerksamkeit der beteiligten Kollegen diese neue Erscheinung dringend zu empfehlen. Zufolge brieflicher Mitteilung des verehrten Herrn Verfassers wird das genannte Lehrbuch die Anleitung zum richtigen Beobachten und die Grundlage des inducierenden Experimentes sowie gelegentliche historische Notizen besonders hervortreten lassen.

Einer gestern Abend mir durch Herrn Direktor P. Stengel gewordenen Mitteilung zufolge ist von Herrn Professor Wilh. Winter in Regensburg ein für den Gebrauch an unseren Schulen bestimmtes Lehrbuch der Physik veröffentlicht worden. Nachdem ich das Buch noch nicht zur Hand hatte, bin ich leider heute nicht in der Lage, über dasselbe zu referieren. Ich bemerke nur, dafs von demselben Verfasser vor etwa fünf Jahren ein Lehrbuch der Physik für Realschulen erschienen ist, das sich, so viel mir bekannt wurde, freundlicher Aufnahme erfreut hat. — Aufserdem wären noch zu nennen die Schulbücher von Jochmann, Sumpf und Beetz.

Ich führe nun jene Abschnitte und Experimente namentlich auf, deren Behandlung ich zunächst in meiner Lehrplanskizze vorgemerkt habe. (§ 13. Ziff. 11.) Von den allgemeinen Eigenschaften der Körper sind zu behandeln: Volumen, Porosität, Teilbarkeit. — Ein Tropfen Salzlösung im Sonnen-Mikroskop betrachtet mit den zahllosen Krystallen in stets wechselnder Bewegung würde ein vorzügliches Bild von der Welt des unendlich Kleinen geben. — Bei Einführung des Wortes „Kraft" bleiben wir im Rahmen des physikalischen Sprachgebrauches; d. h. wir bezeichnen damit einen an einem Punkte stattfindenden Druck oder auszuübenden Zug. Die erschöpfende Definition des Kraftbegriffes würde uns wohl zu weit in das metaphysische Gebiet führen, ohne in fafslicher Weise Vorteil zu bringen. Allerdings müssen wir dann bei der Schwerkraft bei der Besprechung des Thatsächlichen bleiben und zugeben, dafs die Versuche der Erklärung dieses Rätsels auf metaphysische Hypothesen führen würden.

Ich halte es für sehr zweckmäfsig an solchen Stellen, insbesondere bei Repetitionen in der Oberklasse gelegentlich auf die Grenzen der Physik und Metaphysik hinzuweisen. Vielleicht fällt in guter Stunde ein keimfähiger Kern auf empfänglichen Boden und führt den einen oder anderen Schüler später zu philosophischen Studien. Wir dürfen wohl alle zusammenwirken, das Interesse an der Philosophie zu beleben und als notwendig hinzustellen; in diesem Punkte trifft man leider häufig weit in die gebildeten Kreise hinein absolute Unkenntnis und Gleichgültigkeit. — Aufser der Schwere kommt hier die Masse zur Behandlung, wohl am besten mit Zugrundelegung der neuen Masseneinheit im absoluten Mafse. — Es folgen die Begriffe

Bewegung, Geschwindigkeit. Hiebei erscheinen die Kräfte als Bewegungsursachen.

Aggregatszustände. Als Beispiel kann das Wasser dienen. Physikalische Änderungen: Eis, Wasser, Wasserdampf; die Chemie untersucht dagegen die Zerlegung; der Versuch der Zerlegung des Wassers in Wasserstoff und Sauerstoff mittels des elektrischen Stromes ist hiebei unerläfslich. Als Beispiel einer Verbindung zweier einfacher Stoffe zu einem neuen kann die Verbindung von Schwefel und Queck-silber zu Zinnober oder die Darstellung von einfach-Schwefeleisen (Ferro-Sulfur) aus Eisenfeilspänen und gepulvertem Schwefel dienen. Daran können die Elemente der Atomgewichtslehre und Stöchiometrie, an einfachen Zahlenbeispielen erläutert, geschlossen werden. — Der Satz über das Kräfte-Parallelogramm ist von solcher Tragweite, dafs er jedenfalls nicht ohne weiteres als Dogma eingeführt oder aus dem Parallelogramm der Bewegungen herauseskamotiert werden darf. Ich kenne keine einfachere und zweckmäfsigere Art, auf wirklich induk-tivem Wege diesen wichtigen Satz zu erhalten, als die Methode des Herrn W. Neu, Gymnasialprof. in Landau, die ich für einen höchst beachtenswerten Fortschritt im Ausbau der elementaren Mechanik halte und allen Physiklehrern auf Grund 5jähriger eigener Erfahrung dringend empfehlen möchte. Nähere Ausführungen darüber enthält die Zeitschrift zur Förderung des physikalischen Unterrichtes von Lisser und Bennecke, Berlin 1888, sowie ein Programm der Realschule Neu-burg a. D. vom Jahre 1887/88.

Die einfachen Dynamometer von Professor Neu, die hier zur Einsichtnahme vorliegen, gestatten nicht nur die induktive Ableitung des genannten Satzes, sondern auch eine einfache nachträgliche Ex-perimentalprüfung von an der Schultafel ausgeführten Konstruktionen des Kräfteparallelogramms. Es war meine Absicht, Ihnen den Grund-versuch dieser Methode hier vorzuführen; indessen sind die Dimen-sionen dieses Lokales so ungünstig, dafs wohl die Hälfte der Reihen der Anwesenden den Verlauf dieses Versuches nicht hinreichend deut-lich wahrzunehmen vermöchten, weshalb ich Ihre Geduld nicht damit in Anspruch nehmen will.

An den Fall paralleler Kräfte schliefst sich die Bestimmung des Schwerpunktes. Bei Ausdehnung der Kräftetheorie auf Kräfte, die nicht alle in einer Ebene liegen, unter allen Umständen aber bei Schwerpunktsbestimmungen, z. B. an der Pyramide, am Prisma, wird die Diskussion stereometrischer Gebilde in der 7. Klasse nötig, ohne dafs vorher die Elemente der räumlichen Geometrie den Schülern be-kannt geworden sind. Zur Veranschaulichung hiebei auftretender Ge-raden und Punkte, die innerhalb eines Körpers liegen, kann die hier zur Einsicht stehende Vorrichtung dienen, die ich zur Darstellung stereometrischer Gebilde überhaupt benütze. Grund- und Deck-fläche eines aus Holzstäben von ca. 40 cm Länge gebildeten Würfels sind mit Drahtgitterstoff bespannt, dessen Maschen die Einziehung von farbigen Schnüren oder ausziehbaren Messingstäbchen in jeder beliebigen Lage gestatten, wodurch ohne weitere Stützen die jeweils zu betracht-

3*

enden geometrischen Gebilde in grofser Anschaulichkeit dargestellt und insbesondere auch Linien im Innern der Gebilde der prüfenden Messung unterworfen werden können. — Von den einfachen Maschinen ist das Wellrad in der neuen Schulordnung gestrichen worden. Hebel und schiefe Ebene müssen jedenfalls in Experimenten auf ihr Gleichgewichtsgesetz geprüft werden, auch wenn dasselbe aus dem Kräfteparallelogramm abgeleitet wird. Da bietet sich ein Beispiel deduktiver Methode. — Ob es hiebei möglich wird, die Theorie des Kräftepaares eingehend zu behandeln, möchte ich bezweifeln. Mir war es bisher nicht möglich, den Gang des von mir benützten Lehrbuches der Physik von Walberer-Recknagel in diesem Punkte einzuhalten. An den Hebel schliefst sich die nicht zu übersehende Theorie der Wage. — Bei den Maschinen findet sich auch Gelegenheit den Begriff der Arbeit zu erläutern unter Vergleichung der Arbeit der Kraft und Arbeit der Last. — Der Archimedische Satz, dafs ein Körper, der in eine Flüssigkeit eintaucht und überall von derselben umgeben ist, von seinem Gewichte soviel verliert, als die Flüssigkeit wiegt, die er verdrängt, ist an der hydrostatischen Wage zu gewinnen, wobei auch die Gewichtszunahme der Flüssigkeit, in welche der Körper eintaucht, zu messen ist. Für die theoretische Begründung dieses Satzes ist die Frage des Bodendruckes flüssiger Körper zu beantworten, wozu die Paskalsche Wage dient. Hier ist auch ein Blick auf Experiment und Beobachtung im Altertum am Platze und der Hinweis, dafs auch die Philosophen des Altertums Naturgesetze richtig erkannten, wo sie auf Beobachtungen sich stützten, dafs sie aber den richtigen Weg meist verloren, wo an die Stelle der Anschauung und Messung die Spekulation trat. Anwendungen des Archimedischen Prinzipes ergeben sich bei Bestimmung des spezifischen Gewichtes, wobei auch auf die bequeme Anwendung der Jollyschen Federwage hinzuweisen ist. Eingeschlossen soll die Bestimmung des spezifischen Gewichtes von Flüssigkeiten sein, da ohne Vorherbestimmung desselben feste Körper, die in Wasser löslich sind, nicht untersucht werden können. Die Ausführung des Versuches der Bestimmung von Gasdichten ist ziemlich kompliziert; deshalb ist auch hievon nichts in das Lehrprogramm aufgenommen. Immerhin wird der Weg, auf dem diese Konstanten erhalten werden, bei dem Mariotteschen Gesetz angedeutet werden können. — Das wichtige Mariottesche Gesetz wird am zweckmäfsigsten an einem einzigen Apparate mit zwei durch einen Gummischlauch verbundenen, an einer vertikalen Spiegelskala verschiebbaren Glasröhren durch wiederholte Versuche abgeleitet. Dieser Apparat kann zugleich als Modell einer Quecksilberluftpumpe und eines Luftthermometers dienen.

Der Toricellische Versuch zur Demonstration des Luftdruckes kann in der Art, wie er mit dem hier ausgestellten, von mir konstruierten Apparate sich durchführen läfst, zugleich ein zu Messungen geeignetes Barometer liefern. Es kann hiebei nicht nachdrücklich genug betont werden, dafs bei den Ablesungen der den Luftdruck messenden Quecksilbersäule das untere Niveau berücksichtigt werden mufs. Sie überzeugen sich durch den Augenschein, wie fehlerhaft bei

Druckschwankungen, die ich an diesem Apparate bequem hervorrufen
kann, die Ablesungen werden müssen, wenn die Änderungen des
unteren Niveaus unbeachtet bleiben würden. — Das Aneroid wird
an einem offenen Modell erläutert. — Besprechung muſs hiebei erfahren die Abnahme des Luftdruckes mit der Höhe und das Prinzip
der Höhenmessung. — Mit Rücksicht auf die Elemente der Wetter-
kunde müssen die Isobaren sowie die Reduktion des Barometer-
standes auf den Meeresspiegel erläutert werden. Hiebei empfiehlt es
sich eine Reduktionstafel für den Schulort mit den Schülern zu entwerfen und den Ortsbarometerstand mit den ausgehängten Wetter-
karten zu vergleichen. — An die Erklärung der Luftpumpe schließen
sich die Versuche mit den Magdeburger Halbkugeln, mit einem abgekürzten Barometer, ferner Versuche über Luftausdehnung an einem in
Wasser tauchenden Reagensgläschen mit Luftblase und Luftwägung.
— Da diesem Abschnitte der luftförmigen Körper der Schall zuge-
ordnet ist (die Schulordnung trennt ihn nicht von denselben durch
Kolon), so ist damit wohl die Direktion gegeben, nicht die ganze
Akustik als solche zu behandeln, sondern nur die Ausbreitung des
Schalles in der Luft, die Entstehung der Schallwellen, ihre
Fortpflanzung und Reflexion zu untersuchen. Zur Demonstration
dürfte besonders der Wellenapparat von Professor Mach zu empfehlen
sein, der auf einfache Art und recht deutlich Longitudinal- und Trans-
versal-Schwingungen erzeugt und auch, wenn man es brauchen will,
stehende Wellen mit Knotenpunkten liefert. — Das Lehrprogramm
schreibt bei der Wärmelehre nur Thermometer und Dampfmaschine vor. Mit Rücksicht auf die Altersstufe unserer Schüler
werden indessen wohl nicht bloſs diese Apparate vorzuzeigen und zu
beschreiben sein. Es wird die Behandlung der Hauptwirkungen der
Wärme, d. i. der Ausdehnung und Änderung der Aggregatzustände
geboten sein. — Die Lehre vom Ausdehnungskoeffizienten erfordert je einen Versuch zur Demonstration der Volumenänderung
eines festen, flüssigen und gasförmigen Körpers. — Der Abschnitt über
Sieden verlangt auch in unserer Beschränkung jedenfalls die Messung
der Spannkräfte von verschiedenen Dämpfen, die im Barometervakuum
entstehen und Temperaturänderungen unterworfen werden. Die Änderungen der Aggregatzustände nötigen zur Behandlung des Begriffes
Wärmeeinheit. — Bei den Dampfmaschinen selbst dürfte die
Erläuterung des Dampfzylinders und des dampfverteilenden Schiebers
mit der Steuerung genügen. Die Lehre von den Dampfmaschinen ist
in unseren Tagen ein so umfangreiches Kapitel der Maschinenkunde
geworden, daſs der Physiker als solcher dasselbe kaum mehr beherrscht.
— Das Thermometer leitet bei der Erläuterung auf die Apparate
zur Bestimmung des Maximums und Minimums sowie insbesondere
auf den Begriff Lufttemperatur. Hierüber, sowie über die Bedeutung und Tragweite des Wortes Mitteltemperatur und ihre
Gewinnung aus Terminbeobachtungen ist eine etwas eingehendere Belehrung dringend geboten, da über diese Dinge nicht bloſs unter den
gebildeten Ständen überhaupt, sondern weit in die Reihen derjenigen

hinein, die mit klimatologischen Elementen sich beschäftigen wollen oder müssen, grofse Unklarheit anzutreffen ist. Zu welch schiefen Urteilen ein kritikloses Mittelbilden durch Addition von Temperatur-Ablesungen und Division solcher Summen durch die Summandenzahl führt, wenn zudem noch die Instrumente ungünstig aufgestellt und mangelhaft korrigiert sind, davon findet man vielfach Spuren in der Literatur. Soweit sollten unsere Schüler jedenfalls gelangen, dafs sie im stande sind, die meteorologischen Angaben in unseren Tagesblättern lesen zu können. — Die Geschichte des Thermometers bietet eine Reihe dankbarer Punkte zur Besprechung. — Die Erläuterung meteorologischer Aufzeichnungen gibt auch die beste Gelegenheit zur Belehrung über graphische Darstellungsmethoden und Auswertung von Diagrammen. Hievon macht ja jetzt die wissenschaftliche Darstellungsmethode in allen Disziplinen weitgehenden Gebrauch. — Die Wärmelehre soll endlich auch Ausblicke eröffnen auf das Verhältnis von Wärme und Arbeit.

(§ 13. Ziff. 12.) Bei Durchnahme der verschiedenen Arten der Bewegung ist eine gute Fallmaschine (System Atwood) uneutbehrlich. Auch wird eine Fallrinne von ca. 250 cm Länge mit variabler Neigung gute Verwendung finden. Hier sind insbesondere historische Rückblicke nicht zu versäumen, die darauf aufmerksam machen, wie lange der Aristotelische Irrtum, dafs die Geschwindigkeiten fallender Körper den Gewichten derselben proportional seien, sich halten konnte, und wie der Versuch an sich, dafs von dem ca. 65 m hohen Turme in Pisa eine halbpfündige und eine 200pfündige Kugel den Boden fast gleichzeitig erreichten, Klarheit in einer Sache schafften, die Jahrhunderte lang kritiklose Tradition gefunden hatte. Ein Bild dieses Turmes, sowie das Innere der Kirche, in welcher der junge Galilei als Student während des Gottesdienstes eine schaukelnde Lampe beobachtete und sich durch Abzählung der Schläge in seiner Pulsader überzeugte, dafs die Dauer der Schwingungen unabhängig von der Gröfse der Schwingungsweiten war, wird sicher das Interesse der Schüler finden. — Die Gleichung der Dauer einer Pendelschwingung erhält man in einfacher, ganz elementarer Behandlung mit hinreichender Annäherung nach den Ausführungen von Professor Heel (bayer. Gymnasialblätter 1877, Heft 5). — Die Bewegungslehre vermittelt auch eine eingehendere Behandlung des Prinzipes der Erhaltung der Kraft. Andeutungen, wie souverän dieses Prinzip alle Gebiete des gesamten Naturlebens beherrscht, wie überall Energie-Verwandlungen nach unveränderlichen Mafsen die Thatsache erkennen lassen: „Alles ist Frucht und Alles ist Samen", müssen das lebhafteste Interesse erregen. Auch dürfen hiebei die Namen der führenden Gelehrten nicht zu ignorieren sein. — Die Optik erfordert zunächst die Demonstration der geradlinigen Fortpflanzung des Lichtes an einer camera obscura ohne Linse. — Fortpflanzungsgeschwindigkeit des Lichtes und wenigstens eine Methode deren Berechnung. — Die Reflexion am ebenen Spiegel wird am anschaulichsten demonstriert nach der Methode von Herrn Professor Neu (Bayer. Gymnasialblätter

13. Band 1877, Heft 5). Man erzeugt mit dem Skioptikon, das in keiner Apparatensammlung fehlen darf, ein Lichtband, das die Reflexion am ebenen Spiegel und alle einschlägigen Vorgänge in überraschend instruktiver Weise zeigt. Da diese Versuche nach Gelegenheit mit Sonnenlicht wiederholt werden, so ist ein Heliostat zum Einfallenlassen eines Bündels paralleler Sonnenstrahlen erforderlich. Der Heliostat wird, wo es sich um bleibende Einrichtungen handelt, durch die Mauer geführt oder an einem passenden, zu diesem Zwecke einsetzbaren Fensterladen befestigt. — An den oberen Spiegel schliefst sich die Betrachtung des Concav- und Convex-Spiegels mit Ableitung der Gleichung zwischen Bildweite und Gegenstandsweite. Die Brechung des Lichtstrahles, der von einem Medium in ein anderes übertritt, wird durch Einführung eines Lichtbandes in eine von ebenen Glasplatten begrenzte Cuvette, die mit Kreidestaub getrübtes Wasser enthält, untersucht, wobei eine an die Rückwand gestellte Kreisteilung die Richtungen des einfallenden und gebrochenen Strahles zu bestimmen gestattet. — Daran schliefst sich der Durchgang eines Lichtstrahles durch ein Prisma. — Die totale Reflexion läfst sich auf dieselbe Art an einem gleichschenklig rechtwinkeligen Prisma demonstrieren. — Es folgen die Haupttypen der Linsen mit Ableitung der Gleichung für die Concav- und Convex-Linse. Zu den Versuchen an der optischen Bank verwendet man Flammen oder beleuchtete Schnittfiguren auf mit Staniol überzogenen Glasplatten. — Die Prismenversuche geben als Nebenresultat die Thatsache der Lichtzerstreuung durch die farbigen Säume der gebrochenen Strahlen. — Objektive Darstellung des Sonnenspektrums. Ein Spektralapparat soll auch die subjektive Beobachtung des Sonnenspektrums sowie charakteristischer Spektra von glühenden Körpern durch den einzelnen Schüler ermöglichen. — Von den optischen Instrumenten eignen sich zur Diskussion und Vorführung das einfache und zusammengesetzte Mikroskop, die camera obscura, das direkte und aufrecht stellende Fernrohr, das Teleskop (Reflektor). Zur Demonstration empfiehlt sich die Zusammenstellung aus einzelnen Linsen auf Stativen im dunklen Zimmer oder die Vorzeigung offener Modelle. Jedenfalls müssen die Zwischenbilder objektiv sichtbar gemacht werden können, um die Funktion der einzelnen Gläser hervortreten zu lassen. — Daran schliefst sich die schematische Betrachtung des Auges, wozu die bekannten grofsen Fleischmannischen Modelle, welche in allen Teilen zerlegbar sind, dienen. Versuche über die sogenannte Kurz- und Weitsichtigkeit stellt man mit Zugrundelegung der Scheinerschen Doppelbilder an. Einschlägig ist hier die Funktion des Stereoskopes. Sehr instruktiv ist auch die Demonstration eines Präparates eines frischen, mit Sorgfalt aus der Augenhöhle genommenen Ochsenauges, an welchem das Zustandekommen der Netzhautbilder sehr schön sichtbar wird.

Von Elektrizität und Magnetismus verlangt die Schulordnung: Grunderscheinungen und Grundgesetze; Telegraph; Telephon. Die Veranstellung der Elektrizität soll wohl die Forderung enthalten, den Magnetismus nach Erledigung der Theorie des elektrischen Stromes

im Anschlufs an Ampère als Parallelismus elektrischer Kreisströme zu
behandeln. Es wird aber kaum möglich sein, die Eigenschaften der
Magnetnadel bis zu jenem Abschnitte unerledigt zu lassen, da die
Ablenkung der Magnetnadel durch den elektrischen Strom wohl das
einzig brauchbare Mittel ist, den Schüler an jeder Stelle von dem Vorhandensein eines Stromes zu überzeugen. Es müssen also wohl die
Eigenschaften der Magnetnadel und der natürlichen Magnete überhaupt
in erster Linie besprochen werden. Was den Umfang dieses Abschnittes betrifft, so erfordert die Darlegung der Grunderscheinungen
und Grundversuche die Diskussion der magnetischen Polarität,
des Verteilungsgesetzes, der Deklination und Inklination der
Magnetnadel. Aus der Elektrizitätslehre sind herauszugreifen die nachstehenden Abschnitte: Reibungselektrizität als positive und negative auftretend. Zu den Grundversuchen sind Horizontalpendel von
Glas und Hartgummi zu empfehlen. Gute und schlechte Leiter.
Verteilung der Elektrizität auf der Oberfläche. Statische Induktion.
(Influenz). Ganz besonders instruktiv sind die als unerläfslich zu bezeichnenden Versuche mit dem Elektrophor. Elektrisiermaschine.
Leydener Flasche. Kurze Besprechung der atmosphärischen Elektrizität. Der galvanische Strom wird gewonnen aus einem der sogenannten konstanten Elemente unter Erläuterung der in demselben
sich abspielenden Hauptvorgänge. Ablenkung der Magnetnadel durch
den elektrischen Strom. Wasserzersetzung. Elemente der Elektro-
lyse. Erregung von Magnetismus im weichen Eisen durch die
stromführende Spirale. Begriff des Widerstandes und Messung
desselben. Ohms Gesetz. Bedeutung elektrischer Mafseinheiten. —
Die Aufnahme des Telephons in das Lehrprogramm macht die vor-
hergehende Durchnahme der Induktionserscheinungen nötig. Die
Einführung einer stromführenden Spirale oder eines Magnetstabes in
eine stromlose Induktionsrolle ermöglicht die Demonstration der auftretenden Induktionsströme an einem Multiplikator. Für Schulversuche
habe ich die Benützung des Edelmannschen Multiplikators mit Kupfer-
dämpfung als sehr zweckmäfsig gefunden. Von speziellen technischen
Anwendungen dieses Abschnittes sind zu erläutern die Einrichtung und
der Gebrauch des Morseschen Telegraphen und des einfachen
Telephons. — Wenn die Zeit noch ausreicht, darf wohl ein Ausblick auf das Prinzip der Gewinnung eines Stromes aus Rotationen
von Magneten oder Elektromagneten (Dynamo-Maschinen) nicht
versäumt werden.

Ich habe am Schlusse dieser (im letzten Teile mit Rücksicht auf
die vorgerückte Zeit nur skizzenhaften) Ausführungen meinen Dank
auszusprechen für das demselben entgegengebrachte Interesse. Möge
dasselbe ein glückbedeutendes Omen sein für eine wohlwollende Aufnahme des neuen Lehrstoffes an unseren Gymnasien. Dann werden
auch die idealen Ziele, welche die Obsorge unserer hohen Staatsregierung für eine harmonische Ausbildung der studierenden Jugend
damit erreichen will, erreichbar sein.

Der Vorsitzende sprach dem Herrn Redner für seinen lehrreichen Vortrag, der sehr beifällig aufgenommen wurde, den Dank der Versammlung aus.

Nach einer kleinen Pause hielt G.-L. Dr. Ammon. folgenden Vortrag über

Roms höheres Schulwesen gegen Ende der Republik.

In Fragen des Unterrichts und der Erziehung hat man vielfach auf die alten Griechen hingewiesen und die Bedeutung von γυμνάσιον und γυμνάζεσθαι uns wieder in Erinnerung gerufen. Und wer wollte nicht zur lebensvollen Gewandtheit und Geweckheit der Hellenen, zu jener Harmonie des Geistes und des Körpers als bleibendem Ideal emporblicken? Aber wenn man für unsere Verhältnisse bei den Alten Beispiel und Belehrung suchte, so lag ein Hinweis auf Rom — ich meine das Rom der sinkenden Republik und der Kaiserzeit — näher und wäre vielleicht treffender gewesen. Wie der Deutsche in seinem Charakter mehr dem Griechen, so ist er nach den geschichtlichen Verhältnissen mehr dem Römer verwandt. -- Nachdem Rom mit wuchtiger Hand fast alle Mittelmeervölker niedergeworfen und ein Reich von unermefslicher Ausdehnung geschaffen hatte, wollte der geistige Gehalt und die Form, in der sich geistiges Leben äufsert, nicht mehr recht genügen, zumal wenn man auf das kulturreiche Griechenland seine Blicke richtete. Zwar war das römische Publikum durch Übersetzung und Bearbeitung von epischen und dramatischen Stoffen der Griechen mit einem schätzbaren Teil der schönen Literatur bekannt geworden; hochbegabte Männer, wie Ämilius Paullus, Scipio, Lälius, und feinsinnige Frauen, wie die Mutter der Gracchen, waren dem geistigen Bildungsgange ihrer Nation vorausgeeilt; für den Jugendunterricht selbst waren die grammatischen Vorträge des Krates Mallotes während seines unfreiwilligen Aufenthaltes im J. 169[1]) und die rednerischen Schaustücke der drei Philosophen Karneades, Kritolaos und Diogenes (im J. 155) nicht ohne Wirkung und Nachahmung geblieben.[2]) Aber eine allgemeine, d. i. breitere Schichten des Volkes ergreifende Bildung fehlte bis in die Jugendzeit Ciceros. Noch im J. 92 v. Chr. liefsen die Censoren L. Licinius Krassus und Cn. Domitius Ahenobarbus den neuaufgetauchten „lateinischen Rhetoren" ihre Schulen polizeilich schliefsen, indem sie auf die Gefährdung althergebrachter Einrichtungen und die Nichtigkeit der neuen Schulen hindeuteten.[3]) Bei Cicero (de

---

[1]) Sueton. de gramm. c. 1. — [2]) Cic. de or. II § 155 u. III 68. Gell. N. A. VI 14, 9. — [3]) Der Wortlaut des merkwürdigen Edikts lautet bei Sueton rhet. c. 1 (= Gell. N. A. XV 11, 2): Renuntiatum est nobis, esse homines qui novum genus disciplinae instituerunt, ad quos iuventus in ludum conveniat; eos sibi nomen imposuisse Latinos rhetoras; ibi homines adolescentulos dies totos desidere. maiores nostri, quae liberos suos discere et quos in ludos itare vellent, instituerunt. haec nova, quae praeter consuetudinem ac morem maiorum fiunt, neque placent neque recta videntur. quapropter et iis qui eos ludos habent, et iis qui eo venire consuerunt, videtur faciundum, ut ostenderemus nostram sententiam, nobis non placere.

or. III § 93—96) nennt sie Krassus Schulen der Zungenfertigkeit und Dreistigkeit. So äufserte sich noch einmal die altrömische Strenge wie ein verspäteter Frost. — Bildungsepochen lassen sich zwar nicht mit einem bestimmten Datum abgrenzen, aber gleichwohl dürfte das Jahr der genannten Censoren einen Wendepunkt in der römischen Erziehung und Bildung bezeichnen. Mit dem gesteigerten Bildungsbedürfnis wächst[1] ungestört die Zahl und der Besuch der Schulen, der lateinischen wie griechischen; das starke nationale Element vermählt sich mit der ungleich höheren Kultur der Hellenen. Dabei ist das geistige Leben getragen von den mächtigen Wogen der politischen und socialen Kämpfe und kontrastiert so scharf gegen die deklamatorische Hohlheit der Kaiserzeit.

Wenn ich Ihnen nun Ziel, Stoff und Methode des Unterrichtes sowie einiges über die äufseren Verhältnisse der Schule in dieser Periode — etwa von 92 v. Chr. bis auf das Todesjahr Ciceros (43) herab — des näheren auseinandersetzen soll, so entzieht sich der Elementarunterricht von vornherein einer eingehenden Betrachtung — über ihn wissen wir zu wenig —, aber auch bei der Darstellung des wissenschaftlichen Unterrichtes wird sich manche Verschwommenheit oder voreilige Verallgemeinerung nicht leicht vermeiden lassen.[2]

Im Anfang des Jahrhunderts ringen noch manche Gegensätze miteinander: ob Natur oder Unterricht, ob Nationales oder Fremdes, ob wenig aber gründlich oder viel und oberflächlich. Die natürliche Begabung und die Übung im praktischen Leben, behaupten die Anhänger der altrömischen Schlichtheit, ist es, wodurch der Mensch Grofses leistet; die Bildung ist nichts als eitler Schein, sie ist unnütz, ja schädlich.[3] Zur Stütze ihrer Ansicht standen ihnen achtunggebietende Gröfsen aus Roms Vergangenheit zu Gebote. Andere erkannten zwar nach dem Vorbild des alten Kato den Wert des Unterrichtes an, wollten aber ausschliefslich nationale Stoffe, nichts Fremdländisches, nichts Griechisches. Cicero, der biedere Grofsvater des berühmten Redners, fafst sein Urteil über griechische Bildung also zusammen (Cic. de or. II § 265): „Bei unsern Mitbürgern ist es wie bei den feilgebotenen syrischen Sklaven: Je mehr einer griechisch versteht, ein um so gröfserer Taugenichts ist er". Und auch der Redner Cicero sucht, wenn er seinen Landsleuten Muster der Redekunst vorführen will, entweder nationale oder entschuldigt sich angelegentlich wegen der Wahl griechischer Beispiele.[4] Es herrschte eben beim grofsen Publikum Roms eine gewisse Voreingenommenheit gegen das leichtfertige Griechentum und damit gegen alles „Transmarine".[5]

---

[1] Cic. de or. III § 93. Suet. gramm. 3. — [2] Für eine Schulgeschichte der Kaiserzeit ist das Quellenmaterial günstiger. Für das ciceronianische Zeitalter boten mir Stoff aufser den Schriften Ciceros namentlich (Cornif.) rhet. ad Herenn., Varro, Dionys. Hal., Quintilian, Tacitus, Sueton, gelegentlich auch Horatius, Juvenal, Plutarch u. a. Die Stellennachweise dürften manchem nicht unwillkommen sein, wenn auch Vollständigkeit nicht angestrebt, geschweige denn erreicht ist. — [3] Der Römer will nicht für gelehrt gelten, Cic. de or. II § 4. 15. 153. — [4] or. § 132. — [5] Cic. de or. II § 153.

Dem gegenüber war von den besten Geistern der bildende Wert der griechischen Literatur unbedingt anerkannt: die virtutes seien den Römern eigen, die doctrinae müsse man von den Griechen holen.[1]) Der Eifer ging bei einigen soweit, dafs sie ihr Römertum fast vergafsen, griechisch schrieben und sprachen, in lächerlicher Weise als Griechen sich gerierten.[2]) Ein mehr methodischer Gegensatz war Konzentration und Polyhistorie, Einseitigkeit und Vielseitigkeit.[3]) Rom hatte damals schon neben den Fachstudien der Juristen, Militärs, Mediziner und Anwälte auch Spezialisten in den freien Künsten, Musiker, Mathematiker, Philologen, Historiker, Dialektiker, Dichter etc.[4]) Gegen die Zersplitterung[5]) eifern Männer, die den ursprünglichen Zusammenhang der meisten Disziplinen aufrecht erhalten wollen, setzen sich allerdings dem Vorwurf aus, mit ihrer Forderung die Jugend zu überbürden.[6]) Die Polymathie ist indes dem Römer zusagend wie jedem Anfänger, der von dem Schönen und Wissenswürdigen gleich möglichst viel zusammenraffen möchte. Als Grundlage der vielseitigen Bildung wollten manche die Philosophie wählen,[7]) indem sich um diesen Kristallisationspunkt alle Zweige des Wissens gruppieren sollten, andere die Rhetorik. Die Philosophie gilt mit Recht als die idealere Richtung;[8]) sie hat zwar wenig von dem Flug der griechischen Spekulation, hält sich aber auch dem politischen Treiben gerne fern; sie befafst sich vornehmlich mit der Ethik und sucht die Kunst selbstzufrieden zu leben. Die praktische Richtung verfolgt die Rhetorik. Ihr konnten sich auch die Freunde der Philosophie nicht entziehen, wollten sie eine hervorragende Stellung im Leben einnehmen.[9]) So kam, der geschichtlichen Entwicklung, den Zeitbedürfnissen und dem römischen Volkscharakter entsprechend, eine Bildung zur allgemeineren Geltung, die sich als national und griechisch, rhetorisch und vielseitig darstellt.

Als das Ziel dieser Bildung bezeichnet Cicero die Fähigkeit: de omnibus rebus copiose et ornate dicere,[10]) gedankenreich und formvollendet über jeden Gegenstand zu sprechen. Wer das kann, ist der vollendete Redner und Staatsmann und zugleich der rechte Philosoph; er vereinigt die sapientia mit der eloquentia. Für copiose und ornate treten abwechselnd Synonyma und Umschreibungen ein, und statt des etwas arrogant klingenden de omnibus rebus verschanzt man sich hinter verschiedene Beschränkungen des Gebietes, gewöhnlich: de civilibus causis, also die Fähigkeit, sich an allen wichtigeren Fragen des öffentlichen Lebens mit ausreichender Sachkenntnis und sprachlicher Gewandtheit zu beteiligen, eine grofse und doppelt wichtige Aufgabe, solange die Souveränität des Volkes bestand.

---

[1]) Cic. de or. III § 137. -- [2]) über Albucius s. Cic. do fin. I 3, 8 f. — [3]) Cic. de or. I 250—260. — [4]) Cic. de or. II 226 (I 131), III 58 u. 86, de inv. I 36. — [5]) Cic. de or. III § 133 ff. — [6]) Cic. de or. I 256. — [7]) Cic. de or. I 217; Gegner der Phil. de inv. I 65 u. de fin. I I, 2. — [8]) Einleit. der rhet. ad Herenn. u. Cic. or. — [9]) Cic. de or. I 13 u. 14. Tac. dial. c. 36 u. 37. — [10]) Cic. de or. I 21 (54, 59, 64, 128), II 5, III 76, Tusc. I § 7 etc.

Als Grundlage bot sich dieser Bildung naturgemäſs die Sprache: die Muttersprache, zu deren logisch sicheren und formvollendeten Handhabung der Schüler durch Grammatik und Rhetorik geschult werden soll, und die griechische Sprache, welche sich zur Muttersprache gesellt, diese selbst unterstützend und fördernd.[1] Muttersprache und Griechisch ist die Doppelwährung dieser römischen Bildung. Eine ausgedehnte Lektüre in beiden Sprachen veranschaulicht und befestigt die grammatischen und rhetorischen Regeln und liefert geeignete Muster zur Nachahmung. Zahlreiche Übungen[2] im Aufsatz, in der Rede und im Vortrag leiten zur praktischen Thätigkeit über. Da aber trotzdem der ganze Unterricht in eine gewisse Öde und Trockenheit auszulaufen drohte, so muſste nach anderen Behelfen Umschau gehalten werden. Und da boten sich leicht eine Reihe von adiumenta, Hilfswissenschaften oder Nebenfächern,[3] welche den grammatisch-rhetorischen Unterricht teils begleiten, teils ihm nachfolgen: vaterländische und in beschränktem Maſse auswärtige Geschichte, die drei philosophischen Disziplinen Logik oder Dialektik, Ethik und Physik, eine gewisse Kenntnis des bürgerlichen und Staatsrechtes, Geometrie (incl. Arithmetik) und Musik. Das sind so ziemlich die Haupt- und Nebenfächer, die sich zu einer ἐγκύκλιος παιδεία (allgemeinen, abgerundeten Bildung) zusammenschlieſsen konnten.[4] Gelegentlich wurden auch andere Fächer beigezogen, wie Architektur, Geschichte der bildenden Künste, Militärwissenschaft oder Landwirtschaft.

Zur Übermittelung des im Vorstehenden umgrenzten Bildungsstoffes gab es keine staatlich geordneten Schulen, wohl aber hatten sich nicht wenige[5] Privatschulen aufgethan, teils von Griechen geleitet teils nach griechischem Muster von Einheimischen eingerichtet. Vorausgeht die grammatische Schule; ihr folgt ein rhetorischer Kursus als der eigentliche Stamm des Unterrichtes; ihn krönen einige philosophische Kollegien, teils in Rom (meist als privatissima) teils auf der Universität in Athen gehört.[6] Ein weites Feld bleibt dem Privatstudium und der Weiterbildung nach dem Eintritt ins öffentliche Leben. Eine strenge Scheidung der einzelnen Fächer wurde nicht respektiert, ebenso wenig eine unabänderliche Stufenfolge in den Unterrichtskursen: der Grammatiker greift vor in das Bereich der Rhetorik, der Rhetor in die Grammatik zurück, die Philosophie vereinigt sich mit beiden oder beide borgen über die Maſsen von dem Philosophen.[7] Für die eingehendere Betrachtung dürfte es sich daher empfehlen die Lehrgegenstände zu Grunde zu legen.

Ich beginne mit der Muttersprache. Auf der Elementarstufe[8] — um auch diese mit einem Wort zu streifen — wurde der Knabe zum fertigen Sprechen, Lesen und Schreiben angeleitet, zu

---

[1] Cic. Brut. § 310. — [2] Cornif. I 3 ars (praecepta), imitatio, exercitatio; Cic. de or. I 95 audire, legere, scribere (cf. 19, 147/9). — [3] Cic. or. § 113—121; de or. I 158. 165. II 5 u. 85. III 58. 87. — [4] Dionys. Hal. de comp. p. 400 Sch. u. ö., Quint. I 10, 1. — [5] Suet. gr. c. 3 (einmal über 20 starkbesuchte Grammatiker-Schulen in Rom). — [6] Cic. epist. XVI 26. Brut. § 306 u. 309. Hor. ep. II 2, 43—45. — [7] Cornif. IV § 17, Cic. de or. u. or. an versch. Stellen, Suet. gr. c. 4 u. 10. — [8] Quint. I 1. Tac. dial. c. 23.

Hause auf dem Schofse der Mutter und der Amme oder an der Hand
eines Elementarlehrers (litterator od. grammatista, Suet. gr. 4). Das
feine Ohr des Hauptstädters beachtete wohl den korrekten, etwas
altertümlichen Accent und Ausdruck, den der Knabe aus edler Familie
von seiner Mutter mitbrachte.[1]) Die Aufgabe des Grammatikers
war es, auf dieser schlichten Grundlage weiterzubauen. Der Knabe
mufste lateinisch und deutlich — wir würden sagen deutsch und
deutlich — reden und schreiben lernen, d. i. Eleganz der Sprache.[2])
Man lehrte die Einteilung der Wortarten, übte die oft recht schwankende
Orthographie[3]) (auch eingehendere Lautlehre), erklärte veraltete Wortformen und Verbindungen (duis = bis, sodes = si audes, etc. Cic.
or. § 153 f.), besprach die schwierigeren Kapitel der Deklination und
Konjugation, zergliederte die Syntax und suchte so den Solöcismus in
seinen hundert Arten zu bannen.[4]) Der tiefgehende Streit um Analogie und Anomalie, der übers Meer gekommen war und in Rom von
hervorragenden Männern (Lucilius, Varro, Caesar, Cicero) neu belebt
wurde, der Streit um Sprachgebrauch und Sprachrichtigkeit, warf seine
Wellen auch auf die Schule. Vernünftig fordert Varro (l. l. IX 16),
wie in unseren Tagen besonders R. Hildebrand, Achtung des jugendlichen Sprachgefühls und nur ein allmähliches Hinüberleiten vom
Dialektischen und Unrichtigen zur Norm. Neben manchen windigen
Tüfteleien — ob lepus nicht wie lupus, Phryx wie crux zu deklinieren
sei, warum männliche Personennamen eine Femininendung zeigten
wie Fimbria, Sulla, warum zu corvus das fem. corva fehle, u. ä. —
wurden zahlreiche berechtigte Fragen erörtert[5]): ob man in der
2. Deklin. Plur. Gen. durchgehends ùm statt orum setzen dürfe, also
armûm indicium (ὅπλων κρίσις), wie man sagt in liberûm loco, ob zu
facies faciet die erste Person nicht faciem statt faciam heifse,[6]) ob
neben sint das alte sient zulässig sei, ob man nicht wie concisum
ebenso pertisum und nicht pertaesum sagen müsse. In das Gebiet
des Grammatikers gehört auch die reichhaltige Tropen- und Sche-
menlehre, von der sich nicht gerade das Beste in unsere Schulen
gerettet hat. Die grammatische Terminologie deckte sich nicht[7]) vollständig mit der rhetorischen, so dafs der in die Rhetorschule über-
tretende Jüngling manches umlernen mufste. Ihre rechte Belebung
bekommen die Regeln erst durch die Lektüre,[8]) namentlich der
Dichter und Historiker. Dabei wurde nicht blofs auf eine Wort- und
Sacherklärung strenge gehalten, sondern auch auf ein sinngemäfses,
dialektfreies, rhythmisches und melodisches Lesen Rücksicht genommen

---

[1]) Gerühmt wird der erzieherische Einflufs der Kornelia, der Lälia (Tochter
des Laelius sapiens) ihrer Töchter und Nichten, ferner der Mutter des Cäsar und
des Augustus, Cic. de or. III 45, Brut. 211; Tac. dial. 28, 23. — [2]) über elegantia
(sprachliche Reinheit und Klarheit) Cornif. IV 17, Cic. de or. III 39. — [3]) Varro
l. l. IX § 15. Einführung der Aspiraten ch ph th, etc. s. Cic. or. 160. — [4]) schon
bei Lucilius IX 3 M. Cornif. IV § 17. — [5]) Cic. or. § 149—161. Quint. Ic 4 - 9. —
[6]) Cato schrieb dicem etc. Quint. I 7, 23. — [7]) Cic. or. § 93. — [8]) nach Dionys.
Thrax (c. 100 v. Chr.) ist die Grammatik überhaupt nur ἐμπειρία τῶν παρὰ ποιηταῖς
τε καὶ συγγραφεῦσιν ὡς ἐπὶ τὸ πολὺ λεγομένων mit 6 Aufgaben (p. 5 Uhl.), cf. Cic. de
or. I 187.

zur Bekämpfung des Barbarismus und anderer Verkehrtheiten.[1]) Es
war nachgerade Modesache geworden, einen archaischen, d. i. breiten,
bäuerischen Dialekt auch zu sprechen, nicht blofs zu schreiben,[2])
z. B. vēa statt via.[3]) Das musikalische Element in der Sprache, das
zarteste, wichtigste, geheimnisvollste, wie es R. Hildebrand nennt,[4])
wurde bei den Alten weit mehr gewürdigt und im Unterricht berücksichtigt, als wir uns gewöhnlich vorstellen. — Die ersten stilistischen
Übungen die den Knaben zu selbständigem Arbeiten anhalten und
im weiteren Verlauf zur Rhetorschule hinüberleiten sollten, waren
mannigfaltiger Art;[5]) ein grofser Teil wurde später unter dem Namen
„Vorübungen" (Progymnasmata) zusammengefafst.[6]) Als erste und
einfachste gilt die Nacherzählung nach einem prosaischen oder poetischen Stück, eine Umbildung und Erweiterung. Nur bemerkt Krassus
bei Cicero (de or. III § 154) mit Recht: Wenn ich als Knabe von
einer Partie aus Ennius oder Gracchus den Inhalt mit ganz anderen
Worten wiedergeben wollte, so sah ich, dafs die besten und schönsten
Ausdrücke eben in meiner Vorlage standen; nahm ich die gleichen,
war die Übung nutzlos, wählte ich andere, so wurde die Darstellung
schief. Historische Erzählungen, Fabeln, Anekdoten[7]) bezeichnen einen
weiteren Fortschritt und bereichern den Sprachschatz und die Phantasie zugleich. Übungen im Definieren,[8]) die Behandlung eines Satzes
nach der Form der Chrie,[9]) eine Beschreibung, eine Ansprache,[10])
eine Charakterzeichnung, fast zu einer dramatischen Scene ausgeführt,[11]) sind ein Grenzgebiet zwischen Grammatikern und Rhetoren,
erinnernd an den früheren Zusammenhang (Sueton. de gramm. 4).
    Regel war es, dafs der etwa 12—15jährige Knabe zum Rhetor
kam; Ausnahmsfälle sind es, wenn ältere und besonders reife Schüler
sich gleich dem Forum zuwenden.[12]) Es kann natürlich nicht meine
Absicht sein, die Unterweisung in den rhetorischen Schulen in der
Art zu besprechen, dafs ich Ihnen das reichgegliederte Lehrgebäude
der Rhetorik vorführe. Über drei Jahrhunderte hatten Praxis und
Theorie der Griechen zusammengewirkt — zuerst jene, zuletzt diese
vorherrschend —, um eine erstaunliche Fülle von Beobachtungen und
für alle Zeiten gültigen Vorschriften über die Kunst der Rede niederzulegen. Rom bemächtigte sich dieses Schatzes, der in Griechenland
unnütz geworden war: Kompendien, zahlreich wie unsere Grammatiken
und Übungsbücher, unselbständig und trocken ebenso wie diese, fassen
die Lehren zusammen in knapper, schmuckloser Form, lateinisch und
griechisch.[13]) Der Anfänger lernt[14]) eine solche Techne auswendig,
wohl noch nicht im klaren, was mit dem Zeuge zu machen ist; die
Erklärung des Lehrers hilft dem Verständnis nach.[15]) Es soll dem

---

[1]) Cic. de or. I 187, Dionys. Thr. l. l., Quint. I c. 8. — [2]) Suet. gr. 10 (Pollio
über Sallust). — [3]) Cic. de or. III 46. — [4]) Vom deutsch. Unterr.[5] S. 86 cf. Arist.
rhet. III c. 1. — [5]) Cornif. IV § 47 ff. (unter den Sinnfiguren), Suet. gr. 4. —
[6]) Hoppichler, De Theone ... progymnasmatum scriptoribus, Würzb. 1884. — [7]) Cic.
de inv. I 27, de or. II 240 u. 251. — [8]) Cic. de or. II 109. — [9]) Cornif. IV 56. —
[10]) Suet. gr. 4. — [11]) Cornif. IV 63—66 (notatio u. sermocinatio). — [12]) Suet. gr.
4 fin. — [13]) Cic. de or. I 22; II 10, 84, 162, III 70 u. 92; Quint. I 1, l. — [14]) Cic.
de or. I 137/8. — [15]) Cornif. III 1 (II 50), Cic. de or. II 162.

Schüler gezeigt werden, wie er einen Stoff, der dem öffentlichen Leben
(Gericht, Versammlung, Senat, Feierlichkeit) entnommen ist, allseitig
durchzudenken, den springenden Punkt herauszufinden, die einmal ein-
genommene Kampfesstellung mit allen Mitteln zu verteidigen vermag,
wie er das gewonnene Material gleich einem Heerkörper strategisch
aufstelle und seine ganze Rede in ein gefälliges Gewand kleide. Auch
für Gedächtnis und Vortrag wurden recht brauchbare Winke gegeben.
Die Anweisung über Örter und Bilder als Behelfe der Erinnerung bekunden mehr Verständnis und praktischen Wert als unsere gewöhnlichen Mnemotechniken beanspruchen dürfen; doch das wäre ein
Kapitel für sich, ebenso was über den Vortrag (Schulung der Stimme,
Körperhaltung, Gesichtsausdruck) gelehrt wird. Der Schwerpunkt lag
aber in der Behandlung der elocutio; die Jugend hat noch nicht die
Erfahrung und den Gedankenvorrat der Erwachsenen; für sie ist die
sprachliche Seite, wenn auch Form und Inhalt nie vollständig getrennt
werden· können, doch das Erreichbarere.[1]) Bei seiner stilistischen
Unterweisung darf der Rhetor die zwei Grunderfordernisse latine et
dilucide, rein und deutlich, als durch den grammatischen Kursus gewonnen veraussetzen, gliedert sie aber der Vollständigkeit halber
seinem Unterricht ein, da manche Schüler unmittelbar vom Elementarunterricht kommen oder die Behandlung beim Grammatiker eine
andere ist. Der künftige Redner muß mehr können;[2]) er muß eine
glänzende und schwungvolle Sprache führen, er muß mit allen
Kunstmitteln der Rede wirken. Inwieweit darf er zu diesem Zweck
ein veraltetes, dialektisches, selbstgebildetes Wort wählen? Ein Fremdwort? Welche Metaphern und Figuren sind für ihn zulässig? welche
für die Rede besonders wirksam? Wie sind die Wörter aneinander-
zureihen? Welches ist die Grenze zwischen Poesie und Prosa? Welche
Stilgattungen gibt es? Diese und ähnliche Fragen wurden mit Feinheit,
ja Spitzfindigkeit erörtert. Die Lehre vom prosaischen Rythmus und
vom Periodenbau ging — wenn wir den Worten Ciceros glauben
dürfen — über den Horizont der gewöhnlichen Schulmeister hinaus;[3])
er hat die alte griechische Erfindung theoretisch und praktisch bei den
Römern eingeführt und damit zahlreiche Bewunderer und Gegner gefunden. — Auch die rhetorischen Stillehren mußten wie die grammatischen Regeln an Beispielen[4]) geübt werden. Der treffliche Verfasser
des dem Herennius gewidmeten Lehrbuches verlangt allen Ernstes,
daß der Lehrer sämtliche Musterbeispiele selbst bilde. In der Regel
trat aber die Lektüre ein mit dem ausgesprochenen Zweck der Imitation, über welche man genauere Anweisungen hatte. Aber welche
Schriftsteller sollte man lesen und nachahmen? Die Kontroverse drehte
sich hauptsächlich darum, ob die alten oder die neuen; jene, die ohne
Kunst und Künstelei das Kind beim rechten Namen nennen, reich an
Gedanken und klar, aber herb und ungeglättet, oder diese, die doch

---

[1]) Dionys. Hal. comp. p. 4 R; nach Cic. de inv. I 50 fand die elocutio
nicht immer die gebührende Berücksichtigung. — [2]) Cic. de or. III 48—55.
— [3]) do or. III 188. or. 226. — [4]) erst Regel, dann Beispiel, s. Dionys. Halic.
p. 789 R.

einer ungleich höheren Formvollendung sich rühmen durften;[1]) dort
ein Cato, Galba, Laelius, Carbo, Gracchus, hier Crassus, der zuerst
das ornate dicere einführte (Cic. de or. II 53), und Antonius, beide
noch auf der Grenze, jünger Hortensius, Cicero, Caesar; dort die
Dichter Ennius, Pacuvius, Plautus, Terentius, Accius, Lucilius, hier
Vergilius, Varius u. a. In den ersten Jahrzehnten des Jahrhunderts
haben die Alten das Übergewicht, gegen Schluß der Republik neigt
es auf Seite der Neuern.[2]) Die Schule ist aber konservativ genug, um,
wie das Horatius (epist. II 1, 70) von seinem plagosus Orbilius berichtet, den grünen Jungen den nötigen Respekt vor den grauen Alten
einzuflößen. Vorgelegt wurden zur Lektüre manchmal vollständige
Werke, oft auch nur besonders gelungene Partien, wie auch wir aus
literarischen und musikalischen Meisterwerken Abschnitte herausheben.
Der Lehrer gab eine genaue Analyse der sachlichen und stilistischen
Vorzüge, was minder gelungen war, wurde als solches offen bezeichnet
und, wo es leicht anging, vom Professor verbessert.[3]) Von den so
erklärten Schriftstellern, Prosaikern und Dichtern, wurden Glanzpartien
memoriert.[4])
    Zahlreiche Übungen leiteten zur Praxis an. Die Stoffe in den
gewöhnlichen Schulen, genommen ex historiis wie Sueton sagt (rhet.
c. 1), waren zumeist abgedroschen: Muttermord des Orestes, Ajax und
Odysseus, Tyrannenmord, des Epaminondas gesetzeswidrige Verlängerung des Oberbefehls, Hannibal, eine Lobrede auf Themistokles,
Aristides, Agesilaus[5]) etc. In dem republikanischen Rom hatte aber
der Schüler die beste Gelegenheit, sich Stoffe aus dem öffentlichen
Leben zu holen, ex veritate ac re; je mehr sich diese an die Wirklichkeit anschliefsen, um so ersprießlicher ist die Übung.[6]) Ausgearbeitet wurde — natürlich nach den Regeln der Techne — oft nur
eine Partie: Einleitung, Schluß, eine Rührscene, ein locus communis
u. ä. Das sind die commentationes oder declamationes,[7]) Übungen, die
mit verschiedenen Stoffen Jahrhunderte lang die Schulen beschäftigten.
    Soviel über die Behandlung der Muttersprache; der andere
Grundpfeiler der sprachlich-humanistischen Bildung Roms war das
Griechische. Das Griechische hatte für das Lateinische selbst die
Methode hergegeben; Grammatik und Rhetorik wurden zuerst griechisch
gelehrt und waren ohne Kenntnis des Griechischen kaum verständlich.
Die römischen Dichter waren in der älteren Zeit Halbgriechen und
Schulmeister, die griechischen Unterricht erteilten. Auch wollte der
gebildete Römer — abgesehen von dem gesteigerten Verkehr mit dem
Osten — die griechischen Autoren, namentlich die Prosaiker, die keine
so glückliche Bearbeitung gefunden hatten wie die Dichter, im Urtext
lesen.[8]) Dazu verkündet Krassus bei Cicero (de or. I 154 ff.): Die

---

[1]) Cic. de or. II 53, III 39, Brut. c. 85 –87, über or. 171; Horat. epist. II 1, 23
ff., Tac. dial. c. 18. 21. — [2]) Cic. Brut. § 123 u. 298. — [3]) Cic. or. 213 ff., besonders Dionys. Halic. über die (6) attischen Redner, über Thucydides, Plato etc. —
[4]) Cic. Brut. § 122 - 130; de or. I 157. — [5]) Cic. do or. II 341, Juvenal. VII
150 ff. [6]) Cic. de or. I 149 ff. — [7]) der Rhetor selbst heißt declamator. —
[8]) Cic. de opt. gen. or. 18, de fin. I 1, 1.

beste Übung in der Muttersprache ist, einen griechischen Text zu übersetzen, indem man zu dem treffenden griechischen Ausdruck den
treffenden lateinischen sucht. — Der Unterricht begann damit, dafs
der Knabe zu Hause von seinem Pädagogen oder sonst griechisch
sprechen hörte und dieses nachsprach. Die Schule war wie die
lateinische ein grammatischer und rhetorischer Kursus;
beide Schulgattungen bestanden nebeneinander in Stoff und Methode
so ziemlich gleich.[1]) Eine Hauptsache war dabei für den Römer auch
das geläufige Sprechen des Griechischen; gelang einem gar, wie dem
Katulus und Attikus, der attische Accent, dann war der Grieche fast
fertig. Cicero[2]) deklamierte vor seinen Lehrern griechisch, seinen
Sohn fragt er die Rhetorik griechisch ab.[3]) Auch Versuche in Poesie
und Prosa liefsen nicht lange auf sich warten; im brieflichen Verkehr
greift ein lateinisch-griechischer Jargon Platz; Brutus[4]) imitiert in
seinen Briefen die lakonische Kürze und Schärfe. — Bei der Wahl
der Lektüre war zunächst die Frage entscheidend, ob leicht oder
schwer; leicht, meint Antonius bei Cicero (de or. II 61), seien die
Geschichtschreiber[5]) und Redner, schwer die Philosophen und Dichter;
diese sprächen ein ganz anderes Griechisch. Der Jurist Trebatius
wollte Aristoteles Topik lesen, fühlte sich aber durch die Schwierigkeiten abgestofsen, und, als er sich auf Ciceros Rat an einen Rhetor
wandte, erhielt er auch von diesem die Antwort: „Von Aristoteles
verstehe ich nichts".[6]) Die Interpretation der Schriftsteller wandte
sich, wie jetzt noch bei den Griechen, mehr der sprachlichen Seite
zu, als dies bei uns üblich ist, z. B. über Etymologie und Analogie,
über Tropen und Figuren, über Wortstellung, über prosaischen Rhythmus.[7]) — Die Übersetzung in der grammatischen und rhetorischen
Schule war wohl eine ziemlich wörtliche; wenigstens stellt Cicero der
Übersetzungsmethode seine gegenüber, wenn er als
Redner den Redner übersetzt und so die „Metempsychose" vollzieht,
nämlich Inhalt und Stilgattung wiederzugeben, den Ausdruck aber der
Muttersprache anzupassen, die Worte dem Leser gewissermafsen vor-
zuwägen, nicht vorzuzählen.[8]) Der Umfang der Lektüre war in den
griechischen Schulen gröfser als in den minder gelehrten lateinischen.
Aufser einigen Autoren der Alexandrinerzeit bildeten jedoch die uns
erhaltenen und in unseren Schulen gelesenen Klassiker Homer, die
Tragiker, Redner etc. den Grundstock.[9]) — Für die Fortgeschritteneren
war auch in der griechischen Lektüre die Absicht der Imitation mafsgebend; die Geschmacksrichtungen freilich gingen wie im Lateinischen
weit auseinander: ob asianischen Stil, ob Atticismus, ob diesen in der
einen oder andern Schattierung, ob ausschliefslich Lysias, ob auch
Demosthenes, Äschines und Isokrates oder die Geschichtschreiber

---

[1]) Oft für beide der gleiche Lehrer, Suet. rh. 5. — [2]) Cic. Brut. § 310. —
[3]) Cic. partit. or. 1. — [4]) Plnt. Brut. c. 2. — [5]) Thukydides aber schwer verständlich, Cic. or. § 30. — [6]) Cic. top § 2 u. 3. — [7]) Dionys. Thr. p. 5 u. 6 (Uhl.),
Dionys. Halic. de comp. p. 284. 302, 308 ff. Sch. — [8]) Cic. de opt. gen. or. (Vorrede zu seiner Übersetzung des Äschines und Demosthenes) c. 5, cf. de fin. I 2, 7.
— [9]) Dionys. comp. p. 284 sqq. Sch.

Xenophon und Thukydides?[1]) Jedenfalls spricht aber Dionys[2]) von Halikarnafs, der im J. 29 v. Chr. nach Rom übersiedelte, mit Recht den Römern das Verdienst zu, den verirrten Geschmack, der seit der Diadochenzeit Manieriertheit als eine Überbietung demosthenischer Schönheit und Grofsartigkeit anstaunte, in gesundere Bahnen gelenkt zu haben. In dem Verständnis für die Zaubermacht der menschlichen Sprache und im Beherrschen derselben sind die Römer wie ihre Lehrer, die Griechen, Meister, in der Etymologie und Sprachvergleichung stümperhafte Anfänger; bei uns Deutschen droht manchmal fast ein umgekehrtes Verhältnis. —

Die sprachliche Durchbildung ist aber der Gefahr der Gedankenarmut und der Phrase leicht ausgesetzt, Fehler, die der römischen Schule nicht mehr und nicht weniger als anderen anhafteten.[3]) Man suchte daher über die engen Grenzen der Grammatik und Rhetorik hinauszukommen, man suchte zu dem eloquens die bessere[4]) Hälfte der Bildung, das sapiens. Über Staat, Sitte, Recht und Gesetz, über Religion, über Gut und Bös, Ehre und Tugend, über die Vorgänge in der Natur mufs der Redner sprechen können; er mufs alle Regungen des menschlichen Herzens kennen; er soll auch die Fähigkeit besitzen, für und wider zu disputieren, einen Begriff durch Definition festzustellen, einen syllogistischen und epagogischen Beweis zu führen u. a. m. Man fand, wie bereits angedeutet, unschwer Hilfsmittel bei Juristen und Historikern und namentlich bei den Philosophen, die mit anderen nach Ciceros Ansicht unberechtigter Weise in das reiche Erbe des vollkommenen Redners und Staatsmannes sich geteilt hatten. Rom hatte damals schon die namhaftesten Philosophenschulen, und so war es dem strebsamen Jünger unbenommen, bei einem Stoiker, Akademiker oder Peripatetiker das Wissenswürdigste aus der Logik, Ethik und Physik sich anzueignen, ohne mit der Gründlichkeit des Fachmannes sich zu vertiefen;[5]) quasdam artes haurire, omnes libare, meint Tacitus (dial. c. 3). Der Redner begnügte sich mit dem, was das grofse Publikum verstand oder anstaunte. Besser als dieser philosophische Firnis pafste zum Redner und Staatsmann eine gewisse Kenntnis des bürgerlichen und öffentlichen Rechtes. Näher auf diese Disziplin und andere Hilfswissenschaften (Mathematik, Musik etc.) einzugehen, verbietet mir die Zeit; nur der Geschichte seien noch einige Worte gewidmet. „Wer nicht Geschichte lernt, bleibt zeitlebens ein Kind", sagt Cicero (or. § 120); eine gründliche Kenntnis der vaterländischen Geschichte (Thatsachen, Zeit, Örtlichkeit, der leitenden Persönlichkeiten und Ideen) sowie einen Überblick über die Entwicklungsepochen der wichtigeren auswärtigen Völker müsse jeder haben, der sich am öffentlichen Leben beteiligen wolle, um jederzeit mit einem schlagenden Beispiel aufwarten zu können. Dabei ist für den Redner das Anekdotenhafte

---

[1]) Cic. or. § 22—33. — [2]) p. 448 R. — [3]) in der puerilis dictio („Schülerdeutsch") sind die Gedanken unwahr oder trivial, ihre Verbindung ist gewaltsam und äufserlich, Cornif. IV 32, Cic. de or. II 189. — [4]) Cic. de or. III 142 si alterum sit optandum, malim equidem indisertam prudentiam quam stultitiam loquacem, cf. de inv. I 1. — [5]) Cic. de or. III 86.

oder eine Geschichtslüge oft brauchbarer als die Ergebnisse gewissenhafter Geschichtsforschung und -Darstellung.[1])

Die zuletzt berührten Bildungselemente reichen meist über den Rahmen der gewöhnlichen Schule hinaus. Aber die Römer, die Einsichtigeren unter den Römern hatten die Wahrheit erkannt, dafs das Leben fortgesetzt eine Schule ist.[2]) Der junge Mann bildet sich zunächst fort durch engen Anschlufs an hervorragende Persönlichkeiten,[3]) denen er alle Kunstgriffe abguckt, und durch ununterbrochene Deklamierübungen, durch den Besuch der Hochschule in Athen oder durch eine Studienreise in Kleinasien (letzteres oft eine willkommene Gelegenheit für höhere Beamte, um ihre Jugendbildung zu ergänzen[4]), dann durch die Praxis als den magister optimus; in den Mufsestunden durch Lektüre und Besprechung mit Freunden und befreundeten Lehrern, ein recht anmutiger Zug des Zeitalters, dieses συμφιλολογεῖν.[5])

Ich greife noch einmal auf die Schule zurück, um einige mehr äufsere Verhältnisse zu besprechen, die Wert und Wirkung des Unterrichtes mitbestimmen. Der Zugang zu den Studien war ein verhältnismäfsig grofser, meist aus den vornehmeren Familien der Hauptstadt, aber auch von den Städten und Dörfern des Landes, wo die Schulen seltener und minderwertig waren — ich erinnere hiebei an Horaz, der seinem sorgsamen Vater ein gar pietätvolles Denkmal setzt (sat. I 6). Die Schüler vom Lande gelten als die strebsameren, die von der Stadt huldigen zu gern dem Sport.[6]) Eine bestimmte Altersgrenze gab es nicht;[7]) etwas früher als bei uns die Kleinen ins Gymnasium kommen, folgte der römische Knabe seinem Pädagogen zum Grammatiker; Jünglinge in dem Durchschnittsalter unserer Abiturienten erschienen in den rednerischen Kämpfen auf Mensur und siegten als Ankläger oder Verteidiger.[8]) Den Gang des Unterrichtes habe ich bereits oben dargelegt; es sollte eine individuelle[9]) Behandlung und Entwicklung im Auge behalten und der Schüler zu selbständigem[10]) Arbeiten angeleitet werden. Bei schwächeren Schülern findet auch ein Einpauken (inculcare), besonders des Gedächtnisstoffes, statt; unbrauchbare weist man einem anderen Lebensberuf zu (rus mittere). — Die Zucht war eine strenge und mufste bei den mannigfachen Versuchungen zur Zügellosigkeit eine strenge sein. Das System der Prügelstrafe, für welches man sich auf die Autorität eines Chrysippus berufen durfte,[11]) fand Anhänger, und wenn der plagosus Orbilius nicht gerade als Musterpädagog galt — seine Vaterstadt Benevent ehrte ihn übrigens durch eine Marmorstatue[12]) — so herrschte doch nach übereinstimmenden Zeugnissen ein strammes Regiment, jedenfalls strammer als hundert Jahre später, wo Juvenal[13]) spottet: „Rufus den Meister

---

[1]) Cic. Brut. § 42. — [2]) Cic. Brut. 305 ff. — [3]) Cic. de or. I 97, II 87, or 33, Quint. X 5, 19, Tac. dial. c. 34. — [4]) Cic. de or. I 75 u. 82, II 95, Brut 314—316, or. 105. — [5]) Cic. epist. XVI 21 fin., Brut. 300. — [6]) Tac. dial. c. 28. — [7]) Quint. I 1, 15. — [8]) Crassus, Cicero, Caesar, Asinius Pollio, Calvus, Cic. de or. III 74 u. Tac. dial. c. 34 Schlufs. — [9]) Cic. de or. III 35. — [10]) Cornif. II 7, III 38 f. Cic. de or. I 204, II 356, Quint. II 5, 13. — [11]) Quint. I 3, 13. Eine Schulscene bei Baumeister Denkm. Nr. 1653. — [12]) Suet. gramm. c. 9. — [13]) VII 213.

prügeln die Jungen, 'nen andern die seinen". — Bevor ich über die
Lehrer und die Würdigung des Unterrichtes spreche, seien hier einige
Worte über die Lehrmittel eingeschaltet. An literarischen Hilfsmitteln
war in dem schreibseligen[1]) Zeitalter eher eine Überproduktion als ein
Mangel. Die Schriften sind meist für einen vornehmen Schüler geschrieben und diesem gewidmet,[2]) aber für weitere Kreise berechnet.
Über Erziehung und Bildung im allgemeinen, namentlich von Philosophen, aber auch von andern, z. B. von den Grammatikern Opillius und
Ateius Philologus,[3]) dann die Fachschriften: über die lateinische Sprache
von Antonius Gnipho und das voluminöse Werk des Terentius Varro,
über Sprachgebrauch und Sprachrichtigkeit von Cäsar, über die Teile
der Rede, über Deklination und Konjugation, über Orthographie (von
Verrius Flaccus),[4]) selbst über Silben und Buchstaben von einem
jüngeren Ennius;[5]) Messala widmete einem Buchstaben ein ganzes
Werk, dem Buchstaben S.[6]) Wie die Grammatiker waren auch die
Rhetoren eifrige Federfuchser. Fast jeder verfaßte ein Kompendium
seiner Profession[7]) oder schrieb über Teile derselben, über Auffindung
des Stoffes, über Gedächtnis, über Vortrag, über sprachliche Darstellung, über Auswahl und Zusammensetzung oder Aneinanderfügung
der Wörter, über Tropen und Figuren, über Stilgattungen, über
Imitation. Die reifste und beste Frucht von Ciceros literarischer
Thätigkeit, seine rhetorischen Schriften, gehören diesem Gebiete an.
Auch die Zahl der Kommentare und Übersetzungen war nicht klein.
Philosophie, Geschichte und andere Fächer hielten mit der Übungs-
bücherliteratur zwar nicht gleichen Schritt, bewegten sich aber auf
gleicher Bahn. Für den Zuwachs an Muster- und Lesestücken sorgten
Redner und Poeten, eine mehr oder minder aufdringliche Reklame
beschleunigte ihre Verbreitung. Neubegründete Bibliotheken, welche
die literarischen Schätze einem größeren Publikum zugänglich machen
sollten, kamen nicht minder der Schule zu statten, wie überhaupt das
reiche Leben der Weltstadt; der großstädtische feine Schliff und Takt,
die urbanitas, wird auch die Musensöhne berührt haben.

Die Lehrer waren ihrer Nation nach meist Griechen, Grammatiker wie Rhetoren, ihrem Stande nach Freigelassene. Sie begannen
in der Regel als eine Art Hofmeister in einer Familie, nahmen zu
ihrem Zögling noch einige hinzu und eröffneten bei Gelegenheit eine
selbständige Schule.[8]) Frühzeitig beteiligten sich auch freie und an-
gesehene Römer am Lehrfach; selbst ein Cicero benützt seine unfrei-
willige Muße, um Freunden und Bekannten ein Privatissimum über
angewandte Rhetorik zu lesen.[9]) Bezüglich der namhafteren Grammatiker und Rhetoren gestatte ich mir auf die knappe Übersicht bei
Sueton zu verweisen, der auch kurze biographische Notizen gibt.
Meine Herren! Soll ich mit wenigen Worten auch Charakter und
Stellung der Lehrer skizzieren, so kommt naturgemäß auf die Indivi-

---

[1]) Hor. epist. II I, 108/9. — [2]) Cornif. ad Herenn., Cicero, Dionys. Halic.
— [3]) Suet. gr. 6. — [4]) Suet. gr. 19. — [5]) Suet. gr. 1. — [6]) Quint. I, 7, 23. —
[7]) Cic. de or. I 16, II 84. Suet. rhet. 1. — [8]) Suet. gramm. 16. — [9]) Suet.
rhet. 1.

duen überall viel, beim Lehrfach fast alles an. Schulmeisterelend[1]) und Grammatikerstolz,[2]) profunde Gelehrsamkeit[3]) und marktschreierische Windbeutelei,[4]) kleinlicher Neid und gegenseitige Herabsetzung,[5]) rauhbeinige Schüler und aufsässige Eltern,[6]) hochnäsige Geringschätzung und übertriebene Bewunderung,[7]) herzlose Undankbarkeit und rührende Anerkennung und Anhänglichkeit[8]) begegnen uns in Rom und werden uns in allen Perioden der Unterrichtsgeschichte begegnen. Im allgemeinen ist die Wertschätzung des gesamten Unterrichts gering,[9]) und der Vers Juvenals (VII 203)

Paenituit muitos vanae sterilisque cathedrae

konnte auch im ersten Jahrhundert v o r Chr. geschrieben sein. Immer wieder wird der Vorwurf erhoben, dafs die gewöhnliche Schule nicht genügend fürs praktische Leben vorbereite, dafs sie zu kleinlich und pedantisch sei.[10]) Der römische Praktiker sieht Campano supercilio auf den gelehrten[11]) griechischen Doktor herab; dieser ist dafür eingebildet genug, um jeden gravitätischen Römer für einen Dummkopf zu halten.[12]) Diese Geringschätzung entspringt nicht etwa einer grofsstädtischen Blasiertheit; der Römer dieses Jahrhunderts hat ein reges Interesse für Bildung überhaupt und für Sprache, Literatur und Philosophie insbesondere; er lauscht gerne — manchmal halb verstohlen[13]) — den Lehren der griechischen Weisheit, um sie in die That umzusetzen; aber gegen die überlegene und doch etwas degenerierte Kultur und gegen das sich mehr und mehr breitmachende Griechen- und Schulmeistertum reagiert der römische Nationalstolz und das Bewufstsein vom Wert des praktischen Lebens.

Meine Herren! Aufgehen in einer fremden Kultur führt zur Charakterlosigkeit, engherziges Abschliefsen ist Borniertheit. Rom entging in der behandelten Periode nahezu beiden Fehlern, und das goldene Zeitalter der römischen Literatur — mag man über ihren Wert urteilen, wie man will — ist das Kind dieser Erziehung. Wenn Rom sank, so geschah es nicht wegen, sondern trotz seiner sprachlich-humanistischen Bildung. Achtend die Geistesarbeit früherer und mitstrebender Nationen, feststehend auf dem heimischen Boden darf man wohl zu jeder Zeit mit Cicero das homerische Erziehungsideal hochhalten (de or. III 57, Hom. Il. IX 443):

μύθων τε ρητῆρ᾽ ἔμεναι πρηκτῆρά τε ἔργων,

einen Mann des Wortes und des That.

---

[1]) Suet. gramm. 9 u. 11 Bibaculus verspottet den auf die Gant gekommenen Grammatiker Kato. — [2]) stolz wegen der vielen vornehmen Schüler Suet. gr. 11. — [3]) Quint. I 8, 21 „inter virtutes grammatici habebitur aliqua nescire". — [4]) über das ἐπαγγέλλεσθαι nach Art der Sophisten Cic. de or. II 23. 75. 77 (I 103). — [5]) das System des Hermagoras aus Neid nicht angenommen Cic. de inv. I 16. — [6]) Antonius schilt bei Cicero (de or. II 133) über die stumpfsinnigen Schulmeister, zu denen man seine Kinder schicke, weil sie unterscheiden zwischen θέσις und ὑπόθεσις! — [7]) Der Triumvir Antonius gibt dem Rhetor S. Klodius 2000 Morgen Landes (Suet. rhet. 5) — [8]) Diodotus, Lehrer des Cicero, ist bei diesem in Pflege bis zum letzten Atemzug. Cic. Brut. 309. — [9]) Tac. dial. c. 30. — [10]) Cornif. IV 8 (einige verwerfen die ars ganz), Cic. Acad. post. I 5. de or. I 105, II 81. — [11]) Cic. de or. I 221 (spitzfindig). — [12]) Cic. de or. II 77. — [13]) Cic. de or. II 153 (subauscultando).

Lauter Beifall wurde dem Herrn Redner zu teil, welchem der Vorsitzende den Dank der Versammlung aussprach.

Der Vorsitzende: Wenn wir jetzt beim Abschluſs unserer Verhandlungen noch einmal den Verlauf des Ganzen überschauen, so eröffnen sich uns erfreuliche Rückblicke nach verschiedenen Richtungen hin. Zwar die Elemente sind uns nicht günstig gewesen; aber die von innerer Hingebung an die Sache getragene Teilnahme der Mitglieder hat auch die arge Ungunst der Witterung überwunden, und so dürfen wir gerade darin ein günstiges Vorzeichen für die Zukunft unseres Vereines erblicken. Was uns von den Rednern geboten wurde, war für uns vielfach anregend und belehrend, in mancher Rücksicht auch überaus zeitgemäſs. So hat Herr Rekt. Lechner einen vollgültigen Beweis dafür geliefert, daſs wir nicht etwa hloſs Sprachmeister sein wollen, daſs wir bei unserem Unterrichte niemals n u r Grammatik getrieben haben. Hiefür besitzen wir an Hrn. Rekt. Lechner in der That einen lebendigen Zeugen; konnte er doch seine Belege aus einer reichen Erfahrung von mehr als 20 Jahren schöpfen. Die hier in Frage kommende Richtung des Unterrichts ist uns also nicht erst von auswärts zugeführt worden; wir haben in unserer Gesamtheit nie einen so sterilen Unterricht gegeben, als man oft glauben machen will. Erfreulich ist es, daſs wir aus dem glänzenden Vortrag des Herrn Rekt. Lechner auch diese Gewiſsheit mit fortnehmen können. Der zweite Vortrag mag eine Bürgschaft dafür bieten, daſs es uns selbst wirklich Ernst damit ist, auch in Hinsicht auf den naturwissenschaftlichen Unterricht einen Fortschritt an unseren Gymnasien herbeizuführen, für Vervollkommnung der Methode, soviel bei uns steht, zu wirken. Nach dieser Richtung müssen wir sehnlichst eine etwas reichere Ausstattung unserer humanistischen Schulen wünschen. Wir dürfen ja, ohne jemand zu nahe zu treten, offen sagen, daſs die später entstandenen realistischen Schulen viel reicher mit all den Mitteln bedacht worden sind, welche ein ersprieſslicher Unterricht in der Physik und in ähnlichen Fächern erfordert, als unsere humanistischen Bildungsanstalten. Der dritte Redner führte uns an einem für unsere Kreise besonders interessanten Stoffe in anschaulicher Weise vor, wie auch im Schulwesen alles auf historischem Boden steht, wie unter verändertem Namen die Dinge auf diesem Gebiete im grauen Altertum vielfach ganz ähnlich sich verhielten wie noch heutzutage. Ja manches, was der Vortrag über die Bewegungen auf diesem Gebiete im alten Rom darlegte, muſste uns geradezu anheimelnd berühren. Der e i n e n wichtigen Aufgabe unserer Versammlungen, durch zweckentsprechende Vorträge fruchtbare Anregung für die eigene Berufsthätigkeit zu gewähren, hat, das dürfen wir gewiſs behaupten, die gegenwärtige in förderlicher Weise entsprochen.

Ein zweiter nicht minder bedeutsamer Zweck solcher Versammlungen ist naeh den Vereinsstatuten darin zu erblicken, daſs sie den Berufsgenossen aus den verschiedenen Teilen des Landes Gelegenheit zu persönlicher Annäherung, zu herzlichem Verkehr bieten sollen, wohl nicht selten eine Quelle mannigfacher Anregung, welche gleichfalls der Sache selbst zu gute kommt. Diesem Teil unserer Aufgabe wurde schon vom gestrigen Abend an in gebührender Weise Rechnung getragen, und dafs derselbe im ganzen nicht zu kurz kommt, dafür wollen wir insbesondere noch heute Abend sorgen. Wir werden somit im allgemeinen auf die gegenwärtige Versammlung trotz der Ungunst der Witterung ebenso freudig zurückblicken dürfen wie auf die Nürnberger vom Jahr 1886, welche vom herrlichsten Frühlingswetter begünstigt war; auch hinsichtlich der Zahl der Teilnehmer steht sie hinter der Nürnberger Versammlung nicht zurück.

Wenn wir unseren Blick nach einer anderen Seite hinwenden, haben wir ebenfalls Ursache freudig bewegt zu sein, dankbar der Förderung zu gedenken, die uns von seiten der K. Staatsregierung zu teil geworden ist. Von Anfang an brachte S. Exz. der K. Staatsminister Dr. von Müller unserer Versammlung ein überaus wohlwollendes Interesse entgegen; er stellte bei der Einladung vor einigen Wochen sein persönliches Erscheinen in Aussicht. Vor wenigen Tagen sprach er dem Vorstand gegenüber sein Bedauern darüber aus, dafs die Geschäftsverhältnisse des Landtages es ihm unmöglich machten, zur Versammlung zu kommen. Hingegen ordnete der Herr Minister einen Vertreter des K. Staatsministeriums ab. Im Sinne von Ihnen allen handle ich, wenn ich Sr. Exzellenz aus vollem Herzen den tiefstgefühlten Dank ausspreche für diese Auszeichnung, welche aufs neue beweist, dafs dem Herrn Minister die Förderung unserer humanistischen Schulen eine wahre Herzenssache ist. Ebenso sind wir zu gröfstem Dank verpflichtet Sr. Exz. dem Regierungspräsidenten von Schwaben und Neuburg Herrn von Kopp, der uns heute früh mit seiner Anwesenheit beehrte und heute Abend beehren wird. Es entspricht Ihrer Gesinnung, verehrte Kollegen, wenn ich den Vertreter des K. Staatsministeriums nicht scheiden lasse, ohne ihm persönlich unsern Dank auszusprechen. Wir sind dessen sicher: er weilt unter uns nicht nur als hoher Staatsbeamter, als Vertreter der höchsten Unterrichtsbehörde; seit mehr als zwei Dezennien, während deren er in der Leitung der humanistischen Schulen thätig ist, steht er denselben mit väterlichen Gesinnungen gegenüber. Während seiner Verwaltung sind mehrere Generationen von Lehrern herangereift, manchen Wandel haben unsere Schulen durchgemacht; aber eines ist unverändert geblieben: seine väterlichen Gefühle für unsere humanistischen Schulen, seine nie wankende Liebe und Hingebung für dieselben, welche auch in jenen trüben Zeiten nicht erschüttert wurde, als der Glaube an den Wert der humanistischen Studien in weiteren Kreisen zu schwinden drohte. So bin ich denn Ihrer allgemeinen Zustimmung sicher, wenn ich dem Herrn Generalsekretär Dr. von Giehrl den wärmsten und herzlichsten Dank dafür ausspreche, dafs er sich leicht und gern entschlossen hat, hierher zu kommen, wiewohl es ihm ein Opfer auferlegte, da für ihn auch der gestrige Tag infolge einer schmerzlich angreifenden Pflicht und einer beschwerlichen Reise sehr anstrengend war. Wir hegen nur den Wunsch, er möge einen freund-

lichen Eindruck mitnehmen, er möge es nicht bereuen, hieher gekommen zu sein und diesen Tag uns gewidmet zu haben.

Generalsekretär Dr. von Giehrl dankte freundlichst und ver-
sicherte, er werde es zu den angenehmsten Erinnerungen seines Lebens
zählen, daſs er diesen Tag im Kreise der Versammlung habe zubringen können.

Der Vorsitzende erklärte hierauf die Versammlung für geschlossen (Schluſs der Sitzung etwas vor 6 Uhr).

Am Vorabende der Hauptversammlung war aus dem Kreise der
anwesenden Lehrer der Mathematik und Physik die Anregung
zur Abhaltung einer speziellen Sektionssitzung für die genannten
Disziplinen hervorgegangen. Mit groſser Zuvorkommenheit hatte Herr
Rektor Dr. Recknagel vom Realgymnasium in Augsburg für den Fall
des Zustandekommens einer solchen Sektionssitzung ein geeignetes
Lokal des Realgymnasiums angeboten und selbst einen Vortrag über
einen hydrostatischen Grundversuch in Aussicht gestellt. Am Tage
der Hauptversammlung fanden sich infolge gepflogener Vorbespre-
chungen 15 Fachgenossen im physikalischen Arbeitszimmer des Realgymnasiums ein. Herr Gymnasialprofessor Neu (Landau) besprach
eine Methode zur experimentellen Bestimmung der Resultante von
Kräften mit verschiedenen Angriffspunkten. Das Wesentliche dieser
Versuche, welche so einfach und sicher ausführbar sind, daſs sie einer
induktiven Entwickelung der betreffenden Gesetze zu grunde gelegt
werden können, besteht darin, daſs nicht die zur Herstellung des
Gleichgewichtes nötige „Gegenresultante", sondern Angriffslinie und
Gröſse der Resultante selbst bestimmt wird, und daſs die Auffindung
derselben der üblichen deduktiven Behandlung vollständig angepaſst
ist. Die besprochenen Versuche bezogen sich auf folgende Aufgaben:
1) Zwei Kräfte in einer Ebene mit verschiedenen Angriffspunkten und
verschiedenen Richtungen; 2) zwei parallele Kräfte; 3) beliebig viele,
teils parallele teils antiparallele Kräfte; 4) drei nicht in einer Ebene
liegende parallele Kräfte; 5) beliebig viele solche Kräfte, deren Angriffspunkte in einer Ebene liegen. (Die Einrichtung der Versuche gestattet im letzteren Falle ohne weiteres zu zeigen, daſs der durch
successive Verbindung je zweier Kräfte erhaltene Angriffspunkt der
Resultante von der Neigung der Kraftrichtungen gegen die Ebene der
Angriffspunkte unabhängig ist.) — Schlieſslich wurde an einem Beispiele (experimentelle Bestimmung des reduzierten Armes einer Kraft,
deren Richtung mit der Verbindungslinie von Drehpunkt und Angriffspunkt einen beliebigen Winkel bildet) gezeigt, welcher Genauigkeit die
Methode fähig ist.

(Von seiten des Vortragenden ist eine ausführliche Darstellung
dieser Materie für die Gymnasialblätter beabsichtigt.)

Herr Rektor Dr. Recknagel führte einen von ihm neu konstruierten Apparat vor, der in auſserordentlich einfacher und klarer Weise
das hydrostatische Gesetz über die Fortpflanzung des Druckes in

flüssigen Körpern bestätigt. Ein mit Wasser gefülltes Glasgefäfs ist mit einer aufgekitteten Messinghaube verschlossen, welche zwei Hohlzylinder mit verschiedenen Querschnitten (Verhältnis 1 : 4) trägt, in welche mit grofser Präcision geschliffene Kolben eingeführt werden können. Die Tragplatten dieser Kolben ermöglichen für verschiedene Belastungsgröfsen die Gleichgewichtslage herzustellen. Wird bei Belastung der einen Tragplatte die andere am Aufsteigen gehindert, so kann bei bekanntem Querschnitte der Zylinder die Kompressibilität der Flüssigkeit direkt gemessen werden. Senkt man hiebei gleichzeitig ein Piezometer in die Flüssigkeit, so kann man zwei Bestimmungsmethoden der Kompressibilität gleichzeitig an einem Versuche demonstrieren. Der Herr Vortragende bemerkte, dafs auch für Wegschaffung der aus dem Wasser etwa noch aufsteigenden Luftbläschen Möglichkeit geschaffen werden kann.

Nach ca. zweistündiger Dauer wurde die Sitzung geschlossen, wobei Professor Ducrue dem Herrn Vortragenden den Dank für die interessanten Darbietungen und Herrn Rektor Dr. Recknagel insbesondere für die Bereitstellung des Lokales aussprach.

Das gemeinsame Abendessen fand um 7 Uhr im Gasthof zu den „Drei Mohren" statt. Am oberen Ende des Saales hatten die Büsten Seiner Kgl. Hoheit des Prinz-Regenten und Seiner Majestät des deutschen Kaisers inmitten reichen Pflanzenschmuckes Aufstellung gefunden; der herrliche, eigenartig stimmungsvolle Festraum war von den Teilnehmern, deren Zahl gegen 100 betrug, vollständig besetzt. Im Verlauf des Abends brachte Rekt. Dr. Liebert einen Trinkspruch aus auf S. K. Hoheit den Prinz-Regenten, Rekt. Fries auf S. Majestät den deutschen Kaiser, Rekt. Dr. Markhauser auf S. Exz. den K. Staatsminister Dr. von Müller, Prof. Gerstenecker auf die Stadt Augsburg und ihre Bewohner, S. Exz. der Regierungspräsident von Kopp, welcher ausdrücklich gewünscht hatte, man möge von einem besonderen Trinkspruch auf ihn selbst absehen, auf den b. Gymnasiallehrerverein, Rekt. Lechner auf den Vereinsvorstand, Prof. Dr. Vogt auf den Fürsten Bismarck als den gröfsten Schulmeister des deutschen Volkes, Prof. Hofmann (von München) auf die Augsburger Kollegen. Musik und Gesänge trugen zur Unterhaltung bei; es herrschte die belebteste Stimmung während der rasch verfliegenden Stunden dieses schönen Festabends.

Viele Kollegen beteiligten sich am Donnerstag während des Vormittags an der Besichtigung der wichtigsten Sehenswürdigkeiten; den verehrten Herren, die hiebei sachkundige Führung darboten, fühlen wir uns zu wärmstem Danke verpflichtet. Diese übernahm in der Bibliothek, welche eine sehr interessante Ausstellung besonders wertvoller Schätze veranstaltet hatte, der Bibliothekar Dr. Ruefs, in der Goldschmiedskapelle der Stadtpfarrer Drechsel, in der Antiquitäten-

sammlung des Maximiliansmuseums Dir. Dr. Schreiber, in der Gemäldegallerie Gallerie-Direktor von Huber.

Ein sehr zahlreicher Zuhörerkreis folgte in der Gemäldegallerie
den eingehenden und lehrreichen Darlegungen des Prof. Dr. Labhardt, der auch im Rathaus und namentlich im Dom viele Kollegen
durch seine sachkundigen Erläuterungen erfreute.

Am Nachmittag führte ein hübscher Ausflug nach Göggingen
noch eine gröfsere Anzahl von Kollegen zusammen, welche Herrn Prof.
Dr. Vogt für seine freundliche Einführung in die berühmte und sehens-
werte Heilanstalt sehr dankbar waren.

Vortrag des Rekt. L e c h n e r (vgl. S. 19):

Inwieweit kann die bildende Kunst der Alten im Gymnasial-
unterrichte berücksichtigt werden?

Hochzuverehrende Herren! Liebe Fachgenossen und Freunde!
Der hochverdiente Vorstand unseres Vereins wünschte von mir einen
Beitrag zu den Arbeiten dieser Zusammenkunft. Seinem mit gewin-
nender Freundlichkeit geäußerten Verlangen wäre ich freilich am
liebsten in d e r Weise nachgekommen, daß ich einen wenn auch bescheidenen w i s s e n s c h a f t l i c h e n Versuch Ihrem unbestochenen und
strengen Urteil vorgelegt hätte; denn ich kann mir nicht verhehlen,
daß Stoffe aus dem Unterrichtswesen niemand ohne die Gefahr berührt, den Berufsgenossen Wege zu empfehlen, die sie bereits aus
eigener Wahl eingeschlagen haben, oder ein Verfahren zu schildern,
welches von den meisten der Zuhörer längst als das richtige erkannt,
längst zum Nutzen der Jugend von ihnen geübt worden ist. Bringe
ich nun dennoch heute einen Gegenstand solcher Art hier zur Sprache,
so geschieht es, weil ich auch darin unserem verehrten Vorsitzenden
willfahren zu müssen glaubte. Er war der Ansicht, daß in einem
Kreise von Schulmännern Fragen aus dem Schulleben nicht unerörtert
bleiben dürften; er selbst schlug mir zugleich ein Gebiet vor, das ich
seit vielen Jahren mit Aufmerksamkeit und Liebe verfolgte, so daß
ich wenigstens hoffen darf, beim Erfassen der Aufgabe ein warmes
Herz zu verraten. Zudem schöpfte ich für mein Wagnis einigen Mut
aus dem Gedanken, es könne, wenn ich Ihnen, meine Herren, nichts
Unbekanntes oder Neues zu bieten vermag, doch anderseits mir wertvoll und erfreulich werden, Ihrem Streben das meinige ähnlich zu
finden, in den Zielen mit Ihnen mich einverstanden zu sehen, Mittel,
deren Sie sich bedienen, auch von mir gebraucht zu wissen.
Nun suchen wir Philologen das klassische Altertum ja ebensowohl aus seinen künstlerischen wie aus seinen schriftstellerischen Ver-
mächtnissen zu begreifen. Der Grundsatz unserer Wissenschaft, dem
wir mit diesem Bemühen folgen, ergibt sich aus dem Wesen der alten
Kunst. Adolf Michaelis bezeichnet in der geistvollen an Conze gerichteten Vorrede zu seinem Werk über den Parthenon als Merkmal
der echten archäologischen Schule, daß sie „in der alten Kunst einen
Zweig der Poesie erkennt und in der Plastik der Hellenen nicht einen
bloßen Dolmetsch äußerlicher Zeremonien und Kultusriten erblickt,
sondern den künstlerisch vollendeten Ausdruck der tiefsten religiösen
Gedanken und der feinsten poetischen Empfindungen." Und Karl
Robert sagt in dem anziehenden Vortrage, welcher sein lehrreiches
Buch „Bild und Lied" eröffnet: „Mehr als in dem Kulturleben irgend
eines anderen Volkes stehen im griechischen Altertum Kunst und

Poesie in beständiger enger Wechselwirkung bald empfangend bald gebend". Müssen also wir Philologen beide Seiten des antiken, insbesondere des griechischen Schaffens gleichermafsen ins Auge fassen, so liegt nahe zu erwägen, wie wir uns in dieser Hinsicht der Jugend gegenüber zu verhalten haben. Der Gymnasialunterricht vermittelt nach dem Herkommen und wohl gröfstenteils entsprechend seinen Zwecken den geistigen Gehalt des Hellenen- und Römertums sowie die ideale Form, in welcher dieser Gehalt erscheint, vorzugsweise, ja fast ausschliefslich durch die Werke der Dichter und Redner, der Geschichtschreiber und Philosophen. Sollen aber nicht unsere reiferen Schüler auch von jenem innigen Bund antiker Poesie und Kunst, von jenem fruchtbaren Verhältnisse sich gegenseitig ergänzender literarischer und monumentaler Gröfse doch einige Kenntnis gewinnen? Da wir dies kaum in Abrede stellen dürfen, so drängt sich von selbst die Frage auf: inwieweit kann die bildende Kunst der Alten im Gymnasialunterrichte berücksichtigt werden? Indem ich eine Antwort versuche, bitte ich Sie, mir zu verzeihen, wenn ich bei der Fülle des sich darbietenden Stoffes vielleicht Punkte, die Sie als wichtig erachten, übergehe, jedoch auch wenn ich einen oder den anderen Umstand, der mir besonders lieb und durch die Schulthätigkeit vertraut geworden ist, ausführlicher behandle, als Sie erwarten. Dafs im Gymnasium keine Geschichte der alten Kunst gelehrt werden kann, darf ich als allgemein zugestanden voraussetzen. Reden wir aber nicht in den Stunden für deutsche Literaturgeschichte wohl auch zuweilen von Bach und Händel, von Mozart und Beethoven, zeigen wir nicht beim Mythus von Orpheus oder bei den Iphigenien des Euripides auf Gluck, bei Wielands Oberon auf Karl Maria v. Weber hin? So veranlassen manche Fächer auch zum Hinweis auf Erzeugnisse der bildenden Kunst. Ja geradezu fordern wird ihn häufig das Gebiet der allgemeinen Geschichte, die Erklärung griechischer und römischer Klassiker, der Unterricht im Deutschen. Mit den durch diese drei Lehrfächer herbeigeführten Gelegenheiten erfolgreich zusammenwirken kann der Zeichenunterricht.

Lächerlich wäre es, vor Schülern über die Lade des Kypselos oder über den Thron des Amykläischen Apollo zu sprechen. Wie aber könnten wir von Athens Blüte im Zeitalter des Perikles handeln, ohne der bewunderungswürdigen Schöpfungen zu gedenken, welche die bildende Kunst auf den Höhepunkt unsterblichen Ruhmes brachten? Wie könnten wir bei den Glanzjahren des römischen Kaisertums verweilen, ohne seinen Überflufs an Kunstschätzen aller Art hervorzuheben? Dabei mufs doch gewifs unser Streben dahin gehen, dafs Zeus des Phidias und Parthenon, dafs Titusbogen und Herakles Farnese bei unseren Schülern bestimmte Vorstellungen werden und nicht Wortschälle für sie bleiben, gleichwie es ja auch in anderen Zweigen des Unterrichts darauf ankommt, nicht hohle Namen zu überliefern, vielmehr lebendige Begriffe zu erzeugen.

Beim Geschichtsunterrichte kann schon in der sechsten Klasse des Gymnasiums die griechische Architektur beachtet werden. Höchst

wünschenswert ist es, dafs der Schüler bereits hier die wichtigsten
Glieder des hellenischen Tempelbaues, vor allem die Säulenordnungen
kennen lernt, von den unterscheidenden Merkmalen ein deutliches Bild
gewinnt und die unentbehrlichsten Kunstausdrücke sich einprägt; denn
in den obersten Klassen mufs er sich mit den Stilarten vertraut zeigen
und wissen, was man unter Echinos und Abakos, unter Triglyphen
und Metopen versteht. Mit Freude begrüfste ich deshalb die Vorschrift, welche den Säulenordnungen und Architekturteilen eine Stelle
im Lehrplan für das Linearzeichnen anweist, indem sie zugleich in
diesem Unterrichte dieselben angemessen erläutert wissen will. Wie
förderlich können hier der Geschichtslehrer und der Zeichenlehrer
einander in die Hände arbeiten! Von Lehrmitteln für diesen Zweck
empfehle ich angelegentlich das Heft von Wagner und Kachel (Die
Grundformen der antiken klassischen Baukunst. Für höhere Lehranstalten und zum Selbststudium. Heidelberg, Bassermann, 1869), das
in keiner Büchersammlung für obere Klassen fehlen sollte. Vortreffliche Architekturbilder haben jedoch auch die neueren Geschichtswerke
von Roth-Westermayer und von Jäger aufgenommen; diese Werke
sind ja in allen Schülerlesebibliotheken vorhanden, so dafs sich der
Lehrer im Unterricht auf sie beziehen kann. Namentlich möchte ich
das wertvolle Titelbild zu Roths durch Westermayer neu bearbeiteter
Griechischer Geschichte rühmen, das die Hauptteile des dorischen
Gebälkes nach einem Entwurfe von Prof. Thiersch zu München sehr
günstig in Farben veranschaulicht. Freilich sollten der Jugend diese
architektonischen Formen auch in grofsem Mafsstabe vor Augen gestellt
werden. Schon vor Jahren wies ich in der pädagogischen Sektion
der Philologen-Versammlung zu Würzburg darauf hin, dafs im Unterrichte das Umherzeigen kleinerer Ansichten mehr zerstreuend als fördernd wirkt, weil der Schüler, während er sie beschaut und weiter-
gibt, nicht auf die Worte des Lehrers achtet; einige in bedeutenden
Verhältnissen von einem geübten Zeichner ausgeführte Tafeln, die ich
damals ausstellte, leisten mir jetzt noch wesentliche Dienste. Solche
Architektur-Tafeln lassen sich mit Hilfe des Zeichenlehrers oder einzelner Schüler vielleicht überall herstellen, um an den Wänden der
Lehrzimmer Platz zu finden. Als besonders lehrreich erweisen sich
natürlich Modelle; in den Besitz der Gipsnachbildungen des dorischen,
des jonischen und des korinthischen Kapitäls, welche das deutsche
Gewerbemuseum zu Berlin liefert, sollte daher jedes Gymnasium gelangen. Eine andere vorzügliche Gelegenheit jene griechischen Kunstformen zu verdeutlichen bietet sich Gymnasien bevorzugter grofser
Städte durch klassische Bauten der Neuzeit. Glücklich der Lehrer in
München, welcher auf dem Königsplatze die drei Stilarten an Propyläen, Glyptothek und Kunstausstellungsgebäude erklärt; beneidenswert
der in Regensburg, welcher mit seinen Schülern zum herrlichen säulen-
prangenden Marmorbau am Donauufer emporsteigt, um vor diesem
entzückenden Lehrmittel den Parthenon zu erläutern! Wir anderen,
die nicht in so hocherfreulicher Lage sind, werden unseren Zöglingen
wenigstens andeuten, dafs sie einst beim Aufenthalt in der Residenz-

stadt oder beim Besuche Walhallas die Möglichkeit finden, das über griechische Baukunst Gelernte im Anschauen einer reizvollen Gegenwart wirksam zu beleben. Bilder der Akropolis besitzen wir jetzt zur Genüge; die schönen Tafeln Eduards v. d. Launitz, die sie von verschiedenen Seiten zeigen, sind wie Langls Ansichten Gemeingut aller Gymnasien geworden. Zum häuslichen Studium werden wir dem Primaner den überaus nutzbringenden, durch edle Darstellung ausgezeichneten Vortrag über die Akropolis von Ernst Curtius in die Hand geben. Das Gipsmodell der Akropolis von Ed. v. d. Launitz im Maßstabe von 1 : 125 erschwingen wohl nur diejenigen Gymnasien, welche über besonders reiche Mittel gebieten.

Führt der Geschichtsunterricht in seinem fortschreitenden Verlaufe zu den Zeiten eines Attalos und Eumenes, dürfen wir da versäumen, der Gymnasialjugend ein Bild von Pergamons vielgepriesener architektonischer Zierde zu gewähren? Wir erzählen doch sicherlich von der pergamenischen Bibliothek; müssen wir nicht, damit jene fürstlichen Gönner der Wissenschaft zugleich als Förderer der Kunst erkannt werden, auch den gewaltigen Altarbau schildern, der mit seinen hochragenden Säulenhallen zum Beweise der Meisterschaft pergamenischer Künstler einst auf der Burg von Pergamon sich erhob?

Auf Werke einer nicht minder großartigen Architektur in anderen Formen lenkt die römische Kaisergeschichte den Blick. Ich denke an die moles Hadriani, vornehmlich aber an Pantheon und Kolosseum.

„Bogen auf Bogen! Hier, als hätte Rom
Seine Trophäen alle überdacht
Mit einem einzgen weiten Siegesdom,
Hebt sich das Coliseum!"

So rufen wir dem Schüler mit Child Harold zu, wie denn überhaupt manche jener Strophen Byrons sich trefflich dazu eignen, den Eindruck bedeutender Kunstdenkmäler des Altertums im Gedächtnisse der Jugend festzuhalten.

Daß mit der griechischen Architektur auf das engste die griechische Plastik zusammenhängt, hat noch kürzlich treffend Ernst Curtius in seiner Festrede vom 27. Januar dieses Jahres dargelegt; er sagt dort: „Nur einem Volke ist es gelungen, durch eine Folge von Versuchen und Entwicklungsstufen Architektur und Plastik in vollkommener Weise miteinander zu verbinden; das sind die Hellenen, und darum ist die Geschichte ihrer Tempelplastik für alle Zeit das unerschöpfliche Lehrbuch der Verbindung von Plastik und Architektur." Fühlen wir uns nicht verpflichtet, dieses ruhmreiche Bündnis der hellenischen Plastik mit dem Tempelbau heranwachsenden Jünglingen, welche die Verdienste jenes glücklich begabten Volkes um die Kultur der Menschheit würdigen sollen, mindestens in den Parthenon-Skulpturen deutlich vor Augen zu stellen? Und sollte in unseren Tagen, in denen, wie es ein hochangesehener Gelehrter bezeichnend ausdrückte, „des Praxiteles Hermes auf allen Kaminen thront", zu einer Zeit, in welcher durch die Funde von Olympia und Pergamon die Kunde von griechischer Plastik in die weitesten Kreise des Volkes gedrungen ist, der humanistische

Unterricht von diesen Kunstwerken schweigen? Der junge Kaufmann, welcher die Kenntnis derselben aus Zeitungsblättern und Reisebandbüchern geschöpft hat, sollte dem auf einem Gymnasium gebildeten angehenden Zögling der Universität in dieser Hinsicht überlegen sein? Verständige Lehrer werden ihr Augenmerk besonders darauf richten, an den vorzüglichsten Mustern die für Anordnung von Giebelgruppen gültigen Gesetze nachzuweisen, werden sich jedoch vorsichtig hüten des Guten zu viel zu thun; hier muſs das Wort unseres Dichters gelten: „in der Beschränkung zeigt sich erst der Meister".

Wie ein lebendiger und anregender Geschichtsunterricht auch beim Hinblick auf spätere Ereignisse den Schüler zuweilen mit plastischen Werken des Altertums bekannt werden läſst, gestatten Sie mir vielleicht an einem Beispiele zu zeigen. Die Abwehr des Sturmes der Gothen auf das Grabmal Hadrians 537 v. Chr. können wir im Unterrichte nicht anschaulicher darstellen, als indem wir mit Gregorovius berichten: „Von allen Seiten andrängend, waren sie schon nahe daran, das Mausoleum zu ersteigen; da gab die Verzweiflung den Griechen ein, die vielen Bildsäulen, welche dasselbe schmückten, als Wurfmaterial zu gebrauchen: sie warfen sie auf die Gothen herab. Die zerbrochenen Meisterwerke, Bildsäulen von Kaisern, Göttern und Heroen, stürzten als ein Hagel wuchtiger Fragmente herunter; der stürmende Gothe wurde von den Leibern schöner Idole zerschmettert, die vielleicht schon die Tempel Athens als Werke des Polyklet oder des Praxiteles geziert hatten, oder die vor vierhundert Jahren in Werkstätten Roms waren geschaffen worden." Wer von uns wollte sich versagen hinzuzusetzen: Zu den damals von den Verteidigern der Mausoleums herabgeschleuderten Statuen mag auch der berühmte schlafende Satyr gehört haben, der bekannt unter dem Namen des Barberinischen Fauns einen kostbaren Besitz der Glyptothek in München bildet; er wurde nämlich am Fuſse des Mausoleums gefunden, als man es zur Zeit des Papstes Urban VIII. vollständig in ein Kastell umschuf und zu diesem Behufe die Gräben zog?

Dieses Kunstwerk gibt aber zugleich einen Fingerzeig, daſs unsere Schüler in die Kenntnis antiker Plastik einzuweihen selbst die neueste, die vaterländische Geschichte uns auffordert. Wer könnte die hohen Verdienste Wittelsbachischer Herrscher um Künste und Wissenschaften erwähnen, wer von König Ludwig I. sprechen, ohne auszuführen, daſs es zu den Ruhmesthaten dieses Monarchen gehört, eine Glyptothek geschaffen zu haben? Und wer wollte bei solchem Aulaſs dem erwachseneren Schüler den Hinweis auf einige der edelsten Schätze dieser unvergleichlichen Sammlung, auf Pallas Albani oder Medusa Rondanini oder den sogenannten Ilioneus, vorenthalten? Trefflich unterstützt werden Schilderungen dieser Art durch das dankenswerte Buch von Reidelbach „Ludwig I. König von Bayern" (Volks- und Schulausgabe), welches in dem ungemein sorgfältigen und mit guten Bildern ausgestatteten Abschnitt über „des Kronprinzen Reisen, Kunstankäufe und die Glyptothek" eine reiche Fülle des belehrendsten Stoffes darbietet; das zweckmäſsige, der Jugend höchst angemessene

Werk fehlt gewiſs der Schülerbibliothek keines bayerischen Gymnasiums.

Aus dem Gebiete der antiken M a l e r e i müssen die Fresken und Mosaiken bei der Geschichte Pompeiis berücksichtigt werden. Kein Geschichtslehrer ferner wird unterlassen, wenn von Alexander dem Groſsen die Rede ist, das im Museum zu Neapel aufbewahrte groſse Mosaik der Alexanderschlacht zu besprechen; farbig nachgebildet sieht es der Schüler in Jägers Geschichte des Altertums.

Als zweite Gelegenheit der bildenden Kunst des Altertums wünschenswerte Rücksicht im Gymnasialunterrichte zu schenken bezeichnete ich d i e E r k l ä r u n g g r i e c h i s c h e r u n d r ö m i s c h e r K l a s s i k e r. Hier ist das eigentliche Feld für uns Philologen! Doch dürfen wir Bildwerke nicht zu frühe herbeiziehen. So sollte man meines Erachtens bei der Altersstufe, auf welcher Ovids Metamorphosen gelesen werden, mit „Antiken" noch nicht kommen. Vielmehr müssen hauptsächlich in den drei obersten Klassen Dichter oder Schriftsteller zuweilen auf Erzeugnisse der bildenden Kunst führen; selbst die Äncide kann nicht zu längerem Verweilen bei der Gruppe des Laokoon verleiten, da wir das Eingehen auf diese berühmte Schöpfung der Plastik einem anderen Anlasse vorbehalten.

Aber die Homerische Welt! Mit ihr thut sich die Stätte auf, wo der Zögling des Gymnasiums Heroengestalten und Göttertypen der alten Kunst kennen lernen soll. Fern bleibe auch hier das Bestreben alles zu „illustrieren". Auf das entschiedenste weise ich z. B. Engelmanns „Bilderatlas" ab, weil die Vasenbilder und Terrakotten, die er in groſser Zahl enthält, auf Schulen nicht nur nutzlos sind, sondern sogar Schaden bringen. Der Chor der Ariadne von der François-Vase, den wir an der Spitze des Heftes erblicken, erinnert Schüler gewiſs höchst ergötzlich an die „Fliegenden Blätter"; denn da sie kein Verständnis des Werdens der griechischen Kunst besitzen, so erscheinen ihnen Darstellungen wie die genannte notwendig als Travestien und Karikaturen. Wer in aller Welt bildet sich ein, durch solche Figuren die Jugend für das klassische Altertum begeistern zu können? Seien wir überhaupt möglichst sparsam mit Vasengemälden! Die meisten derselben gehören in den Bereich der Gelehrsamkeit, nicht in den der Schule. Anstatt dem Schüler zerstreuende Gallerien zum Durchblättern vorzulegen, lassen Sie uns sein Auge und seinen Geschmack durch den fesselnden Zauber erlesener Kunstideale bilden! Meine Ansicht über jene Gallerien fand ich mit Freude noch vor wenigen Tagen durch einen hervorragenden Kenner bestätigt, durch Hermann Grimm; eine Anmerkung seines Aufsatzes „Homer als Charakterdarsteller" im diesjährigen April-Hefte der „Deutschen Rundschau" lautet: „Sammlungen von antiken Bildwerken, deren Anblick unsere lernende Jugend tiefer in Homer eindringen lassen soll, sind nur geeignet zu verwirren und falsche Anschauungen in die Phantasie zu versetzen". Also, meine Herren, kein ausgebreitetes archäologisches Wissen im Gymnasium, aber Vertrautheit mit einigen der ruhmwürdigsten Gebilde des antiken Meiſsels! Halten wir ja doch auch in Bezug auf Erzeugnisse der Poesie

und Beredsamkeit an dem Grundsatze fest, zum Zwecke des Unterrichtes müsse das Herrlichste und Beste ausgewählt werden. Von
selbst versteht sich, dafs alle für die Jugend bedenklichen Stoffe der
Plastik auszuschliefsen sind, wie der Kreis der Aphrodite und viele
Bakchische Gestalten, zu geschweigen der Hermaphroditen und ähnlicher Dinge.

Vor allem fordert den Hinweis auf Denkmäler der Skulptur die
Ilias. Es wird *P* gelesen, der Gesang vom Kampf um die Leiche des
Patroklos; kommt nun V. 120 f. zum Vortrag, wo Menelaos durch die
Troer hart bedrängt seinen Ruf erhebt:

$$Αἴαν, δεῦρο, πέπον, περὶ Πατρόκλοιο θανόντος$$
$$σπεύσομεν,$$

müssen wir da den Schülern nicht sagen, dafs sie diese Worte in
einem Saale der Glyptothek angeschrieben finden werden, weil die
Marmorbildwerke desselben den Kampf um jenen Toten im Sinne des
Homerischen Epos darstellen? Und wir dürfen uns über die Ägineten
schon einigermafsen ausführlich äufsern; die Jugend wird mit Teilnahme hören, wie diese Statuen gefunden wurden, wie sie Martin
Wagner für den damaligen Kronprinzen Ludwig erwarb, wie sie unter
vielen Fährlichkeiten nach München gelangten. Auch über das Eigentümliche des äginetischen Stils sowie über die Notwendigkeit diese
Bildwerke bald nach den Perserkriegen entstanden zu denken, endlich
über Thorwaldsens Arbeiten für sie mögen wohl Andeutungen am
Platze sein. Da es an guten Wiedergaben der Ägineten in kunstgeschichtlichen Schriften nicht fehlt, so können wir dem Schüler eine
klare Vorstellung von der Gruppe des Westgiebels verschaffen; für die
oberste Klasse gehört kurzer Aufschlufs, inwiefern sich die Ergebnisse,
zu denen neuere Forscher gelangt sind, vom Anblicke der Figuren-
reihe in der Glyptothek unterscheiden.

Wer aber wollte, wenn er den XVII. Gesang der Ilias im Unterrichte behandelt, darauf verzichten, aufser den Ägineten noch den Pasquino vor Augen zu stellen? Gerade auf das Jugendalter wirkt ja
kaum ein Kunstwerk anziehender als dieses wundervolle Bild antiker
Heldenfreundschaft, wie es treffend von Friederichs genannt wird.
Gestatten Sie, dafs ich bei diesem Anlafs einiger Quellen gedenke,
aus denen wir zur Erläuterung antiker Skulpturen mit besonderem
Vorteile schöpfen können. Bot schon das Buch von Emil Braun „Die
Ruinen und Museen Roms" eine Fülle des anregendsten Stoffes für
den Gymnasialunterricht dar, so besitzen wir nunmehr an Wolfgang
Helbigs ausgezeichnetem „Führer durch die öffentlichen Sammlungen
klassischer Altertümer in Rom" (2 Bände, Leipzig, Karl Bädeker, 1891)
ein dem gegenwärtigen Stande der Wissenschaft entsprechendes Werk,
in welchem auch der Jugendlehrer das zuverlässigste Rüstzeug für
sich findet. So hinsichtlich des Pasquino den Nachweis, dafs die
beiden Helden richtig als Menelaos und Patroklos gedeutet werden,
dafs jedoch die frühere Auffassung, Menelaos raffe seine letzten Kräfte
zusammen, um den Leichnam des Patroklos aus dem Kampfgewühl
zu retten (Em. Braun S. 337), nicht mehr gelten kann, dafs er viel-

5

mehr, wie zuerst Kekulé (Das akademische Kunstmuseum zu Bonn
S. 60 Nr. 248) ausgesprochen hat, den Leichnam seines jugendlichen
Genossen auf den Boden herabgleiten läfst, um gegen die nach-
drängenden Feinde den Kampf aufzunehmen. Treffliche Dienste leisten
ferner die durch Paul Wolters neu (1885) bearbeiteten „Bausteine zur
Geschichte der griechisch-römischen Plastik" von Karl Friederichs; sie
gewähren einen ungemeinen Reichtum sorgfältiger Angaben und fein-
sinnig begründeter Urteile, der, wenn wir vorsichtig auswählen, im
Unterrichte mit Nutzen verwertet wird. So holen wir aus diesem gehaltvollen Buche denn auch zu Winken in Betreff der Ägineten und
des Pasquino höchst dankenswerte Hilfe. Dem eingehenden Abschnitt
über den Pasquino entnehme ich als Beispiel solcher Unterstützung
folgende Sätze: „Umdrängt und bedroht von den Feinden vermag der
Held es doch nicht über sich zu gewinnen, den geliebten Toten rauh
und rücksichtslos zur Erde fallen zu lassen, er ist im Begriff sich zu
bücken, um ihn sanft wie einen Schlafenden niederzulegen; aber die
Feinde sind schon so nahe, dafs er hinauf zu ihnen sehen mufs, um
sich vor ihrem Angriff zu hüten. Die drohende Gefahr, die trotzdem
unverminderte wehmütige und liebende Fürsorge für den toten Freund,
alles das spricht sich in der Bewegung des Kriegers schön und deutlich aus."

Gehen wir jetzt zu Ω über. Unsere Schüler haben vernommen,
wie Priamos hinüberfährt in das feindliche Lager, um die Leiche seines
teueren Sohnes Hektor von Achill zu erbitten; nachdem der besänf-
tigte Pelide des greisen Königs Flehen nicht unerhört gelassen, mahnt
er ihn, nunmehr der Speise zu gedenken, und setzt 602 ff. hinzu:

καὶ γάρ τ᾽ ἠύκομος Νιόβη ἐμνήσατο σίτου,
τῇ περ δώδεκα παῖδες ἐνὶ μεγάροισιν ὄλοντο,
ἓξ μὲν θυγατέρες, ἓξ δ᾽ υἱέες ἡβώοντες.

τοὺς μὲν Ἀπόλλων πέφνεν ἀπ᾽ ἀργυρέοιο βιοῖο
χωόμενος Νιόβῃ, τὰς δ᾽ Ἄρτεμις ἰοχέαιρα,
οὕνεκ᾽ ἄρα Λητοῖ ἰσάσκετο καλλιπαρῄῳ . . . .
ἡ δ᾽ ἄρα σίτου μνήσατ᾽, ἐπεὶ κάμε δάκρυ χέουσα.

Kann der Lehrer, welcher diese Verse erklärt, davon schweigen, dafs
Niobe auch der antiken Plastik einen hochbedeutsamen Vorwurf geliefert hat? kann die Stunde schliefsen, ohne dafs die Schüler von der
Florentinischen Statuenreihe hören? Verschaffen wir ihnen einen
lebendigen Begriff von diesem ausgezeichneten Werke des Altertums,
so verbindet sich der Eindruck für immer mit der Erinnerung an jene
Homerischen Verse, und die Gruppe ist den Schülern auch gegenwärtig, so oft sie beim vaterländischen Dichter lesen:

> Denn auch Niobe, dem schweren
> Zorn der Himmlischen ein Ziel,
> Kostete die Frucht der Ahren
> Und bezwang das Schmerzgefühl.

Das Buch Starks „Niobe und die Niobiden" hat ziemlich grofse, für
unseren Zweck geeignete Bilder. Zuletzt aber müssen wir in einer
solchen Homer-Lektion wieder auf die Glyptothek verweisen, insofern

auch ihr ein sterbender Niobide angehört; bei Schilderung dieser Figur zu bemerken, dafs sie in der Höhe müsse angebracht gewesen sein, weil sie offenbar berechnet sei nicht von oben herab, sondern schräg von unten herauf betrachtet zu werden, möchte ich nicht für überflüssig oder für allzu gelehrt halten. Den neben ihr im Niobidensaale der Glyptothek stehenden wundervollen Torso des sogenannten Ilioneus, „eines der edelsten Überbleibsel alter Kunst", empfehlen wir dereinstigem aufmerksamen Besuch, ohne zu verschweigen, dafs nur eine frühere unrichtige Deutung ihn zu den Niobiden rechnete. Veranschaulicht können diese beiden Kleinodien der Glyptothek durch Lützows „Münchener Antiken" werden, deren Stiche sie zwar nur in feinen Umrifslinien, aber in beträchtlicher Gröfse, den sogenannten Ilioneus sogar von drei verschiedenen Seiten, wiedergeben.

Einen Glanzpunkt solcher Anregungen durch die Ilias bringt O. Zeus hat dem von Aias schwer getroffenen, ohnmächtig niedergesunkenen Hektor wieder Leben eingeflöfst, Apoll ist aber von ihm beauftragt worden, die Achäer zurückzuscheuchen und Hektor mit neuem Mute zu erfüllen. Wir hören 306 ff., wie Apoll diesem Auftrage nachkommt, wie er dem Troerheere voranschreitend und den furchtbaren Sturmschild schwingend Entsetzen unter den Feinden verbreitet:

> Τρῶες δὲ προύτυψαν ἀολλέες, ἦρχε δ' ἄρ' Ἕκτωρ
> μακρὰ βιβάς· πρόσθεν δὲ κι' αὐτοῦ Φοῖβος Ἀπόλλων
> εἱμένος ὤμοιιν νεφέλην, ἔχε δ' αἰγίδα θοῦριν
> δεινὴν ἀμφιδάσειαν ἀριπρεπέ', ἥν ἄρα χαλκεὺς
> Ἥφαιστος Διὶ δῶκε φορήμεναι ἐς φόβον ἀνδρῶν·
> τὴν ἄρ' ὅ γ' ἐν χείρεσσιν ἔχων ἡγήσατο λαῶν.

Die Lehrstunde, in welcher diese Stelle übersetzt wird, vermittle dem Schüler die Bekanntschaft mit einem hochgefeierten Kunstgebilde, mit dem Apoll von Belvedere. Erlauben Sie, dafs ich, um anzudeuten, auf welche Art wir ihm Natur und Sinn desselben erläutern müssen, Helbigs Worte (I. S. 108) gebrauche: „Die Statue stellte den Gott dar im Begriff Feinden gegenüber zu treten und dieselben durch die vorgestreckte Aigis zu erschrecken. Offenbar schwebten dem Künstler dabei die berühmten Verse der Ilias (XV 306 ff.) vor, welche schildern, wie Apoll in dieser Weise gegen die Achäer vorgeht. Die sichere und selbstbewufste Haltung des Gottes läfst deutlich erkennen, dafs er des Sieges gewifs ist. Die etwas zusammengezogenen Brauen, der geöffnete Mund und die leise zitternden Nasenflügel bekunden eine Mischung von Zorn und stolzer Verachtung. Doch beschränkt sich die Erregung auf diese Teile und bleibt die erhabene Ruhe der Stirne ungetrübt. Die Statue vergegenwärtigt in der deutlichsten Weise das, was die Griechen eine Theophanie nennen, d. h. das urplötzliche Eintreten einer bisher unsichtbaren Gottheit in die reale Welt." Natürlich geben wir zugleich das Ereignis an, durch welches höchst wahrscheinlich das griechische Original des Werkes als ein Weihgeschenk ins Leben gerufen wurde, die Niederlage der Gallier vor Delphi im Jahre 278 v. Chr. „Nach der Erzählung der Delphier trat Apoll selbst in der Gestalt einer Jünglings von überirdischer Schönheit u

Erdbeben, Schneegestöber, Blitz und Donner aus der Dachöffnung seines Tempels heraus. Die Gallier wurden von einem panischen Schrecken ergriffen und erlitten auf der Flucht so empfindliche Verluste, daſs sie sich entschlossen, aus Griechenland abzuziehen. . . Die Weise, in der der Gott aufgefaſst ist, stimmt, soweit es die Gesetze der Plastik gestatten, mit der delphischen Legende überein." Auch dürfen wir wohl mitteilen, daſs die aus dem Anfange der römischen Kaiserzeit stammende Nachbildung des griechischen Werkes aller Wahrscheinlichkeit nach in einem Besitztume des Kardinals Giuliano della Rovere gefunden, sicher jedoch von diesem, als er unter dem Namen Julius II. den päpstlichen Thron bestiegen hatte, im Belvedere des Vatikans aufgestellt wurde. So gewöhnt sich der Schüler an den Sprachgebrauch; denn er weiſs jetzt, daſs Vatikanischer Apoll und Apoll von Belvedere Gleiches bedeutet. Dem Verständnis aber das Kunstwerk nahe zu bringen, sieht sich der Lehrer durch das Studium geistvoller Schriften von Anselm Feuerbach an bis auf unsere Tage befähigt. Emil Braun schrieb: „Wir erblicken hier denjenigen von den Söhnen des Zeus, welcher ihm an Adel und Hoheit am nächsten kam. Umstrahlt von ewiger Jugend tritt er uns mit allen Reizen entgegen, welche den ausschlieſslichen Besitz des Blütenalters des Lebens bilden". Und bei dem früh verewigten Karl Friederichs lesen wir: „In der That würde diese Sage ihre plastische Darstellung nicht treffender haben finden können, als in dieser Statue, die den Gott im höchsten Glanze der Jugendschönheit mit dem Schreckbild der Ägis an seinen Feinden vorüberwandelnd darstellt. Denn dies ist der glücklich gewählte Moment: der Gott stellt sich nicht den Galliern entgegen, wie ein Krieger dem andern, sondern nur hinwandelnd wie eine glänzende Erscheinung scheucht er leicht die Feinde zurück. . . Wer könnte die Poesie dieses geistreichsten antiken Werkes leugnen?" Wollen Sie der Gymnasialjugend solche Poesie vorenthalten, meine Herren? Gewiſs nicht!

Was ich an die Ilias anknüpfe, schlieſse ich mit Bemerkungen über eine Stelle, bei der es von je her nahe lag die antike Plastik heranzuziehen, obschon man bei ihr auf kein besonderes Kunstwerk hinweisen, sondern nur einen Bericht aus dem Altertum anführen kann. Sie erraten, daſs ich die vielgenannte Stelle A 528 ff. im Sinn habe, wo Zeus der ihn anflehenden Thetis ihre Bitte gewährt:

ἦ καὶ κυανέῃσιν ἐπ' ὀφρύσι νεῦσε Κρονίων·
ἀμβρόσιαι δ' ἄρα χαῖται ἐπερρώσαντο ἄνακτος
κρατὸς ἀπ' ἀθανάτοιο, μέγαν δ' ἐλέλιξεν Ὄλυμπον.

Hier sprechen wir sicherlich von Phidias, indem wir an die Erzählung erinnern, nach welcher sich der groſse Künstler, als er seine Zeus-Statue für den Tempel zu Olympia schuf, an jene Verse hielt, weshalb denn auch „die innige Verbindung von welterschütternder Macht und väterlicher Milde des Werks Grundgedanke gewesen" (E. Curtius). Als einen wenn auch späten Nachklang der Kunst des Phidias pflegte man sonst den Zeus von Otricoli auszugeben; dies darf, wie Ihnen bekannt ist, nicht mehr geschehen. Gleichwohl halte ich es für kein

Unrecht, Schülern im Anschluſs an jene Erzählung den Zeus von Otricoli darzubieten, wenn nur dabei bemerkt wird, dieser gebe ein zweites Stadium des Zeus-Ideals wieder aus einer weit späteren Zeit als der des Phidias. Unter den Abbildungen dieser schönsten aller uns erhaltenen Zeus-Formen ist mir am liebsten der Lichtdruck bei Ludwig von Sybel „Das Bild des Zeus" (Marburg 1876). Im Verlage von Bruckmann in München erschien vor Jahren eine lithographische Tafel, die sich für die Schule durch ihre Gröſse empfiehlt. Ich wünsche jedoch die Zeit kommen zu sehen, von der an in jedem Gymnasium auſser der Naturaliensammlung auch eine Reihe guter Abgüsse antiker Skulpturen vorhanden ist, die Zeit, in welcher die Aula zur Freude des Zeichenlehrers wie des Philologen wenigstens einige der bedeutendsten Göttertypen in Gipsbüsten aufweist, ähnlich, wie sie Hettner in einer Rotunde des Museums der Gipsabgüsse zu Dresden vereinigt hat, etwa den Zeus von Otricoli, die Hera Ludovisi, die Pallas Albani und den Kopf des Hermes von Praxiteles. Glücklich der Schüler des Gymnasiums in dieser hoffentlich nicht mehr fernen Zeit!

Die Odyssee führt nicht so unmittelbar wie die Ilias auf hochbedeutsame Werke der Plastik. In ihr treten, von Athene, Hermes und Poseidon abgesehen, die Göttergestalten zurück; selbst für jene Gottheiten aber haben die Künstler keine Vorbilder geradezu der Odyssee entnommen. Die Figur des Odysseus mag wohl dem Schüler gelegentlich in Hervorbringungen der Kleinkunst gezeigt werden; ihm aber die Freude an menschlich ergreifenden Auftritten der Odyssee durch Darstellungen zu verderben, wie sie die alte Vasenmalerei vielfach bietet, werden wir geringe Lust verspüren. Weit mehr lohnt es sich, für solche Auftritte oder für die Scenerie des Epos den Blick des Schülers auf Kunstsschöpfungen der Jetztzeit zu lenken, vor allem auf Prellers unvergleichliche Odyssee-Landschaften in Weimar.

Selbst die Tragiker geben weit seltener, als man vielleicht erwartet, Anlaſs auf Erzeugnisse der alten Kunst einzugehen. Wissen wir doch nicht einmal, ob die beiden schönen Gruppen aus der Schule des Pasiteles, in denen man Elektra mit Orestes zu sehen glaubt, wirklich diese Kinder Agamemnons bedeuten. Die Gruppe der Villa Ludovisi, in welcher die Frauengestalt so beträchtlich älter als der Jüngling erscheint, hat, verstanden von dem Geschwisterpaare, für unser Gefühl etwas Befremdliches. Bei der Erklärung des Sophokleischen Dramas können immerhin beide Gruppen eine Stelle finden, weit eher als etwa das Orestes-Relief von Ariccia oder die Terrakotte von Melos. Für die Aulische Iphigenie des Euripides wird nicht das Wandgemälde aus Pompeji, wohl aber der Florentiner Marmoraltar zu berücksichtigen sein, welchem das berühmte Motiv des im Übermaſse sein Schmerzes mit verhülltem Haupt abgewendeten Vaters angehört.

Müssen sich aber nicht auch an die römische Literatur, müssen sich nicht insbesondere an die Horazischen Gedichte zuweilen Fingerzeige solcher Art im Gymnasium anschlieſsen? Gesetzt wir erläutern den Säkularfestgesang; des Dichters Doppelchor, doctus et Phoebi chorus et Dianae dicere laudes, hebt an:

Phoebe silvarumque potens Diana,
    lucidum caeli decus,

und feierlich beginnen hierauf die Knaben für sich in der dritten
Strophe:

Alme Sol, curru nitido diem qui
promis et celas aliusque et idem
    nasceris.

Wie gewinnen diese Dichterworte an Reiz, wenn der Schüler die östliche Giebelgruppe des Parthenons sieht, in deren einer Ecke der
Sonnengott, um den Tag zu bringen, mit seinem Gespann aus dem
Ozean emporstieg, während in der anderen die Göttin des Mondlichts
hinabtauchte!

„Wo jetzt nur, wie unsre Weisen sagen,
Seelenlos ein Feuerball sich dreht,
Lenkte damals seinen goldnen Wagen
Helios in stiller Majestät."

Anzudeuten, in welchem Zusammenhange durch Helios und Selene
am Parthenon eine von Hoheit erfüllte gedankenreiche Kunst den
Himmelsraum verkörpert hatte, die unnachahmlich beseelten Köpfe
der Götterrosse unter den Elgin-Marbles aufzuzeigen, vom Adel jener
kostbaren Reste aus der Epoche des Phidias überhaupt eine Ahnung
zu gewähren, ist für den Lehrer eine würdige und lohnende Aufgabe.

Beschäftigt sich der Unterricht mit der 12. Ode des I. Buches
Quem virum aut heroa etc. und gelangt zu den Versen

dicam et Alciden puerosque Ledae,
hunc equis, illum superare pugnis
    nobilem,

so unterlassen wir nicht zu erwähnen, wie gewaltig und lebensvoll
die Söhne der Leda als Rossebändiger in Erz oder Marmor dargestellt
wurden. Wir schildern die unter dem Namen der Dioskuren vom
Monte Cavallo bekannten Kolosse auf der Piazza del Quirinale in Rom
und sagen dem Schüler, er werde sie, wenn er einst das Treppenhaus
des Neuen Museums zu Berlin hinaufsteige, dort in Gips nachgebildet
erblicken.

Besonders bemerkenswert erscheint die 8. Ode des IV. Buches.
Der Dichter versichert seinem Freunde Censorinus: „Nicht die
schlechtesten Geschenke würdest von mir du empfangen, vorausgesetzt
ich wäre Meister in Kunstleistungen,

quas aut Parrhasius protulit aut Scopas,
hic saxo, liquidis ille coloribus
sollers nunc hominem ponere nunc deum".

Da sind wir doch wohl zu einigen Aufschlüssen über die von Horaz
genannten Künstler verpflichtet; können wir aber von Parrhasios
sprechen, ohne des Zeuxis zu gedenken, und von Skopas, ohne ihm
Praxiteles an die Seite zu stellen? In welchem Gegensatze Praxiteles
und Skopas sowohl hinsichtlich der Auswahl ihrer Stoffe als auch
hinsichtlich der Formengebung zu Phidias, zu Myron und Polyklet
stehen, läfst sich auf dieser Lehrstufe gewifs verdeutlichen. Ferner

verlangt die Horazische Stelle geradezu, dafs wir dem Schüler saxo auslegen, indem wir hervorheben, wie Skopas und Praxiteles ihre künstlerische Gröfse durch Arbeiten in Marmor offenbarten, nachdem Polyklet Vollendetes in Bronzewerken geleistet hatte, und wie sich dies für Skopas schon durch seine am trefflichsten Marmor so reiche Heimat Paros, aber für ihn sowohl als für Praxiteles durch die Verschiedenheit ihres Kunststils von dem eines Polyklet und Myron ergab, weil das Erz zwar die edle strenge Schönheit der Gestalt darzustellen vermag, hingegen das Zarte, das Anmutige und Seelenvolle, das in den Schöpfungen des Skopas und Praxiteles hervortrat, nur dem Marmor erreichbar ist (Hettner, Vorschule zur bildenden Kunst der Alten S. 215).

Nicht weniger als die Oden des Horaz werden andere seiner Dichtungen Ursache, die Jugend in das Reich der alten Kunst einzuführen. In der 6. Epistel des I. Buches Nil admirari etc. lesen wir V. 17 f.:

 i nunc, argentum et marmor vetus aeraque et artes
 suspice, cum gemmis Tyrios mirare colores.

Abgesehen davon, dafs der Schüler auch hier von Marmorbildwerken alter Meister sowie von Erzeugnissen des Bronzegusses hört, mufs er auf Grund dieser Stelle erfahren, was man unter einer Gemme, was man unter einem Cameo versteht. Die Notwendigkeit solcher Auskunft kehrt in der 2. Epistel des II. Buches wieder V. 180 ff.:

 gemmas, marmor, ebur, Tyrrhena sigilla, tabellas,
 argentum, vestes Gaetulo murice tinctas
 sunt qui non habeant, est qui non curat habere.

Hier wird auch die Elfenbeintechnik und die Herstellung von Erzfiguren in Etruskischen Werkstätten zur Sprache kommen. Die Angaben über Steinschneidekunst, welche durch beide Stellen gefordert werden (vgl. carm. III, 24, 48), erhalten wirksame Unterstützung, wenn sich im Besitze des Lehrers oder der Schule Gemmen-Abdrücke befinden. Die einst vom Galleriediener Krause zu Berlin unter sachkundigem Beirate zusammengestellte „Auswahl von 50 Gemmen-Abdrücken für den Unterricht in der Mythologie und die anschauliche Kenntnis antiker Kunst" reicht völlig aus; der Demeter-Kopf, der Apoll mit Bogen und Köcher, der Sisyphos, der Leander und anderes, was diese in ansprechender Form eines Buches dargebotene hübsche Sammlung enthält, hat schon manchen Schüler erfreut und belehrt.

Als Beispiel dafür, dafs auch von der Lektüre römischer Prosa im Gymnasium Anregung auf dem Gebiete, das ich bespreche, ausgehen kann, nenne ich das vierte Buch der Anklagerede Ciceros gegen Verres. Hier werden ja, wie Sie wissen, viele namhafte Kunstgegenstände beschrieben, die sich Verres in Sicilien widerrechtlich angeeignet hatte, vor allem die aus dem Familienheiligtum eines reichen Bürgers zu Messana von ihm geraubten Stücke: in Bronze zwei Kanephoren von Polyklet und ein Herakles von Myron, in Marmor ein Eros von Praxiteles; andere, wie Myrons vielgenannte eherne Kuh, führt Cicero gelegentlich zum Vergleiche wegen ihres Wertes an,

Auch den attischen Bildhauer Silanion lehrt die Anklage kennen;
denn seine mit feinstem Geschmacke durchgeführte Statue der Sappho,
ein Meisterwerk, ließ Verres aus dem Prytaneum zu Syrakus fort-
schleppen. Die Toreutik ist durch kunstreich ziselierte Becher von
Mentors Hand und andere vorzüglich gelungene Silberarbeiten vertreten, die Elfenbeinschnitzerei durch die überaus herrliche Flügeltüüre
des Minervatempels in Syrakus, von der Cicero sagt: „confirmare hoc
liquido, indices, possum, valvas magnificentiores, ex auro atque ebore
perfectiores nullas umquam ullo in templo fuisse; . . . ex ebore diligentissime perfecta argumenta erant in valvis". Da nach des Redners
weiteren Worten angenommen werden darf, das elfenbeinerne Medusen-
haupt, welches die besondere Zierde jener prachtvollen Tempelpforte
bildete, „Gorgonis os pulcherrimum cinctum anguibus", sei der Medusa
Rondanini ähnlich gewesen, so lassen Sie uns nicht vergessen, auf
diese, wenn wir im Gymnasium die Stelle behandeln, hinzuzeigen, sei
es durch einen Abguß oder durch den gewissenhaften Contourstich in
Lützows Münchener Antiken oder durch eine andere Abbildung. Wie
Sie sich erinnern, berührt Cicero ferner die Gemälde, die Verres aus
jenem Tempel wegnahm, einen Reiterkampf des Königs Agathokles in
einer Folge von Malereien — „nihil erat ea pictura nobilius, nihil
Syracusis quod magis visendum putaretur" — und eine Galleie von
Porträten sicilischer Fürsten. Indem so die Rede ein reiches und anziehendes Bild antiker Kunst aufrollt, gewinnen unsere Schüler nicht
nur Einblick in die verschiedenen Formen und Zweige derselben, sondern werden auch über die mannigfachen Stoffe unterrichtet, die sie
aus der Götter- und Heroensage sowie aus der Menschenwelt und der
Natur zur Darstellung wählte.

Es liegt mir jetzt noch ob, anzudeuten, inwiefern auch der
Unterricht im Deutschen dem Zöglinge des Gymnasiums die
wünschenswerte Bekanntschaft mit der bildenden Kunst des Altertums
vermitteln kann. Ich denke dabei zunächst an die deutsche Literatur
und nenne, um ihre Bedeutung für jenen Zweck hervortreten zu lassen,
drei große Namen: Winckelmann, Lessing, Goethe.

Unmittelbar auf das Gebiet, von dem ich spreche, werden wir
im Unterrichte durch Winckelmann geführt. Schildern wir aber unsern
Schülern die Verdienste Winckelmanns, so dürfen wir ihnen auch
nicht verhehlen, daß überraschend großartiger Zuwachs von Resten
antiker Kunst und rastlose Forscherarbeit eines Jahrhunderts den
Aufriß des genialen Begründers der Kunstgeschichte umgestaltet hat,
daß wir infolge glücklicher Entdeckungen „weiter gekommen sind, als
unsere Großväter und Väter waren". Und lesen wir etwa mit Schülern
Winckelmanns Beschreibung des Torso von Belvedere, so wäre es Unrecht zu verschweigen, daß seine Ansicht, der Künstler habe durch
Unsichtbarkeit der Adern einen vergötterten Leib darstellen wollen,
irrig war. „Die Skulpturen vom Parthenon, die Winckelmann noch
nicht kannte, haben uns gelehrt, daß dieser Mangel von Adern nur
ein Kunstgriff späterer Bildhauer war, die durch Abweichung von den
gegebenen Formen der Natur Wirkung zu machen suchten" (Friederichs-

Wolters, Bausteine S. 549). Wir müssen dem Geschlecht unserer Zeit
sagen, die enthusiastische Bewunderung, welche Winckelmann dem Torso
zollte, sei nach dem jetzigen Stande der Erkenntnis auf einen gewissen
Grad einzuschränken. Wird im Unterrichte der Abschnitt über den
Vatikanischen Apoll erklärt, den aus der „Geschichte der Kunst des
Altertums" die meisten Lesebücher aufgenommen haben, so sind wir
verpflichtet, die Auffassung Winckelmanns durch die vorhin zum
XV. Gesange der Ilias von mir angeführten Thatsachen zu berichtigen.
Jedenfalls aber trägt die Beschäftigung des Jünglings mit diesem
Meister deutscher Prosa dazu bei, daß er die alte Kunst in einem
für ihn geeigneten Maße kennen lernt. Die „Musterstücke aus
Winckelmanns Werken für die Lektüre in den obersten Klassen
höherer Lehranstalten herausgegeben von Dr. Wilhelm Kühne" (Berlin,
Weidmannsche Buchhandlung, 1879) zählen zum festen Bestande der
Schüler-Lesebibliotheken; jedoch erst durch des Lehrers ergänzendes
und belebendes Wort, das von guten Abbildern unterstützt sein soll,
erntet der Schüler die Frucht seiner Hingabe an Winckelmann in dem
von mir erörterten Sinne.

Der Unterrichtsstufe, auf welcher jene Stücke gelesen werden,
fällt auch Lessings Laokoon zu. Mit Erläuterung der für die Jugend
auszuwählenden Teile desselben kommt der rechte Zeitpunkt, die Aufmerksamkeit des Schülers zugleich auf die Laokoonsgruppe als Kunstwerk an sich zu lenken:

„Wende zum Vatikan dich nun und sieh
Laokoon von Schmerz veredelt ringen!
Die Vaterliebe strebt die Agonie
Mit eines Gottes Gleichmut zu bezwingen."
Child Harold IV 160.

Nimmermehr werden wir ihn in alle Streitfragen über die Entstehungszeit einweihen wollen; aber er darf nicht unbekannt mit dem
Ergebnis bleiben, daß die Gruppe keineswegs aus der Zeit des Titus
stammt, wie Lessing und andere glaubten, sondern höchst wahrscheinlich aus der Blütezeit rhodischer Kunst zwischen 260 und 130 v. Chr.
Vor allem jedoch soll er, soweit es für ihn angemessen ist, ihre Vorzüge kennen lernen, den wunderbar in sich abgeschlossenen Aufbau,
das staunenswerte Spiel der bewegten Linien, die von tiefem künstlerischen Wissen zeugende Behandlung des Menschenleibes. Die gehaltvollen und feinsinnigen Ausführungen von Brunn, Overbeck,
Trendelenburg sowie der wiederum ungemein klare und schlagende
Abschnitt bei Helbig (I. S. 96—101) liefern ausgiebigen Stoff, aus dem
wir mit Umsicht wählen müssen, um jenem weltberühmten Erzeugnis
der griechischen Plastik beim Unterricht in einer für die Jugend berechneten Weise gerecht zu werden.

Und nun Goethe! In ihm erscheint die Blüte dessen, was der
Verein moderner Bildung mit antikem Kunstgefühl bewirkt hat. Von
Goethe, insbesondere von seiner italienischen Reise können wir in den
Lehrstunden bei geschichtlichem Überblick der deutschen Literatur
nicht erzählen, ohne die Kunst des Altertums zu berühren. Wir teilen

doch gewiſs die prächtige Stelle des Briefes aus Rom vom 6. Januar 1787 mit: „Zu meiner Erquickung habe ich gestern einen Ausguſs des kolossalen Junokopfes, wovon das Original in der Villa Ludovisi steht, in den Saal gestellt. . . Keine Worte geben eine Ahnung davon: es ist wie ein Gesang Homers." Inwiefern Goethe dieses Werk der bildenden Kunst mit einem Homerischen Gesange vergleichen konnte, werden wir den Schülern zu erklären bemüht sein, selbstverständlich indem wir es gleichzeitig in einer Nachbildung schauen lassen. Sehr ansprechend gibt den Kopf im Vollen und im Profil ein vorzüglicher Steindruck in Kekulés Abhandlung „Hebe" (Leipzig, Engelmann, 1867) wieder. Von kleineren Bildern der Ludovisischen Hera und anderer Götterideale verdienen namentlich diejenigen beachtet zu werden, welche auf sechs trefflichen Lichtdrucktafeln „Der Olymp" von Hans Dütschke bietet, ein Buch, das sich ja in den Händen unserer Schüler befindet. Das Entzücken Goethes über Meisterstücke der alten Kunst verdeutlichen wir als Lehrer wohl auch durch jene andere Stelle der „Italienischen Reise", an welcher er schreibt: „Sonntag den 29. Juli 1787 war ich mit Angelika in dem Palast Rondanini. Ihr werdet Euch aus meinen ersten römischen Briefen einer Meduse erinnern, die mir damals schon so sehr einleuchtete, jetzt nun aber mir die gröſste Freude gibt. Nur einen Begriff zu haben, daſs so etwas in der Welt ist, daſs so etwas zu machen möglich war, macht einen zum doppelten Menschen." Diese Stelle wird unsere Schüler um so mehr anziehen, wenn sie wissen, daſs jetzt das Werk, welches einen so bedeutenden Eindruck auf Goethe hervorbrachte, ihnen selbst Dank der feurigen Kunstliebe und dem hohen Kunstgeschmack eines vaterländischen Fürsten leicht im Original zugänglich ist. Im einzelnen kann ich Goethes Verhältnisse zur antiken Kunst, sein tiefes Empfinden ihrer unvergänglichen Gröſse, sein ernstes Streben nach immer klarerer Erkenntnis ihrer Gesetze, seine nie erlöschende Teilnahme für alles, was in Bild oder Schrift ihren Ruhm verkündete, hier nicht verfolgen; genügen mag, daſs ich hervorhebe, wie oft zum Hinweis auf sie die Geschichte seines Lebens und seiner Wirksamkeit auffordert. Der Aufsatz über den Laokoon, mit welchem er 1798 die „Propyläen" eröffnete, sollte auf Gymnasien mehr gelesen werden; neben der Schrift Lessings bleibt dieser so oft unbeachtet, obwohl er für die Jugend weit faſslicher ist als jene und mehr dem künstlerischen Werte der Gruppe gilt.

Wird aber nicht auch unsere Poesie eine Führerin in das heitere Reich der Kunst des Altertums? Vornehmlich auf den edlen Lieblingsdichter unseres Volkes berufe ich mich hiefür. In der Kunst erblickte er ein dem Menschen allein unter allen geschaffenen Wesen eigenes unschätzbares Gut, der Menschheit Würde sah er in der Künstler Hand gegeben; deshalb war er darauf bedacht, in seinen lyrisch-didaktischen Gesängen als einen bedeutenden Fortschritt der Kultur das Werden und Reifen der Kunst bei den Völkern jener klassischen Zeit zu verherrlichen.

„Mit nachahmendem Leben erfreuet der Bildner die Augen,
Und vom Meißel beseelt redet der fühlende Stein.
Künstliche Himmel ruhn auf schlanken jonischen Säulen,
Und den ganzen Olymp schließet ein Pantheon ein."

Bezüge, wie sie diese Verse enthalten, finden wir, wenn Schillers
Gedichte in der Schule gelesen werden, nicht selten zu erläutern, so
daß vieles, was die bildende Kunst der Alten angeht, bei diesen Gelegenheiten zur Sprache kommen muß.

Ich habe indessen außer dem Studium der Literatur noch eine
andere Seite des deutschen Unterrichts im Auge, die Aufsätze.
Lassen Sie uns den Stoff für sie in oberen Klassen zeitweise aus dem
Gebiete der griechisch-römischen Kunst wählen, insoweit es der Jugend
erschlossen werden kann! Durch solche Aufgaben halten wir hervorragende Kunstdenkmäler am sichersten in der Vorstellung des Schülers
fest; wird er veranlaßt einzelne Antiken, die er, wenn auch nur
im Abbilde, vor sich sah, klar und vollständig zu schildern, so prägt
sich ihm der Begriff derselben so lebhaft ein, daß er wirksam für das
Leben vorbereitet ist, in das er als Beweis humanistischer Erziehung
auch einige Vertrautheit mit klassischer Kunst mitbringen soll, um
hoher Ahnungen voll gern und froh vor ihre vollendetsten Gebilde zu
treten. Daß in den neuesten Unterrichtsvorschriften für unsere Gymnasien unter den stilistischen Arbeiten Beschreibungen von Kunstwerken ausdrücklich genannt sind, bieß ich von Herzen willkommen.
Obwohl nun häufig den Vorwurf derselben mit Recht Erzeugnisse der
Neuzeit, namentlich bedeutende Gemälde, bilden werden, so gewähren
doch antike Kunstgegenstände nicht minder dankbare Stoffe derartiger
Aufgaben; ich erinnere vor allem an den Pasquino und führe noch
den betenden Knaben des Berliner Museums sowie den lehrreichen
Augustus-Cameo des Antiken-Kabinets zu Wien als Beispiele an. Zu
solchen Beschreibungen können sich Arbeiten gesellen, in denen bestimmte Beziehungen der alten Kunst zur Poesie, zur Literatur überhaupt oder zur Geschichte dargestellt werden. Sie gestatten mir
vielleicht, einige Schüleraufsätze aus diesen Bereichen anzuführen,
deren Abschriften ich bewahrte und hier vor mir habe; sie entstanden
in verschiedenen Jahren, entweder von allen Schülern einer Klasse als
Hausaufgaben oder von einzelnen als Vorträge für Schulfeste bearbeitet. Zuerst genannt sei „Homer und die bildende Kunst", ein Vortrag, dessen Verfasser ich als nunmehrigen Berufsgenossen heute zu
meiner Freude in unserem Kreise gegenwärtig sehe; daß er unter
eindringenden Altertumsstudien auch jener Schulzeit ein freundliches
Andenken erhalten hat, bewies er mir vor einigen Jahren in liebens-
würdiger Weise durch einen von klassischer Stätte, von Olympia aus,
an mich gerichteten Gruß. Er möge erlauben, daß ich aus jenem
wohlgelungenem Versuch einige Sätze hier mitteile. Nachdem der
Vortragende im ersten Teile von der plastischen Gestaltungskraft der
Homerischen Epen gehandelt hatte, fuhr er fort: „Dichtungen aber,
welche so viele plastische Züge enthalten, konnten nicht ohne wesentlichen Einfluß auf die bildende Kunst bleiben. Natürlich würde es

meine Kräfte und die mir zugemessene Zeit weit übersteigen, wollte ich auch nur die berühmtesten der durch den Lebenshauch Homerischer Poesie ins Dasein gerufenen Kunstschöpfungen beschreiben. Doch darf ich wohl auf einige der unserem Gesichtskreis zunächst liegenden hinweisen." Nun folgte die Schilderung mehrerer unter dem Einflusse der Ilias entstandener Kunstwerke des Altertums; sie begann mit den Worten: „Als die Bewohner der Insel Ägina nach glorreicher Beendigung der Perserkriege der Athene zum Dank für ihren Beistand einen Tempel weihten, glaubte der Künstler den Kriegsruhm, den sich dieselben erworben hatten, nicht besser im Tempelschmuck verherrlichen zu können, als durch das Spiegelbild der Heldenthaten, die ihre Stammheroen einst vor Ilion vollbracht." Doch ich breche in dem ab, was einst unser Freund als Schüler vortrug, um von anderen Aufgaben dieser Art zu berichten. Solche waren: „Die Schöpfung des Zeus-Ideals durch Homer und Phidias". „Ein Blick auf das alte Athen". „Ein Gang durch das alte Rom". „Das Kolosseum in Rom". „Die drei in Rom erhaltenen Triumphbögen". „Ciceros vierte Verrinische Rede als Quelle der Kunstgeschichte". „Drei weltberühmte Schlachtgemälde". In dem zuletzt genannten Versuche, der gleichfalls einen Schulfestvortrag bildete, stellte ein Schüler auf meinen Wunsch dem Pompeianischen Mosaikbilde der Alexanderschlacht den Sieg Constantins über Maxentius am Ponte Molle nach Rafael und Kaulbachs Fresko des Kampfes auf den Gefilden von Katalaunum an die Seite.

Nicht unerwähnt will ich lassen, daß bei Aufsätzen anderer Art bisweilen der Eingang oder der Schluß im Hinweis auf ein Denkmal der alten Kunst bestehen kann. Soll auf Grund der Horazischen Ode Mercuri facunde nepos Atlantis etc. „die Bedeutung des Hermes in der antiken Mythe" auseinandergesetzt werden, so gehen dem Hauptinhalt einige Angaben über das in Olympia aufgefundene Marmorwerk des Praxiteles passend voraus. Und als im eben verflossenen Halbjahre meine Schüler bei Beantwortung der Frage „Auf welche Weise wird in der Ilias beim Falle des Patroklos unsere besondere Teilnahme für diesen Helden erregt?" zuletzt als eines der in Betracht kommenden Mittel noch den Bericht des Epos vom heißen Kampf um die Leiche des Gefallenen angeführt hatten, knüpften sie hieran meine Anleitung gemäß ein kurzes Wort über die Äginetische Giebelgruppe.

So wenig bei dem, was ich bezüglich des Geschichtsunterrichts und der Erklärung alter Klassiker äußerte, meine Absicht dahin ging, die Fälle zu erschöpfen, in denen jene Lehrfächer einen Ausblick auf bildende Kunst des Altertums ermöglichen, eben so wenig will ich mit den in diesem Zusammenhang vorgebrachten Stoffen und Gedanken deutscher Aufsätze irgend welche Vollständigkeit beanspruchen. Vielmehr werden auf allen Unterrichtsgebieten, die ich berührte, Sie selbst, meine Herren, zu den von mir gegebenen Beispielen andere aus Ihrer Schulthätigkeit leicht hinzufügen.

Auch die gelegentlich eingereihten Nachweise von Mitteln für die Anschauung bitte ich nicht als Versuch einer völlig genügenden

Übersicht aufzufassen. Eine solche müfste mehr bieten, als hier zu nennen möglich war; sie müfste sich auf die systematischen Werke erstrecken und namentlich eine sorgfältige Auswahl aus dem enthalten, was die „Denkmäler griechischer und römischer Skulptur in historischer Anordnung unter Leitung von Heinrich Brunn herausgegeben von Friedrich Bruckmann" (München, 1890 ff.) bringen. Leider dürfte der Preis dieser kostbaren photographischen Sammlung fast überall als Hindernis ihrer Anschaffung für die Schule empfunden werden. Unter den leicht selbst von Schülern zu erwerbenden Anschauungsmitteln kann ich das 7te und 8te der Baumeisterschen „Bilderhefte" nicht übergehen. Freilich ist in diese beiden Hefte etwas zu viel aufgenommen, darunter einzelnes für die Jugend nicht Geeignete, wie die knidische Aphrodite; auch sind manche der Abbildungen stumpf geraten. Allein neben ihnen finden sich zahlreiche nicht nur sehr gut gewählte, sondern auch deutlich und schön ausgeführte Bilder, durch welche die Kenntnis alter Architektur und Plastik wesentlich gefördert wird. Für unsere Gymnasien aber betone ich immer wieder als notwendig, dafs jedes derselben in den Besitz einer wenn auch nur mäfsigen Anzahl erlesener Gipsabgüsse gelange.

Zum Schlufs möchte ich die Grundsätze, die wir nach meinem Dafürhalten bezüglich der erörterten Frage zu befolgen haben, in Folgendem zusammenfassen:

1. Nicht den antiquarischen, sondern nur den künstlerischen Gesichtspunkt dürfen wir zur Geltung bringen. Sinn für das wahrhaft Schöne soll bei der Jugend geweckt werden; sie lerne bewundern.

2. Inwiefern unsere ganze moderne Bildung aus der alten entsprossen ist, wollen wir den Zögling des Gymnasiums begreifen lassen. Nicht minder lebendig als die Erkenntnis, dafs die deutsche Poesie ihre zweite Blüte dem Bunde des deutschen Geistes mit griechischem Formgefühl verdankt, mufs in ihm die werden, dafs die Wiedergeburt unserer bildenden Kunst von der Antike ausging.

3. Wie auf anderen Gebieten des Gymnasialunterrichts ist auch hier unsere Aufgabe nicht, zu sättigen, sondern anzuregen. Finden wir uns nicht in den Lehrstunden für deutsche Literatur beständig darauf angewiesen, Hunger und Durst hervorzurufen? Vermögen wir dem Jüngling alles Grofse und Herrliche antiker Poesie und Prosa-Rede darzureichen? Noch weit mehr müssen wir uns auf dem Felde der alten Kunst beschränken.

Wir werden aber bemüht sein, den Schüler mit Vorkenntnissen auszurüsten, indem wir ihn über wichtige Kunstformen (Relief, Mosaik etc.), über Attribute und Symbole, endlich über kunstgeschichtlichen Sprachgebrauch aufklären, z. B. über Bezeichnung von Kunstwerken nach dem Fundort (Pallas von Velletri, Zeus von Otricoli) oder nach einstigen Besitzern (Pallas Albani, Medusa Rondanini). Auch Museographisches rechne ich hieher; der Schüler dankt es uns in Zukunft, wenn wir ihm mitteilen, dieses oder jenes Vermächtnis antiker Kunst bewahre der Uffizien-Palast oder der Vatikan. Ermessen Sie die

Leichtigkeit des heutigen Weltverkehrs, meine Herren! Viele unserer Zöglinge unternehmen einst als junge Männer Reisen, von denen sich frühere Geschlechter nichts träumen liefsen; wohlan, sorgen wir dafür, dafs sie sich museographischer Winke des Gymnasialunterrichts mit Freude selbst in Florenz und Rom erinnern! Wir werden sie daher bei schicklichen Anlässen auch belehren, auf welche Nachbildungen der Schätze europäischer Museen sie in den heimischen Gipsabgufssammlungen ihr besonderes Augenmerk richten sollen.

Als Ziel unserer Thätigkeit auf dem besprochenen Gebiete betrachte ich, dafs sich der einstige Gymnasialschüler auf der Hochschule zum Hören kunstgeschichtlicher Vorlesungen und als Mann zu fortgesetztem Umgang mit jenen edlen Werken des Altertums, zu tieferem Eindringen in ihren oft verborgenen Zauber getrieben fühle. Dazu gehört freilich, dafs wir für die Kunst zu begeistern verstehen. Die Aufgabe des Unterrichts in deutscher Literatur kennzeichnet einer der sinnigsten Förderer desselben mit folgenden Worten: „Es ist bekanntlich die Hauptprobe auf einen guten Unterricht, wenn er Freude an den behandelten Objekten und die Lust zum Weiterstreben geweckt hat". Dies gilt auch bei der Berücksichtigung alter Kunst im Gymnasium. Je wärmer der Lehrer selbst für die künstlerische Gröfse der Alten empfindet, desto mehr wird sich diese Wärme auch dem Schüler mitteilen. Wie lohnend für uns, wenn mancher tüchtige Mann noch infolge der einst im Gymnasialunterrichte gewonnenen Eindrücke sich von den Mühen seines Berufes durch Kunststudien erholt und endlich in die Aussage des grofsen Dichters einzustimmen vermag: „Bekennen wir gern, dafs ein solches Studium uns zu den schönsten Freuden eines langen Lebens gedient hat!"

I. Prüfungsaufgaben für das Gymnasialabsolutorium an den humanistischen Gymnasien 1892.

Übersetzung aus dem Deutschen in das Lateinische.

Montag, den 20. Juni 1892, Vorm. von 7—11 Uhr.

Auch in den glücklichsten Zeiten des römischen Volkes fehlte es nicht an bürgerlichen Spaltungen, welche den Staat wiederholt an den Rand des Verderbens brachten. Doch war das Ansehen der Gesetze und die Liebe zur Heimat immer so mächtig, daß die leidenschaftlich erregten Geister, bevor das Gemeinwesen einen ernsteren Schaden davon trug, schließlich immer wieder zur Vernunft kamen.

Eine große Wandlung der Dinge aber vollzog sich von der Zeit der Gracchen an. Ihre zwar nicht unbilligen, aber zu wenig überlegten und maßvollen Bestrebungen wurden vom Adel mit rücksichtloser Gewalt niedergekämpft, worauf eine scheinbare Ruhe eintrat.

Damals wurde auf Grund eines Senatsbeschlusses genau an der Stelle, an welcher der Konsul Opimius nach dem gewaltsamen Tod des Gaius Gracchus ein großes Blutbad unter den Anhängern der Volkspartei angerichtet hatte, ein Tempel der Concordia errichtet, so daß in der Folge die zum Volke Sprechenden stets ein Erinnerungszeichen an die Bestrafung der Gracchen vor Augen hatten.

In der That eine merkwürdige Bekundung der Frömmigkeit! Werden wir den Optimaten die Naivität [1]) zutrauen, dass sie auf solche Weise die Eintracht der Bürgerschaft zu stärken und zu fördern hofften? Oder sollen wir darin nichts anderes sehen als eine förmliche Verhöhnung des Volkes wie der Götter?

„Man wird eben", bemerkt spöttisch ein christlicher Schriftsteller, „vielleicht die Göttin Concordia, weil sie die Seelen der Bürger böslich verlassen hatte, wegen dieses Frevels in jenen Tempel wie in einen Arrest eingesperrt haben. Warum hat man, wenn man im Einklang mit den thatsächlichen Vorgängen bleiben wollte, dort nicht lieber der Discordia einen Tempel erbaut? Oder läßt sich ein vernünftiger Grund anführen, weshalb man die Concordia für eine Göttin halten soll, die Discordia aber nicht?"

Uebrigens, welchen Zweck man nun immer mit der Errichtung des Tempels verbunden haben mag, jedenfalls stand jener Bau in schroffem Widerspruch zur Wirklichkeit. Darüber konnte nur der sich täuschen, der die Zeichen der Zeit nicht genau beobachtete und deutete. Denn unter der trügerischen Ruhe bargen sich tiefliegende Schäden, welche insgeheim fortwucherten, um furchtbar hervorzubrechen, als die Erinnerung an die früheren Bluthaten allmählich verblaßt war und das Volk neue Führer fand, welche, wie sie den Gracchen an Ehrlichkeit und Selbstlosigkeit nachstanden, so durch Rücksichtslosigkeit und Glück ihnen überlegen waren.

---

[1]) simplex, simplicitas.

Übersetzung aus dem Griechischen ins Deutsche.

Mittwoch, den 22. Juni 1892, Vorm. von 7—10 Uhr.

Τῶν μετὰ Λεωνίδου τὰς ἀρετὰς τίς οὐκ ἂν θαυμάσειεν·
οἵτινες μιᾷ γνώμῃ χρησάμενοι τὴν μὲν ἀφωρισμένην τάξιν ὑπὸ
τῆς Ἑλλάδος οὐκ ἔλιπον, τὸν ἑαυτῶν δὲ βίον προθύμως ἐπέ-
δωκαν εἰς τὴν κοινὴν τῶν Ἑλλήνων σωτηρίαν, καὶ μᾶλλον εἵλοντο
τελευτᾶν καλῶς ἢ ζῆν αἰσχρῶς. καὶ τὴν τῶν Περσῶν δὲ κατά-
πληξιν οὐκ ἄν τις ἀπιστήσαι μεγίστην γενέσθαι. τίς γὰρ ἂν
τῶν βαρβάρων ὑπέλαβε τὸ γεγενημένον; τίς δ' ἂν προσεδόκησεν
ὅτι πεντακόσιοι τὸν ἀριθμὸν ὄντες τολμήσοιεν ἐπιθέσθαι ταῖς
ἑκατὸν μυριάσι; διὸ καὶ τίς οὐκ ἂν τῶν μεταγενεστέρων ζηλώσαι
τὴν ἀρετὴν τῶν ἀνδρῶν, οἵτινες τῷ μεγέθει τῆς περιστά-
σεως κατεσχημένοι τοῖς μὲν σώμασι κατεπονήθησαν, ταῖς δὲ
ψυχαῖς οὐχ ἡττήθησαν; τοιγαροῦν οὗτοι μόνοι τῶν μνημονευομένων κρατηθέντες ἐνδοξότεροι γεγόνασι τῶν ἄλλων τῶν τὰς καλ-
λίστας νίκας ἀπενηνεγμένων. χρὴ γὰρ οὐκ ἐκ τῶν ἀποτελεσμάτων
κρίνειν τοὺς ἀγαθοὺς ἄνδρας, ἀλλ' ἐκ τῆς προαιρέσεως. τίς γὰρ
ἂν ἐκείνων ἀμείνους ἄνδρας κρίνειεν, οἵτινες οὐδὲ τῷ χιλιοστῷ
μέρει τῶν πολεμίων ἴσοι τὸν ἀριθμὸν ὄντες ἐτόλμησαν τοῖς
ἀπιστουμένοις πλήθεσι παρατάξαι τὴν ἑαυτῶν ἀρετήν; οἳ
κρατήσειν τῶν τοσούτων μυριάδων ἐλπίζοντες, ἀλλ' ἀνδραγαθίᾳ
τοὺς πρὸ αὐτῶν ἅπαντας ὑπερβαλεῖν νομίζοντες, καὶ τὴν μὲν
μάχην αὐτοῖς εἶναι κρίνοντες πρὸς τοὺς βαρβάρους, τὸν ἀγῶνα
δὲ καὶ τὴν ὑπὲρ τῶν ἀριστείων κρίσιν πρὸς ἅπαντας τοὺς ἐπ'
ἀρετῇ θαυμαζομένους ὑπάρχειν. μόνοι γὰρ τῶν ἐξ αἰῶνος
μνημονευομένων εἵλοντο μᾶλλον τηρεῖν τοὺς τῆς πόλεως νόμους
ἢ τὰς ἰδίας ψυχάς, οὐ δυσχεραίνοντες ἐπὶ τῷ μεγίστῳ ἑαυτοῖς
ἐφεστάναι κινδύνους, ἀλλὰ κρίνοντες εὐκταιότατον εἶναι τοῖς
ἀρετὴν ἀσκοῦσι τοιούτων ἀγώνων τυγχάνειν. δικαίως δ' ἄν τις
τούτους καὶ τῆς κοινῆς τῶν Ἑλλήνων ἐλευθερίας αἰτίους ἡγήσαιτο
μᾶλλον ἢ τοὺς ὕστερον ἐν ταῖς πρὸς Ξέρξην μάχαις νικήσαντας·
τούτων γὰρ τῶν πράξεων μνημονεύοντες οἱ μὲν βάρβαροι κατε-
πλάγησαν, οἱ δὲ Ἕλληνες παρωξύνθησαν πρὸς τὴν ὁμοίαν ἀνδρα-
γαθίαν. καθόλου δὲ μόνοι τῶν πρὸ ἑαυτῶν διὰ τὴν ὑπερβολὴν
τῆς ἀρετῆς εἰς ἀθανασίαν μετήλλαξαν, διόπερ οὐχ οἱ τῶν ἱστο-
ριῶν συγγραφεῖς μόνον, ἀλλὰ πολλοὶ καὶ τῶν ποιητῶν καθύμνησαν
αὐτῶν τὰς ἀνδραγαθίας.

Übersetzung
aus dem Deutschen in das Französische.

Mittwoch, den 22. Juni 1892, Nachm. von 3—5 Uhr.

Obgleich die Ansichten sehr verschieden sein können, wenn es
sich darum handelt, zu beurteilen, welche Männer, die eine Rolle in der
Weltgeschichte gespielt haben, es wahrhaft verdienen, groß genannt zu

werden, so wird doch alle Welt darin übereinstimmen, demjenigen einen hohen Platz unter den grofsen Männern anzuweisen, dessen Name dieses Jahr in den Vordergrund des Interesses der alten und der neuen Welt tritt,[1] nämlich Christoph Columbus. Denn in ihm vereinigen sich alle Eigenschaften, welche den wahrhaft grofsen Mann ausmachen: das Genie oder die Gabe, der Menschheit neue Bahnen zu eröffnen; der Ruhm von Handlungen, welche einen dauerhaften und wohlthätigen Einflufs auf die Nachwelt ausgeübt haben; Mut und Ausdauer im Bekämpfen der Hindernisse und Schwierigkeiten; Adel der Gesinnung. Wer möchte nun bestreiten, dafs Columbus diese Eigenschaften in demselben oder vielleicht in einem höheren Grade besessen habe, als die meisten Männer, welche die Geschichte mit dem Beinamen des Grofsen geehrt hat? Weit erhaben[2] über die beschränkten Geister seiner Zeitgenossen, die für seine Ideen nur ein geringschätziges[3] Lächeln hatten, zeigte er der Schiffahrt den Weg nach Westen, den einzuschlagen noch kein Seefahrer vor ihm den Scharfsinn oder den Mut gehabt hatte. Und wie grofs auch die Schwierigkeiten sein mochten, die sich von allen Seiten seinem kühnen Unternehmen entgegenstellten, er liefs sich nicht entmutigen. Dafür[4] war auch der schönste Sieg, den je der Geist des Menschen erfochten hat, der Lohn seiner Beharrlichkeit. Es wird wenige Ereignisse in der Geschichte geben, deren Folgen so nachhaltig[5] und tiefgreifend[6] gewesen sind, wie die der Entdeckung Amerikas. Wer könnte alle die Vorteile aufzählen, welche daraus für die Zivilisation und die Wohlfahrt des Menschengeschlechtes erwachsen[7] sind? Wenn auch nicht zu läugnen ist, dafs viel Blut und scheufsliche Verbrechen an den Folgen dieser Entdeckung haften,[8] so wird doch niemand die reine und edle Seele des Columbus dafür verantwortlich machen. Beugen wir denn ehrfurchtsvoll das Haupt vor der hehren[9] Gestalt des grofsen Seefahrers und schliefsen wir uns von ganzem Herzen den Huldigungen[10] an, welche die dankbare Nachwelt seinem glorreichen Andenken darbringt!

[1] in den Vordergrund treten occuper le premier rang dans; [2] supérieur; [3] dédaigneux; [4] en revanche; [5] durable; [6] profond; [7] résulter; [8] s'attacher; [9] auguste; [10] hommage.

Deutsche Ausarbeitung.

Dienstag, den 21. Juni, Vorm. von 7—11 Uhr.

1) Inwiefern erscheinen die Dichter als Lehrer und Erzieher der Menschheit?

2) Charakteristik der Hauptperson eines in der Klasse behandelten und von der Prüfungskommission näher zu bezeichnenden Dramas.

3) Die Worte Homers Ἀμφότερον, βασιλεύς τ'ἀγαθὸς κρατερός τ'αἰχμητής angewandt auf Karl den Grofsen.

Aufgaben aus der Mathematik und Physik.

Donnerstag, den 23. Juni, Vorm. von 7 - 11 Uhr.

1) Fünf rationale Zahlen bilden eine geometrische Reihe. Die Summe der reciproken Werte des 2., 3. und 4. Gliedes verhält sich zum 1. Gliede wie 13 : 108. Das Produkt aus dem 1. Gliede ist 12. — Wie heifsen die fünf Zahlen?

2) Ein gleichseitiger Kegel ist durch eine zur Grundfläche parallele Ebene so geteilt worden, daß die Oberfläche der Kugel, welche dem oberhalb der Schnittebene gelegenen Kegel einbeschrieben ist, denselben Flächeninhalt hat wie der Mantel des unterhalb der Schnittebene entstandenen Kegelstumpfes. — Wie verhält sich der Mantel des ganzen Kegels zum Mantel des abgeschnittenen Kegels?

3) Von einem Dreiecke sind die 3 Seiten a = 275,4 m, b = 321,8 m und c = 426 m gegeben. Es sollen die drei Winkel berechnet werden. (Ableitung der notwendigen Formel.)

4) Von 2 mit gleicher Anfangsgeschwindigkeit unter den Elevationswinkeln α und α' abgeschossenen Kugeln flog die eine um d m weiter als die andere. Es sollen die Anfangsgeschwindigkeit und die Wurfweiten berechnet werden. (α = 45°, α' = 38° 12', d = 250 m, g = 9.8 m.)

Aufgaben aus der katholischen Religionslehre.
Montag, den 20. Juni, Nachm. von 3–5 Uhr.

1. (Frage aus dem Unterrichtsstoffe der 9. Klasse.
Wie unterscheiden sich übernatürliche und natürliche Gotteserkenntnis? Das Dasein Gottes soll aus Vernunftgründen nachgewiesen werden.

2. (Frage aus dem Unterrichtsstoffe der 8. Klasse.)
Man weise nach, daß Christus das heilige Bußsakrament als Bußgericht für alle Zeiten zur Vergebung aller Sünden unter der Verpflichtung zur Bekenntnis der Sünden eingesetzt hat.

Aufgaben aus der protestantischen Religionslehre.
Montag, den 20. Juni, Nachm. von 3—5 Uhr.

1. (Frage aus dem Unterrichtsstoffe der 9. Klasse.
Wie und wodurch ist die christliche Kirche gegründet worden? Worin besteht ihr eigentliches inneres Wesen? In welche Konfessionen ist sie auseinander gegangen und inwiefern kann trotzdem im Glaubensbekenntnis von Einer geredet werden? Inwiefern kommt ihr das Attribut „heilig" zu?

2. (Frage aus dem Unterrichtsstoffe der 8. Klasse.
Worin besteht das Wesen aller Religion? Worin hat die Be-Befähigung des Menschen zur Religion ihren Grund?
Warum ist eine göttliche Offenbarung notwendig? Welche Weisen derselben sind zu unterscheiden und welches ist deren wesentlicher Inhalt?

II. Prüfungsaufgaben für das Gymnasialabsolutorium an den Realgymnasien 1892.

Aufgabe für eine deutsche Ausarbeitung.
Montag, den 20. Juni, Vorm. von 7–11 Uhr.

1) Welchen verschiedenartigen Beweggründen entspringt Interesse für die Natur?

2) Arbeit ist des Blutes Balsam,
Arbeit ist der Tugend Quell.
3) Gedanken anläßlich der 400jährigen Gedenkfeier der Entdeckung Amerikas.

Aufgaben aus der katholischen Religionslehre.

Montag, den 20. Juni, Nachm. von 3—5 Uhr.

1) Was lehrt der Glaube von der göttlichen Vorsehung und wie läßt sich die ungleiche Verteilung der irdischen Güter in Vereinbarung bringen mit der Güte, Weisheit und Gerechtigkeit Gottes?

oder

2) Begriff von Buße und Bußsakrament, göttliche Einsetzung desselben, Erfordernisse zum würdigen Empfang dieses Sakramentes.

Aufgaben aus der protestantischen Religionslehre.

Montag, den 20. Juni, Nachm. von 3—5 Uhr.

1) Wie hat sich die christliche Gesinnung Gott, der Welt, dem Staat, der Kirche, der Familie gegenüber zu bewähren?

oder

2) Was ist das göttliche Ebenbild, zu dem der Mensch geschaffen ist? Inwiefern hat er durch die Sünde dasselbe verloren? Warum ist ihm die Erlösungs-Fähigkeit geblieben?

Übersetzung in das Französische.

Dienstag, den 21. Juni, vormittags von 7—10 Uhr.

Die Zeit ist vorüber, sagt Moltke in seiner Geschichte des Krieges von 1870, wo man im Interesse einer Dynastie kleine Heere von Soldaten ins Feld ziehen sah, die keinen anderen Beruf hatten, als das Handwerk der Waffen. Diese Heere nahmen eine Stadt, eroberten ein Gebiet, richteten sich dann in ihren Winterquartieren ein oder man schloß wohl auch noch Frieden.

Heutzutage ruft der Krieg die ganzen Nationen zu den Waffen; kaum daß eine Familie da ist, die nicht eines ihrer Kinder bei der Armee hätte; die finanziellen Hilfsquellen des Staates werden durch den Krieg völlig in Anspruch genommen, und mag auch der Winter auf den Sommer folgen, die Kriegführenden setzen darum nicht minder ihren erbitterten Kampf fort.

Solange die Nationen ein gesondertes Dasein führen, werden sich zwischen ihnen Streitigkeiten erheben, die nur mit den Waffen in der Hand werden geschlichtet werden können. Nur darf man hoffen, daß die Kriege, dafür daß sie schrecklicher geworden sind, immer weniger häufig sein werden.

Das Wesentliche liegt gegenwärtig nicht darin, daß ein Staat die Mittel besitzt, den Krieg zu führen, sondern daß die, welche an seiner Spitze stehen, stark genug sind, denselben zu verhindern. So hat das geeinigte deutsche Reich bisher seine Macht nur dazu angewendet, den europäischen Frieden zu wahren.

Der Krieg von 1870—71 ist daraus hervorgegangen, daß Napoleon auf dem Throne Frankreichs gehalten war, seine Ansprüche durch politische und militärische Erfolge zu rechtfertigen. Die von den französischen Heeren auf weitentlegenen Kriegsschauplätzen errungenen Siege konnten nur eine gewisse Zeit lang die öffentliche Meinung befriedigen; die Erfolge des preußischen Heeres erweckten die Eifersucht der französischen Nation; dieselben erschienen ihr als eine Anmaßung, als eine Herausforderung, und die öffentliche Meinung forderte, daß man sich für Sadowa räche. Ueberdies ließ die liberale Strömung nicht mehr die Alleinherrschaft des Kaisers zu, Napoleon mußte Zugeständnisse machen, im Innern fand sich seine Machtstellung geschwächt, und eines Tages erfuhr die Nation aus dem Munde ihrer Vertreter, daß sie den Krieg mit Deutschland wolle!

Übersetzung in das Englische.

Dienstag, den 21. Juni, nachm. von 3—6 Uhr.

Einer der berühmtesten Namen in der Weltgeschichte, den besonders das laufende Jahr (1892) in jedermanns Gedächtnis ruft, ist der des Christoph Columbus.

Das Jahrhundert, in welchem der große Seefahrer lebte, und das mit unserem 19. Jahrhundert eine gewisse Ähnlichkeit hat, ist das Zeitalter der Entdeckungen und Erfindungen genannt worden. Man kann in der That sagen, daß im 15. Jahrhundert zwei neue Welten entdeckt wurden: eine historische Welt im Osten — das klassische Altertum, dessen Wiederaufleben [1]) durch die Eroberung Konstantinopels durch die Türken veranlaßt wurde —, und eine geographische Welt im Westen, zu der Columbus den Weg wies.

Christoph Columbus wurde im Jahre 1456 (nach andern 1446 oder 1436) höchst wahrscheinlich in Genua geboren. Sein Vater soll adeliger Abkunft gewesen sein, lebte aber selbst in sehr bescheidenen Verhältnissen.

Der Knabe verriet frühzeitig eine unwiderstehliche Neigung für die See, was den Vater veranlaßte, ihm eine für das Seeleben geeignete [2]) Erziehung zu geben. Er schickte ihn, wenn auch nur für kurze Zeit, auf die Universität Pavia, wo er sich besonders die Anfangsgründe [3]) der Geometrie und Astronomie aneignete. Die reichen Kenntnisse, die Columbus in seinem späteren Leben entfaltete, verdankte er hauptsächlich aufmerksamer Beobachtung und fleißigem Selbststudium.

Bald nachdem er die Universität verlassen hatte, ging er auf die [4]) See und bereitete sich so praktisch für die große Aufgabe seines Lebens vor.

Durch Mitteilungen von erfahrenen Seemännern, durch die Beschreibungen der Reisen des Marco Polo und anderer, sowie durch seine Überzeugung von der Kugelgestalt der Erde kam Columbus zu dem Schluss: man müsse [5]), wenn man auf dem atlantischen Ozeane immer nach Westen segeln würde, an den östlichen Küsten von Asien ankommen und noch weiter westlich Indien erreichen. Er beschloß, diese westliche Straße nach Indien selbst zu suchen. Aber woher sollte er die Mittel nehmen? Ohne die Mithilfe irgend eines Staates oder Fürsten konnte sein Plan nicht ausgeführt werden. Welch traurige Erfahrungen mußte

---

[1]) revival [2]) suitable; [3]) rudiments [4]) to; [5]) müsse = würde.

Columbus machen, welche Demütigungen mußte er erdulden, bis endlich die erwartete Hilfe kam! — Königin Isabella von Spanien stellte ihm drei Fahrzeuge zur Verfügung.[1]) Wohl erhoben sich noch manche Schwierigkeiten infolge der abergläubischen Vorurteile der Seeleute, welche die Fahrt mitmachen sollten. Aber die Klugheit und Energie des Columbus überwand auch diese letzten Schwierigkeiten vor der Abfahrt. Am 3. August 1492, an einem Freitag, segelte er aus dem Hafen von Palos nach Westen ab, und am 12. Oktober desselben Jahres landete er auf der Insel Guanahani (San Salvador). Amerika war entdeckt.

Aufgabe aus der Algebra.

Mittwoch, den 22. Juni, vormittags von 7—8 Uhr.

Wie heißen die Wurzeln der Gleichung

$$\left. \begin{array}{l} 8\ x^2, \quad 5\ a, \ -\ b \\ 20\ x^2 + 24,\ 27\ a, \quad b \\ 10\ x\ +\ 8,\ 11\ a, \quad b \end{array} \right\} = 0,$$

in der die Konstanten a und b beliebige von Null verschiedene Zahlen bedeuten?

Aufgabe aus der Geometrie.

Mittwoch, den 22. Juni, vormittags von 8—9 Uhr.

Von einem Dreieck ist die Grundlinie 2 c und der gegenüberliegende Winkel C gegeben. Die Gleichung für den geometrischen Ort der Spitze des Dreiecks ist herzuleiten und sind sodann hieraus die Koordinaten des Mittelpunktes, sowie der Radius des Kreises zu berechnen, welcher durch die gefundene Kurvengleichung bestimmt wird.

Aufgabe aus der Trigonometrie.

Mittwoch, den 22. Juni, vormittags von 9—11 Uhr.

In einen Kreis von gegebenem Radius (r = 27,435 dm) ist ein Dreieck eingeschrieben, dessen Winkel (α = 83° 42′, β = 56° 2′) bekannt sind. Zieht man die Höhen und verlängert sie bis zur Peripherie, so bestimmen die Schnittpunkte ein zweites eingeschriebenes Dreieck, von welchem die Seiten und die Fläche berechnet werden sollen.

Aufgabe aus der darstellenden Geometrie.

Mittwoch, den 22. Juni, nachm. von 3—5 Uhr.

Es sind drei Punkte a b c im Raume durch ihre Projektionen in den beiden Tafeln gegeben. Man soll über dem Dreieck a b c ein Tetraeder s a b c konstruieren, so daß

---

[1]) Jemand etwas zur Verfügung stellen = to put something ta some one's disposal.

1) die Seitenkante aa mit den beiden Grundkanten ab und ac die gegebenen Winkel δ und ε macht, und daſs
2) die Spitze s der Pyramide von der Kante bc einen gegebenen Abstand m hat.

Die Risse des Körpers in den beiden Tafeln sind herzustellen.

Aufgabe aus der Chemie und Mineralogie.
Donnerstag, den 23. Juni, nachm. von 3—5 Uhr.

Welche Elemente werden Alkalimetalle genannt und durch welche Eigenschaften ist diese Gruppe charakterisiert? Wie kommt das Natrium im Mineralreich vor; wie wird es in freiem Zustand dargestellt; welches sind seine wichtigsten Verbindungen und wie werden dieselben gewonnen?

Aufgabe aus der Physik.
Donnerstag, den 23. Juni, nachm. von 5—6 Uhr.

Ein Lichtstrahl fällt senkrecht auf die erste brechende Fläche eines von planparallelen Platten eingeschlossenen Flüssigkeitsprismas. dessen brechender Winkel 45° ist, und erfährt eine Gesamtablenkung von 25 ° 32′.

Wie groſs ist der Brechungsexponent der Flüssigkeit? .

Übersetzung aus dem Lateinischen ins Deutsche.
Donnerstag, den 23. Juni, vorm. 7—10 Uhr.

Cum post mortem Romuli senatus, qui constabat ex optimatibus, quibus ipse rex tantum tribuisset, ut eos patres vellet nominari patriciosque eorum liberos, temptaret, ut ipse gereret sine rege rem publicam, populus id non tulit desiderioque Romuli postea regem flagitare non destitit. Cui cum esse praestantem Numam Pompilium fama ferret, praetermissis suis civibus regem alienigenam patribus auctoribus sibi ipse adscivit eumque ad regnandum, Sabinum hominem, Curibus[1] accivit: qui ut huc venit, quamquam populus eum curiatis comitiis regem esse iusserat, tamen ipse de suo imperio curiatam legem tulit, hominesque Romanos instituto Romuli bellicis studiis ut vidit incensos, existimavit eos paulum ab illa consuetudine esse revocandos. Ac primum agros, quos bello Romulus ceperat. divisit viritim civibus docuitque sine depopulatione atque praeda posse eos colendis agris abundare commodis omnibus, amoremque eis otii et pacis iniecit, quibus facillime iustitia et fides convalescit et quorum patrocinio maxime cultus agrorum perceptioque frugum defenditur. Idemque Pompilius et auspiciis maioribus inventis ad pristinum numerum duo augures addidit et sacris e principum numero pontifices quinque praefecit et animos propositis legibus, quas in monumentis habemus, ardentes consuetudine et cupiditate bellandi religionum caerimoniis mitigavit adiunxitque praeterea flamines, Salios virginesque Vestales omnesque partes religionis statuit sanctissime.

---

[1]) Cures — Stadt der Sabiner.

Sacrorum autem ipsorum diligentiam difficilem, adparatum ¹) perfacilem esse voluit; nam quae perdiscenda quaeque observanda essent multa constituit, sed ea sine impensa: sic religionibus colendis operam addidit, sumptum removit idemque mercatus, ludos omnesque conveniundi causas et celebritates invenit. Quibus rebus institutis ad humanitatem atque mansuetudinem revocavit animos hominum studiis bellandi iam immanes ac feros. Sic ille, cum undequadraginta annos summa in pace concordiaque regnavisset, excessit e vita duabus praeclarissimis ad diuturnitatem rei publicae rebus confirmatis, religione atque clementia.

III. Hauptprüfung aus den philologisch-historischen Fächern 1892.

Übersetzungsaufgabe
aus dem Deutschen in das Lateinische.

Es ist in den letzten Jahren so viel über und gegen die humanistischen Gymnasien geredet und geschrieben worden, daß es eine wahre Wohlthat sein wird, wenn sie aus diesem Licht der Oeffentlichkeit wieder in ein gewisses Dunkel zurücktreten, in jene Abgeschiedenheit von der großen Welt, in der die wissenschaftliche Thätigkeit am besten gedeiht. Denn in der Stille und Zurückgezogenheit muß der Unterricht, muß die Bildung der Geister gepflegt werden, damit diese, ungestört durch äußere Einflüsse, sich ruhig von innen heraus entwickeln und stark genug werden, um alle Gegenstände des Denkens zu durchdringen und sich zu eigen zu machen. Für die Lehrer wird es eine Wohlthat sein, wenn ihre Aufmerksamkeit nicht mehr nach außen gezogen wird, wenn sie sich keiner Angriffe mehr zu erwehren haben, die sie in ihrer Berufsthätigkeit stören und beunruhigen und, wenn sie wie auch in dem, was sie als das Wahre und Richtige erkannt haben, nicht irre zu machen vermögen, doch ein gewisses unbehagliches Gefühl in ihnen erwecken durch den Gedanken, als ob die Art, wie sie ihre Lehrthätigkeit auffassen und ausüben, mit den Anschauungen und Bedürfnissen der Zeit nicht mehr im Einklang stände. Aber auch für die Schüler wird es eine Wohlthat sein, wenn diese Bewegung endlich zur Ruhe kommt, wenn sie die Ueberzeugung haben, daß für das, was sie zu leisten haben, eine sichere Grenze, eine feste Norm gefunden ist, daß die Methode, welche bei ihrem Unterricht befolgt wird, die richtige ist, wenn sie wissen, daß sie nichts zu lernen, sich mit nichts zu beschäftigen haben, als mit dem, was des Lernens vollkommen würdig ist, weil es eine Fülle wahrer Bildungsstoffe in sich schließt.

Ich bin weit entfernt, diese ganze Bewegung als eine unberechtigte zu verurteilen. Die Schule ist von jeher durch jede geistigen Strömung, welche durch die Zeit ging, lebhaft berührt worden. Auch war es, wenn die Befürchtung begründet schien, als ob die gesunde körperliche Entwicklung unserer Jugend durch das Uebermaß der ihr auferlegten geistigen Arbeit beeinträchtigt würde, unleugbar ein Recht der öffentlichen Meinung, auf diesen Schaden hinzuweisen und in erster Linie eine gründliche Untersuchung des Sachverhalts, in zweiter die Abstellung dieses Mißstands zu verlangen, und es war eine Pflicht der die Schulen

---

¹) Ausstattung.

leitenden Behörden dieser öffentlichen Stimme alle Beachtung zu schenken
und sorgfältige Umschau zu halten, ob nicht nach mancher Seite des
Guten zu viel gethan werde. Denn es liegt in der Natur der Sache,
daſs an das Bemühen, in allem das Erreichbare zu erreichen, sich leicht
ein Zuviel anhängt, das sich längere Zeit der Wahrnehmung entzieht,
weil es nur ganz allmählich entsteht und im langsamen Werden und
Wachsen sich aus vielen kleinen Faktoren zusammensetzt. Dieses
Zuviel kann um so leichter entstehen, wenn, wie dies bei dem modernen
Unterrichtswesen der Fall ist, der Unterricht eine so groſse Anzahl
verschiedenartiger Lehrfächer in sich begreift. Da erscheint es denn
auffallend, daſs dem Gymnasium der Vorwurf gemacht wird, es gehe
bei seinem Unterricht zu sehr darauf aus, den Schülern eine möglichst
groſse Stoffmasse zuzuführen, und dann doch für gewisse Zweige, wobei
man ohne Zweifel vornehmlich an die Naturwissenschaften denkt, ein
umfangreicheres Wissen beansprucht wird. Und doch, sollte man
meinen, wäre es gerade hier ausreichend, wenn der Sinn für diese
Zweige erschlossen und die nötigen Grundlagen für das Wissen gelegt
würden, so daſs dann später nach Lust und Bedürfnis auf diesem Grunde
weiter gebaut werden könnte.

Übersetzung in das Griechische.

Man hört unter den Menschen von nichts mehr reden, als von
guten und schlechten Zeiten. Wollte man aber darunter blos vorübergehende Verhältnisse verstehen, welche günstig oder ungünstig auf den
Wohlstand einwirken, so wäre dies weit gefehlt. Alle Welt glaubt ja
ganze Geschichtsperioden in derselben Weise unterscheiden zu können;
es kommt sogar vor, daſs Einzelne darüber klagen, daſs es ihnen nicht
beschieden sei, einer anderen, glücklicheren Generation anzugehören;
kurzum, solche Betrachtungen (konkret) entstehen immer wieder aus
einem gewissen Miſsbehagen und der Unzufriedenheit mit den Zuständen
der Gegenwart, und so lange wir die Menschen, wie sie leiben und
leben, kennen, betrauern sie ein verlorenes (ἐκπεσεῖν) Glück und hoffen
unvermeidlich immer von neuem in einen Zustand versetzt zu werden,
welchen sie als den normalen ansehen und auf den sie ein gewisses Anrecht zu haben glauben.

Vielerlei Mittel sind aber auch ersonnen worden, um diese
Hoffnung zu verwirklichen! Da wurden wichtige Begebenheiten benützt,
um von ihnen eine neue Zeitrechnung (χρονολογεῖν) zu beginnen, als
sollte nun auf einmal das Alte vergessen und zu guter Stunde ein ganz
neuer Anfang gemacht werden. So führten Griechen und Römer neue
Gottesdienste und Opferbräuche ein, weihten Tempel, stifteten Feste
und Festspiele und nahmen Sühnungen ganzer Gemeinden, Städte und
Länder vor, um einen neuen, reinen Anfang zu gewinnen. Andere
wiederum setzten ihr Vertrauen in solche Wendepunkte, welche mit
ewigen Ordnungen der Natur zusammenhängen sollten. Man suchte in
den Sternbildern des Himmels, wie in den Büchern der Sibylle nach
dem Ablauf (ἀποκατάστασις) groſser Weltperioden, als ob dieser eine
Rückkehr der goldenen Zeit, eine Verjüngung (ἀνανίωσις) und Wiedergeburt (παλιγγ...) der Menschheit zur Folge haben sollte. So verkündet
Vergil den Anbruch (πάροδος) eines neuen Säkulums, und Oktavian
feierte es, als die damalige Menschheit kriegsmüde (ἀπειπεῖν) ihm zu
Füſsen sank, mit glänzenden Staatsfesten.

Inzwischen brach in aller Stille der neue Welttag wirklich an, das angenehme (χαρίζεσθαι) Jahr des Herrn; aber die Christen, die es verkündeten, erhielten zur Antwort, daſs die Verheiſsung des Friedens sich nicht erfülle; ärger, als je zuvor, sehe es in der Welt aus; und Orosius, wenn ich nicht irre, schrieb gar seine Weltgeschichte, um den Heiden zu beweisen, daſs in den früheren Zeiten die Menschen keineswegs mit weniger Not und Elend behaftet gewesen seien. So sehnen sich die Menschen ohne Unterlaſs, und ihre Klage tönt, leiser oder vernehmlicher, aus allen Jahrhunderten uns entgegen. Da wir aber gleichwohl nicht umhin können, gute und schlechte Zeiten zu unterscheiden, so denken wir nicht an das Glück des Einzelmenschen, denn dieses dürfte doch zuletzt auf einer, so zu sagen, glücklichen Beschaffenheit des geistigen Lebens (ἦθος) beruhen (ἀναρτᾶσθαι); und wie unter den Wellen (κλύδων) in aller Stille die Meerestiefe ruht, so kann auch, wenn die Zeiten noch so trübe sind, der Mensch unzweifelhaft einen sicheren Frieden festhalten und darum glücklich sein.

Übersetzung aus dem Lateinischen ins Deutsche.
Cicero, Epist. ad An. Fratrem I, 1, 3, 10—14.

Übersetzung aus dem Griechischen ins Deutsche.
Plato, Theaetetus 172 c bis 173 d.

IV. Hauptprüfung aus den neueren Sprachen für das Jahr 1892.

Deutsch-englische Übersetzung.
(Aus Laokoon von G. E. Lessing. Kap. XIII.)

Wenn Homers Werke gänzlich verloren wären, wenn wir von seiner Ilias und Odyssee nichts übrig hätten, als eine Folge von Gemälden, würden wir wohl aus diesen Gemälden, — sie sollen von der Hand des vollkommensten Meisters sein, — ich will nicht sagen, von dem ganzen Dichter, sondern blos von seinem malerischen Talente uns den Begriff bilden können, den wir jetzt von ihm haben?

Man mache einen Versuch mit dem ersten, dem besten Stücke. Es sei das Gemälde der Pest. Was erblicken wir auf der Fläche des Künstlers? Tote Leichname, brennende Scheiterhaufen, Sterbende mit Gestorbenen beschäftigt, den erzürnten Gott auf einer Wolke, seine Pfeile abdrückend. Der gröſste Reichtum dieses Gemäldes ist Armut des Dichters. Denn sollte man den Homer aus diesem Gemälde wieder herstellen: was könnte man ihn sagen lassen? „Hierauf ergrimmte Apollo und schoſs seine Pfeile unter das Heer der Griechen. Viele Griechen starben und ihre Leichname wurden verbrannt." Nun lese man den Homer selbst . . . .

So weit das Leben über das Gemälde ist, so weit ist der Dichter hier über dem Maler. Ergrimmt, mit Bogen und Köcher, steigt Apollo von den Zinnen des Olympus. Ich sehe ihn nicht allein herabsteigen, ich höre ihn. Mit jedem Tritte erklingen die Pfeile um die Schultern des Zornigen. Er geht einher, gleich der Nacht. Nun sitzt er gegen den Schiffen über, und schnellt — fürchterlich erklingt der silberne Bogen — den ersten Pfeil auf die Maultiere und Hunde. Sodann faßt er mit dem giftigeren Pfeile die Menschen selbst; und überall lodern unaufhörlich Holzstöße mit Leichnamen. — Es ist unmöglich, die musikalische Malerei, welche die Worte des Dichters mit hören lassen, in eine andere Sprache überzutragen. Es ist ebenso unmöglich, sie aus dem materiellen Gemälde zu vermuten, ob sie schon nur der allerkleinste Vorzug ist, den das poetische Gemälde vor selbigem hat. Der Hauptvorzug ist dieser, dass uns der Dichter zu dem, was das materielle Gemälde aus ihm zeigt, durch eine ganze Galerie von Gemälden führt.

Aber vielleicht ist die Pest kein vorteilhafter Vorwurf für die Malerei. Hier ist ein anderer, der mehr Reize für das Auge hat. Die ratpflegenden trinkenden Götter. Ein goldener offener Palast, willkürliche Gruppen der schönsten und verehrungswürdigsten Gestalten, den Pokal in der Hand, von Beben, der ewigen Jugend, bedient. Welche Architektur, welche Massen von Licht und Schatton, welche Kontraste, welche Mannigfaltigkeit des Ausdruckes! Wo fange ich an, wo höre ich auf, mein Auge zu weiden? Wenn mich der Maler so bezaubert, wie vielmehr wird es der Dichter thun! Ich schlage ihn auf, und ich finde — mich betrogen. Ich finde vier platte plane Zeilen, die zur Unterschrift eines Gemäldes dienen können, in welchem der Stoff zu einem Gemälde liegt, aber die selbst kein Gemälde sind.

„Aber die Götter um Zeus ratschlageten all' in Versammlung,
„Sitzend auf goldener Flur; sie durchging die treffliche Hebe,
„Nektar umher einschenkend; und Jen' aus goldenen Bechern
„Trinken sich zu einander und schauten nieder auf Troja."
(Joh. H. Voss.)

Das würde ein Apollonius, oder ein noch mittelmäßigerer Dichter nicht schlechter gesagt haben; und Homer bleibt hier ebenso weit unter dem Maler, als der Maler dort unter ihm blieb.

Englisches Diktat.

(Aus „Lectures upon English Literature" v. C. E. Turner. Bd. 1, S. 248.)

Love's Labour's Lost bears every mark of being one of the earliest of Shakspere's dramas. Its rhymed lines, — extending as they do, over half the play, — its frequent allusions to ancient mythology and general Italian tone, as well as its affected conceits of diction, are all characteristics of a style which he only threw off in his later and more matured productions. It would seem that there is no historical foundation for the leading incident of this comedy. No such personage as Ferdinand was ever king of Navarre, nor do we read anywhere of a quarrel between France and that kingdom as to possessions in Aquitaine. The plot was probably invented by the poet himself, and this lends an additional interest to the play, since it lets us into the personal pursuits and history of Shakspere at the time of its composition. For, as Coleridge observes, we may invariably discover in a young author's first work references, more or less distinct, to his recent employments and general bent of thought. The selection of subject may therefore be supposed to have been dictated by the surrounding circumstances of his life, and to express such opinions as would naturally arise from his favourite studies. To one unacquainted with mediæval ideas and fashions the self imposed devotion of the court of Navarre for three years to scholarship and retirement must appear strange and unnatural. But this determination to renounce all intercourse with woman and to found an academy of ascetic contemplation is in strict conformity with the spirit and tendencies of the Elizabethan age, whose courtiers and learned men took pleasure in enrolling themselves as members of societies equally whimsical in their object as the college established by Ferdinand. The religious and political controversies of the day had encouraged an inordinate love for severest logic, not only in the language but also in the conduct of life. The former was corrupted by a sententious word-quibbling, the latter too often degenerated into a pseudo-chivalry. To ridicule these frivolities and to expose the intellectual affectations which converted all speech into a "civil war of wit" is the poet's aim in Love's Labour's Lost. Thus Boyet, whose every word is but a jest, carries on with unflagging energy an incessant war of words with the ladies of his court; whilst Biron exhibits the folly that is "in wisdom hatch'd" as he parries the keen onslaughts of his fair antagonist. And these playful contests, in which each takes up the other's speech, dexterously twisting it into a fresh weapon of attack, are not inaptly compared to the manoeuvres of a sea-fight, in the same way as those actual passes of wit between Jonson and Shakespere, of which Fuller writes were likened to an engagement between a Spanish galleon and an English man of war. But the true dignity of serious life is in the end enforced upon these fantastic characters, affectation is made to yield to natural simplicity, and Death, by its sudden interruption of their idle merriment, brings home to their hearts a sterner lesson than mere humourists may hope to teach.

From "The Seasons": A Poem by James Thomson. (Spring.)

> Be patient swains: these cruel-seeming winds
> Blow not in vain. Far hence they keep repress'd
> Those deepening clouds on clouds surcharged with rain
> That, o'er the vast Atlantic hither borne,
> In endless train, would quench the summer blaze,
> And, cheerless, drown the crude unripen'd ear.
>
> The North-east spends his rage: he now shut up
> Within his iron cave, th'effusive south
> Warms the wide air, and o'er the void of heaven
> Breathes the big clouds with vernal showers distent.
> At first a dusky wreath they seem to rise,
> Scarce staining ether; but by swift degrees,
> In heaps on heaps, the doubling vapour sails
> Along the loaded sky; and mingling deep,
> Sits on th'horizon round a settled gloom:
> Not such as wintry storms on mortals shed,
> Oppressing life; but lovely, gentle, kind,
> And full of hope and every joy;
> The wish of Nature.

Deutsche Ausarbeitung.

Inwiefern ist der Spruch „Der Weise schickt sich in die Zeit" berechtigt, inwiefern nicht?

Thema für den englischen Aufsatz.

Point out, and account for the chief differences between the dramatic literature of Queen Elizabeth's reign and that of the reign of Charles II.

Übersetzung aus dem Lateinischen ins Englische.

Caesar de bell. gall. Lib. IV, 5, 23—26.

Übersetzung aus dem Deutschen ins Französische.

Wenn auch Heinrich IV. Frankreich die größten Dienste durch seine Weisheit und Festigkeit geleistet hat, indem er die religiösen Kriege durch das Edikt von Nantes beendigte, so darf man doch auch nicht den Mann vergessen, der seine Bestrebungen treulich unterstützt hat. Man kann nicht bestreiten, daß der finanzielle Zustand Frankreichs zur Zeit der Thronbesteigung Heinrichs äußerst jammervoll war. „Ich habe fast kein Pferd, auf dem ich kämpfen könnte," schrieb Heinrich im Jahre 1596; „meine Wämser sind an den Ellbogen durchlöchert und mein Fleischtopf ist oft umgestürzt." Die Lage des Landes glich der seines Königs. Ein Zeitgenosse berechnete schon im Jahre 1580, daß 800 000 Menschen durch den Krieg und die Niedermetzelungen umgekommen seien; daß neun Städte dem Erdboden gleichgemacht, 250 Dörfer verbrannt und 128 000 Häuser zerstört worden seien. Und wie viel neue Ruinen gab es seit dieser Zeit, welche der Liga vorausgeht! Die Werkstätten ohne Arbeit, der Handel unterbrochen, der Ackerbau lag darnieder, überall Straßenraub; das war das Elend, aus welchem Heinrich IV. Frankreich herauszuziehen hatte. Es war ein Glück, daß er schon den Mann gefunden hatte, der ihm in diesem Werke helfen sollte, Maximilian von Béthune, den nachmaligen Herzog von Sully. Er war im Schlosse Rosny bei Nantes im Jahre 1560 geboren und war sieben Jahre jünger, als der König.

Er hatte sich ihm frühzeitig angeschlossen, folgte ihm in allen Schlachten, indem er sich so tapfer als irgend einer zeigte. Oft wurde er verwundet, z. B. bei Ivry, wo man ihn fast sterbend davontrug, als ihm der König begegnete und ihn mit beiden Armen als braven Soldaten und ächten Ritter umhalste.

Er war jedoch keineswegs ein Ritter nach Art der Paladine der Romane, denn, wenn er auch die Geschäfte seines Herrn gut besorgte, so vergaß er doch auch seine eigenen nicht; er heiratete eine reiche Erbin, verschmähte nicht den Nutzen des Krieges: Plünderung von Städten oder Lösegeld von Gefangenen; nicht einmal den des Handels: er kaufte wohlfeil Pferde in Deutschland, die er sehr teuer in der Gascogne wieder losschlug, und indem er auf jede ehrliche Weise sein Vermögen vermehrte, brachte er Ordnung in sein Haus. Auch wird man

sich nicht wundern, dafs er vermittelst dieser Eigenschaften in die
öffentlichen Finanzen Ordnung brachte. Aber ein wie guter Haushalter
er auch gewesen sein mag, so fällte er doch, dem Fürsten und dem
Staate ergeben, seine Wälder zu Rosny, um Heinrich, der mit seinen
Geldmitteln zu Ende war, den Erlös zu bringen; und der eifrige Pro-
testant riet gleichwohl dem Könige, den Krieg dadurch zu beendigen,
dafs er katholisch würde. Sully war nicht Colbert und war nicht mehr
Bayard; er hatte indessen einige der Eigenschaften beider. Er starb
am 22. Dezember 1641, einundachtzig Jahre alt.

Diktat und Übersetzung
aus dem Französischen ins Deutsche.

Bossuet se chargea, comme on sait, de l'éducation du Dauphin,
mais ce qu'on ignore en général, c'est que pour se préparer à l'ac-
complissement d'un aussi grand devoir, sa vaste intelligence s'adonna
tout entière à l'étude de l'antiquité.

Poètes, orateurs, philosophes, historiens, tous les beaux génies
qu'avaient vus briller Athènes et Rome, passèrent sous ses yeux; et,
quels que fussent leurs caractères, leur manière, leur style, leurs inégalités
même, il s'en pénétra. Admirateur enthousiaste d'Homère, il l'appelait
divin, et ne prononçait jamais son nom sans y joindre cette épithète
que les siècles ont d'ailleurs consacrée. Il savait par cœur les quinze
mille six cent quatre-vingt vers de l'Iliade et les quelque douze mille
vers de l'Odyssée. Virgile et Horace ne lui étaient pas moins familiers,
Virgile surtout, dont la muse ne s'était pas laissée glisser, comme par-
fois celle d'Horace, dans des sentiers fangeux. Au milieu des splendeurs
de la cour, il se rappelait tout bas les délicieux tableaux que le poète
de Mantoue a faits de l'innocence et du bonheur champêtres, trop
méconnus par ceux-là mêmes qui auraient dû les apprécier. C'est
en suivant des yeux le cours sinueux d'une rivière bordée de saules ou
d'acacias, que Bossuet, un Virgile à la main, quand il se permettait
quelque promenade à travers champs, songeait aux douceurs de l'existence
rurale. Quelques personnes se sont difficilement persuadé que Bossuet
ait repris lui-même ses études de grammaire pour extirper les ronces
sous les pas de son auguste élève; mais, après la mort du grand homme,
l'examen de ses papiers a prouvé aux plus incrédules même que l'orthographie et la syntaxe françaises s'étaient aussi partagé son temps.

Le voyageur.

L'âme la plus heureuse a sa part de souffrance,
Le plus joyeux esprit a son trouble secret,
Le souvenir fléchit sous le poids du regret,
Et la crainte envahit jusques à l'espérance.

Le hasard ennemi, qui nous frappe en silence,
Tranche les nœuds bénis de son dur couperet,
L'aveugle et sourd destin, par un aveugle arrêt,
Livre l'amant fidèle au vautour de l'absence.

Voilà qu'un vent jaloux, soufflant sur mon esquif,
M'entraîne soucieux, solitaire et pensif,
Au gré des flots mouvants, dans un lointain parage.

O vous qui demeures, pensez au voyageur!
Et faites, par pitié, mentir le vieil adage
Qui dit si tristement: Loin des yeux, loin du cœur.

Claudius Popelin.

Deutsche Ausarbeitung.
Worauf gründet sich unser Interesse an der Geschichte?

Französischer Aufsatz.
La vie et les œuvres de Victor Hugo.

Übersetzung aus dem Lateinischen ins Französische.
Curtius Rufus IV, cap. 2.

V. Hauptprüfung aus der Mathematik und Physik für das Jahr 1892.

Reihenlehre, Differential- und Integralrechnung.
Dienstag, den 18. vormittags von 8—10 Uhr.
(2 Stunden Arbeitszeit.)

1) Welches ist die Gleichung der Rotationsflächen um die Z-Axe, für welche das Produkt der beiden Hauptkrümmungsradien an jeder Stelle gleich ist dem Radius des zugehörigen Parallelkreises?

(2 Stunden Arbeitszeit.)

2) Man untersuche den Verlauf der Kurve

$$\varrho = 2\,\frac{\sin^2 w}{\cos w}.$$

Dieselbe besitzt eine Asymptote. Man berechne den Inhalt der zwischen Asymptote und Kurve liegenden Fläche.

Planimetrie.
(1½ Stunden Arbeitszeit.)

Folgende Behauptungen sollen bewiesen werden:

1) Legt man durch 2 Ecken und den Schnittpunkt der Höhen eines Dreiecks Kreise, so sind diese unter sich und dem um das Dreieck beschriebenen Kreise gleich.

2) Der Schnittpunkt der Höhen ist der Mittelpunkt des Kreises, welcher dem durch die Fußpunkte der Höhen bestimmten Dreieck eingeschrieben ist.

Stereometrie.
(1¹/₂ Stunden Arbeitszeit.)

Denkt man sich die Seitenflächen einer geraden regelmässig vier-
seitigen parallel zur Grundfläche abgestumpften Pyramide in die Ebene
der Grundfläche umgelegt, so bilden die Kanten der Deckfläche Seiten
eines regulären Zwölfecks.

Wie gross ist die Oberfläche des Stumpfes, wenn der Radius des
der Grundfläche umgeschriebenen Kreises r = 0,7424 m und der des
dem Zwölfeck umgeschriebenen Kreises 2 r ist?

Physik.
(2 Stunden Arbeitszeit.)

1) Es sind die gebräuchlichen Methoden zur Bestimmung des
elektrischen Widerstandes von starren und flüssigen Körpern anzugeben
und zu beschreiben.

(2 Stunden Arbeitszeit.)

2) Was versteht man unter Grundmafsen, was unter abgeleiteten
Mafsen; welches sind die internationalen Grundeinheiten und welches
die internationalen absoluten Einheiten für folgende Mafse:

Für mechanische: Geschwindigkeit, Beschleunigung, Kraft und
Arbeit;

Für electromagnetische: Elektrizitätsmenge, Stromstärke, Kapazität,
elektromotorische Kraft und elektrischer Widerstand?

(3 Stunden Arbeitszeit.)

3) Es ist die Wirkung einer Loupe, eines astronomischen und
terrestrischen Fernrohres zu erläutern, ferner ist anzugeben, was man
unter Oeffnung der Helligkeit, Vergröfserung und Gesichtsfeld bei diesen
Instrumenten versteht und die Näherungswerte dieser Grössen abzuleiten.

Darstellende Geometrie.
(4 Stunden Arbeitszeit.)

Ein gegebenes schweres homogenes Dreieck A B C soll vermittelst
drei in den Ecken A, B, C befestigten, als gewichtslos betrachteten
Fäden, deren Längen A D, B D, C D resp. gleich den Dreiecksseiten
B C, C A, A B sind, an einen durch seine Projektionen D_1, D_2 gegebenen
Punkt D so aufgehängt werden, dafs die eine Dreiecksseite A B nach
hinten gelegen parallel zum Aufrifs ist. Es ist dieses aufgehängte Dreieck in senkrechter Projektion darzustellen. (Figur war beigegeben.)

Analytische Geometrie.
(1¹/₂ Stunden Arbeitszeit.)

1) Welche Flächen 2. Grades werden durch die Gleichung

$$\lambda \, (x-y)^2 + \lambda^2 \, (x + y)^2 + (\lambda^2 - 1) \, z^2 = (\lambda - 1) \, (\lambda - 2)$$

dargestellt, wenn der Parameter λ die reellen Werte von $-\infty$ bis
$+\infty$ durchläuft?

(1¹/₄ Stunden Arbeitszeit.)

2) Gegeben sind die Geraden

$$1) \ m \, x - y = 0$$
$$2) \ x = a.$$

Man stelle für die Kegelschnitte, welche im Koordinaten-Anfangspunkt die Gerade 1) berühren und welche die Gerade 2) zur Directrix haben, den Ort der zu dieser Directrix gehörigen Brennpunkte auf.

Synthetische Geometrie.
(1 Stunde Arbeitszeit.)

Von einem Hyperboloid ist eine Gerade a der einen Regelschar und zwei Gerade b₁ b₂ der anderen Regelschar gegeben. Wie viele Punkte der Fläche müssen noch außerdem gegeben werden, damit die Fläche bestimmt sei, und wie kann dann die Fläche konstruiert werden?

Ebene Trigonometrie.
(1¹/₄ Stunden Arbeitszeit.)

Wie groß ist der Umfang eines Dreiecks mit den Winkeln α und β, wenn die Fläche des durch die Fußpunkte der Höhen bestimmten Dreiecks F qm beträgt?

(Das Resultat ist zunächst allgemein durch eine für die logarithmische Berechnung brauchbare Formel auszudrücken und dann für α = 46° 49′ 34″, β = 57° 59′ 44″ und γ = 0,01928 (qm) zu berechnen.)

Sphärische Trigonometrie.
1¹/₄ Stunden Arbeitszeit.)

Ein Stern hat eine Deklination von 16° 58′ 53,3″ und eine Rektaszension von 20° 17′ 33″.

Wann geht derselbe für Augsburg, dessen geographische Breite φ = 48° 22′ 33″ ist, an einem Tage auf, an welchem die Rektaszension der Sonne 135° 11′ 33″ ist?

Analytische Mechanik.
(2¹/₂ Stunden Arbeitszeit.)

1) Welches ist die Größe der Anziehung nach dem Newton'schen Gesetz, welche eine gleichmäßig mit Masse (von der Dichtigkeit ρ) belegte Kreisscheibe (vom Radius a) auf einen Punkt P von der Masse m ausübt, der im Abstande h auf der Senkrechten durch den Mittelpunkt der Platte gelegen ist. Wie bewegt sich dieser frei gedachte Punkt unter dem Einfluß dieser Anziehung; insbesondere welches ist seine Geschwindigkeit im Abstande h von der Platte, wenn er im Abstande h₀ die Geschwindigkeit 0 besitzt.

Man führe speziell auch den Fall a $= \infty$, also den einer unendlich grofsen Platte vollständig durch.

(1½ Stunden Arbeitszeit.)

2) Ein Tisch vom Gewicht P steht mit 3 Beinen auf einer Ebene. Der Schwerpunkt desselben projiziere sich in den Schwerpunkt des Dreiecks, das die drei Stützpunkte bilden. Eine Last Q liege in einem bestimmten Punkte auf dem Tisch. Wie stark drückt jeder der drei Stützpunkte gegen die Ebene. Bei welchen Lagen der Last Q tritt ein Umkippen des Tisches ein?

Algebra und Analysis des Endlichen.

(3 Stunden Arbeitszeit.)

Für welche Werte von λ haben die zwei Gleichungen

$$\lambda x^2 + c x + d = 0$$
$$c x^2 + \lambda x + d = 0$$

eine Wurzel gemeinsam und welche sind die gemeinsamen Wurzeln der zwei Gleichungen für die betreffenden Werte von λ?

Deutscher Aufsatz.

(4 Stunden Arbeitszeit.)

Inwiefern kann die Mathematik als Sprache der Natur aufgefasst werden?

VI. Spezialprüfung aus der klassischen Philologie 1892.

Themata:

1. Tirocinium (über Senecas Tragödien).
2. De Aristotelis politicis.
3. De causa, quae agitur in oratione Pseudodemosthenica adversus Euergum et Mnesibulum.
4. Demetrii Phalerei qui fertur libellus περὶ ἑρμηνείας quo tempore compositus sit.
5. De Fluviorum in Hesiodi Theogonia catalogo.
6. Die Bedeutung des Konjunktives im kausalen Relativsatze bei Plautus, Terenz und Cicero.
7. Wert der Schilderung Salvians von den Zuständen Galliens, Spaniens und Afrikas.
8. Plutarch von Chäronea, der Verfasser des Gastmahls der sieben Weisen.
9. Quaestiones Lucianeae.
10. Quaestiones Homericae.
11. Studia Cyprianea.
12. Quaestionum de Melita insula capita duo und: Über Tendenz und Abfassungszeit des sophokleischen Ödipus auf Kolonos.
13. De arbitris Atheniensium publicis quaestio.
14. De emendatione metrica canticorum Plautinorum.

15. Die Stellung der exegetischen Scholien (Cod. Ven. B.) zu der Dicht-
    art der Ilias.
16. De conviciis quae in decem Atticorum insunt orationibus.
17. Glossae Aristaeneteae.
18. De Salviani presbyteri Massiliensis scripturae sacrae versionibus.
19. Ueber griechische Kunstschriftsteller.
20. Observationes in Plutarchum.

VII. Spezialprüfung
aus der Geschichte und deutschen Sprache 1892.

Themata:

1. Andreas Zainer's Buch über den Bürgerkrieg von 1503—1505.
2. Geschichte des deutschen Reiches während des grofsen Interregnums
   1245—1273.
3. Der Lautstand des Bayerischen in den Mundarten an der Ilz.
4. Studien über die Kemptner Kanzlei- und Literatursprache bis 1600.

VIII. Spezialprüfung aus den neueren Sprachen 1892.

Themata:

1. Bausteine zu einer Geschichte der französischen Seneca-Über-
   setzungen des XVI. und XVII. Jahrhunderts.
2. Parallele zwischen „Abels Tod" von S. Gefsner und „La Mort
   d'Abel" par S. B. Legouvé.
3. Die Schäferlyrik der französischen Vorrennaissance.

Druck von Dr. Franz Paul Datterer in Freising.

Lightning Source UK Ltd.
Milton Keynes UK
UKHW022356140219
337362UK00010B/710/P